Le Routard

Nos meilleures CHAMBRES D'HÔTES en France

G000139972

Directeur de collection et auteur
Philippe GLOAGUEN

Cofondateurs
**Philippe GLOAGUEN
et Michel DUVAL**

Rédacteur en chef
Pierre JOSSE

Auteur
Thierry BROUARD

Rédacteurs en chef adjoints
**Amanda KERAVEL
et Benoît LUCCHINI**

Directrice de la coordination
Florence CHARMETANT

Directrice administrative
Bénédicte GLOAGUEN

Direction éditoriale
Catherine JULHE

Rédaction

**Nathalie THOREZ
Josette et Jean-Louis BROUARD
Olivier PAGE
Véronique de CHARDON
Isabelle AL SUBAIHI
Anne-Caroline DUMAS
Carole BORDES
André PONCELET
Marie BURIN des ROZIERS
Géraldine LEMAUF-BEAUVOIS
Anne POINSOT
Mathilde de BOISGROLLIER
Alain PALLIER
Gavin's CLEMENTE-RUÏZ
Fiona DEBRABANDER**

Administration
**Carole BORDES
Solenne DESCHAMPS**

2016

hachette

NORD-
PAS-DE-CALAIS
p. 263

PICARDIE
p. 329

HAUTE-
NORMANDIE
p. 294

BASSE-
NORMANDIE
p. 277

ÎLE-DE-
FRANCE
p. 173

LORRAINE
p. 219

CHAMPAGNE-
ARDENNE
p. 140

ALSACE
p. 17

BRETAGNE
p. 96

PAYS DE
LA LOIRE
p. 307

CENTRE
p. 120

BOURGOGNE
p. 73

FRANCHE-
COMTÉ
p. 159

POITOU-
CHARENTES
p. 344

LIMOUSIN
p. 206

AUVERGNE
p. 46

RHÔNE-
ALPES
p. 393

AQUITAINE
p. 24

MIDI-
PYRÉNÉES
p. 228

PROVENCE-
ALPES-CÔTE
D'AZUR
p. 362

LANGUEDOC-
ROUSSILLON
p. 186

CORSE
p. 155

LES RÉGIONS DE FRANCE

NOUVEAUTÉ

NOS 52 WEEK-ENDS COUPS DE CŒUR
DANS LES VILLES D'EUROPE (paru)

Partir à la découverte des grands canaux à Amsterdam. Se rendre
dans le plus vieux pub de Dublin. Sonder l'âme andalouse de Séville.
Suivre la trace des écrivains russes à Saint-Pétersbourg. Pénétrer
dans le bouillonnant marché du Capo à Palerme. Découvrir le design
finlandais à Helsinki. Tester la scène électro à Vienne ou s'offrir une
folle nuit dans les boîtes branchées de Barcelone… Que vous partiez
en amoureux, entre amis ou bien en famille, vos pieds vont battre
le macadam ! Entre culture, itinéraires secrets, gastronomie, *street
food* et lieux tendance, voici un nouveau livre de photos. Notre best of
des 52 plus belles villes d'Europe. On vous propose aussi bien les
grands classiques que les suggestions les plus branchées, voire les
plus inattendues. Bref, tous les éléments pour choisir votre prochain
week-end *low-cost*. Vous saurez tout sur ces villes mythiques, le
temps d'une escapade.

TABLE DES MATIÈRES

Hors-d'œuvre

Le *Routard*, ce n'est pas comme le bon vin, il vieillit mal. On ne veut pas pousser à la consommation, mais évitez de partir avec une édition ancienne. Les modifications sont souvent importantes.

Avec routard.com, choisissez, organisez, réservez et partagez vos voyages !

✓ Rejoignez la plus grande communauté francophone de voyageurs: plus de **2 millions** de visiteurs!

✓ Échangez avec les routarnautes: forums, photos, avis sur les hôtels...

✓ Retrouvez aussi toutes les informations actualisées pour choisir et préparer vos voyages: plus de 200 fiches pays, une centaine de dossiers pratiques et un magazine en ligne pour découvrir tous les secrets de votre destination.

✓ Enfin, comparez les offres pour organiser et réserver votre voyage au meilleur prix.

Les tarifs mentionnés dans ce guide ne sont qu'indicatifs et en rien contractuels. Il s'agit de prix indiqués et pratiqués par les propriétaires, du 1er janvier au 31 décembre 2016. Les adresses signalées par le logo 10% accordent une réduction de 10 % sur le prix d'un séjour de 2 nuits consécutives minimum (hors repas et juillet/août), sur présentation de ce guide pendant toute l'année 2016.

Spécial copinage

Nous tenons à remercier tout particulièrement les Gîtes de France, notre partenaire, dont bon nombre d'hébergements figurent dans nos pages. ☎ 01-49-70-75-75. Fax : 01-42-81-28-53. • *info@gites-de-france.fr* • *gites-de-france.com* •

Les réductions accordées à nos lecteurs ne sont jamais demandées par nos rédacteurs afin de préserver leur indépendance. Les propriétaires de chambres d'hôtes sont sollicités par une société de mailing, totalement indépendante de la rédaction, qui reste libre de ses choix. Idem pour les autocollants et plaques émaillées.

Le contenu des annonces publicitaires insérées dans ce guide n'engage en rien la responsabilité de l'éditeur ni de l'auteur.

Mille excuses, on ne peut plus répondre individuellement aux centaines de CV reçus chaque année.

Le *Routard* est imprimé sur un papier issu de forêts gérées.

COMMENT BIEN UTILISER CE GUIDE

Nous n'indiquons pas les épis et autres classements, ni ne mettons de photos. Pour ceux qui auraient du mal à comprendre notre choix, sachez que les chambres ont été sélectionnées pour la qualité de l'**accueil**, de l'**habitat**, de l'**environnement** et du **prix**.

Attention à la valeur des différents adjectifs car un accueil peut être chaleureux, convivial, discret, de qualité, authentique, bohème, sans façon, décontracté, vrai, dynamique, courtois, souriant, charmant... De même une chambre peut être élégante, lumineuse, spacieuse, agréable, sereine, coquette, champêtre, printanière, charmante, campagnarde, colorée, romantique, personnalisée... Bien sûr, ce n'est pas la même chose et encore faut-il y être allé...

Outre l'environnement, le type de maison, la personnalité des proprios, l'accueil pratiqué, on a précisé l'accès, la période d'ouverture, la nécessité de réserver à l'avance... Pour les chambres d'hôtes et gîtes d'étape : le nombre de chambres, le détail des sanitaires, le style des petits déjeuners.

On a également signalé les autres possibilités de séjour ou de services qui existent sur place : location de gîte rural, camping, location de VTT, vente de produits fermiers ou de vin, etc.

BIEN CHOISIR SON HÉBERGEMENT

Deux solutions vous sont proposées :

1 - Par l'index thématique (en fin de volume)

– *Piscines* : **index p. 438.**
– *Œnologie* : **index p. 441.** On peut déguster le vin produit sur place.
– *Sports* : **index p. 442.** Pour vos randonnées à pied, à cheval, à dos d'âne ou de dromadaire ; pour la pratique du ski alpin, de fond, sans oublier les raquettes ; mais peut-être êtes-vous plutôt spéléo, escalade, parcours d'arbre en arbre.
– *Insolite* : **index p. 448.** Dans une maison troglodytique, sur une péniche, dans une roulotte, dans une abbaye, dans un château classé...

2 - Par la destination

En partant des cartes régionales au début de chaque région, vous trouverez la **table des matières en p. 3.**

CARTES

Elles sont la clé du guide.
– *22 cartes régionales* : au début de chaque région, vous trouverez une carte sur laquelle sont signalées par une puce noire les communes où nous vous avons déniché de bonnes adresses.
– *1 carte générale* : au début du guide, vous pourrez consulter une carte de France indiquant les départements.
– *1 carte des distances* : au début du guide, vous pourrez consulter une carte de France indiquant le kilométrage entre les principales villes repères.
– *1 carte des régions* : au début du guide.

CLASSEMENT DES ADRESSES

À l'intérieur de chaque région, les communes sont classées par ordre alphabétique. Leur nom est suivi du code postal et de coordonnées renvoyant à la carte régionale, ainsi que de leur position par rapport à 1, 2 ou 3 villes dont la première est une préfecture ou sous-préfecture. (À propos, pouvez-vous citer celles du 49, 54, 70 ?... Heu !...)

INDEX

Placé en fin d'ouvrage, l'index général donne la liste de toutes les localités traitées, classées par nom ou par département. Également un index thématique pour mieux vous aider à choisir votre hébergement. Juste avant, il y a aussi une fiche pour nous faire part de vos opinions et de vos découvertes.

SYMBOLES UTILISÉS

🛏 Hébergement 🍴 Restauration 🐕 Chien admis ♿ Accès aux personnes à mobilité réduite 🛜 Wifi

LE PETIT PLUS DU ROUTARD

🔟% sur présentation du guide 2016 : toutes les adresses signalées par ce pictogramme offrent 10 % de réduction sur un séjour de 2 nuits (avec petits déjeuners) au minimum. La réduction ne s'applique pas aux repas ni durant les mois de juillet-août.

LES PRIX

Pour vous permettre de voir d'un coup d'œil le prix des chambres, nous avons ajouté un logo en début de descriptif qui correspond à une fourchette de prix :
€ : jusqu' à 50 €.
€€ : de 51 à 70 €.
€€€ : de 71 à 90 €.
€€€€ : de 91 à 110 €.
€€€€€ : au-dessus de 110 € (pour les routards fortunés !).

Les prix sont sur la base de deux personnes, petit déjeuner compris.

LA TAXE DE SÉJOUR

C'est une taxe communale qui a tendance à se généraliser en France. Dommage !... C'est encore nos lecteurs qui casquent... Certains propriétaires de chambres d'hôtes l'incluent dans leur prix (merci !), d'autres la rajoutent en fin de séjour et on peut avoir des surprises... car la taxe de séjour est comme les prix, elle est libre... Seule solution ? Se renseigner lors de la réservation.

PETIT LEXIQUE CAMPAGNARD

– *La chambre d'hôtes :* c'est l'accueil chez l'habitant par excellence, c'est le contact, la découverte d'une région vécue de l'intérieur. Des chambres installées chez des particuliers (agriculteurs ou non), à des prix comprenant toujours le petit déjeuner, moment extra pour préparer la journée, profiter des bons tuyaux des patrons et déguster confitures et brioches maison. Et pour décompresser du vacarme des villes, pas d'adresses en bord de nationale, mais plutôt des coins sympas.

– *La table d'hôtes :* il est indispensable de la réserver à l'avance afin que les propriétaires puissent s'organiser. Même si toutes les adresses ne l'appliquent pas (et nous le signalons), la vraie table d'hôtes consiste à partager les repas entre hôtes et propriétaires ; les boissons sont souvent comprises. C'est là que les langues se délient, que les connaissances et les échanges se font. Superbe moment de convivialité, partagé autour d'une grande table. Certaines tables d'hôtes échappent à la règle, et nous le déplorons... mais n'oublions pas que le charme de cette formule tient à sa diversité. À la table d'hôtes, priorité est donnée aux produits frais et aux recettes traditionnelles. Elle est exclusivement réservée à ceux qui dorment sur place.

DES COUTUMES...

Que ce soit pour manger ou pour dormir, n'oubliez pas que vous vous rendez chez des particuliers et non chez des professionnels de l'hôtellerie-restauration. Ceci nous amène à vous prodiguer quelques conseils :
– les capacités d'accueil sont souvent limitées et les adresses ne sont pas toujours ouvertes toute l'année. Alors un mot d'ordre, réservez longtemps à l'avance ! Pour les retardataires invétérés, auxquels certains proprios conseilleraient des adresses de dépannage, sachez qu'elles ne correspondent par forcément aux critères de sélection de ce guide.
– Si vous avez un pépin sur la route ou que vous avez craqué pour une petite halte en chemin, pensez à passer un petit coup de fil, l'accueil n'en sera que meilleur.
– Puisque vous êtes heureux de ne pas manger de surgelé, comprenez qu'il faut à la maîtresse de maison un minimum de temps pour préparer son repas. Donc, si vous voulez dîner le soir de votre arrivée, précisez-le quand vous réservez. À noter d'ailleurs que la majorité des tables d'hôtes ne fonctionnent que le soir, et de plus en plus souvent sur réservation.
– Pensez à avertir les proprios si vous comptez emmener votre éléphant domestique ou débarquer avec vos six charmantes têtes blondes.
– Des arrhes peuvent être demandées en cas de séjour réservé à l'avance (en principe 30 %). Si on ne vous en réclame pas (veinards !) et que vous changez vos plans de vacances, prévenez les proprios de votre annulation. Cela évitera de refuser d'autres lecteurs !
– Les grooms et femmes de chambre sont des espèces rares dans nos adresses. Alors, n'ayez pas peur de porter vos bagages ou de faire votre lit le matin, comme chez la tante de Bretagne.

ENFIN, AVANT DE PARTIR

Nos adresses étant, par un choix volontaire, souvent situées en pleine campagne, avant de partir, munissez-vous d'une bonne carte routière ! Les régionales chez Michelin si vous ne possédez pas de GPS et IGN sont bien, mais l'idéal est la carte départementale IGN (plus chère).

Attention, suite au transfert de gestion de certaines routes de France vers les départements, les noms de routes de nos cartes et les indications données dans le guide peuvent avoir été modifiés.

ANGLETERRE

NORD

Pas-de-Calais (62)

Manche

Somme (80)

Seine-Maritime (76)

Oise (60)

HAUTE-NORMANDIE

Val-d'Oise (95)

Manche (50)

Calvados (14)

Eure (27)

BASSE-NORMANDIE

Yvelines (78)

Essonne (91)

Côtes-d'Armor (22)

Orne (61)

Eure-et-Loir (28)

Finistère (29)

BRETAGNE

Ille-et-Vilaine (35)

Mayenne (53)

Loiret (45)

Morbihan (56)

Sarthe (72)

Loir-et-Cher (41)

PAYS DE LA LOIRE

Maine-et-Loire (49)

Indre-et-Loire (37)

CENTRE

Loire-Atlantique (44)

Indre (36)

Vendée (85)

Deux-Sèvres (79)

Vienne (86)

OCÉAN ATLANTIQUE

Creuse (23)

POITOU-CHARENTES

Haute-Vienne (87)

Charente-Maritime (17)

Charente (16)

LIMOUSIN

Corrèze (19)

Dordogne (24)

Gironde (33)

Lot (46)

AQUITAINE

Lot-et-Garonne (47)

Landes (40)

Tarn-et-Garonne (82)

Tarn (81)

Gers (32)

MIDI-PYRÉNÉES

Haute-Garonne (31)

Aude (11)

Pyrénées-Atlantiques (64)

Hautes-Pyrénées (65)

Ariège (09)

ANDORRE

ESPAGNE

0   100   200 km

CARTE GÉNÉRALE DE LA FRANCE

Légende :
- Autoroute
- Route nationale ou départementale
- 128 Distance kilométrique

Calais 47
113 112
Abbeville 79
Dieppe 51
Amiens
57 97 107 61
Le Havre 83 Rouen 80 Beauvais
Cherbourg 119 120 Caen 122 51 195 119 96
76 St-Lô 120 PARIS
55 98 103 144 Évreux 98
Morlaix Saint- Saint-Malo Avranches 112
Brest 57 88 Brieuc 148 Alençon Chartres 85
72 128 99 69 74 50 116 134
Quimper 112 Rennes Laval 72 115 73
65 144 71 le Mans 138 Orléans
Lorient 54 111 Vannes 119 87 83 57
113 104 58 Blois 80
Angers 101 Tours 111
86 53 Vierzon
Nantes 56 Cholet 129 100 108 60 32
65 54 117 Châteauroux 64
La Roche-sur-Yon 143 87 73 121 98
74 63 Niort Poitiers 122 84 65
La Rochelle 70 74 106 111 119 77 Guéret
36 Saintes 100 Limoges
Royan 71 Angoulême 177
118 116 86 93 95 90 Tulle
Périgueux 74 28 83
121 48 Brive-la- 64
Bordeaux 92 Bergerac Gaillarde 99 91
Arcachon 65 142 90 Figeac
184 123 131 Agen 86 67 114
Mont- 71 Cahors
de-Marsan Montauban 88 65 74 Albi
99 106 76 56 76
Bayonne 81 Auch Toulouse
Hendaye 38 113 74 94 85 92
Pau 43 65 Carcassonne
Tarbes Saint- 87 Foix
Gaudens 135

DISTANCE ENTRE LES VILLES

Partout,
dans le monde avec vous.

10%
**de réduction
sur votre voiture Hertz !**

Pour découvrir les bons plans du Routard avec toute la liberté
et l'autonomie que permettent une voiture, Hertz vous offre
10% de réduction sur votre prochaine location en France et
dans la plupart des pays du monde.

Réservation sur **hertz.fr** ou au **00 33 1 39 38 38 38**
en précisant le code de réduction CDP 967130.

Hertz

Plein d'amis nous ont aidé...

Muriel Buvot, Patricia Carrier, Laurence Delcroix, Nadia Djenad, Élodie Dubourg, Danièle Fachinetti, Hélène Fouque, Jean-Pierre Grimaldi, Michelle Lacassaigne, Corine Lambert, Christine Léguevaques, Anne-Sophie Ligi, Aurélie Netillard, Brigitte et Dominique Petit, Geneviève et Oliver Redon, Djamila Scheers, Céline Vicongne.

Du côté des Routards... nos potes quoi ! Un grand merci à :

Loup-Maëlle Besançon, Thierry Bessou, Philippe Bourget, Fabrice Doumergue, Cédric Fischer, Florent Lamontagne, Fabrice de Lestang, Laurence Pinsard, Claudio Tombari.

Direction: Nathalie Bloch-Pujo
Contrôle de gestion: Jérôme Boulingre et Alexis Bonnefond
Secrétariat: Catherine Maîtrepierre
Direction éditoriale: Catherine Julhe
Édition: Matthieu Devaux, Géraldine Péron, Olga Krokhina, Gia-Quy Tran, Julie Dupré, Victor Beauchef, Jeanne Cochin, Emmanuelle Michon, Flora Sallot, Quentin Tenneson et Sandra Vavdin
Préparation-lecture: Catherine Hidé
Cartographie: Frédéric Clémençon et Aurélie Huot
Fabrication: Nathalie Lautout et Audrey Detournay
Relations presse France: COM'PROD, Fred Papet. ☎ 01-70-69-04-69.
● *info@comprod.fr* ●
Direction marketing: Adrien de Bizemont, Lydie Firmin et Clémence de Boisfleury
Contacts partenariats: André Magniez (EMD). ● *andremagniez@gmail.com* ●
Édition des partenariats: Élise Ernest
Informatique éditoriale: Lionel Barth
Couverture: Clément Gloaguen et Seenk
Maquette intérieure : le-bureau-des-affaires-graphiques.com, Thibault Reumaux et npeg.fr
Relations presse: Martine Levens (Belgique) et Maureen Browne (Suisse)
Régie publicitaire: Florence Brunel-Jars. ● *fbrunel@hachette-livre.fr* ●

Chers lecteurs, nous indiquons par le logo ♿ les établissements qui possèdent un accès ou des chambres pouvant accueillir des personnes handicapées. Certaines adresses sont parfaitement équipées selon les critères les plus modernes. D'autres, plus simples, plus anciennes aussi, sans répondre aux normes les plus récentes, favorisent leur accueil, facilitent l'accès aux chambres. Évidemment, les handicaps étant très divers, des lieux accessibles à certaines personnes ne le seront pas pour d'autres. Appelez auparavant pour savoir si l'équipement de l'hébergement est compatible avec votre niveau de mobilité.
Malgré les combats menés par les nombreuses associations, l'intégration des handicapés à la vie de tous les jours est encore balbutiante en France. Il tient à chacun de nous de faire changer les choses. Une prise de conscience est nécessaire, nous sommes tous concernés.

ALSACE

Alsace

Lorraine

Bas-Rhin (67)

Haut-Rhin (68)

Franche-Comté

AMMERSCHWIHR   68770

Carte régionale A2

8 km NO de Colmar

€€ 🏠 🍴 ⑩% *Chambres d'hôtes (Odile et André Thomann-Desmarest) :* 2, rue des Ponts-en-Pierre. ☎ 03-89-47-32-83. ● andre.thomann@laposte.net ● courfran che.com ● 🕿 Maison alsacienne typique du XVIᵉ s, l'une des rares à n'avoir pas été détruite pendant la dernière guerre. Dans différentes parties de la maison, 2 chambres agréables avec sanitaires privés, dont une familiale (4 personnes) avec clim. 68 € pour 2, petit déj compris (dégressif dès la 2ᵉ nuit). Pas de table d'hôtes, mais une cuisine à disposition et plusieurs restos dans le village. Colmar est tout proche, avec ses maisons de couleurs vives.

Accès : depuis Colmar, empruntez la N 83 puis la D 415 en direction de Nancy (par le col du Bonhomme) jusqu'à Ammerschwihr ; la maison est grosso modo entre la mairie et l'église.

BERSTETT   67370

Carte régionale A1

15 km NO de Strasbourg ; 25 km Obernai

€€ 🏠 *Chambres d'hôtes Au Gîte du Bal Paysan (Doris et Jean-Daniel Freysz) :* 1, rue d'Olwisheim. ☎ 03-88-69-54-33. 🖳 06-86-67-54-39. ● freysz.gites@wanadoo.

fr ● freysz.com ● 🕿 Ici, on vient avant tout pour la chaleur de l'accueil de Doris et pour plonger dans la culture alsacienne. Une chambre familiale composée de 2 chambres est installée dans la maison des propriétaires. 55 € pour 2, petit déj compris et 95 € pour 4. Les Freysz proposent aussi 3 petits gîtes douillets de 2 à 4 personnes loués de 180 à 350 € la semaine selon la capacité et la saison. Étang de pêche privatif à 800 m de la maison si vous désirez taquiner le poisson. Une adresse nature et sans façon.

Accès : A 4 sortie nᵒ 48 puis direction Strasbourg jusqu'à Vendenheim puis D 61 jusqu'à Berstett ; là, direction Olwisheim au croisement à droite.

BLAESHEIM   67113

Carte régionale A1

20 km SO de Strasbourg

€€ 🏠 🍴 ⑩% *Chambres d'hôtes L'Arc-en-Ciel (Anne Schadt) :* 57, rue du Maréchal-Foch. ☎ 03-88-68-93-37. ● alarcenciel@wanadoo.fr ● alarcenciel. net ● 🕿 Fermé 4-31 janv. 🕿 C'est après avoir passé le portail de cette vieille ferme typiquement alsacienne que vous découvrirez tout son charme. D'ailleurs, Anne a dû se battre pour que sa maison ait si fière allure aujourd'hui. 5 chambres tenues de manière irréprochable : une au rez-de-chaussée et 4 au 1ᵉʳ étage, auxquelles on accède en empruntant un long balcon tout de bois vêtu. De petits massifs fleuris et de vieux outils complètent le décor. Chaque

---

Nous vous rappelons que la table d'hôtes est le complément d'une formule d'hébergement (chambre d'hôtes, gîte d'étape...). Ce service n'est offert qu'aux personnes qui dorment sur place (excepté lorsqu'il est clairement écrit « ouvert aux extérieurs »).

chambre est vaste, personnalisée, avec de grands sanitaires privés. Une préférence pour la chambre bleue (ça tombe bien, elle est moins chère). 2 d'entre elles sont immenses (4-6 personnes), avec coin salon et lits en mezzanine. Selon chambre, de 65 à 69 € pour 2, copieux petit déj compris. Pas de table d'hôtes, mais un resto extra en face, *Le Cygne d'Abondance*, qui propose une cuisine alsacienne traditionnelle avec des portions ultra généreuses à prix très doux. Le seul petit problème est la proximité de la route, mais le trafic est quasi nul la nuit. Accueil tout à fait charmant.

Accès : *depuis Strasbourg, A 35 vers Colmar/Saint-Dié/Molsheim et sortie Duppigheim (n° 10) ; la maison est au centre du village.*

CLEEBOURG 67160

Carte régionale A1

55 km N de Strasbourg ;
7 km S de Wissembourg

€€ 🏠 (10 %) **Chambres d'hôtes (Anne et Jean-Paul Klein) :** *56, rue Principale.* ☎ 03-88-94-50-95. 📱 06-21-35-07-91. ● *annejp.klein@laposte.net* ● *chez.com/cleebourg* ● 🛜 Au cœur de Cleebourg, qui fut une enclave suédoise jusqu'en 1787 (le prince Casimir, seigneur local, avait épousé la fille du roi de Suède), maison alsacienne traditionnelle avec fenêtres chargées de fleurs. 4 chambres campagnardes avec sanitaires privés. La plus petite a un accès direct à la salle à manger par un superbe lit clos (si ! si !). De 53 à 55 € pour 2, petit déj compris. Plein de jolis villages à voir à proximité, dont Hunspach, Seebach, et surtout Wissembourg. Accueil chaleureux.

Accès : *au centre du village.*

ERNOLSHEIM-SUR-BRUCHE 67120

Carte régionale A1

14 km O de Strasbourg ;
6 km N de Molsheim

€€ 🏠 **Chambres d'hôtes Catheric (Catherine et Éric Jacquot) :** *9, rue Principale.* 📱 06-82-01-38-86. ● *kteric@estvideo.fr* ● *gites-alsace-catheric.fr* ● 🛜 Ferme à colombages du XIXᵉ s. L'ancienne grange a fait peau neuve et héberge au rez-de-chaussée une grande salle lumineuse avec coin détente et une salle de réunion où l'on passe aussi des films sur

home-vidéo. Au 1ᵉʳ étage, 3 chambres charmantes avec sanitaires privés. Ambiance douillette, jolis meubles peints. 60 € pour 2, petit déj compris. Bon, la rue est assez passante, mais le double vitrage est efficace. Pas de table d'hôtes mais un resto italien dans le village. Si vous restez 3 nuits, une cuisine est à disposition. Catherine est une hôtesse chaleureuse et souriante.

Accès : *au centre du bourg, juste en face de la mairie.*

FALKWILLER 68210

Carte régionale A2

22 km SO de Mulhouse ;
13 km NO d'Altkirch

€€ 🏠 ⦿ (10 %) **Chambres d'hôtes Il était une fois, Une maison en bois (Sophie Bigosinski) :** *24, rue Principale.* 📱 06-62-05-60-57. ● *sbigosin@club-internet.fr* ● *iletaitunefoisunemaison.fr* ● Au cœur du village mais en retrait de la route, maison tout en bois dissimulée derrière des rhododendrons. Ici, on vit au rythme de Sophie, dans son décor chargé de bibelots et de souvenirs de voyage et en compagnie de ses chats. 2 chambres aussi douillettes que chaleureuses : la petite mais cosy « Nuit de Chine » peuplée d'objets venus du pays du Soleil levant, et la spacieuse « Chambre d'antan » avec son coin salon et un accès direct sur la terrasse et le jardin. Comptez respectivement 45 et 65 € pour 2, petit déj compris. Table d'hôtes à 30 €, apéro et vin compris. Cuisine parfumée en fonction des produits du marché. Agréable jardin. Convivialité, calme et sérénité au rendez-vous.

Accès : *A 36 sortie n° 15 puis direction Dannemarie et, au 2ᵉ rond-point, D 26 vers Gildwiller puis Falkwiller.*

HŒRDT 67720

Carte régionale A1

20 km N de Strasbourg

€€ 🏠 **Chambres d'hôtes Le Landhome (Dorothée et René Stoll) :** *23, route de Wantzenau.* ☎ 03-88-51-72-29. 📱 06-08-25-01-51. ● *stoll.rene@wanadoo.fr* ● *perso.wanadoo.fr/landhome* ● *Fermé janv-avr.* 🛜 Au cœur du village, vous reconnaîtrez facilement cette belle maison alsacienne à la façade verte. Dorothée et René aiment la restauration, le beau et l'authentique ; aussi vous ne pourrez que tomber sous le charme de cette demeure.

Cinq chambres élégantes et raffinées, avec sanitaires privés, installées aux 1er et 2e étages. 70 € pour 2, petit déj compris (avec charcuterie, céréales...). Pas de table d'hôtes, mais plusieurs restos à proximité. Ici, on ne peut pas parler de calme car la maison est un peu en bord de route, mais le trafic est restreint la nuit. Un point de chute idéal tout proche de Strasbourg. Accueil de qualité.

Accès : depuis Strasbourg, empruntez l'A 4 en direction de Nancy, puis bifurquez vers Karlsruhe, jusqu'à la sortie Hœrdt ; traversez le village jusqu'au feu tricolore, tournez à droite, la maison est en face de la place.

HUNAWIHR   68150

Carte régionale A2

*15 km NO de Colmar ;
3 km S de Ribeauvillé*

€ 🏠 🐾 **Chambres d'hôtes Le Clos Seiler (Frédérique et Manfred Seiler) :** 3, rue du Nord. ☎ 03-89-73-70-19. ● gites-seiler@wanadoo.fr ● le-clos-seiler.net ● Fermé mars et nov. 🔒 Dans plusieurs petites maisons qui s'entremêlent, indépendantes de la sienne, Frédérique a installé 3 studios agréables, tous avec coin cuisine et sanitaires privés. De 41 à 47 € pour 2, sans petit déj que vous concocterez vous-même. Également 4 gîtes pour 2, 4 ou 6 personnes pour ceux qui veulent séjourner. Accueil convivial.

Accès : sur la route des Vins (D 10) entre Sigolsheim et Ribeauvillé, bifurquez vers Hunawihr et montez dans le village ; à la fourche, prenez à droite, la maison est un peu plus loin à gauche.

HUNSPACH   67250

Carte régionale A1

*50 km N de Strasbourg ;
20 km NE d'Haguenau*

€€ 🏠 🐾 ⑩% **Chambres d'hôtes Maison Ungerer :** 3, rue de Hoffen. ☎ 03-88-80-59-39. 🔒 06-18-95-41-37. Fax : 03-88-80-41-46. ● maison-ungerer@wanadoo.fr ● maison-ungerer.com ● 🔒 Sur résa de préférence. 🔒 Dans un superbe village classé parmi les plus beaux de France (pratiquement toutes les maisons sont à colombages), la commune propose, dans une ancienne ferme joliment restaurée, 5 gîtes pour 2 à 6 personnes, avec 1 ou 2 chambres et coin cuisine, ainsi que 3 chambres d'hôtes avec sanitaires privés et coin

cuisine. Les gîtes sont loués de 260 à 530 € la semaine ou de 155 à 255 € le week-end selon saison et capacité. Pour les chambres d'hôtes, comptez 65 € pour 2, avec le petit déj traditionnel (charcuterie, jus de fruits, fromage et céréales) et 100 € pour 4. C'est Sylvie qui s'occupe de l'accueil et son sourire rendra votre séjour encore plus agréable.

Accès : à proximité de la D 263 entre Wissembourg et Haguenau ; la maison est au centre du bourg.

HUSSEREN-WESSERLING   68470

Carte régionale A2

*30 km NO de Mulhouse ;
12 km NO de Thann*

€€€ 🏠 **Chambres d'hôtes Aux Quatre Couronnes (Yvonne et Dominique Herrgott) :** 4, rue de la Gare. ☎ 03-89-38-79-69. ● aux-4-couronnes.com ● Fermé janv-mars. En plein cœur de la vallée de la Thur, quel plaisir de découvrir cet îlot de calme ! Grande maison de village avec, derrière, un grand jardin bien fleuri. Quatre chambres-studios avec coin cuisine et sanitaires privés. 75 € pour 2, avec le petit déj en formule buffet. Rien que pour vous, Yvonne et Dominique ont installé une piscine couverte et chauffée (fermée de novembre à mars), une cabine sauna à infrarouges et un sauna traditionnel. Vélos à disposition pour vos balades. Accueil agréable.

Accès : par la N 66 (fléchage à partir de Wesserling).

HUTTENHEIM   67230

Carte régionale A1

*35 km S de Strasbourg ;
35 km NE de Colmar*

€€ 🏠 🍽 🐾 **Chambres d'hôtes Le Jardin de l'Ill (Lili et Patrice L'Hôte) :** 8, rue de l'Arbre. ☎ 03-88-74-59-98. 🔒 06-85-57-56-05. ● lejardindelill@wanadoo.fr ● lejardindelill.fr ● 🔒 Superbe maison à colombages du XVIIe s nichée dans un jardin qui ouvre sur la rivière Mulhbach. 4 chambres croquignolettes, l'une au rez-de-chaussée, deux au 1er étage, la dernière sous les combles et climatisée. Toutes avec sanitaires privés, TV écran plat et connexion wifi. La déco est typiquement alsacienne avec de beaux meubles polychromes, une foultitude

ALSACE

de bibelots et de poteries anciennes (la passion de Patrice). Atmosphère douillette et chaleureuse. Selon chambre, de 67 à 78 € pour 2, petit déj compris (charcuterie, confitures et gâteau maison). Table d'hôtes (sauf le dimanche), partagée en famille, à 32 €, apéro, vin et café compris. À vous *baeckeoffe*, coq au riesling, jambonneau au munster, magret de canard au pinot noir, choucroute au poisson, tartes flambées... Croyez-nous, la cuisine de Lili fait des adeptes ! Il faut dire qu'avec Patrice, ils tenaient le resto du village. 2 kayaks sont gracieusement prêtés pour une petite balade sur la rivière, ainsi que 2 vélos. Une bonne adresse.

Accès : *sur la N 83 entre Strasbourg et Sélestat sortie Huttenheim (attention, avec un « h »), entrez dans le village, au rond-point tournez à gauche, c'est la 4e rue à droite après la mairie.*

KAYSERSBERG   68240

Carte régionale A2

9 km NO de Colmar ;
8 km E de Lapoutroie

€€ 🏠 (10 %) **Chambres d'hôtes de la Weiss (Nathalie et Franck Mercier) :** 64A, rue de la Flieh. ☎ 03-89-78-24-74. 📱 06-33-13-51-78. ● fmercier68@yahoo. fr ● leschambresdelaweiss.com ● 🛜 Au pied des Vosges, à deux pas des stations de sports d'hiver, Nathalie et Franck vous accueillent dans cette maison entièrement réalisée en bois, située au cœur de la vallée verte et entourée de vignobles. 4 jolies chambres avec sanitaires privés, ainsi qu'une roulotte au style campagnard installée dans le jardin. De 64 à 75 € pour 2, petit déj compris, et 20 € par personne supplémentaire. Accueil très convivial.

Accès : *de Colmar, prenez la N 83 puis la N 415 vers Nancy (par le col du Bonhomme) jusqu'à Kaysersberg.*

KURTZENHOUSE   67240

Carte régionale A1

21 km N de Strasbourg ;
9 km S de Haguenau

€€€ 🏠 |●| **Chambres d'hôtes La Maison Bleue (Agnès et Bernard Susan) :** 50, rue Principale. ☎ 03-88-72-15-37. 📱 06-99-44-66-39. ● maisonbleue67@ sfr.fr ● maisonbleue67.fr ● Fermé 24, 25 et 26 déc. 🛜 Si certains hommes

ont des vies exceptionnelles, certaines maisons aussi... Boulangerie devenue ferme, elle se transforme en agence bancaire en 1920 ! Mais elle n'a jamais été aussi belle qu'aujourd'hui, avec une façade jaune d'un côté et bleue de l'autre. 3 suites, plus ravissantes les unes que les autres, chacune avec salon (en formule loft pour une, de 35 m²) et sanitaires privés. Murs en torchis dans l'une et partout de magnifiques armoires peintes et de belles gravures sur l'Alsace. Selon chambre, de 84 à 88 € pour 2, petit déj compris. Immense salon installé dans l'ancienne grange et éclairé par une grande baie vitrée. De l'Art déco aux années 1960, l'ambiance est chaleureuse. Table d'hôtes à 29 €, vin compris. Accueil de qualité. Une adresse de charme.

Accès : *A 4 sortie Hœrdt ; traversez Hœrdt puis Weyersheim et Kurtzenhouse.*

LAUTENBACH   68610

Carte régionale A2

35 km SO de Colmar ;
16 km N de Markstein

€ 🏠 🏹 **Chambres d'hôtes (Bruno Peyrelon et Christophe Ringler) :** 44, rue Principale. ☎ 03-89-76-39-21. 📱 06-60-16-45-35. ● info@luxhof. eu ● luxhof.eu ● 🛜 Ancienne maison canoniale (comprenez qui appartenait à l'Église), dont les origines remontent au XVIIe s. 3 chambres agréables au rez-de-chaussée, dont 2 avec coin cuisine. Atmosphère sereine et reposante. Sanitaires privés. De 41 à 49 € pour 2, petit déj compris, servi aux beaux jours dans un jardin ombragé et fleuri. Mais il y a aussi une superbe salle à manger au 1er étage et un joli jardin d'hiver. Pas de table d'hôtes, mais plusieurs restos dans le bourg. Bruno est guide conférencier et il pourra vous donner tous les tuyaux pour profiter de la région ou vous accompagner pour une visite personnalisée. Pour vous détendre, sauna (9 € par chambre) et bain spa pour 4 personnes (9 € par chambre). Au fond du jardin coule une dérivation de la Lauch, d'où le nom Lautenbach qui signifie « ruisseau bruyant ». Une adresse pour faire des randos et s'endormir au son de l'eau vive. Accueil très chaleureux.

Accès : *Lautenbach est à mi-chemin de la route des Vins et de la route des Crêtes, sur la route Romane ; dans le village, la maison est située derrière l'église.*

LINTHAL 68610

Carte régionale A2

40 km SO de Colmar ;
10 km NO de Guebwiller

€ 🏠 |●| 🖱 **Chambres d'hôtes (Claudie Grevet et Yves Boehm) :** *139, rue de Hilsenfirst.* ☎ 03-89-74-05-23. 📱 06-87-36-24-77. ● boehm.yves@wanadoo.fr ● chambres-linthal.com ● 🛜 À 550 m d'altitude, ancienne ferme traditionnelle installée dans le village. 3 chambres de 2 à 4 personnes, avec accès indépendant : 2 au rez-de-chaussée, côté cour, l'autre côté jardin. Déco simple, mobilier en bois naturel, atmosphère agréable. Deux ont un coin kitchenette (idéal pour les séjours). Sanitaires privés avec eau chaude solaire, et connexion wifi. Comptez 50 € pour 2, petit déj compris. Table d'hôtes (les lundi, mercredi et vendredi, sur réservation), partagée en famille, à 23 €, apéro et vin compris. Une cuisine régionale et des soirées tartes flambées (je craque !). Accueil convivial. Une adresse qui fait des adeptes.

> **Accès :** *au monument aux morts de Linthal, prenez direction « Ferme-auberge du Hilsenfirst » ; c'est la 4e maison à gauche, après la chapelle.*

LUPSTEIN 67490

Carte régionale A1

27 km NO de Strasbourg ;
10 km E de Saverne

€€ 🏠 **Chambres d'hôtes (Francine Huber) :** *40, rue Principale.* ☎ 03-88-91-49-96. 📱 06-26-83-59-13. ● francine.huber@sfr.fr ● 🛜 La demeure de Francine, c'est la plus belle et la plus fleurie du village, et on s'y sent bien. Elle date du XVIIIe s. Bien qu'elle ne soit pas originaire de la région, mais de Belgique, Francine est alsacienne de cœur, et tous les gens du coin la connaissent pour son accueil et sa gentillesse. Au 1er étage, avec accès par un escalier assez raide qui mène sur un long balcon en bois couvert, 2 chambres champêtres avec sanitaires privés. Une avec un original mur en tuiles vernies et un plafond en bois, mais l'autre est tout aussi chaleureuse. 60 € pour 2, avec le petit déj, servi dans une salle à manger campagnarde ou sous un petit abri romantique dans le jardin intérieur. Parlons-en, car il est superbe, rempli d'essences en tout genre, mais où les clématites tiennent une place de choix. Une adresse à éviter si vous avez des problèmes de poids ou de déplacement.

Pour les autres, c'est l'adresse rêvée pour découvrir la région. Au fait, les cigognes se sont installées dans le village et vous ne pourrez pas les manquer, surtout lors de la parade nuptiale, quand leurs becs claquent à tout-va.

> **Accès :** *au centre du village.*

MERKWILLER-PÉCHELBRONN 67250

Carte régionale A1

45 km N de Strasbourg ;
15 km SO de Wissembourg

€€ 🏠 ⑩% **Chambre d'hôtes (Anny et Alfred Haushalter) :** *12, rue de l'École.* ☎ 03-88-80-90-87. 📱 06-65-37-94-43. ● a.haushalter@wanadoo.fr ● gitehaushalter.com ● 🛜 Au cœur du village, jolie maison à colombages aux volets verts. Une chambre, sur deux niveaux, sous forme de petit appartement pour 2 à 4 personnes. Sanitaires, coin kitchenette et séjour avec clic-clac au rez-de-chaussée, chambre à l'étage. Atmosphère campagnarde avec murs à pans de bois. 55 € pour 2, petit déj compris, servi à la demande dans la chambre, sous la gloriette du jardin ou chez vos hôtes. Après le sauna (5 € la séance) vous pourrez profiter de l'agréable jardin. Également un petit gîte pour 2 à 4 personnes (location à la semaine ou à la nuitée). Accueil chaleureux.

> **Accès :** *A 4 sortie Haguenau et direction Wissembourg ; sortez à Surbourg et là, prenez à gauche vers Merkwiller ; la rue de l'École passe le long de l'église.*

MURBACH 68530

Carte régionale A2

30 km SO de Colmar ;
5 km NO de Guebwiller

€€€€€ 🏠 |●| **Chambres d'hôtes Le Schaeferhof (Sylvie Bronner-Rothenflug) :** *6, rue de Guebwiller.* ☎ 03-89-74-98-98. 📱 06-87-58-47-45. *Fax :* 03-89-74-98-99. ● maisondhotes@schaeferhof.fr ● schaeferhof.fr ● 🛜 C'est le moment de casser votre nourrain pour venir séjourner dans cette magnifique bergerie du XVIIIe s classée à l'ISMH, et qui ne cesse de s'embellir au fil du temps. Située à 406 m d'altitude, dans un cadre magnifique et un parc immense, cette imposante et belle demeure hébergeait autrefois une fromagerie, la menuiserie, la distillerie et la traditionnelle *stub* (le bistrot alsacien, si tu veux !). Un bel escalier extérieur et couvert dessert 3 chambres élégantes et raffinées. Elles sont sous forme de suite avec coin salon, dont une composée de 2 chambres pour familles ou amis. Partout, de beaux meubles anciens, de douces couettes, et de superbes enduits colorés (un ravissement pour les yeux). TV écran plat, minibar, coffre-fort (!), téléphone, et de luxueux sanitaires privés (entre la douche à jets et la baignoire balnéo, mon cœur balance...). Comptez 220 € pour 2, généreux petit déj compris, et 320 € pour 4. Repas à 48 €, vin non compris (petite carte) pour une cuisine recherchée et généreuse à tendance régionale. Salle de fitness, sauna et spa dans un croquignolet pavillon extérieur. Également un joli petit gîte de 4 personnes pour ceux qui veulent séjourner. Accueil chaleureux et décontracté. Luxe, calme et volupté... une adresse haut de gamme au charme indéniable.

Accès : *de Guebwiller, direction Buhl puis Murbach ; c'est la 3e maison à l'entrée du village à droite.*

OLTINGUE   68480

Carte régionale A2

45 km S de Mulhouse ; 22 km de Bâle

€€ 🏠 ***Chambres d'hôtes Le Moulin de Huttingue (Antoine Thomas) :*** *Huttingue.* ☎ 03-89-40-72-91. 📱 06-07-64-64-20. ● *huttingue@hotmail.com* ● *Fermé janv-fév. Sur résa.* Dans un immense moulin au bord de l'Ill, 2 chambres sympas avec sanitaires privés. Comptez 65 € pour 2, avec le petit déj. Pour ceux qui aiment les grands espaces, un loft avec salon et coin cuisine à partir de 85 € par jour et 350 € la semaine. Accueil agréable.

Accès : *dans Oltingue, prenez la D 21B vers Kiffis.*

ORBEY-PAIRIS   68370

Carte régionale A2

25 km O de Colmar ;
15 km O de Kaysersberg

€€ 🏠 **10 %** ***Chambres d'hôtes La Ferme de Schoultzbach (Sylvie et Christophe Conreau) :*** *284, Pairis.* 📱 06-80-32-41-96. ● *contact@schoultzbach.fr* ● *schoultzbach. fr* ● 📶 Entre forêts et pâturages, à 780 m d'altitude, ferme typique de la région, située à l'intersection de deux petites routes qui mènent aux cols du Calvaire et de Westeim. Dans la maison des propriétaires, bien au calme, 3 chambres sont

installées au 2e étage. Elles sont vastes et coquettes. Déco chaleureuse où le bois est à l'honneur. Les nos 2 et 3 ont la plus belle vue. 65 € pour 2, petit déj compris, avec un grand choix de confitures maison. Il faut dire que les produits maison, Sylvie en connaît un rayon ; elle a une ferme où elle fabrique ses fromages (munster, tomme, fromage frais et *bargkass*), ses yaourts et ses confitures (on en parlait) qu'elle vend dans son magasin. Accueil authentique, chaleureux et vrai. Une adresse nature, dans tous les sens du terme.

Accès : *sortez d'Orbey en direction du lac Blanc sur 3 km et vous ne pouvez pas manquer la ferme avec son petit magasin de produits fermiers signalé par une vache peinte.*

RIXHEIM   68170

Carte régionale A2

5 km E de Mulhouse

€€€€ 🏠 ***Chambres d'hôtes La Grange à Élise (Josiane et Yves Reymann) :*** *66, Grande rue.* ☎ 03-89-54-20-71. ● *contact@grange-elise.com* ● *grange-elise.com* ● 📶 La grange à Élise est un îlot de verdure dans la rue principale de Rixheim. Dans cette maison de caractère, 5 jolies chambres élégantes et classiques avec un goût d'authenticité. Sanitaires privés. 105 € pour 2 avec un petit déj absolument sompteux, avec de nombreux produits « maison » et une jolie vaisselle. On peut le prendre dans le jardin magnifiquement entretenu dès les beaux jours. Josiane est une hôtesse très prévenante. Accueil convivial. *NOUVEAUTÉ.*

Accès : *A 35 sortie n° 33 puis direction Rixheim, la maison est au centre du bourg.*

SEWEN   68290

Carte régionale A2

40 km O de Mulhouse ;
12 km NO de Masevaux

€€ 🏠 ▯◉▯ 🍴 ***Chambres d'hôtes La Villa du Lac (Yvette et Christian Rioual) :*** *2, route du Ballon.* ☎ 03-89-82-98-38. ● *villadulac.sewen@tv-com.net* ● *villa-du-lac-alsace.com* ● *Fermé sem de Noël.* 📶 Située dans le parc des Ballons d'Alsace, au carrefour de la Haute-Saône, des Vosges et du territoire de Belfort, cette originale et grande maison des années 1930 bénéficie d'une vue idyllique sur le lac de Sewen. Elle est classée « Panda » et vous pourrez à loisir contempler les oiseaux qui font halte ici. 5 chambres coquettes et charmantes réparties aux 1er et 2e étages. Sanitaires privés. Préférez celles qui ont vue sur le lac (avec le lit à baldaquin c'est le top). Selon la taille et la vue, comptez entre 62 et 68 € pour 2, petit déj compris. Pour vous détendre, agréable salon. Table d'hôtes à 25 €, boisson comprise. Accueil agréable. Au fait, à combien culmine le Ballon d'Alsace, hein ? À 1 247 m, ignorant !

Accès : sortez de Sewen en direction du Ballon d'Alsace, la maison est 400 m après, en face du lac.

WACKENBACH   67130

Carte régionale A1

50 km SO de Strasbourg ; 3 km O de Schirmeck

€ 🏠 🛏 *Chambre d'hôtes (Anne-Marie et Claude Besnard) :* 16, rue du Rain. ☎ 03-88-97-11-08. 📱 06-11-85-16-34. ● hotes.besn@wanadoo.fr ● 🛜 Située dans la vallée de la Bruche, la maison d'Anne-Marie domine le village, et juste à côté, la forêt vous tend les bras (le GR 5 passe par là). Ici, on aime les randonneurs et les amoureux de la nature. Côté hébergement, 2 chambres au charme désuet, avec sanitaires privés (cabine de douche), à 42 € pour 2, petit déj compris. Pas de table d'hôtes, mais plusieurs restos à proximité. Accueil direct et cordial.

Accès : depuis Schirmeck, prenez la D 392 vers Lunéville/col du Donon ; à l'église du village, tournez à droite et montez jusqu'en haut du bourg.

WEYERSHEIM   67720

Carte régionale A1

20 km N de Strasbourg

€€ 🏠 |○| *Chambres d'hôtes La Tête dans les Étoiles (Lucienne Rudolf) :* 18, rue des Étoiles. ☎ 03-88-68-14-94. 📱 06-62-79-75-88. ● germain.rudolf@wanadoo.fr ● perso.orange.fr/tetedanslesetoiles ● 🦽 🛜 Dans une petite impasse très calme, belle demeure à colombages du XVIIIe s au toit en écailles de poisson dans un agréable jardin fleuri. 5 chambres coquettes avec sanitaires privés : une au rez-de-chaussée, 2 au 1er étage, les 2 autres au second, plus spacieuses. Une préférence pour la chambre « S'Paulinel » à la déco plus romantique. 69 € pour 2, petit déj compris. Table d'hôtes partagée en famille de 22 à 29 €, quart de vin compris. Cuisine traditionnelle et régionale. Pour vous détendre, belle piscine sous un abri couvert. Accueil souriant et convivial.

Accès : A 4 puis A 35 sortie no 49 (Hœrdt) puis D 37 jusqu'à Weyersheim ; allez au centre du village, laissez l'église à votre droite, la rue des Étoiles est un peu plus loin à gauche (fléchage).

ZELLENBERG   68340

Carte régionale A2

13 km N de Colmar ; 2 km E de Riquewihr

€€€ 🏠 🛏 *Chambres d'hôtes Au Nid de Cigogne (Marijo et Alain Berlenbach) :* 10, rue du Schlossberg. ☎ 03-89-49-05-15. ● auniddecigogne@wanadoo.fr ● auniddecigogne.fr ● Fermé janv-mars. 🛜 Ici, on prend le temps de vivre et le village se découvre à pied. La maison de Marijo et d'Alain est la plus vieille de Zellenberg (elle date du XIIIe s), mais c'est aussi une des plus originales adresses de chambres d'hôtes que l'on connaisse. Ici, on oublie la culture alsacienne pour plonger dans le monde du voyage. La maison est peuplée de photos d'Alain (c'est son métier), d'objets, de costumes traditionnels glanés à travers le monde. Un vieil et noble escalier conduit aux 2 chambres spacieuses installées au 2e étage. Déco chaleureuse, murs à pans de bois, lumières tamisées et tissus chamarrés. Sanitaires privés et TV. Selon la chambre, comptez 85 € pour 2, petit déj compris, servi dans la maison en hiver et dans le jardin exotique aux beaux jours, sous le regard bienveillant de Bouddha.

Accès : au cœur du village, à côté de l'église.

Aquitaine

ACCOUS · 64490

Carte régionale A2

25 km S d'Oloron-Sainte-Marie

€€ 🏠 🐾 (10%) ***Chambres d'hôtes L'Arrayade (Isabelle et Jean-François Lesire) :*** ☎ 05-59-34-53-65. 📱 06-70-71-89-45. ● arrayade@sfr.fr ● chambres-dhotes-larrayade.com ● 🛜 Au cœur de ce tout petit village, charmante maison béarnaise. Au 1er étage, 2 belles chambres, dont une familiale composée de 2 chambres ; 2 autres mansardées au second. Elles donnent sur un coquet jardin avec barbecue et sont abritées des regards indiscrets. Sanitaires privés. 55 € pour 2, petit déj compris, et 85 € pour 4. Pas de table d'hôtes, mais coin cuisine à disposition et plusieurs petits restos à proximité. Accueil agréable.

Accès : *depuis Oloron-Sainte-Marie, empruntez la N 134 en direction de l'Espagne (par le col du Somport) ; avant Bedous, au rond-point, prenez la direction d'Accous.*

AILLAS · 33124

Carte régionale B1

60 km SE de Bordeaux ;
13 km S de La Réole

€€ 🏠 🍽 🐾 (10%) ***Chambres d'hôtes Janoutic (Jean-Pierre Doebele) :*** 2, Le Tach. 📱 06-07-57-74-42. ● jpdoebel@club-internet.fr ● chambresdhotesjanoutic.com ● Dans un petit hameau, aux portes des Landes et à la limite du Lot-et-Garonne, jolie maison typique, tout en brique du pays. Très bien restaurée, elle est plongée dans un adorable jardin ombragé et fleuri. 3 chambres d'hôtes dont une au rez-de-chaussée, les 2 autres à l'étage. Déco originale pour la première, plus classique mais tout aussi agréable pour les 2 autres. Spacieux sanitaires privés. Comptez 70 € pour 2, petit déj compris. Possibilité de table d'hôtes sur réservation, à 28 €, vin et café compris. Pittoresque salon où fourmillent de vieux outils pour travailler le bois. Accueil discret et chaleureux d'un passionné d'ornithologie et protecteur des oiseaux (des grenouilles aussi, qui chantent dans le bassin installé par Jean-Pierre). Une adresse nature et charmante.

Accès : *A 62 Bordeaux/Toulouse, sortie n° 4 La Réole puis à gauche D 9 vers Aillas ; passez le château d'eau et prenez, à gauche, la D 124 vers Sigalens sur 1,3 km puis le chemin de terre à gauche.*

ARROSÈS · 64350

Carte régionale B2

45 km NE de Pau ; 15 km N de Lembeye

€€€ 🏠 (10%) ***Chambres d'hôtes Château Sauvemea (José Labat) :*** ☎ et fax : 05-59-68-16-01. 📱 06-81-34-65-59. ● jose.labat@free.fr ● sauvemea.labat.free.fr ● *Ouv de mars à mi-nov.* 🛜 L'entente familiale, vous connaissez ? Eh bien, vous la trouverez dans cette demeure du XVIIIe s où José et Hélène, sa maman,

---

Nous vous rappelons que la table d'hôtes est le complément d'une formule d'héberge-ment (chambre d'hôtes, gîte d'étape...). Ce service n'est offert qu'aux personnes qui dorment sur place (excepté lorsqu'il est clairement écrit « ouvert aux extérieurs »).

vivent en parfaite harmonie. José s'occupe des 5 chambres et Hélène de la table d'hôtes. Les chambres sont spacieuses et confortables, meublées simplement, mais avec goût (la « Printanière », au rez-de-chaussée, est la plus jolie). 75 € pour 2, petit déj compris, servi dans l'ancienne étable, avec poutres, pierres apparentes et superbe cheminée, ou bien dans deux salles plus petites à l'intérieur de la maison d'habitation. José est fier de parler de cette propriété familiale dont le premier ancêtre fut Jean de Moret, écuyer de Jeanne d'Albret, la mère d'Henri IV. Côté distractions, piscine avec tonnelle ombragée, étang de pêche et promenades à cheval pour les cavaliers confirmés. Ne manquez pas, autour du 15 août, la fête du Vin de Madiran qui dure 4 jours.

Accès : à 3 km de Madiran et de la cave coopérative de Crouseilles par la D 139.

ASCAIN   64310

Carte régionale A2

*20 km S de Biarritz ;
6 km E de Saint-Jean-de-Luz*

€€ 🏠 **Chambres d'hôtes Haranederrea (Famille Gracy) :** ☎ et fax : 05-59-54-00-23. • jean-louis.gracy@wanadoo.fr • 🌐 Grosse et authentique ferme basque abritant 4 chambres bien équipées, avec sanitaires privés, à 65 € pour 2, copieux petit déj inclus. En plus du charme de la vieille pierre, des commodités de parking, d'un jardin très agréable ou du fronton privé, vous aurez droit à un accueil très chaleureux, familial, jusqu'à la petite-fille accordéoniste passionnée d'airs de fandango. Une bonne adresse.

Accès : à la sortie du village, en direction de Sare-la-Rhune, prenez à droite la route de Carrière ; à env 600 m, tournez à gauche vers la ferme (le fronton sert de repère).

BALANSUN   64300

Carte régionale A2

30 km NO de Pau ; 5 km E d'Orthez

€€€€€ 🏠 **Le Paradis Perdu (Jean-Luc et Valérie Daugarou) :** 544, allée de Barran. ☎ 05-59-67-80-61. • jldbarran@aol.com • paradis-perdu.com • ♿ Voilà un joli nom bien porté... sauf que, depuis, il n'est plus perdu puisqu'on l'a trouvé... et même adopté ! Dans un parc de 20 ha, Jean-Luc a eu l'idée originale d'installer, autour d'un lac, 9 superbes chalets en rondins de bois des pays Baltes complètement dissimulés

dans les pins ! Très bien équipés, ils ont tous une croquignolette cheminée centrale et un barbecue à l'extérieur. Le vrai retour à la nature, avec daims, chèvres naines, paons et canards en liberté ! Le lac permet de nombreux loisirs : un coin bronzette, une partie de pêche (sans permis) ou une balade ; mais vous pourrez aussi pratiquer tennis, VTT, minigolf, et vous trouverez une aire de jeux pour vos bambins (fini le stress !). Comptez de 275 à 590 € la semaine, suivant la saison. Pour trouver Jean-Luc, c'est facile, suivez le fléchage de son chalet « Réception ». Accueil chaleureux. On sent que les routards vont se disputer les places... au paradis !

Accès : 2 km après la sortie d'Orthez en direction de Pau (D 817), tournez à gauche vers le quartier Noarrieu, puis fléchage « Chalets ».

BELIN-BÉLIET   33830

Carte régionale A1

45 km S de Bordeaux

€€€ 🏠 🍴 **Chambres d'hôtes (Françoise et Philippe Clément) :** 1, rue du Stade. ☎ et fax : 05-56-88-13-17. 📱 06-63-42-13-17. • maison.clem@wanadoo.fr • maison-clem.com • 🌐 Au cœur du village, grande demeure bourgeoise avec un superbe parc aux essences centenaires. Un grand couloir dessert 5 chambres (dont une suite avec coin salon), spacieuses et décorées avec goût. Comptez 80 € pour 2, petit déj compris. Gentil salon avec piano et TV. Plein d'infos sur les sites, les activités sportives et bien sûr les vignobles (Françoise et Philippe vous conseilleront sur les visites de caves et les dégustations). Accueil chaleureux.

Accès : Belin-Béliet est la réunion de deux villages ; la maison se situe face à l'église de Béliet, celui par lequel on entre en venant du nord.

BÉLUS   40300

Carte régionale A2

15 km S de Dax ; 5 km N de Peyrehorade

€€ 🏠 🍴 **Chambres d'hôtes Maison Bel Air (Françoise et Alain Parant) :** 1455, route de Cagnotte. ☎ 05-58-73-24-17. 📱 06-15-41-63-84. • marie-francoise.parant@orange.fr • maison-belair.com • 🌐 Oh ! qu'elle a un bel air (facile !) cette maison landaise typique du pays d'Orthe, avec ses 640 m² de toiture ! L'entrée se fait par le « séou », pièce communicante et centrale entre l'habitation

AQUITAINE

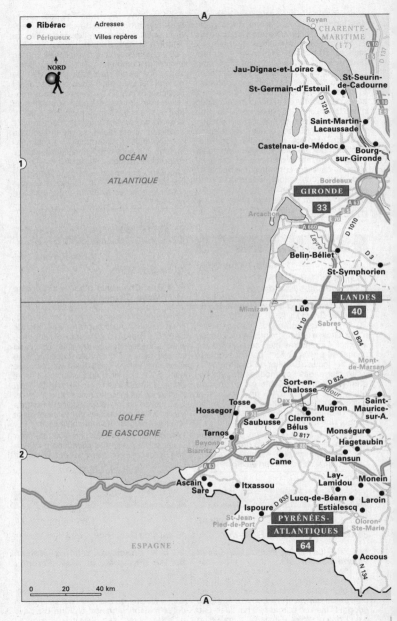

Ribérac — Adresses
Périgueux — Villes repères

NORD

OCÉAN ATLANTIQUE

GOLFE DE GASCOGNE

ESPAGNE

Royan
CHARENTE-MARITIME (17)

Jau-Dignac-et-Loirac
St-Seurin-de-Cadourne
St-Germain-d'Esteuil
Saint-Martin-Lacaussade
Castelnau-de-Médoc
Bourg-sur-Gironde

Bordeaux

GIRONDE
33

Arcachon

Belin-Béliet
St-Symphorien

LANDES
40

Mimizan
Lüe
Sabres

Mont-de-Marsan

Sort-en-Chalosse
Tosse
Hossegor
Saubusse
Tarnos
Clermont
Bélus
Mugron
Saint-Maurice-sur-A.
Monségur
Hagetaubin
Bayonne
Biarritz
Came
Balansun

Ascain
Sare
Itxassou
Lay-Lamidou
Monein
Lucq-de-Béarn
Laroin
Estialescq
Ispoure
St-Jean-Pied-de-Port
Oloron-Ste-Marie

PYRÉNÉES-ATLANTIQUES
64

Accous

0   20   40 km

B

HAUTE-
VIENNE
(87)

CHARENTE
(16)

St-Sulpice-
de-Mareuil

Champagne-
et-Fontaine

CORRÈZE
19

Lisle

Ribérac

St-Martin-de-Ribérac

St-Mariens

Cubnezais

St-Gervais

Villefranche-
de-Lonchat

Villegouge

Coutras

St-Aignan

St-Rémy-sur-Lidoire

St-Michel-de-Fronsac

DORDOGNE

24

Brive-la-
Gaillarde

St-André-
d'Allas

Sarlat-la-Canéda

Castillon-
la-Bat.

Pujols

Faux

Créon-Sadirac

Montferrand-du-Périgord

Villenave-de-Rions

Lalandusse

Cadillac

1

Tourliac

St-Sève

2 Bourgougnague

Doudrac

Ste-Croix-
du-Mont

LOT-ET-GARONNE

LOT
(46)

Figeac

Aillas

la Sauvetat-sur-Lède

Gajac-
de-Bazas

Clairac

Villeneuve-sur-Lot

Cahors

Captieux

la Croix-Blanche

47

Agen

TARN-ET-
GARONNE
(82)

Créon-
d'Armagnac

Montauban

St-Gein

Gaillac

TARN
(81)

GERS
(32)

Auch

Toulouse

Arrosès

Lasclaveries

HAUTE-
ET-GARONNE
(31)

Pontiacq

Pau

Tarbes

AUDE
(11)

Lourdes

St-Gaudens

Foix

HAUTES-PYRÉNÉES
(65)

ARIÈGE
(09)

1 St-Pierre-sur-Dropt
2 Moustier

B

AQUITAINE

et le hangar où l'on garait les charrettes. C'est un véritable musée avec des tas d'objets glanés par Françoise. 5 chambres spacieuses et charmantes avec sanitaires privés confortables : une au rez-de-chaussée, 4 à l'étage, dont une suite familiale composée de 2 chambres. Partout, pierres apparentes, vieilles poutres, beaux meubles anciens, et pour la dénommée « Cathédrale », une charpente unique et une chouette vue sur les prés et les bois. 62 € pour 2, petit déj compris, et 24 € par personne supplémentaire. Table d'hôtes (sauf le dimanche soir) à 24 € pour une cuisine basée sur les fruits et les légumes du jardin et des surprises maison. Accueil convivial.

Accès : de Dax, D 6 jusqu'à Saint-Lon-les-Mines, puis Peyrehorade ; au carrefour du resto Le Moulin à Vent, direction Bélus que vous traversez en direction de Cagnotte sur 1,6 km.

BOURG-SUR-GIRONDE 33710

Carte régionale A1

35 km N de Bordeaux ;
15 km SE de Blaye

€€ 🏠 🍴 **Chambres d'hôtes (Annick Poissonneau) :** 5, av. François-Daleau. ☎ 05-57-68-39-73. 📱 06-62-92-50-19. ● annick.poissonneau0237@orange.fr ● 🛜 Petit château du XIXe s avec une jolie tourelle d'où l'on a une vue imprenable sur Bourg et la Dordogne. Bien que situées dans le village, les 4 chambres (dont une suite familiale) de cette belle demeure sont au calme. Atmosphère élégante et distinguée avec beaux meubles anciens et nombreux tableaux. Sanitaires privés. 60 € pour 2, petit déj compris, et 20 € par personne supplémentaire. Agréable jardin fleuri. Accueil vraiment adorable. Très bon rapport qualité-prix-convivialité.

Accès : A 10 sortie n° 40a et direction Saint-André-de-Cubzac puis D 669 vers Blaye jusqu'à Bourg-sur-Gironde ; la maison est dans le village, face au Crédit Agricole.

€€€€ 🏠 10% **Chambres d'hôtes Le Château de la Grave (Valérie et Philippe Bassereau) :** ☎ 05-57-68-41-49. ● reservation@chateaudelagrave.com ● chateaudelagrave.com ● Fermé nov-mars et 15-31 août. 🛜 C'est presque le château d'un conte de fées que celui de Philippe et Valérie, flanqué de tourelles en pierre blanche au milieu de 44 ha de vignes et appartenant à la famille depuis 1904. Vous y trouverez 3 belles chambres spacieuses, meublées en ancien et équipées de sanitaires privés (dont une avec lit à baldaquin, baignoire et douche). Selon la chambre, de 85 à 120 € pour 2, petit déj compris. Agréable salon de détente avec un billard français, et bien sûr, une piscine. La propriété produit un vin de qualité (AOC blanc, rosé, rouge ou champagnisé), vendu sur place. Pendant que vous ferez le tour des chais en compagnie de Philippe, vos chères têtes blondes pourront rendre visite aux chevaux qui paissent en toute tranquillité dans le parc. Excellent accueil.

Accès : A 10, sortie Saint-André-de-Cubzac ; prenez en direction de Bourg par la D 669 ; à la sortie du village, direction Berson, puis 2e à droite et fléchage.

€ 🏠 **Chambres d'hôtes Le Petit Brésil (Dany et Gérard Guérin) :** 26, le Pain-de-Sucre. ☎ et fax : 05-57-68-23-42. 📱 06-70-34-24-45. ● guerin.gite@free.fr ● guerin.gite.free.fr ● 🛜 Quand on arrive, ce qui frappe le plus c'est l'incroyable panorama qui s'étend devant soi, avec la Dordogne majestueuse qui s'en va rejoindre la Garonne pour former la Gironde (voilà pour le cours de géo). Côté terre ferme, c'est le vignoble des côtes-de-bourg et la belle maison en pierre de Dany et Gérard. 5 chambres simples et coquettes avec sanitaires privés : une au rez-de-chaussée, les autres à l'étage. De 40 à 50 € pour 2, petit déj compris. Également un gîte pour 6 personnes. Si vous aimez le bordeaux, Gérard est un fin connaisseur. Accueil sympathique et familial.

Accès : A 10 sortie n° 40A, direction Saint-André-de-Cubzac, puis D 669 vers Blaye jusqu'à Bourg ; à la sortie du village prenez la 1re à gauche vers le Pain-de-Sucre (route de la corniche).

BOURGOUGNAGUE 47410

Carte régionale B1

28 km NE de Marmande ;
5 km E de Miramont

€€€ 🏠 🍴 **Chambres d'hôtes La Vieille École (Rens et Fred Olthoff) :** Le Rigaude. ☎ 05-53-64-60-35. 📱 06-31-92-25-19. ● lavieilleecole@gmail.com ● lavieilleecole.eu ● 🛜 Amoureux de la région, ce couple de Hollandais a restauré cette ancienne école de filles et installé 4 chambres confortables avec sanitaires privés. Déco très moderne. Selon la chambre, de 75 à 85 € pour 2, petit déj compris. Amusante salle à manger installée dans l'ancien préau. Table d'hôtes à 25 €, quart de vin compris. Ils ont aussi installé 6 tentes dites « du Moyen Âge », qu'ils louent meublées avec de vrais lits ! Piscine pour se détendre aux beaux jours.

Accès : de Miramont D1 vers Lauzun ; la maison est à gauche à la sortie de Bourgougnague.

CADILLAC 33410

Carte régionale B1

30 km SE de Bordeaux ; 16 km NO de Langon

€€ 🏠 *Chambres d'hôtes Château de Broustaret (M. Guillot de Suduiraut) :* Rions. ☎ 05-56-76-93-15. • broustaret@broustaret.net • broustaret.net • Ouv Pâques-Toussaint. 📶 Sur les coteaux de la rive droite de la Garonne, château du début du XXe s, doté d'une exploitation de 40 ha, dont 4 ha de vignes. 5 chambres avec sanitaires privés. Suivant la taille des chambres, de 60 à 70 € pour 2, petit déj compris. Pas de table d'hôtes, mais une cuisine à disposition et plusieurs restos à Cadillac. Agréable parc. Les amateurs de vin visiteront le chai et pourront déguster les nectars de la propriété.

Accès : autoroute Bordeaux/Toulouse, sortie Podensac ; à Beguey, prenez la D 13 sur 3,5 km, direction Le Broussey (D 120) ; laissez le monastère sur votre droite et faites encore 1 km.

CAME 64520

Carte régionale A2

35 km E de Biarritz

€€ 🏠 |●| *Chambres d'hôtes Ferme Hayet (Évelyne Saubot) :* ☎ et fax : 05-59-56-04-52. 📱 07-86-26-53-17. • jean-claude-saubot@orange.fr • fermehayet.free.fr • Ouv d'avr à mi-oct. Grande maison béarnaise avec 4 chambres, charmantes à souhait, avec sanitaires luxueux. 50 € pour 2, petit déj compris. Des prix doux et un accueil extrêmement chaleureux.

Accès : A 64, sortie Peyrehorade/Bidache ; prenez la D 936, passez Came en direction d'Oloron et prenez à droite vers Arancou.

€€ 🏠 *Chambres d'hôtes Lamothe (Bernard Darracq) :* ☎ 05-59-56-02-73. 📱 06-81-72-99-29. • bdarracq@wanadoo.fr • Ouv l'été slt. À la limite du Pays basque, des Landes et du Béarn,

grande ferme appartenant à la famille Darracq depuis trois siècles. Jardin joliment fleuri. Deux chambres avec sanitaires privés, à 53 € pour 2, petit déj compris. Bon accueil. Une agréable adresse au calme.

Accès : A 64, sortie Bidache/Peyrehorade, puis D 936.

CAPTIEUX 33840

Carte régionale B1

46 km SO de Marmande ; 15 km S de Bazas

€€ 🏠 ⑩% *Chambres d'hôtes Domaine de Londeix (Sophie et Rémi de Montbron) :* Londeix. ☎ 05-56-65-68-83. 📱 06-82-94-82-38. • s.demontbron@wanadoo.fr • londeix.com • Fermé aux vac de Noël. 📶 Éleveurs-cultivateurs bio, les dynamiques propriétaires ont un formidable sens de l'accueil... 2 chambres mansardées, spacieuses et de bon goût, aménagées dans le grenier d'une ancienne ferme de caractère. 70 € pour 2, petit déj compris. Jacuzzi et sauna pour un week-end sur le thème du bien-être, sans oublier la piscine ! Environnement calme et verdoyant, au milieu des champs. Également un gîte de 6 personnes loué de 400 à 1 100 € la semaine selon saison. Une adresse comme on les aime.

Accès : de Bazas, N 524 vers Mont-de-Marsan et fléchage sur la droite.

CASTELNAU-DE-MÉDOC 33480

Carte régionale A1

28 km NO de Bordeaux ; 25 km S de Pauillac

€€ 🏠 🐴 ⑩% *Chambres d'hôtes Domaine de Carrat (Laurence Pery) :* 39, route de Sainte-Hélène. ☎ et fax : 05-56-58-24-80. • laujean534@orange.fr • Fermé pdt les vac de Noël. 📶 Au milieu d'un parc boisé, à la limite des vignes du Médoc, d'anciennes écuries du siècle dernier transformées en maison d'habitation. 4 chambres confortables, bien arrangées, avec meubles de famille et belle vue sur la forêt. Deux d'entre elles peuvent être utilisées en suite. 75 € pour 2, petit déj compris. Cuisine avec cheminée en pierre à disposition des hôtes. Tranquillité garantie et agréables promenades dans la forêt de la propriété, traversée par une petite rivière.

Accès : *sortez du village par la D 1215, en direction de Sainte-Hélène ; à la hauteur du panneau de sortie de la ville, prenez sur la droite le chemin marqué de 2 grosses bornes en pierre.*

CASTILLON-LA-BATAILLE 33350

Carte régionale B1

40 km O de Bergerac ;
10 km SE de Saint-Émilion

€€ ⌂ (10 %) ***Chambres d'hôtes Robin (Pierrette Mintet-Escalier) :*** *Robin.* ☎ et fax : 05-57-40-20-55. ● contact@hauts-de-castillon.fr ● hauts-de-castillon.fr ● ♨ ☎ Tout près de Saint-Émilion, propriété viticole d'appellation côtes-de-castillon, dotée d'une belle vue sur la vallée de la Dordogne. Belle maison ancienne, avec 3 chambres coquettes : une au rez-de-chaussée, les 2 autres à l'étage. Sanitaires privés et clim. 58 € pour 2, petit déj compris. Cuisine d'été à disposition. Pour vous détendre, une superbe piscine couverte (je craque !). Prêt de vélos. Enfin, dégustation et vente du vin de la propriété. Accueil charmant. Fin juillet-début août, ne ratez pas la reconstitution historique du spectacle *La Bataille de Castillon,* épisode de la guerre de Cent Ans.

Accès : *depuis le village, prenez la D 119 en direction de Belvès-de-Castillon sur 2,5 km.*

CHAMPAGNE-ET-FONTAINE 24320

Carte régionale B1

45 km NO de Périgueux ;
12 km N de Verteillac

€€€ ⌂ |●| (10 %) ***Chambres d'hôtes Domaine de Puytirel (Reine Soumagnac) :*** ☎ 05-53-90-90-88. ▯ 06-78-88-92-41. ● reine@puytirel.com ● puytirel.net ● ♨ ☎ Dans un joli coin de campagne, ancienne propriété viticole du XIXᵉ s. C'est aussi une maison de famille et chaque objet raconte une histoire. Grande entrée avec belles tomettes et un vieil escalier de bois qui conduit aux 4 chambres ; la dernière est au rez-de-chaussée. Déco agréable, sanitaires privés. Selon saison, de 68 à 75 € pour 2, petit déj compris. 3 chaleureuses pièces, l'une avec un joli piano, une autre avec cheminée, canapés et jeux

de société, et une salle à manger campagnarde. Table d'hôtes à 28 €, apéro et bergerac compris. Une cuisine parfumée faisant la part belle aux légumes et aux fruits du jardin et aux produits du terroir. Très beau parc aux nombreuses essences centenaires et une agréable piscine chauffée (veinards !) avec cuisine d'été, pour ceux qui veulent se préparer leur casse-croûte. VTT à disposition, ping-pong, terrain de badminton. Ambiance sereine et calme. Atmosphère décontractée, un rien bohème. Accueil vraiment sympa.

Accès : *depuis Champagne-et-Fontaine, prenez la D 101 vers Verteillac ; en haut de la côte, tournez à gauche au panneau « Domaine de Puytirel ».*

CLAIRAC 47320

Carte régionale B1

25 km SE de Marmande ;
25 km O de Villeneuve-sur-Lot

€ ⌂ |●| ***Chambres d'hôtes Le Caussinat (Gisèle et Aimé Massias) :*** ☎ 05-53-84-22-11. ▯ 06-16-28-08-86. ● chambreshoteslecaussinat@orange.fr ● Ouv de mi-avr à fin sept. Ici, on mélange la vie de château et de la ferme, et si vous venez faire une halte dans cette belle maison familiale du XVIIᵉ s avec piscine, il n'en reste pas moins que c'est une ferme. 5 chambres vastes, meublées à l'ancienne ; 3 d'entre elles disposent de sanitaires privés et 2 se partagent une salle de bains et des w-c. De 48 à 58 € pour 2, avec le petit déj. Table d'hôtes à 20 € pour goûter à une bonne cuisine familiale préparée avec les produits de la ferme.

Accès : *depuis le village, en venant de Tonneins, prenez la direction de Granges-sur-Lot, c'est à 2 km.*

CLERMONT 40180

Carte régionale A2

13 km SE de Dax

€€ ⌂ |●| (10 %) ***Chambres d'hôtes La Camiade (Marie Hébrard-Fayet) :*** *1152, route de Pomarez.* ☎ 05-58-89-80-17. ▯ 06-77-66-44-40. ● m.fayet@wanadoo.fr ● camiade.fr ● ♨ ☎ Marie accueille les hôtes avec beaucoup de gentillesse dans son ancienne ferme datant de la Révolution et agrandie au XIXᵉ s (la façade a été rajoutée !). Certes, la propriété borde la route principale mais les chambres sont tournées vers l'arrière, au calme, au point qu'on en oublie l'agitation extérieure. Et puis, la demeure a vraiment du charme avec son bel escalier en bois. 4 chambres, dont une suite familiale de 2 chambres, toutes différentes et avec du cachet, surtout celle du rez-de-chaussée, de plain-pied avec le jardin. Sanitaires privés. 56 € pour 2, petit déj compris, et 20 € par personne supplémentaire. Table d'hôtes (sauf le dimanche) à 20 €. Une belle petite adresse.

> *Accès :* de Clermont, prenez la route de Pomarez sur 1 km et suivez le fléchage.

COUTRAS   33230

Carte régionale B1

35 km NE de Bordeaux ;
19 km NE de Libourne

€€€ 🏠 *Chambres d'hôtes (Marie-Christine et Philippe Heftre) :* 7, Le Baudou. ☎ 05-57-49-16-33. 📱 06-11-14-73-72. ● le.baudou@wanadoo.fr ● chateaulebaudou.com ● 🛜 Belle demeure du XVIIIᵉ s en pierre et en brique, nichée dans un parc de 4 ha (un peu en bord de route, mais très peu fréquentée). 5 chambres élégantes et spacieuses avec sanitaires privés (une au rez-de-chaussée, les autres à l'étage). Atmosphère bourgeoise. De 70 à 105 € pour 2 selon la saison, petit déj compris. Il est servi, au choix, dans la salle à manger ou dans la cuisine (qu'on préfère, car tout en pierre et avec une grande cheminée). Pas de table d'hôtes, mais plusieurs restos dans le coin. Nombreux circuits de randonnée à proximité. Accueil agréable.

> *Accès :* A 10, sortie Saint-André-de-Cubzac ; prenez la D 10 vers Guîtres, traversez ce village et tournez à droite vers Coutras, la maison est 2,5 km plus loin.

CRÉON-D'ARMAGNAC 40240

Carte régionale B2

35 km E de Mont-de-Marsan ;
8 km N de Barbotan-les-Thermes

€€€ 🏠 |○| *Chambres d'hôtes (Natalia et Thierry Douence) :* Le Poutic. ☎ 05-58-44-66-97. 📱 06-11-22-45-85. ● lepoutic@orange.fr ● lepoutic.com ● 🛜 Aux confins du Gers et des Landes, dans un agréable parc bordé de tilleuls, magnifique et ancienne ferme landaise en pierre blanche avec poutres et solives et de jolis volets bleus. Au 1ᵉʳ étage, 3 chambres originales avec sanitaires privés, à la déco élégante et soignée. Selon la chambre, de 70 à 80 € pour 2, petit déj compris. Table d'hôtes (week-end) à 28 €, vin compris,

pour découvrir la cuisine du Sud-Ouest. En semaine l'assiette de pays à 19,50 € avec verre de vin et dessert. Enfin, menu spécial foie gras et canard (en octobre) à 45 €, boissons comprises. Si vous souhaitez approfondir la question, vos hôtes organisent même des stages sur la cuisine du canard gras. Accueil convivial. Une adresse pour se mettre au vert.

> *Accès :* de Mont-de-Marsan, D 933 vers Agen/Périgueux et, à la sortie de Saint-Justin, D 35 jusqu'à Créon ; prenez ensuite à droite direction Cazaubon, la maison est à 1 km.

CRÉON-SADIRAC   33670

Carte régionale B1

20 km E de Bordeaux

€€€ 🏠 *Chambres d'hôtes Le Prieuré de Mouquet (Anne Bandelier) :* 6, chemin de Mouquet. ☎ 05-56-23-26-57. 📱 06-81-94-75-32. ● prieure-de-mouquet@bbox.fr ● prieure-de-mouquet.com ● Encore une adresse comme on en voit peu... Remarquable prieuré du XVIᵉ s tout en pierre. Par un porche, on entre dans un beau jardin complètement à l'écart, et les 5 chambres sont disposées tout autour. À la fois personnalisées et originales, elles restent en harmonie avec l'élégante simplicité des lieux. Sanitaires privés. Selon la saison, de 69 à 95 € pour 2, petit déj compris (pâtisseries et confitures maison, fruits du jardin en saison). Également une roulotte en bois installée dans le parc et un gîte de 4 à 6 personnes pour les séjours. Accueil convivial. Une adresse qui mêle charme et insolite.

> *Accès :* de Créon, D 671 vers Bordeaux par Fargues ; à la sortie du bourg, après le garage Peugeot, tournez à droite chemin de Mouquet.

CUBNEZAIS   33620

Carte régionale B1

30 km NE de Bordeaux ;
8 km N de Saint-André-de-Cubzac

€ 🏠 |○| 🐾 *Chambres d'hôtes Domaine de la Gravette (Martine et Jean-Bernard Bertet) :* ☎ 05-57-68-72-47. 📱 06-22-76-12-51. ● bertet.lagravette@wanadoo.fr ● pagesperso.wanadoo.fr/lagravette ● Fermé 30 nov-1ᵉʳ fév. 🛜 Au cœur du vignoble de Bordeaux, imposante et belle demeure en pierre entourée d'un grand parc ombragé où trône un joli bassin. 4 chambres confortables avec

AQUITAINE

sanitaires privés : 2 au rez-de-chaussée, dont une suite familiale pour 4 personnes, les 2 autres à l'étage. 50 € pour 2, petit déj compris. Table d'hôtes (sauf samedi, dimanche et lundi) à 20 €, vin compris. Une cuisine traditionnelle et régionale, mais toujours avec une pointe d'originalité car Martine est un vrai cordon bleu. Les repas sont servis dans une salle à manger à l'atmosphère authentique : murs en pierre et anciennes poutres où viennent s'accrocher les bouquets de fleurs séchées. Accueil agréable.

Accès : *A 10 sortie Libourne/Saint-André (n° 39) puis direction Angoulême par la N 10 jusqu'à la sortie Cubnezais ; la maison se trouve 500 m avt le bourg, sur la gauche.*

DOUDRAC — 47210

Carte régionale B1

6 km E de Castillonnès ;
6 km O de Villeréal

€€ 🏠 |○| 10% **Chambres d'hôtes Keur du Monde (Jacques Bodin) :** *lieu-dit Boulègue.* ☎ 05-53-71-74-08. 📱 06-66-52-54-78. ● keurdumonde@orange. fr ● 🛜 Jacques a vadrouillé pendant des années à travers le monde. Il en est revenu avec des souvenirs plein la tête qu'il a retranscrits à sa façon dans la déco de ses chambres. Selon votre humeur, vous aurez le choix entre la chambre « Moorea », à Tahiti (notre préférée), « Kédougou », au Sénégal, ou « Pondichéry », en Inde. Chacune a son style, ses anecdotes. 60 € pour 2, petit déj compris. Piscine. Bon accueil. Une adresse originale pour vous faire voyager.

Accès : *de Doudrac, prenez la route de Villeréal et suivez le fléchage.*

ESTIALESCQ — 64290

Carte régionale A2

25 km SO de Pau ; 6 km E
d'Oloron-Sainte-Marie

€€ 🏠 **Chambres d'hôtes Naba (Jeanne et Jean-Michel Péricou) :** ☎ 05-59-39-99-11. ● maisonnaba@aol.com ● maison-naba-bearn.com ● Ouv avr-oct. 🛜 Belle ferme béarnaise, agrémentée d'un joli parc ombragé et fleuri. Pour dormir, 4 chambres agréables, installées dans l'ancienne grange entièrement restaurée. Sanitaires privés. Comptez 60 € pour 2, petit déj compris. Pas de table d'hôtes, mais coin cuisine à disposition et plusieurs petits restos à proximité. Accueil

chaleureux. Une adresse qui fait des adeptes !

Accès : *depuis Oloron-Sainte-Marie, prenez la direction de Lasseube (D 24), puis Estialescq, et suivez le fléchage.*

FAUX — 24560

Carte régionale B1

20 km SE de Bergerac

€€ 🏠 10% **Chambres d'hôtes La belle Genèbre (Françoise et Gérard Boillin) :** *La Genèbre.* ☎ 05-53-24-30-21. ● boillin. getf@orange.fr ● la-genebre.com ● Fermé des fêtes de Noël au 5 janv. 🛜 Dans un minuscule hameau, belle maison de caractère. 2 chambres de 2 et 3 personnes, dont une avec lit à baldaquin. 58 € pour 2 ou 75 € pour 3, petit déj compris. Piscine. Également un gîte impeccable, qui se loue de 400 à 590 € la semaine selon la saison. Plusieurs sentiers de rando sur place et deux VTT à disposition (sympa !). Accueil agréable. Une bonne adresse à l'écart du bruit et de l'agitation.

Accès : *dans le village, au pied de l'église, prenez en direction de Monsac ; c'est à 2 km sur la gauche.*

GAJAC-DE-BAZAS — 33430

Carte régionale B1

40 km O de Marmande ;
6 km E de Bazas

€€€ 🏠 10% **Chambres d'hôtes (Jacqueline et Xavier Dionis du Séjour) :** *Cabirol.* ☎ 05-56-25-15-29. 📱 06-12-75-23-95. ● xj.dionisdusejour@cabirol. fr ● cabirol.fr ● 🛜 Ancienne métairie du XVIIIe s restaurée, avec 2 chambres confortables, joliment décorées, et une suite de 2 chambres pour les familles. Sanitaires privés. Compter 75 € pour 2, petit déj compris, et 20 € par personne supplémentaire. Aux beaux jours, il est servi en terrasse, au milieu des fleurs. Salle de jeux avec ping-pong. Belle piscine. Accueil absolument adorable des proprios et bon rapport qualité-prix. Pêche au lac de la Prade à 500 m, et parc ornithologique avec une visite guidée permettant d'admirer les nids de quelque 150 hérons.

Accès : *depuis Langon, prenez la direction de Bazas par la D 932 ; dans Bazas, suivez les panneaux « La Réole » ; la maison est à 4 km sur la D 9 (fléchage).*

HAGETAUBIN 64370

Carte régionale A2

38 km NO de Pau ; 15 km E d'Orthez

€ 🏠 ⑩% *Chambres d'hôtes (Raoul Costedoat) :* 100, chemin Long. ☎ 05-59-67-51-18. 📱 06-74-89-61-24. ● raoul.costedoat@orange.fr ● gite-deraoul.over-blog.com ● 📶 Belle propriété familiale, admirablement restaurée par Raoul (si vous le souhaitez, il vous contera l'histoire de sa maison, dont il a retrouvé les archives). 3 chambres au décor raffiné avec de spacieux sanitaires privés. Modestement, Raoul vous déclare qu'il a aménagé un court de tennis et une piscine pour ses hôtes. Quant au prix, c'est un véritable « trou dans le mur » (comme disent nos amis d'outre-Atlantique) : 50 € pour 2, avec le petit déj, que vous prendrez dans une belle salle à manger avec un remarquable buffet deux corps. Pas de table d'hôtes, mais grande cuisine à disposition (et si vous participez au ramassage des fruits et légumes, vous ne repartirez pas les mains vides !). Vos bambins, eux, seront ravis de découvrir les canards et les petits veaux qu'élève Raoul avec le label « sous la mère ». Accueil de qualité. Une adresse qui fait des adeptes et l'une de nos préférées sur le département.

Accès : depuis Orthez, prenez la D 933 en direction d'Hagetmau (sur 10 km), puis à droite la D 945 vers Lescar ; fléchage depuis Hagetaubin.

HOSSEGOR 40150

Carte régionale A2

29 km N de Biarritz

€€ 🏠 *Chambres d'hôtes Ty-Boni (Bab et Bernard Boniface) :* 1831, route de Capbreton, Angresse. ☎ 05-58-43-98-75. 📱 06-26-29-44-27. ● info@ty-boni.com ● ty-boni.com ● *Résa longtemps à l'avance pour l'été.* Maison traditionnelle, mais de construction récente, dans un environnement verdoyant. Belle vue sur le parc et l'étang pour les amateurs de pêche. 4 chambres guillerettes et douillettes, avec sanitaires privés, clim et TV, dont une suite familiale composée de 2 chambres. Selon la saison, de 65 à 85 € pour 2, petit déj compris, et de 120 à 160 € pour 4. Pas de table d'hôtes, mais cuisine d'été à disposition et plein de restos pour toutes les bourses à Hossegor et Capbreton. Piscine chauffée, avec tout le

matos pour faire bronzette. Accueil souriant et agréable.

Accès : depuis Dax, empruntez la N 10 en direction de Bayonne ; à Saint-Vincent-de-Tyrosse, prenez la direction d'Angresse (D 33), puis de Capbreton (D 133) ; faites 1,8 km, la maison est à gauche.

ISPOURE 64220

Carte régionale A2

1 km NE de Saint-Jean-Pied-de-Port

€€ 🏠 *Chambres d'hôtes Ferme Exteberria (Marie-Jeanne Mourguy) :* Domaine Mourguy. ☎ 05-59-37-06-23. ● domainemourguy@hotmail.com ● domainemourguy.com ● *Fermé 6-30 janv.* Dans un petit village, ferme familiale tenue par Marie-Jeanne et ses enfants. Dans une partie indépendante, ouvrant sur le vignoble qui produit l'irouléguy (vin régional), 4 chambres avec mezzanine et sanitaires privés. De 57 à 61 € pour 2, petit déj compris (délicieux gâteau basque et confitures maison). Pas de table d'hôtes, mais kitchenette à disposition. Pierre, le fils de Marie-Jeanne, élève des moutons, des ânes, des chevaux et possède 9 ha de vignes. D'ailleurs, vous pourrez visiter le chai de vinification et déguster le vin de la propriété. Plusieurs randos en boucle partent du village pour découvrir les « chemins de l'Arradoy ». De la ferme, vous pourrez les parcourir à pied, accompagné d'ânes bâtés. Si vous voulez vraiment connaître la culture régionale, c'est le moment de vous initier à la pelote basque sur le fronton du village (à moins que vous ne soyez déjà un champion...) car ici on pourra vous prêter le matériel.

Accès : dans Saint-Jean-Pied-de-Port, prenez la direction de Saint-Palais ; après le pont, tournez à gauche vers Ispoure ; la maison est au bout de la petite route, à gauche de l'église.

ITXASSOU 64250

Carte régionale A2

30 km NO de Saint-Jean-Pied-de-Port ; 25 km S de Biarritz

€€ 🏠 *Chambres d'hôtes Soubeleta (Marie-Françoise Regerat) :* chemin Soubeleta. ☎ 05-59-29-22-34. 📱 06-23-19-70-24. ● soubeleta@orange.fr ● gites64.com/chambre-soubeleta ● *Fermé 15 nov-1er mars.* 📶 Mignon petit château restauré, propriété de famille. Marie-Françoise vous accueille dans 5 chambres confortables, avec sanitaires privés. Selon saison, de 65 à 70 € pour 2, petit déj compris (toutes sortes de pains et de délicieuses gelées de mûre et de framboise). Grande terrasse qui bénéficie d'un agréable panorama sur le village et la vallée de la Nive (si vous voulez faire du rafting, c'est le moment !). Plein de randos à faire à pied et à VTT. Pas de table d'hôtes, mais coin cuisine à disposition. Accueil souriant et décontracté. Une adresse qu'on aime bien.

Accès : *n'entrez pas dans le village ; descendez vers le pont de la Nive et suivez le fléchage.*

JAU-DIGNAC-ET-LOIRAC   33590

Carte régionale A1

75 km N de Bordeaux ;
8 km E de Saint-Vivien-de-Médoc

€€ 🏠 ***Chambres d'hôtes Clos des Hirondelles (Nicole Martinez) :*** 2, chemin de la Hille, Noaillac. ☎ 05-56-73-97-25. 📱 06-83-51-16-46. ● clos.des.hiron delles@wanadoo.fr ● closdeshirondelles. com ● 📶 4 jolies chambres aménagées sous les combles d'une bâtisse du XVIIIe s. Comptez 60 € pour 2, petit déj compris, et 20 € par personne supplémentaire. Tenue impeccable et plein de détails sobres tout en gardant l'atmosphère chaleureuse du bois. Jardin pour le petit déj, cuisine bien équipée et espace barbecue à disposition. Accueil pro et gentil à la fois, et calme assuré.

Accès : *à 14 km du rond-point situé à la sortie nord de Lesparre-Médoc (sur la N 215), prenez ensuite sur la droite (fléchage), c'est à 3 km.*

LA CROIX-BLANCHE   47340

Carte régionale B1-2

15 km NE d'Agen ;
15 km S de Villeneuve-sur-Lot

€€€ 🏠 |●| ***Chambres d'hôtes Domaine de Bernou (Sophie et Jean-Pascal Michez) :*** ☎ 05-53-68-88-37. 📱 06-17-36-50-32. ● domainedebernou@orange. fr ● domainedebernou.com ● Résa souhaitée. 📶 Il y a 20 ans, les proprios ont quitté leur Belgique natale pour s'installer dans cette superbe propriété de 25 ha de prés et de bois, où ils élèvent des chevaux. Dans leur maison de maître du XVIIIe s, 3 chambres et une suite familiale pour 5 personnes, avec sanitaires

privés. Beaux volumes et magnifique parquet. Selon saison et durée du séjour, 70-88 € pour 2, petit déj compris. Dans une dépendance, 4 chambres supplémentaires pour l'été, plus simples et monacales, qui partagent une salle d'eau, à 38 € pour 2, petit déj compris. Table d'hôtes à 25 €. Belle et grande piscine, ping-pong, jeux pour enfants et salon de lecture avec piano à disposition des hôtes. Accueil chaleureux. Un endroit pour des vacances au vert et en famille.

Accès : *bon fléchage depuis la N 21 entre Agen et Villeneuve.*

LA SAUVETAT-SUR-LÈDE   47150

Carte régionale B1

12 km N de Villeneuve-sur-Lot ;
6 km SO de Monflanquin

€ 🏠 |●| 🐴 ***Chambres d'hôtes La Renarde (Denise et Pierre Coufignal) :*** ☎ et fax : 05-53-41-90-34. Résa conseillée. Sur une exploitation agricole en pleine campagne. Dans une maison indépendante, une chambre avec salle de bains à 40 € pour 2, petit déj inclus, et 2 chambres avec lavabo à 35 € pour 2 (qu'on préfère, car plus spacieuses, même si elles se partagent la salle de bains). Table d'hôtes à 12 €, vin compris. Repas dont la devise pourrait être : charcuterie, vin et volailles de la ferme. Tranquillité assurée. En plus, Denise, la patronne, est très avenante. Une adresse authentique.

Accès : *à 4 km du village ; fléchage à partir du bourg.*

€€€ 🏠 |●| ***Chambres d'hôtes Le Château de Saint-Sulpice (June et Frédéric Fillette) :*** ☎ 05-53-01-46-44. 📱 06-84-79-03-89. ● chateaudesaintsulpice@wanadoo. fr ● chateausaintsulpice.com ● 📶 Surplombant les environs, imposant château dont les origines remontent au XVIe siècle et modifié sous Napoléon Ier. 5 chambres spacieuses, dont 3 suites familiales, avec sanitaires privés. Mobilier ancien ou de style, qui vous fait plonger dans l'histoire. Selon la chambre, 80-100 € pour 2, petit déj compris. Table d'hôtes à 30 €, vin compris. Cuisine recherchée avec de nombreux produits maison. Piscine pour vous détendre. Une adresse pour revivre la vie de château.

Accès : *de La Sauvetat, prenez la direction de Villeneuve pdt 1 km et suivez le fléchage ; c'est 2 km plus loin sur la droite.*

LALANDUSSE 47330

Carte régionale B1

25 km S de Bergerac ;
8 km O de Castillonnès

€€ 🏠 |○| 🐾 ⑩% ***Chambres d'hôtes***
Le Chintre (M. et Mme Francis-André) :
☎ 05-53-36-64-28. ● *info@lechintre.*
com ● *lechintre.com* ● 📶 Aux confins
du Lot-et-Garonne et de la Dordogne, ce
couple de Belges charmants ont investi
cette belle ferme périgourdine, totalement
perdue dans la campagne... 11 hectares
certifiés en agriculture bio et dédiés à
la culture du safran, à découvrir tout le
mois d'octobre ! Dans le corps de ferme,
5 belles chambres, dont une suite familiale.
Atmosphère rustique avec poutres apparentes et murs passés à la chaux. 62 €
pour 2, petit déj compris, et 124 € pour la
suite. Délicieuse table d'hôtes à 29 €, boissons comprises, avec tous les produits de
la ferme. Aux beaux jours, les repas sont
servis sous une superbe terrasse couverte. Enfin, après la sieste, vous pourrez
piquer une tête dans la grande piscine (ça
déchire !). Excellent accueil. Une adresse
qui fait des adeptes !

Accès : *de Castillonnès, D 1 vers Lauzun ;*
n'entrez pas dans le village de Lalandusse ;
après les grands virages en S, prenez au
1er carrefour à droite ; c'est la 1re propriété
à gauche.

LAROIN 64110

Carte régionale A2

7 km O de Pau ; 4 km de Jurançon

€ 🏠 ⑩% ***Chambres d'hôtes Miragou***
(Anne-Marie Marque) : *chemin de Halet.*
☎ *et fax : 05-59-83-01-19.* 📱 *06-79-84-*
04-61. ● *annemariemarque@hotmail.*
com ● *miragou.com* ● 📶 Ancienne ferme
béarnaise typique. Anne-Marie a aménagé
l'ancienne grange qu'elle occupe actuel-
lement et reçoit ses hôtes dans l'ancienne
maison d'habitation. Au rez-de-chaussée,
2 chambres, un coquet salon-salle à manger ; à l'étage, 2 autres chambres confortables, agrémentées de superbes photos
de fleurs, fruits et animaux. Sanitaires
privés. De 45 à 52 € pour 2, petit déj inclus.
Pas de table d'hôtes, mais un resto sympa
au bord du lac de Laroin, à 1 km. Agréable
prairie bordée par une petite rivière pour
vous détendre après avoir visité la Cité
des Abeilles ou fait le circuit des vins de
Jurançon. VTT à disposition (chouette !).

Accès : *sur la N 117 ; à Lescar, prenez la*
D 501, puis la D 2 sur 1 km.

LASCLAVERIES 64450

Carte régionale B2

20 km N de Pau ;
9 km SE d'Arzacq-Arraziguet

€ 🏠 |○| ***L'Appétit Gourmand Chez Soi***
(Jocelyne et Jacky Marouze) : *9, route*
d'Auriac. ☎ *et fax : 05-59-04-81-56.*
📱 *06-63-46-61-10.* Les Marouze, éleveurs
de canards, proposent 2 chambres à la
ferme, à 50 € pour 2, petit déj compris.
Situées à l'étage, elles sont simples et
lumineuses, disposent d'une terrasse,
de la clim, d'une baignoire balnéo pour
l'une, et d'une douche hydromassante
pour l'autre. Mais ce dont vous vous
souviendrez ici, c'est surtout de la table
d'hôtes, qui célèbre le canard sous toutes
ses formes (repas à 15 €), et de la gentillesse et de la générosité des propriétaires.
Et bien sûr, achat de produits de la ferme
sur place.

Accès : *suivez le fléchage dans le village.*

LAY-LAMIDOU 64190

Carte régionale A2

15 km NO d'Oloron-Sainte-Marie ;
5 km SE de Navarrenx

€€ 🏠 |○| 🐾 ⑩% ***Chambres d'hôtes***
La Grange de Georges (Babé et Geor-
ges Laberdesque) : *17, rue de la Hount.*
☎ *et fax : 05-59-66-50-45.* 📱 *06-82-79-*
65-03. ● *lagrangedegeorges@wanadoo.*
fr ● *lagrangedegeorges.fr* ● *Fermé vac*
de Noël. 📶 Dans une ancienne grange,
indépendante de la propriété familiale,
Georges a aménagé 4 chambres spacieuses et bien meublées, avec sanitaires privés, à 55 € pour 2, petit déj
compris. Il élève des canards et fabrique
du foie gras (on voit déjà briller les yeux
de certains !). Ici, tout le monde met la
main à la pâte : on cultive les légumes
du jardin ; Anna, la mamie, s'occupe de
la cuisine avec Babé, tandis que son
frère produit du jurançon... Il ne vous
reste plus qu'à vous asseoir pour partager la table d'hôtes : 20 € le repas
(souvent avec confit ou magret de la
ferme), apéro au jurançon compris. Vous
pouvez aussi commander un repas avec
foie gras pour 24 €. Accueil chaleureux
et authentique.

Accès : *A 64 Pau/Bayonne sortie Artix ; à*
Navarrenx, prenez la D 2 en direction de
Monein, puis la D 27 vers Oloron-Sainte-
Marie jusqu'à Lay-Lamidou ; au panneau
d'entrée du village, tournez à gauche, rue
de la Hount.

€€€ 🏠 🍴 *Chambres d'hôtes L'Aubèle (Marie-France et Bernard Desbonnet) :* 4, rue de la Hauti. ☎ 05-59-66-00-44. 📱 06-86-22-02-76. ● *desbonnet. bmf@infonie.fr* ● *laubele.com* ● Dans ce minuscule village, magnifique demeure du XVIIes tout en pierre. L'intérieur est à la hauteur du charme de la maison : déco raffinée, meubles de style, tableaux et nombreux bibelots. Au 1er étage, 2 chambres élégantes et spacieuses, dotées de luxueux sanitaires privés. Elles ouvrent sur le parc, avec les Pyrénées en fond de décor. 75 € pour 2, avec un copieux petit déj (viennoiseries, fromage, yaourt, fruits, confitures maison...) servi dans la porcelaine et l'argenterie, s'il vous plaît ! Grand bureau avec une bibliothèque bien remplie et des tas d'infos touristiques. Le mieux, c'est quand même d'écouter Bernard parler du Béarn (c'est sa passion, et il vous en livrera tous les secrets... chut !). Pas de table d'hôtes mais plusieurs restos aux alentours. Accueil de qualité. Une adresse de charme qui fait des adeptes.

Accès : A 64 Pau/Bayonne sortie Artix ; allez jusqu'à Navarrenx puis prenez la D 2 et la D 27 vers Oloron-Sainte-Marie, jusqu'à Lay-Lamidou ; tournez à gauche dans le village et 1re rue à droite.

LISLE   24350

Carte régionale B1

20 km NO de Périgueux ;
20 km SO de Brantôme

€€ 🏠 🍴 *Chambres d'hôtes La Picandine (Armelle et Olivier Lacourt) :* ☎ 05-53-03-41-93. ● *picandine@aol.com* ● *picandine.com* ● Ouv 1er mai-30 sept. 📶 Par une allée d'érables, on arrive jusqu'à ce magnifique logis du XVIIes organisé autour d'une grande cour. Qui pourrait dire qu'ici Armelle et Olivier avaient installé une fromagerie ? Leur production se vendant comme des petits pains, l'entreprise a dû déménager pour s'agrandir puis a été rachetée par un gros groupe (chut !). Aujourd'hui, ils ont décidé de prendre le temps de vivre et d'accueillir des hôtes. Dans deux ailes indépendantes, 5 chambres spacieuses, décorées avec goût, dont 2 suites familiales composées de 2 chambres. On aime bien la « chambre du puits » avec son portrait de Louis XVI, et la « chambre jaune ». Sanitaires privés. 55 € pour 2 et 92 € pour 4, petit déj compris. Table d'hôtes partagée en famille à 25 €, apéro, vin et café compris. Une excellente cuisine mijotée, aux saveurs de la région. Ici, les activités ne manquent pas : billard français, vieux flipper et une superbe piscine. Accueil vraiment chaleureux. Une adresse qui fait des adeptes et une de nos préférées sur le département.

Accès : de Lisle, prenez la D 1 vers La Chapelle-Gonaguet/Périgueux sur 4 km puis tournez à droite au fléchage sur 800 m et à gauche.

LUCQ-DE-BÉARN   64360

Carte régionale A2

6 km N d'Oloron-Sainte-Marie

€€ 🏠 🍴 🍴 (10 %) *Chambres d'hôtes (Marie Lavie) :* quartier Auronce. ☎ 05-59-39-18-39. Fax : 05-59-36-06-48. ● *maison.lavie@wanadoo.fr* ● Ouv avr-oct. 📶 2 chambres très bien tenues, installées dans une ancienne grange jouxtant la maison. Sanitaires privés. Comptez 55 € pour 2, petit déj compris. Un petit gîte à l'étage, pour 2-4 personnes, et un autre pour 6 dans un corps de la ferme indépendant. Table d'hôtes à 22 €, apéro, vin et café compris. Repas à partir des bons produits de la ferme et du jardin. Des exemples ? Eh bien, en voici : garbure ou omelette flambée ou pâté maison, piperade, escalope de veau au jurançon ou volaille fermière, charlotte aux fruits de saison, crème brûlée... Accueil chaleureux.

Accès : depuis Oloron-Sainte-Marie, passez Ledeuix, faites 2 km (D 110), c'est à 2 km sur la droite.

LÜE   40210

Carte régionale A1-2

20 km E de Mimizan ;
8 km O de Labouheyre

€€ 🏠 (10 %) *Chambres d'hôtes Lou Pitarray (France Lamou) :* quartier Médous. ☎ 05-58-07-06-23. ● *france. lamou@orange.fr* ● 📶 En pleine forêt landaise, dans un calme absolu, France vous reçoit dans la maison de ses arrière-grands-parents. 2 chambres décorées avec goût et ornées de belles aquarelles (réalisées par le père de France). Sanitaires privés. Selon la saison, de 62 à 69 € pour 2, petit déj compris. Pas de table d'hôtes, mais une petite auberge toute proche. Grand parc pour vous détendre ainsi qu'une

AQUITAINE

piscine. Accueil chaleureux. Bon rapport qualité-prix.

Accès : depuis Labouheyre, prenez la D 626 vers Mimizan, pdt 6 km ; dans Lüe, direction Escource pdt 2 km.

MONEIN   64360

Carte régionale A2

25 km O de Pau

€€ 🏠 |◎| 🐾 **Chambres d'hôtes Maison Cantérou (Marie-Josée Nousty) :** quartier Laquidée. ☎ 05-59-21-41-38. 📱 06-70-98-07-07. ● nousty.mariejosee@wanadoo.fr ● gites64.com/maison-canterou ●*Fermé 1re sem de sept.* 🛜 5 belles chambres avec sanitaires privés, dont une plus grande avec balcon, dans une vieille ferme béarnaise restaurée. 66-86 € pour 2, copieux petit déj compris (yaourts, pain d'épice, crêpes maison...), servi sur la terrasse ou devant la cheminée selon la saison. Table d'hôtes (3 fois par semaine) à 22 €. Dégustation et vente de jurançon (vous êtes au cœur du vignoble et vos hôtes sont... viticulteurs). Grand jardin, boulodrome, ping-pong et piscine pour se détendre. Bon accueil.

Accès : depuis le village, prenez la D 34 en direction de Lacommande (la maison est à 6 km du centre).

MONSÉGUR   40700

Carte régionale A2

32 km SO de Mont-de-Marsan ;
10 km SE d'Hagetmau

€€€€ 🏠 ⑩% **Chambres d'hôtes À la Vieille École (Annelies Van Haecht et Éric Carrasquet) :** 500, chemin de Moncade. ☎ 09-64-07-47-00. ● info@alavieilleecole.eu ● alavieilleecole.eu ● 🛜 C'est l'ancienne mairie-école du village, entièrement retapée avec beaucoup de goût par un couple franco-belge en provenance d'Anvers. Éric, dont le père est du Sud-Ouest, a embarqué sa petite famille pour trouver le soleil et travaille désormais dans le foie gras. À l'intérieur, très beau mélange d'ancien et de contemporain dans les 3 chambres aux doux noms de « Géographie », « Histoire » et « Mathématiques ». Sanitaires privés. De 90 à 95 € pour 2, petit déj compris. Alors, attention, interrogation écrite à la fin du séjour pour les enfants pas sages ! Joli jardin au calme et belle piscine pour la détente.

Accès : au cœur du village.

MONTFERRAND-DU-PÉRIGORD   24440

Carte régionale B1

40 km SE de Bergerac ;
8 km N de Monpazier

€ 🏠 |◎| 🐾 🎣 **Chambres d'hôtes La Rivière (Sylvie Barriat) :** ☎ et fax : 05-53-63-25-25. ● basy@club-internet.fr ● pere-igord.com ● *Ouv d'avr à mi-nov.* 🛜 Belle ferme en activité tout en pierre. 3 jolies petites chambres bien tenues, avec sanitaires privés, à 46 € pour 2, petit déj compris, et 84 € pour 2 en demi-pension (repas sur réservation). 2 gîtes ruraux pour ceux qui veulent séjourner. Agréable piscine. Accueil décontracté. Une adresse nature à prix doux.

Accès : à 2 km de Montferrand sur la D 26 en direction de Bouillac ; la maison est à droite en retrait de la route.

MOUSTIER   47800

Carte régionale B1

9 km E de Duras ;
26 km NE de Marmande

€€€ 🏠 |◎| **Chambres d'hôtes Les Agapanthes (Marie-Noëlle Marie) :** Moulin-à-Vent. ☎ 05-53-93-06-74. 📱 06-81-53-15-63. ● agapanthes@orange.fr ● agapanthes.free.fr ● *Ouv 15 mai-15 oct.* 🛜 Belle ferme du XIXe s à pans de bois qui jouit d'une magnifique vue sur la campagne verdoyante. Marie-Noëlle aime les fleurs et soigne son intérieur, tout comme cette chambre indienne, colorée et spacieuse. Selon durée du séjour, de 80 à 100 € pour 2, petit déj compris. Immense et incroyable salon installé dans l'ancienne étable. Table d'hôtes à 30 €. Agréable piscine. Accueil adorable et calme absolu.

Accès : sur la D 668 entre Duras et Miramont, au niveau du hameau La Croix-de-Moustier, prenez à gauche et faites 1 km (fléchage).

MUGRON   40250

Carte régionale A2

27 km SO de Mont-de-Marsan ;
16 km SE de Tartas

€€ 🏠 |◎| ⑩% **Chambres d'hôtes La Terrasse de la Grand'Rue (Marie-Hélène et Jean Dangoumau) :** 4, rue Frédéric-Bastiat. ☎ 05-58-97-66-27. 📱 06-64-27-

00-70. ● mh.dangoumau@wanadoo.fr ● terrasse-grand-rue.com ● ♿ 🛜 Une jolie maison de maître du XVIIIe s, bien retapée, avec une magnifique vue sur les Pyrénées depuis la terrasse. À l'intérieur, 2 salons agréables et un bel escalier menant aux chambres. La suite « Coquelicot », aux tons rouge et blanc, offre 2 chambres, dont une vaste et haute de plafond. « La Fougère », aux tons verts, a 2 lits doubles, dont un niché dans une alcôve. « La Bruyère », couleur rose et lavande, possède un balcon orienté plein sud. Toutes avec vieux parquet, cheminées à l'ancienne et décoration au goût du jour. Selon la saison, de 55 à 60 € pour 2, petit déj compris, et de 95 à 100 € pour 4. Table d'hôtes à 18 € avec canard et légumes maison ou à base de produits régionaux. Accueil très gentil.

Accès : à droite du Crédit Agricole.

PONTIACQ   64460

Carte régionale B2

30 km NE de Pau ; 25 km E de Tarbes

€€ 🏠 ●|●| 🐴 **Chambres d'hôtes (Nicole Vignolo) :** *252, route de Montaner.* ☎ 05-59-81-91-45. 📱 06-01-73-48-85. ● nicole.vignolo@wanadoo.fr ● gites64. com/vignolo ●🛜 On se souviendra long-temps de la gentillesse de l'accueil de Nicole... Dans sa grande ferme béarnaise en galets, elle propose 5 chambres spacieuses avec meubles de famille et sanitaires privés, à 52 € pour 2, petit déj compris. Dans la salle à manger rustique, on partage le repas avec Nicole sur une grande table de ferme. Pour 22 € : magret et confit bien sûr, mais aussi charcuterie maison, pintade aux pommes, beignets d'aubergine, crème brûlée... Une adresse chaleureuse.

Accès : sur la route de Pau à Tarbes ; à Ger, tournez à gauche en direction de Montaner, puis de Pontiacq.

PUJOLS   33350

Carte régionale B1

45 km E de Bordeaux ;
6 km S de Castillon-la-Bataille

€€€ 🏠 ●|●| **Chambres d'hôtes Les Gués Rivières (Margotte et Olivier Bernard) :** *5, pl. du Général-de-Gaulle.* ☎ 05-57-40-74-73. 📱 06-70-52-32-07. Fax : 09-71-70-66-97. ● margotte.olivier@ wanadoo.fr ● perso.orange.fr/margotte. olivier/ ●Fermé 22 déc-4 janv. 🛜 Sur la place ombragée d'un joli village classé au Patrimoine de l'Unesco, belle demeure girondine tout en pierre. Du jardin-terrasse, on plonge sur les vignobles de saint-émilion et des côtes-de-castillon. Margotte et Olivier (respectivement chef de cuisine et œnologue) ont délaissé le milieu de la haute gastronomie parisienne pour s'ins-taller à la campagne. À l'étage, 4 chambres élégantes et contemporaines, avec sani-taires privés. Selon saison, 75-80 € pour 2, petit déj compris. Table d'hôtes à 25 € (sans les vins) pour une cuisine régionale, subtile et recherchée, à ne pas manquer. Prêt de vélos. Une adresse qui mêle cam-pagne et gastronomie.

Accès : de Castillon, prenez la D 17 jusqu'à Pujols ; la maison est sur la place du village.

RIBÉRAC   24600

Carte régionale B1

37 km NO de Périgueux

€ 🏠 **Chambre d'hôtes La Borderie (Ginette Debonnière) :** ☎ 05-53-90-06-08. Résa en hte saison. Vous trouverez une chambre au bout de cette petite route, à 42 € pour 2, petit déj compris. Excellent accueil.

Accès : du centre de Ribérac, prenez la direction de Montpon, puis, au rond-point, allez à droite, vers le lotissement Terradeau ; après avoir passé deux stops, continuez sur 300 m puis prenez la petite route à droite « La Borderie » ; la ferme est au fond du village.

SAINT-AIGNAN   33126

Carte régionale B1

40 km E de Bordeaux ;
8 km NO de Libourne

€€€ 🏠 ●|●| **Chambres d'hôtes Le Clos Vincent (Françoise Tiret) :** *14, lieu-dit Vincent.* ☎ 05-57-24-90-05. 📱 06-72-48-53-47. ● francoisetiret@orange.fr ● Ouv de début fév. à fin oct. Sur les hauteurs de Fronsac, ancienne maison vigneronne du XIXe siècle installée au milieu des vignes dans un parc ombragé avec piscine. À l'étage de la maison, 3 chambres raf-finées à l'ambiance élégante. Sanitaires privés. Selon chambre, 70-80 € pour 2, copieux petit déj compris. Une avec accès indépendant, kitchenette et douche tha-lasso. Pour votre bien-être un espace détente avec hammam, sauna et piscine. Accueil discret et chaleureux. Une bonne adresse pour se mettre au vert, randonner et découvrir le vignoble (entre fronsac et saint-émilion, mon cœur balance !). *NOUVEAUTÉ.*

> *Accès :* A 10 sortie Saint-André-de-Cubzac puis D 670 vers Libourne jusqu'à Fronsac, puis à gauche D 246 vers Saint-Aignan sur 3 km jusqu'au lieu-dit Vincent ; la maison est sur la gauche.

SAINT-ANDRÉ-D'ALLAS   24200

Carte régionale B1

8 km O de Sarlat

€€ 🏠 *Chambres d'hôtes Les Filolies (Nathalie et Jean-Marc Besson) :* ☎ 05-53-30-31-84. 📱 06-20-86-61-06. ● infos@lesfilolies.com ● lesfilolies.com ● *Fermé début déc à fin fév.* 🛜 Cette jolie demeure est un ancien relais de poste dont les origines remontent au XVIIIe s. Dans une partie indépendante, 4 chambres agréables de plain-pied, avec sanitaires privés. Selon saison, 63-67 € pour 2, petit déj compris. Agréable jardin avec belle piscine. Accueil souriant. Un point de chute idéal pour découvrir Sarlat et venir se détendre loin du bruit et de la foule.

> *Accès :* de Sarlat, prenez direction Bergerac puis la D 25 vers Meyrals/Saint-Cyprien sur 7 km et la maison est fléchée à gauche.

SAINT-GEIN   40190

Carte régionale B2

65 km N de Pau ;
18 km SE de Mont-de-Marsan

€€€ 🏠 |●| ⑩% *Chambres d'hôtes La Méniguère (Dominique et Guy Despagnet) :* 100, impasse de Méniguère. ☎ 05-58-03-27-55. 📱 06-12-52-88-73. ● lameniguere@hotmail.fr ● lameniguere.com ● 🛜 Ancien chais jaune pâle qu'on découvre depuis la petite route. Dans une partie indépendante, 3 chambres à l'atmosphère chaleureuse avec confortables sanitaires privés : une au rez-de-chaussée, les 2 autres à l'étage. Une autre chambre située dans un bâtiment indépendant dénommé « le Cabanon ». Enfin, dans une autre maisonnette, indépendante et de plain-pied, une suite familiale pouvant accueillir de 4 à 6 personnes (450 € la semaine). Toutes ouvrent sur le parc de 2 ha et l'étang éclairé la nuit par une installation subtile. Déco originale et soignée : peintures aux doux tons pastel,

bois coloré à l'honneur, tentures et tissus assortis. 80 € par 2, petit déj compris. Table d'hôtes (mardi et jeudi) à 30 €, vin et café compris. Fin cordon bleu, Dominique vous régalera de recettes dont elle garde le secret (ah, la macaronade au foie frais et cèpes, hmm son magret de canard aux pêches ou le tournedos de canard aux cèpes !). Jolie piscine pour vous détendre avec *pool-house* et cuisine d'été. Accueil très chaleureux, teinté par l'accent du Sud-Ouest.

> *Accès :* de Mont-de-Marsan, prenez la D 30 vers Auch, puis à gauche la D 934 vers Saint-Gein ; la maison est à gauche avt le village.

SAINT-GERMAIN-D'ESTEUIL   33340

Carte régionale A1

60 km NO de Bordeaux ;
8 km SE de Lesparre

€ 🏠 *Chambres d'hôtes du Parc (Catherine et Philippe Ledoux) :* chemin de Cambeil. ☎ 05-56-73-93-67. 📱 06-84-23-44-85. ● philyan33@yahoo.fr ● 🛜 Très jolie maison blanche du Médoc dans un beau parc de 6 000 m² avec des tas de petits coins sympas où l'on peut même pique-niquer. À l'étage, 2 chambres confortables et gaies, avec sanitaires privés. 49 € pour 2, petit déj compris. Accueil chaleureux. Une demeure qui rayonne de lumière et de joie de vivre où on aurait bien posé nos sacs plus longtemps.

> *Accès :* N 215 Bordeaux/Lesparre ; passez Saint-Laurent et, à Cissac, tournez à gauche après l'entreprise Sarrazy, au niveau de l'arrêt de bus (attention c'est dangereux !), et suivez le fléchage (c'est la dernière maison au fond du chemin).

SAINT-GERVAIS   33240

Carte régionale B1

30 km NE de Bordeaux ;
4 km NO de Saint-André-de-Cubzac

€€ 🏠 *Chambres d'hôtes Le Voisy (Mary et Philippe Cheronnet) :* 14, route de Bourg. ☎ 05-57-43-19-08. 📱 06-44-17-62-34. ● levoisy@gmail.com ● levoisy.jimdo.com ● *Fermé déc-fév.* 🛜 Maison vigneronne centenaire toute simple, que Mary, décoratrice et peintre, a su personnaliser avec beaucoup de goût. Derrière, un grand jardin vous fera oublier la route, un peu passante. À l'étage, 2 chambres

AQUITAINE

coquettes où partout le pinceau de votre hôtesse a laissé sa trace. Sanitaires privés et climatisation. Comptez 56 et 58 € pour 2, petit déj compris. Accueil hors pair.

Accès : A 10 sortie n° 40a (Saint-André-de-Cubzac) puis D 669 vers Bourg-sur-Gironde jusqu'à Saint-Gervais ; la maison est sur la droite, à côté de l'arrêt de bus.

SAINT-MARIENS 33620

Carte régionale B1

35 km N de Bordeaux ;
36 km de Saint-Émilion

€€ 🏠 10 % **Chambres d'hôtes Château de Gourdet (Yvonne et Daniel Chartier) :** ☎ 05-57-58-05-37. 📱 06-62-75-41-22. ● chateaugourdet@laposte.net ● 📶 Le château est en fait une ancienne maison forte du Moyen Âge, modifiée au XVIIIᵉ s, puis restaurée. Elle est située sur un coteau au milieu de vignes et de prairies où paissent tranquillement des chevaux. 5 chambres confortables, avec sanitaires privés, 65-75 € pour 2, petit déj inclus (plein de confitures maison, dont celle à la figue, spécialité de Daniel). Une adresse tip-top pour les amateurs de vin !

Accès : depuis Bordeaux, A 10 sortie n° 39b, direction Angoulême, jusqu'à Saint-Mariens.

SAINT-MARTIN-DE-RIBÉRAC 24600

Carte régionale B1

34 km O de Périgueux ;
3 km SE de Ribérac

€€ 🏠 **Chambre d'hôtes La Chartreuse de la Veille (Anne-Marie et Jean-Paul Moncoucut) :** *La Veille-Basse.* ☎ 05-53-90-64-92. 📱 06-79-12-50-55. ● jpam. moncel@wanadoo.fr ● chartreuse-laveille. com ● *Ouv 15 avr-15 oct.* 📶 Belle adresse, en réalité, que cette chartreuse pour poser ses valises dans un lieu paisible ! La bâtisse, totalement restaurée, allie avec réussite les témoignages du temps (cheminées monumentales, poutres multicentenaires...) avec le confort moderne. Au final, les 2 chambres (dont une suite familiale de 2 chambres) sont vastes et agréables à vivre. 62 € pour 2 avec le petit déj. Quant à l'accueil, Anne-Marie et Jean-Paul sont comme des amis qu'on retrouve avec plaisir. On partage avec bonheur une boisson de bienvenue et un copieux petit déj. Très appréciable et superbe piscine intérieure, et salon de musique avec piano

à disposition. Une vraie chartreuse de charme... elle est bonne !

Accès : de Ribérac, D 709 vers Mussidan ; 500 m après la sortie du village de Saint-Martin-de-Ribérac, tournez à gauche vers La Veille-Basse ; c'est 1,5 km plus loin (dont 200 m sur un bon chemin de terre).

SAINT-MARTIN-LACAUSSADE 33390

Carte régionale A1

45 km N de Bordeaux ; 1 km N de Blaye

€€ 🏠 🛏 **Chambres d'hôtes Château Frédignac (Michel L'Amouller) :** 7, rue Émile-Frouard. ☎ 05-57-42-24-93. 📱 06-82-67-09-38. ● chambres@chateau-fredignac.eu ● chateau-fredignac. fr ● 📶 Imposante demeure girondine entourée d'un agréable jardin fleuri. Un escalier extérieur conduit à un balcon qui dessert 3 chambres agréables et personnalisées, avec sanitaires privés. De 57 à 62 € pour 2 avec le petit déj, que l'on prend sous l'œil vigilant du grand-père de Michel, marin breton reconverti dans la viticulture et dont la photo trône sur la cheminée. Bien sûr, les amateurs de bordeaux seront servis... Vincent, le fils de Michel, et sa compagne exploitent 20 ha de vignes côtes-de-blaye, alors visite de chais et dégustation sont au programme. Vélos à disposition. Une bonne adresse.

Accès : A 10 sortie nᵒˢ 38 ou 40b puis direction Blaye ; au rond-point de la zone commerciale, à l'entrée de Blaye, suivez le fléchage « Château Frédignac » puis, au stop, prenez à gauche, traversez l'ancien passage à niveau, le château est à droite.

SAINT-MAURICE-SUR-ADOUR 40270

Carte régionale A2

12 km S de Mont-de-Marsan

€€ 🏠 🍴 🛏 10 % **Chambres d'hôtes (Nadine et Dominique Viviane-Savary) :** *Trouilh.* ☎ 05-58-71-08-68. 📱 06-45-76-56-96. ● trouilh.nadine@orange.fr ● trouilh.fr ● À l'écart du village, au cœur d'un grand parc, ancienne ferme landaise très bien restaurée. Grâce au goût subtil de Nadine et Michèle (sa maman), l'ancienne grange s'est habillée pour recevoir les hôtes. 3 chambres charmantes avec sanitaires privés : une au rez-de-chaussée, les 2 autres à l'étage, dont une suite pour

5 personnes. Déco et atmosphère qui vous emmènent en voyage. De 58 à 68 € pour 2, petit déj inclus. Table d'hôtes à 25 €, vin compris. Les repas se partagent dans une superbe salle à manger aux murs en galets ou en larges planches de sapin. Aux beaux jours, ça se passe côté jardin et Nadine cuisine *a la plancha* ! Accueil sympa. Une bonne adresse.

Accès : de Mont-de-Marsan, prenez la N 124 vers Grenade ; après l'hôpital Nouvielle en direction de Saint-Maurice, tournez à droite et suivez le fléchage.

SAINT-MICHEL-DE-FRONSAC   33126

Carte régionale B1

25 km NE de Bordeaux ;
10 km O de Saint-Émilion

€€€€ 🛏 ⑩% *Chambres d'hôtes La Closerie de Fronsac (Marie-Christine et Alain Aguerre) :* Lariveau. ☎ 05-57-24-95-81. 📱 06-26-15-18-20. Fax : 05-57-24-95-30. ● contact@lacloseriedefronsac.com ● lacloseriedefronsac.com ● Fermé janv-mars. 📶 Au milieu des vignes, belle demeure du XVII⁰ s, qui vient de refaire peau neuve. Dans une aile indépendante, au 1er étage, 2 chambres avec sanitaires privés, 2 autres dans la maison. 2 agréables terrasses pour profiter du paysage. Belle salle à manger authentique et chaleureuse (réservée aux hôtes), avec grande cheminée et coin cuisine à disposition (bien pratique, car il n'y a pas de table d'hôtes). De 87 à 107 € pour 2, petit déj bio compris. Au fait, *La Closerie de Fronsac* est aussi un canon-fronsac réputé (eh oui, les proprios sont viticulteurs et font déguster leur production) ! Accueil convivial.

Accès : Saint-Michel-de-Fronsac se trouve sur la D 670 entre Libourne et Saint-André-de-Cubzac ; au niveau de la poste du village, suivez le fléchage « Lariveau » sur 1,5 km.

SAINT-PIERRE-SUR-DROPT   47120

Carte régionale B1

7 km O de Monteton ;
20 km N de Marmande

€€ 🛏 🐴 ⑩% *Chambre d'hôtes Moulin de Cocussotte (Dominique Olivain et Jacques Constantin) :* ☎ 05-53-83-

44. 📱 06-74-16-46-82. ● dominique.olivain@wanadoo.fr ● moulindecocussotte.fr ● 📶 Moulin familial dans un cadre enchanteur au milieu de barrages, chutes d'eau, pontons et le seul à posséder une roue à aubes sur le département. Une immense chambre-suite de 90 m² au 1er étage de la maison, avec un grand séjour, un hall, une loggia qui ouvre sur la rivière, et des sanitaires privés. 70 € pour 2, petit déj compris, et 15 € par personne supplémentaire. Piscine. Possiblité de pêcher sur le site (à vos cannes !). Également 2 ravissants petits gîtes pour ceux qui veulent séjourner. À noter que le moulin se visite de mai à septembre. Accueil convivial. Bon rapport qualité-prix-convivialité.

Accès : bien fléché depuis Duras situé à 3,5 km.

SAINT-RÉMY-SUR-LIDOIRE   24700

Carte régionale B1

30 km NO de Bergerac ;
8 km S de Montpon-Ménestérol

€€ 🛏 🐴 ⑩% *Chambres d'hôtes Domaine de la Mouthe (Marie-Ange Guérault) :* La Mouthe. ☎ 05-53-82-15-40. 📱 06-71-52-73-42. ● lamoutheperigord@wanadoo.fr ● domainedelamouthe.com ● 📶 Après avoir sillonné l'Europe, l'Afrique et traversé le désert, Marie-Ange a décidé de revenir sur la terre familiale. Cette ancienne grange a été entièrement démontée et remontée ici, et croyez-nous, elle est belle avec ses colombages, isolée au milieu de 60 ha de pâturages et de sous-bois. 3 chambres d'hôtes adorables, dans les tons du Périgord (pourpre, blanc et vert) avec sanitaires privés, accès direct sur l'extérieur et petit salon de jardin, chacune avec frigo et TV, à 68 € pour 2, petit déj compris. 2 autres chambres (bleue et ocre), très spacieuses, avec coin salon, coin cuisine, salle d'eau, climatisation et terrasse privée couverte, à 80 €. Et pour compléter le tableau, une belle et grande piscine. Pas de table d'hôtes, mais Marie-Ange vous indiquera toutes les bonnes adresses du coin. Accueil souriant et charmant. Une de nos adresses préférées sur le département.

Accès : de Montpon ou de l'A 89 (sortie nº 12), prenez la D 708 vers Saint-Rémy et, à l'entrée du village, prenez la D 33 vers Villefranche-de-Lonchat, puis la 1re route à gauche à 50 m et suivez le fléchage « La Mouthe » sur 2 km.

AQUITAINE

SAINT-SEURIN-DE-CADOURNE 33180

Carte régionale A1

16 km E de Lesparre-Médoc ;
15 km N de Pauillac

€€€ 🏠 |○| **Chambres d'hôtes Real (Violaine et Patrick Lapeyrere) :** *6, rue Clément-Lemaignan.* ☎ 05-56-59-31-04. ● *contact@real-en-medoc.com* ● *real-en-medoc.com* ● 📶 Maison girondine de 1800 entourée de 3 ha de vignobles. Violaine et Patrick sont originaires de Tarbes, mais ont décidé de prendre la route des châteaux pour redorer le blason à la belle demeure familiale et accueillir les invités. Et c'est un succès : la déco contrastant couleurs chaudes et froides, ponctuée de jolis tapis et mettant en valeur volumes et mansardes nous a conquis. 5 chambres, dont une familiale, à 90 € pour 2, petit déj compris. Table d'hôtes à 32 €, à base des produits du potager bio, apéritif, vin de la propriété et café inclus. Cuisine traditionnelle et pain maison. Superbe parc, piscine, une adresse conviviale. Prêt de vélos pour vos balades.

Accès : *à Bordeaux, prenez la sortie n° 7, direction Le Verdon ; à droite au 1er embranchement, direction Pauillac ; suivez la D 2 jusqu'à Saint-Seurin de-Cadourne ; 800 m après le château Cos d'Estournel, la D 2 tourne à droite ; au panneau « Saint-Seurin », vous êtes arrivé, c'est la 3e maison à gauche.*

SAINT-SÈVE 33190

Carte régionale B1

20 km NO de Marmande ;
3 km N de La Réole

€€ 🏠 |○| 🐾 (10%) **Chambres d'hôtes (Monique Baugé) :** *au Canton.* ☎ 05-56-61-04-88. 📱 06-85-10-31-95. ● *moniquebauge@aol.com* ● 📶 Au bout d'un petit chemin goudronné, vieille et noble maison rurale tout en pierre. Au rez-de-chaussée, 2 chambres spacieuses avec sanitaires privés et TV (une préférence pour celle avec les deux fenêtres et la cheminée). Comptez 60 € pour 2, petit déj compris. Belle salle à manger rustique. Table d'hôtes, pas systématiquement partagée avec les proprios, à 20 € vin et café compris. Très bonne cuisine familiale avec poulet à l'estragon, magret de canard-pommes sarladaises ou blanquette de

veau. Accueil chaleureux. Bon rapport qualité-prix-convivialité.

Accès : *depuis La Réole (sortie A 62), prenez la D 670 vers Libourne, puis la D 21 vers Saint-Sève (chemin à droite après le village).*

SAINT-SULPICE-DE-MAREUIL 24340

Carte régionale B1

18 km NO de Brantôme ;
8 km NE de Mareuil

€€€ 🏠 🐴 **Chambres d'hôtes Domaine de Beaurecueil (Sylvie et Philippe Bordas) :** ☎ 05-53-60-99-84. ● *bordas-sylvie@wanadoo.fr* ● *bordas-sylvie.wix.com/domaine-beaurecueil* ● *Fermé 22 déc-4 janv.* Le château de Beaurecueil c'est avant tout un bon accueil et de très belles chambres. Mais c'est également une sorte de « paddock d'hôtes » qui reçoit chevaux et cavaliers. La belle pierre blanche de Dordogne diffuse son charme dès l'escalier et jusque dans les chambres. Décoration à force de chauds tapis, meubles de style (Boule, entre autres) habillant avec une fine élégance cette noble dame du XVe s. Selon la taille des chambres et le confort, de 70 à 80 € pour 2, petit déj compris. La vie de château, sans y laisser trop d'euros ! Un véritable coup de cœur.

Accès : *sur la D 708.*

SAINT-SYMPHORIEN 33113

Carte régionale A1

45 km S de Bordeaux ;
29 km SO de Langon

€€ 🏠 (10%) **Chambres d'hôtes Les Jardins de Broy (Cathy et Guy Bonneaud) :** *Broy.* ☎ 05-56-25-74-46. 📱 06-31-58-58-60. ● *lebroy9@yahoo.fr* ● *jardins-de-broy.com* ● 📶 En pleine forêt, dans une maison de métayer centenaire, une jolie chambre à laquelle on accède par un auvent avec baie vitrée. Salle de bains privée. Une autre, familiale, style studio, avec un ravissant petit jardin (japonais ou chinois ? Les Chinois prétendent qu'ils ont été copiés...). 65 € pour 2, petit déj compris, et 32 € par personne supplémentaire. Très agréable parc et de belles balades à faire en forêt, où Églantine, l'ânesse, vous accompagnera volontiers. Également un gîte classé Panda, pour 4 personnes.

Accueil charmant. Une adresse qu'on aime beaucoup.

Accès : depuis Saint-Symphorien, prenez la direction d'Arcachon ; à 7 km, au lieu-dit Broy, prenez la 1re route à gauche, c'est la 3e maison à droite.

SAINTE-CROIX-DU-MONT   33410

Carte régionale B1

*40 km SE de Bordeaux ;
7 km NO de Langon*

€€ ⌂ (10 %) **Chambres d'hôtes Château Lamarque (Sylvie et Thierry Darroman) :** ☎ 05-56-76-72-78 ou 05-56-62-01-21. 🖷 06-88-95-44-51. Fax : 05-56-76-72-10. ● tsdarroman@orange.fr ● ch-lamarque.com ● Fermé 20 déc-1er janv. 🕏 Au cœur du vignoble, le domaine de Château Lamarque est une exploitation viticole de 21 ha dominant la vallée de la Garonne. Aux rez-de-chaussée et 1er étage de la maison, deux ensembles composés chacun de 2 chambres confortables avec sanitaires privés. 70 € pour 2, petit déj compris (confitures et gâteau maison). Visite du chai et dégustation du vin de la propriété (gouleyant vin blanc liquoreux). Piscine. Accueil vraiment sympa.

Accès : depuis Langon (sortie A 62), prenez la D 10 vers Cadillac ; à Sainte-Croix-du-Mont, prenez la D 229 vers Gabarnac/Monprimblanc ; en haut de la côte, tournez à gauche vers Loupiac (D 117) et c'est le chemin à gauche à 300 m.

SARE   64310

Carte régionale A2

27 km S de Biarritz ; 8 km de l'Espagne

€€€ ⌂ |❶| **Chambres d'hôtes Olhabidea (Jean et Guillaume Fagoaga) :** ☎ 05-59-54-21-85. 🖷 06-72-73-68-71. ● olhabidea.fr ● Fermé pdt les fêtes de Noël et en janv ; l'hiver, ouv les w-e sur demande. Résa conseillée. 🕏 La demeure n'est pas très facile à trouver (le fléchage est volontairement modeste), mais persévérance et attention seront récompensées par la découverte ! Une allée bordée d'arbres conduit à une très belle propriété familiale du XVIe s, entourée d'un jardin fleuri de 4 ha. Elle abrite 3 chambres avec sanitaires privés et entrée indépendante, à 90 € pour 2 avec le petit déj. Chacune est personnalisée et décorée avec goût ; d'ailleurs, toute la maison regorge de bibelots anciens, de beaux meubles et de bouquets. Pour vos repas, un restaurant gastronomique sur place, avec un menu surprise élaboré par Guillaume à 42 €. Bon accueil. Une adresse de charme.

Accès : depuis le village, prenez la direction de Saint-Pée-sur-Nivelle (sur 2 km) ; face à la chapelle Sainte-Catherine, tournez à droite, la propriété est au bout de la ligne droite, près du centre équestre.

SAUBUSSE   40180

Carte régionale A2

18 km E d'Hossegor ; 15 km SO de Dax

€€€ ⌂ (10 %) **Chambres d'hôtes Château de Bezincam (Claude Dourlet) :** 600, quai de Bezincam. ☎ et fax : 05-58-57-70-27. ● dourlet.bezincam@orange.fr ● bezincam.fr ● Au bord de l'Adour, très belle demeure bourgeoise, dans un grand parc peuplé d'arbres centenaires. À peine arrivé, on découvre la serre, domaine privilégié de Claude (comme on la comprend !). L'intérieur est superbe et, partout, toiles, aquarelles et jolis meubles anciens retiennent l'attention. Au 1er étage, 3 chambres élégantes et très vastes avec de spacieux sanitaires privés. 75 € pour 2, copieux petit déj compris, avec un large choix de confitures. Ne manquez pas les promenades le long des Barthes et la visite de l'originale église romane toute proche. Accueil stylé et raffiné.

Accès : de Dax, N 124 vers Bayonne sortie Saubusse ; dans le village, avt le pont de l'Adour, tournez à droite et suivez le quai de Bezincam sur 800 m.

SORT-EN-CHALOSSE   40180

Carte régionale A2

9 km E de Dax

€ ⌂ |❶| ⋔ (10 %) **Chambre d'hôtes (Françoise et Sébastien Bezault) :** 325, route d'Arriou-d'Agès. ☎ 05-58-89-52-37. 🖷 06-26-01-80-90. ● bezault.francoise@wanadoo.fr ● pagesperso-orange.fr/labuissonniere ● 🕏 Au bout d'un petit chemin, jolie maison landaise au calme d'un jardin ombragé et fleuri. On entre dans une jolie salle de séjour avec de très beaux meubles, dont certains réalisés par le papa de Françoise. Petit couloir et hop ! nous voilà dans la petite « suite » de 2 chambres côte à côte, l'une avec lit double, l'autre avec lits jumeaux. Sanitaires privés. 50 € pour 2, copieux petit déj compris, et 100 €

pour 4. Table d'hôtes partagée en famille à 19 €. Accueil agréable.

Accès : *de Dax, D 32 vers Monfort-en-Cha-losse ; 3 km après Candresse, au niveau du rond-point, direction Sort-en-Chalosse sur 1,5 km et 2ᵉ route à droite (d'Arriou-d'Agès) ; c'est la 4ᵉ maison à droite.*

TARNOS   40220

Carte régionale A2

13 km NE de Biarritz ;
3 km N de Bayonne

€€ 🏠 🍴 ***Chambres d'hôtes (Hélène et André Ladeuix) :*** *26, av. Salvador-Allende.* ☎ *et fax : 05-59-64-13-95.* 📱 *06-86-89-41-30.* ● *heleneladeuix@hotmail.com* ● *enaquitaine.com* ● *Ouv avr-oct.* Au bout d'une allée ombragée, ensemble charmant de petites maisons basques. Grand parc de 1 ha, où vivent en harmonie canards, oies, poules et moutons. 4 chambres confortables avec sanitaires privés. Selon saison, 66-83 € pour 2, petit déj compris. Coin cuisine à disposition. Hélène et André font partie d'un groupe folklorique et chantent. Ceux qui aiment jouer les lézards pourront aller se faire rôtir sur les plages toutes proches. Piscine. Accueil simple et convivial. Les proprios louent aussi un petit gîte pour 3 personnes. Un point de chute idéal pour découvrir la région et surtout sa culture.

Accès : *depuis Bayonne, prenez la D 810 en direction de Bordeaux jusqu'à Tarnos ; dans le village, l'avenue est en face du tabac (qui nuit gravement à la santé...).*

🏠 ⑩ % ***Chambres d'hôtes Ferme de Honzac (Famille Hourquebie) :*** *1158, chemin de l'Adour.* ☎ *05-59-55-29-23.* 📱 *06-60-78-21-19. Fax : 05-59-55-79-52.* ● *ferme-de-honzac@wanadoo.fr* ● *fermedehonzac.pagesperso-orange.fr* ● *Fermé en janv.* 📶 Belle ferme landaise du XVIIIᵉ s, installée dans un parc de 10 ha. Chambres agréables et confortables, avec sanitaires privés. Selon saison et chambre, 66-80 € pour 2, copieux petit déj compris. Également, un gîte pour 4 personnes. Quand Christa et Gilles reçoivent des routards étrangers (salut !), on ne s'ennuie pas : ils parlent l'anglais, l'allemand, l'espagnol, et bien sûr, le français (on a encore des cours à prendre !). Belles balades à faire sur la propriété. Première plage à 8 km ; celles d'Hos-segor et de Capbreton sont un peu plus loin. Accueil convivial. Un point de chute

idéal pour découvrir les Landes et le Pays basque.

Accès : *depuis Bayonne, prenez la D 817 en direction de Pau sur 3 km, tournez à droite au fléchage « Emmaüs » et c'est le 1ᵉʳ che-min à droite.*

TOSSE   40230

Carte régionale A2

25 km NE de Bayonne ; 25 km O de Dax

€€ 🏠 ⑩ % ***Chambres d'hôtes Le Bos-quet (Monique et Jean-Pierre Arnau-din) :*** *4, rue du Hazan.* ☎ *05-58-43-03-40.* 📱 *06-88-32-27-39. Fax : 05-58-43-04-68.* ● *jpm.arnaudin@wanadoo.fr* ● *lebosquet-landes.com* ● 📶 Belle maison landaise entourée d'un parc d'un demi-hectare. 3 chambres coquettes, avec terrasses individuelles de plain-pied, à 57 € pour 2, petit déj compris. Pas de table d'hôtes, mais plusieurs restos à proximité. Accueil agréable. Bon rapport qualité-prix-convi-vialité, pour une adresse située à 8 km de l'océan (préparez les maillots et la crème solaire !).

Accès : *A 10 Paris/Bayonne, sortie Saint-Géours-de-Maremne en direction de Saint-Vincent-de-Tyrosse sur 6 km ; tournez vers Tosse (D 126) ; la maison est dans la 2ᵉ rue à droite, à l'entrée du village.*

TOURLIAC   47210

Carte régionale B1

38 km SE de Bergerac ;
35 km N de Villeneuve-sur-Lot

€ 🏠 🍴 ***Domaine de la Pantère (Werner et Siglinda Beyeler) :*** ☎ *et fax : 05-53-36-07-41.* ● *vacances@lapantere.fr* ● *lapantere.fr* ● En pleine nature, au milieu de 60 ha de forêts et de prés, vous trou-verez ici deux façons de vous héberger : 3 maisons de campagne (pour 4, 6 et 11 personnes) avec cheminée, qui se louent de 250 à 1 100 € la semaine sui-vant la capacité et la période ; et 3 chalets pour 4 à 6 personnes, avec 2 chambres, sanitaires, séjour avec coin cuisine, pour 90 à 140 € le week-end ou 250 à 580 € la semaine selon la saison. Tous les clients ont accès à la piscine. Barbecue à dispo-sition et possibilité de pique-niquer sur la propriété. Trois poneys sur place. Accueil agréable.

Accès : *depuis Villeréal, prenez la D 676 vers Beaumont-de-Périgord ; à 3 km, tour-nez à droite vers Tourliac et suivez le flé-chage « Bienvenue à la ferme ».*

VILLEFRANCHE-DE-LONCHAT 24610

Carte régionale B1

*40 km NO de Bergerac ;
15 km NE de Castillon-la-Bataille*

€€€ 🛏 |●| ⑩% **Chambres d'hôtes
Château de Mondésir (Martine et Laurent Lutz) :** ☎ 05-53-80-87-77. 📱 06-08-12-64-28. ● chateaumondesir@orange.fr ● chateaumondesir.com ● 🛜 Dans un grand domaine viticole bien connu des lecteurs du *Guide Hachette des Vins* (merci, pour la pub ! hé, c'est notre éditeur ! euh...), charmant château exotique avec tours et palmiers. 5 chambres, dont 3 familiales composées de 2 chambres, avec sanitaires privés. Pour vous détendre, une belle piscine en profitant de la vue sur l'église ; pour vous remettre en jambes, un court de tennis privé, et après, dégustation de bergerac (hips !). Tout ceci a un prix : 92 € pour 2 (120 € dans la suite), petit déj compris, et 41 € par personne supplémentaire. Sur réservation, table d'hôtes, partagée en famille, à 37 €, vin de la propriété inclus (et comme vous dormez sur place, personne n'est obligé de se dévouer, hi hi !). Également un gîte rural de 4-5 personnes pour ceux qui veulent séjourner. Accueil convivial.

Accès : dans le village, prenez en direction de Libourne jusqu'à l'église romane, puis à gauche ; le domaine est à 300 m.

VILLEGOUGE 33141

Carte régionale B1

*30 km NE de Bordeaux ;
9 km NO de Libourne*

€€ 🛏 **Chambres d'hôtes (Paulette et Jack Poux) :** 40, route de Camelot. ☎ 05-57-84-43-08. 📱 06-08-75-48-34. ● pouxjack@orange.fr ● camelot-villegouge.fr ● Ouv mars-oct. 🛜 Ancienne et belle ferme viticole tout en pierre, recouverte d'ampélopsis et agrémentée d'un coquet jardin fleuri. On se sent tout de suite bien dans la salle à manger rustique, auprès de la grande cheminée, tandis que le temps s'égrène sur l'horloge comtoise. Au 1er étage, 2 chambres personnalisées avec sanitaires privés. De 65 à 70 € pour 2, petit déj compris, avec de délicieuses confitures maison. Pour les moins fortunés, un camping à la ferme. Les marcheurs trouveront un circuit de rando bien fléché qui passe à côté de la maison. Accueil charmant.

Accès : depuis Saint-André-de-Cubzac, prenez la D 670 vers Libourne jusqu'à Lugon ; là, tournez vers Villegouge, continuez sur 4 km et suivez le fléchage.

VILLENAVE-DE-RIONS 33550

Carte régionale B1

20 km N de Langon ; 12 km S de Créon

€€€ 🛏 🐾 ⑩% **Chambres d'hôtes Les Batarelles (Danielle et André Tandonnet) :** 103, Deyma. ☎ 05-56-72-16-08. ● tandonnet.danielle@wanadoo.fr ● batarelles.com ● 🛜 Installé dans cette belle maison du XVIIIe s avec son étonnante façade à colonnes, au cœur du vignoble, vous n'aurez plus envie, l'hiver, de quitter la cheminée, l'été, la terrasse bordée de vignes. Une maison bien vivante, en toutes saisons. 4 chambres aux couleurs douces, dont une familiale. De 70 à 80 € pour 2, pantagruélique petit déj compris. Cuisine à disposition. En famille ou entre amis, on peut aussi louer « La Petite maison » mitoyenne, pour 6 personnes, avec séjour et cuisine américaine, et terrasse privée (150 € pour 6). Piscine, ping-pong et terrain de pétanque à disposition. Un douillet petit nid tenu par une hôtesse pétulante.

Accès : de Langon, direction Cadillac jusqu'à Paillet ; tournez au feu à droite vers Villenave et suivez le fléchage.

VILLENEUVE-SUR-LOT 47300

Carte régionale B1

24 km SO de Fumel ; 25 km N d'Agen

€€€ 🛏 |●| **Chambres d'hôtes Les Huguets (Gerda et Ward Poppe-Notteboom) :** ☎ 05-53-70-49-34. 📱 06-87-67-03-80. ● ward.poppe@wanadoo.fr ● leshuguets.com ● Aux portes de la ville, dans un environnement calme et reposant, ancienne ferme joliment restaurée. 5 chambres spacieuses à la déco de très bon goût à 89 € pour 2, petit déj compris. Table d'hôtes à 30 €, apéro et vin compris. Belle piscine, sauna et possibilité de massage. Accueil convivial. Un point de chute idéal pour découvrir les environs.

Accès : dans la ville, prendre la N21 vers Agen, puis direction Cahors sur 500 m puis à droite et fléchage (environ 4 km du bourg).

Auvergne

Centre
Bourgogne
Allier
(03)
Limousin
Puy-de-Dôme
(63)
Rhône-Alpes
Cantal
(15)
Haute-Loire
(43)
Midi-
Pyr.
Languedoc-
Roussillon

AUVERGNE

ARDES-SUR-COUZE   63420

Carte régionale A2

*55 km S de Clermont-Ferrand ;
22 km SO d'Issoire*

€€ 🏠 **Chambres d'hôtes (Marie-Claude et Lucien Haddou) :** *Montmeillant.* ☎ et fax : 04-73-71-83-05. 📱 06-88-11-87-42. ● *marie-claude.lavergne@laposte.net* ● *Ouv avr-sept.* 📶 Dans un parc de 3 ha, ancienne ferme joliment restaurée et entourée de grands sapins. 2 chambres agréables, l'une au rez-de-chaussée et l'autre à l'étage. Déco de bon goût. Sanitaires privés. 65 € pour 2, petit déj compris, et 25 € par lit supplémentaire. Pas de table d'hôtes, mais une petite cuisine à disposition. Calme et tranquillité assurés. Salle de massage. Accueil sympa. Allez faire un tour dans Ardes, c'est un adorable village.

Accès : *A 75, sortie n° 17 ; prenez la D 214, allez jusqu'à Saint-Germain-Lembron et bifurquez vers Ardes ; à 8 km, au carrefour, tournez à gauche et, 2 km plus loin, tournez encore à gauche, la maison est à 300 m.*

ARFEUILLES   03120

Carte régionale B1

35 km E de Vichy ; 18 km S de Lapalisse

€€ 🏠 🍽️ 🐴 **Chambres d'hôtes Aire les Biefs (Rudolph Bouwans et René van Hulst) :** *Les Biefs.* ☎ 04-77-65-78-94. ● *lesbiefs@lesbiefs.eu* ● *lesbiefs.eu* ● *Ouv mars-oct.* 📶 Aux confins de l'Allier et de la Loire, dans un petit hameau situé à 770 m d'altitude. C'est dans l'ancienne école que Rudolph et René, Hollandais d'origine, ont décidé de s'installer et d'ouvrir 5 chambres, dont 2 grandes suites avec coin salon : 2 au rez-de-chaussée, les 3 autres à l'étage. Déco agréable et colorée. Sanitaires privés. Selon la chambre, de 65 à 95 € pour 2, petit déj compris. Ici, c'est Rudolph qui cuisine et croyez-nous ses recettes sont nombreuses et goûteuses. Repas partagé en famille à 21 €, vin compris. Petite piscine hors sol et sauna extérieur chauffé au bois. Les randonneurs seront à l'honneur, le GR3 passe à proximité et le GR3A offre une sympathique petite boucle. Accueil convivial.

Accès : *d'Arfeuilles, D 26 vers la Croix du Sud pdt 8 km jusqu'au hameau ; à l'église, prenez le chemin à droite qui la contourne, la maison est à 50 m.*

BADAILHAC   15800

Carte régionale A2

*22 km E d'Aurillac ;
12 km S de Vic-sur-Cère*

€€ 🏠 🍽️ **Chambres d'hôtes La Calsade (Jeanine et Jean Morzière) :** ☎ 04-71-47-40-54. ● *jean.morziere@orange.fr* ● *la-calsade.com* ● 📶 Si vous aimez le grand air, la nature, le calme et la vie à la

---

campagne, c'est la bonne adresse ! À 950 m d'altitude, grande ferme en pierre du pays. À l'étage, 3 chambres claires et coquettes avec sanitaires privés qui bénéficient d'une vue panoramique sur la vallée. 48 € pour 2, petit déj compris. Table d'hôtes à 15 € avec les légumes du jardin et les volailles de la ferme. Cuisine auvergnate à l'honneur. Chaleur et simplicité, bon rapport qualité-prix-convivialité, que demander de plus ?

Accès : de Clermont-Ferrand, N 122 vers Aurillac jusqu'à Vic-sur-Cère puis Badailhac ; traversez le bourg en direction de Loubéjac, faites 1 km puis suivez le fléchage à droite.

BAGNOLS 63810

Carte régionale A2

70 km SO de Clermont-Ferrand ; 8 km SO de La Tour-d'Auvergne

€€ 🏠 |O| ⋔ *Chambres d'hôtes Domaine de Bos (Kees et Anne Van de Goor) :* ☎ 04-73-22-27-83. ● domainedebos@ orange.fr ● domaine-de-bos.fr ● ⚒ Fermé les 2 premières sem d'oct. 🛜 Aux confins du Puy-de-Dôme, du Cantal et de la Corrèze, au milieu d'un bois, une maison comme on les aime : authentique, simple et ouverte, comme ses propriétaires, 2 Néerlandais courageux qui ont entrepris avec bonheur la restauration de cette vieille ferme auvergnate. 5 chambres coquettes et rustiques avec sanitaires privés, réparties dans différentes ailes de la maison. 55 € pour 2, petit déj compris. Il est servi sous un agréable tilleul quand le temps le permet. Table d'hôtes à 20 € tout compris, pour une cuisine qui conjugue accents auvergnat et néerlandais. Accueil des plus chaleureux. On peut le dire, un de nos coups de cœur !

Accès : de Clermont-Ferrand, N 89 vers Bordeaux puis D 922 vers La Bourboule puis Bort-les-Orgues et D 25 jusqu'à Bagnols ; là, prenez direction La Tour-d'Auvergne sur 1 km, c'est la 1re ferme à droite.

BAINS 43370

Carte régionale B2

12 km O du Puy-en-Velay

€ 🏠 ⋔ 10% *Chambres d'hôtes (Monique et Marcel Pelisse) :* Jalasset. ☎ 04-71-57-52-72. 📱 06-72-15-00-63. Sur résa. C'est un accueil familial et chaleureux que vous trouverez chez Monique et Marcel, éleveurs de vaches laitières et producteurs de la célèbre... lentille verte du Puy. Trois chambres avec sanitaires privés, à 45 € pour 2, petit déj compris (avec lait, beurre, yaourt

de la ferme et confitures maison). Pas de table d'hôtes mais cuisine à disposition. Adresse sympa et bon rapport qualité-prix.

Accès : du Puy, prenez la D 589 en direction de Saugues ; à Bains, tournez à droite au monument aux morts, puis de nouveau à droite à l'église et suivez le fléchage « Jalasset ».

€€ 🏠 |O| 10% *Chambres d'hôtes (Caroline de Grossouvre) :* Fay. ☎ 04-71-57-55-19. 📱 06-81-30-98-27. ● c.derancourt@ nta43.com ● Sur résa. 🛜 Voici une adresse qui ravira les amateurs d'authenticité et de convivialité... Dans une très belle maison paysanne du milieu du XIXe s, Caroline propose 4 chambres spacieuses et confortables, avec de jolis meubles anciens et des sanitaires privés. 52 € pour 2, petit déj compris. Ne ratez pas le dîner à la table d'hôtes : pour 26 € le repas, vin compris, Caroline mijote ses plats à l'ancienne dans la grande cheminée, en s'inspirant des recettes de son aïeule... Un vrai régal ! Les cavaliers apprécieront qu'on puisse héberger aussi leur monture, et les autres les randonnées alentour. Accueil chaleureux et très bon rapport qualité-prix.

Accès : du Puy, prenez la D 589 vers Saugues/Saint-Privat-d'Allier ; après Bains, prenez à droite direction Fay et suivez le fléchage.

€ 🏠 |O| ⋔ *Chambres d'hôtes La Ferme de Saint-Jacques (Patricia et Daniel Raveyre) :* route du Puy. ☎ 04-71-57-51-79. 📱 06-83-59-93-47. ● patricia.r43@ hotmail.fr ● pagesperso-orange.fr/lafer medestjacques ● 🛜 Daniel et Patricia sont agriculteurs, spécialisés dans la culture de céréales. Au 1er étage de leur ancienne maison de village, 3 chambres agréables, avec sanitaires privés, à 45 € pour 2, petit déj compris (confitures et yaourts maison). Grand salon avec cheminée. Ici, la cuisine se fait à vue... et vous pourrez converser avec Patricia tandis qu'elle s'active aux fourneaux. Table d'hôtes (sauf le dimanche) à 15 €. Accueil sympa.

Accès : du Puy, prenez la D 589 vers Saugues jusqu'à Bains ; après la pharmacie, tournez à droite.

BEAUNE-SUR-ARZON 43500

Carte régionale B2

30 km N du Puy-en-Velay ; 13 km SE de La Chaise-Dieu

€€ 🏠 |O| ⋔ 10% *Chambres d'hôtes Le Clos Saint-François (Karine Chouvet) :* ☎ 04-71-01-23-95. 📱 06-07-40-97-75.

AUVERGNE

NORD

Châteauroux
D 925
Saint-Amand-Montrond
D 951
NIÈVRE (58)
N 7
D 1
INDRE (36)
CHER (18)
la Châtre
D 943
Argenton-sur-Creuse
Le Brethon
D 2144
D 3
St-Aubin-le-Monial
Moulins
Bressolles
D 11
Noyant-d'Allier
Buxières-les-Mines
N 79
Saulcet
D 2009
St-Victor
D 94
Voussac
Montluçon
D 2371
Vernusse
D 2144
D 46
Charroux
D 2009
N 145 - E 62
A 719
Gannat
CREUSE (23)
D 942
Sauret-Besserve
D 227
Combronde
D 210
Aubusson
Teilhède
Bourganeuf
Villosanges
St-Georges-de-Mons
Riom
HAUTE-VIENNE (87)
D 941
Mozac
Eymoutiers
Giat
Olby
Verneugheol
St-Pierre-Roche
Clermont-Ferrand
Bourg-Lastic
Montpeyroux
CORRÈZE (19)
le Mont-Dore
Montaigut-le-Blanc
Issoire
Ussel
Tauves
St-Victor-la-Rivière
Chadeleuf
Uzerche
Bagnols
Mareugheol
St-Rémy-de-Chargnat
Lempdes-sur-All.
Ardes-sur-Couze
Léotoing
CANTAL
Jaleyrac
Landeyrat
Mauriac
Brive-la-Gaillarde
Dienne
la Chapelle-d'Alagnon
Salers
Ruynes-en-Margeride
St-Cernin
Murat
15
St-Flour
Paulhac
Oradour
St-Clément
Chaliers
Badailhac
Souillac
Aurillac
St-Étienne-de-Carlat
Lieutadès
Chaudes-Aigues
LOT (46)
N 122
D 921
AVEYRON (12)
Figeac
Entraygues-sur-T.

0   20   40 km

AUVERGNE

• karine.chouvet@orange.fr • leclosstfrancois.com • & Ouv mars-nov. 🛜 Un ancien couvent du XVIIIᵉ s dans un petit village du Livradois-Forez. Karine et ses parents l'ont restauré dans le respect le plus total des lieux. Au 1ᵉʳ étage, 4 chambres personnalisées, dont une familiale. Originaux sanitaires privés, imaginés par Karine, passionnée de déco. Ici tout est en harmonie ; pourtant il a fallu trois cellules pour créer une chambre (c'est ça l'austérité...). De 60 à 68 € pour 2, excellent petit déj compris (confitures et pâtisserie maison), et 20 € par personne supplémentaire. Grande cour ombragée de tilleuls et joli jardin. Possibilité de table d'hôtes (sauf en juillet-août) pour 22 €, et restos à proximité. Accueil de qualité. Une très bonne adresse.

Accès : *du Puy-en-Velay, D 906 vers La Chaise-Dieu jusqu'à Bellevue-la-Montagne puis D 1 vers Craponne jusqu'à Chomelix ; à la sortie du bourg prenez direction Beauvesur-Arzon, la maison est en face de l'église.*

BOURG-LASTIC 63760

Carte régionale A2

60 km SO de Clermont-Ferrand ;
22 km N de La Bourboule

€€ 🏠 ***Chambres d'hôtes (Chantal et Denis Dugat-Bony) :*** Artiges. ☎ 04-73-21-87-39. • chantaldugatbony@orange.fr • artiges-chambresdhotes.com • Ouv mai-sept. 🛜 Au bout d'un petit chemin de campagne, belle ferme du XIXᵉ s joliment restaurée. 4 chambres agréables avec sanitaires privés. Déco chaleureuse et campagnarde, agrémentée de tableaux et de sculptures (œuvres de l'oncle des proprios). 55 € pour 2, avec le petit déj. Belle salle à manger avec poutres apparentes et grande cheminée. Pas de table d'hôtes, mais coin cuisine à disposition pour le soir et plusieurs petits restos à 2 km. Accueil agréable.

Accès : *dans Bourg-Lastic, suivez le fléchage « Artiges », la maison est à 2 km.*

BRESSOLLES 03000

Carte régionale A1

3 km S de Moulins

€€€€€ 🏠 ***Chambres d'hôtes Domaine d'Aigrepont (Édith et Hubert de Contenson) :*** Aigrepont. ☎ 04-70-44-48-07. 📱 06-80-05-51-02. • edecontenson@hotmail.com • aigrepont.com • Ouv mai-sept. 🛜 Dans un joli petit coin de campagne mais à deux pas de Moulins, magnifique domaine familial composé de plusieurs

bâtiments dont le plus ancien remonte au XVIIᵉ siècle. C'est dans celui-ci que les proprios proposent 3 chambres élégantes et spacieuses à l'atmosphère champêtre, avec accès indépendant. Selon la saison, de 120 à 130 € pour 2, petit déj compris, sous forme de buffet. Des plateaux sont à disposition pour pouvoir choisir le lieu où l'on va le déguster. Le parc, avec son agréable jardin paysager à la française, est grand et offre de nombreux coins sympas. Grande piscine abritée des regard indiscrets et petit étang pour taquiner le poisson. Une adresse de charme pour ceux qui aiment l'indépendance et qui ont les moyens.

Accès : *de Moulins, direction de Saint-Pourçain-sur-Sioule ; traversez l'Allier par le pont Régemortes, puis prenez à gauche la D 2009 vers Saint-Pourçain, faites 900 m et fléchage à droite vers Aigrepont (n'allez pas à Bressolles).*

BUXIÈRES-LES-MINES 03440

Carte régionale A1

35 km NE de Montluçon ;
33 km O de Moulins

€€ 🏠 🍴 **10 %** ***Chambres d'hôtes (Geneviève Brégeot) :*** Renière. ☎ 04-70-66-00-13. • genevieve.bregeot@sfr.fr • chambres-hotes-allier.fr • Au milieu des bois et des prés, jolie ferme entièrement restaurée et aménagée par Geneviève. 2 chambres croquignolettes et gaies au 1ᵉʳ étage de sa maison (préférez celle avec les deux fenêtres, elle est plus lumineuse). Luxueux sanitaires privés. 2 autres chambres installées dans un ravissant bâtiment indépendant, où se trouvaient autrefois l'écurie et le poulailler. Comptez 53 € pour 2, petit déj compris (avec un gâteau maison), et 17 € par personne supplémentaire. Table d'hôtes, partagée avec Geneviève, à 17 €, vin compris. Une adresse vraiment nature, loin de l'agitation et du bruit.

Accès : *depuis Moulins, prenez la direction de Montluçon en passant par Souvigny ; continuez sur la D 11 ; après Saint-Hilaire, laissez sur votre gauche Buxières et, dans la forêt, tournez à gauche vers Renière.*

CEILLOUX 63520

Carte régionale B2

40 km SE de Clermont-Ferrand ;
6 km SE de Saint-Dier-d'Auvergne

€€€€€ 🏠 🐎 ***Chambres d'hôtes Le Domaine de Gaudon (Alain et Monique***

Bozzo) : Gaudon. ☎ 04-73-70-76-25. ● domainedegaudon@wanadoo.fr ● domainedegaudon.fr ● 🛜 Située dans le parc du Livradois-Forez, belle demeure bourgeoise du XIXᵉ s, dénommée « le Château », posée au cœur d'un immense parc arboré et verdoyant agrémenté d'un ruisseau et d'un étang. Alain et Monique ont eu à cœur de décorer les lieux avec lustres, meubles anciens, tableaux, bibelots... Très belle salle à manger avec plafond à caissons, agréable salon et vaste parc entretenu avec amour par votre hôte. À l'étage, 5 chambres spacieuses avec sanitaires privés, à 120 € pour 2, avec un copieux petit déj. Espace bien-être avec jacuzzi, sauna et hammam. Luxe, calme et volupté...

Accès : de l'A 72 Clermont-Ferrand/Saint-Étienne, sortie Thiers-Quartier ouest/Vichy ; prenez la D 906 vers Compière, puis direction Domaize, et suivez le fléchage.

CHADELEUF   63320

Carte régionale A2

30 km S de Clermont-Ferrand ;
5 km E de Champeix

€€€ 🏠 |O| *Chambres d'hôtes de la Vigie (Véronique Pineau-Moins) :* ☎ 04-73-96-90-87. 📱 06-86-82-12-27. ● lavigie.chadeleuf@wanadoo.fr ● lavigie-chadeleuf.com ● 🛜 Dans une maison du XIXᵉ s, 3 chambres agréables et spacieuses, dont une suite composée de 3 chambres, toutes avec sanitaires privés. Selon la chambre, de 80 à 90 € pour 2, et 150 € pour la suite, petit déj compris. Il est servi devant la cheminée en hiver ou dans le jardin en été, avant d'aller piquer une tête dans la piscine. Table d'hôtes bio, sur réservation, à 25 €. Bibliothèque bien fournie.

Accès : depuis Champeix, prenez la D 229 vers Chadeleuf et suivez le fléchage.

CHALIERS   15320

Carte régionale A2

20 km S de Saint-Flour

€€ 🏠 |O| 🏡 *Chambres d'hôtes Champ Grand Sud (M. et Mme Michel Siquier) :* La Besse. ☎ et fax : 04-71-23-48-80. 📱 06-80-05-37-85. ● miksik15@yahoo.fr ● Fermé janv-avr et oct-déc. 🛜 Dans un petit coin de nature, belle demeure en vieille pierre datant de 1781, joliment rénovée et décorée avec goût. 5 chambres spacieuses et confortables avec mezzanine et accès indépendant. Sanitaires privés. 67 € pour 2, petit déj compris. Cadre idéal pour les amoureux

d'endroits champêtres : tout autour, des prés à perte de vue et les animaux de la maison (chien, chevaux, volailles) qui s'ébattent tranquillement... Table d'hôtes certains soirs, partagée en famille, à 21 €, vin compris. Aux beaux jours, on profite de la chouette tonnelle installée devant la maison pour prendre dîner et petit déj. Pour la digestion, le GR 4 passe juste à côté. Accueil convivial.

Accès : de l'A 75 Clermont-Ferrand/Millau, sortie nᵒ 30 ou 31, puis D 909 direction Chaliers.

CHARROUX   03140

Carte régionale A1

25 km NO de Vichy ; 10 km N de Gannat

€€ 🏠 |O| 🏡 *Chambres d'hôtes Relais de l'Orient (Susette et Albert Thys) :* 7, Grande-Rue. ☎ 04-70-56-89-93. 📱 06-61-61-39-34. ● relais-orient@wanadoo.fr ● relais-orient.charroux.com ● Fermé 16 déc-15 fév. 🛜 Au cœur de ce village classé parmi les plus beaux de France, agréable maison du XVIIIᵉ s. Sous le regard bienveillant de Bouddha, on accède aux 3 chambres installées au 1ᵉʳ étage. Chacune décorée sur un thème différent, il y a « La Mer » qui rappelle à Albert sa passion pour la plongée, « La Jaune » plus petite et moins chère, et « L'Orientale » sous forme de suite familiale, composée de 2 chambres. Sanitaires privés. Partout, des frises au pochoir réalisées par Susy (pour les intimes) et des aquarelles d'artistes locaux. Enfin, une 4ᵉ chambre a été aménagée dans le pigeonnier, avec lit sous les toits et petit salon zen en bas. Selon la chambre, de 65 à 80 € pour 2, petit déj compris. Table d'hôtes partagée en famille à 25 €, apéro maison et saint-pourçain compris. Belle piscine dans le jardin et VTT à disposition. Enfin, le village est à découvrir avec son beffroi, son église, mais aussi son artisanat : savonnerie, moutarderie et huilerie. Accueil zen et chaleureux.

Accès : au centre du village, prenez la Grande-Rue en direction du belvédère, c'est la maison aux volets bleus.

CHASSAGNES   43230

Carte régionale B2

50 km NO du Puy-en-Velay ;
20 km SE de Brioude

€€ 🏠 |O| 🏡 *Chambre d'hôtes La P'tite Maison (Hélène et Thierry Driot) :* Faveyrolles. ☎ 04-71-76-66-61. 📱 06-77-13-97-32. ● hth.driot@wanadoo.fr ● la-ptite-maison.com ● Fermé entre Noël et le

Jour de l'an. Dans une petite maison indépendante, bien au calme, vous trouverez une chambre avec mezzanine, agrémentée d'un petit salon avec cheminée. Sanitaires privés. Comptez 57 € pour 2, et 16 € par personne supplémentaire, copieux petit déj compris. Celui-ci vous sera servi, comme la table d'hôtes, dans la maison des propriétaires ou sur la terrasse aux beaux jours. Pour 16 €, Hélène propose de délicieuses spécialités légères à l'estomac : tartes salées, terrines, légumes du jardin, pâtes au bleu, glace maison avec croquets aux amandes, fromage blanc avec framboises ou myrtilles, crumbles de toutes sortes. Ici, vous pourrez, selon votre humeur, suivre un sentier découverte, aller admirer les gorges de l'Allier ou de nombreux sites culturels.

Accès : *du Puy-en-Velay, empruntez la N 102 en direction de Clermont-Ferrand jusqu'à Paulhaguet ; tournez à gauche devant le Crédit Agricole et prenez la D 22 jusqu'à Chassagnes ; de là, tournez à gauche vers Faveyrolles et suivez le fléchage.*

CHAUDES-AIGUES   15110

Carte régionale A2

27 km S de Saint-Flour ;
11 km S de Neuvéglise

€ 🏠 |●| ***Chambres d'hôtes La Fouilhouse (Agnès et Marc Chalmeton) :*** ☎ et fax : 04-71-23-58-15. 🖷 06-31-52-88-43. ● *m.a.chalmeton@orange.fr* ● *la-fouilhouse-chambres-d-hotes.fr* ● *Ouv avr-oct.* Dans un environnement sauvage, belle bâtisse de caractère bien rénovée qui domine la vallée de Chaudes-Aigues et offre un superbe panorama. 4 chambres confortables, dont 2 mansardées. Sanitaires privés. 45 € pour 2, petit déj compris. Table d'hôtes à 15 €, tout compris. Les repas sont servis dans une grande salle à manger rustique. Plats régionaux au programme ! Une adresse comme on les aime, sympathique, avec un accueil simple et convivial.

Accès : *à 3 km du centre de Chaudes-Aigues en direction de Rodez par la D 921 et fléchage.*

CINDRÉ   03220

Carte régionale B1

35 km S de Moulins ;
15 km N de Lapalisse

€€ 🏠 (10 %) ***Chambres d'hôtes Obouduchemin... (Liliane et Philippe Levasseur) :*** *L'Étang.* ☎ 04-70-57-70-52. ● *oboudu chemin@gmail.com* ● *obouduchemin. com* ● *Ouv 1er avr-2 nov.* Ancienne ferme restaurée avec de beaux massifs fleuris. 2 chambres simples dans une partie indépendante, avec sanitaires privés. Kitchenette et belle salle de séjour à disposition. Comptez 52 € pour 2, avec le petit déj servi dans la maison des propriétaires. Pas de table d'hôtes mais une petite auberge à 500 m. Également un gîte rural pour 5 personnes qui se loue de 225 à 330 € la semaine selon la saison (10 % de réduction pour les routards). Nombreuses petites randonnées à faire aux environs.

Accès : *sur la N 7, après avoir quitté Varennes-sur-Allier en direction de Lapalisse, tournez à gauche (D 23) au niveau de l'auberge ; dans le village, tournez à droite à l'église et prenez le 1er chemin à gauche, c'est tt au fond.*

COMBRONDE   63460

Carte régionale A1

26 km N de Clermont-Ferrand ;
10 km N de Riom

€€ 🏠 (10 %) ***Chambres d'hôtes (Lise et André Chevalier) :*** *105, rue Étienne-Clémentel.* ☎ 04-73-97-16-20. *Ouv mars-oct.* On entre par un grand porche, on traverse une cour pavée et on arrive dans la maison de Lise et André, au cœur du village. 2 chambres croquignolettes, très au calme, avec sanitaires privés. Une belle salle à manger où tout est harmonie et raffinement : meubles anciens, fauteuils capitonnés et nombreux tableaux. 58 € pour 2, pantagruélique petit déj compris (yaourt ou fromage blanc, jus de fruits pressés, compote et gâteau maison). Accueil agréable. Une adresse où nous serions bien restés plus longtemps...

Accès : *sur la N 144.*

COUBON   43700

Carte régionale B2

10 km SE du Puy-en-Velay

€ 🏠 |●| 🐾 (10 %) ***Chambres d'hôtes Les Cabarets (Yvonne et Roger Bernard) :*** ☎ 04-71-08-81-17. ● *roger.bernard43@ orange.fr* ● *Ouv Pâques-Toussaint.* À 770 m d'altitude, beau corps de ferme qui abrite 2 chambres d'hôtes, avec sanitaires privés, et une chambre spéciale randonneurs. Comptez 46 € pour 2, petit déj compris. Dans la grande salle à manger, une immense table pour prendre des repas simples, à 12 €, vin compris. Si vous continuez le chemin qui traverse la ferme, il vous conduira jusqu'à la Loire. Pour les randonneurs, le GR 3 qui mène au mont Gerbier-de-Jonc passe devant la maison.

Accès : par la D 38 ; dans le village, après la pharmacie, suivez le petit chemin, direction « Les Cabarets » sur 3 km (vous ne pouvez pas vous tromper, il atterrit dans la ferme).

CRÉCHY   03150

Carte régionale B1

13 km N de Vichy ;
8 km S de Varennes-sur-Allier

€€€ 🏠 |○| 🐴 **Chambres d'hôtes Château du Sauvage (Alain Mans et Christophe Pinon) :** *Le Sauvage.* ☎ et fax : 04-70-48-95-64. 🖥 06-15-26-72-97. ● *alain.mans@orange.fr* ● *chateau-le-sauvage.com* ● *Fermé une dizaine de jours en janv.* 📶 Quand Alain et Christophe ont acheté ce château du XVIe siècle, il était à l'abandon... Ils ont accompli un travail colossal pour le restaurer, et le résultat est magnifique ! 5 chambres, dont 3 dans la maison, les 2 autres installées dans deux tours dont l'une date du XIIe s, en pierre avec créneaux. Elles sont spacieuses et élégantes. On aime bien « Améthyste », ainsi que « Rubis » avec douche et baignoire. Les amoureux choisiront la « Tour de garde » dans les tons noir et gris. De 75 à 85 € pour 2, petit déj compris (gâteau, yaourt et confitures maison). Christophe est agriculteur et fabrique des fromages (vache et chèvre). Ils ont créé une petite ferme-auberge sur place, ouverte le week-end. C'est là que vous mangerez en fin de semaine, les autres jours c'est à la table d'hôtes que vous dînerez. Cuisine à partir des produits de la ferme (veau, volailles). 22 € le repas, apéro et vin compris. Quatre gîtes sur place de 2 à 6 personnes pour ceux qui veulent séjourner. Une adresse de charme, au très bon rapport qualité-convivialité-prix.

Accès : de Varennes-sur-Allier, N 7 vers Lapalisse puis N 209 vers Vichy ; laissez Créchy à droite et panneau à gauche à 500 m « Le Sauvage ».

DIENNE   15300

Carte régionale A2

35 km NO de Saint-Flour ;
12 km NO de Murat

€€€ 🏠 |○| ⑩% **Chambres d'hôtes Monts et Délices (Cécile Benoît et Jacques**

Caron) : *Le Bourg, route de Nozières.* ☎ 04-63-29-21-29. 🖥 06-13-70-73-51. ● *montsetdelices@live.fr* ● *montsetdelices.com* ● La superbe demeure de Cécile et Jacques, au crépi couleur ocre, surplombe le village situé à 1 050 m d'altitude. Aux 1er et 2e étages, 3 magnifiques chambres (dont une familiale) spacieuses et originales. Comme vous êtes chez des musiciens, vous pourrez, suivant vos goûts, vous laissez tenter par la « Cabrette », la « Petite suite Mozart » ou la « Télecaster ». Beaux sanitaires privés. De 81 à 100 € pour 2, copieux petit déj compris, servi sur la terrasse au beaux jours pour profiter du panorama sur les monts du Cantal. Goûteuse table d'hôtes à 25 € tout compris, souvent avec soirée musicale improvisée. Pour vous détendre, un grand spa. Excellent accueil. Une adresse au charme indéniable.

Accès : de Murat, prenez la D3 vers Riomes-Montagnes pdt 10 km puis à gauche jusqu'à Dienne.

DROITURIER   03120

Carte régionale B1

27 km NE de Vichy ;
7 km E de Lapalisse

€€ 🏠 |○| 🐴 **Chambres d'hôtes Carteron (Brigitte et Roland Billaud) :** ☎ 04-70-55-03-53. 🖥 06-84-14-48-72. ● *bri.roland.billaud@orange.fr* ● *Ouv avr-oct.* 📶 On vient ici surtout pour la personnalité de Brigitte, chaleureuse, expansive et volubile. 2 chambres bien tenues, de 2 et 3 personnes, avec sanitaires privés. 53 € pour 2, petit déj compris. Table d'hôtes partagée en famille à 20 €, apéro maison, vin et tisane compris. Cuisine à partir des légumes du jardin. Une adresse authentique et vraie.

Accès : à l'entrée du village sur la gauche quand on vient de la N 7 par la D 470.

GIAT   63620

Carte régionale A1

50 km O de Clermont-Ferrand ;
42 km N de La Bourboule

€€ 🏠 ⑩% **Chambres d'hôtes Le Vieux Pommier (Catherine et Gérard Dale) :** *rue de la Clinique.* ☎ 04-73-21-60-02. 🖥 06-79-20-63-84. ● *catherine.gdale@wanadoo.fr* ● *lvpgdale.monsite-orange.fr* ● 📶 *Ouv Pâques-15 nov. Sur résa.* 📶 Au milieu des arbres et des fleurs, maison du XIXe s tout en longueur, dont Catherine et Gérard vous conteront l'histoire. Une chambre au rez-de-chaussée et 4 autres à l'étage, joliment meublées. 59 € pour 2, avec le petit déj (pain, confitures, yaourts et pâtisseries maison). Pas de table d'hôtes proprement dite, mais possibilité d'assiette terroir sur demande (les jours fériés) pour 17,50 € vin et café compris. Située à 40 mn de Vulcania et à 30 mn d'Aubusson, célèbre pour ses tapisseries, voici une adresse qui vous permettra aussi de pratiquer de nombreuses promenades et randonnées. Accueil chaleureux. Une adresse qui fait des adeptes.

> **Accès :** *depuis Clermont-Ferrand, prenez la D 141 en direction de Limoges jusqu'à Pontaumur ; là, prenez à gauche vers Condat/ Giat ; Giat se trouve à 7 km ; à Giat, prenez la rue en face de l'hôtel Robert.*

GOUISE 03340

Carte régionale B1

22 km S de Moulins ;
14 km N de Varennes-sur-Allier

€€ 🏠 (10 %) **Chambres d'hôtes Les Rubis (Marie et Yves Lebrun) :** ☎ 04-70-43-12-70. 📱 06-81-16-24-03. ● lesrubis. gouise@wanadoo.fr ● pro.wanadoo.fr/ lesrubis ● &.Ouv de début avr à mi-oct. Par une allée de platanes, on arrive à cette gentille demeure du XIXᵉ s. Dans les anciennes écuries, 4 chambres, dont une au rez-de-chaussée, les 3 autres à l'étage. Déco agréable. Sanitaires privés. 54 € pour 2, petit déj compris, servi dans une belle salle à manger avec immense cheminée. Pas de table d'hôtes mais cuisine équipée à disposition. Baby-foot pour les amateurs et grand parc avec une foultitude de fleurs que la maîtresse des lieux soigne avec amour. Accueil de qualité.

> **Accès :** *traversez Gouise en direction de Saint-Voir (D 102) ; l'accès de la maison est à 4 km à gauche.*

GRÈZES 43170

Carte régionale B2

55 km SO du Puy ;
25 km NE de Saint-Chély-d'Apcher

€ 🏠 |●| **Chambres d'hôtes (Martine et Paul Cubizolle) :** Bugeac. ☎ 04-71-74-45-30. ● hebergement.cubizolle@ orange.fr ● hotes-a-bugeac.com ● Ouv Pâques-Toussaint. Sur résa. À 10 km de Saugues, dans un tout petit village en pleine Margeride, Martine et Paul, couple d'agriculteurs dynamiques, ont restauré une belle ferme typique : une fois passé le petit bâtiment en pierre qui abrite un

four à pain, on pénètre dans l'ancienne étable. Les poutres apparentes, la cheminée voûtée monumentale et les meubles rustiques (la plupart fabriqués par Paul) dégagent une atmosphère chaleureuse. Au 1ᵉʳ étage, 3 chambres coquettes, et une 4ᵉ avec lits clos au second, en soupente, qui peut accueillir jusqu'à 4 personnes. Comptez 52 € pour 2, copieux petit déj inclus (avec fromage blanc, confitures, beurre et pain maison). Martine propose aussi la table d'hôtes pour 18 €, apéro, vin et café compris. Une bonne occasion de tout apprendre sur la fameuse bête du Gévaudan, dont la légende reste bien vivante... Repas à base de produits bio et de la ferme : soupe aux légumes du jardin, charcuterie maison, veau aux girolles, potée, pot-au-feu, tartes à la rhubarbe ou aux myrtilles, poires au vin. Accueil chaleureux et authentique.

> **Accès :** *du Puy-en-Velay, prenez la direction d'Espaly, puis de Saugues (D 589) ; de Saugues, prenez la D 33 et, avt Grèzes, tournez à droite vers Bugeac, puis suivez le fléchage « Bugeac ».*

JALEYRAC 15200

Carte régionale A2

50 km S d'Aurillac ; 6 km N de Mauriac

€€ 🏠 **Chambres d'hôtes (Marie-Claire et Jean-Charles Charbonnel) :** Bouriannes. ☎ 04-71-69-73-75. Fax : 04-71-69-70-24. 📶 Magnifique maison de pays restaurée, où Marie-Claire propose 3 chambres meublées à l'ancienne, avec sanitaires privés (préférez la « Châtaigne », avec ses draps anciens et ses taies d'oreiller brodées). De 50 à 55 € pour 2, petit déj compris. Pour les petits, chevaux, vaches, cochons, basse-cour. Accueil chaleureux.

> **Accès :** *depuis Mauriac, prenez la direction de Bort-les-Orgues puis, à 3 km, la route à gauche en direction d'Arches.*

LA CHAISE-DIEU 43160

Carte régionale B2

45 km N du Puy-en-Velay ;
25 km E de Brioude

€€€ 🏠 |●| 🐾 (10 %) **Chambres d'hôtes La Jacquerolle (Jacqueline et Carole Chailly) :** rue Marchédial. ☎ 04-43-07-60-54. 📱 06-70-73-68-30. ● lajacque rolle@hotmail.com ● lajacquerolle. com ● 📶 Grande maison de village en pierre, restaurée en 1823, et dont les murs faisaient sans doute partie des remparts de la ville qui existent encore par endroits. Jacqueline l'a décorée avec goût, au hasard de ses trouvailles dans les brocantes de la région. 4 chambres confortables avec des couettes bien douillettes et des sanitaires privés. De 80 à 85 € pour 2, petit déj compris. Possibilité de table d'hôtes, à 28 € : truffade, feuilleté aux cèpes, potée, chou farci, tourte aux lentilles, lapin au miel, poulet à la verveine, clafoutis aux cerises. Une adresse idéale pour les mélomanes souhaitant profiter du festival de La Chaise-Dieu... et pour les autres. Accueil discret et chaleureux.

Accès : *du Puy-en-Velay, prenez la N 102 en direction de Clermont-Ferrand ; à Brioude, direction La Chaise-Dieu.*

LA CHAPELLE 03300

Carte régionale B1

17 km E de Vichy ;
7 km NO du Mayet-de-Montagne

€€ 🏠 |●| (10 %) **Chambres d'hôtes La Maison des Collines Autour (Évelyne et Pascal Dauvergne) :** *Le Pouthier.* ☎ 04-70-41-82-20. 📱 06-62-23-35-43. ● evdauv@aol.com ● la-maison-des-collines-autour.fr ● 🎨 Fermé du 15 déc à début janv. 🛜 C'était la fermette des grand-parents d'Évelyne et elle a décidé d'y revenir et de créer 3 chambres coquettes et sereines avec beaux sanitaires privés. 57 € pour 2, petit déj compris. Table d'hôtes à 23 €, apéro, vin et café compris. Cuisine goûteuse où les spécialités marocaines tiennent une place de choix. Il faut dire qu'Évelyne, artiste-peintre, y expose souvent. Son atelier jouxte la maison et elle propose des ateliers de peinture à la demande. Accueil charmant. Bon rapport qualité-prix-convivialité.

Accès : *au Pouthier, sur la D 62 entre Le Mayet-de-Montagne et Vichy, prenez direction La Chapelle-bourg, la maison est à 500 m à droite.*

LA CHAPELLE-D'ALAGNON 15300

Carte régionale A2

20 km NO de Saint-Flour ;
4 km E de Murat

€€ 🏠 |●| 🏡 **Chambres d'hôtes La Gaspardine (Joëlle et Denis Médard) :**

Gaspard. ☎ 04-71-20-01-91. ● lagaspar dine@orange.fr ● cantal-hote.fr ● Fermé de mi-nov à mi-janv. 🛜 Joëlle a quitté Paris et a décidé de reprendre la vieille ferme de sa grand-mère pour ouvrir des chambres d'hôtes. Au nombre de 4, elles sont printanières et colorées. Sanitaires privés. Comptez 55 € pour 2, petit déj compris, servi aux beaux jours sur une belle terrasse suspendue et gazonnée qui jouit d'une superbe vue sur la campagne environnante. Agréable salle à manger où vous découvrirez la collection de petites bouteilles de parfum de Joëlle. Table d'hôtes (sauf le dimanche soir) à 17 €, vin compris (c'est pas la ruine !). Bonne cuisine régionale. Atmosphère sereine. Accueil souriant et sympa. Un point de chute idéal pour découvrir le Cantal.

Accès : *depuis Murat, prenez la N 122 en direction de Massiac et suivez le fléchage « Gaspard » à 4 km à droite (n'allez pas à La Chapelle-d'Alagnon).*

LANDEYRAT 15160

Carte régionale A2

8 km NO d'Allanche ;
15 km SE de Condat

€€€ 🏠 |●| 🏡 **Chambres d'hôtes Ferme des Prades (Françoise et Philippe Vauché) :** *Les Prades.* ☎ 04-71-20-48-17. 📱 06-88-30-79-67. ● les-prades@ wanadoo.fr ● fermedesprades.com ● Une superbe demeure chargée d'histoire, qui fut la propriété du célèbre abbé Pradt (puisqu'on vous l'dit !). C'est aujourd'hui une grande ferme en vieille pierre, au milieu d'un parc de 1 ha boisé et fleuri, tenue par un couple d'agriculteurs. Six chambres confortables, décorées avec beaucoup de goût. Belle hauteur sous plafond, parquet et vieilles gravures. De 75 à 95 € pour 2, petit déj compris. Table d'hôtes à 25 €. Bonne cuisine régionale et spécialités de nos grand-mères préparées avec les produits du pays. Possibilité de visiter l'exploitation. Pour ceux qui veulent séjourner et pour les amateurs d'insolite, les proprios ont transformé en gîte 2 personnes un original et ancien wagon de marchandises des années 1950 qu'ils louent, selon la saison, de 500 à 600 € la semaine. Accueil chaleureux. Une adresse de charme.

Accès : *depuis Allanche, prenez la D 679 vers Marcenat sur 7 km et suivez le fléchage.*

AUVERGNE

AUVERGNE

LAPTE 43200

Carte régionale B2

*40 km NE du Puy-en-Velay ;
6 km O de Montfaucon*

€ 🏠 |❚|❙ 🏘 **Chambres d'hôtes La Charmette (Josette et Auguste Mounier) :** Le Brus-de-Verne. ☎ 04-71-59-38-30. 📱 06-75-83-17-54. ● *auguste.mounier@ orange.fr* ● 🚲 🛂 🛜 Dans l'ancien bâtiment qui hébergeait la grange et l'étable, Josette, Auguste et leurs quatre enfants (qui participent activement à la tâche) ont installé 5 chambres : une au rez-de-chaussée, les 4 autres à l'étage (dont une avec mezzanine). Agréable déco réalisée par Agnès (une des filles). Sanitaires privés. Comptez 50 € pour 2, petit déj compris (lait tiré tout juste du pis et confitures maison !), et 16 € par personne supplémentaire. Table d'hôtes à 18 €, où pratiquement tous les produits sortent de la maison. Eh oui, les proprios élèvent vaches laitières, vaches à viande, porcs, moutons, volailles (et même une chèvre pour faire le fromage blanc !) et cultivent leur potager. Cela vous donne, par exemple, charcuterie maison, tourte aux pommes de terre et aux poireaux, navarin d'agneau, coq au vin, fromage blanc (mi-chèvre, mi-vache), tarte tatin, glace à la verveine du Velay ou à la gentiane... Quant aux tuyaux touristiques, vos hôtes savent se rendre disponibles. Accueil chaleureux et familial. Une adresse qui fait des adeptes.

Accès : du Puy-en-Velay, empruntez la N 88 en direction de Saint-Étienne jusqu'à Yssingeaux, puis la D 105 vers Annonay, que vous ne quittez plus jusqu'à Verne (ne tournez pas vers Lapte) ; la maison est à l'entrée du village à gauche.

LAVAUDIEU 43100

Carte régionale B2

*45 km NO du Puy-en-Velay ;
10 km SE de Brioude*

€€ 🏠 **Chambres d'hôtes La Buissonnière (Andrée et Michel Isabel) :** Le Bourg. ☎ 04-71-76-49-02. 📱 06-30-95-48-27. ● *andree.isabel@wanadoo.fr* ● *43labuissonniere.monsite.orange.fr* ● Ouv 1er mai-30 sept. 🛜 Au bord de la Senouire, Lavaudieu est un village chargé d'histoire, classé parmi les plus beaux de France. Charmant couple de retraités, Andrée et Michel ont restauré cette ancienne maison vigneronne et ont aménagé 3 chambres coquettes, toutes différentes, à l'étage de

la maison. Sanitaires privés. 58 € pour 2, petit déj compris (confitures et gâteaux maison). Aux beaux jours, il est servi sur un agréable terrasse entourée d'un jardin en pleine nature. Pas de table d'hôtes, mais trois restos dans le village. Accueil chaleureux. Et, bien sûr, plein de visites à faire dans le village (abbaye, église, maison des Arts et Traditions populaires).

Accès : A 75 sortie Brioude puis direction La Chaise-Dieu jusqu'au rond-point et direction Lavaudieu ; dans le village, suivez le fléchage (sans tenir compte des sens interdits !).

€€ 🏠 **Chambres d'hôtes La Maison d'à Côté (Marie et Pascal Robert) :** ☎ 04-71-76-45-04. ● *lamaisondacote@ wanadoo.fr* ● Ouv Pâques-30 sept. Résa conseillée en hte saison. Voilà une adresse que les amoureux des vieilles pierres ne manqueront pas... Eh oui, Lavaudieu est un village classé parmi les plus beaux de France. Dans l'une des maisons, Marie et Pascal ont aménagé 4 chambres bien douillettes, tout aussi craquantes les unes que les autres. Déco raffinée (adorables petits fenestrons garnis de tentures) et sanitaires privés. 60 € pour 2, petit déj compris. Agréable terrasse intérieure, qui jouit d'une vue magnifique sur la rivière, la Senouire. Pas de table d'hôtes, mais deux petits restos dans le village. Accueil convivial. Lavaudieu recèle des joyaux, notamment une superbe abbaye du XIe s (séduisant cloître roman, gigantesques peintures murales dans l'église et le réfectoire).

Accès : depuis Le Puy-en-Velay, prenez la N 102 en direction de Brioude jusqu'à La Chomette ; tournez vers Domeyrat (D 206), puis prenez la D 20 jusqu'à Lavaudieu ; la maison est en face du pont.

LE BRETHON 03350

Carte régionale A1

*50 km O de Moulins ;
30 km N de Montluçon*

€€€ 🏠 |❚|❙ **Chambres d'hôtes Fontarabier (Louise Baudet et Dick Van der Fluit) :** ☎ 04-70-06-81-05. 📱 06-59-28-01-88. ● *dvdfluit@hotmail.com* ● *fonta rabier.com* ● Fermé 22 déc-5 janv. 🛜 En pleine campagne, ancienne ferme du début du XIXe siècle, composée de plusieurs petits bâtiments. 4 chambres champêtres disséminées dans les lieux avec accès indépendant et sanitaires privés. Une au 1er étage accessible par un petit escalier extérieur privatif, mansardée, à l'atmosphère campagnarde, avec un croquignolet lit installé dans une charrette irlandaise, une autre à l'atmosphère plus romantique dans les tons bleu, une autre installée dans l'ancien four à pain et enfin une immense suite à l'atmosphère plus contemporaine avec coin salon et bibliothèque en mezzanine et une luxueuse douche à jets. 70 € pour 2 pour les 3 premières et 90 € pour la suite, petit déj compris. Table d'hôtes avec les produits du jardin et de producteurs locaux à 25 €, apéro maison, vin et café compris. Magnifique jardin et petit étang. Accueil chaleureux. Bon rapport qualité-prix-convivialité.

Accès : *A 71, sortie n° 9 Vallon-en-Sully ; à Vallon, tournez à droite au feu, puis tt droit jusqu'au Brethon ; traversez le village (D 110 puis D 410) vers Cerilly et tournez à gauche vers Fontarabier (2e ferme à droite).*

LE MONT-DORE 63240

Carte régionale A2

50 km SO de Clermont-Ferrand ;
3 km E du Mont-Dore

€€€ ⌂ **Chambres d'hôtes La Closerie de Manou (Françoise Larcher) :** Le Genestoux. ☎ 04-73-65-26-81 ou 04-73-81-03-59. 📱 06-08-54-50-16. ● lacloseriedemanou@orange.fr ● lacloseriedemanou.com ● Ouv 1er avr-15 oct. Résa conseillée. 🛜 Belle demeure du XVIIIe s, avec son typique toit en lauze. 5 chambres décorées avec goût et raffinement. Sanitaires privés, TV (pour les accros), accès wifi dans chaque chambre, et clim pour deux d'entre elles. De 85 à 90 € pour 2, avec un copieux petit déj (viennoiseries, coupe de fruits frais, jambon, yaourt, fromage, confitures maison...). Belle salle à manger avec cheminée, douillet salon orné de toiles et d'un ravissant poêle autrichien. Accueil chaleureux.

Accès : *A 89 sortie no 25, puis direction Le Mont-Dore ; du Mont-Dore, prenez l'av. des Belges direction A 89/Murat-le-Quaire.*

LÉOTOING 43410

Carte régionale A2

60 km S de Clermont-Ferrand ;
25 km S d'Issoire

€€€ ⌂ |●| **Chambres d'hôtes Le Moulin du Bateau (Catherine et Claude Quantin) :** Le Bateau. ☎ 04-71-76-57-07. 📱 06-73-42-58-77. ● lemoulindubateau@wanadoo.fr ● lemoulindubateau.com ●

Fermé déc-janv. 🛜 Catherine et Claude ont fort bien restauré cet ancien moulin situé au bord de l'Allagnon : la salle des machines est devenue une pièce à vivre spacieuse, agrémentée de murs lumineux, de vieilles poutres et de meubles campagnards. À l'étage, 4 chambres élégantes et douillettes, dont les noms rappellent l'ancienne fonction du moulin : « Comme les blés », la romantique, « Petit épeautre » et « Paille de seigle », avec mezzanine, et « Grain d'orge », la familiale. De 75 à 80 € pour 2, petit déj compris, et 20 € par personne supplémentaire. Table d'hôtes à 25 €, apéro, vin et café compris. Joli jardin et terrasses bien fleuries pour se prélasser au bord de la rivière. Ambiance et accueil chaleureux.

Accès : *du Puy, N 102 jusqu'à Lempdes (sorties A 75 nos 19 ou 20), puis D 909 ; continuez tt droit puis suivez la direction de Massiac/Blesle ; le moulin se trouve à 7 km de Lempdes.*

LES ESTABLES 43150

Carte régionale B2

30 km SE du Puy-en-Velay

€€ ⌂ |●| **Chambres d'hôtes Francillon (Marie-Josée Durand) :** ☎ et fax : 04-71-08-39-56. 📱 06-34-45-91-07. ● marie-josee.durand@laposte.net ● lefrancillon.com ● 🛜 En pleine nature, magnifique ferme du XVIIe s, typique du Mézenc avec son lourd toit de lauze. Le cadre est somptueux et c'est un ravissement pour les yeux. C'est aussi une maison d'artiste. À l'entrée, l'atelier de Marie-Josée, décoratrice, peintre et céramiste. À l'étage, 5 chambres plus ravissantes les unes que les autres. Meubles peints mis en valeur dans la pierre et le bois. Sanitaires privés. 70 € pour 2, petit déj compris. Table d'hôtes à 25 €, vin compris. Cuisine avec les produits du terroir. On mange dans l'ancienne étable, parée de cristal, de bouquets de fleurs séchées et de tableaux, où trônent une cheminée avec son lit clos et une table sortie de l'imagination de votre hôtesse. Également un gîte de séjour de 11 personnes. Dehors, le jardin est superbe, et la fontaine originale. Accueil de qualité. Un de nos coups de cœur !

Accès : *du Puy-en-Velay, D 535 vers Valence ; passez Monastier, continuez sur 4 km puis prenez la D 631 jusqu'aux Estables ; là, prenez la route du Mézenc et tournez dans la 1re à gauche (fléchage).*

LIEUTADÈS 15110

Carte régionale A2

23 km N de Laguiole ;
15 km O de Chaudes-Aigues

€€ 🛏 |○| 🍴 **Chambres d'hôtes (Denise Gilibert-Devors) :** Esclauzet. ☎ 04-71-73-83-16. 📱 06-81-61-14-34. ● denise.gilibert-devors@orange.fr ● chambres-dhote-chez-denise.wifeo.com ● 🚲 📶 Belle maison de caractère du début du XIXᵉ s, entièrement rénovée. 4 chambres très agréables, spacieuses et bien tenues, dont 2 familiales sous les toits qui offrent une jolie vue sur les prés alentour. 53 € pour 2, petit déj compris. Grande salle commune décorée avec soin, tout en vieille pierre et meubles en bois, et bien agréable terrasse avec vue sur la vallée. Possibilité de repas, à 14,50 € tout compris. Accueil tout à fait charmant.

Accès : *situé entre Chaudes-Aigues et Laguiole (D 921).*

MAREUGHEOL 63340

Carte régionale A2

48 km S de Clermont-Ferrand ;
10 km SO d'Issoire

€€ 🛏 |○| (10 %) **Chambre d'hôtes Les Deux Roues (Suzanne et André Bretogne) :** rue du Fort. ☎ 04-73-71-41-59. ● andre.bretogne@wanadoo.fr ● gite-les2roues.com ● 📶 Juste en face du fort de ce joli village, vous trouverez une ferme familiale restaurée par André et Michel Zwikel, dynamiques retraités. Une chambre familiale et spacieuse, composée de 2 chambres communicantes pouvant accueillir 5 personnes, à 60 € pour 2, petit déj compris (confitures et gâteaux maison), et 20 € par personne supplémentaire. Également un gîte de 4 personnes sur place. Accueil chaleureux.

Accès : *de l'A 75, prenez la sortie nº 15 direction Le Broc ; allez jusqu'à Saint-Germain-Lembron (D 909), puis prenez la D 720 à droite à l'entrée du bourg direction Gignat et fléchage (dans le village, 3ᵉ à droite, direction Antoingt).*

MOISSAT 63190

Carte régionale B1

25 km E de Clermont-Ferrand ;
6 km S de Lezoux

€€ 🛏 |○| **Chambres d'hôtes Le Clos de Goëlle (Valérie et Vincent Gobillard) :** ☎ 04-73-62-98-84. ● clos.goelle@orange.fr ● clos-goelle.com ● 📶 Au bout d'un long chemin rural, on arrive à cette surprenante propriété perdue au beau milieu de la campagne avec le château de Ravel en ligne de mire, dont c'était la métairie. Élégant corps de ferme du XVIᵉ s tout en pierre avec sa vieille tour, l'ancienne « blanchisserie », un puits et la vue sur le fameux château où fut tourné *Les Choristes*. À l'étage d'une dépendance, 3 chambres soignées et douillettes, avec sanitaires privés mais w-c communs. 53 € pour 2, petit déj compris. Table d'hôtes (de mi-mai à mi-octobre, 4 soirs par semaine) à 19 € ou sympathique petite *Auberge de la Forge,* à Glaine-Montaigut. Belles pièces où il fait bon vivre et plusieurs terrasses dans le jardin qui invitent à la pause. Valérie est une chineuse invétérée et nombre de ses trouvailles parsèment sa jolie demeure avec goût et élégance. Vincent, lui, collectionne les voitures anciennes, mais aussi motos, scooters et caravanes d'époque, qu'il vous fera découvrir avec plaisir en vous ouvrant les portes de sa grange. Accueil chaleureux.

Accès : *de l'A 89, sortie Lezoux, puis à Lezoux, direction Moissat/Billom ; avt Moissat, prenez le petit chemin à gauche en suivant le fléchage.*

MONLET-LES-ARBRES 43270

Carte régionale B2

32 km NO du Puy-en-Velay ;
7 km S de La Chaise-Dieu

€€€ 🛏 |○| (10 %) **Chambres d'hôtes La Ferme Saint-Antoine (Jacqueline et Michel Zwikel) :** Les Arbres. ☎ et fax : 04-71-00-71-39. 📱 06-21-07-43-46. ● jacqueline@crea-vitrail.com ● crea-vitrail.com ● 📶 Séjourner chez Jacqueline et Michel, ça se mérite ! Leur maison tout en pierre, ancienne ferme de 1850, se trouve après 1,5 km de route forestière (vous la reconnaîtrez à la vieille lanterne aux verres bleus eux aussi). Deux chambres à l'étage, à 80 € pour 2, petit déj compris, et à la table d'hôtes (30 € le repas, apéritif et vin compris), de bonnes terrines et tartes maison. Mais l'originalité de la maison, c'est l'atelier de Jacqueline, juste en face, où elle produit de superbes vitraux... Accueil charmant.

Accès : *du Puy, prenez la N 102 direction Clermont-Ferrand, faites env 10 km puis prenez la D 906 vers Saint-Paulien/Craponne ; à Saint-Paulien, D 13 à gauche direction Allègre, et suivez la route de La Chaise-Dieu ; à Malaguet, en face du resto Le Malaguet, tournez à droite et suivez le fléchage « Vitrail ».*

MONTAIGUT-LE-BLANC 63320

Carte régionale A2

*25 km S de Clermont-Ferrand ;
8 km E de Saint-Nectaire*

€€ 🏠 (10 %) **Chambres d'hôtes Le Prieuré (Christiane Ziessel) :** *37, rue de l'Église.* ☎ 04-73-96-29-31. 📱 06-84-09-15-04. ● *thezeiss@hotmail.com* ● *gite-prieure.fr* ● *Ouv de mi-mars à fin sept.* Vous trouverez facilement la maison de Christiane, juste aux volets bleus, juste à côté de l'église... 2 chambres avec sanitaires privés à l'étage, à 56 et 58 € pour 2, avec le petit déj. Agréable petit jardin et déco agrémentée des toiles de Christiane, l'artiste des lieux.

Accès : de l'A 75, sortie n° 6 ; prenez à droite la D 978 jusqu'à Champeix, puis la D 996 vers Montaigut-le-Blanc ; dans le village, à droite vers l'église.

MONTPEYROUX 63114

Carte régionale A2

*21 km S de Clermont-Ferrand ;
16 km N d'Issoire*

€€ 🏠 🐕 (10 %) **Chambres d'hôtes Le Cantou (Jacqueline et Hermann Volk) :** *pl. de la Croix-du-Bras.* ☎ 04-73-96-92-26. ● *j.volk@orange.fr* ● 🛜 Dans un ancien bâtiment agricole tout en pierre très bien restauré, 3 chambres spacieuses, avec sanitaires privés, de 55 à 68 € pour 2, petit déj compris. Au-dessus des chambres, au 2e étage, une vaste pièce à vivre avec terrasse et une grande bibliothèque à la disposition des hôtes, ainsi qu'une ancienne étable, avec voûte et cheminée, aménagée en pièce de séjour s'ouvrant sur une cour intérieure. Hermann, ancien professeur d'histoire et de français, connaît la région à merveille et vous aidera à bâtir vos itinéraires. Pas de table d'hôtes mais une auberge dans le village. Accueil chaleureux.

Accès : A 75, sortie n° 7, Montpeyroux et suivez le fléchage.

€€€ 🏠 🐕 (10 %) **Chambres d'hôtes Les Pradets (Édith Grenot) :** ☎ 04-73-96-63-40. ● *edith.grenot@orange.fr* ● *auvergne.maison-hotes.com* ● Belle maison nichée au cœur de Montpeyroux, village classé parmi les plus beaux de France. Trois chambres agréables, au style raffiné (draps brodés !) : 2 dans la maison (préférez la rose, avec vue sur le jardin intérieur) et une dans un petit pavillon indépendant. Sanitaires privés. 85 € pour 2, petit déj compris. On le prend soit dans une agréable salle à manger voûtée, soit dans le jardin (en profitant de la vue sur le pays des Buttes). Accueil agréable. Pour les infos touristiques, pas de problème, Édith vous donnera tous les tuyaux.

Accès : A 75, sortie n° 7 Montpeyroux.

MOUDEYRES 43150

Carte régionale B2

*25 km SE du Puy-en-Velay ;
16 km O de Fay-sur-Lignon*

€€€ 🏠 🍴 🐕 **Chambres d'hôtes Le Moulinou (Lucia Toebes) :** ☎ 04-71-08-30-52. 📱 06-19-32-45-70. ● *lucia.gaboriaud@wanadoo.fr* ● *lemoulinou.free.fr* ● *Fermé quelques jours autour de Noël.* 🛜 Le Moulinou est une belle ferme de 1790, superbement restaurée par Lucia et Bertrand. Quand on visite les lieux, on imagine sans peine l'énorme somme de travail qu'il a fallu pour la remettre en état, tout en respectant son authenticité. 5 chambres avec pierres apparentes, simples mais meublées avec goût et originalité (nombreux meubles fabriqués par Bertrand). Sanitaires privés. Comptez 72 € pour 2, petit déj nordique compris (chouette !). Dans la belle salle à manger (pierres et poutres apparentes), une monumentale cheminée, dont les flammes viennent souvent rôtir le gigot d'agneau préparé par Lucia. Selon son humeur, elle vous proposera une cuisine régionale ou exotique pour 25 € le repas. Atmosphère pittoresque à souhait ! Accueil de qualité. Plein d'activités nature à faire dans le coin : randos depuis la maison, escalade, parapente, ski de fond (à 5 km et quand il y a de la neige !), pêche... suivies d'un moment de détente avec spa, sauna et jacuzzi (possibilité de massages) ! Une excellente adresse où on aime revenir.

Accès : du Puy-en-Velay, prenez la D 535 puis la D 15 vers Valence ; aux Pandaux, D 36 vers Laussonne ; la maison se trouve à 6 km après Laussonne (entre Moudeyres et Les Estables).

MOZAC 63200

Carte régionale A1

*15 km N de Clermont-Ferrand ;
1 km O de Riom*

€€ 🏠 **Chambres d'hôtes Le Moulin du Chassaing (Sylvia de Remacle) :** *rue Jean-*

Zay. ☎ 04-73-38-04-68. 📱 06-79-25-53-94. ● sylvia.de-remacle@wanadoo.fr ● lemoulinduchassaing.over-blog.com ● 📶 Certes, on est à deux roues de la grand-route mais on l'oublie immédiatement tant le cadre est enchanteur. Sylvia vous accueille chaleureusement dans son magnifique moulin restauré où domine encore le bruit de la chute d'eau. Beau salon voûté ouvert sur un grand jardin. Les 2 chambres à l'étage, accessibles par un bel escalier à vis, ne sont pas en reste. Chacune a une mezzanine et une salle de bains complète mais celle pour 5 personnes a notre préférence à cause du pigeonnier en pierre de Volvic qui surplombe le lit conjugal (idéal pour roucouler). 65 € pour 2, petit déj copieux compris (avec des produits régionaux), et 15 € par personne supplémentaire (2 nuits minimum en juillet-août). Accueil souriant.

Accès : de Riom, allez à la zone artisanale de Mozac ; au rond-point, prenez la rocade vers Clermont et tournez tt de suite à droite, rue Jean-Zay, juste en face d'Innovinter ; c'est la 1re entrée à gauche (portail encadré de deux platanes).

MURAT   15300

Carte régionale A2

48 km NE d'Aurillac ;
24 km NO de Saint-Flour

€€ 🏠 |○| *Chambres d'hôtes L'Auberge d'un Instant (Johanne Meissonnier) :* 14, pl. du Panol. ☎ 04-71-73-17-09. 📱 06-80-32-32-09. ● johanne.m78@hotmail.fr ● laubergeduninstant.fr ● Superbe demeure du XVIIe siècle au cœur de la partie médiévale de cette agréable cité. Johanne tient à la fois l'auberge et les chambres d'hôtes. Elles sont 5, desservies par un superbe escalier à vis aux peintures insolites : 3 au 1er étage, dont 2 avec terrasse (nos préférées), les 2 autres sont familiales et installées au second. Elles sont simples, fonctionnelles et bien tenues. Sanitaires privés. 60 € pour 2, petit déj compris. Les repas peuvent se prendre à l'auberge : menu midi et soir à 15 €. Un bon point de chute pour découvrir le coin, randonner ou même skier en hiver (la station du Lioran est à 10 km). Accueil jeune et sympa. Une bonne adresse.

Accès : dans le bourg, l'auberge se situe près de l'église et du marché couvert.

NOYANT-D'ALLIER   03210

Carte régionale A1

18 km SO de Moulins

€€ 🏠 ⑩% *Chambres d'hôtes Le Moulin Bassé (Christine et Thierry Eumont-*

Camus) : ☎ 04-70-47-25-86. 📱 06-09-24-81-24. ● thierry.eumont@wanadoo.fr ● lemoulinbasse.pagesperso-orange.fr ● 📶 Maison des années 1900, située juste à côté de l'ancien moulin, dont le mécanisme a été préservé. Christine aime les couleurs, et ça se voit ! Elle adore aussi chiner et les bibelots foisonnent dans toute la maison (collection de chapeaux, carafes, lampes à pétrole...). 2 chambres coquettes installées au 1er étage, dont une suite familiale composée de 2 chambres. On aime bien « Chrisalitie » dans les tons verts, et son mobilier peint. Sanitaires privés. 65 € pour 2, petit déj compris. Accueil chaleureux. Un bon point de chute pour découvrir le coin.

Accès : de Moulins, D 945 vers Souvigny, continuez vers le Montet, ne pas monter sur Noyant-d'Allier, l'accès à la maison est à droite juste à l'entrée de Châtillon.

OLBY   63210

Carte régionale A1

20 km O de Clermont-Ferrand ;
8 km E de Saint-Pierre-Roche

€€€ 🏠 ⑩% *Chambre d'hôtes Le Cantou (Colette et Bernard Teyssier) :* La Gardette. ☎ et fax : 04-73-87-13-97. 📱 06-83-16-06-27. ● info@gite-des-volcans.com ● gite-des-volcans.com ● ♿ Ouv 15 mai-15 oct. 📶 Belle maison auvergnate de caractère, tout en pierre, qui abrite dans la partie la plus ancienne une unique chambre d'hôtes, familiale, typique et confortable avec son cantou et son lit clos. Entrée indépendante et de plain-pied qui donne sur le jardin. Véranda, salon et kitchenette équipée. Superbe vue panoramique sur le Puy-de-Dôme et la chaîne des volcans. 90 € pour 2, petit déj compris (attention, séjour de 2 nuits minimum) ou 480 € la semaine. Vulcania se trouve à 6 km à peine.

Accès : depuis Clermont-Ferrand, prenez la direction du Puy-de-Dôme, puis de Ceyssat et Vulcania ; après Ceyssat, direction Pontgibaud, et prenez à gauche vers La Gardette ; la maison est à droite après la fontaine (portail blanc).

€ 🏠 *Chambres d'hôtes L'Abri du Berger (Catherine et Paul Bony) :* Bravant. ☎ 04-73-87-19-00. 📱 06-83-23-48-02. ● contact@labriduberger.com ● labriduberger.com ● Ouv de mi-fév à mi-nov. 📶 Au pied du Puy-de-Dôme, c'est dans ce qui était autrefois la ferme (écuries et maison d'habitation), que Catherine et Paul ont aménagé leurs 5 chambres (eux habitent juste à côté). Déco simple.

Sanitaires privés. Selon la saison, de 48 à 50 € pour 2, petit déj compris. Paul élève quelque 500 brebis et il sera ravi de montrer les agneaux à vos petits anges. Les plus grands pourront profiter de la nature et des nombreux circuits de randonnées. Accueil chaleureux.

Accès : depuis Clermont-Ferrand, empruntez la D 2089 en direction de Bordeaux (sur 18 km) et, au carrefour des quatre routes, prenez la route à droite vers Bravant (n'allez pas à Olby).

OLLIERGUES   63880

Carte régionale B2

31 km S de Thiers ; 20 km NO d'Ambert

€€ 🏠 |●| 🏡 (10%) *Chambres d'hôtes (Annie-Paule Chalet) :* 19, rue J.-de-Lattre-de-Tassigny. ☎ 04-73-95-52-10. ● hotes.annie.chalet@sfr.fr ● maison-hotes-annie-paule-chalet.fr ● 🛜 Belle maison de village qui ouvre côté jardin sur le vieux château. Aux 1er et 2e étages, 3 chambres d'hôtes coquettes avec sanitaires privés, à 50 € pour 2, petit déj compris. Croquignolet bureau avec une foultitude de livres pour découvrir l'histoire et les trésors de la région. Nombreux tableaux peints par la tante d'Annie-Paule. Table d'hôtes à 15 €, vin compris, avec de nombreuses spécialités auvergnates (slurp !). Accueil dynamique et vraiment sympa.

Accès : Olliergues se situe sur la D 906 entre Courpière et Ambert ; la maison est dans le bourg, à côté de la pharmacie.

ORADOUR   15260

Carte régionale A2

70 km E d'Aurillac ;
25 km SO de Saint-Flour

€€ 🏠 |●| (10%) *Chambres d'hôtes Sandine (Catherine Giraud-Weil) :* Lieurac. ☎ 04-71-23-39-78. ● sandine.hotes@gmail.com ● sandine-hotes.com ● Fermé à Noël et de janv à Pâques. 🛜 Superbe demeure ancienne en pierre apparente, décorée avec goût par la maîtresse de maison. Trois chambres en mezzanine avec accès indépendant, spacieuses et confortables, une autre au rez-de-chaussée, toutes avec sanitaires privés. Nombreux objets chinés, gravures, vieilles dentelles, meubles patinés ajoutent au charme des lieux. Comptez 53 € pour 2, petit déj compris. Table d'hôtes à 18 €, vin compris, mais aussi un coin cuisine

à disposition. Selon la météo, on profite du salon de jardin dans le verger ou de la grande salle à manger traditionnelle pour prendre l'apéro. Une maison où il fait bon vivre.

Accès : dans le bourg.

PAULHAC   15430

Carte régionale A2

15 km O de Saint-Flour

€€ 🏠 |●| *Chambres d'hôtes La Frêneraie (Jocelyne et Michel Lecolle-Budua) :* Ribeyrol. ☎ 04-71-73-09-38. 📱 06-74-45-99-14. ● contact@chambre-hote-lafreneraie.com ● chambre-hote-lafreneraie.com ● Ouv avr-oct. 🛜 À 1 200 m d'altitude, belle demeure récente en harmonie avec les maisons du pays. Elle abrite 4 chambres spacieuses, coquettes et confortables avec sanitaires privés. De 55 à 63 € pour 2, petit déj compris (confitures et brioches maison). Table d'hôtes (sauf le dimanche soir) à 22 €, vin compris. Cuisine à base de produits fermiers qui oscille entre les spécialités régionales et les saveurs du Sud-Ouest. Les repas sont servis dans une belle pièce de jour qui bénéficie d'une superbe vue sur la Margeride. Possibilité de skier à la station de Prat-de-Bouc et nombreuses randonnées. Accueil chaleureux.

Accès : A 75 sortie Saint-Flour puis direction Aurillac et, au rond-point du centre commercial, direction Paulhac ; la maison se trouve à gauche, juste après la salle des fêtes.

RETOURNAC   43130

Carte régionale B2

30 km NE du Puy-en-Velay ;
8 km NO d'Yssingeaux

€€ 🏠 |●| (10%) *Chambres d'hôtes Les Revers (Béatrice et Jean-Pierre Chevalier) :* ☎ 04-71-59-42-81. 📱 06-31-24-04-20. ● lesrevers@orange.fr ● chambresdhotes-lesrevers.com ● Ouv début avr-fin oct. 🛜 « Les Revers » signifient « terre isolée », et croyez-nous, ce n'est pas l'impression que l'on ressent quand on arrive chez Béatrice et Jean-Pierre. Au 1er étage de la ferme, 4 chambres simples et agréables (dont 2 avec mezzanine), avec sanitaires privés. Comptez 55 € pour 2, petit déj compris, et 14 € par personne supplémentaire. Possibilité de repas à 18 € les vendredi et samedi (sur résa) ; sinon, cuisine à disposition. Les proprios sont agriculteurs ; ils cultivent les 10 ha qui entourent la ferme (ils produisent notamment des fruits rouges). Jean-Pierre élève aussi des chevaux (normal quand on s'appelle Chevalier !) et propose des balades de 2h, à la journée ou au week-end pour découvrir la région (repas prévus, bien sûr). Accueil convivial.

Accès : du Puy-en-Velay, prenez la N 88 vers Saint-Étienne jusqu'à Yssingeaux, puis la D 103 vers Retournac ; 2 km après Maltaverne, tournez à droite vers Mercuret/Chenebeyres, passez devant le château et suivez le fléchage à gauche.

ROSIÈRES 43800

Carte régionale B2

*17 km NE du Puy-en-Velay ;
15 km O d'Yssingeaux*

€ 🏠 |●| 🐴 **Chambres d'hôtes La Colombière (Pierre Vérot) :** Chiriac. ☎ 04-71-57-42-30. 📱 06-87-06-53-39. Fax : 04-71-57-91-08. ● lacolombiere.43@wanadoo.fr ● lacolombiere-auvergne.fr ● 🐾🖥 Au pays du Meygal et à deux pas de la vallée de la Loire, un grand parc conduit à la ferme dans laquelle Pierre ne manque pas d'activités : production de lentilles, élevage de vaches salers, ânes... Une chambre familiale pour 5 personnes avec mezzanine, une chambre de 3 personnes et 2 doubles avec salle d'eau et w-c privés. 48 € pour 2, petit déj compris, et 15 € par personne supplémentaire. Table d'hôtes assurée par Chantal, la sœur de Pierre, pour 15 € le repas.

Accès : du Puy prenez la D 103 jusqu'à Lavoulte-sur-Loire ; là, tournez à droite direction Rosières (D 7) ; dans le village, tournez à gauche près de l'église vers Chiriac.

RUYNES-EN-MARGERIDE 15320

Carte régionale A2

20 km SE de Saint-Flour

€€ 🏠 |●| **Chambres d'hôtes L'Auberge Les Volpilières (Sylvie et Jean-Luc Lombard) :** Trailus. ☎ 04-71-23-48-31. ● lesvolpilieres@yahoo.fr ● chambres-les-volpilieres.com ● Ouv Pâques-Toussaint. Au milieu de champs et des bois, à 1050 m d'altitude, petit complexe touristique au milieu d'un immense espace gazonné. 5 chambres simples et bien tenues, avec sanitaires privés, à 58 € pour 2, petit déj compris. Immense salle pour prendre les repas (88 € pour 2 en demi-pension). Bonne cuisine du terroir et régionale. Grande piscine couverte pour vous détendre. Également un gîte avec 3 chambres de 4 à 6 personnes. Accueil convivial. Une adresse pour se mettre au vert.

Accès : A 75 sortie n° 30 Ruynes-en-Margeride ; à l'entrée du village, à gauche D 13 vers Pinols sur 1 km, puis à droite C 8 vers Trailus et fléchage ; c'est la dernière maison au bout du hameau.

€ 🏠 **Chambres d'hôtes L'Oustar de Tougnini (Ghislaine et Luc Bony) :** Le Mût, Trailus. ☎ 04-71-23-46-42. 🐾 Typique ferme auvergnate avec ses murs en pierres sèches, entièrement réaménagée par Luc. L'étable est aujourd'hui une agréable pièce à vivre avec ses vieilles poutres qui lui confèrent tout son charme. Quatre chambres au charme discret qui répondent aux noms des aïeules de la famille. Sanitaires privés. 49 € pour 2, petit déj compris (avec le lait de la ferme !). Pas de table d'hôtes mais coin cuisine à disposition. Accueil chaleureux.

Accès : A 75 sortie n° 30 Ruynes-en-Margeride ; à l'entrée du village, D 13 sur 1 km puis C 8 à droite vers Trailus, la maison est à droite à la sortie du hameau.

SAINT-ANTHÈME 63660

Carte régionale B2

*45 km O de Saint-Étienne ;
22 km E d'Ambert*

€ 🏠 |●| **Chambres d'hôtes (Michèle et Yvan Col) :** Saint-Yvoix. ☎ 04-73-95-44-63. 📱 06-89-94-88-08. ● yvancol@orange.fr ● chez-michele-et-yvan.com ● Fermé la 2e quinzaine de janv. 🖥 Dans l'ancienne grange de la ferme familiale, Michèle et Yvan ont aménagé 2 chambres avec sanitaires privés. Comptez 47 € pour 2, petit déj compris. Bonne table d'hôtes avec les produits maison (charcuterie, légumes du jardin et fromages de chèvre), pour 15 € le repas. Agréable salle de détente avec billard et coin lecture. Bien sûr, vous êtes cordialement invité à assister à la traite des chèvres. Une adresse authentique qui fleure bon le terroir.

Accès : dans Saint-Anthème, prenez la D 996 vers Montbrison, la ferme est à 4 km ; suivez le fléchage « Fromages de chèvre ».

AUVERGNE

SAINT-AUBIN-LE-MONIAL 03160

Carte régionale A1

28 km O de Moulins ;
7 km S de Bourbon-l'Archambault

€€ 🛏 |○| 🐾 ⟨10 %⟩ **Chambres d'hôtes (Anne-Marie et Louis Mercier) :** *La Gare.* ☎ 04-70-67-00-20. ♿ Mignonne maison bourbonnaise où Anne-Marie propose 4 chambres (dont une au rez-de-chaussée), avec sanitaires privés, décorées avec goût à l'aide de jolis meubles et tissus (préférez la chambre qui donne sur la forêt). Comptez 55 € pour 2, petit déj inclus (avec confitures maison). Table d'hôtes à 18 €, vin compris. Les spécialités d'Anne-Marie : le pâté aux pommes de terre, les choux farcis, le poulet aux girolles (en saison), le lapin à la moutarde, les tartes maison et les sorbets aux fruits du jardin. La forêt de Gros-Bois est à 200 m, les randonnées sont donc nombreuses et d'agréables chemins relient les petites communes entre elles. Accueil chaleureux.

Accès : *de Bourbon, prenez la D 1 en direction du Montet et, à l'intersection de Saint-Aubin, vous trouverez la maison 200 m plus loin sur votre gauche.*

SAINT-CERNIN 15310

Carte régionale A2

20 km N d'Aurillac ; 20 km S de Salers

€ 🛏 **Chambres d'hôtes (Solange et Paul Férérol) :** *Lamourio.* ☎ et fax : 04-71-47-67-37. 📱 06-65-45-78-57. ● paul.fererol15@orange.fr ● Dans un petit hameau agricole, jolie maison en pierre, entièrement rénovée. Des chambres agréables et tout confort. Poutres apparentes et belles salles de bains. 50 € pour 2, petit déj compris. Pas de table d'hôtes, mais un coin cuisine à disposition. Les propriétaires, éleveurs de vaches salers (c'qu'elles sont belles !), habitent la maison d'en face et assurent un accueil cordial.

Accès : *par la D 922.*

SAINT-CHRISTOPHE-D'ALLIER 43340

Carte régionale B2

38 km SO du Puy-en-Velay ;
25 km SE de Saugues

€€ 🛏 |○| ⟨10 %⟩ **Chambres d'hôtes et gîtes de séjour La Source et Le Grenier**

(Véronique Nouvel et Didier Hugoni) : *Les Angles.* ☎ 04-66-69-62-61. 📱 06-83-09-03-43. ● gitelasource@orange.fr ● gitelasource.info ● ♿ À 1 000 m d'altitude, dans un cadre splendide, jolie maison du XVIIIᵉ s au cœur d'une ferme en activité. Deux gîtes de séjour dans d'anciennes demeures de famille restaurées, avec 12 chambres très confortables pour une capacité totale de 39 places. Atmosphère rustique et campagnarde. De 20 à 25 € par nuit et par personne et 7 € le petit déj. Possibilité de table d'hôtes (sauf en août) à 17 €, pour une cuisine saine à partir des produits de la ferme. On peut aussi louer la totalité du gîte et faire sa cuisine. Grande piscine couverte chauffée, et sauna. Possibilité de randos accompagnées dans les gorges de l'Allier. Accueil très chaleureux teinté d'un accent du Midi. Une adresse pour se mettre au vert.

Accès : *du Puy, prenez la N 88 vers Aubenas puis la direction de Cayres/Le Trémoul et, enfin, à gauche vers Les Angles en restant sur la D 32.*

SAINT-CLÉMENT 15800

Carte régionale A2

35 km E d'Aurillac ;
14 km E de Vic-sur-Cère

€€€ 🛏 |○| ⟨10 %⟩ **Chambres d'hôtes La Roussière (Brigitte Renard et Christian Grégoir) :** ☎ 04-71-49-67-34. ● info@laroussiere.fr ● laroussiere.fr ● 📶 En pleine nature, au fond de sa jolie vallée, la ferme branlante est devenue, après plusieurs années de travaux, une bâtisse de charme, rénovée dans les règles de l'art. Matériaux et mobilier traditionnels, avec des petites touches contemporaines savamment dosées. On adore le grand salon où le feu crépite dans le cantou, et ses pupitres d'écolier qui rappellent que les enfants de la maisonnée suivaient l'école à domicile ; l'ancienne chapelle est convertie en coin télé et jeux, et les repas sont servis dans la spacieuse cuisine contemporaine. Quatre chambres (dont 2 suites pour 2-3 et 3-4 personnes) splendides, sobres et luxueuses à la fois, et une belle terrasse. Selon la chambre et la période, de 80 à 110 €, petit déj compris. Table d'hôtes (sauf les mercredi et dimanche) à 30 € tout compris. Idéal pour un séjour romantique et loin du monde (la route s'arrête ici et le premier voisin n'est pas tout près...).

Accès : *à Vic-sur-Cère, prenez direction Pailherols (D 54) sur 10 km, puis à gauche avt une maison abandonnée et remontez la vallée pdt 4 km (fléché à partir du col de Curebourse).*

SAINT-DIDIER-D'ALLIER — 43580

Carte régionale B2

30 km SO du Puy-en-Velay

€ 🏠 I●I 🛏 **Chambres d'hôtes La Grangette (Jacqueline Montagne et Philippe Avoine) :** ☎ et fax : 04-71-57-24-41. 📱 06-76-18-83-96. ● *avoine-montagne@ wanadoo.fr* ● *Ouv tte l'année, mais slt sur résa l'hiver.* 🛜 À 800 m d'altitude, au cœur des gorges de l'Allier, agréable ferme tenue par Jacqueline et Philippe. Au 1er étage, 4 chambres agréables (dont 2 avec mezzanine), qui bénéficient toutes du paysage grandiose. Sanitaires privés. Comptez 47 € pour 2, petit déj compris (, c'est pas ruineux !). Table d'hôtes à 20 €. Bonne cuisine du terroir avec, par exemple, soupe au pistou, charcuterie maison (avec la spécialité de Philippe, le jésus !), bœuf bourguignon, escargots en pâte à choux, girolles à la crème (ramassées par les proprios) et délicieuses tartes. Autour de la table d'hôtes, vous pourrez parler de leur activité de tondeur de moutons (un métier en voie de disparition... ils ne sont plus que quatre dans le département, et Jacqueline était bien sûr la seule femme !). Gentillesse au rendez-vous. *La Grangette* tenue par Montagne et Avoine... ça ne s'invente pas ! Un emplacement de choix pour les fondus de glisse en eaux vives. Une adresse qui fait des adeptes !

Accès : du Puy-en-Velay, prenez la D 589 jusqu'à Saint-Privat-d'Allier, puis la D 40 vers Alleyras sur 6 km (fléchage à gauche).

SAINT-DIDIER-EN-VELAY — 43140

Carte régionale B2

30 km SO de Saint-Étienne ;
10 km N de Sainte-Sigolène

€€ 🏠 🛏 **Chambres d'hôtes Au-delà des Bois (Laura et Guy Franc) :** Montcoudiol. ☎ et fax : 04-71-61-08-09. 📱 06-24-06-54-21. ● *audeladesbois43@wanadoo. fr* ● *chambres-hotes-audeladesbois. com* ● 🛜 En lisière de forêt, superbe ferme tout en pierre, avec une immense terrasse qui surplombe la campagne. Dans les anciennes grange et étable, Laura et Guy ont aménagé 3 chambres, avec sanitaires privés. Atmosphère champêtre et déco de bon goût où se mêlent coussins, patchworks, objets peints... réalisés par Laura et sa maman. 55 € pour 2, petit déj compris. Grande salle à manger avec cheminée. Accueil chaleureux. Une adresse où il fait bon vivre.

Accès : sur la N 88 entre Saint-Étienne et Le Puy, sortez à Saint-Didier/La Seauve ; passez devant la mairie de Saint-Didier et suivez la direction « salle des fêtes/piscine » puis le fléchage « Montcoudiol ».

€€ 🏠 I●I **10 %** **Chambres d'hôtes Les Chênelettes (Annie et Bernard Rousset) :** ☎ 04-71-61-11-67. 📱 06-30-90-32-99. ● *info@chenelettes.com* ● *chene lettes.com* ● *Fermé fév.* 🛜 Belle ferme tout en pierre, en pleine nature, au milieu des prairies et des bois. Annie et Bernard y ont aménagé 4 chambres confortables et proposent des repas en table d'hôtes pour découvrir les bons produits du terroir. Comptez 55 € pour 2, avec un copieux petit déj, et 19 € le repas tout compris.

Accès : en venant du Puy par la N 88, sortez à la bretelle Saint-Ferréol-d'Auroure, entrez dans le bourg, puis à droite (D 6) vers Saint-Didier-en-Velay ; après 7 km, prenez la D 500 et tournez à droite, puis à gauche (D 12), direction Saint-Genest-Malifaux ; faites 1 km, puis fléchage à droite.

SAINT-ÉTIENNE-DE-CARLAT — 15130

Carte régionale A2

15 km E d'Aurillac

€€ 🏠 I●I **Chambres d'hôtes Lou Ferradou (Francine et Jacky Balleux) :** Caizac. ☎ et fax : 04-71-62-42-37. 📱 06-65-25-49-79. ● *balleux@louferradou.com* ● *lou ferradou.com* ● 🛜 En pleine nature, dans une magnifique maison traditionnelle, 3 chambres confortables et meublées avec goût, à l'ancienne. Deux d'entre elles sont dans un vieux bâtiment rénové. Sanitaires privés. 65 € pour 2, petit déj compris. Une salle de détente est aménagée dans l'ancienne grange avec bibliothèque et billard. Excellent accueil des dynamiques propriétaires. Une bonne adresse au calme.

Accès : d'Aurillac, prenez la D 920 jusqu'à Arpajon-sur-Cère ; à la sortie d'Arpajon, prenez la D 990 direction Mur-de-Barrez sur 10 km ; laissez la route de Saint-Étienne-de-Carlat sur la gauche et 500 m plus loin, tournez à gauche vers Caizac.

SAINT-GENEYS 43350

Carte régionale B2

25 km S de La Chaise-Dieu ;
17 km N du Puy-en-Velay

€ 🏠 ⚑ **Chambres d'hôtes (Annick et Serge Chabrier) :** *Bel-Air.* ☎ 04-71-00-45-56. 📱 06-76-10-14-74. ● belairvert@aol.com ● chambresdhotesbelair.com ● *Ouv du 1er mars à la fin des vac de Toussaint.* 📶 En pleine nature, ferme en pierre restaurée, toute de plain-pied. Trois chambres avec sanitaires privés, à 50 € pour 2, petit déj compris. Les amoureux de nature trouveront 120 km de circuits balisés aux alentours. Accueil convivial.

> **Accès :** *du Puy, prenez la N 102 en direction de Vichy ; à La Pierre-Plantée, tournez à droite (D 906) en direction de La Chaise-Dieu jusqu'à Saint-Paulien puis, à 2 km, prenez à gauche la D 283 en direction de Saint-Geneys et suivez le fléchage (on passe devant une adorable petite église et on continue jusqu'à Bel-Air).*

SAINT-GEORGES-DE-MONS 63780

Carte régionale A1

30 km O de Châtelguyon ;
23 km S de Saint-Gervais-d'Auvergne

€€ 🏠 |○| ⚑ 〈10 %〉 **Chambres d'hôtes de Genestouze (Éliane Chaumont) :** ☎ 04-73-86-77-23. 📱 06-19-93-48-14. ● eliane.chaumont@orange.fr ● chambreshote63.com ● *Fermé 20 déc-15 janv.* 📶 Vous ne pourrez pas aller plus loin, le chemin s'arrête là... en pleine campagne, face à la vallée de la Sioule. Dans cette ancienne grange agréablement restaurée, 5 chambres coquettes et colorées avec sanitaires privés. 56 € pour 2, petit déj compris. Table d'hôtes à 17 €. Goûteuse cuisine qui varie selon l'humeur de la maîtresse de maison. Chaleureuse salle à manger avec un bar croquignolet sur lequel on découvre, peint, le village de Genestouze. Accueil très sympa. Bon rapport qualité-prix-convivialité. L'adresse idéale pour se mettre au vert, d'autant que les randos ne manquent pas.

> **Accès :** *A 71 sortie Riom ; allez jusqu'à Châtelguyon et prenez direction Loubeyrat puis Manzat ; à la sortie de ce village, direction Saint-Georges-de-Mons sur 7 km puis bifurquez vers Queuille/méandre de Queuille et suivez le fléchage vert jusqu'à Genestouze.*

SAINT-MARTIN-DES-OLMES 63600

Carte régionale B2

40 km O de Montbrison ;
11 km E d'Ambert

€ 🏠 |○| ⚑ 〈10 %〉 **Gîte d'étape et de séjour Chomy (Anne et Rémy Barbare) :** ☎ 04-73-82-23-65. 📱 06-12-82-26-91. ● contact@chomylegite.com ● chomylegite.com ● 📶 Dans un des coins les plus sauvages du Forez, Anne et Rémy ont relevé quelques demeures d'un village de montagne abandonné et les ont transformées en lieu de séjour idéal pour les randonneurs de tout poil (et j'te raconte pas le panorama sur la vallée...). Dans l'habitation principale, 3 chambres doubles, dont une avec sanitaires privés (à réserver à l'avance), 3 triples et une quadruple. De 18 à 22 € par personne pour la nuitée, 7 € le petit déj et de 42 à 49 € en demi-pension, vin compris. Bonne cuisine familiale avec les légumes du jardin en saison. Possibilité de louer toute la structure pour le week-end ou la semaine. Salon au 1er étage avec bibliothèque bien fournie et salle de billard. Question nature, Anne et Rémy sont affiliés à de nombreuses associations qui défendent la faune et la flore : LPO (Ligue de protection des oiseaux, ignorant !), gîtes Panda (avec la malle au trésor !). Quant à la cueillette de champignons, framboises sauvages, myrtilles, etc., Rémy vous donnera ses coins (chut !) et tous les tuyaux pour faire de belles randos. Acheminement possible des sacs et pique-niques (c'est pas beau la vie ?). Bref, un lieu vraiment hors du temps, chaleureux et convivial, idéal pour les familles.

> **Accès :** *d'Ambert, D 996 vers Saint-Anthème, peu après Saint-Martin-des-Olmes ; dans un virage, passez un groupe de maisons à gauche, c'est à gauche à 500 m (fléchage) puis faire 4 km de pistes.*

SAINT-PIERRE-EYNAC 43260

Carte régionale B2

15 km E du Puy-en-Velay ;
15 km O d'Yssingeaux

€ 🏠 |○| **Chambres d'hôtes (Germaine et Michel Julien) :** *Montoing.* ☎ et fax : 04-71-03-00-39. 📱 06-81-29-89-28. ● gmjulien@orange.fr ● ♿ Dans une ancienne ferme tout en pierre, 3 chambres d'hôtes confortables, avec sanitaires privés et accès indépendant, à 50 € pour 2, petit déj compris (lait et beurre de la ferme, miel et confitures maison). Table d'hôtes, partagée en famille, à 16 €, vin compris. Cuisine familiale avec les légumes du jardin et les volailles maison (le fromage blanc au caramel est un vrai régal !). Des prix doux, un accueil chaleureux et authentique, bref, une bonne adresse.

Accès : du Puy, prenez la N 88 vers Saint-Étienne/Yssingeaux pdt 10 km ; au rond-point des deux grosses pierres, prenez la D 26 vers Saint-Étienne-Lardeyrole et tt de suite à droite vers Montoing.

SAINT-PIERRE-ROCHE 63210

Carte régionale A1

35 km SO de Clermont-Ferrand ; 4 km N de Rochefort-Montagne

€€ 🏠 **Chambres d'hôtes (Florence Cartigny et Gérard Joberton) :** Champlaurent. ☎ 04-73-65-92-98. 📱 06-98-38-57-59. ● cartignyflor@aol.com ● car tigny.florence.free.fr ● *Ouv mai-oct. Sur résa.* 📶 Dans un tout petit hameau, bien au calme, belle ferme restaurée avec un jardin fleuri et ombragé où paissent les deux moutons de la maison. Au rez-de-chaussée, une agréable pièce avec cheminée. À l'étage, 3 chambres (dont une familiale) avec sanitaires privés. 53 € pour 2, petit déj compris (lait de la ferme à la demande, confitures maison et miel), et 19 € par personne supplémentaire. Gérard et Florence sauront vous donner de judicieux conseils pour randonner et vous faire découvrir la faune et la flore du coin (l'hébergement est classé Panda-WWF).

Accès : de Clermont-Ferrand, prenez la direction de Bordeaux ; soit par l'A 89 sortie Pontgibaud puis direction Massagettes et à droite Massages ; soit par la D 2089 en direction de Bordeaux jusqu'à Massages ; allez par Massages-Centre, puis prenez la D 80 direction Champlaurent sur 3 km et montez dans le hameau.

SAINT-PRIEST-BRAMEFANT 63310

Carte régionale B1

45 km NE de Clermont-Ferrand ; 12 km S de Vichy

€€ 🏠 |○| 🐾 ⟨10 %⟩ **Chambres d'hôtes La Fermette du Casson (Francis Roche-Rembert) :** 15, route de Mons. ☎ et fax : 04-70-59-08-56. 📱 06-62-77-82-35. ● la-fermette@club-internet.fr ● rembert-michele.perso.neuf.fr ● *Fermé en janv.* À la limite de l'Auvergne et du Bourbonnais,

dans une ancienne ferme rénovée par Francis, 5 chambres agréables avec sanitaires privés. On a craqué sur la chambre « Tournesol » avec sa jolie vue sur le château de Maulmont et sur « Orchidée » avec sa grande terrasse qui ouvre sur le parc. De 55 à 65 € pour 2, petit déj compris. Table d'hôtes à 15 €. Cuisine familiale du terroir. Si vous avez des enfants, ils pourront aller voir les ânes de la maison. Accueil convivial.

Accès : A 71 sortie Riom puis D 211 et D 210 jusqu'à Randan ; là, direction château Maulmont (D 93) ; passez le château et, au carrefour du Guerinet, suivez le fléchage « Fermette ».

SAINT-RÉMY-DE-CHARGNAT 63500

Carte régionale A2

40 km SE de Clermont-Ferrand ; 6 km SE d'Issoire

€€€ 🏠 ⟨10 %⟩ **Chambres d'hôtes Château de Vernède (Claude et Dominique Chauve) :** ☎ 04-73-71-07-03. 📱 06-21-19-57-50. ● chateauvernede@orange.fr ● cha teauvernedeauvergne.com ● 📶 La reine Margot, vous connaissez ? Eh bien c'était l'un de ses pavillons de chasse (tu parles du peu !). Il est superbe, flanqué de tourelles en pierre, saupoudrées de sable roux naturel. De plus, il trône dans un parc de 8 ha avec son moulin et son bief ! Une entrée majestueuse dessert une belle salle à manger, mais surtout un immense salon avec plafond à la française et billard français. Claude et Dominique ont rénové, embelli, meublé leur château de fond en comble avec un goût sûr : meubles, bibelots, tableaux semblent avoir toujours été là, et pourtant... Un imposant escalier conduit aux 5 chambres (dont une suite), toutes aussi charmantes. On a craqué pour la chambre du Moulin (la moins chère, ça tombe bien !). Les prix sont justifiés : de 70 à 100 € pour 2, petit déj compris. Accueil de qualité. Une adresse pour conquérir sa belle.

Accès : A 75 sortie n° 13 (Issoire) puis D 996 vers Parentignat que vous traversez en direction de Varennes-sur-Usson ; là, prenez la D 123 vers Saint-Rémy, c'est à 1 km.

SAINT-VICTOR 03410

Carte régionale A1

10 km N de Montluçon

€€ 🏠 |○| **Chambres d'hôtes La Boudothérapie (Anne Oligner) :** *Les Boudots.*

☎ 04-70-28-84-92. 📱 06-86-30-06-52. ● ann.oligner@yahoo.fr ● la-pays-anne. cabanova.fr ● 🛜 Arriver chez Anne, c'est accepter d'entrer dans un monde à la fois bohème et original, où les chats, les poules et le coq font bon ménage et où les extérieurs sont gardés sauvages. De cette ancienne grange, elle a fait sa maison, et la porcherie accueille aujourd'hui des hôtes. Deux chambres, dont une pour 4-5 personnes, avec sanitaires privés. 65 € pour 2 et 20 € par personne supplémentaire, petit déj compris. Table d'hôtes à 30 €, apéro et vin compris, pour une cuisine à tendance végétarienne. Les repas se prennent chez Anne, où vous pourrez découvrir son autre activité : la déco florale. Il y en a partout, comme les petits messages qui ornent murs, abat-jour... Une adresse où originalité rime avec hospitalité.

Accès : à l'entrée de Saint-Victor en venant d'Estivareilles, tournez à gauche vers Thizon/Verneix et prenez la 1re route à droite vers Les Boudots puis 1re route à gauche.

SAINT-VICTOR-LA-RIVIÈRE   63790

Carte régionale A2

45 km SO de Clermont-Ferrand ; 35 km O d'Issoire

€ 🏠 I●I ⟨10 %⟩ *Gîte de Courbanges (Catherine et Michel Bussière) :* Volca-Flore. ☎ 04-73-88-66-59. 📱 06-16-88-00-03. ● courbanges.volcaflore@wanadoo. fr ● volcaflore.com ● À 1 196 m d'altitude, ancienne ferme transformée en gîte de séjour de 28 places réparties en 6 chambres de 4 à 6 lits, et une chambre de 2 personnes avec sanitaires privés. Superbe pièce de jour avec belle charpente dont les murs sont ornés de clichés qu'un ami photographe a réalisées. Comptez 24 € par personne avec le petit déj, 36,50 € par personne en demi-pension ou 43,50 € en pension complète. Passionnée par la montagne, Catherine organise des balades pour découvrir la flore locale. Et pour se remettre des courbatures, un espace bien-être avec sauna, balnéo, massages relaxants... Accueil chaleureux.

Accès : A 75 sortie n° 6 Champeix ; prenez la D 966 jusqu'à Murol puis la D 5 jusqu'à Saint-Victor et la D 635 jusqu'à Courbanges ; fléchage à la sortie du village.

SAINT-VICTOR-MONTVIANEIX   63550

Carte régionale B1

30 km N de Thiers ; 30 km SE de Vichy

€ 🏠 I●I *Chambres d'hôtes (Michel Girard) :* Dassaud. ☎ et fax : 04-73-94-38-10. ● girgitedassaud@gmail.com ● gite-girard-dassaud.com ● Fermé déc-fév. 🛜 Par une petite route de campagne, on arrive dans ce petit hameau où Michel est venu s'installer après avoir quitté la vie trépidante de la ville. Devenu agriculteur, il a retrouvé ici le cadre d'une vie authentique. La nature magnifique est encore protégée et le panorama sur le Puy-de-Dôme et le Sancy est exceptionnel. À l'étage de l'ancienne grange, mitoyenne de sa maison, 4 chambres toutes simples mais confortables et agréables, avec sanitaires privés. 52 € pour 2, petit déj compris. Excellente table d'hôtes à partir des produits maison (chevreau, volailles, fromages). 20 € le repas, vin compris. À l'extérieur, nombreux jeux pour les enfants qui peuvent goûter le plaisir de vivre à la ferme tout en profitant du grand air en toute sécurité. Accueil vraiment chaleureux. Très bon rapport qualité-prix-convivialité. Une adresse comme on les aime.

Accès : sur la D 906 entre Vichy et Thiers, prenez la D 113 jusqu'à Châteldon puis la direction de Rongère-Montagne ; traversez quelques hameaux avt d'arriver à Dassaud.

SALERS   15140

Carte régionale A2

40 km NE d'Aurillac ; 19 km SE de Mauriac

€€ 🏠 *Chambres d'hôtes Le Jardin du Haut Mouriol (Éliane et Jean-Pierre Vantal) :* route du Puy-Mary. ☎ et fax : 04-71-40-74-02. ● eliane.vantal@wanadoo. fr ● salers-chambres-hotes.com ● Résa conseillée pour juil-août. 🛜 Si nous avons choisi cette adresse, c'est avant tout pour l'accueil et la disponibilité d'Éliane, votre jeune hôtesse. Sa maison, bien que récente, n'en est pas moins agréable avec un adorable jardin fleuri. Quatre chambres claires et pimpantes avec sanitaires privés. Selon la saison, de 62 à 65 € pour 2, avec le petit déj. En prime, Éliane et Jean-Pierre connaissent bien Salers et sa région ; ils vous donneront tous les tuyaux pour découvrir ses richesses naturelles et ses p'tits restos. Au fait, ils sont agriculteurs mais la ferme n'est pas sur place. Accueil chaleureux et dynamique.

Accès : du village, prenez la D 680 vers le Puy-Mary sur 1 km ; c'est sur la gauche.

SAUGUES 43170

Carte régionale B2

*43 km SO du Puy-en-Velay ;
21 km S de Langeac*

€€ 🏠 |●| 10% **Chambres d'hôtes des Gabales (Patricia Goneaud) :** *route du Puy.* ☎ 04-71-77-86-92. • *info@lesga bales.com* • *lesgabales.com* • *Sur résa slt.* 📶 Belle bâtisse de 1932 à l'architecture aussi originale que son nom... Les Gabales étaient les habitants qui peuplaient cette région du temps de la Gaule. La maison est immense, entourée d'un agréable et vaste jardin à la française. Le petit perron vous emmènera dans un hall qui dessert de belles pièces, où les boiseries ont judicieusement été conservées. À ce niveau, une grande chambre pour 3 personnes avec accès indépendant. Un bel escalier conduit aux 4 autres chambres, toutes dans un style différent. Sanitaires privés. Comptez 69 € pour 2, petit déj compris. Sur demande, demi-pension possible à partir de 104 € pour 2. Cuisine saine avec des bons produits : charcuterie et viande de la ferme, légumes du jardin. Pour les marcheurs, un séjour de randonnée a été établi pour vous permettre de découvrir le pays (5 jours de marche sur des thèmes différents). Accueil convivial. Saugues fut la capitale du Gévaudan. On peut y visiter le musée (du 15 juin au 15 septembre) consacré à la fameuse bête ! Brrr...

Accès : du Puy, prenez la D 589 vers Saugues, la maison est à l'entrée du village à gauche.

SAULCET 03500

Carte régionale A1

*30 km S de Moulins ;
3 km O de Saint-Pourçain-sur-Sioule*

€€ 🏠 |●| 10% **Chambres d'hôtes Carpe Diem (Janine et Jacques Lesage) :** *36, pl. des Cailles.* ☎ 04-70-45-31-46. • *jalesage@hotmail.fr* • *carpediem03. fr* 📶 Ancienne maison de vigneron du début du XIXᵉ siècle, dans les coteaux St-Pourcinois. Ici, on vient découvrir le jardin de Janine et Jacques qui s'étend sur 1 ha... Pas moins de 182 arbres, 150 rosiers,... C'est aussi un refuge LPO. Deux chambres installées dans une aile indépendante : l'une au rez-de-chaussée

à l'atmosphère campagnarde avec vieille machine à coudre, sabots en bois... et luxueux sanitaires privés avec douche et baignoire, la seconde au 1ᵉʳ à la déco asiatique. Enduits à la chaux et production d'eau chaude par panneaux solaires. Selon la chambre, de 60 à 65 € pour 2, petit déj compris (grand choix de confitures maison, jus de fruit frais pressé). Table d'hôtes partagée en famille de 15 à 22 €, vin compris. Cuisine majoritairement à partir des légumes du jardin et de l'inspiration de la maîtresse des lieux. Un jaccuzzi pour vous détendre. Atmosphère chaleureuse et ambiance décontractée.

Accès : dans le village, suivez le fléchage « Caves Jallet », la maison est juste à côté.

SAURET-BESSERVE 63390

Carte régionale A1

*50 km SE de Montluçon ;
18 km S de Saint-Eloy-les-Mines*

€€ 🏠 🐎 10% **Chambres d'hôtes de Fontvieille (Maurane et Michel Murat) :** *lieu-dit La Siouve.* ☎ 04-73-85-83-95. 📱 06-28-28-40-61. • *gite.fermefontvieille@ orange.fr* • *fermefontvieille.com* • *Ouv de mi-avr à fin oct.* 📶 C'était une ferme familiale, c'est devenu une maison de poupée ou une vraie bonbonnière... et quand on connaît Maurane, sa demeure lui ressemble. Un parfum subtil flotte dans la maison lorsqu'on ouvre la porte. À gauche, un magnifique salon, à droite, la salle à manger. Tout est adorable, bien meublé, très fleuri, confortable et douillet. Maurane a décoré certains de ses vieux meubles, et ce sont eux que l'on remarque ! À l'étage, une grande chambre familiale unique, où l'on a envie de rester tant elle est agréable (avec bien sûr tout le confort). Une seconde au 2ᵉ étage, toute vêtue de bois et mansardée, tout aussi charmante. 60 € pour 2, petit déj compris (avec les délicieux gâteaux maison), et 20 € par personne supplémentaire. Et pour le bonheur des enfants, il y a Nounours (non, c'est un âne). Michel, quant à lui, propose à ses hôtes des circuits de randos pédestres. Accueil chaleureux. Pour ceux qui souhaiteraient poser leurs valises plus longtemps, également 2 gîtes pour 2 et 4 personnes. Excellent rapport qualité-prix-convivialité.

Accès : plein de petites routes pour arriver à La Siouve (de plus, vous êtes en Auvergne et ça tourne !) ; le plus rapide, c'est d'arriver par Saint-Eloy-les-Mines (sur la N 144) ; prenez la D 987 jusqu'à Saint-Gervais, puis la D 523 vers Sauret-Besserve ; la maison est à 1,5 km après Sauret en direction du viaduc des Fades.

SAUXILLANGES 63490

Carte régionale B2

*45 km SE de Clermont-Ferrand ;
15 km E d'Issoire*

€€ 🏠 **Chambres d'hôtes (Jean-Claude et Patricia Anglaret) :** *ferme de la Haute-Limandie.* ☎ et fax : 04-73-96-84-95. 📱 06-74-85-33-48. ● limandie@wanadoo.fr ● *Ouv de mi-mars à mi-oct.* 📶 Aux portes de deux parcs régionaux, à l'orée d'un bois, venez découvrir la ferme familiale de Jean-Claude, Patricia et Vincent (exploitation de vaches laitières). Trois chambres coquettes avec sanitaires privés (préférez « Romane », celle du rez-de-chaussée, avec sa vue sur le Sancy). De 48 à 50 € pour 2, petit déj compris (confitures maison), servi dans une belle salle à manger rustique, avec poutres et dentelles au crochet. Pas de table d'hôtes, mais cuisine à disposition et bons restos à proximité. Accueil chaleureux.

Accès : *A 75, sortie n° 13 (Parentignat/Sauxillanges) ; passez Parentignat, prenez la D 996 jusqu'à Sauxillanges, puis la direction de Sugères ; c'est à 3 km sur la droite.*

SERMENTIZON 63120

Carte régionale B1

*35 km E de Clermont-Ferrand ;
15 km SE de Thiers*

€€ 🏠 |●| ⑩%⃝ **Chambres d'hôtes Le Pré Fleuri (Marianne et Laurent Strach) :** *Lavenal.* ☎ et fax : 04-73-53-00-98. 📱 06-15-03-16-82. ● laurent.strach@orange.fr ● fermeduprefleuri.com ● Une vue panoramique sur les monts du Forez, un grand pré fleuri en pleine campagne avec une adorable maison contemporaine tout en bois et un accueil des plus chaleureux... Laurent et Marianne sont de jeunes agriculteurs dynamiques et leur exploitation se trouve dans le village (ah ! les petits veaux...). L'entrée, abritée par un petit porche, conduit dans un agréable salon où l'on découvre les objets et meubles peints par Marianne. À l'étage, une grande chambre mansardée peut accueillir 3 personnes. Déco de fort bon goût. Sanitaires privés. Quatre autres chambres sont installées dans des roulottes (de mars à octobre) au milieu du jardin. De 50 à 60 € pour 2, petit déj compris, et 15 € par personne supplémentaire. Table d'hôtes à 20 € tout compris, avec de succulentes et originales spécialités auvergnates (vous connaissez la tarte à la bouillie ? Un seul mot : « géante » !). Possibilité de panier pique-nique sur demande à 15 €. Également un camping à la ferme de 6 emplacements. Une adresse idéale pour les familles, car Marianne et Laurent possèdent des poneys et des chevaux de trait. D'ailleurs, une p'tite balade en calèche ou un week-end à thème « Découverte de l'attelage » ça ne vous dirait pas ? Ici, on redécouvre la vraie vie à la campagne !

Accès : *de Clermont-Ferrand, A 72 sortie Thiers Ouest puis D 906 jusqu'à Courpière et D 223 direction Lezoux ; à Coulaud, prenez le petit pont à gauche vers Lavenal et suivez le fléchage ; la maison est à 400 m.*

SOLIGNAC-SUR-LOIRE 43370

Carte régionale B2

15 km S du Puy-en-Velay

€€ 🏠 |●| **Chambres d'hôtes Château de la Beaume (Silvia Furrer) :** ☎ 04-71-03-14-67. Fax : 04-71-03-14-26. ● contact@chateaudelabeaume.com ● chateaude-labeaume.com ● *Ouv de mi-avr à mi-nov.* Dominant les gorges de la Loire, charmant château médiéval transformé en ferme équestre (une vingtaine de chevaux). Cinq chambres simples, mais agréables, avec sanitaires privés. Pour 2, comptez 64 € avec le petit déj. Possibilité de table d'hôtes à 14 €, vin et café compris. Grande salle à manger voûtée avec murs en pierre apparente et cheminée. Bonne cuisine traditionnelle avec les spécialités auvergnates. Que l'on soit cavalier ou pas, on est accueilli avec la même gentillesse. Silvia propose des stages d'éthologie (de 4 jours). Si vous venez avec votre monture, elle pourra être hébergée sur place. Une adresse vraiment nature.

Accès : *de Solignac, prenez la D 27 vers Le Monastier, puis la 2ᵉ à droite et suivez le fléchage.*

TAUVES 63690

Carte régionale A2

*60 km SO de Clermont-Ferrand ;
15 km SO de La Bourboule*

€€ 🏠 |●| **Chambres d'hôtes Les Escladines (Sylvie Fereyrolles) :** ☎ 04-73-21-13-02 ou 04-73-21-10-53. ● sylvie.fereyrolles@free.fr ● escladines.fr ● *Fermé déc-janv.* 📶 Petit village de maisons en pierre : celle de Sylvie appartenait jadis à son arrière-grand-père et vous sentirez très vite cette atmosphère des maisons de famille. Immense pièce à vivre, avec pierres apparentes, vieilles poutres et son traditionnel cantou. Cinq chambres personnalisées, avec de beaux meubles de famille. De 57 à 60 € pour 2, petit déj compris. Table d'hôtes à 22 €, où Sylvie, aidée de Paulette, sa maman, concocte de bons petits plats et de délicieux gâteaux. Accueil chaleureux, dans une maison pleine de joie de vivre.

Accès : de Clermont-Ferrand, empruntez la N 89 en direction de Rochefort-Montagne, puis la D 922 vers La Bourboule ; dans Tauves, prenez la 1re petite route à droite et suivez le fléchage. De l'A 89, sortie n° 25 puis direction Saint-Sauve et Tauves puis fléchage.

TEILHÈDE   63460

Carte régionale A1

*25 km N de Clermont-Ferrand ;
8 km N de Châtelguyon*

€€ 🏠 **Chambres d'hôtes La Grange (Renée et Guy Edieu) :** *Les Plaines, route de Manzat.* ☎ 04-73-63-39-00. 📱 06-61-75-31-62. ● *lagrange.deteilhede@wanadoo.fr* ● *bonnenuitalagrange.com* ● 🛜 En pleine nature, avec une vue exceptionnelle sur les monts du Forez, ancienne grange restaurée de manière contemporaine et agrémentée de jolis volets mauves. À l'étage, 3 chambres spacieuses et originales avec sanitaires privés, à 58 € pour 2, petit déj compris. Pas de table d'hôtes, mais barbecue à disposition et plusieurs restos à proximité. Accueil chaleureux. Une bonne adresse.

Accès : A 71 sortie n° 12-1 « Combronde », puis suivez la D 412 jusqu'au lieu-dit Les Plaines, 1 km après la sortie de Teilhède.

TENCE   43190

Carte régionale B2

*45 km NE du Puy-en-Velay ;
45 km S de Saint-Étienne*

€ 🏠 🏡 **Chambres d'hôtes Les Grillons (Élyane et Gérard Deygas) :** *La Pomme.* ☎ 04-71-59-89-33. 📱 06-70-46-54-38. *Fax :* 04-71-59-83-61. ● *gaec.des.beaudor@orange.fr* ● *lesgrillonslapomme.com* ● *Ouv avr-oct ; le w-e et les vac scol le reste de l'année.* À 850 m d'altitude, en pleine nature, au milieu des prés et des sapins. Jolie ferme restaurée en pierre apparente où Élyane a aménagé 4 chambres coquettes avec couettes : 2 triples au rez-de-chaussée et 2 doubles au 1er étage, les

plus sympas. Comptez 52 € pour 2 et 70 € pour 3, petit déj inclus. Agréable salle de séjour avec cheminée et poutres apparentes. Accueil réservé mais souriant. À 2,5 km, voir la roche druidique où, selon la légende, eurent lieu de nombreux sacrifices...

Accès : du village, prenez la D 185 vers Saint-Agrève-les-Barandons ; au rond-point, continuez dans la même direction et, 1 km plus loin, tournez à gauche, puis suivez le fléchage.

TRÉTEAU   03220

Carte régionale B1

*25 km SE de Moulins ;
6 km O de Jaligny-sur-Besbre*

€€€€ 🏠 **Chambres d'hôtes Château de Vesset (Jean-Luc Testu et Pierre Maire) :** *La Motte-Vesset.* ☎ 04-70-34-63-67. 📱 06-15-90-84-34. ● contact@ chateau-de-vesset.com ● chateau-de-vesset.com ● 🛜 Superbe château dont les origines remontent au XIVe s, avec pigeonnier, cour intérieure ceinte de nombreux bâtiments, l'ensemble dégageant un charme indéniable. Au 1er étage, auquel on accède par un bel escalier à vis, 2 chambres spacieuses et lumineuses, avec sanitaires privés. Atmosphère calme et sereine. Selon la chambre, 100 ou 120 € pour 2, petit déj compris. Petit gîte de 2 personnes pour ceux qui veulent séjourner. Magnifique parc aux arbres centenaires avec pièce d'eau. Si vous venez à cheval, Jean-Luc et Pierre peuvent héberger votre monture. La vie de château quoi ! Accueil de qualité.

Accès : de Tréteau, D 463 vers Cindré pdt 1 km et petit chemin à droite qui vous conduira jusqu'au château.

VALS-PRÈS-LE-PUY   43750

Carte régionale B2

4 km SO du Puy-en-Velay

€ 🏠 🍽️ 🏡 **Chambres d'hôtes Domaine de Bauzit (Françoise et Philippe Besse) :** *Eycenac.* ☎ 04-71-03-67-01. 📱 06-33-76-22-43. ● ch.bauzit@free.fr ● ch.bauzit.free.fr ● 🛜 En voilà une adresse originale... La maison de Françoise et Philippe était une ancienne abbaye, même s'il faut en chercher les vestiges. Une partie bien restaurée abrite, au 1er étage, 2 chambres d'hôtes confortables. Dans un bâtiment annexe, 3 autres chambres tout aussi agréables. Sanitaires privés. Comptez 46 € pour 2, petit déj compris (confitures et faisselles maison). Passionnés par l'Asie, les proprios ont fait de nombreux voyages et ont bien sûr rapporté des tas de souvenirs... Ici, tapis hindous, tentures et suspensions font bon ménage avec les meubles campagnards (très beau vannoir). Table d'hôtes (de début avril à mi-septembre) à 19 €, pain maison et vin compris. Spécialités locales comme la saucisse aux lentilles ou la potée (on sait qu'y'en a d'toutes sortes, mais c'est quand même l'auvergnate qu'on préfère !). Menu végétarien sur demande. Une visite à la chapelle bouddhiste s'impose... propice à la méditation, elle a été décorée par un ami de la famille. En bref, le charme de la campagne allié à la proximité de la belle ville du Puy-en-Velay...

Accès : du Puy-en-Velay, allez jusqu'à Vals (banlieue de la ville) ; à l'hôtel BB, tournez à droite vers le groupe scolaire La Fontaine, traversez le pont à gauche et prenez de nouveau à droite ; suivez le fléchage « Domaine de Bauzit ».

VERNEUGHEOL   63470

Carte régionale A1

60 km O de Clermont-Ferrand ;
20 km NO de Bourg-Lastic

€ 🏠 |O| ⚘ ⚐ 10% **Chambres d'hôtes (Christiane et Bernard Thomas) :** Le Glufareix. ☎ 04-73-22-11-40. 📱 06-45-26-51-16. ● christiane.thomas11@wanadoo.fr ● glufareix.fr ● Fermé vac de Noël. 📶 Belle demeure du XVIIIᵉ s au milieu de la ferme. Quatre chambres (dont une double pour les familles), avec sanitaires privés. 50 € pour 2, petit déj compris, et 17 € par personne supplémentaire. Pour 17 €, vin compris, ne manquez pas la bonne cuisine traditionnelle de Christiane (mais réservez à l'avance !) servie dans une salle à manger à l'atmosphère campagnarde avec une cheminée monumentale (elle occupe tout un côté de la pièce !).

Accès : sur la D 204 ; dans le village, prenez la D 564 vers Saint-Merd sur 1 km et tournez à gauche vers le Glufareix.

VERNUSSE   03390

Carte régionale A1

35 km SE de Montluçon ;
12 km S de Montmarault

€€€ 🏠 ⚐ **Chambres d'hôtes Le Moulin Berthon (Sabrina et Michel Gorisse) :** ☎ 04-70-07-62-69. 📱 06-74-93-68-52. ● moulin-berthon@live.fr ● gitemoulinberthon.fr ● Voilà une adresse comme on les aime : nature et décontractée. Isolé au milieu de 15 ha, joli moulin installé sur la Bouble. Trois jolies chambres chaleureuses, parées de bois, avec sanitaires privés. Une au rez-de-chaussée, les 2 autres à l'étage. 74 € pour 2, petit déj compris. Pas de table d'hôtes mais coin kitchenette à disposition. Pour vous détendre, les loisirs sont nombreux : piscine couverte (de début avril à fin octobre), sauna, salle de sport, parcours de discgolf (c'est tout nouveau !), étang pour pêcher, des chemins pour randonner (dont certains aménagés par Michel), et la rivière pour faire trempette. Également 2 gîtes de 2-4 et 12 personnes pour ceux qui veulent séjourner. Un véritable petit coin de paradis et une de nos adresses coup de cœur.

Accès : de Montmarault (A 71 sortie nᵒ 11), D 68 vers Blomard/Bellenaves jusqu'à Vernusse ; là, continuez sur la D 68 vers Louroux-de-Bouble pdt 3 km et tournez à droite juste après le pont et suivez le fléchage.

VILLOSANGES   63380

Carte régionale A1

53 km NO de Clermont-Ferrand ;
7 km NO de Pontaumur

€€ 🏠 |O| **Chambres d'hôtes La Ferme de l'Étang (Christiane et Philippe Queyriaux) :** La Verrerie. ☎ 04-73-79-71-61. Fax : 04-73-79-71-94. ● queyriaux-christiane@orange.fr ● lafermedeletang.fr ● Fermé fév. Sur résa. 📶 Au cœur des Combrailles (réputées pour leurs étangs et rivières), belle ferme de famille du XVIIIᵉ s. Cinq chambres confortables avec sanitaires privés à 58 € pour 2, petit déj compris. Table d'hôtes (sauf le samedi) à 20 €, où l'on retrouve les bonnes spécialités auvergnates : la charcuterie bien sûr (jambon, pâté, saucisse sèche), mais aussi le feuilleté au cantal, le pâté aux pommes de terre et la potée (chic !). Les amateurs de pêche seront servis : deux étangs privés feront leur bonheur. Quoi de meilleur que de déguster son poisson tout frais pêché, préparé par la main experte de Christiane ? Une adresse nature et un très bon rapport qualité-prix-convivialité.

Accès : de Pontaumur, prenez la D 206 vers Auzances ; la ferme est à 7 km à droite.

AUVERGNE

AUVERGNE

VOUSSAC 03140

Carte régionale A1

45 km SO de Moulins ;
18 km O de Saint-Pourçain-sur-Sioule

€€€€ 🏠 |●| ⑩% **Chambre d'hôtes entre Ciel et Terre (Valérie et Max Gorisse) :** ☎ 04-70-42-32-07. 📱 06-70-79-30-73. ● valerie.gorisse@club-internet.fr ● *Ouv avr-oct.* Avez-vous déjà dormi dans une cabane dans un arbre ? Non ? Eh bien ici, c'est possible... Elle est installée à 4,50 m dans un chêne, au-dessus d'une petite pièce d'eau où chantent les grenouilles. Ici, tout est naturel. Une chambre à l'atmosphère romantique (draps en lin) et un coin pour faire ses ablutions matinales, avec broc d'eau, et toilettes sèches. Pas d'électricité, vous dormirez à la bougie. Agréable terrasse pour profiter de la vue magnifique, où vous pourrez prendre petit déj et repas que Valérie vous apportera. 95 € pour 2, petit déj compris, et 17 € pour le plateau repas. Une adresse nature et insolite. Accueil chaleureux.

> **Accès :** *entrez dans le centre du village et au monument aux morts tournez à droite (route de Deux-Chaises), à 500 m tournez à gauche fléchage « Creuziers ».*

YZEURE 03400

Carte régionale B1

2 km NE de Moulins

€€€ 🏠 ⑩% **Chambre d'hôtes Le Perron (Martine et Paul Sirot) :** *29 bis, rue Joseph-Baudron.* ☎ 04-70-44-57-75. 📱 06-26-03-55-44. ● martinesirot@yahoo.fr ● *chambresdhotesleperron.e-monsite.com* ● 📶 Dans un joli quartier résidentiel, belle demeure du début du XIXe s. Au 1er étage, dans une aile indépendante de la maison avec accès privatif, une grande et belle chambre sous forme de suite avec un petit salon. Jolie déco dans les tons gris, peinture à l'éponge, frises, meubles peints. 75 € pour 2, copieux petit déj compris (salade de fruits frais, petites viennoiseries et gâteau maison) servi dans une agréable véranda ou dans la salle à manger en hiver. On peut rejoindre le centre de Moulins à pied (20 mn de marche). Grande piscine pour se rafraîchir aux beaux jours. Accueil convivial.

> **Accès :** *sur la N 7, sortie nº 46, Yzeure-centre ; allez jusqu'à l'église, prenez la rue de Bellecroix, puis à gauche rue de la Baigneuse jusqu'à la rue Baudron.*

Bourgogne

Île-de-Fr. · Champagne-Ardenne · Yonne (89) · Côte-d'Or (21) · Centre · Nièvre (58) · Fr.-Comté · Saône-et-Loire (71) · Auvergne · Rhône-Alpes

AIGNAY-LE-DUC   21510

Carte régionale B1

60 km NO de Dijon ;
30 km S de Châtillon-sur-Seine

€ 🏠 |●| 🍴 **Chambres d'hôtes La Demoiselle (Claude Bonnefoy) :** *rue Sous-les-Vieilles-Halles.* ☎ 03-80-93-90-07. ● *claude.o.bonnefoy@orange.fr* ● *maisonlademoiselle.com* ● 🛜 Dans une petite ruelle calme, belle demeure bourgeoise des XVIIIᵉ et XIXᵉ s. Construite contre la roche, le 2ᵉ étage d'un côté correspond au rez-de-chaussée de l'autre. Un dédale d'escaliers, de couloirs, de petits salons vous permettra de découvrir une maison bourrée de charme, où cheminées en pierre, poutres et meubles anciens lui donnent une atmosphère d'autrefois, calme et reposante. Cinq chambres agréables (dont une suite familiale), réparties dans différentes ailes de la maison. Sanitaires privés. Une petite préférence pour celle qui ouvre sur l'église à cause de la vue. 46 € pour 2, petit déj compris. Table d'hôtes, partagée avec votre hôte, à 22 €, apéro, bourgogne et café compris. Cuisine familiale et régionale. Accueil vraiment chaleureux. Bon rapport qualité-prix. Une adresse qui fait des adeptes !

Accès : très bien fléché.

€€€ 🏠 |●| **Chambres d'hôtes Mancir de Tarperon (Soisick de Champsavin) :** ☎ 03-80-93-83-74. ● *manoir.de.tarperon@wanadoo.fr* ● *tarperon.fr* ● *Ouv avr-oct, pour des séjours de 2 nuits min.* 🛜 Niché dans un écrin de verdure, gentil manoir du XVIIIᵉ s remanié par l'arrière-grand-père de Soisick au XIXᵉ s. Eh oui, c'est une demeure de famille, qui recèle les souvenirs de sa fabuleuse histoire, dont celle de Jean Bart : corsaire plein de panache, nommé lieutenant de vaisseau par Louis XIV (on rejouerait bien le rôle dans un film d'époque !). Pour ne pas abandonner ce superbe patrimoine familial, votre adorable et châtelaine hôtesse a décidé de prendre les choses en main et d'ouvrir 5 chambres plus craquantes les unes que les autres. Croquignolets sanitaires privés agrémentés de fresques réalisées par une amie de Soisick (ravissantes baignoires sur pieds). 82 € pour 2, petit déj compris, sur fond de musique classique ou de jazz. Table d'hôtes à 30 €, boissons comprises. À l'extérieur, la nature est belle et sauvage (routards peintres, sortez vos palettes !) ; les pêcheurs trouveront un parcours. Une adresse pas vraiment donnée, mais qu'on aime vraiment beaucoup (et puis, vous aidez à la conservation du patrimoine, que diable !).

Accès : de Châtillon-sur-Seine, empruntez la N 71 en direction de Dijon, jusqu'à Saint-Marc-sur-Seine, puis la D 901 vers Aignay ; le manoir est 5 km avt le village sur la droite.

ALLÉRIOT   71380

Carte régionale B2

28 km S de Beaune ;
12 km NE de Chalon-sur-Saône

€€ 🏠 |●| **Chambres d'hôtes (Claudine et Alain Franck) :** *2, rue de l'Étang-Bonnot.*

Nous vous rappelons que la table d'hôtes est le complément d'une formule d'hébergement (chambre d'hôtes, gîte d'étape...). Ce service n'est offert qu'aux personnes qui dorment sur place (excepté lorsqu'il est clairement écrit « ouvert aux extérieurs »).

BOURGOGNE

NORD

SEINE-
ET-MARNE
(77)

Vallery • Lixy •
Sens

Troyes

AUBE
(10)

YONNE

Montargis

LOIRET
(45)

Charny •
89

Appoigny •
Auxerre

Vézannes •
Collan •

Tonnerre •

Merry-la-Vallée •
Lindry •
Gy-
l'Évêque •

Courgis •

Noyers-
sur-Serein •

Tannerre-
en-Puisaye •

Ouanne •

Sacy •

Joux-la-Ville •

Lavau •

Fontenailles •

Mailly-
le-Château •

Sauvigny-
le-Beuréal •

Époisses •

Avallon

Ste-Magnance •

Vx-Château •

St-Loup •

la Roche-
en-Brénil •

Donzy •

Cosne-
sur-Loire

Saulieu

CHER
(18)

Crux-la-Ville •

Montsauche-
les-Settons

NIÈVRE

Bourges

Ourouër •

Nevers

St-Éloi •

Moulins-
Engilbert •

St-Prix-
en-Morvan •

58

Étang-sur-
Arroux •

Thil-sur-
Arroux •

Cronat •

Bourbon-Lancy •

ALLIER
(03)

Moulins

Paray-
le-Monial

Anzy-le-Duc •

Montluçon

Iguerande •

0   20   40 km

● Vézannes Adresses
○ Auxerre Villes repères

☎ 03-85-47-58-58. ● *franck-71380@liber tysurf.fr* ● *nos-sens-a-table.com* ● *Ouv de mi-mars à fin sept.* 🛜 Ici, vous êtes en Bresse bourguignonne... Ancienne fermette bressane avec murs à pans de bois juste à côté de la Saône (le village est un cul-de-sac). Trois chambres spacieuses, avec clim et sanitaires privés, à 55 € pour 2, petit déj compris, avec tout plein de confitures maison. Bonne table d'hôtes à 25 €, apéro et vin compris. Cuisine assez recherchée avec un souci de présentation. Alain connaît bien les vins et aime en parler. Accueil chaleureux. Une adresse qui fait des adeptes.

> *Accès : A 6, sortie Chalon-Nord ou Sud ; empruntez la N 73 en direction de Dole ; après Saint-Marcel, à 6 km sur la N 73, prenez à gauche vers Allériot et suivez le fléchage.*

ANZY-LE-DUC　　71110

Carte régionale A2

22 km SO de Charolles ;
20 km S de Digoin

€€ 🛏 |O| (10 %) **Chambres d'hôtes du Lac (Isabelle et Éric Barathon) :** ☎ 03-85-25-39-93. 📱 06-79-03-07-07. ● *ebarathon@ wanadoo.fr* ● *chambres-dhotes-anzy-le-duc.fr* ● 🛡 🛜 Grande ferme au milieu des pâturages où Éric et Isabelle élèvent des vaches charolaises. Dans un ancien bâtiment agricole avec pigeonnier, 5 chambres agréables à l'atmosphère champêtre, dont une familiale qui peut accueillir jusqu'à 7 personnes. Sanitaires privés. 65 € pour 2, petit déj compris, et 20 € par personne supplémentaire. Table d'hôtes partagée en famille à 22 €, apéro et vin compris. Cuisine familiale et traditionnelle. Coin cuisine à disposition. Accueil convivial.

> *Accès : sur la D 982 entre Marcigny et Digoin, prenez la D 10 jusqu'à Anzy-le-Duc et à l'entrée du village direction Sarry puis à droite vers le Lac.*

APPOIGNY　　89380

Carte régionale A1

10 km N d'Auxerre ;
10 km S de Migennes

€€€€ 🛏 ⚲ **Chambres d'hôtes Le Puits d'Athie (Pascale-Marie Siad) :** 1, rue de l'Abreuvoir. ☎ 03-86-53-10-59. 📱 06-08-71-82-97. ● *puitsdathie@free.fr* ● *puitsda thie.com* ● *Fermé 1er déc-1er mars.* 🛜 Dans la partie ancienne d'une gentille bourgade, au bord d'une petite rue peu passante, belle demeure bourguignonne du XVIIIe s, qui faisait partie des dépendances du château de Regennes. Au 1er étage, 5 chambres coquettes, dont 4 suites. Beaux sanitaires privés. Selon la taille de la chambre, de 85 à 180 € pour 2, petit déj compris, et 31 € par lit supplémentaire. Table d'hôtes, sur réservation, avec un menu festif à 49 €, vins compris. Plein de choses à faire dans le coin, comme une balade au bord de l'Yonne ou visiter la collégiale. Accueil de qualité. Une adresse de charme pour routards aisés.

> *Accès : A 6, sortie n° 19 (Auxerre Nord) ; prenez la direction d'Appoigny par la D 606 ; avt le 1er feu, tournez à droite.*

ARGILLY　　21700

Carte régionale B2

35 km S de Dijon ;
10 km SE de Nuits-Saint-Georges

€€ 🛏 (10 %) **Chambres d'hôtes Maison de Soi (Édith et Vincent Piat) :** 16, rue de l'Église. ☎ 03-80-62-59-83. 📱 06-64-99-97-04. Fax : 03-80-62-59-55. ● *piat. vincent@wanadoo.fr* ● *maisondesoi chambredhote.fr* ● *Fermé pdt vac de fin d'année et de fév (région Dijon).* 🛜 Au cœur d'un joli petit village, mais bien au calme, belle et grande demeure du début du XIXe s qui devait être l'ancienne cure (maison de curé, ignorant !). Dans un bâtiment indépendant, 3 chambres de plain-pied, fraîches et colorées. Déco de bon goût qui mêle allègrement ancien et contemporain. Sanitaires privés. 65 € pour 2, petit déj compris, servi dans une vaste salle rustique, l'ancienne étable (ah bon, le curé avait des vaches ?) qui ouvre sur un immense pré où siège la piscine (veinards !). Pas de table d'hôtes mais plusieurs restos à proximité. Accueil réservé, attentionné et chaleureux.

> *Accès : A 31 sortie Nuits-Saint-Georges (n° 1) puis D 35 jusqu'à Gerland ; 200 m après la sortie de ce bourg, prenez à droite la D 115F jusqu'à Argilly ; la maison est près de l'église.*

BARGES　　21910

Carte régionale B2

13 km S de Dijon ;
8 km E de Gevrey-Chambertin

€€ 🛏 |O| (10 %) **Chambres d'hôtes (Annie et Joël Grattard) :** 39, Grande-Rue. ☎ 03-80-36-66-16. 📱 06-62-35-66-16. ● *barges39@hotmail.fr* ● 🛜 C'est par un petit parc joliment arboré que l'on accède à cette ferme vieille de deux siècles, nichée dans la verdure. Au rez-de-chaussée, 2 chambres coquettes et lumineuses (une préférence pour la bleu et la jaune), avec sanitaires privés. Comptez 56 € pour 2, petit déj compris. C'est au coin d'une belle cheminée (la niche est d'origine) que vous prendrez les repas partagés en famille pour 24 €, bourgogne compris. Savoureuse cuisine familiale avec spécialités régionales et légumes du jardin, dont de nombreux inhabituels car anciens. Accueil chaleureux (c'est Joël qui s'occupe des hôtes). Pour les amateurs de vin, vous êtes à quelques encablures de Gevrey-Chambertin, Nuits-Saint-Georges, sans oublier Clos-de-Vougeot. Les autres passeront d'abord par l'abbaye de Cîteaux où les moines fabriquent le célèbre fromage du même nom. Une bonne adresse qui fait des adeptes !

Accès : de Dijon, prenez la D 996 vers Seurre ; à la sortie de Saulon-la-Rue, tournez à droite (C 1) vers Barges, la maison est à la sortie du village à gauche.

BEAUNE   21200

Carte régionale B2

45 km S de Dijon

€€€€ 🏠 ⑩% *Chambres d'hôtes Chez Marie (Marie et Yves Visseryrias) :* 14, rue Poissonnerie. 📱 06-64-63-48-20. ● marievisseyrias@yahoo.fr ● chezmarieabeaune.com ● ☎ 🛜 Au cœur de la ville, dans une maison du XVIIIe s avec petit jardin intérieur, 3 chambres avec sanitaires privés, petites mais agréables (avec une préférence pour « Côté jardin ») et une dernière sous forme d'appartement pour 4 personnes, avec salon et coin cuisine. De 87 à 122 € pour 2, petit déj compris, et 25 € par personne supplémentaire. Pas de table d'hôtes mais les restos dans la ville ne manquent pas. Accueil convivial.

Accès : dans le centre-ville, prenez le bd circulaire, et après l'hôtel Ibis Styles, prenez au feu à droite, puis 2e rue à gauche, puis la 1re rue à droite.

BISSY-SOUS-UXELLES   71460

Carte régionale B2

31 km S de Chalon-sur-Saône ;
6 km NE de Cormatin

€€€ 🏠 🍴 *Chambres d'hôtes La Ferme (M. et Mme de La Bussière) :* 1, rue de l'Église. ☎ et fax : 03-85-50-15-03.

📱 06-51-51-16-11. ● dominique.de-la-bussiere@wanadoo.fr ● bourgogne-chambres-hotes.fr ● Ouv 15 mars-15 nov. 🛜 Ferme de caractère dans laquelle les propriétaires proposent 4 chambres d'hôtes, dont 2 avec kitchenette. Sanitaires privés. Les chambres sont bien tenues, agrémentées de jolies couettes. De 71 à 82 € pour 2, copieux petit déj compris. Accueil dynamique et familial.

Accès : à côté de l'église.

BLIGNY-SUR-OUCHE   21360

Carte régionale B2

40 km SO de Dijon ; 18 km O de Beaune

€€€ 🏠 🍴 *Chambres d'hôtes Les Trois Faisans (Sabine Marchand) :* 2, route d'Arnay-le-Duc. ☎ 03-80-22-21-13. 📱 06-41-71-75-12. ● lestroisfaisans@gmail.com ● lestroisfaisans.com ● Fermé déc-janv. 🛜 Ancien relais de poste au cœur du village, dont les origines remontent au XVIIe siècle. Cinq chambres au 1er étage de la maison. Atmosphère de nos grand-mères avec meubles anciens ou de style et une foultitude de bibelots partout, excepté la chambre « Joséphine » qui invite au voyage. Il faut dire que Sabine tient aussi une petite boutique de brocante sur place. Selon la taille de la chambre, 86 et 98 € pour 2, copieux petit déj compris. On adore la cuisine avec son vieux fourneau et des casseroles en cuivre. Table d'hôtes partagée en famille à 30 €, apéro, vin et café compris. Cuisine régionale. Agréable et grand jardin avec pièce d'eau et piscine chauffée de mai à septembre. Accueil chaleureux.

Accès : A 6 sortie Pouilly-en-Auxois puis direction d'Arnay-le-Duc, jusqu'à Pouilly puis Bligny-sur-Ouche ; la maison est au cœur du village, à gauche avant le pont.

BOURBON-LANCY   71140

Carte régionale A2

40 km NO de Paray-le-Monial ;
30 km NE de Moulins

€€€ 🏠 🍴 *Hôtel La Tourelle du Beffroi (Colette Olleval) :* 17, pl. de la Mairie. ☎ 03-85-89-39-20. ● hotellatourelle@gmail.com ● hotellatourelle.fr ● 🐾 🛜 Dans cette agréable cité thermale, au cœur de la partie médiévale, charmant petit hôtel de 8 chambres. Si nous l'avons sélectionné dans ce guide c'est que son fonctionnement et son ambiance sont tout proches de ceux des chambres d'hôtes. Toutes différentes et aussi jolies, il y en a 3 au rez-de-chaussée, les autres sont à l'étage. Également 3 chambres familiales pour 3 ou 4 personnes. Selon la chambre, de 64 à 80 € pour 2, 104 € pour les familiales, et 12 € le petit déj en formule buffet ; il est servi dans une agréable véranda ou sur la terrasse d'où vous jouirez de la vue sur le beffroi. Accueil chaleureux.

Accès : à l'entrée du vieux bourg, à côté du beffroi.

BOUSSENOIS 21260

Carte régionale B1

40 km N de Dijon ; 25 km N de Bèze

€€ 🏠 |O| ⌂ (10 %) *Chambres d'hôtes La Chamade (Sylvie et Patrick Maublanc) :* 30, Grande-Rue. ☎ 03-80-75-56-21. ● lachamade21@orange.fr ● lachamade. fr ● Fermé 1re sem de juil, vac de la Toussaint et 24-25 déc. 🛜 Aux confins de la Côte-d'Or, de la Haute-Marne et de la Haute-Saône, ancienne maison vigneronne installée au cœur du village, dernier témoin des vignes qui peuplaient la région. Deux chambres au 1er étage d'une aile de la maison, la dernière sous forme de suite familiale comprenant 2 chambres qui accèdent directement au jardin. Sanitaires privés. Déco agréable avec de vieux meubles patinés. Comptez 60 € pour 2, petit déj compris, et 15 € par personne supplémentaire. Table d'hôtes partagée en famille à 26 €, apéro et bourgogne compris. Cuisine parfumée où poissons et légumes sont à l'honneur. Si vous avez des enfants, demandez à Sylvie qu'elle leur raconte une histoire... elle est aussi conteuse ! Accueil vraiment chaleureux. Une adresse qu'on aime bien.

Accès : A 31 sortie n° 5 puis D 974 (ou D 674) vers Langres puis D 103 vers Boussenois ; la maison est au centre du bourg.

BRAZEY-EN-MORVAN 21430

Carte régionale B2

33 km N d'Autun ; 12 km S de Saulieu

€ 🏠 ⌂ *Gîte d'étape et chalets-loisirs (Isabelle et Alain Simonot) :* La Coperie. ☎ 03-80-84-03-15. 🖥 06-71-74-33-77. Fax : 03-80-84-03-96. ● lacoperie.loisir settourisme@wanadoo.fr ● perso.wanadoo.fr/lacoperie ●Aux portes du Morvan, gîte d'étape dans un panorama grandiose qu'on ne se lasse pas de regarder. Quatre chambres avec sanitaires privés à 15,50 € par personne et par nuit (activités comprises), et petit déj à 5 €. Également 6 petits chalets-loisirs de 35 ou 50 m², chacun loué entre 350 et 400 € la semaine selon la saison. Dans chaque chalet, cuisine, séjour avec cheminée, chambre et mezzanine, sanitaires. Parmi les loisirs : piscine, pêche (trois beaux étangs avec brochets, carpes, gardons), et 4 chevaux et 2 poneys pour randonner. Isabelle et Alain élèvent des moutons. On peut acheter les côtelettes et se les faire griller au barbecue (un par chalet). Une adresse nature.

Accès : de Saulieu, prenez la direction d'Autun ; à la sortie de L'Huis-Renaud, tournez à droite en direction de Villiers-en-Morvan ; après l'entreprise de travaux publics, allez tt droit, puis tournez à droite et continuez sur 1 km.

BRESSE-SUR-GROSNE 71460

Carte régionale B2

20 km NO de Tournus ; 20 km N de Cluny

€€€ 🏠 ⌂ (10 %) *Chambres d'hôtes La Griolette (Micheline et Jean Welter) :* Le Bourg. ☎ 03-85-93-25-96. 🖥 06-76-06-71-27. ● la-griolette@club-internet.fr ● france-bonjour.com/la-griolette ●Dans une vieille maison typique du pays, au fond de leur jardin, Micheline et Jean ont aménagé une chambre et 2 suites composées de 2 chambres, pour 4 et 5 personnes. Sanitaires privés. La déco et les petits bibelots leur donnent une atmosphère douillette de bonbonnière. De 71 à 75 € pour 2 et 16 € par personne supplémentaire, petit déj compris. Il est royal et composé, entre autres, de jambon du Morvan, de fromages, de confitures maison et de jus de fruits. Micheline, ancienne libraire qui a vendu nos titres pendant des années, est une adorable mamie. Agréable piscine pour vous détendre. Accueil chaleureux et attentionné.

Accès : de Tournus, prenez la D 14 puis la D 215 vers Saint-Gengoux-le-National ; 500 m après Lancharre, tournez à droite vers Champagny et Bresse-sur-Grosne ; la maison est à 600 m de l'église, sur la gauche.

€€ 🏠 |O| ⌂ *Chambres d'hôtes Le Foineau (Mélina et Nicolas Ballon-Dervault) :* Colombier-sous-Uxelles. ☎ 03-85-92-67-22. 🖥 06-63-97-49-44. ● lefoineau@orange.fr ● lefoineau.fr ● 🛁 🛜 Le « foineau », c'est la grange à foin. Mélina et Nicolas l'ont entièrement réaménagée pour y créer 3 jolies chambres avec sanitaires privés. Une au rez-de-chaussée installée dans l'ancienne écurie, les 2 autres à l'étage, dont une très spacieuse avec douche et baignoire (un peu plus chère). Déco romantico-campagnarde et atmosphère sereine. Comptez respectivement 65 et 75 € pour 2, petit déj compris. Belle salle lumineuse avec une originale table en bois et métal. Table d'hôtes sans les propriétaires à 27 €, apéro, vin et café compris. Cuisine traditionnelle recherchée aux accents de la région. Agréable jardin avec superbe piscine et vélos à disposition. Accueil chaleureux. Excellent rapport qualité-prix-convivialité. Une de nos adresses préférées sur le département.

Accès : *A6 sortie n° 27 (Tournus) puis D 14 et D 215 vers Saint-Gengoux-le-National puis D 6 vers Bresse-sur-Grosne jusqu'à Colombier ; la maison est au cœur du hameau.*

85. ● *jean-michel.bagatelle@wanadoo. fr ● chezbagatelle.fr ● Fermé pdt les vac scol de fév.* 📶 Dominant le canal de Bourgogne, superbe village médiéval avec son château des XII⁰ et XV⁰ s. Par une petite ruelle, on arrive devant une belle maison avec cour intérieure. Quatre chambres, avec accès indépendant et sanitaires privés : 2 petites (on préfère la jaune, agrémentée d'une jolie cheminée) et 2 plus grandes, avec lit en mezzanine. Pour 2, comptez 70 € pour les premières et 80 € pour les autres, petit déj compris (gâteau, miel et confitures maison). Il est servi sur des tables individuelles dans une salle agréable. Accueil sympathique.

Accès : *de Pouilly, prenez la D 970 vers Vandenesse-en-Auxois, puis la D 994 jusqu'à Châteauneuf ; la maison est au cœur du village.*

CHARNY   89120

Carte régionale A1

50 km NO d'Auxerre ;
30 km SO de Joigny

€€ 📶 |●| (10 %) ***Chambres d'hôtes Ferme du Gué de Plénoise (Dominique et Daniel Ackermann) :*** ☎ et fax : 03-86-63-63-53. 📱 06-83-31-78-47. ● *contact@ ferme-de-plenoise.fr ● fermedeplenoise. jimdo.com ● Fermé 24 déc-2 janv.* 📶 En pleine campagne, à 5 km du village, ferme isolée où Dominique et Daniel élèvent des vaches laitières. Au 1ᵉʳ étage de la maison, 4 chambres, dont une familiale avec mezzanine. Déco campagnarde. Sanitaires privés. 55 € pour 2, petit déj compris. Accueil chaleureux. Bref, une adresse pour redécouvrir la vraie vie de la ferme (possibilité notamment d'assister à la traite)... sans oublier Charny, village vraiment charmant.

Accès : *au niveau de la halle de Charny, prenez la D 16 vers Châtillon-Coligny et, en haut d'une côte, prendre à droite « Chêne-Arnoult », puis suivez le fléchage « Plénoise ».*

CHÂTEAUNEUF-
EN-AUXOIS   21320

Carte régionale B2

42 km SO de Dijon ;
30 km NO de Beaune

€€€ 📶 ***Chambres d'hôtes (Annie et Jean-Michel Bagatelle) :*** *rue des Moutons.* ☎ 03-80-49-21-00. 📱 06-85-20-20-

CHÂTENAY   71800

Carte régionale B2

40 km SE de Paray-le-Monial ;
8 km E de La Clayette

€€€ 📶 ⚞ (10 %) ***Chambres d'hôtes (Bernadette et Bernard Jolivet) :*** *Les Bassets.* ☎ 03-85-28-19-51. 📱 06-33-17-29-10. ● *les-bassets@orange.fr ● chambreshotes jolivet.fr ● Ouv d'avr à mi-nov.* 📶 Ancienne ferme restaurée avec vue superbe sur le hameau. Bernadette et Bernard (artisan menuisier) y ont aménagé 3 chambres confortables, équipées de sanitaires privés, dont une suite familiale composée de 2 chambres. 76 € pour 2, petit déj compris. Pas de table d'hôtes, mais coin cuisine à disposition. Les amateurs ne manqueront pas le circuit des églises romanes.

Accès : *de La Clayette, prenez la direction de Mâcon par la D 987 puis, à 6 km, tournez à gauche et suivez le fléchage.*

CLESSÉ   71260

Carte régionale B2

12 km N de Mâcon

€€ 📶 (10 %) ***Chambres d'hôtes En Germolles (Gilles Maudet et Joëlle Demarthe) :*** *route de Germolles.* ☎ 03-85-36-97-30. 📱 06-29-37-15-15. ● *engermolles@ orange.fr ● engermolles.fr ●* 📶 Dans un petit hameau, superbe maison forte dont les origines remontent au XIII⁰ s. Par un noble escalier à vis du XV⁰ installé dans la tour, on accède aux 3 chambres spacieuses situées aux 1ᵉʳ et 2ᵉ étages. Sanitaires privés. Une préférence pour la chambre

BOURGOGNE

verte avec son lit en fer 1930. 70 € pour 2, petit déj compris. Beau jardin avec pièce d'eau, la fierté de Gilles qui s'occupe aussi des hôtes. Accueil convivial.

Accès : A 6 sortie n° 28 (Mâcon Nord) puis D 103 vers Clessé et, à l'entrée du village, prenez à gauche la route de Germolles.

COLLAN 89700

Carte régionale A1

30 km E d'Auxerre ; 6 km NE de Chablis

€€ 🏠 **Chambres d'hôtes La Marmotte (Élisabeth et Gilles Lecolle) :** 2, rue de l'École. ☎ 03-86-55-26-44. 📱 06-89-45-42-82. ● lamarmotte.glecolle@orange. fr ● 📶 Dans un cadre verdoyant et calme, une belle et grosse maison au cœur du village. Trois chambres guillerettes, avec sanitaires privés, dont 2 à l'étage et une au rez-de-chaussée. Elles dégagent une atmosphère gaie et sont tenues de manière irréprochable. 58 € pour 2, avec le petit déj. Accueil souriant. N'oubliez pas de rendre une visite au lavoir de Collan. Également 2 gîtes de 7 et 18 personnes.

Accès : à la sortie de Chablis en direction de Tonnerre, prenez la D 150 puis la D 35 jusqu'à Collan ; la maison est au centre du village.

COURGIS 89800

Carte régionale A1

20 km E d'Auxerre ; 6 km S de Chablis

€€ 🏠 **Chambres d'hôtes (Mathilde et Patrick Andru) :** 7, rue de Larminat. ☎ 03-86-41-48-82. 📱 06-72-92-29-47. ● pat-mat@sfr.fr ● *Fermé déc-fév.* 📶 Patrick et Mathilde misent sur l'accueil et il n'y a rien à en redire. On vous dorlote dans cette maison ancienne, avec jardin, terrasse, barbecue..., que notre gentil couple a restaurée avec ses petites mains ! Au final, un rêve réalisé et 2 chambres très soignées, vert et jaune pour l'une, turquoise et vanille pour l'autre. Sanitaires privés. 58 € pour 2, petit déj compris. Servi dans la grande salle mise à disposition, il se compose d'une variété de pains différents et de confitures maison. Frigo, micro-ondes et coin « tisanerie » complètent le tout. Un espace douillet dont il est difficile de s'arracher.

Accès : indiqué dans le village, dans une tte petite rue.

CRONAT 71140

Carte régionale A2

58 km SE de Nevers ;
12 km N de Bourbon-Lancy

€ 🏠 10% **Chambres d'hôtes (Odile et Yves Biberon) :** Les Garlauds. ☎ 03-85-84-84-63. ● odile.biberon@wanadoo.fr ● lesgarlauds.fr ● *Ouv avr-oct.* 📶 Yves et Odile sont des éleveurs de moutons. Ils tiennent 3 chambres simples et confortables, pour 2 à 5 personnes, avec sanitaires privés. 50 € pour 2, petit déj compris, et 12 € par personne supplémentaire. Cuisine à disposition. Loisirs nautiques, véloroute, centre de remise en forme et sentiers de rando à proximité. Les proprios peuvent même vous prêter des vélos (chouette !). Accueil convivial.

Accès : à Cronat, suivez la D 196 direction Maltat sur 8 km.

CRUX-LA-VILLE 58330

Carte régionale A2

45 km NE de Nevers ;
10 km N de Saint-Saulge

€€ 🏠 🍴 10% **Chambres d'hôtes Domaine des Perrières (Pascale et Benoît Cointe) :** ☎ 03-86-58-34-93. Fax : 03-68-38-44-09. ● pbcointe58@orange.fr ● chambres-charme-bourgogne.com ● Voilà encore une adresse comme on les aime, nature et accueillante. On passe d'abord par la ferme, où Pascale et Benoît élèvent des charolais et cultivent des céréales, pour arriver devant une belle maison bourgeoise entourée d'un joli parc fleuri. Elle date du XIXᵉ s, mais ses origines remontent au XVIIᵉ. Deux chambres d'hôtes au 1ᵉʳ étage, avec sanitaires privés, mais w-c sur le palier pour la plus grande. Parlons-en : elle est immense et claire, avec un mobilier d'inspiration Empire. 68 € pour 2, petit déj compris (plein de sortes de confitures et gâteau maison), et 20 € par personne supplémentaire. Table d'hôtes partagée en famille à 25 €, vin et café compris. Accueil chaleureux.

Accès : la maison se trouve à 4 km de Crux sur la D 34 en direction de Saint-Révérien (4 km avt si vous en venez).

CURTIL-VERGY 21220

Carte régionale B2

20 km SO de Dijon ;
8 km NO de Nuits-Saint-Georges

€€ 🏠 **Chambres d'hôtes Le Val de Vergy (Brigitte et Dominique Puvis de**

Chavannes) : Pellerey. ☎ 03-80-61-41-62. 📱 06-73-49-63-06. ● puvis-de-chavannes@wanadoo.fr ● valdevergy.com ● Fermé déc-fév. 📶 Dans un joli coin de campagne, belle demeure de vignerons du XVIIe s, tout en pierre. Dans une aile indépendante, 2 chambres charmantes avec sanitaires privés : « La Nuptiale », réservée aux jeunes, car située au 2e étage ; l'autre avec deux ravissants lits à baldaquin. Également 2 autres chambres, « Aurélie » et « Vergy », dans la maison, mais plus chères car sous forme de suite (idéales pour les familles). Beaux meubles anciens. Pour 2, comptez 70 € pour les chambres et 85 € pour les suites, petit déj compris. Accueil de qualité. Une adresse plébiscitée par les routards !

Accès : de Nuits-Saint-Georges, prenez la D 25 vers Meuilley, puis la D 35 vers Villars-Fontaines et Messanges-la-Nourotte ; à ce carrefour, tournez à droite vers Curtil-Vergy jusqu'à Pellerey (600 m avt Curtil-Vergy).

CUSSY-LA-COLONNE 21360

Carte régionale B2

50 km SO de Dijon ; 19 km O de Beaune

€€ 🏠 ⑩﹪ *Chambres d'hôtes Une Clé dans le Pré (Nathalie et Jean-Jacques Terrand) :* rue de Montceau. ☎ 03-80-20-26-75. ● cledanslepre@orange.fr ● unecledanslepre.fr ● 📶 Au cœur d'un village de 70 âmes, dans une petite fermette indépendante de la maison des proprios mais dans la même cour, 4 chambres champêtres avec sanitaires privés, dont une suite familiale composée de 2 chambres. Une au rez-de-chaussée, les autres à l'étage. On aime bien « Pâquerette », lumineuse, avec ciel de lit et belle poutraison. De 67 à 75 € pour 2, petit déj compris, et 20 € par personne supplémentaire. Pas de table d'hôtes mais coin cuisine à disposition. Accueil très sympa. Bon rapport qualité-prix-convivialité.

Accès : A 6 sortie Pouilly-en-Auxois, puis direction Arnay-le-Duc et là, D 906 vers Chalon-sur-Saône et à 12 km à gauche ; la maison est dans le village.

DONZY 58220

Carte régionale A1

*18 km SE de Cosne-sur-Loire ;
26 km N de La Charité-sur-Loire*

€€ 🏠 ⦿| *Chambres d'hôtes Les Jardins de Belle Rive (Laura et Billy Juste) :* Bagnaux. ☎ 03-86-39-42-18. 📱 06-17-92-42-25. Fax : 03-86-39-49-15. ● jardinsdebellerive@free.fr ● jardinsde bellerive.free.fr ● Fermé la dernière sem de sept. 📶 Dans un écrin de verdure, Laura et Billy ont construit une petite maison indépendante qui ne manque pas de charme avec sa petite tour carrée. Intérieur lumineux, très cosy et raffiné. Laura est artiste-peintre et vous trouverez plusieurs de ses œuvres dans la décoration (toiles, reproductions, trompe-l'œil). Quatre chambres romantiques et douillettes avec de luxueux sanitaires privés (baignoire et douche pour la plus grande). Selon la taille des chambres, de 58 à 68 € pour 2, petit déj compris, servi dans la maison des propriétaires au décor rustique (meubles campagnards, poutres et cheminée) ou en terrasse aux beaux jours. Laura, votre charmante hôtesse, propose la table d'hôtes (partagée en famille), pour 25 €, vin et café ou tisane compris. Parmi ses spécialités : croustade au fromage de chèvre, canard au vin de Bourgogne, pâté de légumes, gratin de poisson, fondant au chocolat aux amandes. Piano à queue pour les amateurs et, pour ne rien gâcher, une agréable piscine est à votre disposition, ainsi qu'un bel étang avec barque. Accueil de qualité. Une de nos adresses préférées sur le département.

Accès : de Cosne-sur-Loire, prenez la D 33 vers Donzy ; dans le bourg, juste après la pharmacie, prenez la 1re rue à droite.

ÉCHALOT 21510

Carte régionale B1

*50 km NO de Dijon ;
11 km SE d'Aignay-le-Duc*

€ 🏠 ⦿| 🍴 *Chambres d'hôtes (Rita Bonnefoy) :* 10, rue du Centre. ☎ 03-80-93-86-84. 📱 06-37-20-13-31. ● leschambres derita.com ● Résa conseillée. 📶 Maison de village qui vous dévoilera tout son charme sitôt que vous aurez franchi son seuil. Ses origines remontent au XVIIe s, mais au cours de sa longue vie, elle devint le bistrot du village (ce qui explique le peu d'attrait de la façade). Trois chambres, pour 2 ou 3 personnes, avec de jolis meubles campagnards. L'une d'elles a un accès direct sur le jardin. Sanitaires privés. Comptez 46 € pour 2, petit déj compris. Repas sur demande à 20 €, vin compris, avec un kir traditionnel pour vous mettre dans l'ambiance. Les repas et petits déj sont servis dans une belle salle à manger avec une immense cheminée où crépite le feu pratiquement tous les soirs de l'année. Rita est une hôtesse discrète qui, dès qu'on la connaît un peu, se révèle être une femme chaleureuse.

Accès : *au bas du village.*

ÉPOISSES 21460

Carte régionale A1

35 km N de Saulieu ;
12 km O de Semur-en-Auxois

€€ 🏠 *Chambres d'hôtes La Ferme de Plumeron (Claudine et Bernard Virely) :* *2, route du Serein.* ☎ 03-80-96-44-66. 📠 06-31-36-23-60. Fax : 03-80-96-33-77. ● *fermedeplumeron@wanadoo.fr* ● *ferme deplumeron.fr* ● Dans une ferme en activité, 2 jolies chambres avec sanitaires privés : l'une familiale, avec une grande baie vitrée et une terrasse privative ouvrant sur le parc, et l'autre tout aussi sympa avec une belle charpente apparente. Comptez 58 € pour 2, avec le petit déj, et 16 € par personne supplémentaire. Pas de table d'hôtes, mais coin cuisine à disposition et petits restos à Époisses ou à Semur-en-Auxois, dont la visite vaut le détour. Accueil agréable. Vous êtes au pays de l'époisses (un des seuls fromages bourguignons vraiment réputés), alors allez en chercher un chez *Berthaut,* très connu dans le coin, qui fabrique le vrai !

Accès : *de Montbard, prenez la D 980 puis, à Semur-en-Auxois, la N 454 vers Époisses ; dans le bourg, prenez la D 4 en direction de Montberthault, c'est à 1 km.*

ÉTANG-SUR-ARROUX 71190

Carte régionale A2

20 km NO du Creusot ;
17 km SO d'Autun

€€ 🏠 ⟨10 %⟩ *Chambres d'hôtes La Renaissance (Aline et Gauthier Jacquelin) :* *hameau Velet.* ☎ 03-85-82-36-97. 📠 06-73-70-22-38. ● *gauthierjacquelin@ hotmail.fr* ● *la-renaissance.fr* ● 🚲 🛜 En pleine campagne, dans un petit hameau, ancienne ferme dont les origines remontent au XIVᵉ s. Aline et Gauthier sont de fervents défenseurs des matériaux naturels et des énergies renouvelables... Aussi, toute la restauration de leur demeure a été pensée en fonction de ces principes. Dans une dépendance de la maison, 4 chambres d'hôtes chaleureuses avec sanitaires privés. Ceux qui aiment le dépaysement choisiront la chambre « Tibétaine » ou l'« Afghane », ceux qui préfèrent l'indépendance pencheront pour la chambre avec accès direct sur la campagne. De 50 à 52 € pour 2, petit déj

compris (café bio, bon fromage de chèvre du coin, miel et confitures maison). Si vous êtes celtisant, Gauthier est intarissable sur le sujet et vous indiquera tous les lieux intéressants pour parfaire votre culture (avec Bibracte en point d'orgue, *of course !*). Pas de table d'hôtes, mais un bon petit resto sympa à proximité. Petite piscine pour faire trempette. Accueil volubile et convivial.

Accès : *d'Étang-sur-Arroux, D 297 vers Saint-Didier-sur-Arroux sur 3,5 km et 1re route à gauche après le lycée forestier.*

FLAGEY-ÉCHÉZEAUX 21640

Carte régionale B2

20 km S de Dijon ; 20 km N de Beaune

€€€ 🏠 *Chambres d'hôtes Les Agnates (Agnès et Guy Détain) :* *4, rue Guillot.* ☎ 03-80-62-84-17. 📠 06-80-64-51-86. ● *guy.detain@orange.fr* ● *agnates. fr* ● 🛜 Au cœur de la région des grands crus de Bourgogne, dans un petit village bien au calme, mignonnette et ancienne ferme. Dans un bâtiment indépendant de la maison, 2 chambres spacieuses avec sanitaires privés et accès direct sur le jardin. 75 € pour 2, copieux petit déj compris. Pas de table d'hôtes mais un bon resto dans le village, accessible à pied. Prêt de VTT. Accueil chaleureux.

Accès : *A 31 sortie n° 1 Nuits-Saint-Georges ; traversez Nuits-Saint-Georges en direction de Dijon puis prenez la D 974 jusqu'à Vosne-Romanée et à la sortie du village à droite vers Flagey et fléchage.*

FONTENAILLES 89560

Carte régionale A1

20 km S d'Auxerre ;
5 km NO de Courson-les-Carrières

€€€€ 🏠 ⦿ *Chambres d'hôtes Le Relais de Fontenailles (Pierre Rovet) :* *20, rue de l'Église.* ☎ 03-86-41-57-14. 📠 06-60-41-59-63. ● *pierre@relaisfonte nailles.com* ● *relaisfontenailles.com* ● Ouv 15 mars-15 nov. 🛜 Dans un petit village de 25 âmes, ancienne ferme qui jouit d'un magnifique panorama sur la campagne environnante. Cinq chambres coquettes avec sanitaires privés. Déco qui mêle harmonieusement beaux meubles anciens et nombreuses toiles. 95 € pour 2, petit déj compris (gâteau ou pain d'épices et confitures maison). Table d'hôtes à 35 €, apéro, vin et café compris. Goûteuse cuisine parfumée avec les herbes du jardin et accompagnée du vin de la maison, car

Pierre est propriétaire de quelques vignes avec des copains. Pour vous détendre, une belle piscine chauffée, un sauna et une salle de muscu. Accueil chaleureux. L'adresse idéale pour prendre le vert et se remettre en forme.

Accès : d'Auxerre, N 151 vers Nevers puis à droite D 950 vers Fontenailles ; entrez dans le village, la maison est dans la rue qui passe devant l'église (of course !).

GY-L'ÉVÊQUE   89580

Carte régionale A1

8 km S d'Auxerre

€€ 🏠 **Chambres d'hôtes La Fontaine (Chantal Moyer) :** *2, rue de la Fontaine.* ☎ 03-86-41-61-64. ● *chantal.moyer@ orange.fr* ● *chambresdegy.com* ● 📶 Gy est un joli petit village avec une vieille église des XIIIe et XVIe s. Au cœur du village, dans l'ancienne grange d'une exploitation agricole du XIXe, 5 chambres agréables, toutes avec sanitaires privés. Déco de bon goût. 59 € pour 2, petit déj compris (confitures, brioche et pain d'épices maison). Il est servi dans une grande salle à manger avec cheminée, murs en pierre apparente et poutres. Accueil convivial.

Accès : d'Auxerre, suivez la N 151 vers Bourges/Nevers jusqu'à Gy-l'Évêque et suivez le fléchage.

IGUERANDE   71340

Carte régionale A2

32 km S de Paray-le-Monial ; 20 km N de Roanne

€€ 🏠 ●|● (10 %) **Chambres d'hôtes La Vie en Roses (Mireille et Luc Majan) :** *Le Perret.* ☎ 03-85-84-06-53. 📱 06-67-99-43-75. ● *luc.majan@orange.fr* ● *la-vie-en-roses. fr* ● *Ouv de début mars à mi-nov.* 📶 Mireille et Luc, Belges d'origine, sont tombés sous le charme de cette belle ferme en silex aux ouvertures peintes en rose, située en pleine campagne aux portes de la Loire. Dans un bâtiment indépendant, 4 chambres campagnardes, dont 2 familiales. Sanitaires privés. 60 € pour 2, petit déj compris, et 15 € par personne supplémentaire. Repas partagé avec vos hôtes à 22 €, apéro, vin et café compris. Cuisine familiale avec les produits de saison. Accueil convivial. Une adresse très nature.

Accès : d'Iguerande, D 982 vers Marcigny sur 2 km puis C 7 vers Les Grandes-Varennes/Le Perret et faites 3 km dans la campagne (fléchage).

€€€ 🏠 ●|● (10 %) **Chambres d'hôtes Le Champ de l'Être (Denise et Maurice Martin) :** *Les Montées.* ☎ 03-85-84-09-69. 📱 06-32-08-64-53. ● *mart1dmonty@ gmail.com* ● *chambresdhotes-naturopa thie.fr* ● Ancienne ferme rénovée, jouissant d'un joli panorama sur la campagne environnante. Quatre chambres agréables, avec sanitaires privés (préférez la chambre rustique) à 72 € pour 2, petit déj compris (toutes sortes de confitures, fromage et gâteau maison). Table d'hôtes à 30 €, vin et café compris. Bonne cuisine familiale à base de produits fermiers. La vieille grange a été aménagée en espace bien-être avec spa, sauna, massages, réflexologie. Maurice est naturopathe ; si vous le souhaitez, il vous propose un accompagnement thérapeuthique naturel pour une détente bienfaisante. Pour ceux qui veulent piquer une tête, vos hôtes connaissent quelques coins pour se baigner dans la Loire. Accueil familial et convivial.

Accès : sur la D 982 ; dans Iguerande, suivez les fléchages « Outre-Loire », puis « Les Montées », traversez le canal et fléchage « Le Champ de l'Être ».

JOUX-LA-VILLE   89440

Carte régionale A1

38 km SE d'Auxerre ; 16 km N d'Avallon

€ 🏠 (10 %) **Chambres d'hôtes Le Clos du Merry (Laurence Lamory) :** *4, rue Crété.* ☎ 03-86-33-65-54. ● *closmerry@ free.fr* ● *leclosdumerry.fr* ● ♿ *Ouv févdéc.* 📶 Ancienne ferme où l'écurie et la grange ont été entièrement réaménagées pour devenir une immense pièce de jour, avec un beau volume, et accueillir 5 chambres d'hôtes, équipées de sanitaires privés : une au rez-de-chaussée, les 4 autres à l'étage, dont 2 familiales composées chacune de 2 chambres. 50 € pour 2 et 78 € pour 4, petit déj compris. Pas de table d'hôtes, mais cuisine à disposition et plusieurs restos à proximité.

Accès : A 6, sortie Nitry ; prenez la D 944 vers Avallon jusqu'à Joux ; à l'entrée du village, 1re rue à droite puis 1re entrée de cour à droite après l'épicerie Proxi.

LA ROCHE-EN-BRÉNIL   21530

Carte régionale A1

20 km SE d'Avallon ; 13 km N de Saulieu

€€ 🏠 **Chambres d'hôtes La Clé des Champs (Michelle et René Legrand) :** *Chenesaint-le-Bas.* ☎ 03-80-64-79-06. 📱 06-65-38-73-75. ● *courrier@*

clefdeschamps-bourgogne.com • clefdeschamps-bourgogne.com • *Ouv mars-nov.* 📶 Au cœur d'un petit hameau, ancienne grange d'une agréable ferme du XIXᵉ s. Cinq chambres fleuries, dont une double pour les familles. Sanitaires privés. Comptez 69 € pour 2, petit déj compris. Agréable espace vert avec piscine et terrain de pétanque.

Accès : *sur la N 6, entre Avallon et Saulieu ; du village, prenez la D 15a vers Saint-Agnan et suivez le fléchage.*

LA ROCHEPOT 21340

Carte régionale B2

30 km E d'Autun ; 15 km SO de Beaune

€€ 🏠 **Chambres d'hôtes La Pauline (Lucienne et Marc Fouquerand) :** *rue de l'Orme.* ☎ 03-80-21-72-80. *Fermé 1ᵉʳ sept-15 oct.* Au cœur du charmant village de La Rochepot, dominé par un superbe château romantique des XIIᵉ et XVᵉ s (il appartient aux descendants du président Sadi Carnot, assassiné en 1894). Dans deux petits bâtiments, 2 chambres d'hôtes installées de chaque côté de la petite rue. Une préférence pour la dernière créée. Sanitaires privés. Comptez 60 € pour 2, petit déj compris, servi dans une belle salle rustique avec cheminée. Lucienne et Marc sont vignerons (on en voit déjà qui font claquer leur palais... et ils ont raison !). Vous pourrez déguster des vins d'appellation bourgogne hautes-côtes-de-beaune, aligoté, santenay premier cru (une merveille) et un excellent volnay premier cru « Chanlins ». Une adresse que ne manqueront pas les amateurs de bourgogne (nous en sommes aussi...). Accueil authentique et chaleureux.

Accès : *de Beaune, prenez la D 973 vers Autun ; dans le village, montez vers le château et suivez le fléchage.*

LAIZY 71190

Carte régionale B2

50 km NO de Chalon-sur-Saône ; 15 km SO d'Autun

€€ 🏠 |◉| 🔟% **Chambres d'hôtes Ferme de la Chassagne (Françoise Gorlier) :** ☎ 03-85-82-39-47. 📱 06-30-00-46-65. • francoise.gorlier@wanadoo.fr • *Ouv de mi-mars à début nov.* 📶 Venir à *La Chassagne,* c'est entrer dans le rêve de Françoise : avoir sa ferme ! Depuis toute petite, elle voulait devenir fermière et il lui a fallu

du temps... Mais quelle splendeur, sa maison est magnifique ! Elle date du XVIIIᵉ s et est supportée par deux piliers en granit, qui devaient être en bois à l'origine. Quant au panorama sur l'Autunois, il est unique ! L'intérieur n'est pas en reste. Deux chambres au rez-de-chaussée, 2 autres à l'étage, accueillantes et décorées avec goût. Murs peints à l'éponge et frises au pochoir. 52 € pour 2, petit déj compris (avec gâteau maison). Table d'hôtes (sauf le dimanche soir et sur demande uniquement) à 19 €, apéritif, vin et café compris. C'est bien simple, tout provient de la ferme. Françoise possède trois vaches pour le lait, le beurre et la crème, six chèvres pour les fromages, tandis que lapins, volailles et légumes du jardin se transforment en plats avec accompagnements. Chaleureuse salle à manger avec un beau plafond (poutres), de vieilles tomettes et une immense cheminée. De l'autre côté, un gentil salon où trône un piano accordé et une autre cheminée (plus bourgeoise celle-là) parée de deux nymphes dont l'une dévoile pudiquement son sein. Accueil comme on les aime, chaleureux et décontracté. Excellent rapport qualité-prix-convivialité. Bref, un de nos coups de cœur.

Accès : *d'Autun, prenez la N 81 vers Luzy que vous ne quittez plus jusqu'au hameau des Quatre-Vents (à 13 km) ; ensuite, tournez à droite vers La Chassagne jusqu'au bout du sentier (n'allez pas à Laizy).*

LAMARCHE-SUR-SAÔNE 21760

Carte régionale B1

25 km E de Dijon ; 5 km S de Pontailler-sur-Saône

€€ 🏠 |◉| **Chambres d'hôtes (Martine et Jean Clément) :** *15, rue du Pont.* ☎ 03-80-47-17-04. Fax : 09-59-07-15-64. • contact@chambresclement.fr • chambresclement.fr • 📶 En bordure de Saône, imposante et vieille maison qui était autrefois une dépendance du château aujourd'hui disparu. Quatre belles chambres avec sanitaires privés. Une préférence pour la chambre « Bleuet » qui ouvre sur le fleuve et la piscine. Comptez 64 € pour 2, petit déj compris. Sur demande, possibilité de table d'hôtes, avec de bonnes spécialités régionales, pour 27 €. Barbecue sur demande. Sinon, une cuisine d'été à disposition et plusieurs restos à proximité. Les marcheurs ne manqueront pas de parcourir la Voie bleue, un joli circuit pédestre le long des berges de la Saône qui débute à quelques pas de la maison. Accueil convivial.

Accès : de Dijon, prenez la D 70 vers Gray et sortez vers Pontailler-sur-Saône ; à Vonges, prenez la D 976 jusqu'à Lamarche ; au centre du village prenez la rue du Pont, la maison est juste avt le pont à gauche.

LAVAU   89170

Carte régionale A1

55 km SO d'Auxerre ;
10 km SO de Saint-Fargeau

€€ 🏠 **Chambres d'hôtes Domaine des Beaurois (Anne-Marie et Bernard Marty) :** La Chasseuserie. ☎ et fax : 03-86-74-16-09. 📱 07-89-03-57-64. ● contact@domaine-des-beaurois.fr ● domaine-des-beaurois.fr ● Fermé à Noël et au Nouvel An. 📶 On a eu un petit coup de foudre pour l'endroit. Une clairière perdue dans la forêt et, au milieu, cette ancienne ferme devenue aujourd'hui productrice d'un vin régulièrement médaillé : les coteaux-du-giennois. Trois chambres avec sanitaires privés, dont une familiale composée de 2 chambres. Déco de bon goût, atmosphère calme et sereine. De 64 à 74 € pour 2, petit déj compris (séjour de 2 nuits minimum). Anne-Marie est une hôtesse charmante qui sait recevoir. Aux beaux jours, vous profiterez de la piscine chauffée et, pour vous faire découvrir la région, Anne-Marie a préparé un classeur tout plein d'infos bien présentées (de quoi vous donner l'envie de rester). Si vous êtes amateur de vin, Bernard vous fera visiter son chai et découvrir sa production.

Accès : A 6 puis A 77 direction Nevers jusqu'à Bonny-sur-Loire (sortie n° 21) ; de là, prenez la D 965 vers Auxerre sur 10 km et, à partir de Lavau, suivez le fléchage « Domaine des Beaurois » sur 3 km en direction de Bléneau (D 74).

LE ROUSSET   71220

Carte régionale B2

45 km SO de Chalon-sur-Saône ;
15 km SE de Montceau-les-Mines

€€€ 🏠 |○| 🏡 **Chambres d'hôtes La Fontaine du Grand Fussy (Dominique Brun) :** ☎ et fax : 03-85-24-60-26. ● lafontainedugrandfussydominiquebrun@orange.fr ● fontaine-grand-fussy.wix.com/bourgognedusud ● Fermé janv. 📶 S'il y a des adresses d'exception, celle-ci en fait sûrement partie... En pleine campagne, dans un petit hameau, anachronique et magnifique demeure du XVIIIe s. Après avoir exercé différents métiers, Dominique a repris des cours de déco et s'est spécialisée dans les fresques et peintures murales (elle a restauré celles de plusieurs églises). Autant dire que si la maison a du charme de l'extérieur, l'intérieur nous a complètement fait craquer. Cinq délicieuses chambres avec sanitaires privés, dont une sous forme de petit appart avec cuisine. Enduits à la chaux, glacis à l'eau, motifs au pochoir, faux marbre, trompe-l'œil se mêlent aux ferronneries et aux meubles de famille de tous styles, mais toujours avec un goût très sûr. Un salon-bibliothèque et un salon-musique complètent l'ambiance. 75 € pour 2, petit déj compris, et 85 € pour l'appartement. Repas, pas systématiquement partagé avec votre hôtesse, à 21 €, sans le vin. Cuisine goûteuse et familiale. Agréable terrasse avec tonnelle et, aux beaux jours, vous profiterez de la piscine (chéri, j'veux plus partir !). Dans la ferme attenante, un gîte pour 6 personnes, à l'ambiance datcha russe, pour ceux qui souhaitent séjourner. Accueil de qualité. Un de nos coups de cœur.

Accès : sur la D 980 entre Cluny et Montceau-les-Mines ; prenez la D 33 vers Le Rousset et, tt de suite à droite, la D 60 vers Ciry-le-Noble ; l'accès à la maison est à 900 m à gauche (n'allez pas au Rousset).

LEVERNOIS   21200

Carte régionale B2

4 km SE de Beaune

€€ 🏠 🏡 10% **Chambres d'hôtes Couettes et Capucines (Blandine d'Ardhuy) :** 3, Grande-Rue. ☎ 03-80-22-29-42. 📱 06-83-12-98-68. ● couettescapucines@free.fr ● couettescapucines.free.fr ● 📶 Au cœur de ce petit village éloigné des hordes de touristes, ancienne ferme recouverte de vigne vierge avec un petit jardin fleuri parsemé de jeux pour enfants. Dans une aile indépendante, 2 chambres pimpantes et colorées, avec sanitaires privés, installées aux 1er et 2e étages. Une dernière, spéciale famille, avec chambre enfants séparée, se trouve dans un petit pavillon campagnard indépendant. Selon la chambre, de 68 à 73 € pour 2, petit déj compris. La réputation de Blandine ? Ses confitures, de véritables créations, comme l'abricot-romarin-citron, cerise noire-verveine, pomme-gingembre (c'est 'l moment d'la croquer !)... Pas de table d'hôtes, mais les bonnes adresses ne manquent pas dans le coin. Accueil chaleureux et sans façon. Si vous êtes amateur de golf, la

BOURGOGNE

maison jouxte celui de Levernois (l'entrée est à 300 m à pied).

Accès : A 6 sortie Beaune-centre (sortie n° 24.1) ; au 1er rond-point, direction Verdun-sur-le-Doubs jusqu'au feu où vous tournez à droite et continuez jusqu'au village ; la maison est à côté de l'église.

€€€ ≙ |●| *Chambres d'hôtes La Lyse-ronde (Martine et Jean-Marc Lyssy) :* 2, rue du Golf. ☎ 03-80-22-36-62. 📠 06-71-00-54-08. Fax : 03-80-22-46-08. ● contact@lalyseronde.fr ● lalyseronde. fr ● ☎ Au cœur de ce joli petit village, 3 petites chambres douillettes et charmantes avec sanitaires privés : 2 avec accès de plain-pied installées dans un petit pavillon près de la piscine, la dernière au 1er étage de la maison accessible par un petit escalier extérieur. Comptez 80 € pour 2, petit déj compris. Accueil convivial.

Accès : de Beaune, direction Lons-le-Saunier pdt 1 km puis à gauche vers Levernois ; la maison est en face de la mairie.

LINDRY 89240

Carte régionale A1

12 km O d'Auxerre

€€ ≙ 🐾 *Chambres d'hôtes La Védé-rine (Éliane et Gérard Bonfanti) :* 28, hameau de Chazelles. ☎ 03-86-47-10-86. 📠 06-82-92-02-95. ● elianegerardla vederine@orange.fr ● Éliane et Gérard ont restauré la ferme familiale et ont aménagé 5 chambres personnalisées, avec sanitaires privés à l'étage (préférez celles qui ouvrent sur le jardin). 58 € pour 2, petit déj compris. L'ancienne étable a été transformée en une agréable salle à manger. Accueil chaleureux. Si vous êtes là un samedi matin, n'oubliez pas d'aller voir le pittoresque marché de Toucy, qui est aussi un joli village fortifié.

Accès : d'Auxerre, prenez la D 965 vers Orléans/Toucy ; 4,5 km après Villefargeau, tournez à droite vers Chazelles et suivez le fléchage.

LIXY 89140

Carte régionale A1

15 km NO de Sens ;
10 km SO de Pont-sur-Yonne

€€ ≙ |●| 10 % *Chambres d'hôtes Le Clos Mélusine (Cathy et Alain Balour-det) :* 16, pl. de la Liberté. ☎ 03-86-66-11-39. 📠 06-86-65-53-87. ● clos-melusine@wanadoo.fr ● clos-melusine.com ● ☎ C'est en tant qu'utilisateurs et adeptes que

Cathy et Alain ont découvert les chambres d'hôtes, puis ils ont réalisé leur rêve : créer leur propre structure. Dans l'ancienne grange de cette ferme du XIXe s construite sur les vestiges d'un prieuré du XIIe s (ne manquez pas d'aller voir la crypte qu'ils ont restaurée), ils ont aménagé 4 chambres élégantes avec de luxueux sanitaires privés : une au rez-de-chaussée avec accès direct sur le jardin, les 3 autres à l'étage. 68 € pour 2, petit déj compris (avec plein de confitures maison). Table d'hôtes, partagée en famille, à 25 €, apéro et bourgogne compris. Une cuisine recherchée qui mélange les saveurs salées et sucrées. Cathy et Alain vous ont concocté un super classeur bourré d'infos touristiques et sportives, sans oublier tous les artisans du coin. Accueil chaleureux. Une de nos adresses préférées sur le département.

Accès : de Villeneuve-la-Guyard, sur la N 6 entre Fontainebleau et Sens, prenez la D 103 vers Saint-Agnan, Villethierry puis Lixy ; la maison est sur la place du village.

LOURNAND 71250

Carte régionale B2

25 km NO de Mâcon ; 5 km N de Cluny

€€ ≙ 10 % *Chambres d'hôtes La Ron-zière (Brigitte et Bernard Blanc) :* Collonge. ☎ 03-85-59-14-80. 📠 07-70-28-07-62. ● blanc.brigitte@hotmail.fr ● laronziere. fr ● ☒ Ouv 26 mars-24 nov. ☎ Dans un grand corps de ferme remarquablement restauré, Brigitte et Bernard, éleveurs de charolais, ont installé 5 chambres d'hôtes : 2 sont au rez-de-chaussée et 3 au 1er étage. Belle vue sur la campagne environnante. Sanitaires privés. 59 € pour 2, petit déj compris, servi dans une grande salle. Coin cuisine à disposition. Accueil agréable. Si vous n'avez pas peur de la foule, allez faire un tour à Cluny. Sinon, Brigitte et Bernard vous conseilleront des circuits de rando à partir de chez eux pour admirer Cluny de loin !

Accès : de Cluny, prenez la D 981 vers Taizé ; ne prenez pas la 1re route qui va à Lournand, mais la 3e à gauche avec fléchage « Collonge-Chapelle romane », puis « Chambres d'hôtes ».

MAILLY-LE-CHÂTEAU 89660

Carte régionale A1

30 km S d'Auxerre ;
12 km E de Courson-les-Carrières

€€ ≙ 10 % *Chambres d'hôtes El Camino (Claudine Artman) :* 8, pl. Saint-

Nicolas, Bourg-du-Bas. ☎ *et fax : 03-86-81-16-49.* ● *elcamino89@free.fr* ● *elca mino89.free.fr* ● 🛜 Dans une maison de village, au bout d'une petite impasse, au pied d'une falaise. Claudine est férue d'art roman et de randonnée pédestre, et elle aime partager ses passions avec ses clients. Deux chambres sans prétention avec sanitaires privés, l'une au rez-de-chaussée, l'autre à l'étage (accès par un escalier assez raide), avec cuisine et petit coin salon. 65 € pour 2, petit déj compris. Accueil convivial.

Accès : d'Auxerre, N 6 vers Avallon, puis D 100 vers Vézelay jusqu'à Mailly-la-Ville puis Mailly-le-Château et D 39 vers Mailly-le-Bas jusqu'au stop et c'est en face.

MALAY 71460

Carte régionale B2

35 km SO de Chalon-sur-Saône ; 15 km N de Cluny

€€ 🏠 *Chambres d'hôtes Le Pré Malay (Nathalie Gormand) :* 4, pl. de la Mairie, Le Bourg. ☎ 09-50-71-65-27. ● *contact@ lepremalay.com* ● *lepremalay.com* ● Fermé de la Toussaint à Pâques. 🛜 Malay est composé de cinq petits hameaux dont Le Bourg est le plus important. En son cœur se trouve cette jolie demeure avec agréable jardin intérieur. Nathalie, Parisienne et ancien agent artistique d'auteurs de théâtre et cinéma, a quitté la capitale pour venir s'installer dans cette petite bourgade. Quatre chambres coquettes et colorées, avec sanitaires privés. Une au rez-de-chaussée avec accès direct sur le jardin, les 3 autres aux étages d'une petite maison indépendante. 58 € pour 2, petit déj compris. Pas de table d'hôtes mais coin cuisine à disposition. Bien sûr, Nathalie espère bien accueillir des auteurs en résidence... À suivre !

Accès : sur la D 981 entre Buxy et Cluny, le village est fléché à droite quand on vient de Buxy.

MERRY-LA-VALLÉE 89110

Carte régionale A1

25 km O d'Auxerre ; 4 km N de Toucy

€€€ 🔟% *Chambres d'hôtes (Catherine et Marc Lecoin) :* hameau de Maurepas, 2, route d'Arthe. ☎ 03-86-44-19-04. 📱 06-22-97-69-55. ● *hameaudemaure pas@yahoo.fr* ● *hameaudemaurepas. com* ● Dans un petit hameau entouré de forêts, ancienne ferme du XIXe s. Dans

l'ancienne laiterie où Catherine fabriquait ses fromages de chèvre, 3 chambres spacieuses et agréables avec sanitaires privés ; une au rez-de-chaussée, les 2 autres à l'étage, dont une avec salle de bains en mezzanine (à éviter si vous avez des problèmes de motricité). Déco de bon goût et jolis meubles anciens. 83 € pour 2 et 28 € par personne supplémentaire, petit déj compris avec le chèvre bio de la région, les confitures, les pains et le gâteau maison. Pas de table d'hôtes mais une cuisine d'été à disposition. Accueil agréable.

Accès : A 6 sortie nº 18 puis D 3 vers Toucy ; au croisement avec la D 955, tournez à droite vers Toucy et c'est la 2e route à gauche (n'allez pas à Merry-la-Vallée).

MONTAGNY-LES-BEAUNE 21200

Carte régionale B2

4 km S de Beaune

€€€€ 🏠 🔟% *Chambres d'hôtes Fleurs de Vignes (Emmanuel et Agnès Buffenoir) :* 18, rue de l'Église. ☎ 03-80-20-68-99. 📱 06-78-09-72-37. ● *em. buffenoir@gmail.com* ● *fleursdevignes. com* ● 🛜 Emmanuel a racheté la maison familiale, une ancienne ferme dont les origines remontent au XVIe s. Cinq chambres de plain-pied agréables et sereines avec sanitaires privés : 3 côté jardin qui ouvrent sur la piscine (nos préférées), les 2 dernières côté cour. 95 € pour 2, petit déj compris. Ici on vient pour se détendre et l'on peut profiter du spa et du hammam. On peut même compléter par des soins du corps (massage, soins, esthétique). Emmanuel est amateur de voitures anciennes et possède notamment un vieux taxi anglais. Pas de table d'hôtes mais un resto dans le village et nombre d'autres à proximité. Accueil charmant.

Accès : A 6 sortie nº 24-1 Beaune-centre ; au 1er rond-point, prenez direction Montagny-les-Beaune ; la maison est près de l'église.

MONTIGNY-SUR-ARMANÇON 21140

Carte régionale B1

25 km S de Montbard ; 8 km S de Semur-en-Auxois

€€ 🏠 🍴 *Chambres d'hôtes La Cheminière (Cathy et Manu Drouillon) :*

BOURGOGNE

4, rue de la Vie-de-Marigny. ☎ 03-80-97-32-39. ● la.cheminiere@orange.fr ● chambredhotes-lacheminiere.com ● Fermé aux vac de Noël. Ancienne fermette en granit au cœur du village. Ici, c'est Manu qui s'occupe des hôtes, et même des fourneaux. Trois chambres à l'étage, de 2 à 4 personnes, spacieuses, avec sanitaires privés. Déco simple mais agréable. 64 € pour 2, petit déj compris, et 17 € par personne supplémentaire. Table d'hôtes pas systématiquement partagée avec les proprios, à 23 €, vin compris. Cuisine simple de grand-mère, souvent dans la cheminée et avec les légumes du jardin en saison. Piscine de mi-juin à mi-septembre. Accueil convivial.

Accès : A6 sortie n° 23, Bierre-lès-Semur, direction Flée, puis Roilly et Montigny-sur-Armançon ; la maison est dans le village (bon fléchage).

MONTOILLOT · 21540

Carte régionale B1

*36 km O de Dijon ;
11 km SE de Pouilly-en-Auxois*

€€€€ 🏠 *Chambres d'hôtes Le Clos de Fougères (Catherine et Claude Beaufremez) :* ☎ 03-80-49-24-64. 📱 06-64-15-66-31. ● closdefougeres@wanadoo.fr ● closdefougeres.com ● 📶 La campagne est belle, et cette ancienne et jolie ferme du XVII° s, aux volets couleur amande, jouit d'une superbe vue sur le village et les environs. L'intérieur est tout aussi charmant. Dans une aile indépendante, 3 chambres d'hôtes champêtres et romantiques, dont une suite avec salon : 2 au rez-de-chaussée, l'autre à l'étage. Sanitaires privés. Pour 2, comptez 96 € pour les chambres et 108 € pour la suite, petit déj compris, servi chez vos hôtes. Et pour les amoureux d'insolite, Claude et Catherine viennent d'ouvrir, une chambre nichée dans un frêne, avec tout le confort et terrasse privative pour admirer les environs (115 € pour 2, petit déj compris). Pas de table d'hôtes, mais coin cuisine à disposition. Une agréable piscine chauffée, d'où vous apprécierez le paysage, complète le tout. Pagaille, la chienne golden retriver, fait partie intégrante de l'atmosphère chaleureuse de cette maison. Une bonne adresse.

Accès : de l'A 6, prenez l'A 38 vers Dijon sortie n° 27 et direction Montoillot ; bon fléchage dans le village à droite qui vous fera monter sur les hauteurs de Montoillot.

MOROGES 71390

Carte régionale B2

*12 km SO de Chalon-sur-Saône ;
5 km N de Buxy*

€€€ 🏠 🔟% *Chambres d'hôtes Le Moulin Brûlé (Françoise et Yves Paupe) :* ☎ 03-85-47-90-40. 📱 06-03-78-33-83. ● moulin.brule@wanadoo.fr ● moulinbrule.com ● 📶 Non, il n'a pas brûlé... Le moulin est toujours là et se dresse fièrement au bord d'un petit ruisseau, au milieu d'un parc de 3 ha. Françoise et Yves ont quitté la région parisienne pour s'installer ici. Dans une aile indépendante, la partie moulin proprement dite, 4 chambres élégantes avec sanitaires privés : 2 au 1er étage, les 2 autres au second. Déco soignée. De 80 à 87 € pour 2, petit déj compris. Il est servi chez Françoise et Yves, dans une belle salle à manger aux allures bourgeoises avec une noble cheminée en pierre. Accueil souriant et courtois. Pour les amateurs de vélo, sachez qu'une piste cyclable de 80 km relie Buxy à Mâcon.

Accès : de Chalon, prenez la N 80 vers Montceau/Le Creusot sortie Saint-Désert ; dans Saint-Désert, la 1re route à droite (en face de l'auberge) et longez la N 80 sur 2 km env.

MOULINS-ENGILBERT 58290

Carte régionale A2

*58 km E de Nevers ;
16 km SO de Château-Chinon*

€€ 🏠 *Chambres d'hôtes La Grande Sauve (Dominique et Marc Derangere) :* route de Limanton. ☎ 03-86-84-36-40. 📱 06-26-64-67-45. ● grandesauve@orange.fr ● gites-de-france-nievre.com/grandesauve ●Ouv mars-nov. Encore une adresse qui ne manque pas de charme (qu'est-ce qu'on fait bien not' boulot !). En pleine campagne, belle demeure bourgeoise entourée d'un grand parc. Marc s'est longtemps occupé de chevaux, mais a tout lâché pour accueillir des hôtes (avec leurs montures, s'ils le souhaitent !). Au 1er étage, 3 belles chambres, vastes et claires, plus une chambre complémentaire pour les petits. Déco soignée, mobilier ancien, frises au pochoir. Spacieux sanitaires privés. 70 € pour 2 et 10 € par personne supplémentaire, petit déj compris. Pas de table d'hôtes, mais un bon resto dans le village ; sinon, barbecue et coin pique-nique à disposition. Une adresse comme on les aime, chaleureuse et sans façon.

Accès : *dans le village, prenez la direction de Limanton (route perpendiculaire à celle de la gendarmerie) sur 2 km ; passez Sauve, La Grande Sauve se trouve un peu plus loin à gauche.*

NOYERS-SUR-SEREIN 89310

Carte régionale A1

42 km SE d'Auxerre ;
22 km S de Tonnerre

€€€ ⌂ 10% **Chambres d'hôtes Le Moulin de la Roche (Monique Facq) :** 1, route d'Auxerre. ☎ 03-86-82-68-13. 📱 06-24-93-23-80. ● facqarch@wanadoo.fr ● 🛜 Au bout d'un chemin, un moulin du milieu du XIXᵉ s restauré, sis au bord du Serein, dans un parc de 4 ha. À l'étage, plusieurs chambres de goût, fraîches et plaisantes, dont une familiale composée de 2 chambres. De 75 à 90 € pour 2, petit déj compris, et 140 € pour 4. À l'entrée, une salle où l'on retrouve en l'état le mécanisme du moulin, une salle à manger et une bibliothèque. Un lieu reposant et plein de charme.

Accès : *à 1 km à la sortie du village en direction d'Auxerre, à droite en haut d'une côte.*

ORRET 21450

Carte régionale B1

50 km NO de Dijon ;
35 km NE de Semur-en-Auxois

€€€ ⌂ ⏺ 10% **Chambres d'hôtes Le Clos d'Orret (Anne-Lise et Jacques Cavin) :** Le Bourg. ☎ 03-80-96-59-21. 📱 06-19-30-27-40. ● chambres@clos-orret.com ● clos-orret.com ● Fermé déc-janv. 🛜 Magnifique corps de ferme en pleine campagne, dans un petit village situé sur une voie sans issue. Quatre jolies chambres campagnardes avec sanitaires privés réparties dans différentes ailes de la maison : une au rez-de-chaussée avec terrasse (la plus chère), les autres à l'étage. Mobilier ancien, belle poutraison. Selon la chambre, de 70 à 78 € pour 2, petit déj compris. Table d'hôtes partagée en famille à 20 ou 30 €, apéro, vin café compris. Cuisine goûteuse à tendance régionale. Organiste, Jacques s'est aménagé un incroyable salon de musique avec orgue, épinette, piano, harmonium. Alors si vous êtes musicien, c'est l'adresse où il faut venir. Atmosphère calme et sereine.

Pour les amateurs de rando, le GR 2 passe à côté de la maison. Accueil chaleureux.

Accès : *de Semur-en-Auxois, D 954 vers Venarey-les-Laumes jusqu'à Baigneux-les-Juifs, puis la D 114a jusqu'à Orret.*

OUANNE 89560

Carte régionale A1

25 km SO d'Auxerre ;
14 km de Courson-les-Carrières

€€ ⌂ 10% **Chambres d'hôtes (Blandine et Michel Jozon) :** 2, Duenne. ☎ 03-86-47-66-23. ● blandinejozon@sfr.fr ● chambres-hotes-ouanne.com ● Fermé 25 août-5 sept. 🛜 Au milieu des cultures et des pâturages, grande exploitation agricole (élevage de charolais) avec une belle demeure aux allures bourgeoises. Par une entrée indépendante, on accède aux 3 chambres spacieuses et agréables installées au 1ᵉʳ étage, dont une immense pouvant accueillir jusqu'à 6 personnes, idéale, donc, pour les familles. Sanitaires privés. Selon la chambre, entre 65 et 75 € pour 2 et 20 € par personne supplémentaire, petit déj compris. Pas de table d'hôtes mais cuisine avec coin salon à disposition. Une adresse nature. Accueil authentique et vrai.

Accès : *sur la D 950 entre Toucy et Courson-les-Carrières, puis suivez le fléchage sur 3 km.*

OUROUËR 58130

Carte régionale A2

18 km NE de Nevers

€€ ⌂ **Chambres d'hôtes (Catherine Henry) :** Nyon. ☎ 03-86-58-61-12. ● chateaudenyon@gmail.com ● chateaudenyon.com ● Beau château du XVIIIᵉ s que Catherine a entièrement restauré (chapeau !). Les 3 chambres sont réellement craquantes, avec un beau mobilier d'époque. Spacieux sanitaires privés. De 65 à 85 € pour 2, petit déj compris (jus de fruits pressés et confitures maison). Également 2 gîtes de 4 personnes pour ceux qui veulent séjourner. Accueil charmant pour une adresse qui l'est tout autant.

Accès : *sur la D 978 entre Nevers et Châtillon-en-Bazois, prenez à gauche la D 26 vers Ourouër, puis la D 176 vers Nyon (fléchage dans le village).*

BOURGOGNE

PLOTTES 71700

Carte régionale B2

25 km N de Mâcon ;
5 km SO de Tournus

€€€ 🏚 🔟% *Chambres d'hôtes Maison Sarron (Josette Derrmann-Piguet) :* ☎ 03-85-40-52-20. 📱 06-45-24-25-21. ● contact@maisonsarron.fr ● maisonsarron.fr ● Ouv avr-oct. 📶 Cette superbe demeure chargée d'histoire date du XVIe s, et si elle se nomme Sarron, c'est en l'honneur du marquis qui en a fait sa propriété au XVIIIe. Par un bel escalier à vis tout en pierre, on accède aux 3 chambres vastes, élégantes et charmantes. Deux au 1er étage, dont une romantique suite avec boudoir (faut c'qui faut !), la dernière au second. Spacieux sanitaires privés. Selon la chambre, de 68 à 80 € pour 2, petit déj compris. La passion de Josette ? la restauration de sa maison. Enduits à la chaux, lasures, stucs, décapage des tomettes... elle a tout fait et, croyez-nous, elle en connaît un rayon ! Pas de table d'hôtes, mais plein de restos à proximité pour tous les budgets. Accueil de qualité. Une adresse au charme indéniable et un point de chute idéal pour découvrir la région.

Accès : sur la N 6, dans Tournus, prenez la D 56 vers Lugny/Chardonnay (route des Vins) jusqu'à Plottes ; là, allez vers l'église, passez devant la mairie et, au stop, tournez à droite et vous y êtes.

POMMARD 21630

Carte régionale B2

43 km SO de Dijon ;
5 km SO de Beaune

€€€€ 🏚 *Chambres d'hôtes Les Nuits de Saint-Jean (Estelle et Thierry Violot-Guillemard) :* 9, rue Sainte-Marguerite. ☎ 03-80-22-49-98. Fax : 03-80-22-94-40. ● contacts@violot-guillemard.fr ● violot-guillemard.fr ● 📶 Vous êtes sur un domaine viticole familial depuis cinq générations, veinards ! Ici, les 4 chambres portent le nom des premiers crus pommard de la maison, dont le monopole, pommard premier cru « Derrière Saint-Jean ». C'est une magnifique chambre familiale composée de 2 chambres avec coin cuisine et terrasse privative. Sinon, on aime bien « Pézerolles », à l'allure provençale avec son armoire réalisée avec de vieilles persiennes. Mais de toute façon, elles sont toutes craquantes, élégantes et spacieuses. Sanitaires privés. Comptez de 95 à 110 € pour 2, petit déj compris. Pas de table d'hôtes, mais une grande cuisine bien équipée à disposition. Si vous le désirez, Thierry propose des dégustations dans son caveau qui ne manque ni d'authenticité ni de trésors à déguster sous le regard de saint Vincent (patron de la vigne, ignorant !). Enfin, pour vous détendre, une belle piscine installée dans les vignes. Un couple adorable et charmant. Une adresse coup de cœur.

Accès : allez au pied du clocher de l'église, face à l'horloge, tournez à gauche et allez jusqu'au n° 9.

ROMENAY 71470

Carte régionale B2

31 km NE de Mâcon ;
19 km SE de Tournus

€€ 🏚 ⏐●⏐ 🔟% *Chambres d'hôtes (Anne et Bernard Allard) :* 191, route de Varennes. ☎ 03-85-40-80-59 ou 09-52-20-79-58. 📱 06-02-51-21-48. ● allard.bernard@free.fr ● gite.romenay.free.fr ● Ouv mars-oct. 📶 Bien qu'en Bourgogne, vous êtes bien ici dans la Bresse avec cette authentique ferme bressane aux murs typiques à colombages. Anne et Bernard, Belges d'origine, sont tombés amoureux de la région et s'y sont installés il y a près de 20 ans. À l'étage de l'ancienne étable, comme en témoignent râteliers et mangeoires qui ont été conservés, 2 chambres simples à l'atmosphère campagnarde, dont une familiale composée de 2 chambres. Sanitaires privés. 55 € pour 2, petit déj compris. Table d'hôtes partagée en famille à 20 €, apéro, vin et café compris. Goûteuse cuisine du terroir. Authenticité et gentillesse au rendez-vous. Une adresse nature.

Accès : de Tournus, prenez la D 975 vers Cuisery puis Bourg-en-Bresse jusqu'à Romenay où vous prenez la D 12 vers Vescours sur 2km puis à gauche vers Les Varennes ; la maison est une des dernières du hameau, sur la gauche.

ROYER 71700

Carte régionale B2

30 km N de Mâcon ; 9 km O de Tournus

€€ 🏚 🔟% *Chambres d'hôtes (Sylvie et Thierry Meunier) :* Le Bourg. ☎ 03-85-51-03-42. ● thierrymeunier3@orange.fr ● dormiraroyer.com ● Ouv de mars à mi-nov. 📶 Belle vue sur les coteaux environnants et extérieurs très soignés : fleurs, salon de jardin, etc. Ensemble de maisonnettes de charme avec 3 chambres d'hôtes (pour 2, 4 et 5 personnes), avec accès indépendant et sanitaires privés. 53 € pour 2, petit déj inclus (confiture de figues maison), et 11 € par personne supplémentaire. Pas de table d'hôtes, mais kitchenette à disposition et de nombreux restos à proximité. Accueil jeune et décontracté. Routards musiciens, vous serez les bienvenus : Thierry joue de la batterie, alors vous pourrez toujours faire un bœuf avec lui ! À 3 km, allez voir la petite cité médiévale de Brancion.

Accès : sur la D 14 de Tournus à Cormatin ; juste avt Ozenay, prenez à droite vers Royer (D 482) ; dans le village, tournez à droite juste avt le château.

RULLY   71150

Carte régionale B2

18 km NO de Chalon-sur-Saône ;
18 km S de Beaune

€€€ ≜ **Chambres d'hôtes Le Meix Cadot (Pascale et Jean-Paul Boissard) :** 1, hameau du Château. ☎ 03-85-91-20-89. 📱 06-80-32-41-54. ● contact@meix-cadot. fr ● meix-cadot.fr ● 🛜 Le « meix », c'est le mas en Provence. Il a fallu 10 ans à Jean-Paul pour restaurer cette belle demeure en pierre avec cour intérieure située au milieu des vignes. Deux chambres installées dans une aile indépendante de la maison : une au rez-de-chaussée à la déco contemporaine, l'autre à l'étage à l'atmosphère plus campagnarde avec belle poutraison, mezzanine et qui peut accueillir jusqu'à 5 personnes. TV dans chaque chambre et tout le nécessaire pour se faire thé ou café. Sanitaires privés. 72 € pour 2, petit déj compris (pâtisserie et confitures maison), et 20 € par personne supplémentaire. Le village de Rully est réputé pour son vin blanc et Jean-Paul vous donnera tous les tuyaux pour aller le découvrir. Pas de table d'hôtes mais un bon resto dans le village. Accueil chaleureux. Une bonne adresse tenue par de fidèles utilisateurs de nos guides !

Accès : A 6 sortie n° 24.1 puis direction Chagny puis Rully ; la maison est à l'orée du village, au pied du château médiéval.

SACY   89270

Carte régionale A1

30 km SE d'Auxerre ; 22 km NO d'Avallon

€€€ ≜ |●| **Chambres d'hôtes Les Vieilles Fontaines (Maryse et Claude Moine) :** 📱 06-43-37-85-86. ● lesvieillesfontaines. free.fr ● Ouv mai-sept. Au cœur de la plus vieille partie de ce petit village vigneron (plus qu'un viticulteur aujourd'hui...), charmante maison en pierre apparente. On accède chez Maryse et Claude par un escalier fleuri.

Deux chambres à l'étage, dont une familiale (5 personnes) aménagée en duplex. Déco agréable. Sanitaires privés. 75 € pour 2, petit déj compris (mais 95 € si vous ne restez qu'une seule nuit !). Également un gîte de 4 personnes. Sacy est le village d'enfance de Claude ; il en connaît toutes les richesses et les petits chemins de campagne n'ont plus de secrets pour lui. Il a aussi les clés de la vieille église de Sacy. Elle date du XIIᵉ s, mais a été remodelée au cours des siècles. Accueil cordial et souriant.

Accès : sur la D 11 entre la N 6 et l'A 6 (sortie Nitry).

SAINT-ÉLOI   58000

Carte régionale A2

5 km E de Nevers

€€ ≜ |●| **Chambres d'hôtes (Chantal et Guy de Valmont) :** 8, rue de Trangy. ☎ 03-86-37-11-27. 📱 06-63-70-17-60. ● gdevalmont@free.fr ● chambrestrangy. com ● 🛜 Aux portes de Nevers, superbe domaine composé de plusieurs maisons aux ouvertures en pierre blanche. Au 1ᵉʳ étage de la maison principale, 4 chambres charmantes à l'atmosphère rétro (vous préférez l'ambiance toile de Jouy ou lit 1930 ?), avec sanitaires privés. 60 € pour 2, petit déj compris. Table d'hôtes, partagée avec Chantal et Guy, à 28 €, vin compris. Cuisine goûteuse et recherchée. Champêtres salle à manger et cuisine, avec paniers en osier, piano et petit bureau d'écolier, et agréable salon. Pour vous détendre, une jolie piscine qui donne sur la campagne. Pour les amateurs de vin, Guy organise des week-ends dégustation. Pour les enfants, le poney-club est en face (il appartenait à Chantal qui a une passion pour les chevaux). Également un grand et beau gîte rural de 12 personnes pour ceux qui veulent séjourner. Accueil chaleureux. Très bon rapport qualité-prix-convivialité. Bref, une bonne adresse.

Accès : de Nevers, prenez la direction de Chalon/Mâcon par la D 978 ; avt Forges, prenez la C1 vers Aubeterre jusqu'à Trangy ; la maison est au bout du hameau.

SAINT-LOUP-DES-BOIS   58200

Carte régionale A1

65 km SO d'Auxerre ;
12 km NE de Cosne-sur-Loire

€€ ≜ |●| **Chambres d'hôtes Chez Elvire (Elvire et René Duchet) :** 11, chemin de *la Genetière, Chauffour.* ☎ 03-86-26-20-22. *Fax* : 03-86-22-12-85. ● *elvira.duchet@hotmail.com* ● *Ouv d'avr à mi-oct.* Magnifique maison, dont le toit descend jusqu'au sol, qu'Elvire et René ont entièrement restaurée à l'ancienne. Poutres apparentes, tomettes anciennes, et 3 chambres très mignonnes, avec salles d'eau privées bien spacieuses. 69 € pour 2, petit déj inclus. Possibilité de repas à la table d'hôtes, à 27 €, apéro, vin et café compris : salade aux foies de volaille, tarte aux poireaux, filet de canard aux griottes, viandes et volailles à la broche, œufs au lait, tarte tatin ou aux fruits de saison. Elvire est portugaise, alors si vous le lui demandez, elle vous mitonnera quelques spécialités de là-bas. René (Dudu pour les intimes) est un ancien journaliste de *Vie ouvrière* qu'on prend plaisir à écouter quand il raconte la restauration de sa maison. Ambiance un rien bohème, accueil très agréable et authentique.

Accès : *de Cosne, prenez la D 114 vers Cours, puis Saint-Loup et Saint-Vérain ; c'est à 3 km de Saint-Loup.*

SAINT-MARTIN-DE-SALENCEY   71220

Carte régionale B2

*45 km NO de Mâcon ;
20 km NO de Cluny*

€€€ 🏠 ⑩% **Chambres d'hôtes La Bourgonnaise (Suzy Deborde et Alain Merle)** : *hameau Champ des Forges.* ☎ 03-85-26-40-14. 📱 06-64-27-93-63. ● *contact@labourgonnaise.fr* ● *labourgonnaise.fr* ● 📶 Ancienne ferme au milieu des pâturages qui jouit d'un joli point de vue sur les environs. Dans une aile indépendante, 3 croquignolettes chambres, toutes différentes, avec de spacieux sanitaires privés. La chambre « Urban » dans les tons noir et blanc à l'atmosphère très design et urbaine (notre préférée), la « Romantique » avec son lit à baldaquin, et la « Cocoon » à l'atmosphère élégante et sereine où le bois et le béton font bon ménage. 75 € pour 2, petit déj compris. Pas de table d'hôtes mais Suzy laisse un coin cuisine à disposition si vous voulez faire votre popote. Accueil jeune et sympa. Une petite caresse à Éden, la sympathique labrador de la maison.

Accès : *sur la D 983, entre Saint-Bonnet-de-Jeux et Chevagny-sur-Guy, 2 km avt Chevagny sur la gauche (n'allez pas à Saint-Martin).*

SAINT-PIERRE-LE-VIEUX   71520

Carte régionale B2

35 km O de Mâcon ; 22 km SO de Cluny

€€ 🏠 ❙●❙ 🐴 ⑩% **Chambres d'hôtes (Marie-Noëlle et Jean Dorin)** : *Écussoles.* ☎ 03-85-50-40-99. *Ouv Pâques-Noël.* Petite ferme à la sortie du hameau avec une belle vue sur les monts du Beaujolais. Quatre chambres (une double et 3 familiales composées de 2 chambres attenantes) dans une petite maison indépendante. 55 € pour 2, petit déj inclus, et 16 € par personne supplémentaire. Coin cuisine à disposition, mais aussi table d'hôtes (sauf le dimanche soir) à 15 €, vin non compris, où vous pourrez goûter à tous les produits de la ferme. Trois VTT à disposition, ainsi que la piscine et un petit étang pour la pêche.

Accès : *sur la N 79 entre Mâcon et Charolles ; à Clermain, prenez la D 987 vers Matour-la-Clayette ; à Pari-Gagné, suivez la direction de Saint-Pierre-le-Vieux ; vers le monument aux morts, suivez le fléchage « Écussoles » sur 1,5 km.*

SAINT-PRIX-EN-MORVAN   71990

Carte régionale A2

20 km O d'Autun ; 25 km E de Château-Chinon

€€ 🏠 ❙●❙ **Chambres d'hôtes L'Eau Vive (Catherine et René Denis)** : ☎ 03-85-82-59-34. ● *renecat.denis@orange.fr* ● *leau vive.over-blog.com* ● *Fermé Toussaint-fin mars et 2ᵉ quinzaine de juin.* 📶 Au cœur du parc naturel régional du Morvan. Belle vue sur les environs et petit étang. En contrebas de la petite route qui traverse le village, ancien bâtiment de ferme annexe à la maison d'habitation. Catherine et René y ont installé 4 chambres avec sanitaires privés. Ayant vécu longtemps aux Antilles et fait de nombreux voyages (en utilisant le *Routard* !), ils ont décoré la maison de nombreux objets exotiques. La chambre en rotin vert et papier jaune est la plus sympa. 54 € pour 2, petit déj compris. Catherine est, de plus, une excellente cuisinière qui vous mitonnera de délicieux repas (sur réservation). Pour 23 € (sans les boissons), de bonnes spécialités : œufs en meurette, tarte à la moutarde à l'ancienne, bœuf charolais au pain d'épice, joues de porc confites au poivre vert, champignons glacés, soupe de cerises en croûte de noix, délice au cassis... Une adresse qui fait de nombreux habitués. Pour les randonneurs, 100 km de sentiers balisés autour de la maison. À 6 km, le site archéologique de Bibracte, ancienne capitale gauloise, et Musée celtique.

Accès : en venant de Saint-Léger-sous-Beuvray, c'est à la sortie du bourg.

SAINT-ROMAIN   21190

Carte régionale B2

12 km O de Beaune ; 8 km N de Nolay

€€€€ 🏠 *Chambres d'hôtes Domaine Corgette (Véronique Moiroud-Monnot) : rue de la Perrière.* ☎ .03-80-21-68-08. 📱 06-86-42-83-03. ● accueil@domainecorgette.com ● *domainecorgette. com* ● 🛜 Cette belle et grande maison de vigneron a oublié son passé quand Véronique a décidé de l'acquérir pour y ouvrir des chambres d'hôtes (elle n'en est pas moins amatrice éclairée des vins de la région...). Cinq chambres spacieuses et élégantes : une au rez-de-chaussée, 3 au 1er étage, la dernière sous forme de suite familiale. Meubles patinés par Véronique et jolies toiles réalisées par sa maman. Sanitaires privés. Selon la taille des chambres, de 90 à 110 € pour 2, petit déj compris (confitures maison, pain d'épice et miel du pays, fromage...). De la terrasse, très belle vue sur les falaises du Verger. Pas de table d'hôtes, mais un resto dans le village. Accueil souriant.

Accès : A 6 sortie Beaune-Centre et direction Chalon-sur-Saône ; passez 4 ronds-points et bifurquez vers Autun ; à la sortie d'Auxey-Duresses prenez, à droite, la D 17E vers Auxey-le-Petit jusqu'à Saint-Romain ; la maison est au cœur du village.

SAINTE-MAGNANCE   89420

Carte régionale A1

13 km E d'Avallon ; 12 km S de Guillon

€€ 🏠 |●| *Chambres d'hôtes Domaine des Roches (Jean-Claude Roques et Éric Brien) : 6, rue Chaume-Lacarre.* ☎ 03-86-33-14-87. ● domainedesroches225@orange.fr ● *domainedesroches89.com* ● 🛜 Aux portes de la Côted'Or, jolie longère installée dans un agréable parc. Au 1er étage, 3 chambres coquettes avec sanitaires privés, dont une plus grande pouvant accueillir 4 personnes. Les amoureux choisiront la chambre « Iris » dans les tons mauve et amande. Selon la chambre, entre 70 et 80 € pour 2, petit déj compris, et 20 € par personne supplémen-

taire. La passion de Jean-Claude ? Les fleurs, son potager et ses poules. Aussi, on retrouve souvent sur la table les produits maison. Table d'hôtes à 26 €, boissons comprises, pas systématiquement partagée avec les proprios. Accueil chaleureux. Une bonne adresse.

Accès : A 6 sortie n° 22 puis D 606 vers Saulieu jusqu'à Sainte-Magnance ; au feu tricolore, tournez à gauche et suivez cette petite route jusqu'à la maison.

SAUVIGNY-LE-BEURÉAL   89420

Carte régionale A1

30 km de Vézelay ; 17 km E d'Avallon

€€ 🏠 |●| *Chambres d'hôtes Ferme de la Forlonge (Famille Noirot) : 5, rue de la Vallée-de-Beauvoir.* 📱 06-34-01-30-39. ● fermedelaforlonge@free.fr ● *fermede laforlonge.free.fr* ● 🛜 Corps de ferme joliment restauré abritant 4 chambres avec sanitaires privés : une au rez-de-chaussée, 2 au 1er étage dans une aile de la maison, la dernière avec accès extérieur par un bel escalier de bois (notre préférée). Chambres agréables, avec de jolies couettes. 59 € pour 2, petit déj compris. Table d'hôtes à 18 €, apéritif, vin et digeo compris. Les repas sont servis dans une salle avec poutres, pierres apparentes et vaste cheminée. Possibilité de visiter la ferme pour les amateurs.

Accès : à la hauteur de Cussy-les-Forges sur la D 606, prenez la D 954 vers Semur-en-Auxois et, juste avt le pont de l'autoroute, tournez à droite vers Sauvigny ; c'est juste en face du vieux lavoir.

TANNERRE-EN-PUISAYE   89350

Carte régionale A1

40 km O d'Auxerre ;
12 km N de Saint-Fargeau

€€ 🏠 🖙 *Chambres d'hôtes Le Moulin de la Forge (Chantal et René Gagnot) :* ☎ 03-86-45-40-25. 📱 06-13-84-44-50. ● rene.gagnot@sfr.fr ● *moulindelaforge. cabanova.fr* ● 🛜 Gentil moulin dont les origines remontent au XIVe s et transformé en scierie en 1921 par le grand-père de René. Lui a décidé d'accueillir des hôtes et a créé 5 chambres spacieuses dans une aile indépendante. Déco sobre, sanitaires privés. 54 € pour 2, petit déj compris, servi chez Chantal et René. Grande piscine et, juste

BOURGOGNE

BOURGOGNE

derrière le moulin, un bel étang privé de plus de 1 ha où les pêcheurs munis d'une carte pourront taquiner truites, carpes, gardons et brochets. Accueil agréable.

Accès : d'Auxerre, prenez la D 965 vers Toucy, puis Saint-Fargeau jusqu'à Mézilles ; de là, prenez à droite (D 7) vers Tannerre ; la maison est à la sortie du village, en direction de Champignelles.

THIL-SUR-ARROUX   71190

Carte régionale A2

35 km O du Creusot ; 27 km SO d'Autun

€€ 🏠 |○| *Chambres d'hôtes La Bruyère du Bois Droit (Germaine et Guy Develay) :* ☎ 09-85-52-35-64. 📱 06-09-47-03-27. ● develay.germaine@orange.fr ● gaecdevelay. fr ● Dans l'ancien fournier (comprenez « soue à cochons ») de cette ferme d'élevage de charolais et volailles, Germaine et Guy ont aménagé 3 chambres avec sanitaires privés. Une plus petite au rez-de-chaussée avec accès direct sur l'extérieur, 2 autres à l'étage, plus grandes. Déco sobre mais de bon goût. 55 € pour 2, petit déj compris. Table d'hôtes partagée en famille à 25 €, apéro et vin compris. Cuisine traditionnelle avec une majorité de produits maison. Accueil chaleureux, authentique et vrai. Ici, c'est la vraie vie de la ferme, et c'est elle qu'on aime !

Accès : de Thil-sur-Arroux, D 114 en direction de Saint-Didier-sur-Arroux, la ferme est sur la gauche.

TONNERRE   89700

Carte régionale A1

58 km S de Troyes ; 35 km NE d'Auxerre

€€€ 🏠 |○| *Chambres d'hôtes La Ferme de la Fosse Dionne (Marina Blechtchik) :* 11, rue de la Fosse-Dionne. ☎ 03-86-54-82-62. 📱 06-74-08-99-62. ● fossedionne@gmail.com ● ferme-fosse-dionne.fr ● Fermé janv-fév. 🛜 Nous avons bien apprécié cette adresse qui, cachée en haut du village, met un peu de vie en ville. En plus, on est face au curieux site de la Fosse Dionne qui apporte sa touche de fraîcheur. Trois chambres colorées et de tout confort, dont 2 suites familiales pour 4 personnes. 78 € pour 2, petit déj compris. Une 4e chambre, avec 4 lits individuels, fait office de gîte d'étape pour accueillir les randonneurs et les cyclistes (compter 27 € par personne et 5 € pour le petit déj). Enfin, un gîte-appartement pour 6 personnes est aussi disponible à la nuit ou à la semaine. Ici, c'est Gérard qui cuisine et propose la table d'hôtes à 26 €. Accueil convivial.

Accès : dans le centre de Tonnerre, face à la Fosse Dionne.

UCHIZY   71700

Carte régionale B2

20 km N de Mâcon ; 10 km S de Tournus

€€ 🏠 10% *Chambres d'hôtes Le Clos du Bief (Colette et Pierre Carrel) :* rue du Bief. ☎ 03-85-40-52-80. 📱 06-70-74-02-15. ● leclosdubief@free.fr ● leclosdubief. free.fr ● Ouv mars-nov. 🛜 Dans un sympathique village rural, c'est dans deux petites et jolies maisons en pierre que Colette et Pierre ont aménagé 3 chambres agréables. Une indépendante sous forme de petit studio avec sanitaires au rez-de-chaussée et chambre à l'étage. Les 2 autres à l'étage de la seconde maisonnette. Grande salle de jour avec cuisine à disposition. Selon la chambre, 70 € pour 2, petit déj compris. Accueil convivial. Une adresse pour ceux qui préfèrent l'indépendance.

Accès : A 6 sortie n° 27 (Tournus) puis N 6 vers Mâcon puis à droite D 163 vers Uchizy ; la maison est fléchée à droite à l'entrée du village.

VALLERY   89150

Carte régionale A1

20 km O de Sens ; 6 km NE de Chéroy

€€€ 🏠 |○| 10% *Chambres d'hôtes Ferme de la Margottière (Colette et Didier Deligand) :* ☎ 03-86-97-70-77 ou 03-86-97-57-97. ● contact@lamargottiere.com ● lamargottiere.com ● ♿ Grande ferme du XVIIe s joliment restaurée. Cinq chambres agréables (dont 2 suites), avec sanitaires privés et téléphone, à 80 € pour 2, petit déj compris, et 15 € par personne supplémentaire. Toute nouvelle salle pour les banquets, installée dans le pavillon des Moissons. Sur réservation, repas à 25 €, apéro, vin et café compris.

Accès : dans le village, prenez la D 26 vers Sens ; la propriété est à la sortie du bourg sur la gauche.

VARENNES-SOUS-DUN   71800

Carte régionale B2

36 km SE de Paray-le-Monial ; 22 km S de Charolles

€€ 🏠 *Chambres d'hôtes (Michèle et Alain Desmurs) :* La Saigne. ☎ 03-85-

28-12-79. 📱 *06-84-67-14-81.* • *michele-alain.desmurs@orange.fr* • *pagesperso.orange.fr/michele.desmurs* •*Fermé dim sf résa.* 📶 Sur une exploitation agricole pratiquant l'élevage de charolais, Michèle et Alain, agriculteurs, vous proposent 4 chambres, dont 2 pour 4 personnes. Sanitaires privés. 59 € pour 2, petit déj inclus (avec plein d'originales confitures maison), et 15 € par personne supplémentaire. Les petits déj sont servis dans une belle salle rustique avec poutres, pierres apparentes et cheminée. Petit coin cuisine à votre disposition. Une adresse pour ceux qui aiment la vie de la ferme et l'accueil authentique.

Accès : *de Charolles, prenez la D 985 vers La Clayette, puis la D 987 vers Varennes ; après Varennes, 2e route à gauche (C 5) et suivez le fléchage.*

VÉZANNES   89700

Carte régionale A1

35 km NE d'Auxerre ;
10 km NE de Chablis

€€ 🏠 |●| **Chambres d'hôtes Domaine des Pierries (Éliane et Daniel Copin-Raoult) :** *1, Grande-Rue.* ☎ *03-86-55-14-05.* 📱 *06-43-02-52-04. Fax : 03-86-55-35-96.* • *lespierries@free.fr* • *lespierries.fr* • *Ouv de Pâques à mi-sept.* 📶 Dans une petite maison récente mitoyenne à celle des propriétaires, 3 chambres : une avec accès indépendant au rez-de-chaussée (notre préférée, mais plus chère), et 2 mansardées au 1er étage ; 2 sont meublées en rotin de couleur et la dernière est plus rustique. Sanitaires privés. Selon la chambre, 55 ou 60 € pour 2, avec un copieux petit déj (pâtisserie et confitures maison, biscuits duché, spécialité de Chablis). Table d'hôtes (uniquement les vendredi et samedi soir, sur réservation et pour 4 personnes minimum) à 25 €, vin compris, avec de bonnes spécialités régionales : flamiche au soumaintrain (fromage local), lasagnes au chaource, bœuf bourguignon, jambon chaud au chablis, tartes et clafoutis aux fruits de saison... Éliane et Daniel sont des viticulteurs dynamiques qui font partie de la coopérative chablisienne, donc on peut acheter des bouteilles à prix coûtant chez eux. Bon accueil.

Accès : *de Chablis, prenez la direction de Tonnerre, puis à gauche vers Fyé et Collan ; 2 km après ce village, bifurquez vers Vézannes, la maison est à l'entrée du village.*

VIEUX-CHÂTEAU   21460

Carte régionale A1

23 km E d'Avallon ;
23 km NO de Saulieu

€€ 🏠 |●| **Chambres d'hôtes La Vigne du Pont (Christophe Berthelon et Philippe Dendrael) :** *14, rue de l'Église.* ☎ *03-80-96-32-23.* 📱 *06-61-95-82-33.* • *lavignedupont@gmail.com* • *lavignedupont.com* • 📶 Dans une ancienne et adorable grange tout en pierre, indépendante de la maison, 2 chambres charmantes et spacieuses avec sanitaires privés. Une au rez-de-chaussée, l'autre à l'étage à l'atmosphère plus romantique avec ciel de lit. 55 € pour 2, petit déj compris, avec les confitures et le miel maison. Ici, c'est Philippe qui cuisine et qui concocte de nombreuses recettes à partir de l'époisses. Si vous n'aimez pas ce fromage, rassurez-vous, il en a des tas d'autres en magasin. Repas à 23 €, kir, passetougrain et café compris. Espace jacuzzi (supplément 20 € par chambre). Accueil des plus chaleureux. Bon rapport qualité-prix-convivialité.

Accès : *A 6 sortie Avallon puis N 6 vers Saulieu jusqu'à Saint-Magnance ; au feu tricolore tournez à gauche vers Champ-Morlin puis Vieux-Château, c'est la rue en face de l'église.*

VILLY-LE-MOUTIER   21250

Carte régionale B2

35 km S de Dijon ; 12 km E de Beaune

€€€ 🏠 |●| (10%) **Chambres d'hôtes La Closeraie (Michèle et Jean-Michel Blonde) :** *30, chemin de Marigny.* ☎ *03-80-62-57-26.* 📱 *06-12-17-81-98.* • *michele.blonde@orange.fr* • *pagesperso.orange.fr/closeraie-villy* •*Ouv mars-nov.* 📶 Belle maison de maître aux allures de logis dans un coin de campagne bien tranquille. Grand parc. Au 1er étage, 2 chambres spacieuses avec sanitaires privés. Jolis parquets, belle hauteur sous plafond. Atmosphère sereine. 78 € pour 2, petit déj compris. Goûteuse table d'hôtes à 34 €, apéro, vin et café compris, partagée en famille, où les spécialités locales sont à l'honneur. Bourguignons d'origine, les propriétaires connaissent bien tous les secrets de la région, et notamment de ses vins... Accueil de qualité.

Accès : *bon fléchage depuis le village.*

Bretagne

Basse-Normandie

Finistère (29)

Côtes-d'Armor (22)

Ille-et-Vilaine (35)

Morbihan (56)

Pays de la Loire

ANTRAIN-SUR-COUESNON   35560

Carte régionale B1

25 km NO de Fougères ;
20 km S du Mont Saint-Michel

€€ 🏠 |●| 🐾 **10 %** *Chambres d'hôtes La Cour Horlande (Christine et Pascal Delente) :* 25, rue de Pontorson. ☎ 02-99-18-09-74. 📱 06-20-33-27-41. ● lacourhorlande@hotmail.fr ● lacourhorlande.com ● *Ouv mars-nov.* 📶 Curieuse histoire que celle de cette imposante bâtisse qui s'est agrandie au fil du temps. Propriété d'un sénateur puis d'un médecin, elle fut ensuite léguée à la congrégation de Fougères. Les religieuses l'ont alors transformée en école de couture et de cuisine (c'était un autre temps !). C'est dans l'ancien internat que vous séjournerez, et croyez-nous, il y a de la place... Cinq chambres agréables, dont une familiale composée de 2 chambres. Sanitaires privés. De 57 à 75 € pour 2, petit déj compris. Table d'hôtes à 22 €, apéro et vin compris. Cuisine traditionnelle et familiale. Pour vous détendre, l'immense parc bien sûr, mais aussi salle de jeux et petite salle de sport, jacuzzi et sauna (moyennant 5 €). Accueil convivial.

Accès : au cœur de la cité, à côté de l'église. Pour les voitures, l'accès à la maison est au 2, rue Moussay.

AUGAN   56800

Carte régionale B2

60 km SO de Rennes ;
7 km E de Ploërmel

€€ 🏠 *Chambres d'hôtes Cap Broceliande (Gwenola et Gilles de Saint-Jean) :* La Ville-Ruaud. ☎ et fax : 02-97-93-44-40. 📱 06-07-38-78-96. ● gwen@cap-broceliande.com ● cap-broceliande.com ● *Fermé vac de Noël.* 📶 En pleine campagne, superbe ferme du XVIIIᵉ s en schiste, avec une vue dégagée sur la forêt. Trois chambres agréables avec sanitaires privés dans une maison indépendante : une au rez-de-chaussée, les 2 autres à l'étage, dont une familiale composée de 2 chambres. Les amoureux préféreront « Marine » avec son ciel de lit. 62 € pour 2, petit déj compris, et 20 € par personne supplémentaire. Agréable piscine. Accueil convivial.

Accès : sur la N 24 entre Rennes et Lorient, sortie Augan ; dans le village, D 772 vers Ploërmel sur 2,6 km et fléchage à gauche.

BELZ   56550

Carte régionale A2

10 km O d'Auray ; 10 km NO de Carnac

€€€ 🏠 **10 %** *Chambres d'hôtes Le Hameau de Keryargon (Françoise et Jean-Marc Leblois) :* route des Pins, 13, route de Keryargon. ☎ 02-97-55-94-25.

Nous vous rappelons que la table d'hôtes est le complément d'une formule d'hébergement (chambre d'hôtes, gîte d'étape...). Ce service n'est offert qu'aux personnes qui dorment sur place (excepté lorsqu'il est clairement écrit « ouvert aux extérieurs »).

🖥 06-08-21-31-47. ● keryargon@free.fr ● hameau-de-keryargon.com ● Ouv avr-oct. 📶 Jean-Marc a cessé toutes ses activités pour créer ce petit complexe campagno-touristique. Il a restauré, réhaussé, agrandi et réuni six petits bâtiments, et l'ensemble est charmant. Quatre chambres d'hôtes personnalisées, avec sanitaires privés. Selon votre humeur vous pourrez opter pour la chambre « Bretonne », « Gauguin », « Romantique », ou par la suite « La Ria » si vous êtes en famille. Selon la chambre et la saison, de 72 à 93 € pour 2, petit déj compris. Également 2 gîtes de 2 à 6 personnes loués entre 320 et 1 195 € la semaine selon la capacité et la période. Pour vous détendre, une piscine couverte où il vous garantit une eau à 25 ° C d'avril à octobre. Accueil chaleureux. Une adresse idéale pour se ressourcer.

Accès : N 165 Vannes/Lorient sortie Auray Centre/Etel/Quiberon/Carnac puis Belz par la D 22 ; 2 km avt Belz, au lieu-dit Kerorel, tournez à gauche, traversez Kerclement et continuez tt droit jusqu'au hameau (à la sortie de la zone boisée).

BERNÉ   56240
Carte régionale A2

25 km N de Lorient ;
10 km NO de Plouay

€€ 🏠 |●| ⑩ % **Chambres d'hôtes Le Jardin d'Érables (Isabelle Hello) :** *Marta.* ☎ 02-97-34-28-58. ● hellomarta@orange.fr ● lejardin derables.com ● *Fermé dim soir et lun soir et de mi-déc à mi-janv.* Dans une ancienne grange de la fin du XVIII⁰ s bien restaurée (totalement indépendante de la maison des proprios), 5 chambres avec sanitaires privés. 56 € pour 2, petit déj compris (pancakes et gâteaux maison). Table d'hôtes, sur réservation, à 20 €. Grande piscine pour vous détendre. Accueil jeune et agréable. La forêt de Pont-Calleck vous offrira de belles balades ; on ne visite pas son château, mais on peut voir le parc et l'étang. À proximité, GR 38 et site du championnat du monde de cyclisme de Plouay et des chapelles du Faouët.

Accès : sur la D 769 entre Lorient et Carhaix-Plouguer, sortez à Vallée du Scorff/Pont-Calleck ; tournez à gauche et suivez le fléchage sur 4 km jusqu'au village de Marta.

BRASPARTS   29190
Carte régionale A1

40 km NE de Quimper ;
35 km SO de Morlaix

€€ 🏠 |●| ⑩ % **Chambres d'hôtes Domaine du Rugornou-Vras (Romy Chaussy) :** ☎ 02-98-81-46-27. 🖥 06-82-91-37-36. Fax : 02-98-81-47-14. ● romy.chaussy@wanadoo.fr ● vacances-arree.com ● 📶 Au bout d'une petite route de campagne, en pleine nature, charmant ensemble de bâtiments d'où vous bénéficierez d'une vue imprenable sur le parc régional d'Armorique. Dans l'ancienne grange, Romy a aménagé 4 chambres coquettes et claires : 2 sur les pignons, accessibles par de petits escaliers extérieurs, et 2 dans la partie centrale (une préférence pour la bleue avec lit à baldaquin). Sanitaires privés. 54 € pour 2, petit déj compris (gâteau et confitures maison). Table d'hôtes (sauf le dimanche) à 23 €, apéro et vin compris. Bonne cuisine familiale avec des produits bio. Les repas ne sont pas partagés avec Romy, car elle ne peut être à la table et aux fourneaux... Fans de randos, les circuits sont nombreux pour partir à la découverte des monts d'Arrée. Romy, hôtesse aussi charmante que dynamique, accompagne souvent ses hôtes (quand elle n'est pas débordée) et saura de toute façon vous guider utilement. Une adresse vraiment nature. Ceux qui aiment les vieilles pierres ne manqueront pas la superbe église de Pleyben avec son remarquable calvaire.

Accès : de Quimper, prenez la direction de Pleyben/Morlaix ; traversez Brasparts en direction de Morlaix, faites 2 km et 2ᵉ fléchage à gauche.

BRÉAL-SOUS-MONTFORT   35310
Carte régionale B2

20 km O de Rennes ;
20 km E de Plélan-le-Grand

€€ 🏠 |●| 🐴 ⑩ % **Chambres d'hôtes Le Grenier d'Ernestine (Michèle Menuet et Jean-Yves Catellier) :** *Les Basses-Barres.* ☎ 02-99-60-34-03. 🖥 06-86-63-08-73. ● contact@grenier-ernestine.com ● grenier-ernestine.com ● ✿ 📶 Ancienne ferme dans un petit hameau. Cinq chambres spacieuses, dont 2 avec mezzanine pouvant accueillir jusqu'à 5 personnes. Une au rez-de-chaussée, les 4 autres à l'étage. Sanitaires privés. Une préférence pour « Ernestine », dans les tons bleu, la plus lumineuse. 60 € pour 2, petit déj compris, et 23 € par personne supplémentaire. Table d'hôtes partagée en famille à 20 €, kir breton, vin et café compris. Cuisine traditionnelle du terroir. Grand jardin pour vous détendre. Accueil agréable et discret.

Accès : du centre du village, prenez la direction de Saint-Thurial sur 3 km, et au niveau du hameau, tournez à gauche, la maison est un peu plus loin à droite (bon fléchage).

NORD

MANCHE

BRETAGNE

FINISTÈRE
29

CÔTES-D'ARMOR

Île d'Ouessant
Île de Batz

Quemper-Guézennec
Lézardrieux
Tréguier
Ploézal
Prat
Pommerit-le-Vicomte
Lannion
Morlaix
Trégrom
Guingamp
N 12

Brignogan-Plage
Plouider
Plouénan
Loc-Brévalaire
Tréglonou
Lanildut
Plouigneau
St-Thégonnec
Commana
Plougonvelin
Pointe St-Mathieu
Saint-Éloy
Plougastel-Daoulas
Brasparts
Brest
Mellionnec
Cléguérec
Cap de la Chèvre
Pointe du Van
Douarnenez
Plouray
Île de Sein
Plogoff
Poullan-sur-Mer
Quimper
le Faouët
Berné
Quimperlé
Inzinzac-Lochrist
Riec-sur-Belon
Pont-Aven
Hennebont
Landévant
Lorient
Névez
Pluvigner
Îles de Glénan
Belz
Île de Groix
Crach
Carnac-Plage
Quiberon
Île d'Houat
OCÉAN
ATLANTIQUE
Belle-Île

0   20   40 km

D 788
N 12
D 38
D 767
D 9
D 787
D 790
D 785
D 18
D 165
N 164
D 3
D 1
D 107
D 765
D 15
D 784
D 789

MANCHE
(50)

Île de Bréhat
Pointe de l'Arcouest

Îles Chausey

Plouha

St-Méloir-
des-Ondes

Saint-Malo

Cancale

Dol-de-
Bretagne

Avranches

St-Briac-
sur-Mer

Ploubalay

Mont-
Dol

Cherrueix

St-Alban

St-Lormel

Roz-
Landrieux

Roz-sur-Couesnon

Créhen

la Boussac

St-Michel-
de-Plélan

Corseul

Miniac-
Morvan

Antrain-sur-C.

Quintin

Plélan-le-Petit

Tressaint-
Lanvallay

Moncontour

St-Samson-
sur-R.

la Selle-
en-Coglès

Dinan

Fougères

Plouguenast

St-Juvat

Pleugueneuc

Gomené

Hédé

ILLE-
ET-VILAINE

Pontivy

Iffendic

Rennes

Vitré

Pluméliau

Paimpont

Saint-Aubin-
des-Landes

Bréal-
sous-Montfort

MAYENNE
(53)

Ploërmel

MORBIHAN

Augan

Pléchâtel

Saint-Erblon

la Couyère

Elven

le Cours

Sixt-sur-Aff

la Chapelle-
de-Brain

Châteaubriant

Sulniac

LOIRE-
ATLANTIQUE
(44)

St-Gildas

Île de
Hoëdic

le Croisic

Guérande

Saint-Nazaire

Ancenis

Loire

la Baule

MAINE-
ET-LOIRE
(49)

Pornic

Nantes

BRETAGNE

BRETAGNE

BRIGNOGAN-PLAGE   29890

Carte régionale A1

36 km NE de Brest ; 20 km O de Roscoff

€€€€ 🛏 *Chambre d'hôtes La Terre du Pont (Odile Berthoule) :* ☎ 02-98-83-58-49. 📱 06-32-26-85-56. ● accueil@terredupont.com ● terredupont.com ● *Ouv avr-oct.* 📶 Ici, on est à 100 m de la plage, dans une authentique chaumière bretonne entourée d'un beau jardin fleuri. L'intérieur mêle ancien et contemporain. Une chambre agréable avec sanitaires privés. Selon la saison, de 100 à 120 € pour 2, petit déj compris. Pour ceux qui souhaitent se poser plus longtemps, deux gîtes pour 2 et 4 personnes. Si l'Océan est trop froid, sachez qu'il y a la piscine et un espace détente avec sauna (15 € pour 2). Accueil charmant.

Accès : du bourg, suivez le fléchage « B & B La Terre du Pont ».

CANCALE   35260

Carte régionale B1

10 km E de Saint-Malo

€€ 🛏 10% *Chambres d'hôtes Couleurs de Mer (Marc Loisel) :* 34, rue des Français-Libres, Terrelabouet. ☎ 02-99-89-73-61. 📱 06-60-89-81-54. ● couleurs demer@yahoo.fr ● cancale-vacances. com ● *Fermé janv.* 📶 Grande maison en pierre avec une terrasse qui ouvre sur la baie. Cinq chambres agréables, dont une familiale composée de 2 chambres : une au rez-de-chaussée, 2 au 1ᵉʳ étage, les 2 dernières au second. Celles situées aux étages ont vue sur la mer. Sanitaires privés. Selon la chambre et la saison, de 63 à 75 € pour 2, petit déj compris. La plage de l'Aurore (une des plus belles) est accessible à pied depuis la maison, de même que le port de Cancale. Pas de table d'hôtes mais Marc connaît tous les bons restos du coin. Accueil chaleureux.

Accès : à l'entrée de Cancale, sur la D 76 venant de Rennes ou du Mont-Saint-Michel, prenez à gauche vers Terrelabouet.

CARNAC-PLAGE   56340

Carte régionale A2

47 km SE de Lorient ;
27 km O de Vannes

€€ 🛏 *Chambres d'hôtes L'Alcyone (Marie-France Balsan) :* impasse de Beaumer. ☎ 02-97-52-78-11. 📱 06-74-24-33-53. ● lalcyone.blogspot.com ● *Fermé 2 sem en janv ou fév.* 📶 Marie-France et Daniel ont aménagé 5 chambres agréables dans cette ancienne ferme joliment restaurée, avec un beau jardin où vous pourrez faire bronzette. Décoration de bon goût, où dessus-de-lit et rideaux assortis agrémentent les murs en plâtre gratté (il faut dire que le proprio est tapissier et que tous les lits sont de sa création, de même que les superbes canapés qui meublent la salle à manger). Sanitaires privés. De 70 à 72 € pour 2, petit déj compris (gâteau et confitures maison, dont celle de courgettes, miam !). Pas de table d'hôtes, mais Marie-France, ancienne restauratrice, saura utilement vous conseiller. Accueil chaleureux. Une des plus belles plages de la baie, le chemin des Douaniers et autres sentiers de rando sont à 500 m de la maison seulement. Une bonne adresse.

Accès : dans Carnac-Ville, allez en direction des plages ; au rond-point des Salines, prenez l'av. des Druides jusqu'au bout, tournez à gauche, chemin de Beaumer, c'est à 500 m à gauche.

CHERRUEIX   35120

Carte régionale B1

25 km SE de Saint-Malo ;
5 km NE de Dol-de-Bretagne

€€ 🛏 *Chambres d'hôtes (Marie-Madeleine et Jean Glémot) :* 4, La Hamelinais. ☎ 02-99-48-95-26. 📱 06-51-66-90-36. ● lahamelinais@orange.fr ● lahamelinais. com ● 📶 Charmante ferme en pleine campagne tenue par une hôtesse adorable. Trois chambres croquignolettes et lumineuses avec sanitaires privés, à 53 € pour 2 avec le petit déj. Grand jardin verdoyant et fleuri. Gentillesse et hospitalité garanties.

Accès : depuis Dol, prenez la D 80 vers Saint-Broladre (sur 3 km) puis la D 85 vers Cherrueix, et suivez le fléchage à droite, à 1 km.

CLÉGUÉREC   56480

Carte régionale A1-2

7 km NO de Pontivy

€€ 🛏 ⊙ 10% *Chambres d'hôtes La Ferme de Lintéver (Claire et Nicolas Rafle) :* ☎ et fax : 02-97-38-03-95. 📱 06-71-66-27-44. ● fermedelintever@wanadoo.fr ● fermedelintever.com ● 🛁 *Fermé déc-janv.* 📶 Dans cette ferme en pierre, vivent en harmonie trois générations d'agriculteurs. Ici, on produit de l'électricité par énergie solaire (équivalente à la consommation de 25 petites maisons !). Quatre chambres spacieuses, colorées et décorées avec goût, dont 2 familiales avec chambre enfants attenante ou en mezzanine. Sanitaires privés. 65 € pour 2 et 115 € pour 4, petit déj compris, servi dans une grande salle à manger rustique avec belle poutraison ou dans le jardin aux beaux jours. Pour les amateurs de séjour insolite, également une adorable roulotte installée à l'écart, dans la verdure, à 85 € pour 2 avec le petit déj. Pas de table d'hôtes mais une formule pique-nique à emporter, ou un goûter sucré-salé au jardin, ou un casse-croûte paysan au coin du feu, pour découvrir les produits du terroir (15 €). Autrement, kitchenette et barbecue à disposition. Si vous avez des enfants, ils pourront jouer avec les trois de la maison. Location de vélos électriques pour explorer les routes du coin. Accueil chaleureux, authentique et vrai. Une adresse nature qui respire la campagne et la liberté !

Accès : *de Pontivy, prenez la D 764, jusqu'au rond-point de Pont-Fournan puis direction Cléguérec ; Lintéver est fléché à 1 km à droite et la ferme est au bout du village.*

COMMANA   29450

Carte régionale A1

25 km SO de Morlaix ;
13 km SE de Landivisiau

€€ 🏠 10% **Chambres d'hôtes (Marie-Thérèse et Michel Lancien) :** *Kerveroux.* ☎ 02-98-78-92-87. 📱 06-98-27-43-39. ● m-t.lancien@wanadoo.fr ● lancien-kerveroux.fr ● ☕ 🛜 Perdu entre sous-bois, pâtures et cultures, ce superbe petit hameau du XVIIe s, tout en granit, abritait des tisserands qui cultivaient leur lin. Michel, lui, est sculpteur et marie métal et bois. Marie-Thérèse s'occupe des chambres. Dans une aile indépendante, elles sont 2, tout aussi élégantes : une au rez-de-chaussée, l'autre à l'étage. On a craqué pour la première, dans une harmonie de blanc et de gris et un carrelage en damier. Sanitaires privés. 65 € pour 2, petit déj compris, servi chez vos hôtes, dans la pièce principale traditionnelle avec grande cheminée et poutres apparentes. Pas de table d'hôtes, mais plusieurs restos dans un rayon de 4 à 7 km... mais quand on aime la campagne et la liberté !

Accès : *de Commana, prenez la D 11 vers Landivisiau sur 2 km puis, à droite, vers Kerveroux et suivez le fléchage sur 2 km.*

CORSEUL   22130

Carte régionale B1

7 km NO de Dinan

€€ 🏠 🍴 🐾 **Chambres d'hôtes Beau Soleil (Michèle et Joseph Guguen) :** ☎ 02-96-82-73-42. 📱 06-76-64-44-27. ● beausoleil22130@hotmail.fr ● beausoleil22130.com ● *Fermé 25 sept-15 oct.* 🛜 Ancienne ferme bien au calme. Trois chambres colorées et agréables : une au rez-de-chaussée et 2 autres à l'étage, dont une familiale composée de 2 chambres. De 50 à 55 € pour 2, petit déj compris, et 17 € par personne supplémentaire. Sur réservation, table d'hôtes (du jeudi au samedi, sauf jours fériés), partagée en famille, à 26 €, apéro, vin et café compris. Une goûteuse cuisine traditionnelle qui fait des adeptes. Accueil chaleureux et sans façon. Une adresse où l'on se sent bien.

Accès : *de Corseul, prenez la direction de Dinan, sortez du village, la maison est fléchée à 3 km sur la droite.*

CRACH   56950

Carte régionale A2

25 km O de Vannes ; 8 km S d'Auray

€€€ 🏠 **Chambres d'hôtes La Ferme de Kérino (Suzanne et Roger Tanguy) :** *Kérino-en-Crach.* ☎ et fax : 02-97-55-06-10. ● kerino@wanadoo.fr ● kerino.com ● *Ouv de mi-mars à mi-nov.* 🛜 Dans une belle ferme en pleine campagne, à deux pas du bord de la rivière, 2 chambres agréables, réservées en principe aux familles, avec un bloc sanitaire privé. Comptez 99 € pour 4, petit déj compris. Les proprios ont aussi aménagé de superbes duplex tout confort, avec living spacieux et kitchenette, de 55 à 72 € la nuit pour 2 selon la période, petit déj compris, ainsi qu'une roulotte avec kitchenette à 95 € pour 2.

Accès : *d'Auray, prenez la D 28 puis la D 781 vers La Trinité-sur-Mer ; au rond-point avt le pont de Kérisper, prenez la direction de Quéhan (C 203), faites 2 km et prenez la route à droite vers Kérino et suivez le fléchage.*

CRÉHEN   22130

Carte régionale B1

18 km SO de Dinard ; 17 km NO de Dinan

€€€ 🏠 🐾 **Chambres d'hôtes La Belle Noë (Chantal Bigot) :** ☎ 02-96-84-08-47. 📱 06-89-94-69-18. ● belle.noe@wanadoo.fr ● crehen.com ● 🛜 Au bout d'une petite route de campagne, jolie longère du XIXe s.

BRETAGNE

Chantal était fleuriste et, de juin à septembre, vous baignerez dans un océan de roses. Elle cultive aussi des cucurbitacées pour le plaisir. Dans une aile indépendante, 3 chambres campagnardes et charmantes avec sanitaires privés : une au rez-de-chaussée avec terrasse et salon de jardin qui ouvre sur les cultures de fleurs, 2 autres à l'étage, plus grandes. Déco chaleureuse où les couleurs se mêlent aux compositions champêtres encadrées. Deux autres chambres, spacieuses et tout aussi charmantes, chacune avec accès indépendant et jardin privatif, dont une sous la forme d'un beau duplex. Selon la chambre, de 83 à 115 € pour 2, petit déj compris (avec confitures, yaourts et pâtisserie maison, pain et jus de fruits frais... hmm !). La salle à manger et la cuisine sont charmantes et remplies de bibelots aussi rigolos qu'insolites. Accueil convivial et décontracté. Une adresse qu'on aime, idéalement située si vous voulez découvrir la célèbre côte d'Émeraude.

Accès : de Saint-Malo, direction barrage de la Rance puis Ploubalay ; là, prenez la D 768 vers Saint-Brieuc et, au rond-point indiquant Créhen, faites 2,5 km et prenez la 1ʳᵉ à droite.

DOL-DE-BRETAGNE   35120

Carte régionale B1

*20 km SE de Saint-Malo ;
20 km NE de Dinan*

€ 🏠 **Chambres d'hôtes (Maryvonne et Alain Roncier) :** L'Aunay-Bégasse. ☎ 02-99-48-16-93. 📱 06-60-59-27-44. ● roncier.launaybegasse@orange.fr ● launay-begasse.com ● Fermé 20 déc-20 janv. Dans une ferme pratiquant l'élevage de vaches laitières, 3 chambres campagnardes avec sanitaires privés, à 50 € pour 2, copieux petit déj compris (avec confitures et crêpes maison, hmm !). Un accueil authentique et très convivial. Également un gîte de 2 à 8 personnes.

Accès : dans Dol (centre-ville), direction lycée A.-Pelé et suivez le fléchage.

DOUARNENEZ   29100

Carte régionale A1-2

25 km NO de Quimper

€€ 🏠 ⟨10%⟩ **Chambres d'hôtes Manoir de Kervent (Marie-Paule Lefloch) :** 6, chemin de Kervent. ☎ 02-98-92-04-90. 📱 06-98-90-74-16. ● famillelefloch@manoirdekervent.fr ● manoirdekervent.fr ● Jolie ferme-manoir du XIXᵉ s, recouverte d'ampélopsis, tenue par la vive et dynamique famille Lefloch. Quatre chambres rococo dégageant un petit air d'autrefois (meubles rusti-

ques et vieilles gravures de mode), dont une suite composée de 2 chambres pour les familles. Si vous êtes 2, demandez la rose, c'est la plus vaste. Sanitaires privés. De 55 à 65 € pour 2, petit déj compris et 100 € pour 5. Pas de table d'hôtes, mais les restos ne manquent pas dans les environs. Plein de choses à faire : les amoureux de la mer et des bateaux ne manqueront pas le port-musée de Douarnenez, ceux qui préfèrent les vieilles pierres iront visiter le superbe village de Locronan (classé parmi les plus beaux de France, mais envahi en été). Les flemmards, quant à eux, trouveront la première plage (les Sables-Blancs) à 3 km. Une adresse où hospitalité rime avec personnalité (faites une bise à Marie-Paule pour nous). Bon rapport qualité-prix-convivialité.

Accès : en venant de Quimper, à Douarnenez prenez la D 765 vers Audierne (sans entrer dans la ville) ; après le 2ᵉ rond-point, faites 400 m et tournez à droite ; fléchage sur 1 km.

ELVEN   56250

Carte régionale B2

*15 km NE de Vannes ;
14 km NO de Questembert*

€€ 🏠 **Studios d'hôtes (Nadine et Denis Frenkel) :** Kergonan. ☎ et fax : 02-97-53-37-59. 📱 06-80-23-57-05. ● frenkelkergonan@aol.com ● kergonan.fr ● Ouv mars-nov. 📶 Nichée dans un parc de 3,5 ha de prés et de forêt bordé par l'Arz (amis pêcheurs à vos cannes !), ancienne ferme traditionnelle du XVIIIᵉ s. Nadine et Denis ont mis en place un nouveau concept : le studio d'hôtes, ou les services d'une chambre d'hôtes et l'indépendance d'un gîte ! Il y en a 2, plus une chambre complémentaire, dans une aile indépendante de la maison. Cuisine et terrasse pour chaque unité. Atmosphère rustique et champêtre. Selon le studio, de 55 à 76 € pour 2, petit déj compris. Bien sûr, une balade le long de la rivière s'impose. Pas de table d'hôtes, mais premier resto à 2 km. Accueil cordial.

Accès : de Rennes, N 164 vers Vannes sortie Elven-Centre et direction Ploërmel jusqu'à la gendarmerie puis direction Kergonan.

GOMENÉ   22230

Carte régionale B1

*63 km NO de Rennes ;
20 km E de Loudéac*

€€€ 🏠 |●| **Chambres d'hôtes Château de la Hersonnière (Josette et Gérard Le Meaux) :** La Hersonnière-d'en-Haut.

☎ 02-96-28-48-67. ● *gerard.lemeaux@wanadoo.fr* ● *gitesdarmor.com/la-hersonniere* ●Assez proche de la nationale, mais dans un environnement campagnard, gentille demeure bourgeoise installée devant un bel étang et entourée d'un grand parc. Josette et Gérard ont accompli un travail remarquable pour la restaurer. L'intérieur est très personnel, original et agréable, où se mêlent couleurs, styles anciens et fleurs fraîches. Cinq chambres, dont 2 très vastes au 1er étage (nos préférées), les 3 autres au second. Beaux sanitaires privés. Selon la chambre, de 85 à 95 € pour 2, petit déj compris (avec gâteau, crêpes et confitures maison), et 40 € par personne supplémentaire. Table d'hôtes, sur réservation à 31 €, vin compris. Cuisine familiale et traditionnelle avec les légumes du jardin. Accueil chaleureux.

Accès : de Rennes, prenez la N 164 en direction de Quimper (via Loudéac) ; 5 km après Merdrignac, au garage Peugeot, tournez tt de suite à droite, la maison est en contrebas à 600 m (n'allez pas à Gomené).

HÉDÉ-BAZOUGES   35630
Carte régionale B1

*40 km SE de Saint-Malo ;
25 km N de Rennes*

€€ 🏠 **Chambres d'hôtes (Martine et Patrick Noblaye) :** La Parfraire. ☎ 02-99-45-52-06. 📱 06-73-31-37-17. ● *pnoblaye@neuf.fr* ● *chambrelaparfrairehede.com* ● 📶 Cette ancienne ferme est constituée d'une belle longère et de ses petites dépendances. Dans une aile de la maison, 2 chambres spacieuses et charmantes à l'atmosphère sereine, avec sanitaires privés. 65 € pour 2, petit déj compris, servi dans une agréable salle à manger où crépite souvent l'authentique cheminée. Aux beaux jours, c'est dans une rigolote salle à manger d'été sous un abri couvert. Et toujours avec du pain maison (Martine continue à faire vivre le vieux four à pain) ! Pas de table d'hôtes, mais plusieurs restos à Hédé. Un accueil et un couple charmants. À quelques encablures, le canal d'Ille-et-Rance et ses 11 écluses font le bonheur des randonneurs et des cyclotouristes.

Accès : de Hédé, après le cimetière, tournez à droite et prenez la D 87 vers Bazouges-sous-Hédé ; la maison est à 800 m à droite, avt le canal d'Ille-et-Rance.

HENNEBONT   56700
Carte régionale A2

12 km E de Lorient

€ 🏠 **Chambres d'hôtes (Édyth-Charlotte Hillion) :** 24, Le Bas-Locoyarne.

☎ 02-97-36-21-66. 📱 06-45-15-53-19. ● *edyth.hillion@wanadoo.fr* ● *gite-hennebont.com* ● *Ouv Pâques-Toussaint.* 📶 Au pays de la vallée du Blavet, jolie ferme fleurie d'hortensias et de géraniums, dont les origines remontent au XVIIe s. Trois chambres charmantes avec sanitaires privés. Elles sentent bon la Bretagne, avec le mobilier régional, les poutres, le plâtre gratté et les petites fenêtres en pierre apparente. 46,50 € pour 2, copieux petit déj compris : jus d'orange, viennoiseries, spécialités locales, dont le « pain noir », et confitures maison. Il est servi dans une vaste et belle pièce agrémentée d'un petit vitrail et d'une grande cheminée en granit. En termes d'infos sur les restos et les centres d'intérêt de la région, Édyth vous proposera du sur-mesure en fonction de vos goûts (génial !). Accueil de qualité, teinté d'un zeste d'originalité. Très bon rapport qualité-prix-convivialité. Pour ceux qui veulent séjourner, il y a aussi un petit gîte de 3 personnes, loué 330 € la semaine en haute saison. Si vous êtes là un jeudi matin, n'oubliez pas le marché pittoresque d'Hennebont, qui est aussi une sympathique ville chargée d'histoire.

Accès : de Rennes, prenez la N 24 en direction de Lorient et sortez à Port-Louis/Hennebont (sortie n° 40) ; continuez vers Port-Louis ; Le Bas-Locoyarne est le 1er village à droite.

IFFENDIC   35750
Carte régionale B2

*28 km O de Rennes ;
15 km NE de Plélan-le-Grand*

€€ 🏠 |●| 🍴 **Chambres d'hôtes Domaine du Val Ory (Raphaëlle Talpe) :** Le Val-Ory. ☎ 02-99-09-98-27. 📱 06-80-60-23-23. ● *contact@levalory.com* ● *levalory.com* ● *Fermé déc-janv.* 📶 Isolée dans un petit coin de campagne, ancienne ferme, style longère, en pierre rouge de Montfort, qui jouit d'un joli point de vue sur les environs. Les chambres d'hôtes, Raphaëlle en rêvait... Alors, après avoir bourlingué en France et à l'étranger, elle a pu réaliser ce projet qui lui tenait à cœur. Trois chambres charmantes, dont une suite de 4 personnes avec grand salon au rez-de-chaussée, coin kitchenette et chambre à l'étage. Si vous êtes 2, la chambre « Safran » possède un accès direct sur le jardin, la « Gingembre » dégage une atmosphère romantique avec ciel de lit. Sanitaires privés. De 65 à 75 € pour 2, petit déj compris, et 20 € par personne supplémentaire. Également un petit loft avec cuisine équipée et balcon à 75 € pour 2, petit déj compris. Table

BRETAGNE

d'hôtes à 24 €, vin et café compris. Cuisine du terroir avec des produits fermiers. Plein de randos à faire dans le coin, le GR 37 passe à côté de la maison. Accueil chaleureux. Une adresse pour se mettre au vert.

Accès : d'Iffendic, D 61 vers Saint-Péran/ Plélan sur 2 km et à droite vers Val-Ory ; la maison est tt au bout du chemin gravillonné.

INZINZAC-LOCHRIST 56650

Carte régionale A2

15 km NE de Lorient ;
6 km N d'Hennebont

€€€ 🏠 **Chambres d'hôtes Le Ty Mat (Catherine et Mathieu Spence) :** Penquesten. ☎ 02-97-36-89-26. 📱 06-76-05-60-55. • ty-mat@wanadoo.fr • ty-mat.fr • 🛜 Grande demeure bourgeoise du XVIIIe s, entourée d'un joli parc de 3 ha et répondant au doux nom de *Ty Mat* (« bonne maison »). Catherine et Mathieu ont accompli un travail colossal pour la restaurer. Quand on entre, on se sent tout de suite à l'aise... Est-ce l'accueil et le sourire de Catherine ? Le charme de la maison et du mobilier ? Quatre chambres décorées avec goût (il faut dire que Mathieu tient un magasin d'antiquités spécialisé dans les meubles anglais). Préférez la chambre « Bleue » avec une immense salle de bains, ou la chambre « Cachemire » pour son côté intime. 79 € pour 2, petit déj compris (far maison ou crêpes, entre autres...). Pas de table d'hôtes, mais plusieurs bonnes crêperies à proximité. Une adresse de charme. Si vous êtes là un jeudi matin, le marché typique d'Hennebont vaut une petite visite.

Accès : dans Lochrist, au 2e pont, tournez à droite vers Penquesten/Bubry (D 23) ; la maison est à 4 km sur la gauche.

LA BOUSSAC 35120

Carte régionale B1

32 km SE de Saint-Malo ;
18 km SO du Mont-Saint-Michel

€ 🏠 |●| 🐾 (10 %) **Chambres d'hôtes Le Moulin du Bregain (Mary-Anne et Bernard Briand) :** ☎ 02-99-80-05-29. 📱 06-43-51-95-46. Fax : 02-99-50-05-29. • maryannebriand@yahoo.fr • bregain.fr • Ouv mars-nov. 🛜 Au milieu de 13 ha de nature, jolie maison en pierre apparente. Trois gentillettes chambres en soupente, dont une double pour les familles (une préférence pour la chambre orange). Sanitaires privés. Comptez 50 € pour 2, petit déj compris, et 10 € par personne supplémentaire. Table d'hôtes pour 18 €, apéro,

vin et digeo compris. Une bonne cuisine familiale, toujours partagée avec les proprios. Sur place, un étang sauvage et privé de 2 ha (vous êtes pêcheur ?). Ambiance un brin bohème et décontractée.

Accès : sur la D 155 entre Trans et Dol-de-Bretagne, à 3 km sur la gauche avt La Boussac (quand on vient de Trans).

LA CHAPELLE-DE-BRAIN 35660

Carte régionale B2

60 km S de Rennes ; 18 km E de Redon

€€€ 🏠 |●| 🐾 (10 %) **Chambres d'hôtes La Grand¹ Maison (Cathy et François Bertin) :** 17, Grande-Rue, Brain-sur-Vilaine. ☎ 02-99-70-25-81. 📱 06-22-52-58-30. • cathy@la-grand-maison.com • la-grand-maison.com • Fermé déc-fév. 🛜 Superbe maison bourgeoise du XVIIIe s qui appartenait au sénéchal de l'abbaye de Redon, qui percevait la gabelle (le percepteur des impôts quoi !). Cette demeure historique se devait d'être habitée par un auteur passionné d'histoire, et c'est le cas. Bien connu des Éditions Ouest-France, François a écrit plusieurs ouvrages sur la Seconde Guerre mondiale, un autre sur les pompiers (ils le méritent bien... chapeau messieurs !), un sur la poste, un dernier sur la pub. Trois chambres au 1er étage, claires et distinguées, dont une suite pour les familles. La dernière est installée au second, dans l'ancien grenier à sel. Belle charpente apparente et vieilles tomettes, atmosphère plus champêtre. Luxueux sanitaires privés. Comptez 72 € pour 2, petit déj compris. Ici, tout ce qui pouvait être conservé a été restauré avec amour : carrelages, parquets, portes, escalier... Quant aux poutres sculptées de la salle à manger, elles demandent un coup d'œil. Cathy, elle, a abandonné la pub et s'est transformée en charmante paysanne. À partir des produits de son potager et de son poulailler, elle propose une cuisine saine et familiale avec découverte des recettes régionales. Table d'hôtes partagée en famille à 25 €, apéro et vin compris. Derrière la maison, le parc ouvre sur la Vilaine et son chemin de halage. Et pour le plaisir des yeux, François possède une superbe Oldsmobile de 1936 et une Juva 4, version gendarmerie. Accueil de qualité. Une adresse pleine de rencontres...

Accès : de Rennes, D 17 vers Redon puis D 59 vers Guéméné-Penfao et D 56 vers Brain-sur-Vilaine ; la maison est au centre du bourg.

LA COUYÈRE 35320

Carte régionale B2

28 km S de Rennes ; 25 km SO de Vitré

€€ 🏠 |●| 🏕 **Chambres d'hôtes Domaine de la Raimonderie (Claudine et Raymond Gomis) :** *La Tremblais.* ☎ 02-99-43-14-39. 📱 06-63-65-24-22. ● la-raimonderie@wanadoo.fr ● la-raimonderie.com ● *Fermé dim soir.* 📶 En quelques années, Claudine et Raymond ont restauré plusieurs délicieuses petites maisons du XVIIe s. Dans l'une, 2 superbes chambres : une immense, genre suite avec coin repas, salon avec cheminée et lit ; l'autre est plus petite, mais très sympa, avec salon particulier et cheminée. Enfin, une dernière est installée dans une adorable petite maison avec kitchenette. Selon la chambre, de 65 à 75 € pour 2 avec le petit déj, servi à votre convenance, soit dans le jardin d'hiver soit dans votre suite. Claudine est une femme charmante qui aime recevoir et dorloter ses hôtes. Elle propose une soirée pour les tourtereaux : dîner aux chandelles, feu dans la cheminée et champagne, nuit et petit déj à 185 € pour 2. Accueil très convivial.

Accès : de Rennes, prenez la D 41 vers Angers (sur 23 km) ; bifurquez vers La Couyère (D 92) en direction de Châteaubriant ; au niveau des Patissiaux, tournez à gauche (D 92) vers Janzé, la maison est à 1 km.

LA SELLE-EN-COGLÈS 35460

Carte régionale B1

45 km NE de Rennes ;
16 km NO de Fougères

€€ 🏠 ⑩% **Chambres d'hôtes (Renée et Jean-François Aoustin) :** *La Totinais.* ☎ 02-99-98-64-69. 📱 06-79-89-12-63. ● jean-francois.aoustin@laposte.net ● *Ouv Pâques-Toussaint.* 📶 Belle maison bourgeoise du XVIIIe s entourée d'un joli parc de 1 ha. Deux chambres lumineuses, un brin romantiques, décorées avec beaucoup de goût. Sanitaires privés. Comptez 65 € pour 2, petit déj compris (avec, entre autres, les craquelins de Saint-Malo). Une chaleureuse salle de petit déj, exactement comme on les aime : vieilles tomettes, grande cheminée, table campagnarde, napperons au crochet et un piano qui n'attend que vos doigts agiles. Pas de table d'hôtes, mais plusieurs petits restos renommés, dont Renée vous donnera les adresses. Accueil convivial, une bonne adresse. Allez voir le château du Rocher-

Portail (il ne se visite pas, mais vaut un petit coup d'œil) et faites un tour à Fougères qui est une ville charmante (pour ceux qui séjournent, le Mont-Saint-Michel est à 35 km).

Accès : par la D 102 ; dans le bourg, face à l'église, tournez à droite ; au carrefour suivant (à 1,5 km), continuez tt droit ; la maison est à 300 m sur la droite.

LANDÉVANT 56690

Carte régionale A2

20 km N de Carnac ; 10 km NO d'Auray

€€€ 🏠 |●| ⑩% **Chambres d'hôtes La Ferme du Château (Christine et Patrick Gillot) :** *Talvern.* ☎ 02-97-56-99-80. 📱 06-17-18-08-75. ● talvern@chambre-morbihan.com ● chambre-morbihan.com ● ♿ 📶 À deux pas de la ria d'Étel, belle longère typique de la région, ancienne métairie du château de Lannouan. Cinq chambres douillettes, spacieuses et lumineuses avec sanitaires privés : une au rez-de-chaussée, 3 au 1er étage, dont une familiale composée de 2 chambres, la dernière au second. Déco sobre et de bon goût, murs en pierre apparente et enduits à l'argile. Selon la chambre, de 71 à 80 € pour 2, petit déj compris, et 124 € pour 4. Patrick était chef dans des restos gastros... autant dire qu'il soigne ses clients à la table d'hôtes. Pour 26 € le repas, apéro, vin et café compris, une cuisine recherchée avec les légumes du potager qui mérite qu'on s'y attarde. Une adresse chaleureuse et sans façon.

Accès : au centre de Landévant, face au Relais des Voyageurs, prenez la direction de Baud (D 24) ; poursuivez sur 1,2 km, la maison est à gauche.

LANILDUT 29840

Carte régionale A1

28 km NO de Brest ;
14 km O de Saint-Rénan

€€ 🏠 **Chambres d'hôtes Le Clos d'Ildut (Marie-Françoise et Jean Gourmelon) :** *13, route de Mézancou.* ☎ 02-98-04-43-02. 📱 06-17-47-29-11. ● mfgourm@hotmail.com ● leclosdildut.free.fr ● *Ouv avr-sept.* 📶 L'histoire de cette superbe demeure du XVIIe s pourrait être racontée dans un film. C'était la maison du « maître de Barque ». Il assurait le négoce et le transport des blocs de granit vers l'Angleterre. Au passage, il conservait les plus gros pour construire sa maison où il règne aujourd'hui une atmosphère pleine de fraîcheur. Au 1er étage, une chambre charmante, et une seconde dans un petit pavillon indépendant (pour les discrets !). Elles renferment de belles toiles, œuvres de Marie-Françoise. Sanitaires privés. 60 € pour 2, petit déj compris. Côté jardin, celui de Jean est grandiose ! Ancien pépiniériste, mais avant tout passionné, il mêle fleurs et légumes dans des massifs en forme d'immenses bouquets... Chaque chambre a son petit coin (routards peintres, sortez vos palettes !). Mais Jean a aussi plusieurs cordes à... sa guitare : il chante, joue du piano, de l'accordéon et... de la guitare ! Accueil chaleureux. Enfin, cerise sur le gâteau, la première plage est à 1 km.

Accès : en venant de Brélès par la D 27, traversez Lanildut et prenez la 2e route à droite après le panneau de sortie de l'agglomération et suivez le fléchage.

€€€€ 🏠 10 % **Chambres d'hôtes Le Nid d'Iroise (Dominique Le Tarnec) :** 4, Hent-Kergaradoc. ☎ 02-98-04-38-41. ● lenidiroise@hebergement-nature-bretagne.com ● hebergement-nature-bretagne.com ● ♿ Fermé janv. 🛜 Rien qu'à lire les noms, pas de doute, on est en Bretagne... et plus particulièrement au pays des Abers. Superbe longère en granit qui ouvre sur un magnifique panorama. Trois chambres, très différentes, à la déco très soignée, dans le souci du détail. La plus zen c'est « Bonzaï », avec sa déco japonaise épurée et sa baignoire balnéo, et la plus belle vue (sur la mer) est pour la chambre « Bateau », avec le lit à baldaquin. Selon la chambre et la saison, de 65 à 115 € pour 2, petit déj compris. La passion de Dominique : le jardin... ou comment acclimater en Bretagne palmiers, bananiers et autres essences de fleurs ! Et puis aussi, 2 cabanes nichées au milieu des arbres (de 110 à 115 € pour 2), 5 autres chambres dans un gîte en ossature bois, un sauna et un spa (20 € pour 1h), possibilité de massages, yoga... Accueil chaleureux.

Accès : en venant de Brélès (D 27), à l'entrée de Lanildut, prenez à droite la route de Kerambelec sur 800 m, puis à gauche vers le Hent Kergaradoc.

LE COURS   56230

Carte régionale B2

20 km NE de Vannes ;
12 km N de Questembert

€€ 🏠 **Chambres d'hôtes Le Moulin du Pont de Molac (Véronique et Christian Restoin) :** Kermelin. ☎ et fax : 02-97-67-52-40. 📱 06-18-92-50-79. ● moulinmolac@club-internet.fr ● moulinmolac.fr.st ● Dans un joli coin de nature, charmant moulin dont vos hôtes ont préservé tous les mécanismes et qu'ils pourront remettre en route rien que pour vous ! Ancienne animatrice de FIP, Véronique est une hôtesse charmante et chaleureuse. Quatre chambres cosy et personnalisées avec goût : 2 au 1er étage, 2 au second. Selon la chambre, de 60 à 70 € pour 2, petit déj compris. Pas de table d'hôtes et premiers restos à Elven (9 km). Pour vous détendre, vous pourrez longer le bief sur 1,5 km (une balade nature vraiment sympa). Une adresse qu'on aime bien.

Accès : N 166 entre Rennes et Vannes, sortie Le Cours ; dans le bourg, prenez direction Larré (D 139) sur 1 km.

LE FAOUËT   56320

Carte régionale A2

35 km N de Lorient ;
35 km S de Carhaix-Plouguer

€€ 🏠 🍽 🐴 10 % **Chambres d'hôtes (Angella et Albert Brown) :** Kergoff. ☎ 02-97-23-06-37. 📱 06-32-42-32-86. ● a.thebrowns@orange.fr ● 🛜 Dans un joli coin de campagne, ancienne ferme du XIXe s qui devait être une chaumière. Angella et Albert tenaient un B & B en Angleterre... Tombés amoureux de la région et surtout de ses habitants, ils ont décidé de réitérer l'expérience, mais cette fois-ci côté France. Dans la partie la plus ancienne de la maison, ils ont aménagé 2 chambres spacieuses et coquettes. Beaux volumes, lits king size (1,60 m ignorants !) et sanitaires privés. 55 € pour 2, petit déj compris, avec salade de fruits frais, pain et brioche maison (miam miam !). Possibilité de table d'hôtes sur réservation et kitchenette à disposition (micro-ondes). Sinon, plusieurs restos sympas dans les environs. Accueil chaleureux. Ne manquez pas la visite de l'église de Kernascleden, elle est somptueuse.

Accès : du Faouët, au rond-point prenez la D 769 vers Gourin (sur 2 km) et la 3e à droite (C 5) vers Saint-Jean, puis de nouveau à droite vers Kergoff et suivez le fléchage.

LÉZARDRIEUX   22740

Carte régionale A1

30 km N de Guingamp ;
5 km O de Paimpol

€€€ 🏠 🍽 **Chambres d'hôtes Lan Caradec (Fulbert Riu-Maura et Ariadne Nijhuif) :** 6, rue des Perdrix. ☎ 02-96-20-

10-25. 📞 07-87-48-60-24. ● lan.caradec@
gmail.com ● lan-caradec.com ● Fermé
janv. Résa conseillée car l'adresse est
réputée. 🌐 Agréable demeure qui domine
le port. Cinq chambres croquignolettes
dont quatre avec un balcon pour profiter
de la vue magnifique. Deux sont familiales
et composées de 2 chambres. Sanitaires
privés. 80 € pour 2, petit déj compris. Possibilité de table d'hôtes et de paniers repas.
Ambiance chaleureuse et décontractée.

Accès : dans le village, descendre jusqu'au
port que vous longez, montez la côte, c'est
la petite ruelle à droite.

LOC-BRÉVALAIRE 29260

Carte régionale A1

20 km N de Brest ; 12 km E de Lannilis

€ 🏠 ●|● *Chambres d'hôtes (Germaine et
René Bozec) :* Pencréach. 📞 02-98-25-
50-99. 📱 06-76-61-48-58. ● bozec.rene@
laposte.net ● 🌐 Au pays des Abers, à quelques encablures des plages, en bordure de
village, agréable maison entourée d'un jardin
bien fleuri. Germaine et René, agriculteurs à
la retraite, ont construit cette demeure aux
encadrements en granit et toit d'ardoise, à
laquelle ils viennent d'ajouter une grande
véranda. Les chambres d'hôtes, Germaine
en rêvait, car elle adore recevoir. Au 1er étage,
3 chambres mignonnes et campagnardes à
souhait, avec sanitaires privés. Draps et ser-
viettes brodés car c'est la passion de votre
hôtesse. 44 € pour 2, petit déj compris.
Table d'hôtes, partagée en famille, à 13 €,
vin ou cidre compris. Repas simple avec la
soupe et les légumes du jardin, sans oublier
le far breton. Si vous jardinez un peu, allez
voir le potager de René. Tous les légumes
sont là et les fleurs sont innombrables... et
pour en avoir en toutes saisons, il a construit
une grande serre. Accueil authentique, vrai
et chaleureux. Hospitalité et gentillesse au
rendez-vous. Une adresse qu'on aime bien.

Accès : sur la D 28, entre Lesneven et Lannilis ; prenez la D 38 jusqu'à Loc-Brévalaire ;
passez entre la mairie et l'église, la maison
est à 400 m à droite.

MELLIONNEC 22110

Carte régionale A1

*37 km NO de Pontivy ;
8 km S de Rostrenen*

€€€ 🏠 ●|● ⑩% *Chambres d'hôtes
Manoir du Poul (Valérie et Mike Smith) :*
📞 02-96-24-25-99. 📱 06-43-89-56-41.
● mikeandval@wanadoo.fr ● manoir-du-

poul.com ● Fermé en janv-fév. 🌐 Isolé
dans la forêt, magnifique manoir du
XVIIe s planté dans un domaine de 15 ha
peuplé d'arbres centenaires. L'intérieur
est à la hauteur du charme extérieur... Le
vieux dallage est toujours là, comme les
imposantes cheminées. Cette demeure
appartient à des Américains et Valérie et
Mike en assurent la gestion. Grâce à leur
gentillesse, ils ont su s'intégrer au sein de
la vie du village et Mike fait même partie de
la fanfare locale ! Au 1er étage, 2 chambres
romantico-campagnardes avec sanitaires
privés, dont une sous forme de suite familiale composée de 3 chambres en enfilade.
Selon la chambre et la saison, de 70 à 90 €
pour 2, petit déj compris. Table d'hôtes
partagée en famille à 22 €, apéro, vin, café
et digeo compris. Hospitalité au rendez-
vous. Une adresse où convivialité rime
avec sérénité.

Accès : de Rostrenen, D 790 vers Plouray-
Guéméné puis D 23 jusqu'à Mellionnec ; là,
D 76 vers Plelauff sur 800 m puis à gauche
vers Le Poul et faites 1 km.

MINIAC-MORVAN 35340

Carte régionale B1

*21 km S de Saint-Malo ;
12 km E de Dinan*

€€ 🏠 ⑩% *Chambres d'hôtes Ker
Lhor (Liliane et Hugh O'Reilly) :* La Ville-
Blanche. 📞 02-96-83-33-30. ● info@kerl
hor.com ● kerlhor.com ● Ouv de mars à
mi-nov. 🌐 Jolie demeure en pierre dans un
grand parc. Cinq chambres agréables dont
une familiale composée de 2 chambres.
Une préférence pour la chambre « Jardin »
dans les tons rouge. Sanitaires privés.
Comptez 65 € pour 2, petit déj compris.
Accueil convivial. Un bon point de chute
pour découvrir la région

Accès : de Miniac-Morvan, allez vers le
vieux bourg puis prenez la D 676 vers Dinan
sur 2 km puis suivez le fléchage à droite.

MONCONTOUR 22510

Carte régionale B1

*23 km SE de Saint-Brieuc ;
16 km SO de Lamballe*

€€ 🏠 ●|● *Chambres d'hôtes À la Garde
Ducale (Christiane et Roland Le Ray) :*
10, pl. de Penthièvre. 📞 02-96-73-52-18
ou 09-65-01-60-20. Fax : 02-96-73-52-18.
● alagardeducale@orange.fr ● gitesdarmor.
com/a-la-garde-ducale ● Moncontour, village classé parmi les plus beaux de France

BRETAGNE

BRETAGNE

et au cœur de cette agréable cité médiévale, vieille demeure de la fin du XVIe s. Durant sa longue histoire, elle servit notamment d'hébergement aux gardes de la ville. Christiane et Roland y ont aussi tenu un magasin de vêtements, désormais fermé, et qui sert aujourd'hui de petit salon de détente. Sur plusieurs niveaux, 4 chambres colorées avec sanitaires privés. 68 € pour 2, petit déj compris, et 110 € pour 4. Table d'hôtes partagée en famille à 25 €, boissons comprises. Accueil authentique et vrai.

Accès : en plein centre, sur la place principale de la ville.

MONT-DOL   35120

Carte régionale B1

25 km SE de Saint-Malo ;
3 km N de Dol-de-Bretagne

€€€€ 🏠 |●| **Chambres d'hôtes au Château de Mont-Dol (Jacqueline et Yannick Goulvestre) :** *1, rue de la Mairie.* ☎ 02-99-80-74-24. 📱 06-24-31-87-49. ● *yannick. goulvestre@wanadoo.fr* ● *chateaumontdol. com* ● *Fermé de mi-nov à mi-fév.* 🛜 Une émission de télé par-ci, un article de presse par-là, tout le monde s'arrache cette nouvelle adresse, et bien que nous aimions sortir des sentiers battus, on ne résiste pas... car nous aussi on a craqué ! Il faut dire que Yannick a travaillé avec les grands chefs et pour nombre de personnalités... mais chut ! D'abord, la maison, une belle demeure aux allures bourgeoises dont les origines remontent à 1830. Cinq chambres élégantes à la déco soignée, une en rez-de-jardin avec petite terrasse privative, 2 au 1er étage, les 2 dernières au second. Sanitaires privés. Selon la chambre et la saison, de 95 à 115 € pour 2, petit déj compris. Côté table d'hôtes, nos papilles en frémissent encore. Une cuisine recherchée en fonction du marché, où les poissons tiennent une place de choix. Repas à 39 €, apéro, vin et café compris. Beau jardin à la française. Luxe, calme, bonne chère et volupté. Une adresse de choix.

Accès : au cœur du village, juste en face de l'école.

NÉVEZ   29920

Carte régionale A2

30 km SE de Quimper ;
5 km S de Pont-Aven

€€ 🏠 **10%** **Chambres d'hôtes Le Chêne de Névez (Isabelle et Jrean-Louis Blot) :** *Kerado.* ☎ 02-98-06-85-89. 📱 06-10-69-

73-00. ● *keradohote@yahoo.fr* ● *lechene-nevez.com* ● 🛜 À deux pas de la pointe de Trévignon, belle longère de la fin du XIXe siècle. À l'étage, 4 chambres agréables avec sanitaires privés. Selon la saison, de 60 à 70 € pour 2, petit déj compris. Agréable jardin avec piscine chauffée et jacuzzi. Accueil convivial.

Accès : 500 m après la sortie du village en direction de Raguénez au lieu-dit Kerado.

PAIMPONT   35380

Carte régionale B2

40 km SO de Rennes ;
25 km NE de Ploërmel

€€ 🏠 **Chambres d'hôtes La Corne de Cerf (Annie et Robert Morvan) :** *Le Cannée.* ☎ 02-99-07-84-19. ● *corneducerf. bcld.net* ● *Fermé 15 déc-28 fév.* Très jolie maison en pierre apparente, entourée d'un romantique jardin fleuri. Ici, c'est une maison d'artistes... Ancien prof d'arts plastiques, Robert est peintre, et Annie restaure et peint des meubles mais a aussi réalisé des tapisseries très originales (qui se rapprochent de sculptures). Trois chambres originales et colorées, installées aux 1er et 2e étages. Décor raffiné, agrémenté de frises. Vraiment tout est en harmonie. Entre les trois mon cœur balance... On a bien aimé « Amaryllis », mais « Olivine », avec sa grande baie vitrée pour jouir de la vue sur le jardin, n'est pas mal non plus ! Comptez 63 € pour 2, petit déj compris, servi sur des tables individuelles, avec des services différents selon le ton des chambres. Pas de table d'hôtes, mais plusieurs restos à proximité. Une maison d'artistes bourrée de charme.

Accès : au sud de Paimpont, après le grand rond-point, prenez la D 71 vers Beignon/Le Cannée sur 2 km et suivez le fléchage.

€€ 🏠 **Chambres d'hôtes La Maison du Graal (Florence et Rodrigue Saint-Just) :** *21 bis, rue du Général-de-Gaulle.* ☎ 02-99-07-83-82. ● *lamaisondugraal@ wanadoo.fr* ● *lamaisondugraal.net* ● 🛜 La Maison du Graal, c'est d'abord un magasin qui regorge d'objets, d'armes, de casques de costumes de l'époque médiévale (reproductions s'entend). Au-dessus du magasin, 2 gentilles chambres installées aux 1er et 2e étages. Sanitaires privés. 60 € pour 2, petit déj compris. C'est le moment où Florence, chanteuse lyrique, vous fera un petit cadeau tout personnel. Rodrigue, lui, propose des massages relaxants. Paimpont est réputé pour sa forêt et ses nombreux sentiers pédestres, sans oublier la magnifique abbaye. Une adresse originale et sympa. Bon rapport qualité-prix-convivialité.

Accès : au cœur de la cité, passez le porche juste à côté de la poste et allez jusqu'au 21 bis.

PLÉCHÂTEL 35470

Carte régionale B2

35 km S de Rennes ;
8 km N de Bain-de-Bretagne

€€€ 🏠 (10 %) **Chambres d'hôtes (Valérie et Didier Bétail) :** Tillac. ☎ 02-23-50-21-33. 📱 06-85-57-42-69. • vbetail@ wanadoo.fr • chambresatillac.com • Fermé Noël et Jour de l'an. 🛜 Isolée en pleine campagne entre cultures, forêts et pâturages, ancienne ferme style longère. Dans une aile de la maison, 4 chambres coquettes avec sanitaires privés : une au rez-de-chaussée (notre préférée), décorée sur le thème de la mer, les autres à l'étage. Nécessaire pour se faire un thé dans chaque chambre. De 75 à 85 € pour 2, petit déj compris. Pas de table d'hôtes mais plusieurs bons restos à proximité. Grande piscine chauffée pour vous détendre. Accueil charmant. Une adresse nature, juste comme on les aime.

Accès : du village, D 77 vers Messac/Saint-Malo-de-Philly sur 1 km et au bout de la longue ligne droite, au niveau du virage, prenez la petite route en face puis la 1re à droite jusqu'à Tillac.

PLÉLAN-LE-PETIT 22980

Carte régionale B1

12 km O de Dinan

€€€ 🏠 **Chambres d'hôtes Malik (Martine et Hubert Viannay) :** 18, chemin de l'Étoupe. ☎ 02-96-27-62-71. 📱 06-09-92-35-21. • malikbretagne@free. fr • malik-bretagne.com • Ouv Pâques-Toussaint. 🛜 Étonnante demeure contemporaine tout en bois, installée dans un joli jardin. Deux suites en rez-de-chaussée, élégantes et raffinées, dont une composée de 2 chambres. Chacune avec une agréable véranda. Sanitaires privés. 82 € pour 2, brunch compris (pains et brioche maison, œufs brouillés, fromages du coin), et 126 € pour 4. Accueil chaleureux. Une adresse au charme indéniable.

Accès : devant la mairie, prenez la D 91 vers Saint-Maudez puis la 3e rue à droite (rue des Graviers) puis la 1re rue à droite et vous y êtes.

PLEUGUENEUC 35720

Carte régionale B1

14 km SE de Dinan ;
12 km O de Combourg

€ 🏠 ⌂ (10 %) **Chambres d'hôtes Le Lézard Tranquille (Julie de Lorgeril) :** ☎ 02-99-69-40-36. 📱 06-03-96-12-38. • contact@lelezardtranquille.fr • lelezar dtranquille.fr • 🛜 Dépendant du château de la Bourbansais, ce bâtiment qui avait été créé par les ancêtres de Julie pour devenir une école est aujourd'hui sa maison. Quatre chambres agréables avec accès indépendant par porte-fenêtre. Sanitaires privés. Préférez les chambres qui donnent sur l'arrière, avec vue sur les prés et le bois en fond de décor. Comptez 50 € pour 2, petit déj compris. Vélos à disposition. Accueil agréable.

Accès : N 137 (sortie Pleugueneuc) ; suivez le fléchage « La Bourbansais ».

PLOÉZAL 22260

Carte régionale A1

46 km NO de Saint-Brieuc ;
20 km N de Guingamp

€ 🏠 **Chambres d'hôtes (M. et Mme Jean-Louis Hervé) :** Kerléo. ☎ 02-96-95-65-78. 📱 06-45-29-88-19. Fax : 02-96-95-14-63. • kerleo.herve@wanadoo. fr • kerleo.fr • Au calme, dans une vieille ferme bretonne où les proprios élèvent des cochons. Quatre chambres spacieuses, dont 2 avec sanitaires privés (les 2 autres ont la salle d'eau et les w-c communs). Selon le confort, comptez 43 ou 50 € pour 2, petit déj inclus. Pas de table d'hôtes, mais restos et crêperies à proximité.

Accès : sur la D 787, prenez la direction du château de la Roche-Jagu ; indiqué à la sortie du village, ainsi qu'à la sortie du château.

PLOGOFF 29770

Carte régionale A1-2

50 km O de Quimper ;
5 km E de la pointe du Raz

€ 🏠 ⏸️ ⌂ (10 %) **Chambres d'hôtes (Marie-Rose et Jean-Paul Ganne) :** Kerhuret. ☎ 02-98-70-34-85. 📱 06-50-23-00-97. • fumoir.29@wanadoo.fr • chambre-gite-lapointeduraz.fr • Jolie ferme traditionnelle à deux pas de la célèbre pointe du Raz (infestée de touristes en

BRETAGNE

été), où il fait bon aller voir, hors saison, le coucher du soleil sur la mer dansant autour du phare de la Vieille (à vos appareils !). Cinq mignonnettes chambres avec sanitaires privés. Elles sont toutes installées dans d'anciennes crèches (étables), chacune avec accès indépendant. Rassurez-vous, vous êtes vraiment chez l'habitant et les adorables proprios sont très présents. Comptez 48 € pour 2, petit déj compris (une véritable aubaine) avec des crêpes toutes chaudes sorties de la poêle ! Table d'hôtes (sauf les mercredi et dimanche) à 25 €, vin compris, à base de produits de la mer (poissons, coquillages ou crustacés). Également un gîte pour 4 personnes. Les proprios vous indiqueront d'agréables sentiers qui longent la côte déchiquetée et battue par la mer, et vous pourrez aussi parcourir la lande sur les chevaux d'une ferme équestre voisine. Une adresse où l'on se sent vite comme chez soi, à l'excellent rapport qualité-prix-convivialité. Une adresse plébiscitée par tous les routards.

Accès : par la D 784 ; dans le village, prenez en direction de la pointe du Raz (sur 2,5 km) et tournez à gauche vers Kerhuret.

PLOUBALAY   22650

Carte régionale B1

13 km N de Dinan ;
18 km O de Saint-Malo

€€€ 🏠 |●| (10%) **Chambres d'hôtes Clos Saint-Cadreuc (Brigitte et Patrick Noel) :** Saint-Cadreuc. ☎ 02-96-27-32-43. 📱 06-82-14-94-66. ● clos-saint-cadreuc@wanadoo.fr ● clos-saint-cadreuc.com ● 📶 Belle longère tout en pierre dans un joli coin de campagne. Cinq chambres coquettes et personnalisées dont 2 familiales et une suite, avec sanitaires privés. 75 € pour 2, petit déj compris, et 120 € pour 4. Table d'hôtes (du lundi au vendredi) partagée en famille à 28 €, vin bio compris. Accueil chaleureux.

Accès : de Ploubalay, D 768 vers Saint-Brieuc puis à gauche D 26 vers Plessix-Balisson, le hameau est à 4 km.

PLOUÉNAN   29420

Carte régionale A1

15 km NO de Morlaix ; 15 km S de Roscoff

€ 🏠 ⚞ **Chambres d'hôtes (Sylvie et Allain Cazuc) :** Lopreden. ☎ 02-98-69-50-62. 📱 06-61-05-03-88. ● allain.cazuc@wanadoo.fr ● dormiralopreden.com ● Fermé 23 déc-2 janv. 📶 Dans une ancienne crèche (comprenez étable), juste à côté de leur petite ferme, Sylvie et Allain ont aménagé 3 chambres simples avec sanitaires privés, à 50 € pour 2, copieux petit déj compris (on le prend chez Sylvie et Allain). Pas de table d'hôtes, mais un petit coin cuisine à disposition. Sylvie connaît sa région comme sa poche et vous indiquera des petits îlots à découvrir à pied à marée basse (mais chut ! il y a très peu d'initiés...). Pour ceux qui préfèrent lézarder, deux plages à 8 km : Carantec et Saint-Pol.

Accès : de Morlaix, empruntez la D 58 vers Roscoff ; tt de suite après le pont de la Corde, tournez à gauche (D 769) jusqu'à Plouénan ; dans le village, prenez la D 75 vers Plouvorn sur 2 km, puis bifurquez à gauche vers Lopreden (ouf !).

PLOUGASTEL-DAOULAS   29470

Carte régionale A1

10 km SE de Brest ;
15 km SO de Landerneau

€€ 🏠 (10%) **Chambres d'hôtes Kerbili (Jacqueline et Paul Guillemette) :** 365, chemin de Coat-Pehen. ☎ 02-98-37-80-65. 📱 06-82-58-71-77. ● ker-bili@wanadoo.fr ● kerbili.voila.net ● 📶 Imposante demeure des années 1970 à l'architecture originale d'où sort une rotonde. Mais ce qui fait son charme c'est son panorama sur l'Elorn qui débouche dans la rade de Brest. Trois chambres agréables installées au 1er étage. Sanitaires privés (attenants pour 2 d'entre elles, dans le couloir pour la dernière, mais avec douche et baignoire). 59 € pour 2, petit déj compris. Dans le jardin, vous pourrez profiter du spa avec vue sur les flots. Ici, c'est encore l'océan, alors amis pêcheurs, c'est au bout du jardin (pas de carte de pêche, chouette !). Accueil convivial.

Accès : de Brest, N 165 vers Quimper, sortie Plougastel-Daoulas ; passez le pont qui passe sur la nationale (d'où vous venez) et, au rond-point, prenez direction « le Passage » ; en bas d'une grande descente, après le panneau « 30 », tournez à droite et continuez jusqu'à la maison.

PLOUGONVELIN   29217

Carte régionale A1

20 km O de Brest ; 5 km SE du Conquet

€€ 🏠 **Chambres d'hôtes et camping vert (Monique et Marcel Saliou) :** Keryel. ☎ 02-98-48-33-35. 📱 06-62-06-

33-35. ● *saliou.monique@wanadoo.fr* ●
locations29.com ● ❄ *Fermé 30 nov-
15 mars.* 📶 En pleine campagne, petite
ferme en granit devenue une petite entreprise touristique rurale et familiale. Quatre
chambres spacieuses et lumineuses,
dont 2 suites familiales composées de
2 chambres : 3 sont au rez-de-chaussée
avec accès indépendant (dont une dans
l'ancien four à pain), la dernière est à
l'étage d'une dépendance. Plein de petits
plus comme petit frigo et bouilloire, TV
pour les inconditionnels. De 50 à 54 € pour
2, petit déj compris, et de 90 à 95 € pour
4. Pour ceux qui préfèrent le camping,
Monique et Marcel proposent 25 immenses espaces (300 m² chacun) et, pour plus
de confort, des mobile homes Louisiane,
bien nommés et en bois peint, et une
roulotte-gîte pour 4 à 5 personnes. Pas de
table d'hôtes, mais deux restos sympas au
Conquet. Première plage à 3 km. On vous
conseille le sentier côtier pédestre qui va
de la pointe Saint-Mathieu au fort de Ber-
theaume (je vous en prie, passez devant
Messire !). Accueil convivial. Une adresse
idéale pour les familles et les copains.

Accès : *du bourg, suivez la direction de la
pointe Saint-Mathieu (D 85) et, après le panneau de sortie d'agglomération, prenez la
1re route à droite et suivez le fléchage sur 1 km.*

PLOUGUENAST   22150

Carte régionale B1

*35 km S de Saint-Brieuc ;
12 km N de Loudéac*

€ 🏠 **Chambres d'hôtes La Touche d'en
Bas (Rachel et Dominique Chauvin) :**
☎ et fax : 02-96-26-87-75. 📱 06-81-93-
24-55. ● *latouchedenbas@gmail.com* ●
latouchedenbas.fr ● 📶 Ancienne ferme
avec une vue dégagée sur la campagne
environnante. Deux chambres familiales
aménagées en duplex, avec sanitaires privés (cabine de douche), chacune avec coin
salon, frigo et micro-ondes. Déco simple
et sans prétention. 45 € pour 2 et 12 €
par personne supplémentaire, petit déj
compris, avec, selon l'humeur de Rachel,
les crêpes, le far breton ou encore la
brioche maison. Pas de table d'hôtes mais
plusieurs restos à Plouguenast, ou encore
à Moncontour, un peu plus loin mais qui
vaut bien la visite. Adresse chaleureuse,
idéale pour les familles.

Accès : *de Loudéac, D 700 vers Saint-
Brieuc jusqu'à Plouguenast ; traversez le
village en direction de Lamballe et, à la sortie du bourg, tournez à droite (en face du
funérarium) et fléchage.*

PLOUHA   22580

Carte régionale B1

*25 km NO de Saint-Brieuc ;
18 km SE de Paimpol*

€€ 🏠 **Chambres d'hôtes Les Gîtes du
Goëlo (Marie-Andrée et Gérard Rosé) :**
Rungagal. ☎ 02-96-22-40-20. 📱 06-30-
62-29-57. ● *contact@lesgitesdugoelo.
com* ● *lesgitesdugoelo.com* ● ❄ 📶 C'est
à partir des pierres (granit et schiste) d'une
ancienne maison que Gérard a agrandi
la sienne pour créer 3 chambres d'hôtes
avec spacieux sanitaires privés : 2 au
rez-de-chaussée, la dernière à l'étage.
Chacune décorée sur un thème différent,
entre les trois notre cœur balance... Il y
a « Marine », comme son nom l'indique,
« Floralies », à l'atmosphère plus campagnarde, et « Orchidée », plus romantique
avec son ciel de lit. Enfin, il y a « Régate »,
une suite qui peut accueillir les familles ou
les couples d'amis. De 60 à 68 € pour 2,
copieux petit déj compris (viennoiseries,
fromages et yaourts), et de 94 à 100 € pour
4 personnes dans « Régate ». Pas de table
d'hôtes, mais petit coin cuisine à dispo-
sition et plusieurs restos à proximité. Pour ceux qui veulent séjourner, un
gîte de 5 personnes, loué de 250 à 590 €
la semaine selon la saison. Accueil tout à
fait charmant. Une très bonne adresse. La
plage du Palus est à 2,5 km, donc accessible à pied. De là, vous êtes sur le GR 34
qui longe la côte en passant par la pointe
de Plouha et par Gwin-Zégal, réputé pour
ses grands troncs enfoncés dans l'eau où
s'accrochent les bateaux.

Accès : *de Saint-Brieuc, prenez la D 786
vers Paimpol (par la côte) ; après l'aire de
pique-nique de Kérégal, que vous croisez
à droite, prenez la 4e petite route à droite
(2,5 km avt Plouha).*

PLOUIDER   29260

Carte régionale A1

25 km NE de Brest ; 5 km N de Lesneven

€ 🏠 🍴 🎁 **Chambres d'hôtes (Claudine
et Pierre Roué) :** *45, Kersehen.* ☎ 02-98-
25-40-41. 📱 06-81-04-10-87. ● *claudine.
roue@wanadoo.fr* ● *hebergement-roue-
plouider.wifeo.com* ● *Résa conseillée
dès le mois de mai pour l'été.* 📶 Maison
moderne avec 3 chambres situées au
1er étage. Sanitaires privés. 50 € pour 2,
copieux petit déj compris (avec crêpes,
brioche et yaourts maison). Possibilité de
repas, pour 20 € vin compris. Excellente
table qui mêle cuisine traditionnelle et

spécialités de la mer (selon l'inspiration de la maîtresse des lieux). Accès à la mer par de petits chemins côtiers. Accueil souriant et chaleureux.

Accès : de Lesneven, faites 5 km vers Plouider et prenez la 2e route à gauche ; après le rond-point, allez vers Kersehen sur 1 km, et suivez le fléchage.

PLOUIGNEAU   29610

Carte régionale A1

8 km SE de Morlaix

€€€ 🏠 (10%) ***Chambres d'hôtes Le Manoir de Lanleya (André Marrec) :*** ☎ et fax : 02-98-79-94-15. ● manoir.lanleya@wanadoo.fr ● manoir-lanleya.com ● ♿ *Ouv avr-sept.* André a cessé son activité pour rénover son petit manoir des XVIe et XIXe s, et vous propose 5 chambres spacieuses. Elles sont desservies par un bel escalier situé dans une tour. Comptez 81 € pour 2, petit déj compris. Pas de table d'hôtes, mais plusieurs restos à proximité. Si vous désirez séjourner, il y a 4 gîtes ruraux sur place (2 à 7 personnes) qui se louent de 350 à 675 € selon la capacité et la saison. Enfin, un tout nouveau gîte d'étape de 4 chambres, avec séjour et coin cuisine, à 23 € la nuit par personne, ou 28,50 € avec le petit déj. André connaît bien sa région et il possède une excellente bibliothèque qui vous permettra de la découvrir aussi bien du point de vue touristique que culturel (nombreux ouvrages d'auteurs bretons). Demandez-lui de vous faire visiter la charmante chapelle du manoir, située de l'autre côté de la route ; elle abrite de superbes statues. Accueil de qualité.

Accès : de Morlaix, N 12 vers Guingamp ; sortez à Plouigneau mais prenez ensuite la direction Lanneur (D 64) ; tournez à la 1re route à gauche et continuez jusqu'à Lanleya (env 4 km) ; la maison est au centre du bourg.

PLUMÉLIAU   56930

Carte régionale B2

40 km NE de Lorient ;
12 km S de Pontivy

€€ 🏠 ***Chambre d'hôtes (Paulette et Léon Le Hir) :*** Kerdaniel. ☎ 02-97-51-80-56. 🖥 06-88-11-49-58. ● leon.lehir@orange.fr ● *Ouv avr-nov.* Belle ferme en granit du XIXe s. Au 1er étage de la maison, une chambre spacieuse, au mobilier Louis-Philippe, avec sanitaires privés. 60 € pour 2, copieux petit déj compris (gâteau et

confitures maison, fromage blanc et charcuterie. Ici, il y a tout plein de collections : petites boîtes, flacons, fèves... Mais ce que l'on remarque, ce sont les patchworks ! Pas de table d'hôtes, mais si vous restez 4 nuits consécutives, Paulette vous offre le « krampouz », ou plus vulgairement un repas crêpes. Accueil authentique et vrai.

Accès : de Pontivy, prenez la D 768 vers Baud/Lorient ; sortez à Talvern-Menez, prenez la D 188 vers Pluméliau sur 1,5 km et tournez à gauche vers Kerdaniel.

PLUVIGNER   56330

Carte régionale A2

26 km E de Lorient ; 13 km N d'Auray

€€ 🏠 (10%) ***Chambres d'hôtes (Jacqueline et Bernard Belin) :*** Keraubert. ☎ 02-97-24-93-10. 🖥 06-87-46-70-75. ● belin.jb@wanadoo.fr ● 📶 Belle ferme des années 1930 aux volets bleus et en pierre des champs. Magnifique parc aux multiples essences, dont des palmiers et d'innombrables fleurs. Deux suites : « Les Palmiers », située au rez-de-chaussée et donnant sur le jardin, possède cuisine et salon avec télé (et se loue pour 2 nuits minimum) ; et « Les Nymphéas », toute de blanc vêtue, avec coin salon, accès indépendant et le nécessaire pour se faire un café ou un thé. Sanitaires privés. Respectivement 70 et 65 € pour 2, copieux petit déj compris (avec pâtisserie maison), servi dans la chaleureuse et typique salle à manger des proprios ou dans la chambre. Kitchenette à disposition. Passionné de vieilles voitures, Bernard possède une belle jaguar MK2 de 1963 (intérieur bois et cuir, *English style* oblige). Accueil chaleureux.

Accès : l'accès de la maison se trouve sur la D 24, entre Landévant et Baud, plus précisément entre Lambel et Malachappe (n'allez pas à Pluvigner).

POMMERIT-LE-VICOMTE   22200

Carte régionale A1

6 km N de Guingamp

€€ 🏠 🍴 ***Chambres d'hôtes Le Pigeon Voyageur (Yveline Royer) :*** 2, Glivinec. ☎ 02-96-21-74-13. 🖥 06-47-03-50-30. ● yveline.royer@orange.fr ● leschambresdupigeonvoyageur.com ● 📶 Après avoir bourlingué à travers le monde, Yveline a décidé de retrouver la maison familiale et de prendre le temps de vivre. Deux unités familiales avec sanitaires privés : l'une, au rez-de-chaussée, composée de 2 chambres, l'autre prend tout l'étage et est composée de 3 chambres pouvant accueillir 6 personnes. 56 € pour 2, petit déj compris, avec viennoiseries et crêpes maison (chouette !), et 20 € par personne supplémentaire. Pas de table d'hôtes mais les restos à Guingamp ne manquent pas. Accueil souriant et décontracté. Une adresse chaleureuse et sans façon.

Accès : *à la sortie de Guingamp en direction de Pontrieux (D 787), au niveau de la zone de Bellevue, bifurquez vers Pabu, et au calvaire du Kermillon, tournez à droite, la maison est à 200 m (n'allez pas jusqu'à Pommerit).*

PONT-AVEN 29930

Carte régionale A2

30 km SE de Quimper ;
12 km E de Concarneau

€€ ⌂ **Chambres d'hôtes Castel Braz (Hélène et Jean-Louis Poroli) :** *12, rue du Bois-d'Amour.* ☎ 02-98-06-07-81. 📱 06-85-56-12-51. ● *castelbraz@castel braz.com* ● *castelbraz.com* ● 🛜 Original et bel hôtel particulier du XIXᵉ siècle sur 3 étages qui lorgne sur la rivière. Cinq belles chambres, toutes avec cheminées, dont 2 suites composées de 2 chambres. Toutes différentes et peuplées de souvenirs de voyages. 70 € pour 2 et 80 € pour les suites, petit déj compris, et 120 € pour 4. Accueil convivial. Une adresse au charme indéniable.

Accès : *au cœur du bourg.*

POULLAN-SUR-MER 29100

Carte régionale A1-2

30 km NO de Quimper ;
5,5 km O de Douarnenez

€€€€ ⌂ ⑩% **Chambres d'hôtes Manoir de Kerdanet (Sid et Monique Durand-Nedjar) :** ☎ 02-98-74-59-03. ● *manoir.kerdanet@wanadoo.fr* ● *manoirkerdanet.com* ● *Ouv de mi-mai à mi-oct.* 🛜 Encore une adresse d'exception ! Planté dans un parc boisé, magnifique manoir dont les origines remontent au XVᵉ s. Un imposant hall au noble dallage vous emmène dans une vaste salle à manger. Plafond à la française que Monique et Sid ont nettoyé avec patience pour lui redonner sa beauté. L'escalier à vis en pierre n'est pas en reste ; il dessert 3 chambres spacieuses et élégantes, dont

une suite familiale composée de 2 chambres. Toutes ont des cheminées et des lits à baldaquin (je craque !), répliques réalisées par un artisan de talent (chapeau !). Beaux meubles anciens, dont une superbe armoire bigoudène cloutée. Sanitaires privés (douche et baignoire pour la suite). Pour 2, comptez 109 € en chambre double et 129 € dans la suite (30 € par personne supplémentaire), petit déj compris. Puis c'est le moment de vous détendre dans le salon d'apparat avec ses poutres polychromes et sa monumentale cheminée sculptée. Un couple et un accueil charmant. Dans le parc, le vivier est toujours là, de même que la chapelle romane un peu plus loin. Bref, une adresse pour vivre la vie de château !

Accès : *de Douarnenez, allez jusqu'à Poullan-sur-Mer puis suivez les pancartes « Manoir de Kerdanet / Maner Kerdaned ».*

PRAT 22140

Carte régionale A1

25 km NO de Guingamp ;
20 km SE de Lannion

€€ ⌂ **Chambres d'hôtes (Annie et Jean-François Touchais) :** *4, pl. de l'Église.* ☎ 02-96-47-00-20. 📱 06-71-07-77-42. ● *touchais.jf@wanadoo.fr* ● *gitesdarmor. com/prat* ● 🛜 Au cœur du village, ferme en activité où Annie et Jean-François élèvent des vaches laitières. Cinq chambres spacieuses et colorées réparties dans différents bâtiments, dont une familiale composée de 2 chambres. Sanitaires privés. 57 € pour 2, petit déj compris, et 17,50 € par personne supplémentaire. Pas de table d'hôtes mais cuisine à disposition. Ceux qui le souhaitent pourront bien sûr assister à la traite. Accueil chaleureux.

Accès : *sur la D 767 entre Guingamp et Lannion, prenez la D 33 vers Tréguier puis la D 93 jusqu'à Prat ; la maison est en face de l'église.*

QUEMPER-GUÉZENNEC 22260

Carte régionale A1

12 km de Paimpol ; 2,5 km E de Pontrieux

€€ ⌂ ⌂ **Chambres d'hôtes de Kerpuns (Jeanne Le Marlec) :** *1, Kerpuns.* ☎ et fax : 02-96-95-66-47. 📱 06-18-04-12-60. ● *contact@kerpuns.com* ● *kerpuns.com* ● *Fermé oct.* 🛜 Jolie maison en granit couverte de fleurs. En tout, 5 chambres avec

BRETAGNE

sanitaires privés, à 51 € pour 2, petit déj compris. Pas de table d'hôtes mais cuisine à disposition. Accueil agréable.

Accès : sur la D 21 entre Pontrieux et Plouha-Lanleff.

QUIMPERLÉ   29300

Carte régionale A2

18 km NO de Lorient ;
17 km E de Pont-Aven

€€ 🏠 🚶 (10 %) **Chambres d'hôtes (Monique Moello) :** *Le Petit-Lichern.* ☎ 02-98-96-06-40. 📱 06-70-59-14-22. ● chambresdhotes. moello29@live.fr ● Trois mignonnes chambres avec sanitaires privés, à 55 € pour 2, petit déj compris. L'accueil est extrêmement chaleureux et Monique se fera un plaisir de vous renseigner sur Quimperlé et sa région.

Accès : par la route d'Arzano.

QUINTIN   22800

Carte régionale B1

19 km SO de Saint-Brieuc

€€€ 🏠 🍽 **Chambres d'hôtes Le Clos du Prince (Marie-Madeleine Guilmoto) :** *10, rue des Croix-Jarrots.* ☎ et fax : 02-96-74-93-03. 📱 06-82-18-86-69. ● info@leclosduprince.com ● leclosdu prince.com ● 📶 Dans une belle maison de ville avec un grand jardin intérieur peuplé d'arbres centenaires, dont un superbe séquoia. Quatre chambres élégantes, meublées avec goût avec sanitaires privés. 85 € pour 2, avec le petit déj. Table d'hôtes (uniquement hors saison) à 20 €, vin non compris. Accueil charmant. Quintin est une jolie cité de caractère, allez donc vous balader dans la vieille ville, elle vaut le détour !

Accès : de la mairie, prenez la rue des Douves, ensuite la rue des Forges, puis la rue Saint-Yves et vous tombez dans la rue que vous cherchez.

RIEC-SUR-BELON   29340

Carte régionale A2

30 km NO de Lorient ;
6 km E de Pont-Aven

€€ 🏠 **Chambres d'hôtes (Martine et Rémy Guillou) :** *Le Rest.* ☎ 02-98-06-92-98. ● guillou.remy0005@orange.fr ● Sur une exploitation agricole, jolies maisons de pierre bien fleuries. Dans un bâtiment annexe à leur maison, Martine et Rémy tiennent 4 chambres confortables, avec sanitaires privés, à 52 € pour 2, petit déj compris (jus de fruits, pain, confitures maison et, selon les jours, crêpes, viennoiseries, far, gâteau, etc.). Coin cuisine à disposition. Également 2 gîtes ruraux pour 2 et 5 personnes pour ceux qui souhaitent séjourner. Tranquillité garantie. Bon accueil.

Accès : de Riec, prenez la direction de Quimperlé ; au château d'eau, tournez à gauche vers Le Trévoux (sur 1,1 km), puis à droite en direction de la chapelle de Saint-Gilles.

ROZ-LANDRIEUX   35120

Carte régionale B1

20 km NE de Dinan ;
6 km O de Dol-de-Bretagne

€€ 🏠 🍽 **Chambres d'hôtes Manoir de la Grande Mettrie (Sylvie Chapillon et Pierre Métivier) :** *101, lieu-dit La Grande-Mettrie.* ☎ 02-99-48-29-21. ● manoirmet trie@wanadoo.fr ● manoirdelagrandemet trie.com ● Manoir dont la partie centrale date du XIIIe s et la dernière du XVIe. Cinq chambres avec sanitaires privés. Déco agréable et de bon goût (on a craqué pour les chambres avec ciel de lit). Comptez 55 € pour 2, petit déj compris. Table d'hôtes (sauf le dimanche) partagée en famille à 22 €, apéro, vin et café compris. Accueil dynamique et chaleureux.

Accès : prenez la N 176, sortez à Roz-Landrieux et suivez le fléchage.

ROZ-SUR-COUESNON   35610

Carte régionale B1

30 km SE de Saint-Malo

€€ 🏠 🚶 (10 %) **Chambres d'hôtes Au Fief des Amis du Mont (Hildegard Monti) :** *1, Les Parcs.* ☎ 02-99-80-24-01. 📱 06-78-81-53-80. ● hildegard.monti@ orange.fr ● aufiefdesamisdumont.com ● Fermé janv. 📶 Belle demeure de 1900 qui jouit d'un beau panorama sur les environs. Au 1er étage, 3 chambres coquettes et lumineuses avec sanitaires privés, dont une familiale de 4 personnes. Atmosphère sereine. Toutes bénéficient d'une jolie vue sur le Mont-Saint-Michel. Selon la chambre, de 65 à 68 € pour 2, petit déj compris, et 98 € pour 4. Hildegard propose aussi une initiation à la géobiologie. Accueil convivial.

Accès : sur la D 797 entre Pontorson et La Poultière, laissez la route vers Roz-sur-Couesnon à gauche, passez le garage, l'accès à la maison est un peu plus loin à gauche.

BRETAGNE

€€ 🏠 (10%) *Chambres d'hôtes Les Cotterets (Nadine et Christian Besnard) :* ☎ 02-99-80-24-50. 📱 06-80-62-24-75. ● lescotterets@wanadoo.fr ● lescotterets. fr ● Nadine et Christian sont agriculteurs spécialisés dans la culture maraîchère (salades, carottes, navets...). Dans leur ferme isolée de la baie du Mont-Saint-Michel, 4 chambres simples et campagnardes avec sanitaires privés. Atmosphère décontractée, un brin bohème. 56 € pour 2, petit déj compris. Pas de table d'hôtes mais plusieurs restos à proximité. Une adresse à l'écart du bruit et de la foule, idéale pour découvrir le Mont-Saint-Michel situé à 8 km de là.

Accès : sur la D 797 en venant de Pontorson, laissez la C 9 vers Roz-sur-Couesnon bourg et tournez à droite vers Ferme-Neuve la Rue ; après 2 km, au croisement tournez à gauche, la maison des Cotterets est à 200 m à droite.

SAINT-ALBAN   22400

Carte régionale B1

22 km NE de Saint-Brieuc ;
11 km N de Lamballe

€€ 🏠 *Chambres d'hôtes (Huguette et Robert Le Grand) :* Malido. ☎ 02-96-32-94-74. 📱 06-82-49-64-08. Fax : 02-96-32-92-67. ● legrand.malido@wanadoo.fr ● malido.com ● 📶 À 4 km de la mer, dans un joli corps de ferme avec une cour intérieure très fleurie. Cinq chambres pour 2 ou 3 personnes, avec sanitaires privés. Mobilier en bois naturel, tissus dans les tons pastel. De 50 à 55 € pour 2, avec un bon petit déj. La chambre avec le balcon est à 60 €. Pas de table d'hôtes, mais coin cuisine et barbecue à disposition. Une gentille adresse. Possibilité d'accueillir des groupes (téléphoner) avec ou sans petit déj. Parc de loisirs de juillet à septembre.

Accès : à 2 km de Saint-Alban par la D 786, vers Saint-Brieuc.

SAINT-AUBIN-DES-LANDES   35500

Carte régionale B2

35 km E de Rennes ; 6 km SO de Vitré

€€€ 🏠 *Chambres d'hôtes Manoir de la Gavouyère (Patricia et Didier Guillemot) :* La Gavouyère. ☎ 02-83-80-93-76. ● contact@manoir-de-la-gavouyere.fr ● manoir-de-la-gavouyere.fr ● Fermé Noël-

Jour de l'an. 📶 Joli manoir du début du XIXᵉ s niché dans un agréable parc bordé par la Vilaine. Quatre chambres coquettes, dont une familiale composée de 2 chambres. Une plus spacieuse au 1ᵉʳ étage avec luxueux sanitaires privés (baignoire à remous, douche et w-c), les 3 autres au second mais qui partagent le même w-c. Selon la chambre, de 75 à 95 € pour 2, petit déj compris. Court de tennis dans le parc et petite barque pour aller découvrir la rivière. Accueil souriant.

Accès : de Saint-Aubin, prenez la D 34 vers Pocé-les-Bois sur 2,5 km, puis tournez à droite juste après le passage à niveau vers La Gavouyère et allez tt au bout de cette petite route.

SAINT-BRIAC-SUR-MER   35800

Carte régionale B1

15 km O de Saint-Malo ; 6 km O de Dinard

€€€ 🏠 (10%) *Chambres d'hôtes Le Vieux Logis (Ginette Vautier) :* 19, rue de Pleurtuit. ☎ 02-99-88-34-78. 📱 06-10-91-42-35. ● ginette.vautier@orange.fr ● chambre-hotes-saint-briac.com ● 📶 Au cœur du village, belle demeure en pierre dont les origines remontent au XVIIᵉ s. Quand on entre chez Ginette, on est frappé par les bouquets de fleurs qui parent la maison. C'est sa passion, comme les fruits frais que vous dégusterez au petit déj. Trois chambres charmantes, dont une au rez-de-chaussée avec accès direct sur le jardin, les 2 autres au 2ᵉ étage. Jolie déco contemporaine. Sanitaires privés. Selon la chambre, de 75 à 83 € pour 2, petit déj compris. Pas de table d'hôtes mais plusieurs bons restos dans le village. Accueil chaleureux de cette ancienne professeur. Première plage à 1 km. Une adresse au charme indéniable.

Accès : allez jusqu'à la mairie puis direction Pleurtuit, vous êtes dans la rue.

SAINT-ÉLOY   29460

Carte régionale A1

28 km E de Brest ; 12 km SO de Sizun

€ 🏠 *Chambres d'hôtes (Nicole et Jacques Le Lann) :* Kérivoal. ☎ 02-98-25-86-14. 📱 06-84-00-83-79. ● jacques.le-lann@treflevenet.fr ● locations29.com/hebergements/kerivoal-saint-eloy ● Ouv d'avr à mi-nov. 📶 Par une petite route buissonnière, on arrive à Kérivoal. La campagne est belle et vallonnée. Dans ce décor, chouette

BRETAGNE

ensemble de bâtiments du XIXᵉ s, en schiste et granit, coiffés d'ardoise (celles de l'étable sont d'origine, épaisses comme des lauzes). Nicole et Jacques l'ont acheté en ruine et l'ont restauré avec amour. Dans l'ancienne grange, 2 chambres accueillantes avec sanitaires privés. Beaux meubles locaux, dont une superbe armoire presselin dans l'une d'elles (notre préférée). Selon la chambre, 46 ou 51 € pour 2 (attention, en saison, 2 nuits minimum demandées), petit déj compris. Il est servi dans la salle à manger de Nicole et Jacques, avec une immense cheminée et sa niche où l'on mettait les cendres. Cuisine et lave-linge à disposition. Potager bien tenu, agréable verger et vaste jardin avec pièce d'eau où vous pourrez admirez de belles collections de rosiers, camélias, rhododendrons et autres magnolias. Accueil convivial.

Accès : sur la D 18, entre Sizun et Le Faou, prenez la D 230 jusqu'à Saint-Éloy ; bon fléchage depuis le bourg.

SAINT-ERBLON   35230

Carte régionale B2

10 km S de Rennes

€€ 🏠 **Chambres d'hôtes Le Moulin de Blochet (Nadine et Jean-Paul Morvan) :** ☎ 02-99-52-20-29. 📱 06-81-06-87-22. ● lemoulindeblochet@orange.fr ● chambres-hotes-rennes.com ● 📶 C'est dans les dépendances d'un ancien moulin à eau que Nadine et Jean-Paul ont installé les 3 chambres. L'une au rez-de-chaussée, avec entrée indépendante et terrasse privée sur le bosquet, les 2 autres à l'étage, dont la chambre « Eugénie » avec petit balcon qui ouvre sur la pièce d'eau. Jolie déco agrémentée de meubles anciens. Sanitaires privés. Selon la chambre, de 65 à 80 € pour 2, petit déj compris. Pas de table d'hôtes, mais petite cuisine à disposition. Calme et tranquillité assurés. Accueil convivial.

Accès : de Saint-Erblon, suivez la D 82 vers Bourgbarré sur 1 km ; le moulin est fléché à gauche.

SAINT-JUVAT   22630

Carte régionale B1

45 km S de Saint-Malo ;
12 km S de Dinan

€ 🏠 **Chambres d'hôtes La Lingandière (Pierryle Dorvault et André Schetritt) :** La Pommerais. ☎ 02-96-88-10-47 ou 09-65-28-26-36. ● lalingandiere@wanadoo.fr ● perso.wanadoo.fr/alalingandiere ● Ici, on dit des vers et on parle peinture et sculpture contemporaines. L'ambiance est

bohème et décontractée. Pierryle et André ont quitté Paris pour rejoindre ce petit hameau, bien décidés à ouvrir cette maison aux artistes de tout poil, qu'ils soient de passage ou venus pour des stages encadrés par des professionnels. Deux chambres d'hôtes réparties dans différentes ailes de cette ancienne ferme, plus une suite de 2 chambres, toutes avec sanitaires privés attenants. 48 € pour 2, petit déj compris. Une adresse chaleureuse et sans façon.

Accès : depuis le village, prenez la D 12 vers Dinan (pdt 1,2 km) ; La Pommerais est à droite.

€€ 🏠 🚜 **Chambres d'hôtes Les Effourneaux (Thierry Hadjal) :** ☎ 02-96-88-17-52. 📱 06-07-48-39-43. ● effourneaux@wanadoo.fr ● leseffourneaux.com ● 📶 Dans un cadre campagnard, jolie maison en pierre des faluns. À l'étage, 5 chambres coquettes, dont 2 plus grandes avec sanitaires privés, 2 autres sous forme de suite qui se partagent une salle de bains (parfaites pour les familles ou les couples d'amis) et une plus petite avec salle d'eau. Selon la chambre, comptez de 60 à 75 € pour 2, petit déj compris, servi dans une agréable salle à manger avec belle poutraison et grande cheminée. Pas de table d'hôtes, mais plusieurs restos à proximité. Un couple d'ânes fera la joie des enfants. Vélos à disposition. Accueil convivial.

Accès : depuis Dinan, prenez la D 766 vers Caulnes (pdt 10 km), puis à gauche vers Saint-Juvat ; la maison se situe 1 km avt le village.

SAINT-LORMEL   22130

Carte régionale B1

28 km SO de Saint-Malo ;
20 km NO de Dinan

€€ 🏠 **Chambres d'hôtes La Pastourelle (Évelyne et Jean-Yves Ledé) :** L'Étang-Quihois. ☎ 02-96-84-03-77. 📱 06-87-57-78-92. ● la-pastourelle-stlormel@orange.fr ● chambreslapastourelle.com ● Ouv de Pâques à mi-nov. 📶 En pleine nature, dans une belle ferme, 5 chambres, toutes différentes, avec sanitaires privés. « Clématite », avec lit à baldaquin, et « Rose », avec ciel de lit, sont nos préférées. Comptez 55 € pour 2, petit déj inclus, servi dans une belle salle rustique. Accueil agréable.

Accès : dans Saint-Lormel, tournez à gauche en face de l'école (en venant de Plancoët) ; la maison est à 1,5 km.

SAINT-MALO 35400

Carte régionale B1

€€€ 🏠 *Chambres d'hôtes La Haute Flourie (Séverine et Pierre-Yves Loisel) :* 12, rue de Coëtquen. ☎ 02-90-04-92-46. 📱 06-17-61-42-13. ● contact@haute-flourie.com ● haute-flourie.com ● 📶 Belle demeure du début du XVIIᵉ s nichée dans un agréable parc. Elle fut la propriété du célèbre capitaine corsaire René Duguay-Trouin, né à Saint-Malo, qui devint capitaine de frégate de la marine royale à 24 ans, avant d'être anobli par Louis XIV (ça le fait !). Maintenant c'est une maison d'artiste et les 5 chambres élégantes se parent des toiles que réalise Séverine. Sanitaires privés. 90 € pour 2, petit déj compris. Pas de table d'hôtes mais les bons restos ne manquent pas. Bretons tous les deux, les proprios vous donneront tous les tuyaux pour découvrir la région et surtout les petites plages tranquilles. Accueil chaleureux. Une adresse au charme indéniable.

Accès : en arrivant par la 4-voies, prenez la direction de Dinard puis 1ʳᵉ sortie Saint-Malo/Saint-Servan/Quelmer ; au stop à gauche et 1ʳᵉ à droite.

SAINT-MÉLOIR-DES-ONDES 35350

Carte régionale B1

*10 km E de Saint-Malo ;
2 km S de Cancale*

€€ 🏠 10 % *Chambres d'hôtes Le Petit Porcon (Édith et Léon Fraboulet) :* ☎ 02-99-89-12-78. 📱 06-88-09-47-46. ● lepetitporcon@msn.com ● lepetitporcon.com ● Fermé janv. 📶 Cinq chambres coquettes dans cette ancienne ferme, dont une familiale composée de 2 chambres ; une au rez-de-chaussée, les 4 autres à l'étage. Sanitaires privés et TV dans chaque chambre. De 60 à 70 € pour 2, petit déj compris, et 115 € pour 5. Première plage à 5 mn à pied.

Accès : le hameau se trouve sur la D 76 entre les Portes Rouges et Cancale, la maison est sur la gauche (bon fléchage).

SAINT-MICHEL-DE-PLÉLAN 22980

Carte régionale B1

*34 km SO de Saint-Malo ;
17 km O de Dinan*

€€ 🏠 🍴 *Chambres d'hôtes La Corbinais (Henri Beaupère) :* ☎ 02-96-27-64-81.

Fax : 02-96-27-68-45. ● corbinais@corbinais.com ● corbinais.com ● Fermé en janv. En pleine campagne, un couple rayonnant vous accueille dans une petite maison bretonne décorée avec goût. Trois chambres avec sanitaires privés, à 65 € pour 2, petit déj inclus. Pour les amateurs d'insolite, possibilité de dormir dans un « nid » suspendu dans les arbres (115 € pour 2, petit déj et accès à l'espace sauna et spa compris). Pour un séjour prolongé, un gîte ravissant et lumineux, tout en bois, avec terrasse. Ici, on goûte la vie au rythme de la nature, des occupations artistiques de la maîtresse de maison et des activités sportives. Le golf est à l'honneur, car Henri a créé un parcours de 9 trous (cours à la journée, stages avec professeur diplômé, etc.). Possibilité de balades en mer et à VTT.

Accès : de Dinan, empruntez la N 176 en direction de Plélan ; sortez à Plélan-le-Petit, et prenez la D 19 jusqu'à Saint-Michel-de-Plélan et suivez le fléchage.

SAINT-SAMSON-SUR-RANCE 22100

Carte régionale B1

7 km N de Dinan

€€ 🏠 *Chambres d'hôtes Le Petit Châtelier (Pierrette et Pascal Papail) :* ☎ 02-96-39-47-89. 📱 06-58-48-69-58. ● pierrette@lepetitchatelier.com ● lepetitchatelier.com ● En pleine campagne, belle ferme du XVIIIᵉ s entourée de bois et de pâturages. Pascal a réalisé tous les travaux et le résultat est superbe (enduits à la chaux et jolis parquets). Dans un bâtiment indépendant, 4 chambres spacieuses à l'atmosphère champêtre et romantique, 3 au 1ᵉʳ étage (dont 2 en duplex, idéales pour les familles), la dernière au second. Sanitaires privés. 68 € pour 2, petit déj compris, et 20 € par personne supplémentaire. Et si vous souhaitez poser vos valises plus longtemps, un adorable gîte pour 2 personnes aménagé dans l'ancien fournil. Accueil convivial.

Accès : sur la N 176 entre Dinan et Saint-Malo, sortir à Saint-Samson-sur-Rance (D 12) puis prenez la D 57 ; n'entrez pas dans le village, mais suivez la direction de La Hisse ; l'accès à la maison est 800 m plus loin sur la gauche.

SAINT-THÉGONNEC 29410

Carte régionale A1

40 km E de Brest ; 10 km SO de Morlaix

€€ 🏠 🍴 10 % *Chambres d'hôtes Ar Presbital Koz (Christine et André*

BRETAGNE

BRETAGNE

Prigent) : 18, rue Lividic. ☎ 02-98-79-45-62. ▪ 06-60-36-79-79. ● ar.pres bital.koz@orange.fr ● ar.presbital.koz. free.fr ● Fermé mars et oct. ☏ Dans l'ancien presbytère de Saint-Thégonnec, 4 chambres spacieuses et confortables, destinées à accueillir les férus d'enclos paroissiaux. 65 € pour 2, petit déj compris. Sur réservation, possibilité de table d'hôtes à 27 €.

Accès : fléchage dans le bourg.

SIXT-SUR-AFF   35550

Carte régionale B2

50 km SO de Rennes ;
15 km N de Redon

€€ 🏠 ⦿ ⑩% **Chambres d'hôtes Le Manoir de Pommery (Frédérique et Pascal Morrier) :** ☎ 02-99-70-07-40. ▪ 06-68-55-51-26. ● infos@manoir-pom mery.com ● manoir-pommery.com ● Fermé janv-fév et 1er-15 juil. ☏ À la limite du Morbihan, en pleine campagne, joli manoir du XVIe s installé dans un grand parc ombragé. Au 2e étage, 3 chambres champêtres avec sanitaires privés, dont 2 climatisées. La jaune donne dans le romantisme avec sa belle charpente et sa petite fenêtre côté jardin. 65 € pour 2, petit déj compris, servi dans une salle à manger agrémentée d'une remarquable cheminée qui remonte aux origines de la maison. Accueil familial et très sympa. Possibilité de déguster une bonne table d'hôtes (sur réservation) pour 23 €, et plusieurs restos dans les environs. Accueil chaleureux.

Accès : du village, prenez la D 55 vers Renac puis, à 800 m, bifurquez à gauche vers Saint-Just (C 223) sur 2 km ; le manoir est fléché à gauche.

SULNIAC   56250

Carte régionale B2

14 km E de Vannes ; 8 km S d'Elven

€€ 🏠 ⦿ **Chambres d'hôtes (Véronique et Gilles Le Jallé-Foucher) :** Quiban. ☎ 02-97-53-29-05. ● gilles.lejalle@wana doo.fr ● gites-de-france-bretagnesud. com ● Fermé 15 déc-15 fév. ☏ Quand on voit cette belle maison en pierre, on a du mal à croire qu'elle date seulement de 1975. Trois chambres au rez-de-chaussée, chacune sur un thème différent. On a craqué pour la chambre « Côté jardin » qui ouvre, comme son nom l'indique, sur le parc. 62 € pour 2, petit déj compris

(souvent accompagné d'un gâteau maison). Table d'hôtes, partagée en famille devant la cheminée ou dans la véranda pour profiter de la beauté du cadre, à 22 €, apéro et vin compris. Très bonne cuisine familiale et régionale. Hospitalité, chaleur de l'accueil, une adresse qui fait des adeptes.

Accès : de Sulniac, D 104 vers Trefféan jusqu'au château d'eau ; la maison est sur la gauche.

TRÉGLONOU   29870

Carte régionale A1

20 km N de Brest ; 4 km SO de Lannilis

€€ 🏠 ⦿ ⑩% **Chambres d'hôtes du Manoir de Trouzilit (Roland Stephan) :** ☎ 02-98-04-01-20. Fax : 02-98-04-17-14. ● trouzilit@wanadoo.fr ● manoir-trou zilit.com ● ⚒ Pour la crêperie, service tlj en été ; en basse saison, slt ven, sam et dim. Pour les chambres, résa dès janv pour l'été. Cette ex-résidence du marquis de Trouzilit est aujourd'hui gérée par la famille Stephan qui en a fait un centre de loisirs. En tout, une soixantaine de lits qui se répartissent en 5 chambres d'hôtes, des gîtes ruraux et un gîte d'étape. Comptez 65 € pour 2 pour les chambres d'hôtes, avec le petit déj. Pour vos loisirs : piscine, golf miniature et équitation. Et pour les repas, il y a une crêperie.

Accès : depuis Brest, sortie Gouesnou (D 13) jusqu'à Lannilis ; prenez la D 28 vers Ploudalmezeau et suivez le fléchage.

TRÉGROM   22420

Carte régionale A1

20 km S de Lannion ;
20 km NO de Guingamp

€€ 🏠 ⦿ **Chambres d'hôtes L'Ancien Presbytère (Nicole de Morchoven) :** ☎ 02-96-47-94-15. ● nicoledemorcho ven@orange.fr ● tregrom.monsite.wana doo.fr ● Ouv avr-nov. ☏ Dans un petit village très calme, ancien presbytère du XVIIIe s abritant 3 chambres agréables avec sanitaires privés. Comptez 65 € pour 2 avec le petit déj. Accueil convivial et ambiance décontractée.

Accès : de Guingamp, prenez la N 12 vers Morlaix, sortie Louargat, puis la D 33 vers Trégrom (7 km) ; la maison est face au porche ouest de l'église.

TRÉGUIER 22220

Carte régionale A1

30 km N de Guingamp ;
15 km O de Paimpol

€€ 🏠 **Chambres d'hôtes Tara (Malou et Guy Arhant) :** *31, rue Ernest-Renan.* ☎ 02-96-92-15-28. 📱 06-70-53-28-99. ● marielouise.arhant@orange.fr ● cham brestaratreguier.com ● ♿ *Fermé en oct ; en hiver, résa obligatoire.* Au cœur de cette jolie cité de caractère, charmante demeure classée du XVIe s, avec encorbellement et colombages. C'est par le grand jardin qu'on entre dans la maison. Cinq chambres pas immenses mais coquettes, avec sanitaires privés, réparties dans différentes ailes : une au rez-de-chaussée, familiale, les 4 autres à l'étage. On a une petite préférence pour celles qui sont situées dans la partie la plus ancienne avec poutres et façades de lits clos. 68 € pour 2, petit déj compris, servi dans une chaleureuse salle à manger avec cheminée en pierre. Pas de table d'hôtes, mais plusieurs restos en ville. Malou et Guy ont une véritable passion pour l'Irlande où ils se rendent régulièrement...

Accès : *allez jusqu'au port, la rue Ernest-Renan commence entre les deux portes de la ville.*

TRESSAINT-LANVALLAY 22100

Carte régionale B1

30 km S de Saint-Malo ;
4 km S de Dinan

€€ 🏠 ▮●▮ **Domaine Arvor (Samuel Lemarchand) :** *La Ville-Ameline.* ☎ 02-96-39-33-69. 📱 06-25-49-71-82. ● contact@domaine-arvor.com ● domaine-arvor.com ● *Fermé janv.* 📶 Dans un petit hameau, belle maison de maître en granit datant du XIXe s. 5 vastes chambres installées aux 1er et 2e étages de la maison. Déco sobre et atmosphère campagnarde à souhait. De 65 à 85 € pour 2, petit déj compris. Les amateurs d'insolite pourront porter leur choix sur la roulotte, la cabane dans les arbres, les tipis, yourtes et tentes caïdale ou berbère installés sur le domaine. Enfin, 3 gîtes pour ceux qui ne voudraient plus plier bagages. Pour parfaire le séjour, accès à un espace bien-être avec jacuzzi, hammam et sauna.

Accès : *de Dinan, prenez la direction Rennes jusqu'à Lanvallay, puis la D 2 vers Évran jusqu'à l'entrée de Tressaint ; là, tournez à gauche ; la maison est à 1 km.*

BRETAGNE

Centre

ARDENAIS   18170

Carte régionale B2

50 km S de Bourges ;
15 km SO de Saint-Amand-Montrond

€€ 🏠 |⚬| (10%) *Chambres d'hôtes de la Folie (Annick Jacquet) :* ☎ 02-48-96-17-59. ● *la.folie@wanadoo.fr* ● *perso.wanadoo.fr/cher.berry.la.folie* ● 📶 Dans un paysage de bosquets, de forêts et de pâturages, belle ferme du XVIIIᵉ s très bien restaurée, agrémentée par des encadrements de portes et de fenêtres en grès de Saulzais, dont les bâtiments les plus anciens datent du XVᵉ s ! Trois chambres : 2 au rez-de-chaussée et à l'étage de la maison, spacieuses et agréables (une chambre complémentaire pour celle du 1ᵉʳ, la dernière en duplex dans une aile indépendante avec petit salon et coin cuisine. Sanitaires privés. De 60 à 65 € pour 2, petit déj compris. Belle salle de jour avec coin salon, piano pour les amateurs et cheminée. Souriante et charmante, Annick propose, en dépannage et sur réservation, une table d'hôtes à 15 €, vin compris. Accueil de qualité. Pour ceux qui s'adonnent à la marche, la superbe forêt de Tronçais est toute proche.

Accès : depuis Saint-Amand-Montrond, prenez la D 925 vers Châteauroux sur 1 km après le rond-point de l'autoroute, prenez à gauche la D 112 jusqu'à Marçais puis la D 38 vers Culan et fléchage à 3,5 km.

€€€ 🏠 |⚬| 🏇 (10%) *Chambres d'hôtes Domaine de Vilotte (Jacques Champenier) :* ☎ et fax : 02-48-96-04-96. 📱 06-25-59-24-51. ● *tour.dev@wanadoo.fr* ● *domainedevilotte.com* ● Fermé nov-fév, sf résa. 📶 Après avoir beaucoup roulé sa bosse, en passant par RTL et le Futuroscope (merci pour la pub !), Jacques a décidé de reprendre cette belle et grande demeure bourgeoise du XIXᵉ s, achetée par son grand-père. On arrive côté cour, mais le plus intéressant se passe côté jardin... La maison ouvre sur une belle roseraie qui fleurit en juin et juillet et qui mène à l'étang privé. Quant à l'intérieur, c'est un véritable musée qui rassemble une collection de vieilles affiches, cartes postales, de postes de radio, ainsi que de nombreux tableaux et aquarelles. Cinq chambres d'hôtes, dont 4 ouvrant sur le jardin. Déco agréable et soignée. Sanitaires privés. De 85 à 115 € pour 2, petit déj compris, avec jus de fruits pressés et confitures maison (eh oui, Jacques a de la ressource !). C'est aussi lui qui cuisine. Table d'hôtes à 25 €, vin compris. Vous partagerez les repas (avec les légumes bio du potager) dans sa chaleureuse cuisine où trône une vieille cuisinière et pendent les casseroles en cuivre. Accueil de qualité. Les pêcheurs pourront librement aller taquiner le poisson, les autres aller piquer une tête dans la piscine. Une adresse qui ne manque pas de charme, mais pour laquelle il faudra mettre le prix.

Accès : A 71, sortie Saint-Amand/Vallon-en-Sully ; prenez la D 925 jusqu'à l'entrée de Saint-Amand ; avt le pont qui traverse le Cher, prenez la D 951 vers Culan, puis à droite vers Le Châtelet jusqu'à Ardenais et suivez le fléchage.

Nous vous rappelons que la table d'hôtes est le complément d'une formule d'héberge-ment (chambre d'hôtes, gîte d'étape...). Ce service n'est offert qu'aux personnes qui dorment sur place (excepté lorsqu'il est clairement écrit « ouvert aux extérieurs »).

ARNOUVILLE 28310

Carte régionale B1

40 km E de Chartres ; 4 km O d'Angerville

€ 🏠 *Chambres d'hôtes Ferme de la Basse-Cour (Claire et Pascal Garros) :* ☎ 02-37-99-53-49. ● bassecour@wanadoo. fr ● bassecour.fr ● 🛜 Cette ferme porte ce nom, non à cause de la volaille, mais parce que c'était la ferme du château situé juste à côté... Ici, on mêle harmonieusement culture et cultures ! Cultures de céréales bio (l'activité de Pascal) et culture car Claire est aussi décoratrice de théâtre et elle organise tous les 2 ans une biennale d'art contemporain, qui attire jusqu'à 1 500 personnes ! D'ailleurs, toutes les chaises de la maison sont peintes en hommage à un peintre. Dans une aile de la ferme, 3 chambres familiales avec mezzanine, dont une avec petit coin cuisine intégré ; les autres peuvent profiter de la cuisine des proprios. Sanitaires privés. 50 € pour 2, petit déj compris. Visitez le pigeonnier : il date de 1750 et tous les boulins sont encore là (poteries d'argiles insérées dans le mur pour servir de nid, ignorant !). Atmosphère bohème, accueil chaleureux et décontracté.

Accès : le hameau se trouve à 4 km d'Angerville (N 20) en direction de Chartres par la D 939.

AZAY-SUR-CHER 37270

Carte régionale A2

15 km E de Tours ; 12 km O de Bléré

€€ 🏠 (10 %) *Chambres d'hôtes Le Clos des Augers (Dany et Philippe Hellio) :* Les Augers. ☎ 02-47-50-49-49. ● clos desaugers@wanadoo.fr ● lesaugers. fr ● 🛜 Ancien rendez-vous de chasse du XVIIIe s abritant 3 jolies chambres, dont une familiale composée de 2 chambres avec accès indépendant. 68 € pour 2, petit déj compris, et 20 € par personne supplémentaire. Accueil chaleureux.

Accès : dans la descente d'Azay (venant de Tours), prenez à droite au 2e feu vers Esvres, suivez la route communale C 5 sur 2 km, traversez La Marqueterie, La Gitonnière et Le Petit-Grais ; à la croix, prenez à droite, c'est la 2e maison à droite.

AZÉ 41100

Carte régionale A1

8 km NO de Vendôme

€€ 🏠 🐴 (10 %) *Chambres d'hôtes Crislaine (Annie et Christian Guellier) :* ☎ 02-54-72-14-09. 📱 06-07-68-59-97. ● contact@crislaine.com ● crislaine. com ● 🛜 Dans une jolie ferme recouverte de vigne vierge, 3 chambres (une double et 2 familiales) au 1er étage de la maison des propriétaires, avec accès indépendant. Grande salle de séjour avec une salle de jeux pour les enfants en mezzanine. Comptez 55 € pour 2, petit déj compris. Pas de table d'hôtes mais coin cuisine et barbecue à disposition. Un âne pour la compagnie. Piscine. Prêt de VTT et vélos de route. Une adresse idéale pour les familles. Si vous venez en train, on pourra aller vous chercher à la gare de Vendôme.

Accès : de Vendôme, prenez la D 957 vers Le Mans, c'est la 1re ferme sur la gauche, 3 km après le hameau de Galette.

€€ 🏠 ◉ (10 %) *Chambres d'hôtes Ferme de Gorgeat (Nadège et Michel Boulai) :* ☎ 02-54-72-04-16. 📱 06-46-20-03-55. Fax : 02-54-72-04-94. ● chambredhotes@ fermedegorgeat.com ● fermedegorgeat. com ● 🛜 Dans leur ferme, Nadège et Michel proposent 5 chambres d'hôtes colorées : 3 doubles et 2 familiales dont une suite de 2 chambres pour 4 à 6 pers. Sanitaires privés (2 avec baignoire balnéo). 4 sont installées dans un bâtiment indépendant (certaines en duplex), la suite familiale dans la maison principale. Comptez 62 € pour 2, avec le petit déj (pain maison aux raisins-noix ou raisins-amandes). Repas, sur réservation, à 25 €, apéro, vin et café compris. Spécialités : salade au fromage de chèvre, potée maison, canard aux pommes, lapin à la menthe, charlotte au chocolat, gratin de fruits. Vente de produits fermiers et bio. Également un gîte rural pour 5 à 7 personnes, loué de 480 à 560 € la semaine selon la saison. Piscine, beau court de tennis et petit plan d'eau pour les pêcheurs. Accueil souriant et sympa. Possibilité d'aller chercher les hôtes à la gare de Vendôme ou à la gare TGV.

Accès : du village, prenez la rue de la Fontaine (au pied de la boucherie), puis suivez le panneau « Gorgeat » ; c'est à 1 km, avt les bois.

BAILLEAU-L'ÉVÊQUE 28300

Carte régionale A1

8 km NO de Chartres

€€€ 🏠 ◉ *Chambres d'hôtes La Ferme du Château (Nathalie et Bruno Vasseur) :* Levesville. ☎ et fax : 02-37-22-97-02. ● bnvasseur@orange.fr ● ferme-leves ville.com ● Fermé Noël-Nouvel An. 🛜 Au milieu d'une immense cour fermée, jolie ferme du XIXe s, en brique et silex, et un

CENTRE

A

Vire
D 524
D 962
NORD
Domfront
D 976
D 23
D 176
N 12
Argentan
A 88
E 402
A 28
E 402
D 12
D 918
ORNE
(61)
Mortagne-au-Perche
N 12
EURE
(27)
N 840
N 154
N 12
D 939
Dreux
Écluzelles
N 154

EURE-ET-LOIR

D 928
Bailleau l'Évêque
D 24

D 923
Chartre
D 927

Alençon
N 12
D 311
D 955
D 955
D 10
la Gaudaine
D 955
E 50
A 11

Mayenne
Mamers
Thiron-Gardais
28

MAYENNE
(53)
A 28
E 402
D 338
SARTHE
(72)
A 11
E 50
D 36
D 927
D 955
Châteaud

Laval
A 81
E 50
D 357
le Mans
D 323
A 11
D 357
St-Denis-les-Ponts
Romilly-sur-Aigre
D 924

N 162
D 21
Sablé
A 11
E 50
523
A 28
E 502
Saint-Calais
Mondoubleau
Danzé
N 10
D 3

Azé
D 9

D 775
D 770
la Flèche
D 306
D 300
Trôo
Vendôme
D 924
Sér
M

MAINE-ET-LOIRE
(49)
D 859
D 306
Monthodon
D 910
Suèvres

Santenay
St-Denis-s-L.
Blois

D 766
D 959
Chançay
Nazelles-Négron
Ouchamp

Angers
A 85
E 60
D 347
D 34
Tours
Valaire
Cont

A 87
Loire
D 751
Restigné
Azay-sur-Cher
Civray-de-T.
A 85
E 604
Faverolles-s-Cher

D 160
Saumur
Rivarennes
Cheillé
Francueil
D 31
St-Aigna-sur-Che

D 960
Chinon
D 751
Ligré
D 910
D 943
Genillé

37

INDRE-ET-LOIRE
Sepmes
Loches

Thouars
D 938
D 347
Loudun
A 10
Châtillon-sur-Indre
Indre
D 943

N 149
Bressuire
Châtellerault
D 725
36

VENDÉE
(85)
Parthenay
N 149 - E 62
VIENNE
(86)
D 910
Vienne
Rosnay
D 951

DEUX-SÈVRES
(79)
D 743
Poitiers
D 951
D 2
Ingrandes
Creuse
Argento-sur-Creu

A 83
E 5
RD 648
D 611
D 142
N 10
D 611
N 147
D 13
Montmorillon
D 727
D 927
Saint-Benoît-du-Sault
D 975

Niort

A

grand jardin. Trois chambres (dont une familiale), claires et spacieuses, avec sanitaires privés. De 70 à 75 € pour 2, petit déj compris, et 20 € par personne supplémentaire. Table d'hôtes (sauf le week-end) partagée en famille à 22,50 €, vin et café compris. Bonne cuisine du terroir.

Accès : de Chartres, empruntez la N 154 en direction de Dreux ; avt le carrefour de Poisvilliers, tournez à droite, puis à gauche vers Bailleau-l'Évêque et suivez le fléchage.

BERRY-BOUY 18500

Carte régionale B2

6 km O de Bourges

€€€ 🏠 **Chambres d'hôtes Domaine de L'Ermitage (Laurence et Géraud de La Farge) :** ☎ 02-48-26-87-46. 📱 06-64-77-87-46. Fax : 02-48-26-03-28. ● domaine-ermitage@wanadoo.fr ● hotes-ermitage.com ● *Fermé les 2 dernières sem de déc. L'Ermitage* est une belle ferme bourgeoise, où Laurence et Géraud élèvent des bovins, produisent des céréales et cultivent quelques arpents de vigne grâce auxquels ils produisent un délicieux menetou-salon... Dans leur maison, ils ont aussi installé 2 jolies chambres d'hôtes à l'étage. Trois autres chambres dans l'ancien moulin juste à côté, tout aussi belles. Sanitaires privés. De 83 à 92 € pour 2, petit déj compris. Piscine pour se rafraîchir. Accueil chaleureux.

Accès : la maison se trouve sur la D 60 entre Berry-Bouy et Saint-Doulchard.

BÉVILLE-LE-COMTE 28700

Carte régionale B1

18 km E de Chartres

€€ 🏠 **Chambres d'hôtes Au Moulin Trubert (Juliet et Éric Touchard) :** 2, chemin du Portillon. ☎ 02-37-31-28-73. 📱 06-62-79-48-30. ● mouli.trubert@free.fr ● moulin.trubert.free.fr ● 🛜 Le moulin n'est plus là même si Juliet, votre hôtesse anglaise, a retrouvé toutes les traces de son existence. Il n'en reste pas moins que cette demeure du début du XIXᵉ garde beaucoup de charme. Dans une aile indépendante, 2 chambres champêtres avec sanitaires privés. Une au rez-de-chaussée avec accès direct sur le jardin, l'autre à l'étage avec un grand volume et belle charpente appa-

rente. 62 € pour 2, petit déj compris. Pas de table d'hôtes, mais plusieurs restos à proximité. Accueil agréable, teinté par l'accent de la maîtresse des lieux.

Accès : A 11 sortie Ablis continuez vers Auneau puis Rainville et suivez la D 130 jusqu'à Béville ; la maison est à l'entrée du village (au niveau du sens interdit).

BOUZY-LA-FORÊT 45460

Carte régionale B1

30 km E d'Orléans ;
9 km E de Châteauneuf-sur-Loire

€€ 🏠 **Chambres d'hôtes La Vélisière (Bernadette et Michel Beaubois) :** route départementale 88. ☎ 02-38-58-53-42. 📱 06-07-36-34-29. ● bernadette.beaubois@orange.fr ● chambres.com.fr/lavelisiere ● 🛜 On arrive par une longue allée qui laisse découvrir un beau jardin entourant une superbe maison du XIXᵉ s. Deux chambres agréables situées à l'arrière de la maison, avec accès indépendant. Sanitaires privés. 60 € pour 2, petit déj compris. Si vous avez des enfants, ils pourront aller rendre visite à l'âne et aux autres animaux du parc. Accueil chaleureux et plein de bons conseils sur les environs. Un point de chute idéal pour découvrir la région.

Accès : la maison se trouve sur la D 88 entre Saint-Benoît-sur-Loire et Lorris, juste avt la forêt quand on vient de Saint-Benoît.

BRIARE 45250

Carte régionale B2

4 km SE de Gien

€€ 🏠 🐾 ⟨10%⟩ **Chambres d'hôtes Domaine de la Thiau (Bénédicte François-Ducluzeau) :** route de Gien. 📱 06-62-43-20-92. ● info@lathiau.fr ● lathiau.fr ● *Fermé déc-mars. Résa conseillée.* 🛜 Chambres bien décorées dans une maison du XVIIIᵉ s (dont 2 suites avec coin cuisine), à côté d'un hôtel particulier, dans un parc paysager de 3 ha, avec tennis. De 66 à 76 € pour 2, avec le petit déj dans la grande véranda qui ouvre sur le parc. Ajoutez 20 € par personne supplémentaire et 7 € par jour si vous venez avec votre compagnon à quatre pattes.

Accès : à mi-chemin sur la route de Gien à Briare (D 952), non loin du magasin Centre Auto.

CENTRE

CHANÇAY 37210

Carte régionale A2

15 km NE de Tours ; 8 km N de Vouvray

€€ 🏠 (10 %) **Chambres d'hôtes de la Vallée de Vaux (Claire et Jean-Marie Lehoreau) :** 19, rue du Château de Vaux. ☎ 02-47-52-98-63. 📱 06-82-48-33-83. ● jmlehoreau@gmail.com ● lavalleedevaux. fr ● Ouv Pâques-Toussaint. 📶 Dans un hameau, face aux vignobles de vouvray, ancienne ferme du XVIIIᵉ s. Trois chambres agréables, de plain-pied, réparties dans différentes ailes de la maison, certaines avec cheminée et kitchenette. Également une chambre dans une roulotte tout confort et une dernière dans une cabane dans les arbres. Pour 2, comptez 70 € dans les chambres et 80 € dans la roulotte ou la cabane, petit déj compris. Accueil vraiment sympa.

Accès : *sortir de Chançay en direction de Vernou-sur-Brenne et fléchage.*

CHARTRES 28000

Carte régionale A1

90 km NE Paris

€€€ 🏠 🍴 (10 %) **Chambres d'hôtes Maunoury City Break (Anne Langiny et Gilles Tardif) :** 26, rue du Docteur-Maunoury. 📱 06-62-52-37-98. ● maunoury.citybreak@ gmail.com ● chambre-hotes-chartres. fr ● 📶 Maison de 1902 à l'architecture originale et aux allures bourgeoises, ancienne demeure du docteur Maunoury qui a donné son nom à la rue (si, si !). Anne est photographe, passionnée par les chambres d'hôtes. Elle a donc décidé d'en ouvrir 3, élégantes et lumineuses, au 2ᵉ étage de la maison. L'une, très vaste, se présente sous forme de mini appartement avec salon et petite cuisine américaine à disposition (par un petit fenestron, on peut même voir la cathédrale). Comptez 80 € pour 2, et 95 € pour la suite, petit déj compris. Accueil agréable.

Accès : *à deux pas de la pl. des Épars (place centrale de Chartres) en direction de Luisant ou Tours.*

CHÂTILLON-SUR-INDRE 36700

Carte régionale A2

23 km SE de Loches ;
25 km NO de Buzançais

€€ 🏠 **Chambres d'hôtes (Geneviève et Michel Hétroy) :** 6, rue Grande. ☎ 02-54-38-70-63. 📱 06-50-61-00-07. ● hetroy. genevieve@orange.fr ● maisonideelles. com ● 📶 En plein centre-ville, dans une petite rue calme, belle demeure de la fin du XVIIIᵉ qui se cache des regards indiscrets. Michel, maire de la ville, et Geneviève, vice-présidente de l'office de tourisme, ont à cœur de faire découvrir les richesses de la cité. Trois belles chambres installées au 1ᵉʳ étage, spacieuses et lumineuses. « La bleue » bénéficie d'une immense terrasse privative avec vue sur le jardin, « la jaune » d'une baignoire jacuzzi et « la rose » est un peu plus petite mais moins chère. Grands sanitaires privés. 70 et 80 € pour 2, copieux petit déj compris, servi dans un agréable salon avec piano accordé. Pas de table d'hôtes mais plein de bons petits restos tout à côté. Accueil de qualité. Une adresse où il fait bon séjourner.

Accès : *allez jusqu'au centre-ville, c'est la rue qui passe devant la mairie.*

CHAUMONT-SUR-THARONNE 41600

Carte régionale B2

35 km S d'Orléans ;
6 km O de Lamotte-Beuvron

€€€ 🏠 🍴 (10 %) **Chambres d'hôtes Le Petit Clos (René Baril et Thierry Le Moing) :** 6, rue de la Folie. ☎ 02-54-88-28-17. 📱 06-86-18-47-59. ● petitclos6@ sfr.fr ● lepetitclos.com ● 📶 Agréable demeure au cœur du bourg. Si René a émigré du Québec pour venir s'installer avec Thierry, son accent lui ne l'a pas quitté et renforce encore la chaleur de son accueil. Cinq chambres élégantes et raffinées, avec sanitaires privés, qui répondent toutes aux noms de châteaux de la Loire. « Chenonceaux » et « Cheverny » forment une suite familiale. On a craqué pour la chambre « Chambord » qui dégage une atmosphère chaleureuse et feutrée. Ici, les beaux meubles sont légion. Il faut dire que Thierry est ébéniste et antiquaire... ça aide ! Comptez 80 € pour 2, petit déj compris. Au programme pour les amateurs : brioche dorée arrosée de sirop d'érable que René ramène dans ses valises (tabarnak, c'que c'est bon !). Une adresse coup de cœur.

Accès : *allez au centre du bourg, prenez la rue entre le resto et le salon de coiffure, la maison fait l'angle de la rue suivante.*

CHEILLÉ   37190

Carte régionale A2

*30 km SO de Tours ;
3,5 km O d'Azay-le-Rideau*

€€ 🏠 ⑩% *Chambres d'hôtes La Grange Bleue (Élisabeth et Pascal Minier) :* 2, chemin du Grand-Vaujoint. ☎ 02-47-45-94-75. 📱 06-14-10-52-39. ● lagrangeminier@aol.com ● lagrangebleue.com ● 📶 Dans l'un des hameaux de la petite commune de Cheillé, jolie maison de maître aux volets bleus. Deux chambres coquettes avec accès direct sur le jardin, aux murs en pierre apparente, l'une avec belle poutraison et grande salle de bains (notre préférée), l'autre sous forme de suite avec petit salon-cuisine et chambre mansardée à l'étage. Sanitaires privés. Respectivement 65 et 72 € pour 2, petit déj compris, servi dans une salle à manger champêtre remplie de bibelots. Toutes les frises, meubles peints et toiles ont été réalisés par Élisabeth et donnent à la maison une atmosphère chaleureuse et colorée. Si vous désirez vous initier, Élisabeth organise d'ailleurs des stages de peinture sur bois. Accueil convivial.

Accès : depuis Azay-le-Rideau, prenez la D 17 en direction de Cheillé (sur 2,5 km) ; au panneau « La Grange Bleue », tournez à gauche, la maison est à 500 m.

€€ 🏠 *Chambres d'hôtes Le Clos de la Touche (Anne-Sophie et José Fernandes) :* La Chapelle-Saint-Blaise, 18, rue du Vieux-Chêne. ☎ 02-47-45-41-86. 📱 06-32-41-32-82. Fax : 09-57-15-86-18. ● as.fernandes@free.fr ● clos-la-touche.fr ● 📶 Ancien corps de ferme qui dépendait du manoir de la Touche. Trois chambres d'hôtes, dont 2 de plain-pied, romantiques et colorées, avec sanitaires privés, à 60 € pour 2, petit déj compris. La dernière, la « maisonnette Iris » peut accueillir 3-4 personnes, et comporte une cuisine. Celle-ci est à 70 € pour 2, petit déj compris, et 100 € pour 4. Accueil souriant et dynamique.

Accès : d'Azay-le-Rideau, direction La Chapelle-Saint-Blaise (début de la commune de Cheillé), puis D 17 vers Rivarennes, la maison est à 150 m à droite.

€€€ 🏠 *Chambres d'hôtes Les Écureuils (Laurence et Yannick Leguerroué) :* 1, chemin du Grand-Vaujoint. ☎ 02-47-45-39-74. 📱 07-81-34-10-42. ● ecureuiltouraine@yahoo.fr ● chambrehotetouraine.com ● Dans l'un des hameaux qui forment Cheillé, gentille demeure composée de plusieurs bâtiments des XVIIIe et XIXe s. Deux chambres agréables avec sanitaires privés, installées dans deux ailes indépendantes. Une avec accès par petit escalier extérieur, l'autre de plain-pied, sous forme de suite avec 2 chambres (dont une à l'étage pour les enfants) et une petite cuisine séparée. Selon la saison, de 72 à 85 € pour 2, petit déj (bio) compris. Si vous avez de jeunes enfants, ils pourront s'amuser avec ceux de la maison. Belle piscine chauffée. Un gîte pour 8-10 personnes avec sa propre piscine privée pour ceux qui souhaitent séjourner. Et comme vous êtes dans une fameuse région viticole, pourquoi ne pas tenter un stage de dégustation des vins de Loire avec visite des vignes ? Accueil convivial de Laurence et Yannick qui sont passionnés par l'Afrique.

Accès : par la D 17 en direction de Cheillé (sur 2,5 km) ; au panneau « Les Écureuils », tournez à gauche, la maison est à 500 m.

CIVRAY   18290

Carte régionale B2

*22 km SO de Bourges ;
13 km E d'Issoudun*

€€ 🏠 ⑩% *Chambres d'hôtes La Maison de Philomène (Martine et Jacques Blin) :* 4, impasse du Parc, Le Grand-Entrevins. ☎ 02-48-26-25-63. 📱 06-64-71-89-41. ● maisondephilomene@orange.fr ● maisondephilomene.wix.com/maisondephilomene ● ♿ 📶 Cette ferme en activité était un petit hameau qui regroupait trois familles. Philomène, c'est le prénom de la dame qui habitait là, et sa maison sera entièrement pour vous, car Martine et Jacques habitent celle d'à côté. Quatre chambres décorées avec goût, charmantes et sereines, pour 2 et 3 personnes, dont une au rez-de-chaussée, les 3 autres à l'étage. Une petite préférence pour la chambre rouge. Sanitaires privés. 68 € pour 2, petit déj compris (confitures et gâteau maison). Agréable salon lumineux avec grandes baies vitrées qui ouvrent sur la piscine. Pas de table d'hôtes mais coin cuisine à disposition. Accueil charmant. Une adresse de qualité.

Accès : n'allez pas à Civray, l'accès à la maison se trouve sur la N 151 entre Chârost et Saint-Florent-sur-Cher, à 3 km à droite quand on vient de Chârost.

CIVRAY-DE-TOURAINE   37150

Carte régionale A2

23 km SE de Tours ; 10 km S d'Amboise

€€ 🏠 🍴 *Chambres d'hôtes La Maison de Marie (Marie et Patrice Vah) :* 6, rue de la Tonnelle, Thoré. ☎ 02-47-23-99-89.

📱 06-30-02-56-80. • tonnelle@wanadoo.
fr • lamaisondemarie-valdeloire.fr • Ouv
avr-oct. 📶 Au cœur d'un petit hameau de
200 âmes, ancienne ferme agréablement
restaurée. Dans une aile indépendante,
2 chambres coquettes et spacieuses, chacune avec coin salon. L'une est familiale et
composée de 2 chambres sur 2 niveaux.
Beaux volumes, poutres et murs en pierre
apparente. Sanitaires privés. 62 € pour 2 et
98 € pour 4, petit déj compris. Table d'hôtes
(trois soirs par semaine) partagée en famille
à 25 €, apéro, vin du village et café compris.
Cuisine familiale à base de produits fermiers. Sinon, cuisine et salle à manger à disposition pour ceux qui préfèrent se préparer
leur frichti. Une bonne adresse qui fait des
adeptes.

Accès : de Civray, traversez le Cher vers
Bléré et, au rond-point, entrez dans Thoré et
suivez le fléchage.

€€€ 🛏 🍴 **Chambres d'hôtes La Mar-
mittière (Marie Boblet) :** 22, vallée de
Mesvres. ☎ 02-47-23-51-04. 📱 06-88-
83-82-48. • marmittiere@libertysurf.
fr • perso.libertysurf.fr/marmittiere • 📶 La
vallée de Mesvres est une petite route
qui suit la rivière du même nom. Au bout
d'un petit parcours, on arrive dans cet
ancien domaine viticole qui date de la fin
du XVIIe s. Dans les anciennes écuries,
3 chambres décorées avec goût et dans
le souci du détail : 2 chambres de plain-
pied, la dernière avec escalier extérieur.
Une est sous forme de suite-appartement
avec 2 chambres, salle à manger-cuisine et
tout le toutim. Spacieux sanitaires privés.
Comptez de 73 à 79 € pour 2, copieux petit
déj compris (jus de fruits pressés, viennoiserie bio, yaourt, miel, confitures et gâteau
maison). Table d'hôtes bio (les lundi,
mercredi et vendredi) à 30 €, apéro et vin
compris. Goûteuse cuisine traditionnelle
avec les légumes du jardin et produits fermiers. On partage les repas dans une belle
salle à manger où les couleurs se mêlent
harmonieusement. Les enfants pourront
aller chercher les œufs. Accueil de qualité.
Une adresse qui fait des adeptes.

Accès : depuis Amboise, prenez la D 31 vers
Bléré jusqu'à la Croix-en-Touraine, puis la
D 40 vers Chenonceaux (sur 1,5 km) ; la val-
lée de Mesvres est à gauche, 3 km avt Civray.

CONTRES   41700

Carte régionale A2

20 km S de Blois ; 6 km S de Cheverny

€€€ 🛏 **Chambres d'hôtes La Rabouil-
lère (Martine et Jean-Marie Thimon-
nier) :** chemin de Marçon. ☎ 02-54-79-

05-14. 📱 06-14-47-68-59. • rabouillere@
wanadoo.fr • larabouillere.com • Ouv
Pâques-1er nov. 📶 Maison typiquement
solognote entièrement reconstruite
par Martine et Jean-Marie à partir de
matériaux récupérés sur des bâtiments
anciens. Cinq chambres coquettes avec
sanitaires privés vous attendent. Comptez
85 € pour 2, petit déj compris. Pas de table
d'hôtes, mais un petit coin cuisine à disposition. La maison se situant à l'orée de
la forêt de Cheverny, les randonnées sont
nombreuses ; les plus fainéants pourront
simplement se détendre dans une chaise
longue au bord de la pièce d'eau, ou faire
une p'tite promenade au bord de l'étang, à
l'ombre des arbres du parc.

Accès : de Cheverny, prenez la D 102 vers
Contres sur 6 km et suivez le fléchage.

CRÉZANCY-EN-SANCERRE   18300

Carte régionale B2

39 km NE de Bourges ;
9 km O de Sancerre

€€ 🛏 **Chambres d'hôtes La Maison de
Margot (Karine et Hubert Charlon) :** 26,
rue du Lavoir, Reigny. ☎ 02-48-79-05-
43. 📱 06-87-41-68-98. • contact@cham
bres-margot.com • chambres-margot.
com • 📶 Au cœur d'un petit hameau
de 35 âmes, ancienne ferme avec petite
cour fermée. La grange a été réaménagée
pour y créer 4 chambres, l'une au rez-de-
chaussée, les 3 autres à l'étage. Déco
agréable et soignée à l'atmosphère champêtre ou tendance selon les chambres.
Sanitaires privés. On aime bien « Vigne au
vent », dans les tons bleus et climatisée.
Selon la chambre, de 60 à 80 € pour 2,
petit déj compris. Si vous êtes amateur de
sancerre, Hubert vous donnera les bonnes
adresses. Il faut dire que pratiquement
toutes les familles du hameau travaillent
dans la vigne ! Accueil convivial.

Accès : de Crézancy-en-Sancerre, prenez
la D 22 vers Sancerre, sortez du village et
prenez la 2e route à droite jusqu'à Reigny.

DANZÉ   41160

Carte régionale A1

15 km N de Vendôme ;
30 km SO de Châteaudun

€€ 🛏 🔟% **Chambres d'hôtes La Borde
(Florence Kamette) :** ☎ 02-54-80-68-42.
📱 06-33-22-62-92. • f.kamette@orange.

fr • la-borde.com • 🛜 Dans une maison de maître du début du XXᵉ s sise dans un grand parc, Florence propose 5 chambres agréables (dont 2 familiales) au mobilier rustique. De 55 à 75 € pour 2, petit déj compris. Piscine couverte.

Accès : de Danzé, prenez la D 24 en direction de La Ville-aux-Clercs et suivez le fléchage.

ÉCLUZELLES   28500

Carte régionale A1

7 km S de Dreux

€€€ 🏠 |●| 🐾 ⑩% **Chambres d'hôtes L'Eure et l'Étang (Gabriel Couty et Thierry Humbert) :** 5, pl. Saint-Jean. ☎ 02-37-46-42-66. 📱 06-62-86-50-39. ● leureetletang@hotmail.fr • 🛜 Ancienne ferme du milieu du XIXᵉ s installée au bord de l'Eure et toute proche de l'étang de Mézières-Écluzelles (110 ha pour pratiquer tous sports nautiques), d'où son nom... Quatre chambres avec sanitaires privés, dont une suite familiale qui permet d'accueillir jusqu'à 5 personnes. Deux donnent de plain-pied sur le jardin, les autres sont à l'étage, en soupente. Beaux enduits, frises et motifs au pochoir, collages ou petites fresques... c'est charmant, gai et rafraîchissant. De 68 à 80 € pour 2, petit déj compris, et de 80 à 140 € selon le nombre de personne pour la suite. Thierry accueille les hôtes, tandis que Gabriel s'affaire derrière les fourneaux. Table d'hôtes goûteuse, servie à l'assiette, à 30 €, apéro, vin et café compris. Accueil convivial et volubile.

Accès : de Dreux, D 929 vers Nogent-le-Roi jusqu'à Écluzelles ; dans le village, prenez le pont à gauche, la maison est à 100 m à gauche.

FAVEROLLES-SUR-CHER   41400

Carte régionale A2

32 km S de Blois ;
2 km S de Montrichard

€€€ 🏠 **Chambres d'hôtes La Bretesche (Michèle Destouches) :** 50, route de Saint-Aignan. ☎ 02-54-32-02-77. 📱 06-80-71-89-83. ● labretesche@wanadoo.fr • la-bretesche.fr • Ouv de Pâques à fin sept. 🛜 Dans une ancienne ferme viticole, 3 chambres agréables avec sanitaires privés, dont une familiale pour 3 personnes. De 80 à 90 € pour 2 et 125 € pour 3, petit

déj compris, avec d'originales confitures maison. Accueil très sympa.

Accès : au niveau du Carrefour Market, prenez la direction Saint-Julien-de-Chedon, puis à droite en face du garage Renault et suivez le fléchage.

FÉROLLES   45150

Carte régionale B1

20 km E d'Orléans ; 3 km S de Jargeau

€€ 🏠 **Chambres d'hôtes La Maison des Grenouilles (Susan de Smet) :** 8, route de Martroi. ☎ 02-38-59-79-53. 📱 07-50-31-84-19. ● suemcmaster@orange.fr • chambreshotes45.fr • 🛜 Pour une fois, on a fait une petite exception : c'est une maison neuve... mais même si d'extérieur elle n'a pas vraiment de charme, c'est celui de la maîtresse des lieux qui nous a fait craquer. Susan, Anglaise d'origine, aime recevoir. Elle propose 3 gentillettes chambres (dont une familiale pour 4 personnes) : 2 dans la maison (au rez-de-chaussée et au 1ᵉʳ étage), la 3ᵉ dans un petit bâtiment indépendant. Luxueux sanitaires privés bien que petits. 55 € pour 2, avec le petit déj. Grand jardin derrière la maison avec verger. Accueil charmant, teinté par l'humour de votre hôtesse.

Accès : par la D 921 et fléchage dans le village.

FRANCUEIL   37150

Carte régionale A2

40 km E de Tours ;
3 km S de Chenonceaux

€€€€ 🏠 |●| ⑩% **Chambres d'hôtes Le Moulin de Francueil (Jean-Claude Joyez) :** 28, rue du Moulin-Neuf. ☎ 02-47-23-93-44. 📱 06-81-43-34-08. ● moulinfrancueil@aol.com • moulinfrancueil.com • 🛜 Dans un petit village rural, ancien moulin du début du XIXᵉ s planté dans un grand parc aux arbres centenaires. Cinq chambres, dont une au rez-de-jardin avec accès direct sur le parc (notre préférée, dans les tons bleu et blanc), une au 1ᵉʳ étage, les 3 autres au second. Mobilier du XVIIIᵉ que Jean-Claude a chiné un peu partout. Sanitaires privés. 105 € pour 2, petit déj compris. Table d'hôtes à 26 €, tout compris. Cuisine familiale et traditionnelle. Accueil convivial. Une bonne adresse et un point de chute idéal pour découvrir les châteaux de la Loire.

Accès : *A 10 sortie n° 17 puis direction Blois en longeant la Loire, puis Montrichard et Francueil ; à l'église du village, descendez la rue du Moulin-Neuf jusqu'à la maison.*

GENILLÉ 37460

Carte régionale A2

*15 km S de Chenonceaux ;
10 km NE de Loches*

€€ ≜ |◉| ⌖ ⑩% **Chambres d'hôtes de la Charpraie (Sébastienne de Tilly) :** ☎ 02-47-59-55-94. 📱 06-30-16-30-62. En bordure de la forêt de Loches, jolie longère du XIXᵉ s. Trois chambres « comme à la maison », avec sanitaires privés. 65 € pour 2, petit déj compris. Table d'hôtes à 30 €, vin compris, pour une cuisine tourangelle traditionnelle. Accueil chaleureux.

Accès : *dans le village, prenez la route de La Bourdillière, puis suivre Le Coudray et La Charpraie.*

INGRANDES 36300

Carte régionale A2

50 km E de Poitiers ; 10 km O de Le Blanc

€€€€ ≜ ⌖ ⑩% **Chambres d'hôtes Château d'Ingrandes (Jacqueline Drouart) :** ☎ 02-54-37-46-01. 📱 06-09-67-27-90. ● chateauingrandes@orange.fr ● chateauingrandes.com ● Ouv Pâques-sept. 📶 Superbe château, répertorié à l'ISMH, et dont les origines remontent au XIᵉ s, comme en témoigne sa superbe cave voûtée. Détruit, puis reconstruit aux XIVᵉ et XVᵉ s, il domine aujourd'hui les rives de l'Anglin. Trois chambres (dont une grande familiale de 5 personnes sous les toits) une déco plutôt rustique et campagnarde. Pour la vraie vie de château, il faut passer dans le donjon, avec son sol pavé de terre cuite, ses poutres et son lit à baldaquin, ou sa suite Henry IV, dans le même style mais en duplex. Sanitaires privés. Selon la chambre et la saison, de 80 à 120 € pour 2, petit déj compris, et 120 € pour la suite 5 personnes. Pour vous détendre, agréable piscine chauffée abritée des regards indiscrets (veinard !). Bien sûr, si vous aimez les vieilles pierres, Jacqueline vous fera visiter son château gracieusement (elle adore conter son histoire). Une adresse

pour les passionnés d'histoire. Accueil de qualité.

Accès : *du Blanc, empruntez la D 951 en direction de Poitiers ; au rond-point, tournez à droite ; le château se situe à gauche, juste avt de passer le pont sur l'Anglin.*

LA FERTÉ-SAINT-AUBIN 45240

Carte régionale B1

40 km NE de Blois ; 21 km S d'Orléans

€€ ≜ **Chambres d'hôtes (Marie-Françoise et Michel Ravenel) :** *La Vieille-Forêt.* ☎ 02-38-76-57-20. Fax : 02-38-64-82-80. ● ravenel@ozone.net ● chambres-lavieilleforet.com ● 📶 Isolée au milieu de la lande solognote, ancienne ferme du XIXᵉ s. Deux chambres spacieuses, installées dans différentes ailes de la ferme, toutes deux au rez-de-chaussée avec accès indépendant. Déco agréable, mais mobilier un peu classique (pin naturel) ; une préférence cependant pour la chambre des canards. 57 € pour 2, petit déj compris (gâteau et confitures maison, dont celle de pissenlits). Pas de table d'hôtes, mais cuisine à disposition. Certains regretteront de ne pas être réellement chez l'habitant, les autres apprécieront le calme et la tranquillité des lieux. Marie-Françoise aime la nature et, avec son mari, ils ont créé un petit étang juste à côté de la maison (les pêcheurs pourront apporter leur matériel). Elle connaît aussi très bien sa région et vous donnera toutes les infos pour la découvrir. Le domaine du Ciran à Ménestreau-en-Villette, la maison du Cerf à Villeny sont des visites sympas pour ceux qui aiment le vert.

Accès : *du village, prenez la D 18 vers Jouy-le-Potier (sur 4 km), puis tournez à droite sur un chemin de terre, la maison est à 400 m.*

LA FERTÉ-SAINT-CYR 41120

Carte régionale B1-2

30 km E de Blois ; 15 km E de Chambord

€€ ≜ ⌖ ⑩% **Chambres d'hôtes Althaéa (Alexandre Lavado) :** *4, route de Ligny.* ☎ 02-54-87-90-05. 📱 06-15-22-82-93. ● althaeachambres@aol.com ● althaea.chambresetgite.perso.neuf.fr ● ⌖ 📶 Alexandre s'occupe et gère cette immense propriété de 5 ha qui comprend deux grands étangs (amis pêcheurs à vos cannes !). Cinq chambres vastes et agréables avec sanitaires privés ; 4 au rez-de-chaussée, dont 3 avec accès direct sur le jardin, la dernière à l'étage, composée de 2 chambres pour les familles. 70 € pour 2, petit déj compris, et 20 € par personne supplémentaire. Vous pourrez profiter de la grande piscine couverte, du court de tennis et du sauna ! Pas de table d'hôtes mais un très bon petit resto dans le village. Accueil chaleureux. Une sympathique adresse pour se mettre au vert et retrouver la forme.

Accès : à l'entrée du village, sur la droite quand on vient de Ligny-le-Ribault (l'inverse si vous venez d'une autre direction).

LA GAUDAINE · 28400

Carte régionale A1

9 km E de Nogent-le-Rotrou ;
5 km O de Thiron-Gardais

€€€ 🏠 (10%) **Chambres d'hôtes La Carillière (Michelle Brauge) :** ☎ 02-37-52-16-69. 📱 06-08-50-67-25. ● chambresdhotes@la-carrilliere.fr ● la-carrilliere.fr ● 📶 Dans le parc naturel régional du Perche, magnifique longère dans un joli petit coin de campagne, labellisée gîte Panda. Michelle l'a restaurée avec amour en privilégiant les matériaux naturels. Ancienne prof, elle peint aussi de superbes aquarelles qui parent les murs de sa charmante demeure. Trois chambres à l'atmosphère romantico-campagnarde, toutes avec accès indépendant. Vieilles tomettes et belle poutraison. Une plus petite, idéale pour les amoureux au budget plus serré, une avec cheminée et salle d'eau installée dans l'ancien four à pain, la dernière avec accès par escalier extérieur. Sanitaires privés. Selon la chambre, de 64 à 75 € pour 2, petit déj compris avec une majorité de produits bio. Agréable jardin avec de nombreux arbres fruitiers. Ambiance calme et sereine, accueil charmant : une adresse juste comme on les aime.

Accès : A 11 sortie n° 4 Nogent-le-Rotrou ; allez jusqu'à Luigny puis prenez à droite la D 30 jusqu'à La-Croix-du-Perche et à gauche la D 110 jusqu'à La Gaudaine ; la maison est juste après la mairie en direction de Thiron (D 368).

LIGNIÈRES · 18160

Carte régionale B2

42 km SO de Bourges ;
26 km O de Saint-Amand-Montrond

€€ 🏠 |●| 🐾 (10%) **Chambres d'hôtes L'Ange Blanc (Odile et Alain Olaïzola) :** ☎ et fax : 02-48-60-27-70. 📱 06-14-64-76-47. ● a.olaizola@free.fr ● langeblanc.lignieres.free.fr ● 📶 Agréable demeure dans un environnement calme et champêtre. Quatre

chambres à la déco soignée, avec écran plat et lecteur DVD (prêt de films) et sanitaires privés. 59 € pour 2, petit déj compris. Également un appartement pouvant accueillir 4 personnes pour ceux qui souhaitent plus d'indépendance, à 80 € pour 2 et 20 € par lit supplémentaire. Possibilité de table d'hôtes à 20 € tout compris. Pour vous détendre, billard français, piscine couverte et chauffée et spa.

Accès : de Lignières, direction Issoudun et prenez la petite route à droite (au transformateur EDF) et suivez le fléchage.

LIGRÉ · 37500

Carte régionale A2

45 km SO de Tours ; 6 km S de Chinon

€€€€ 🏠 |●| (10%) **Chambres d'hôtes Le Clos de Ligré (Martine Descamps) :** 22, rue du Rouilly. ☎ 02-47-93-95-59. 📱 06-61-12-45-55. ● mdescamps@club-internet.fr ● le-clos-de-ligre.com ● Fermé entre Noël et Jour de l'an. 📶 Maison bourgeoise du milieu du XIXe s, ancienne ferme viticole, clos de murs sur 1 ha. Deux jardins, dont un encadre la piscine d'eau salée et sa terrasse couverte. Cinq chambres différentes avec sanitaires privés (toutes avec baignoire). Une avec lit à baldaquin située dans un ancien pressoir. Une autre, avec salon attenant (idéale pour les familles ou amis), se trouve dans un ancien fruitier, avec vue sur la piscine et les jardins. Les autres se situent dans la maison d'habitation : l'une, très spacieuse et lumineuse, se trouve au 1er étage ; enfin, au 2e, 2 grandes chambres avec très belle poutraison et vaste volume. 110 € pour 2, petit déj compris (servi dans le jardin aux beaux jours), et 35 € par personne supplémentaire. Salon de musique avec piano à queue, bibliothèque et billard complètent le tout. Table d'hôtes (sur réservation, quelques soirs par semaine seulement) à 35 €, boissons comprises. Accueil agréable.

Accès : après l'église et la mairie de Ligré (situées sur votre gauche), allez jusqu'au carrefour ; continuez tt droit, puis tournez à droite ; la maison est au bout du chemin.

MÉNESTREAU-EN-VILLETTE · 45240

Carte régionale B1

27 km SE d'Orléans ;
15 km E de La Ferté-Saint-Aubin

€€€€ 🏠 **Chambres d'hôtes Ferme des Foucault (Rosemary Beau) :** ☎ 02-38-76-

94-41. 📱 06-83-39-70-94. ● *rbeau@wana doo.fr* ● *ferme-des-foucault.com* ● *Fermé de début janv à mi-fév.* 📶 En pleine forêt, dans une grande clairière, ancienne ferme composée de plusieurs bâtiments tout de brique vêtus. Ici vous séjournerez à l'américaine, dans l'espace, le luxe et la volupté. Trois chambres immenses avec superbes sanitaires privés, la plus grande avec douche et baignoire (faut c'qui faut !) : une au rez-de-chaussée avec petit salon et poêle à bois, les 2 autres à l'étage, dont une carrément hollywoodienne qui ouvre sur trois côtés de la maison. Grand lit, moquette épaisse, beaux meubles de style, et des murs qui s'enorgueillissent des toiles réalisées par la fille de Rosemary. De 95 à 100 € pour 2, petit déj compris. Pas de table d'hôtes mais kitchenette à disposition. Si vous aimez la forêt, elle vous tend les bras, de même que la belle et grande piscine. Accueil chaleureux et décontracté. Une adresse nature, made in USA, pour ceux qui ont des dollars.

Accès : *de Marcilly-en-Villette, prenez la D 64 vers Sennely (sur 6 km) et suivez le fléchage à droite « Les Foucault » (ouvrez l'œil, on le loupe facilement).*

MER 41500

Carte régionale A1

16 km NE de Blois

€€€ 🏠 **Chambres d'hôtes Le Clos (Joëlle et Claude Mormiche).** 9, rue Jean-et-Guy-Dutems. ☎ 02-54-81-17-36. 📱 06-21-83-67-81. ● *mormiche@wanadoo.fr* ● *chambres-gites-chambord.com* ● *Fermé nov-avr.* 📶 C'est en passant côté jardin que l'on apprécie le charme de cette maison de village du XVIe s. Cinq chambres décorées avec goût (nombreuses aquarelles et gravures encadrées par Joëlle). Sanitaires privés. De 72 à 78 € pour 2, petit déj compris. Prêt de vélos (chouette !). Accueil jeune et convivial.

Accès : *de Blois, prenez la N 152 vers Orléans ; dans Mer, la maison se trouve dans la rue à gauche de l'église.*

MEUNG-SUR-LOIRE 45130

Carte régionale B1

18 km SO d'Orléans ; 25 km NE de Blois

€€€€ 🏠 **Chambres d'hôtes La Mouche-Abeille (Jean-Jacques et Milène Perrody) :** ☎ 02-38-44-34-36. ● *perrody@chambres-hotes-loire.com* ● *chambres-hotes-loire.com* ● *Fermé 20 déc-20 janv.* 📶 Belle demeure du XVIIIe s avec un jardin à la française qui surplombe la

Loire. Trois chambres spacieuses, décorées de beaux tableaux anciens. Grands sanitaires privés. 100 € pour 2, petit déj compris. Accueil aimable et courtois.

Accès : *de Meung, D 12 vers Orléans pdt 3 km, et après un parking, prenez l'allée à droite (fléchage).*

MONDOUBLEAU 41170

Carte régionale A1

28 km NO de Vendôme

€€ 🏠 🍴 🐾 10% **Chambres d'hôtes (Isabelle Peyron et Alain Gaubert) :** carrefour de l'Ormeau. ☎ 02-54-80-93-76. 📱 06-35-96-79-20. ● *isabelle@carrefour-de-lormeau.com* ● *carrefour-de-lormeau. com* ● ♿ 📶 Alain était sculpteur sur bois, puis s'est orienté vers la fabrication de meubles très design. Dans sa maison de village, de la fin du XVIIe s tout en brique, 5 chambres avec sanitaires privés, mais pas systématiquement accolés à la chambre. Déco épurée, mobilier entièrement réalisé par le maître des lieux. Une préférence pour la chambre du rez-de-chaussée qui ouvre sur le jardin ; les autres sont à l'étage. De 55 à 65 € pour 2, petit déj compris (pain et confitures maison). Repas, partagé avec vos hôtes, à 26 €, vin de pays compris ; et si vous êtes un connaisseur ou cet auguste breuvage, sachez qu'Alain est un passionné... Cuisine à base essentiellement de produits bio, et repas végétariens sur demande. Agréable salle de jour avec une grande et belle table (de qui ?... bon, ben, recommencez du début) et chaleureuse cuisine très champêtre. Les proprios proposent des week-ends à thème et des cours de cuisine. Au 2e étage, une immense et superbe salle avec un beau volume et une splendide charpente apparente. Elle tient lieu de salle d'expo, et parfois de concert (piano demi-queue accordé). Accueil chaleureux. Une bonne adresse. Juste à côté de la demeure d'Isabelle et Alain se trouve la maison dite « du gouverneur », splendide, avec ses murs à pans de bois. 6 vélos à louer sur place.

Accès : *dans le bourg, prenez la rue du Pont-de-l'Horloge ; la maison se situe à proximité de la tour du XIe s.*

MONTHODON 37110

Carte régionale A1-2

25 km NE de Tours ; 25 km NO d'Amboise

€ 🏠 🍴 10% **Chambres d'hôtes La Maréchalerie (Patricia et Danny Niedbalski) :** 6, rue des Rosiers. ☎ 02-47-29-61-66.

• info@lamarechalerie.fr • lamarechalerie.fr • 🛜 Ancienne forge de la fin du XVIII° s, dans laquelle Patricia et Danny ont aménagé 5 chambres d'hôtes, avec le souci que l'on s'y sente bien. Au rez-de-chaussée, une grande salle où la forge a été conservée et 5 chambres pour 2 et 3 personnes. Quatre d'entre elles ouvrent sur le jardin, mais nos préférées ont portes-fenêtres avec petite terrasse abritée et transats. Un escalier extérieur conduit à un studio pour 2 personnes avec petite cuisine et possibilité de coucher un enfant sur la mezzanine. Sanitaires privés. Déco chaleureuse et campagnarde. Comptez 45 € pour 2, avec un copieux petit déj maison. 45 € pour le studio sans le petit déj (séjour de 5 nuits minimum). Table d'hôtes le week-end, partagée en compagnie des proprios, à 15 €, apéro, vin, digestif et café compris. Ici, on peut tout faire... Une balade à vélo ? ceux de la maison sont à votre disposition. Une partie de pêche ? il y a un étang et la rivière coule au fond du jardin ; de plus, on vous prête le matériel. Une visite culturelle ? Patricia et Danny connaissent tous les châteaux de la région et vous proposeront aussi plein de randos à faire dans le coin. Enfin, on ne peut pas finir sans parler de Chouchou, le perroquet. Une adresse comme il y en a peu, où le maître mot est hospitalité.

Accès : à 4 km de Monthodon, à proximité de l'église du hameau du Sentier (qui a cessé de sonner).

MONTIGNY   18250

Carte régionale B2

*30 km NE de Bourges ;
16 km SO de Sancerre*

€€€ 🏠 |○| 🏕 *Chambres d'hôtes de la Reculée (Charlotte Gressin-Welsch) :* La Reculée. ☎ 02-48-69-59-18. 📱 06-89-75-66-90. • lareculee@gmail.com • domaine delareculee.fr • 🛜 Jolie ferme berrichonne du XVIII° s avec grande cour fermée. Cinq chambres coquettes et agréables, avec sanitaires privés, dans une aile de la maison. Ici, le bois est à l'honneur. Comptez 80 € pour 2, avec le petit déj. Possibilité de table d'hôtes sur réservation. Bien sûr, vous êtes au début de la zone d'appellation du sancerre pour les amateurs de vin ; pour ceux qui préfèrent l'insolite, le musée de la Sorcellerie de Blancafort est tout proche (pour les petits et les grands). Et pour vous remettre de ces pérégrinations, pourquoi pas un petit plongeon dans la piscine ?

Accès : depuis Bourges, prenez la D 955 en direction de Sancerre ; après avoir traversé Saint-Céols, prenez la D 59 vers Montigny, puis la D 44 en direction de Feux sur 4 km (suivez le fléchage).

MORLAC   18170

Carte régionale B2

*45 km S de Bourges ;
18 km O de Saint-Amand-Montrond*

€ 🏠 |○| ⑩% *Chambres d'hôtes La Forêtrie (Arlette Genty) :* ☎ 02-48-60-08-39. Belle ferme traditionnelle, avec entourage des portes et des fenêtres en pierre, genre tuffeau, bâtie sur une exploitation céréalière et accueillant un élevage de volailles. Une belle entrée avec murs en brique et pans de bois. Un noble escalier conduit aux 2 chambres de la maison, à l'atmosphère très douillette. Vous bénéficierez en outre de l'accès direct au billard français (six pieds, s'il vous plaît !) et dont le cadre peut se transformer pour devenir américain. Comptez 50 € pour 2, petit déj compris. Table d'hôtes (sauf le dimanche soir), partagée en famille, à 18 €, apéro local (le berrichon) et vin compris. Une bonne cuisine du terroir avec les volailles, légumes et fruits du jardin. Les pêcheurs trouveront un étang privé de 5 ha à leur disposition (chouette !). Accueil chaleureux et vrai. Une adresse nature.

Accès : de Saint-Amand-Montrond, prenez la D 925 vers Lignières ; lorsque vous croiserez la D 3 qui mène à Morlac, ignorez-la et continuez tt droit, puis tournez à droite vers Ineuil (D 144) et suivez le fléchage.

NANÇAY   18330

Carte régionale B2

*35 km NO de Bourges ;
18 km NE de Vierzon*

€€ 🏠 |○| 🏕 ⑩% *Chambres d'hôtes Les Crocus (Arlette Guéru) :* 7, rue du Grand-Meaulnes. ☎ 02-48-51-88-28. 📱 06-84-38-21-14. • lescrocus@cario.fr • Après avoir baroudé de nombreuses années dans différents métiers et régions de France, Arlette a décidé de s'installer dans cette maison des années 1920 et d'y ouvrir 4 chambres, dont une familiale composée de 2 chambres. Une dans un petit pavillon indépendant, une au rez-de-chaussée de la maison, les autres au 1er étage. Sanitaires privés. Toutes différentes, on a craqué pour la chambre « Orientale » avec un joli drapé au plafond à l'atmosphère *Mille et Une Nuits*. 58 € pour 2, petit déj compris. Table d'hôtes à 24 €, apéro, vin, café et digeo compris. Pour votre détente, terrain de pétanque, un spa avec jacuzzi et sauna pour les amateurs (25 € de l'heure). Une adresse sympathique et originale.

Accès : au cœur du bourg, pratiquement face à la mairie.

NAZELLES-NÉGRON 37530

Carte régionale A2

20 km E de Tours ; 3 km N d'Amboise

€€€€€ 🏠 **Chambres d'hôtes Château de Nazelles (Véronique et Olivier Fructus) :** *16, rue Tue-la-Soif.* ☎ *et fax : 02-47-30-53-79.* 📱 *06-22-33-55-18.* ● *info@chateau-nazelles.com* ● *chateau-nazelles.com* ● *Fermé 24, 25 et 31 déc.* 📶 Rue Tue-la-Soif, il est une adresse d'exception et vous en resterez la bouche ouverte (si vous en avez les moyens...). Classé Monument historique, ce domaine du XVIe s domine la vallée de la Loire, et le point de vue est superbe. Quant à la demeure par elle-même, c'est un ravissement. Marie-Antoinette l'aurait adorée... alors on vous passe les détails ! Cinq chambres : 2 au 1er étage de la maison principale (escalier large, mais assez raide), mais dont la vue vous ravira ; une autre dans un ravissant pavillon indépendant de plain-pied pour jouir du charme des vieilles pierres ; et enfin 2 chambres troglodytiques. Toutes sont élégantes et avec sanitaires privés. Immense salon avec billard français. Côté jardin (entretenu à la française), une incroyable piscine-bassin à moitié creusée dans la roche. Selon la chambre, de 115 à 160 € pour 2, petit déj compris. Tables et cuisine d'été à disposition dans l'orangeraie. Tout en haut de la propriété, le plateau avec les vignes. Accueil de qualité. Une adresse pour séduire sa dulcinée.

Accès : *le château se situe sur la rive opposée de celle du château d'Amboise (la Loire, ignorant !), et il faut encore traverser la Cisse ; la rue se trouve à gauche de la mairie du bourg.*

ORVAL 18200

Carte régionale B2

46 km S de Bourges ;
3 km O de Saint-Amand-Montrond

€€ 🏠 |○| **Chambres d'hôtes La Trolière (Marie-Claude Dussert) :** ☎ *02-48-96-47-45.* 📱 *06-72-59-21-76.* ● *marie-claude.dussert@orange.fr* ● *Fermé janv.* 📶 Petit manoir Directoire, avec grand parc ombragé. Quatre chambres : 3 avec sanitaires privés (dont 2 avec clim), l'autre avec douche particulière mais w-c sur le palier. Déco un peu vieille France mais l'ambiance est décontractée. Selon le confort, de 60 à 80 € pour 2, petit déj compris. Marie-Claude propose aussi la table d'hôtes (sauf le mardi), préparée à partir des produits maison, pour 28 € tout

compris. Agréable salon avec cheminée. Accueil chaleureux. Une bonne adresse.

Accès : *A 71, sortie Saint-Amand-Montrond ; au 1er carrefour, tournez à gauche vers Châteauroux ; la maison est à 500 m sur la droite.*

OUCHAMPS 41120

Carte régionale A2

14 km S de Blois

€€ 🏠 |○| ⿱ 🔟% **Chambres d'hôtes Ferme des Motteux (Éliane et Jean Vernon) :** *Le Motteux.* ☎ *02-54-70-42-62.* 📱 *06-82-74-19-67.* ● *vernonjeaneteliane@orange.fr* 📶 Sur une exploitation agricole, 3 chambres avec accès indépendant : 2 plus simples, dans un petit bâtiment annexe, qui se partagent un coin cuisine, la 3e dans le prolongement de la maison des proprios avec coin cuisine ; également 2 chambres à l'étage de la maison de vos hôtes. Sanitaires privés. 52 € pour 2, petit déj compris, et 95 € pour 4. Pas de table d'hôtes, mais coin cuisine et terrasse avec barbecue à disposition. Également un gîte rural pour 6 personnes, loué de 270 à 420 € la semaine suivant la saison. Une adresse pour ceux qui préfèrent l'indépendance et qui veulent rayonner.

Accès : *de Blois, prenez la D 764 vers Montrichard et suivez le fléchage à gauche.*

PARASSY 18220

Carte régionale B2

24 km NE de Bourges ;
8 km E de Ménetou-Salon

€€€ 🏠 |○| ⿱ **Chambres d'hôtes La Montagne (Isabelle Auzolle et Jean Dagallier) :** ☎ *02-48-64-23-25.* 📱 *06-51-64-19-53.* ● *isabelle@archicool.net* ● *lamontagnedeparassy.com* ● *Fermé 15 déc-15 mars.* 📶 C'est par un petit chemin empierré qui court à travers les sous-bois qu'on arrive jusqu'à cette jolie maison en silex. Deux chambres à la déco originale et à l'atmosphère raffinée et sereine, dans un petit bâtiment indépendant avec accès direct sur la nature. Sanitaires privés. On aime bien la chambre à la poutre aux miroirs et sa salle de bains au plancher de bateau. 75 € pour 2, petit déj compris. Table d'hôtes partagée en famille à 32 €, apéro, vin et café compris. Accueil agréable.

Accès : *dans le village, D 59 vers Morogues jusqu'au croisement avec la D 12 où vous prenez la direction d'Henrichemont à gauche, puis 1re route à droite et fléché « La Montagne » sur 1,4 km.*

CENTRE

PRASVILLE 28150

Carte régionale B1

23 km SE de Chartres ; 8 km E de Voves

€€ 🏠 🚪 **Chambres d'hôtes La Longère (Annette Hardouin) :** *12, pl. de l'Église.* ☎ 02-37-32-25-18. 📱 06-09-69-39-66. ● hardouinanne@orange.fr ● lalongere. fr ● 🛜 Dans deux petits bâtiments indépendants de cette ancienne ferme, 2 chambres agréables de plain-pied, dont une familiale composée de 2 chambres. Sanitaires privés. 55 € pour 2, petit déj compris. Annette est une grand-mère énergique et dynamique qui se fera un plaisir de vous dorloter.

Accès : sur la N 154 entre Chartres et Artenay prenez la D 22 vers Prasville ; la maison se trouve sur la pl. de l'Église.

RESTIGNÉ 37140

Carte régionale A2

25 km E de Saumur ; 22 km N de Chinon

€€ 🏠 **Chambres d'hôtes La Croix des Pierres (Annette Galbrun) :** *15, rue Croix-des-Pierres.* ☎ 02-47-97-33-49. 📱 06-81-20-90-65. ● galbrun.marc@wanadoo.fr ● perso.orange.fr/la.croix.des.pierres ● 🛜 À proximité du bourg, maison en tuffeau avec petite cour. Les propriétaires exploitent 10 ha de vignes de bourgueil. Trois chambres (dont une familiale pour 4 personnes) dans une partie annexe de la maison. Sanitaires privés. Intérieur soigné et mobilier rustique. Comptez 60 € pour 2, petit déj inclus, et 20 € par personne supplémentaire. Annette se coupe en quatre pour recevoir ses hôtes, normal que cette adresse soit plébiscitée par de nombreux adeptes !

Accès : à l'église, prenez la rue Basse sur 800 m et tournez à gauche dans la rue Croix-des-Pierres.

RIVARENNES 37190

Carte régionale A2

17 km NE de Chinon ;
9 km NO d'Azay-le-Rideau

€€ 🏠 ⦿ **Chambres hôtes La Buronnière (Hélène Dupuy) :** *2, route des Sicots.* ☎ 02-47-95-47-61. 📱 06-32-31-89-90. ● la-buronniere@wanadoo.fr ● laburonniere.com ● 🛜 Ancien domaine viticole de 1850 dont la façade est parée d'un crépi rose. Quatre chambres élégantes et lumineuses, avec sanitaires privés (sur le palier pour l'une d'elles) : 3 à l'étage de la maison, une dernière, familiale, est installée dans une aile indépendante. Selon la chambre, de 55 à 62 € pour 2, petit déj compris, et 110 € pour 6. Table d'hôtes (sauf les dimanche et lundi) partagée en famille à 23 €, apéro et vin du coin compris. Cuisine avec les produits locaux et du jardin et spécialités tourangelles à base de poire tapée. Accueil convivial.

Accès : à l'entrée du village, sur la gauche quand on vient de Chinon.

ROMILLY-SUR-AIGRE 28220

Carte régionale A1

15 km S de Châteaudun

€€ 🏠 ⦿ **Chambre d'hôtes La Baronnerie (Béatrice et Jacques Grudet) :** *lieu-dit Saint-Calais.* ☎ et fax : 02-37-98-60-32. 📱 06-73-16-13-87. ● jacques.grudet@nordnet.fr ● *Ouv de mi-mars à fin oct.* 🛜 Une seule chambre sous forme de suite familiale composée de 2 chambres, installée à l'étage de cette grande demeure. Déco agréable. 56 € pour 2, petit déj compris, et 100 € pour 4. Pas de table d'hôtes, mais Béatrice vous propose un panier repas à 16 € par personne. Grande piscine pour vous détendre. Accueil dynamique et souriant. Une adresse pour se faire dorloter.

Accès : de Châteaudun, N 10 vers Vendôme sortie Romillly ; à l'entrée de la cité, tournez à gauche vers La Ferté-Villeneuil jusqu'à Saint-Calais ; la maison est à la sortie du lieu-dit à gauche.

€€ 🏠 **Chambre d'hôtes La Touche (Kristine et René Bourdon) :** ☎ 02-37-98-30-48. 📱 06-03-08-53-18. ● insolitelatouche.bourdon@orange.fr ● insolitelatouche.com ● C'est par un noble porche que vous entrerez dans cette superbe ferme (ancienne seigneurie dont les origines remontent à l'époque gallo-romaine !). Deux tours marquent les angles de l'immense cour intérieure : l'une ronde, hébergeant les chouettes de la maison ; l'autre carrée, où dit-on, Émile Zola serait venu tirer une partie de son inspiration pour son roman *La Terre* (qui fit scandale à l'époque). Une seule chambre, claire et agréable, avec sanitaires privés (non attenants), à 60 € pour 2, petit déj compris. Kristine connaît bien sa région et vous indiquera toutes les balades sympas à faire dans le coin. Accueil chaleureux. Une maison de charme et un bon rapport qualité-prix. L'église du village vaut le coup d'œil ; ses deux tours, qui lui donnent une allure toute particulière, appartenaient à un château. À l'intérieur, magnifique charpente en forme de coque de bateau.

Accès : *de Châteaudun, prenez la N 10 vers Tours, sortie ZI de Cloyes/Romilly ; traversez Romilly, la ferme est à 1,5 km.*

€€€ ▣ ⑩% ***Chambres d'hôtes Le Prieuré (Aline et Max de Pibrac) :*** 5, route du Prieuré, Bouche-d'Aigre. ☎ 02-37-98-30-57. ▤ 06-15-32-30-84. ● depibrac@ hotmail.fr ● bouchedaigre.fr ● 🖥 Voilà une adresse que les amoureux d'histoire et de vieilles pierres ne manqueront pas ! Planté au milieu d'un parc de 30 ha, superbe prieuré dont les origines remontent au XIIᵉ s (si, si, les fondations de la tour !). C'est à la Renaissance qu'il prendra toute sa splendeur et au XIXᵉ qu'il sera terminé dans le même style. Les deux façades sont très différentes. Celle de l'arrière est sculptée avec gargouilles et fenêtres à meneaux. L'intérieur est à la hauteur de nos attentes... Vaste vestibule avec colonnes et plafond à caissons. Trois chambres, dont 2 suites familiales composées de 2 chambres, une au 1ᵉʳ étage avec petit salon privatif, les 2 autres au second. On aime bien la chambre « Platanes ». Sanitaires privés. Selon la chambre, de 80 à 120 € pour 2, petit déj compris, et 150 € pour 4. Propriété de la famille depuis 1830, la maison regorge de souvenirs de voyages, de mobilier de style (notamment Napoléon III) qui appartenaient à l'oncle Albert à qui l'on a dédié une des chambres. Pour compléter le tout, une agréable piscine et un superbe gîte de 10-12 personnes pour ceux qui veulent séjourner. Accueil de qualité. Une adresse qui vaut le détour.

Accès : *de Châteaudun, N 10 vers Vendôme, sortie Romilly ; avt l'entrée du village, tournez à droite vers Bouche-d'Aigre, faites 1 km et, au cœur du hameau, passez le portail en face de vous et faites 400 m sur un petit chemin.*

ROSNAY   36300

Carte régionale A2

30 km NO d'Argenton-sur-Creuse ;
15 km NE de Le Blanc

€€€ ▣ |●| ***Chambres d'hôtes Domaine de la Crapaudine (Thierry Danyaud) :*** 13, rue Saint-André. ☎ 02-54-37-77-12. ▤ 07-86-87-18-50. ● lacrapaudine@ orange.fr ● domaine-de-la-crapaudine. fr ● 🖥 Au cœur du parc naturel de la Brenne réputé pour ses nombreux étangs. Face au porche de l'église, mais en retrait de la rue, superbe demeure du XVIIIᵉ s. Quatre chambres délicieuses et élégantes,

avec sanitaires privés, à 80 € pour 2, petit déj compris. Table d'hôtes à 30 €, vin compris, pour une cuisine saine réalisée en partie avec les légumes du potager. Accueil agréable. Une adresse de charme.

Accès : *au centre du village, face à l'église.*

SAINT-AIGNAN-SUR-CHER   41110

Carte régionale A2

38 km S de Blois

€€€ ▣ ***Chambres d'hôtes Le Sousmont (Marie-France Caillaud) :*** 66, rue Maurice-Berteaux. ▤ 06-66-87-40-13. ● mari-france.caillaud@orange.fr ● lesous mont.fr ● 🖥 À deux pas du centre, maison de ville du XIXᵉ s, dans laquelle vous attendent 4 chambres, dont une suite pour 4 personnes, avec sanitaires privés. Décoration soignée. C'est le côté jardin qui nous a fait craquer (Monet l'aurait adoré...) ! Bien sûr, à la française, mais surtout offrant la plus belle vue de la ville sur le château privé (72 pièces !) et la collégiale de Saint-Aignan (c'est le moment d'apporter votre chevalet). De 68 à 78 € pour 2, petit déj compris, et 20 € par personne supplémentaire. La route passe en bordure de la maison, mais le trafic est quasiment nul la nuit. Et puis faites comme nous : réservez la chambre côté jardin (c'est la dernière-née). Sourire et gentillesse au rendez-vous.

Accès : *en venant de Blois, traversez les deux ponts à l'entrée de la ville ; au feu, tournez à gauche et au suivant à droite.*

SAINT-BENOÎT-DU-SAULT   36170

Carte régionale A2

37 km SE de Le Blanc ;
22 km SO d'Argenton-sur-Creuse

€€ ▣ ⌂ ***Chambres d'hôtes Le Portail (Marie-France et Daniel Boyer-Barral) :*** ☎ 02-54-47-57-20. ▤ 06-30-37-27-16. ● leportail15eme@free.fr ● 🖥 Saint-Benoît fait partie des plus beaux villages de France. Dans la porte fortifiée de la cité, 3 chambres agréables de 2 à 4 personnes installées sur différents niveaux et auxquelles on accède par un bel escalier à vis en pierre. Sanitaires privés mais w-c sur le palier pour l'une d'elles. De 60 à 75 € pour 2, petit déj compris, et 110 € pour 4. Marie-France et Daniel sont artistes-peintres et nombre de leurs œuvres peuplent la

CENTRE

demeure. Pas de table d'hôtes, mais deux restos dans le village.

Accès : à *l'entrée de la cité médiévale.*

SAINT-BENOÎT-SUR-LOIRE   45730

Carte régionale B1

39 km SE d'Orléans ;
6 km NO de Sully-sur-Loire

€€ ⌂ |◉| ⊭ *Chambres d'hôtes Ferme de la Borde (Mireille et Dominique Bouin) :* 6, chemin de la Borde. ☎ 02-38-35-70-53. ⟦ 06-76-05-69-72. Fax : 02-38-35-10-06. ● mireille-dominique.bouin@wanadoo.fr ● fermedelaborde.com ● ⌖ De préférence sur résa. 奈 La ferme de la Borde est une ancienne exploitation céréalière qui abrite 5 chambres spacieuses avec sanitaires privés. Toutes ont des lits simples (2 ou 3) : 2 au rez-de-chaussée sont plus indépendantes, une 3e est située à l'étage, enfin les 2 dernières (une suite pour 4 personnes, une autre de 3 personnes équipée pour les handicapés) sont installées dans une maison indépendante. 70 € pour 2, petit déj compris, avec tout plein de confitures, gâteau et jus de raisin maison (je craque !). Les repas se prennent en famille sur une gigantesque table, dans une véranda donnant sur un jardin fleuri. 22 € le repas, vin compris, pour une cuisine à partir de produits fermiers, de légumes du potager et fruits du jardin. Vélos à disposition. Accueil agréable.

Accès : à *2 km à l'est du village par la D 148 en direction de Bonnée jusqu'à la chapelle Saint-Scholastique et fléchage.*

SAINT-DENIS-LES-PONTS   28200

Carte régionale A1

3 km O de Châteaudun

€€ ⌂ *Chambres d'hôtes Moulin de Segland (Marianne et Gilles Prévost) :* 54, rue de Segland. ☎ 02-37-45-22-02. ⟦ 06-52-36-88-97. ● prevost.gilles@wanadoo.fr ● segland-chambresdhotes.wifeo. com ● 奈 À l'orée du village, dans un coin bien tranquille, ancien et imposant moulin installé sur le Loir. Gilles et Marianne sont agriculteurs (vaches allaitantes) et ont aménagé 4 chambres agréables, dont une familiale composée de 2 chambres. Une préférence pour « la Prairie » qui ouvre sur la rivière. Sanitaires privés. Selon la chambre, 50 ou 55 € pour 2, petit déj

compris, et 15 € par personne supplémentaire. Pas de table d'hôtes mais cuisine à disposition. Les proprios prêtent une barque pour aller sur le Loir. Gentillesse, discrétion et authenticité au rendez-vous. Une adresse campagne et nature.

Accès : de *Châteaudun, D 927 vers Le Mans/Saint-Denis-les-Ponts ; au feu tricolore avt le 1er pont, au niveau de la Samaritaine (si, si !), tournez à gauche, le moulin est à 800 m à droite.*

SAINT-DENIS-SUR-LOIRE   41000

Carte régionale A2

7 km NE de Blois

€€€ ⌂ *Chambres d'hôtes Harmonies (Marie-Ange Chesneau et Marc Chaurin) :* 46, rue du Château-d'Eau, Villeneuve. ☎ 02-54-74-16-45. ⟦ 06-81-31-42-06. ● marieange.chesneau@gmail.com ● giteetchambresdhotesharmonies.com ● ⌖ Fermé déc-janv. Aux portes de Blois, agréable longère. Marie-Ange et Marc sont agriculteurs et proposent 4 chambres bien tenues avec sanitaires privés, dont une familiale avec lits en mezzanine pour les enfants. 72 € pour 2, petit déj compris (18 € par enfant). Sur rendez-vous, Marie-Ange propose des séances de « relax assis » et de « relax pied ». Accueil chaleureux. Une adresse pour destresser !

Accès : de *Blois, D 2152 vers Orléans et, au panneau Saint-Denis sur la droite, tournez à gauche vers Villeneuve, la maison est quasiment au pied du château d'eau.*

SAINT-LAURENT-LA-GÂTINE   28210

Carte régionale B1

20 km SE de Dreux ;
6 km N de Nogent-le-Roi

€€€ ⌂ ⟦10 %⟧ *Chambres d'hôtes Clos Saint-Laurent (Bernadette et Francis James) :* 6, rue de l'Église. ☎ 02-37-38-24-02. ⟦ 06-86-96-69-10. ● james@clos-saint-laurent.com ● clos-saint-laurent.com ● Fermé à Noël et au Nouvel An. 奈 Ancienne ferme du XIXe s nichée dans une cour fermée avec un agréable jardin. Au 1er étage, avec entrée indépendante, 4 chambres romantico-campagnardes, dont une pour 3 personnes et une suite pour 4. Déco à la fois sobre et élégante, avec des poutres lazurées en blanc. Sanitaires privés. De

CENTRE

89 à 99 € pour 2, petit déj compris. Pas de table d'hôtes, mais plusieurs restos sympas à Nogent. Accueil cordial.

Accès : *l'accès au village se trouve sur la D 21 entre Nogent-le-Roi et Houdan ; la maison est en face de l'église.*

SAINT-PIERRE-LES-BOIS   18170

Carte régionale B2

22 km O de Saint-Amand-Montrond ; 15 km N de Châteaumeillant

€€ 🏠 |●| *Chambres d'hôtes La Réserve (Philippe Aléonard) :* ☎ *et fax : 02-48-56-28-64.* 📱 *06-80-24-65-39.* ● *aleonard.ph@orange.fr* ● *lareserve18.com* ● 🛜 Superbe et ancienne ferme du XIXᵉ s. Trois chambres vastes et champêtres avec sanitaires privés. Toutes sont de plain-pied avec accès sur le jardin et la campagne. On préfère celles qui ont le sol recouvert de tomettes anciennes. Frigo et TV pour les inconditionnels. 55 € pour 2, petit déj compris. Philippe est prof de danse. Il aime la terre et élève oies, poulets et canards, tandis que son papa fournit les légumes du jardin. Aussi, la table d'hôtes ne comprend pratiquement que des produits maison. Repas à 20 €, apéro et vin compris. Grande et belle piscine. Gentillesse et chaleur de l'accueil au rendez-vous. Une adresse qu'on aime bien et un très bon rapport qualité-prix-convivialité.

Accès : *traversez le bourg par la D 3 quand vous venez du Châtelet, l'accès à la maison est à la sortie du village à gauche.*

SANTENAY   41190

Carte régionale A2

23 km O de Blois et d'Amboise

€€ 🏠 ⑩% *Chambres d'hôtes Ferme d'Herceux (Monique et Bernard Thomas) :* ☎ *02-54-46-12-10.* 📱 *06-67-56-57-87. Fax : 02-54-46-18-17.* ● *lafermedherceux@wanadoo.fr* ● *lafermedherceux.monsite.wanadoo.fr* ● En pleine campagne, entre champs et forêts, ancienne ferme joliment restaurée par Monique et Bernard. Au 1ᵉʳ étage, une chambre à l'atmosphère et à la déco sur le thème de la mer. Dans l'ancienne grange restaurée, 2 autres chambres agréables et mansardées. Sanitaires privés. Enfin, pour ceux qui préfèrent l'originalité, une très belle roulotte à l'atmosphère gipsy, avec sanitaires privés dans la maison. De 55 à 87 € pour 2, petit déj compris. Pour les moins fortunés, un petit dortoir de 12 couchages (système bas-lancs, mais gentiment décoré) à 22 € par personne, petit déj compris, mais pas les draps (amenez votre duvet). Également, un ravissant gîte rural de 6 personnes à l'atmosphère très campagnarde, loué de 500 à 600 € la semaine suivant la saison. Sans oublier... la piscine ! Accueil chaleureux. Une adresse qui fait des adeptes.

Accès : *de Santenay, prenez la D 107 vers Dame-Marie (sur 1 km), puis à gauche vers Herceux ; continuez sur cette route sur 2,5 km et suivez le fléchage.*

SARZAY   36230

Carte régionale B2

32 km SE de Châteauroux ; 7 km O de La Châtre

€€ 🏠 🐾 ⑩% *Chambres d'hôtes Château de Sarzay (Françoise et Richard Hurbain) :* ☎ *et fax : 02-54-31-32-25.* ● *sarzay@wanadoo.fr* ● *sarzay.net* ● C'est un beau château féodal dont les origines remontent au XIVᵉ s. À l'origine, cette forteresse comptait 38 tours ! Richard, les journalistes le connaissent bien... Normal, ça fait des années qu'il restaure cette douce folie pour lui conserver son âme, et sans l'aide d'aucune subvention. Tout ça parce qu'il ne suit pas à la lettre les indications des Monuments historiques (quand on voit le travail, il mériterait plus d'indulgence et d'aides financières, messieurs !). À l'intérieur de l'enceinte, dans les dépendances, 4 chambres avec sanitaires privés : une au rez-de-chaussée, les 3 autres à l'étage. Atmosphère campagnarde à souhait. 70 € pour 2, petit déj compris. Le château se visite et l'intérieur est une immense brocante. Richard a voulu le conserver dans son jus (sans eau, ni jus... électricité, quoi !). Accueil chaleureux. Une adresse qui sort de l'ordinaire.

Accès : *dans Sarzay, suivez le fléchage « Château ».*

SEPMES   37800

Carte régionale A2

35 km S de Tours ; 7 km SE de Sainte-Maure-de-Touraine

€€ 🏠 |●| *Chambres d'hôtes La Ferme des Berthiers (Anne-Marie Vergnaud) :* ☎ *02-47-65-50-61.* ● *jo.vergnaud@gmail.com* ● *lafermedesberthiers.fr* ● Fermé à

Noël et au Jour de l'an. 🕿 Cinq chambres simples mais confortables, avec salle de bains ou douche privée, dans une belle maison du XIXᵉ s couverte de vigne vierge. Comptez 68 € pour 2, petit déj compris. Excellent accueil.

Accès : de Sainte-Maure-de-Touraine, prenez la D 59 vers Ligueil ; à la sortie de Sepmes, suivez le fléchage.

SÉRIS 41500

Carte régionale A1

40 km SO d'Orléans ; 25 km NE de Blois

€€ 🏠 |❙| *Chambres d'hôtes (Annie et Jean-Yves Peschard) :* 10, chemin de Paris. 🕿 02-54-81-07-83. 🗎 06-03-17-14-27. Fax : 02-54-81-39-88. ● jypeschard@wanadoo.fr ● fermepeschard.free.fr ● 🕿 Dans un très beau corps de ferme en U joliment restauré, 5 chambres dans des bâtiments annexes. Toutes possèdent des sanitaires privés. 63 € pour 2, petit déj compris. Bonne table d'hôtes (sauf le dimanche soir), partagée en famille, à 22 €, apéro, vin et digeo compris. Spécialités de tarte aux asperges vertes, coq au vin, magret de canard au cassis, et de légumes originaux comme la courge spaghetti ou l'igname. Location de vélos et de VTC sur place, car Annie propose des balades pour découvrir la région façon nature. Également un gîte rural pour 5 personnes pour ceux qui veulent séjourner.

Accès : dans le village, en direction de Talcy.

SUÈVRES 41500

Carte régionale A1-2

12 km NE de Blois ; 5 km SO de Mer

€€€ 🏠 ⑩% *Chambres d'hôtes Le Moulin des Choiseaux (Marie-Françoise et André Seguin) :* 8, rue des Choiseaux. 🕿 02-54-87-85-01. 🗎 06-80-33-50-38. ● choiseaux@wanadoo.fr ● choiseaux.com ● 🕿 Joli moulin du XVIIIᵉ s bien restauré. Son mécanisme était très particulier, car il devait accentuer le débit de l'eau (choiseaux... bon sang, mais c'est bien sûr !). Cinq chambres (dont une suite) joliment décorées, chacune avec un charme (et un prix) différent. Trois dans la maison : une au rez-de-chaussée, champêtre et rustique, avec de vieilles tomettes, et qui donne sur la roue (notre préférée et l'une des moins chères) ; une au 1ᵉʳ étage, l'autre au second à l'ambiance romantique (ciel de lit) et ornée de toiles et de collages réalisés par Marie-Françoise. Enfin,

dans la maison du meunier, la suite (pour 3 personnes) et une petite chambre (la moins chère), croquignolette comme tout et à l'atmosphère romantico-printanière. Sanitaires privés. De 75 à 96 € pour 2, petit déj compris. Agréable salle à manger avec piano accordé. Pas de table d'hôtes, mais les restos ne manquent pas. Piscine. Accueil souriant.

Accès : sur la D 2152, entre Blois et Mer ; traversez Suèvres (si vous venez de Blois) et suivez le fléchage à gauche sur la nationale (500 m après la sortie du village).

TRÔO 41800

Carte régionale A1

45 km N de Tours ; 25 km O de Vendôme

€€ 🏠 ⑩% *Chambres d'hôtes Côte Sud (Dominique et Éric Calegari-Jehl) :* 7, rue Haute. 🕿 02-54-72-61-38. 🗎 06-13-38-43-43. ● cotesud-troo@wanadoo.fr ● cotesud-troo.fr ● Fermé début déc-début mars. 🕿 Au cœur du village, jolie maison du XVIIᵉ s avec jardinet où trônent deux palmiers. Cinq chambres au 1ᵉʳ étage douillettes et décorées sur des thèmes différents : il y a la jolie « Tourangelle », puis la « Grecque » et l'« Hindi » pour ceux qui veulent se dépayser totalement. Une dernière, installée au fond du jardin, est semi-troglodytique et sous forme d'un petit duplex avec coin cuisine. Sanitaires privés. Pour 2, comptez de 70 à 80 € pour les premières et de 80 à 90 € pour la dernière, petit déj compris. Pour prendre le frais, croquinolet salon troglodytique installé dans ce qui était une ancienne geôle. Pas de table d'hôtes, mais plein de petits restos dans le village. Accueil charmant. Une adresse qu'on aime bien.

Accès : au centre du bourg, laissez votre voiture sur la place de la mairie et prenez la petite route en face, entre les deux restos, c'est à 200 m à droite.

€€ 🏠 🍴 ⑩% *Chambres d'hôtes Escale Saint-Gabriel (Barbara et Bernard Savaete) :* escalier Saint-Gabriel. 🕿 02-54-72-50-34. ● bandbcave@laposte.net ● bandbcave.com ● Ouv du 29 mars à fin oct et en déc slt le w-e. 🕿 Le village de Trôo est réputé pour ses maisons troglodytiques. C'est dans cette atmosphère que vous allez séjourner... Ici, on les appelle des caves. Rien à voir avec le local souterrain du dico, ce sont des habitations creusées dans la pierre, situées au cœur de la colline et composées en général d'une seule pièce. Dans l'une d'elle, Barbara et Bernard ont aménagé une immense chambre lumineuse (contrairement à ce qu'on pourrait penser) avec cheminée et coin repas. Une 2e chambre, plus petite, a été aménagée pouvant faire suite (ou non) avec elle. Sanitaires privés. De 65 à 70 € pour 2, petit déj compris. Les proprios vous le descendent sur un plateau car ils habitent la « cave » du dessus. Calme absolu et atmosphère d'autrefois, proche de la carte postale jaunie où vous verrez la famille au bercail (1906). Attention, pour y accéder, il ne faut pas craindre les escaliers. Accueil chaleureux. Une adresse qui fait des adeptes !

Accès : *au niveau de la place de la mairie, prenez la rue Haute (signalée voie piétonne) et montez jusqu'en haut.*

VALAIRE   41120

Carte régionale A2

17 km S de Blois ;
6 km E de Chaumont-sur-Loire

€ 🏠 ***Chambres d'hôtes Ferme de la Caillaudière (Muriel et Étienne Gallou) :*** ☎ et fax : 02-54-44-03-04. 📱 06-99-36-98-49. ● *etienne.gallou@nordnet.fr* ● *la-caillaudiere.fr* ● Jolie ferme du XVIIe s abritant 3 chambres simples, avec sanitaires privés. De 48 à 50 € pour 2, avec un copieux petit déj (jus de fruits, fromages et confitures maison). Coin cuisine à disposition. Un bon point de chute à prix doux pour découvrir les châteaux de la Loire et un accueil authentique.

Accès : *depuis Blois, prenez la D 751 vers Candé-sur-Beuvron puis Amboise ; à la sortie de Candé, prenez la direction La Pieuse (sur 3 km), tournez à droite, passez le hameau et c'est la 1re maison.*

VIGOULANT   36160

Carte régionale B2

18 km S de La Châtre

€ 🏠 ⏐●⏐ 🐾 ***Chambres d'hôtes La Ferme des Vacances (Anne-Marie et Félix Hyzard) :*** Les Pouges. ☎ 02-54-30-60-60. ● *lafermedesvacances@gmail.com* ● *lafermedesvacances.fr* ● 🕭 Perdue en pleine nature, jolie ferme au milieu d'un magnifique jardin avec piscine sur l'arrière et un

étang pour les pêcheurs. Quatre chambres coquettes (dont 3 familiales de 3 et 4 personnes), avec sanitaires privés. 50 € pour 2, petit déj compris, et 8 € par personne supplémentaire. Table d'hôtes à 16 €, quart de vin compris. Gentillesse et disponibilité au rendez-vous, des prix doux, que demander de plus ?

Accès : *de La Châtre, D 940 vers Guéret puis D 26 et D 71 vers Sazeray ; la maison est à 2 km de Vigoulant sur la D 71 en direction de Vijon, sur un petit chemin à gauche.*

VILLEDIEU-SUR-INDRE   36320

Carte régionale B2

15 km O de Châteauroux ;
6 km SE de Buzançais

€€€ 🏠 ⏐●⏐ 🐾 ***Chambres d'hôtes Le Bout du Monde (Catherine et Jean-François Libert-Vanlishout) :*** ☎ 02-54-60-87-04. 📱 06-81-84-87-54. ● *info@leboutdumonde36.com* ● *leboutdumonde36.com* ● 🕭 En pleine nature, ancienne ferme sur un domaine de 5 ha. Cinq chambres charmantes, spacieuses et lumineuses : 2 dans une aile de la maison des propriétaires, au rez-de-chaussée et au 1er étage, les 3 autres dans un bâtiment indépendant, dont une suite familiale de 4 personnes. Beaux sanitaires privés. On a craqué pour « Jacques Cartier », avec ses deux grandes baies vitrées qui ouvrent sur l'arrière de la maison, et « Livingstone ». Selon la saison, de 78 à 125 € pour 2, copieux petit déj compris (avec fromage et charcuterie pour les amateurs). Table d'hôtes partagée en famille à 26 € apéro, café et vin compris. Cuisine à partir de produits du terroir. Catherine et Jean-François, charmant couple belge, prête des vélos pour découvrir la région. Ils ont aussi cinq chevaux pour des balades (15 € l'heure). Pour vous détendre, une belle piscine. Une adresse pour se mettre au vert.

Accès : *de Villedieu, D 943 vers Buzançais pdt 5 km, et au bout de la longue ligne droite, tournez à gauche au fléchage et allez tt au bout (1 km)*

CENTRE

Champagne-Ardenne

ATHIS   51150

Carte régionale A1

*17 km O de Châlons-en-Champagne ;
13 km E d'Épernay*

€€€ 🏠 |●| *Chambre d'hôtes (Françoise Brun) :* 12, rue du Centre. ☎ 03-26-57-66-41. 📱 06-10-35-78-51. ● contact@giteathis.com ● giteathis.com ● 🛜 Ravissante et ancienne ferme du XVIIIe s entourée d'un charmant jardin clos. Au 1er étage, une suite élégante avec coin séjour et kitchenette, à 75 € pour 2, petit déj compris. Pas de table d'hôtes mais Françoise propose un panier gourmand avec terrine de foie gras, plat principal, fromage et dessert, servi avec une bouteille de champagne pour 2 (35 € par personne). Piscine. Accueil de qualité. Une belle adresse pour se faire dorloter.

Accès : d'Épernay, D 3 vers Châlons-en-Champagne jusqu'à Athis.

BANNAY   51270

Carte régionale A2

*32 km SO d'Épernay ;
15 km E de Montmirail*

€€ 🏠 |●| *Chambres d'hôtes Ferme de Bannay (Muguette et Jean-Pierre Curfs) :* 1, rue Petit-Moulin. ☎ 03-26-52-80-49. Fax : 03-26-59-47-78. ● leschambresdemuguette@orange.fr ● 🛜 En pleine nature, dans un grand corps de ferme, 3 chambres avec sanitaires privés, dont 2 au 1er étage de la maison, la dernière, pour 4 personnes, mansardée, avec de belles poutres apparentes et ambiance d'autrefois. 67 € pour 2, petit déj compris, 78 € pour celle avec kitchenette et cheminée, et 18 € par personne supplémentaire. Table d'hôtes, sans les propriétaires, à 37 €, quart de vin et café compris. Accueil agréable.

Accès : sur la D 933 de Montmirail à Châlons-en-Champagne ; à Fromentières, prenez à droite vers Bannay ; fléchage simple dans le village et partez entre prés et cultures.

BIESLES   52340

Carte régionale A2

13 km E de Chaumont ; 9 km N de Nogent

€€ 🏠 |●| *Chambres d'hôtes Le Piano (Valérie Martin et Jérôme Pernel) :* 9, Grande Rue. ☎ 06-24-82-50-88. 📱 06-13-76-68-58. ● vmartin52@wanadoo.fr ● 🛜 Valérie et Jérôme, nous les connaissons depuis plusieurs années... leur bistrot à Chaumont était répertorié dans nos pages... Aujourd'hui ils proposent 4 superbes chambres d'hôtes au cœur du village de Biesles, aussi craquantes les unes que les autres. On aime bien « côté jardin » pour son côté romantique et sa jolie coiffeuse ; « abreuvoir » avec sa douche dans un rigolo bac en zinc. Installées à l'étage,

---

Nous vous rappelons que la table d'hôtes est le complément d'une formule d'hébergement (chambre d'hôtes, gîte d'étape...). Ce service n'est offert qu'aux personnes qui dorment sur place (excepté lorsqu'il est clairement écrit « ouvert aux extérieurs »).

elles sont desservies par un bel escalier qu'Eiffel apprécierait. 70 € pour 2, petit déj compris. Table d'hôtes partagée en famille à 28 €, apéro, vin et café compris. Cuistot de métier, Jérôme vous régalera de sa cuisine du terroir version bistrot. La maison regorge de bibelots, et d'objets chinés par les maîtres des lieux. Et si la maison s'appelle « Piano », c'est qu'un beau Pleyel demi-queue pare le gentil salon d'accueil. Pour ceux qui résident les proprios ont un bel étang d'1 ha sur 1 ha de forêt où l'on peut aller taquiner le poisson si on le relâche. Enfin 2 chèvres et lapins raviront les plus petits. Très bon rapport qualité-prix-convivialité. Un de nos coups de cœur sur le département. *NOUVEAUTÉ.*

Accès : *au centre du bourg.*

BRIENNE-SUR-AISNE 08190

Carte régionale A1

30 km SO de Rethel ; 20 km N de Reims

€€ 🏠 *Chambres d'hôtes (Jacqueline et Guillaume Leriche) :* 13, route de Poilcourt. ☎ et fax : 03-24-72-94-25. 📱 06-79-96-66-89. ● guillaume.leriche@ free.fr ● 🛜 Grand corps de ferme avec 4 chambres d'hôtes, dont une chambre-studio (avec coin cuisine) : 3 très spacieuses (pour 4 personnes) avec coin salon, TV et mezzanine, et une plus petite (celle du chasseur, avec tête de biche en trophée). Sanitaires privés. De 55 à 58 € pour 2, petit déj inclus, et 15 € par personne supplémentaire. Vous êtes ici dans une famille d'agriculteurs qui défend sa corporation avec fougue. Également un petit musée sur place sur la vie rurale et les deux guerres. Pas de table d'hôtes, mais coin cuisine à disposition. Salle de jeux. Terrasses dans le jardin. Accueil authentique.

Accès : *sur la route Reims/Bruxelles ou Soissons/Vouziers.*

CHALINDREY 52600

Carte régionale A2

12 km SE de Langres

€€ 🏠 ◉ 🐴 ⟨10%⟩ *Chambres d'hôtes Gîte des Archots (Véronique et Serge François) :* ☎ et fax : 03-25-88-93-64. En pleine campagne, dans un petit hameau entouré de champs et de forêts. Cinq chambres (pour 2 à 5 personnes), aux 1er et 2e étage de la maison. Sanitaires privés. Elles mériteraient un peu plus de déco, mais elles sont claires et fonctionnelles. Comptez 52 € pour 2, petit déj compris, et

14 € par personne supplémentaire. Table d'hôtes, partagée avec les proprios, dans une salle assez rustique avec une grande cheminée. 18 € le repas, apéro, vin et café compris. Deux ruisseaux courent devant la maison et il y a un petit étang de pêche. Accueil agréable.

Accès : *de Langres, prenez la D 17 jusqu'à Chalindrey ; dans le bourg, prenez la D 136 vers Grenant et suivez le fléchage ; c'est à 2 km.*

CHAMOUILLEY 52410

Carte régionale A2

8 km SE de Saint-Dizier

€€ 🏠 ◉ 🐴 *Chambres d'hôtes Le Moulin (Sylvie et Régis Forêt) :* ☎ et fax : 03-25-55-81-93. 📱 06-83-20-92-66. ● lemoulinchamouilley@wanadoo.fr ● Fermé 21 déc-5 janv. 🛜 Dans un grand parc boisé, ancien moulin installé entre la Marne et le canal. Dans une aile indépendante, 5 chambres décorées avec goût dans des tons pastel, dont une suite familiale composée de 2 chambres. Spacieux sanitaires privés. TV pour les inconditionnels. Selon la chambre, de 61 à 65 € pour 2, petit déj compris, et 135 € pour 5 personnes dans la suite. Petite piscine semi-enterrée. Si vous avez des enfants, ils pourront jouer avec ceux de la maison, car Sylvie et Régis sont famille d'accueil. Également un gîte pour 3 personnes en bord de rivière pour ceux qui veulent séjourner. Restaurant sur place.

Accès : *dans Chamouilley, D 8 vers Couzances-les-Forges ; au niveau du rond-point, prenez la 3e petite route à droite, passez le pont au-dessus du canal et tournez à droite.*

CHÂTEAUVILLAIN 52120

Carte régionale A2

20 km SO de Chaumont ;
18 km NE de Montigny-sur-Aube

€€€ 🏠 ◉ *Chambres d'hôtes Le Clos Saint-Jacques (Nadine et Jean-Louis Dépont) :* 45, rue Saint-Jacques. ☎ 03-25-32-21-18. 📱 06-48-52-11-41. ● nadinedepont@wanadoo.fr ● 🛜 Jolie demeure en pierre du début du XXe s. Au 1er étage, 2 chambres au charme indéniable avec spacieux sanitaires privés. L'une est familiale, composée de 2 chambres pour 4 personnes. Toutes les 2 ouvrent sur le jardin. 75 € pour 2, petit déj compris et 115 € pour 4. Table d'hôtes partagée en famille à 25 €, apéro, vin et café compris.

Une cuisine goûteuse avec plein de spécialités maison. Nadine a obtenu plusieurs médailles pour ses rillettes, et elle fabrique également du fromage, sans parler des légumes du jardin. Gentillesse et sourire au rendez-vous, une bonne adresse. *NOUVEAUTÉ.*

Accès : A5 sortie n° 23 Châteauvillain ; à l'entrée du village passez sous le pont, au stop à droite et au rond-point à gauche ; la maison est tout de suite à droite.

CHÂTEL-CHÉHÉRY   08250

Carte régionale A1

45 km N de Verdun ;
28 km SE de Vouziers

€€€ 🏠 |●| (10%) **Chambres d'hôtes Château de Châtel (Samuel Cathrinet) :** ☎ 03-24-30-78-54. 📱 06-87-92-08-62. ● chateaudechatelchehery@orange.fr ● chateaudechatel.pagesperso-orange.fr ● 🐾 🛜 Superbe château du XVIIIᵉ s installé dans un grand parc qui jouit d'un joli panorama sur les environs. Quatre chambres agréables, dont une au rez-de-chaussée, les 3 autres à l'étage. Sanitaires privés. 92 € pour 2, petit déj compris. Table d'hôtes à 25 €, boissons comprises. Sur place, une agréable piscine couverte et chauffée (de mai à fin septembre). Accueil souriant.

Accès : sur la D 946 entre Grandpré et Varennes-en-Argonne, prenez la D 142 vers Châtel-Chénéry et suivez le fléchage.

CLINCHAMP   52700

Carte régionale A2

30 km NE de Chaumont ;
30 km SO de Neufchâteau

€€ 🏠 |●| (10%) **Chambres d'hôtes Les Ombelles (Anne et Yves Amour) :** 40, rue des Quinze-Écus. ☎ 03-25-01-26-04. 📱 06-89-78-43-95. ● yves.amour@wanadoo.fr ● relais-des-ombelles.mon site.orange.fr ● 🛜 Petit village isolé entre cultures et forêt. En réunissant trois petites maison dont une ancienne forge, Anne et Yves ont créé une demeure chaleureuse et charmante. Au 1ᵉʳ étage, 2 chambres spacieuses et agréables avec sanitaires privés. 62 € pour 2, petit déj compris (confitures, brioche et pain maison). Table d'hôtes partagée en famille à 26 €, apéro et vin compris. Cuisine traditionnelle où poissons et légumes du jardin sont à l'honneur. Salle de détente avec ping-pong, bibliothèque bien fournie, ainsi qu'une

chouette collection de B.D. Agréable jardin derrière la maison avec vue dégagée sur la campagne. Un accueil hors pair... mais quand on s'appelle Amour cela n'a rien de surprenant ! Une adresse où l'on se sent bien.

Accès : sur la N 74 entre Chaumont et Neufchâteau, au niveau de Rimaucourt prenez la D 1 vers Écot-la-Combe, puis la petite route jusqu'à Clinchamp, la maison est au centre du bourg.

COIFFY-LE-HAUT   52400

Carte régionale A2

40 km E de Langres ;
8 km SO de Bourbonne-les-Bains

€€ 🏠 |●| (10%) **Chambres d'hôtes La Ferme Adrien (Françoise Pelletier) :** Les Granges-du-Vol. ☎ 03-25-90-06-76. 📱 06-10-47-84-86. ● ferme-adrien@orange.fr ● fermeadrien.wifeo.com ● 🛜 En pleine campagne, grande ferme au milieu des prés et des forêts. Françoise y propose 3 chambres, avec sanitaires privés, à 57 € pour 2, petit déj compris. Table d'hôtes partagée en famille dans une grande salle agrémentée d'une belle cheminée. Repas à 20 € Cuisine élaborée à partir des légumes du jardin et des animaux de la basse-cour. Calme et tranquillité assurés. Possibilité de dégustations et visite de caves. Accueil convivial.

Accès : de Bourbonne, prenez la D 26 vers Chalindrey, puis traversez Coiffy et suivez le fléchage.

COUVIGNON   10200

Carte régionale A2

7 km SO de Bar-sur-Aube

€€ 🏠 |●| 🏕 **Chambres d'hôtes Le Goluret (Véronique Leprun et Gérard Damotte) :** 19, rue Gaston-Cheq. ☎ 03-25-27-90-25. 📱 06-32-30-00-12. ● legoluret@wanadoo.fr ● legoluret.com ● 🛜 Gérard a accompli un travail colossal pour réaménager cette ancienne maison de vigneron en pierre et brique de 1892. Enfant du pays, il vous donnera toutes les infos pour la découvrir. Les 5 chambres sont installées côté jardin, donc bien au calme. L'une est familiale avec lits enfants en mezzanine. Déco contemporaine de bon goût, agréables volumes et belle charpente apparente. Sanitaires privés. 69 € pour 2, petit déj compris (confitures, pains et viennoiseries maison). Table d'hôtes à 28 €, apéro, vin et café compris. Véronique est un fin cordon bleu et propose une cuisine goûteuse et recherchée. Agréable salon avec TV grand écran plat, ainsi qu'une ancienne cave transformée en salon pour déguster l'apéro. Au fait, « Goluret », c'est le nom des habitants de Couvignon, déformation de gai luron. Accueil des plus convivial. Une charmante adresse.

Accès : de Bar-sur-Aube, D 4 vers Bar-sur-Seine jusqu'à Couvignon ; la maison est à l'entrée du village à droite.

DOMMERY   08460

Carte régionale A1

*30 km SO de Charleville-Mézières ;
5 km SE de Signy-l'Abbaye*

€€€ 🏠 ⓾⁒ *Chambres d'hôtes RO (Florence et Éric Fournel) :* 7, rue de la Corne. 📱 06-88-74-95-20. ● ro.dommery@orange.fr ● 🛜 Voici une adresse aussi originale qu'insolite, que les amateurs d'architecture ne manqueront pas ! Florence est une enfant du village, passionnée par l'architecture contemporaine. Elle a donc demandé à Éric Lenoir d'imaginer cette maison sur pilotis qui a été construite sur un chantier naval à Nantes... elle pourrait même flotter, si, si ! Elle est composée de deux coques en aluminium, et la demeure, entièrement vitrée, se situe entre ces deux coques... offrant un panorama de 360° ! C'est dans cet espace que vous prendrez le petit déj. Les 2 chambres, elles, ressemblent à deux cabanes de chantier. Mais ne vous y trompez pas, une fois à l'intérieur, la vue sur les champs est superbe et digne d'un film en cinémascope. Tout est brut (mur en parpaings, parquet chêne), la déco est sobre et très contemporaine. Sanitaires privés. 80 € pour 2, petit déj compris. Pas de table d'hôtes mais plusieurs restos dans les environs. Une adresse au charme indéniable. Enfin, nous on aime !

Accès : en face de l'église du village, direction Thin-le-Moutier puis 2ᵉ rue à gauche, la maison est sur la droite.

DROYES   52220

Carte régionale A2

28 km SO de Saint-Dizier

€€ 🏠 🐴 ⓾⁒ *Chambres d'hôtes La Maison de Marie (Sylvie Gravier) :* 11, rue de la Motte. ☎ 03-25-04-62-30. ● contact@la-maison-de-marie.com ● la-maison-de-marie.com ● Fermé 15 déc-15 janv. Dans une jolie maison de village

à colombages, une immense suite de 2 chambres, avec une mignonnette salle de séjour et une superbe salle de bains au lavabo encastré dans une ancienne cuisinière. Accès à la chambre par un escalier extérieur et tout l'étage est à vous ! Une seconde chambre est installée dans la maison du four à pain ; petit salon et sanitaires au rez-de-chaussée et chambre avec coin bibliothèque en mezzanine ; accès indépendant par le jardin. 64 € pour 2, petit déj compris. Pas de table d'hôtes, mais des restos sympas à proximité. Petit jardin derrière la maison. Accueil jeune et agréable, atmosphère sereine. À noter que Sylvie n'est pas toujours là, mais laissez un message sur son répondeur et elle vous rappellera. Le lac du Der est à proximité, lieu idéal pour contempler les oiseaux (grues et oies cendrées), notamment d'octobre à mars (de 25 000 jusqu'à 75 000 aux bonnes périodes !), un spectacle naturel à découvrir. Également tous sports nautiques sur le lac.

Accès : dans le bourg.

€€ 🏠 ⓾⁒ *Chambres d'hôtes Les Coccinelles (Sandrine et Pierre-Jean Charuel) :* 8, rue Papillon. ☎ 03-25-94-60-38. ● sandrine.charuel@wanadoo.fr ● coccinellesduder.fr ● Ancienne ferme du XIXᵉ s bardée de bois côté rue et à colombages côté jardin. Dans l'ancienne étable attenante à la maison, 3 chambres au 1ᵉʳ étage, lumineuses, avec belle charpente apparente. Sanitaires privés (cabine douche). Comptez 60 € pour 2, petit déj compris. Pierre-Jean, en plus de s'occuper de ses hôtes avec Sandrine, est aussi pédicure bovin (il taille les sabots). Dans un parc attenant à la maison, une vache, un cheval, et une ânesse feront la joie de vos bambins. Accueil convivial.

Accès : dans le village, allez jusqu'à l'église (en venant de Montier-en-Der) et à droite, la maison est à 150 m.

FAVEROLLES-ET-COËMY   51170

Carte régionale A1

18 km O de Reims ; 10 km SE de Fismes

€€ 🏠 🐴 ⓾⁒ *Chambres d'hôtes Ferme de Flancourt (Aimée et Jean-Pierre Caillet) :* 13, rue de la Cense. ☎ 03-26-97-45-70. 📱 07-85-44-24-64. ● ajp.caillet@orange.fr ● musee-agricole-champagne.com ● Ouv mars-oct. 🛜 Ici est née une belle histoire d'amour, rencontre d'une ferme et d'un historien amateur, passionné du monde agricole et rural de sa région.

C'était en 1997 : de passage dans la région, Aimée et Jean-Pierre découvrent cette ferme, restée pratiquement intacte depuis le milieu du XIXe s. Bien sûr, il a fallu la restaurer, mais le résultat est admirable et c'est devenu un petit musée des Arts et Traditions populaires. Mais parlons hébergement : 2 chambres printanières, dont une suite composée de 2 chambres. Déco soignée. Sanitaires privés, avec une rigolote collection de pubs pour les savons. 60 € pour 2, petit déj compris, et 100 € pour 4. Pas de table d'hôtes (comptez 10 km pour un bon resto) mais possibilité de vous faire confectionner un plateau repas à 18 € sur demande. Naturellement, la visite de la demeure s'impose et vous découvrirez le cellier champenois avec l'embouteillage à ficelle, l'étable avec le lit de vacher, la laiterie... des milliers de pièces, toutes différentes. Sans oublier Lady, la jument ardennaise. Très bon rapport qualité-prix-convivialité. Une adresse pour se cultiver... ça vous changera de la télé !

Accès : *le village se trouve sur la D 27 entre Reims et Fismes ; la ferme est à l'entrée du village en direction de Fismes.*

FLAGEY 52250

Carte régionale A2

12 km SO de Langres

€€ 🏠 |●| ***Chambres d'hôtes La Ferme du Soleil de Langres (Sylvie et Amélie Japiot) :*** ☎ 03-25-84-45-23. 📱 06-14-23-08-98. ● sylvie.japiot@wanadoo.fr ● ferme dusoleildelangres.com ● Maison de village en pierre apparente, avec un coquet jardin fleuri. Quatre chambres avec sanitaires privés : 2 au 1er étage, dont une avec petite terrasse privative. 66 € pour 2, petit déj inclus. Table d'hôtes, sans le proprio, à 23 €, boisson comprise, avec les produits de la ferme. Attention, la ferme se trouve à proximité d'une petite route de campagne, mais le trafic est restreint.

Accès : *de Langres, prenez la D 428 en direction d'Auberive ; à mi-chemin, prenez la D 6 vers Flagey, la maison est au centre du village, près de l'église.*

FLOING 08200

Carte régionale A1

3 km N de Sedan

€ 🏠 ***Chambres d'hôtes La Maison de l'Étang (Jean-François Lamberty) :*** 73, route d'Illy. ☎ 03-24-29-48-25. 📱 06-86-44-87-64. ● jflamberty@orange.fr ● lamai

sondeletang.com ● 📶 Dans une petite maison récente, 2 chambres d'hôtes installées au 1er étage (sous forme de suite familiale), et 3 autres dans la maison du propriétaire, avec entrée indépendante. Atmosphère campagnarde, beaux meubles anciens, vieilles gravures et tableaux. Sanitaires privés. 48 € pour 2, petit déj compris. Accueil chaleureux.

Accès : *dans le bourg.*

FOUCHÈRES 10260

Carte régionale A2

23 km SE de Troyes ;
10 km NO de Bar-sur-Seine

€€ 🏠 🐾 ⟨10 %⟩ ***Chambres d'hôtes Le Prieuré (Sylvie et Gilles Berthelin) :*** 1, pl. de l'Église. ☎ 03-25-40-98-09. ● gilles. berthelin@wanadoo.fr ● routedecham pagne.com ● ♨ 📶 Ancien prieuré du XIe s, transformé en exploitation agricole pendant la Révolution au profit de la famille de Gilles (ce n'est pas tout jeune !). Avec Sylvie, ils élèvent des bovins et ont une basse-cour bien fournie (la vraie vie de la ferme, quoi). Dans la maison, 3 chambres spacieuses et familiales (dont 2 avec cheminée, où vous pourrez faire une petite flambée en hiver) ; 2 autres, plus indépendantes, dans un bâtiment joliment restauré. Sanitaires privés. De 48 à 55 € pour 2, petit déj compris, avec des crêpes au sirop d'érable (chouette !). Pas de table d'hôtes mais il y a un bon resto au village ; autrement, il y a aussi la cuisine à disposition. Également un gîte aménagé dans le pigeonnier pour 3-4 personnes loué de 360 à 400 € la semaine. L'église à côté de la maison est superbe (elle abrite le tombeau de l'ancien prieur) et, soyez content, Sylvie a les clés. Ne manquez pas cette visite, ni la petite balade le long de la Seine. Accueil chaleureux et familial. Bon rapport qualité-prix-convivialité.

Accès : *dans Fouchères, prenez la D 81 vers Poligny ; la maison est juste à côté de l'église (rentrez dans la cour).*

FRAMPAS 52220

Carte régionale A2

22 km SO de Saint-Dizier ;
7 km NE de Montier-en-Der

€€ 🏠 ***Chambres d'hôtes du Gros Chêne (Anne-Marie et Didier Krompholtz) :*** 1, rue du Chêne. 📱 06-32-66-30-87. ● chambres.frampas@gmail.com ● chambresdhotes-frampas.fr ● Fermé pdt

CHAMPAGNE-ARDENNE

les vacs de Noël. 📶 À l'orée du village, belle demeure de famille en pierre du XIXᵉ siècle (c'est le bisaïeul d'Anne-Marie qui l'a fait construire !). Dans l'ancien grenier à blé, au 1ᵉʳ étage, 5 belles chambres d'hôtes qui portent des noms de fleurs. Mobilier ancien ou contemporain, agréables peintures sablées. On aime bien « hortensia » avec son lit à baldaquin et « jacinthe » dans les tons vert et blanc à l'atmosphère romantique. Sanitaires privés. 65 € pour 2, petit déj compris, et 115 € pour 4. Pas de table hôtes mais les parents d'Anne-Marie tiennent l'auberge juste à côté. Accueil convivial. *NOUVEAUTÉ.*

Accès : *de St-Dizier direction Montier-en-Der puis D 153 à gauche vers Frampas, traversez le village, c'est la dernière maison à droite.*

FUMAY   08170

Carte régionale A1

30 km N de Charleville-Mézières ;
16 km NE de Rocroi

€€ 🏠 *Chambres d'hôtes (Liliane Lorent) :* 3, rue du Dr-Bourgeois. ☎ 03-24-41-29-66 ou 09-50-83-86-74. 📱 06-89-52-22-97. • liliane.lorent@orange.fr • Superbe demeure bourgeoise, genre hôtel particulier, datant du XVIIIᵉ s. Par un grand et noble escalier en bois, on accède aux 3 chambres. Elles sont immenses et décorées avec goût. Beaux parquets, belle hauteur sous plafond et, partout, toiles, aquarelles, sanguines, ainsi qu'une foultitude de bouquins. Préférez les chambres qui ouvrent sur la Meuse (une à quatre fenêtres). Luxueux et vastes sanitaires privés. De 55 à 60 € pour 2, copieux petit déj compris (jus de fruits pressés et fromages !), et 22 € par personne supplémentaire. Accueil de qualité. Une de nos adresses préférées sur le département. Si vous aimez le chocolat, vous êtes à 2 km de la Belgique.

Accès : *de Charleville, prenez la direction de Givet jusqu'à Fumay ; dans le bourg, suivez Haybes, la maison est au bord de la Meuse, juste avt le pont.*

GIVET   08600

Carte régionale A1

50 km N de Charleville-Mézières ;
16 km S de Dinant (Belgique)

€€ 🏠 10% *Chambres d'hôtes Le Paradou (Pierre et Marie Wuillaume) :* chemin de Walcourt. ☎ 0032-82-66-68-28. 📱 06-48-99-15-46. • pierrewuillaume@hotmail • auparadou.eu • 📶 Bien que l'accès à cette demeure se fasse par la Belgique, la maison se situe bien en France... Datant de 1865, son histoire est longue. Construite par un industriel local, elle devint maison close pendant la guerre, puis dancing dans les années 1960, ferme d'élevage de poulets et aujourd'hui demeure de Pierre et Marie, sympathique couple belge. Ancien instituteur, c'est Pierre qui s'occupe des hôtes. Quatre chambres à la déco agréable, dont une suite familiale composée de 2 chambres, installées aux 1ᵉʳ et 2ᵉ étages de la maison. Sanitaires privés. 55 € pour 2, petit déj compris. Parc verdoyant avec jolie pièce d'eau, verger, sans oublier l'âne, le poney et les chèvres naines qui feront la joie des enfants. Pas de table d'hôtes mais plein de restos à Givet. Accueil chaleureux. Une adresse très sympa.

Accès : *de Givet, direction Philippeville ; passez l'ancien poste frontière et au 1ᵉʳ carrefour tournez à droite, la maison est à 300 m à droite (bon fléchage).*

JANDUN   08430

Carte régionale A1

36 km O de Sedan ;
19 km SO de Charleville-Mézières

€€ 🏠 |○| 10% *Chambres d'hôtes (Jocelyne et Joël Bournonville) :* 11, rue Milaville. ☎ 03-24-52-86-05. 📱 06-08-98-97-71. • bournonville.jocelyne@wanadoo.fr • milaville.com • ♿ 📶 Au cœur d'un petit village, jolie maison en pierre de la fin du XVIIIᵉ. Après avoir quitté sa Normandie natale et changé plusieurs fois d'orientation, Jocelyne a dcidé d'ouvrir des chambres d'hôtes. Elles sont 4, coquettes et bien tenues, dont une familiale composée de 2 chambres : 3 au 1ᵉʳ étage de la maison, la dernière au rez-de-chaussée avec accès indépendant. 55 € pour 2, petit déj compris, et 15 € par personne supplémentaire. Sanitaires privés (douche et baignoire pour la plus grande chambre). Table d'hôtes, sans les propriétaires, à 20 €, apéro, vin compris. Accueil souriant, dynamique et convivial. Une gentille adresse fréquentée par de nombreux habitués.

Accès : *au centre du village, juste en face de l'église.*

JOISELLE   51310

Carte régionale A2

20 km O de Sézanne ; 7 km N d'Esternay

€ 🏠 *Chambres d'hôtes (Ivana et Guy Degois) :* Champagnemay. ☎ et fax : 03-26-81-52-13. 📱 07-87-28-59-13. • ivanaetguy.

degois@orange.fr ● En pleine campagne, aux confins de la Marne et de la Seine-et-Marne, petite ferme en activité au cœur d'un hameau. Ivana et Guy y élèvent une vingtaine de vaches laitières et reçoivent des hôtes dans 3 chambres, dont une familiale. Celles-ci sont campagnardes à souhait et installées dans une aile indépendante. 45 € pour 2, petit déj compris. Accueil authentique et vrai. Pas de table d'hôtes, premier resto sympa à Courgivaux, à 7 km. Une adresse pour redécouvrir la vie de la ferme.

Accès : de Paris, N 4 vers Nancy ; au niveau de Courgivaux, prenez la D 375 vers Montmirail, passez Neuvy et, 4 km après, tournez à gauche au fléchage.

LA VILLENEUVE-AU-CHÊNE   10140

Carte régionale A2

25 km E de Troyes ;
25 km O de Bar-sur-Aube

€€ 🏠 |●| *Chambres d'hôtes La Renouillère (Edwige et Daniel Prévot) :* 3, rue aux Chèvres. ☎ 03-25-81-64-05. 📱 06-81-04-97-11. ● la-renouillere@orange.fr ● perso. orange.fr/la-renouillere ●*Fermé 12 nov-24 mars.* 📶 Au cœur du parc régional de la forêt d'Orient. La maison d'Edwige et Daniel est un ancien magasin où fut installé le premier télégraphe. Aujourd'hui, on y dort dans 5 chambres spacieuses et élégantes, installées aux 1er et 2e étages et toutes personnalisées. Vous aurez le choix entre la « Romantique » (la bien nommée), la « Pêcheur » avec un grand Velux qui ouvre sur la campagne, la « Vendange », la « Moisson » et la « Nature ». Sanitaires privés. De 60 à 65 € pour 2, petit déj compris. Table d'hôtes (sauf les jeudi et dimanche) partagée en famille à 30 €, coupe de champagne, vin et café compris. Accueil charmant.

Accès : de Troyes, D 619 vers Bar-sur-Aube ; 6 km après Lusigny prenez, à gauche, la D 28 ; dans La Villeneuve, direction Champs-sur-Barse, la maison est à 200 m à gauche.

LALOBBE   08460

Carte régionale A1

37 km SO de Charleville-Mézières ;
24 km N de Rethel

€€ 🏠 |●| ⑩% *Chambres d'hôtes (Danièle et Claude Carpentier) :* La Besace. ☎ 03-24-52-81-94. ● info@labe sace.com ● labesace.com ● *Fermé 1re sem d'oct et Noël-Nouvel An.* 📶 Minuscule

hameau dans un écrin de verdure et de fleurs. Au 1er étage d'une charmante maison typique de la région, en brique, pierre et bois, 4 chambres à l'atmosphère très cosy et très douillettes, avec sanitaires privés. De 55 à 60 € pour 2, petit déj compris. Table d'hôtes partagée en famille à 25 €, apéro et vin compris. Cuisine aux saveurs sauvages du terroir et charcuterie maison. Pour 35 €, les amateurs auront droit au repas gastronomique. Beau jardin à l'anglaise avec plein de petits espaces romantiques et intimes. Claude chante dans un quatuor et Danièle, elle, fait partie d'une chorale... Vous êtes juste à côté de la forêt de Signy qui offre de nombreuses randonnées à pied et en VTT. Accueil chaleureux. Vous l'avez compris, une adresse qu'on aime bien.

Accès : de Rethel, prenez la D 985 jusqu'à Signy-l'Abbaye puis Lalobbe ; au cimetière, à l'entrée du village, tournez à droite (route de plusieurs hameaux) et poursuivez jusqu'au hameau de La Besace, situé à 2 km du cimetière.

LAUBRESSEL   10270

Carte régionale A2

12 km E de Troyes

€€ 🏠 *Chambres d'hôtes (Joëlle et Didier Jeanne) :* 33, rue du Haut. ☎ 03-25-80-27-37. ● aux.colombages.champenois@wana doo.fr ● aux-colombages-champenois. fr ● 📶 Ancienne grange et pigeonnier à colombages joliment restaurés, avec belles baies vitrées donnant sur la campagne, à proximité de la maison des proprios. Cinq chambres : 2 au rez-de-chaussée, 3 à l'étage, mansardées, avec belle charpente apparente. Salles d'eau privées. Comptez 56 € pour 2, avec le petit déj (gâteau ou viennoiseries, fromage blanc ou yaourt de la ferme, confitures maison, jus de fruits). Pas de table d'hôtes, mais deux salles avec coin cuisine à disposition, lave-linge et barbecue à l'extérieur. Piscine. Accueil souriant, une bonne adresse.

Accès : à 4 km de la sortie 23 sur l'A 26 ; depuis Troyes, empruntez la D 2019 en direction de Chaumont ; suivez ensuite Thennelières, puis Laubressel.

LE MONT-DIEU   08390

Carte régionale A1

45 km S de Charleville-Mézières ;
25 km NE de Vouziers

€€€ 🏠 |●| *Chambres d'hôtes La Corrérie (Anne et Jean-Luc Fraipont) :*

☎ *03-24-30-48-23.* ▯ *06-38-24-77-25.* ● *annefraipont@aol.fr* ● *correrie.com* ● 📶 Dans un joli coin de campagne, magnifique et imposante ferme du XVIᵉ siècle, où travaillaient les moines de l'ancienne chartreuse du Mont-Dieu, plantée dans un grand parc. À l'étage, 3 chambres spacieuses avec sanitaires privés. Mobilier qui mêle agréablement le rustique et le contemporain. 80 € pour 2, copieux petit déj compris en formule buffet (viennoiserie, jambon, fromage, compote, jus de fruit frais et confitures maison...). Anne, ancienne infirmière aime accueillir ses hôtes et leurs mitonner de bons petits plats. Repas, pas systématiquement partagé avec les propriétaires, à 45 €, tout compris. Oui... c'est une table gastronomique. Pour les randonneurs, car le GR 14 passe à côté de la maison, elle propose aussi une formule plus « légère » à 25 €. Accueil convivial.

Accès : sur la D 977 entre Vouziers et Sedan, traversez la forêt du Mont-Dieu (venant de Sedan) et prenez à gauche vers Les Grandes-Armoises et suivez le fléchage.

LEFFONDS   52210

Carte régionale A2

21 km S de Chaumont ;
3 km O de Villiers-sur-Suize

€€€ 🏠 |●| *Chambres d'hôtes de la Cressonnière (Dany et Dominique Begny) :* 21, rue de la Cressonnière. ☎ *03-25-01-29-45.* ▯ *06-75-32-72-43.* ● *dominique.begny@wanadoo.fr* ● 📶 Ancienne et belle ferme en pierre installée dans une grande cour fermée et qui, côté jardin, ouvre sur 15 ha de pâtures et de forêts. Par un superbe escalier en pierre de la fin du XVIᵉ s, dont les marches ont été patinées par le temps, on accède aux 2 chambres chaleureuses. Ici le bois est à l'honneur et l'atmosphère dégage une ambiance montagnarde. Sanitaires privés. 80 € pour 2, petit déj compris. Table d'hôtes partagée en famille à 25 €, apéro, vin et café compris. Une cuisine assez originale avec des produits du terroir. Au même niveau que les chambres, agréable espace détente avec jacuzzi et sauna (la séance est comprise dans le prix). Si vous aimez la pêche, un petit étang sur le domaine vous attend. Passionnés par l'attelage, les proprios ont aussi 2 chevaux de trait. Accueil convivial. *NOUVEAUTÉ.*

Accès : A 5 sortie n° 24 Chaumont puis D 10 jusqu'à Richebourg, puis Leffonds par la D 102. La maison est à la sortie du village en direction de Marac.

LES CHARMONTOIS   51330

Carte régionale A1

30 km N de Bar-le-Duc ;
18 km S de Sainte-Menehould

€ 🏠 🏇 ⟨10 %⟩ *Chambres d'hôtes Le Marronnier (Nicole et Bernard Patizel) :* 5, rue Saint-Bernard. ☎ *03-26-60-39-53.* ▯ *06-80-52-86-51.* ● *nicole.patizel@wanadoo.fr* ● *pagesperso-orange.fr/ch.hotes.charmontois* ● *Fermé pdt les fêtes de Noël et du Nouvel An.* 📶 Au pays d'Argonne, dans une campagne vallonnée traversée de cours d'eau et parsemée d'étangs. Ce petit village, en partie détruit en 1940, a été entièrement reconstruit. Dans une ancienne ferme, Nicole et Bernard ont aménagé 2 chambres d'hôtes spacieuses et colorées situées au rez-de-chaussée d'une aile mitoyenne. Une double avec petit salon, l'autre peut accueillir 4 personnes. Sanitaires privés. Comptez 50 € pour 2, petit déj compris, et 15 € par personne supplémentaire. Chaleureuse salle à manger, avec un beau et imposant mobilier ancien. Accueil très chaleureux.

Accès : quand vous êtes face à la mairie du village, tournez à droite, la maison est un peu plus loin à droite, direction Le Chemin.

MARGERIE-HANCOURT   51290

Carte régionale A2

20 km S de Vitry-le-François ;
15 km O du lac du Der

€ 🏠 |●| *Chambres d'hôtes Ferme de Hancourt (Michelle et Denis Geoffroy) :* ☎ *et fax : 03-26-72-48-47.* ▯ *06-28-29-21-44.* ● *denis.geoffroy@wanadoo.fr* ● *Fermé 25 déc-31 janv.* Dans une grande plaine céréalière dont les limites se perdent à l'horizon, petite ferme toute simple. Dans une aile indépendante, 4 chambres campagnardes de 2 à 4 personnes, avec sanitaires privés : 2 au 1ᵉʳ étage, 2 au rez-de-chaussée, dont une avec accès indépendant. Comptez 45 € pour 2 et 60 € pour 4, petit déj compris. Table d'hôtes à 15 €, vin et café compris, pas systématiquement partagée avec les propriétaires. Une cuisine traditionnelle où volailles, mouton maison et légumes du jardin tiennent une bonne place. Les repas se prennent chez Michelle et Denis qui, en dehors d'être agriculteur, est aussi

CHAMPAGNE-ARDENNE

sapeur-pompier bénévole (chapeau !).
Accueil chaleureux.

Accès : de Vitry-le-François, D 396 vers Brienne-le-Château ; 1,5 km avt le village, tournez à gauche au fléchage « Chambres d'hôtes » ; la maison est dans le hameau de Hancourt.

MATOUGUES   51510

Carte régionale A1

35 km SE de Reims ;
10 km NO de Châlons-en-Champagne

€ 🏠 |●| ⑩% *Chambres d'hôtes La Grosse Haie (Nicole et Jacques Songy) :* chemin de Saint-Pierre. ☎ 03-26-70-97-12. 🖳 06-75-21-49-09. ● songy.chambre@wanadoo.fr ● Fermé janv. De préférence sur résa. 🛜 Dans une maison récente au milieu d'un grand espace vert, 3 chambres au 1er étage, claires et douillettes, avec sanitaires privés. Déco soignée, tissus assortis. Comptez de 48 à 53 € pour 2, avec le petit déj (confitures et yaourts maison, jus de fruits, œufs, fruits du jardin). Table d'hôtes (sauf le dimanche soir) à 24 €, vin compris. Possibilité de repas gastronomique sur réservation, pour 30 €. Une bonne cuisine traditionnelle avec des produits fermiers issus de l'exploitation du fils de la maison qui élève des limousines (pour moi, ce sera saignant !). Accueil convivial.

Accès : A 26, sortie n° 17 (Saint-Gibrien) ; prenez la D 3 en direction d'Épernay ; c'est le 1er village, et la maison est un peu à l'écart (tournez à gauche au panneau « Chambres d'hôtes »).

MAZERNY   08430

Carte régionale A1

27 km NE de Rethel ;
12 km N de Tourteron

€€€ 🏠 *Chambres d'hôtes Château Les Loches (Michèle et Yvon Gardan) :* ☎ et fax : 03-24-56-93-92. ● michele.gardan@gmail.com ● chateaulesloches.info ● Charmant château début XIXe s planté dans un immense domaine de 185 ha, avec petite chapelle et piscine couverte, bordé par deux rivières. Cinq chambres dont 3 suites agréables avec sanitaires privés. Atmosphère et ambiance d'autrefois. Comptez 90 € pour 2, petit déj compris. Accueil aimable et courtois.

Accès : A 34 sortie n° 13 Poix-Terron puis D 987 vers Attigny jusqu'à La Bascule et D 991 vers Le Chesne ; passez la Crête-Mouton et suivez le fléchage à droite.

MONTIGNY-LE-ROI   52140

Carte régionale A2

30 km SE de Chaumont ;
18 km NE de Langres

€€€€ 🏠 ⑩% *Chambres d'hôtes Les Bluettes (Christine et Olivier Charcosset) :* 27, pl. de l'Hôtel-de-Ville. 🖳 06-68-93-18-53. Fax : 03-25-84-67-80. ● lesbluettes@orange.fr ● perso.orange.fr/lesbluettes ● Fermé 15 nov-28 fév. 🛜 Imposante demeure bourgeoise au cœur de la cité. Tout le 2e étage sera pour vous et comprend un grand salon avec billard et coin TV, puis les 3 chambres, sous forme de suite familiale. Déco soignée. 95 € pour 2 et 140 € pour 4, petit déj compris. Pour vous détendre, direction le sauna. Accueil agréable. Une adresse pour retrouver la forme ou les perdre... les formes !

Accès : au centre du bourg, sur la place en face de la mairie.

MONTSAUGEON   52190

Carte régionale A2

22 km S de Langres ;
3 km S de Prauthoy

€€€€ 🏠 |●| *Chambres d'hôtes Le Bailli de Montsaugeon (Arnold Blok et René Van Beek) :* 4, rue de l'Église-Notre-Dame. ☎ 03-10-37-00-75. ● info@lebailli.com ● lebailli.com ● 🛜 Arnold et René ont quitté leur Hollande natale pour s'installer dans cette jolie demeure du XVIIe siècle au cœur de ce superbe petit village médiéval. Au 1er étage, 3 chambres spacieuses à l'atmosphère élégante avec sanitaires privés. 2 sont immenses avec salon. Selon la taille de la chambre de 89 à 109 € pour 2, copieux petit déj compris (charcuteries et fromages, of course !). 149 € pour 4, dans la plus grande. Table d'hôtes sans les proprios à 29,50 €, vin et café compris. Cuisine régionale tendance bourguignonne (vous n'êtes pas loin !). Les repas sont servis dans une superbe salle à manger entièrement boisée qui vous fait voyager dans le temps. Accueil convivial. *NOUVEAUTÉ.*

Accès : A 31 sortie n° 6 Langres-sud puis direction Longeau, puis Dijon par la N 74 et à gauche vers Montsaugeon ; la maison est juste à côté de la porte d'entrée du village.

MOUZON   08210

Carte régionale A1

18 km SE de Sedan ; 7 km O de Carignan

€€€ 🏠 |○| **Chambres d'hôtes Manoir de la Gravière (Marie-Jo Godard) :** *2, fbg Sainte-Geneviève.* ☎ 03-24-57-08-08. ● *lagraviere08@orange.fr* ● *la-graviere.fr* ● 🛜 Imposante demeure à colombages installée dans un agréable parc. Ancienne propriété d'un industriel du coin, la déco intérieure dégage beaucoup de charme avec ses belles boiseries, tapisseries et nombreux objets d'art. Atmosphère sereine et raffinée. Cinq chambres élégantes et lumineuses avec sanitaires privés. Selon la chambre, de 78 à 95 € pour 2, copieux petit déj compris. Table d'hôtes à 32 €, vin compris. Sauna infrarouge. Accueil de qualité. Une très bonne adresse.

Accès : *le village se trouve sur la D 19 entre Carignan et Beaumont-en-Argonne puis fléchage.*

POUGY   10240

Carte régionale A2

*30 km NE de Troyes ;
16 km NO de Brienne-le-Château*

€€ 🏠 ⌂ **Chambres d'hôtes Le Château de Pougy (Antoine Morlet) :** *Grande-Rue.* ☎ 03-25-37-09-41. ● *antoine.morlet@wanadoo.fr* ● *chateau-de-pougy.com* ● 🛜 Belle demeure du XVIIIe s entourée d'un beau parc de 1 ha. Antoine a repris cette maison de famille et y a aménagé 3 chambres, dont une double pour les familles. Elles sont spacieuses et confortables et ont gardé le charme d'autrefois. Un mignon petit salon leur est réservé. Comptez 59 € pour 2, petit déj compris. Antoine est très présent et propose de nombreux services ; vous trouverez, par exemple, tout ce qu'il faut pour vos bambins (pot, lit bébé, chauffe-biberon...). Accueil très attentionné. Une gentille adresse.

Accès : *de Troyes, prenez la D 960 vers Nancy/Saint-Dizier jusqu'à Lesmont ; à l'entrée du bourg, tournez à gauche en direction de Molins-sur-Aube (D 441) ; Pougy se trouve à 2 km après Molins et la maison est au centre du village.*

PRÉCY-SAINT-MARTIN 10500

Carte régionale A2

*32 km NE de Troyes ;
8 km NO de Brienne-le-Château*

€€ 🏠 **Chambres d'hôtes La Grenouillère (Bernadette et Patrice Pourrier) :** *6, rue de la Louvière.* ☎ *et fax : 03-25-27-16-60.* 📱 *06-86-57-69-05.* ● *ppourrier@wanadoo.fr* ● *chambresdhotes-lagrenouillere.com* ● Dans un joli coin de campagne où se fondent vignes, prés et forêts, se cache Précy-Saint-Martin, adorable village composé de maisons hétéroclites (brique, pans de bois, pierre...) qui lui confèrent tout son charme. La maison de Bernadette et Patrice est tout aussi chaleureuse : styles et couleurs se mêlent en harmonie dans une ambiance rigolote. Cinq chambres mansardées et une suite familiale de 2 chambres, toutes avec sanitaires privés. 70 € pour 2, petit déj compris. Pas de table d'hôtes (sauf pour les marcheurs, car saint Jacques est passé par là...), mais cuisine à disposition. Autrement, premier resto à 2 km. Si vous aimez la bicyclette, une vélovoie de 42 km a été aménagée dans les environs (« Quand on partait sur les chemins... »). Piscine. Accueil convivial.

Accès : *au lieu-dit Les Fontaines, sur la D 960 entre Troyes et Brienne, bifurquez vers Précy ; dans le village, c'est la 1re rue à gauche.*

PUELLEMONTIER   52220

Carte régionale A2

*30 km SO de Saint-Dizier ;
5 km NO Montier-en-Der*

€€ 🏠 **Chambres d'hôtes La Clef des Champs (Nathalie et Christian Sordet) :** *5, hameau de Gervillers.* ☎ 03-25-94-40-74. 📱 *06-37-23-41-58.* ● *nathalie.sordet@laposte.net* ● 🛜 Aux confins de la Haute-Marne, de l'Aube et de la Marne. Il a fallu 4 ans de travail colossal à Nathalie et Christian pour redonner fière allure à cette ancienne grange. Elle a été reconstruite en partie avec de vieux matériaux. 4 jolies chambres dont 1 suite familiale composée de 2 chambres. Sanitaires privés. 2 au rez-de-chaussée avec baies vitrées, les 2 autres à l'étage. 65 € pour 2, petit déj compris, 85 € pour 4. Pas de table d'hôtes mais plusieurs restos dans un rayon de 5 km. Les abords ne sont pas encore terminés mais ça ne devrait pas tarder (à suivre !...). Accueil chaleureux. *NOUVEAUTÉ.*

Accès : *de Montier-en-Der direction Puellemontier, 2 km avant le village, vous arrivez à Gervillers, prenez la rue qui monte au centre du hameau, la maison est à droite.*

PUISEUX   08270

Carte régionale A1

20 km NE de Rethel ;
10 km E de Novion-Porcien

€€ 🏠 (10 %) *Chambre d'hôtes L'Hiron-delle (Marie-Hélène et Guy Maizières) :* 11, rue de la Châtelaine. ☎ 03-24-72-38-45. 📱 06-71-22-98-53. ● *guy.marylene@hotmail.com* ● 🛜 À la retraite, Marie-Hélène et Guy ont décidé de réaliser leurs rêves : faire de la peinture, avoir un beau jardin fleuri et ouvrir une chambre d'hôtes. Dans ce petit village rural de 130 âmes, ils ont fait construire leur maison et y proposent une chambre familiale composée de 2 chambres pour les familles ou amis. Sanitaires privés. 55 € pour 2, petit déj compris, et 20 € par personne supplémentaire. Pas de table d'hôtes mais vos hôtes dépannent souvent les randonneurs à pied ou à vélo. Accueil convivial. Une adresse pour se faire dorloter.

Accès : dans le village (bon fléchage).

REMILLY-AILLICOURT   08450

Carte régionale A1

8 km S de Sedan

€€ 🏠 (10 %) *Chambre d'hôtes L'Héritage (Gilles Henry) :* 72, rue de Raucourt. ☎ 03-24-26-83-95. 📱 06-66-76-80-47. ● *gilles.henry08@orange.fr* ● 🛜 « Tourisme et handicap », on en parle, c'est heureusement devenu une obligation dans la plupart des établissements neufs. Mais Gilles lui vous propose de vivre le contraire... car c'est en fauteuil qu'il reçoit ses hôtes. Et croyeznous, il a l'habitude de l'accueil car il est aussi propriétaire d'un resto à Sedan. *L'Héritage,* c'est parce que cette maison de village est celle où il est né et que lui a léguée sa maman. Une grande chambre spacieuse ouvre sur une immense terrasse. Déco qui mêle harmonieusement meubles anciens et déco contemporaine. Salle de bains à vue. 58 € pour 2, petit déj compris. Pas de table d'hôtes mais un bon resto dans le village. Accueil chaleureux, une leçon de vie !

Accès : au centre du village, pratiquement en face de l'église.

RIGNY-LA-NONNEUSE   10290

Carte régionale A2

20 km SE de Nogent-sur-Seine ;
15 km S de Romilly-sur-Seine

€€€ 🏠 |●| (10 %) *Chambres d'hôtes Le Charme aux Fées (Agnès et Anaïs*

Mignot) : 6, rue de Vauluisant. ☎ 03-25-25-11-92 ou 03-25-21-58-73. 📱 06-03-75-13-85. ● *agnesmignot@lecharmeauxfees.com* ● *lecharmeauxfees.com* ● 🛜 Au cœur de ce petit village, grand corps de ferme composé, entre autres, de deux jolies maisons en pierre apparente. L'une d'elles est entièrement destinée aux hôtes. Cinq chambres charmantes avec TV et sanitaires privés, répondant chacune au nom d'une fée : une au rez-de-chaussée, très grande, avec accès indépendant (la plus chère), les 4 autres à l'étage (nous on aime la Fée baroque). 60 et 80 € pour 2, petit déj compris. Table d'hôtes à 22 €, apéro, vin et café compris. Cuisine familiale à partir des produits de la ferme (volailles) et légumes du jardin. Grand salon de détente avec billard américain et TV écran plat. Agnès et Anaïs, la mère et la fille, s'occupent des hôtes mais aussi de l'exploitation agricole... et croyez-nous, elles n'ont pas les deux pieds dans le même sabot ! Accueil agréable.

Accès : sur la D 619 entre Provins et Troyes, au niveau de Nogent-sur-Seine prenez la D 442 vers Saint-Aubin/Marigny-le-Châtel puis la D 440 jusqu'à Rigny-la-Nonneuse et suivez le fléchage dans le village.

SAINT-MARD-LÈS-ROUFFY   51130

Carte régionale A1-2

22 km SE d'Épernay ;
10 km E du Mesnil-sur-Oger

€€€ 🏠 |●| *Chambres d'hôtes (Isabelle et Bruno Mailliard) :* 38, rue de Champagne. ☎ 03-26-66-45-03. 📱 06-88-96-96-30. Fax : 03-26-70-10-0. ● *bruno-mailliard@wanadoo.fr* ● *bruno-mailliard.com* ● Fermé janv-fév. 🛜 Bruno et Isabelle sont viticulteurs, mais quand on habite rue de Champagne, ça prend tout son sens ! Dans leur ancienne ferme, 5 coquettes chambres à la déco contemporaine, avec sanitaires privés. Selon la chambre, de 70 à 85 € pour 2, petit déj compris. Table d'hôtes à 23 €. Pour vous détendre, dans la cour intérieure, piscine chauffée et jacuzzi. Accueil souriant et décontracté.

Accès : au centre du village.

SPOY   10200

Carte régionale A2

15 km E de Vendeuvre-sur-Barse ;
13 km O de Bar-sur-Aube

€€ 🏠 |●| *Chambres d'hôtes La Fontaine (Christine et Jean Herbelot) :* 8, rue de la Fontaine. ☎ et fax : 03-25-27-40-88. 🖥 06-88-17-53-28. ● jeanherbelot@orange. fr ● spoy10-lafontaine.com ● Ouv mars-déc. 📶 Après avoir roulé sa bosse de nombreuses années en Afrique, Jean est revenu aux sources et s'est installé dans sa maison de famille avec sa charmante épouse d'origine ivoirienne. Ici, c'est une invitation au voyage et pratiquement tout le mobilier et les tissus chamarés viennent de Marrakech. Au 1er étage, 3 coquettes chambres avec sanitaires privés. 54 € pour 2, petit déj compris (confitures, brioche, gâteau et crêpes maison !), et 16 € par personne supplémentaire. Table d'hôtes partagée en famille à 27 €, flûte de champagne, vin et café compris. Cuisine internationale, relevée selon les goûts, avec par exemple le riz sénégalais (tchep), la paella, les tajines... et bien d'autres spécialités car Christine est la reine des fourneaux. Si vous cherchez du champagne, Jean vous donnera ses bonnes adresses car il en connaît un rayon ! Accueil chaleureux, très bon rapport qualité-prix-convivialité. Bref, une adresse comme on les aime.

Accès : A 5 sortie n° 22 Bar-sur-Aube/ Vendeuvre-sur-Barse puis D 619 jusqu'à Magny-Pouchard puis D 113 jusqu'à Spoy ; dans le village, direction Argançon, la maison est sur la droite.

TREIX   52000

Carte régionale A2

5 km N de Chaumont

€ 🏠 **Chambres d'hôtes (Jeanine et Jean-Claude Hullin) :** 2, pl. de la Charme. ☎ 03-25-32-26-88. 🖥 06-74-49-64-63. ● jean.claude.hullin@wanadoo. fr ● 📶 Dans une jolie maison avec cour intérieure, 3 chambres claires et agréables, avec sanitaires privés, l'une au rez-de-chaussée, les 2 autres à l'étage. 42 € pour 2, avec le petit déj. Pour les amateurs d'histoire, Colombey-les-Deux-Églises est à 30 km, allez donc saluer le Général et admirer dans sa maison les cadeaux qui lui ont été offerts par des personnalités internationales.

Accès : de Chaumont, N 74 vers Nancy, puis tournez à gauche (D 161).

TROYES   10000

Carte régionale A2

€€€€ 🏠 🍴 **Chambres d'hôtes L'Ambroise (Jacqueline Boidet et Laurence Moyet) :** 38, rue Ambroise-Cottet. ☎ 03-25-73-48-63. 🖥 06-10-90-50-38. ● jacqueline.boidet@wanadoo.

fr ● lambroise-a-troyes.com ● 📶 À deux pas du centre-ville, dans une rue calme, maison bourgeoise des années 1930 avec agréable jardin abrité des regards indiscrets. Quatre chambres vastes et agréables, avec sanitaires privés, installées aux 1er et 2e étages et une dernière dans un petit pavillon indépendant climatisé. De 90 à 98 € pour 2, petit déj compris. Accueil chaleureux. Un excellent point de chute pour découvrir la ville.

Accès : du théâtre de la Madeleine, prenez la rue Diderot jusqu'à la rue Ambroise-Cottet.

VAL-DE-VESLE   51360

Carte régionale A1

27 km N de Châlons-en-Champagne ; 19 km SE de Reims

€€ 🏠 🍴 (10%) **Chambres d'hôtes Les Marronniers (Joy et Laurent Lapie) :** 1, rue Jeanne-d'Arc. ☎ 03-26-03-92-88. ● chambre@zigzagparc.fr ● zigzagparc. fr ● 🚲 Fermé de mi-déc à fin fév. 📶 Dans un petit hameau tranquille, ancienne ferme avec grande cour intérieure gravillonnée. Cinq chambres coquettes, dont 2 au rez-de-chaussée, les 3 autres à l'étage. Deux possèdent un convertible pour accueillir les familles. Sanitaires privés. 66 € pour 2, petit déj compris. Pour les enfants, le Zig Zag Parc composé de plusieurs labyrinthes végétaux est juste à côté. Accueil convivial.

Accès : de Reims, prenez la D 944 vers Châlons-en-Champagne puis la D 326 jusqu'au village et suivez le fléchage.

VECQUEVILLE   52300

Carte régionale A2

30 km S de Saint-Dizier ; 3 km N de Joinville

€€ 🏠 🍴 **Chambres d'hôtes Ferme de Sossa (Maria et Thierry Paquet) :** ☎ 06-01-71-82-57. 🖥 06-87-61-21-81. Fax : 03-25-94-32-18. ● tpaquet@ wanadoo.fr ● chambre-hote-sossa.com ● Fermé 24 déc-4 janv. 📶 Ici, c'est la campagne, la vraie ! Isolée sur un plateau, grande ferme composée de plusieurs batiments dont une petite chapelle, disposés autour d'une vaste cour. Depuis des années, Maria et Thierry la restaurent avec amour en récupérant de vieux matériaux glanés dans les maisons alentour. Il en résulte une superbe demeure originale et chaleureuse. Six chambres toutes différentes, décorées avec un goût très sûr. Beaux enduits recouverts de cires colorées, tissus africains chamarrés, spacieux et croquignolets sanitaires privés. Trois chambres sont installées au 1er étage de la maison, les 3 autres de plain-pied avec accès direct sur la cour, dont 2 avec mezzanine pour les enfants. De 60 à 65 € pour 2, petit déj compris, et 16 € par personne supplémentaire. Table d'hôtes (sauf le vendredi) partagée en famille dans une gigantesque véranda qui ouvre sur la campagne. 24 € le repas, apéro et vin compris, où gibier, poissons, champignons et légumes du jardin tiennent une place de choix. À votre disposition, une salle de sport, sauna, hammam et jacuzzi (payant). La chapelle abrite des expos d'art contemporain. Un accueil hors pair. Bref, un de nos coups de cœur.

Accès : *en traversant Vecqueville en direction de Saint-Dizier, prenez la dernière rue à gauche (rue Ariet), montez sur 2,5 km et suivez le fléchage.*

VERBIESLES　　52000

Carte régionale A2

6 km SE de Chaumont

€€ 🏠 **10 %** ***Chambre d'hôtes (Marie-Thérèse et Bob Marusiak) :*** *22, rue de la Marne.* ☎ et fax : 03-25-31-16-41. ● marusiakbob@aol.com ● marusiak-bnb.com ● *Ouv Pâques-Toussaint.* 🛜 Agréable maison recouverte d'ampélopsis, au milieu d'un beau jardin. C'est par le garage qu'on accède à une chambre familiale, située à l'étage et comportant 2 chambres avec coin salon. Déco soignée. 65 € pour 2 et 95 € pour 4, petit déj compris, avec jambon, œuf coque et confitures maison. Marie-Thérèse peint des œufs et vous pourrez admirer son talent. Des heures de travail pour un résultat étonnant ! Elle réalise aussi des tableaux en paille collée. Accueil souriant et courtois.

Accès : *de Chaumont, empruntez la D 619 en direction de Langres (sur 5 km) ; prenez la sortie Verbiesles ; la maison est à l'entrée du village à gauche.*

VERTUS　　51130

Carte régionale A1-2

18 km S d'Épernay

€€ 🏠 🖊️ ***Chambres d'hôtes La Madeleine (Huguette et René Charageat) :*** ☎ 03-26-52-11-29. 📱 06-85-20-57-92. ● charageat.la.madeleine@wanadoo.fr ● 🛜 En pleine campagne, sur les hauteurs de Vertus, maison récente des années 1970. Huguette et René sont retraités et proposent 3 chambres simples et sans prétention, dont 2 au 1er étage, la dernière avec accès indépendant. Petits sanitaires privés. De 55 à 62 € pour 2, petit déj compris, servi dans une belle salle à manger, avec vue sur les prés et le bois. Accueil authentique et vrai.

Accès : *d'Épernay, direction Villers-au-Bois ; à l'entrée du village, tournez à droite et suivez le fléchage « La Madeleine ».*

VIEL-SAINT-RÉMY　　08270

Carte régionale A1

30 km SO de Charleville-Mézières ; 20 km NE de Rethel

€ 🏠 🐴 ***Chambres d'hôtes (René Turquin) :*** *6, rue de la Fontaine, Margy.* ☎ 03-24-38-56-37. 📱 06-88-54-14-08. ● rturquin@voila.fr ● 🛜 Ancienne et belle ferme familiale traditionnelle reconvertie aujourd'hui en chambres d'hôtes. Elles sont 2 au 1er étage, une grande familiale et une autre pour les couples. Pour la vue, choisissez celle qui ouvre sur le jardin. Sanitaires privés. 49 € pour 2, petit déj compris. Grand étang où les pêcheurs pourront taquiner le poisson. Accueil convivial.

Accès : *par l'A 34 entre Charleville et Rethel, prenez la sortie n° 14 direction Novion-Porcien ; 1 km après le 2e rond-point, tournez à droite en direction de Margy ; à l'entrée du village, 1re rue à gauche.*

VILLIERS-SUR-SUIZE　　52210

Carte régionale A2

19 km NO de Langres ; 19 km S de Chaumont

€€ 🏠 🍴 ***Chambres d'hôtes Ferme Bas Bois (Roseline et Éric Gruot) :*** *15, rue Théodore-Régnier.* ☎ 03-25-31-11-80. 📱 06-80-30-16-11. ● fermebasbois@wanadoo.fr ● 🛜 Jolie ferme en pierre au cœur du village. Dans une aile indépendante, 3 chambres agréables et bien tenues. 1 au rez-de-chaussée un peu plus petite, les 2 autres à l'étage (l'escalier est un peu raide). Sanitaires privés. 65 € pour 2, petit déj compris. 85 € pour 3. Table d'hôtes partagée en famille à 26 €, apéro, vin et café compris. Bonne cuisine du terroir avec une majorité de produits maison. Outre qu'Éric est un agriculteur bio convaincu, il est aussi

CHAMPAGNE-ARDENNE

féru d'astronomie : il a installé un obser-vatoire sur les hauteurs à côté de la mai-son. Une passion qu'il aime partager. Accueil chaleureux. *NOUVEAUTÉ*.

Accès : *A 5 sortie n° 24 Chaumont, puis D 10 jusqu'à Richebourg puis D 102 jus-qu'à Leffonds puis D 154 jusqu'à Villiers. La maison est à la sortie du village, en direction de Rolampont.*

VULAINES   10160

Carte régionale A2

35 km O de Troyes ; 28 km E de Sens

€€€ 🏠 10% ***Chambres d'hôtes Le Saule Fleuri (Nelly et Daniel Fandard-Schmite) :*** *7, rue de l'Ancienne-Gare.* ☎ *et fax : 03-25-40-80-99.* ● *fandard-schmite@wanadoo.fr* ● *chambres-du-saule-fleuri.com* ● *Fermé la 1re quinzaine d'oct.* 📶 À l'écart de la nationale et donc au calme, jolie maison mi-brique mi-crépi, qui était à l'origine l'ancien hôtel de la gare aujourd'hui désaffectée (plus de problème de bruit). Quatre chambres très agréables et décorées avec goût. Sanitaires privés. 78 € pour 2, petit déj compris (jus de fruits, yaourts, fromage, confitures maison, plein de sortes de pains, viennoiseries et gâteau maison). Belle salle à manger qui sent bon la cire et l'ambiance des maisons d'autrefois, avec un superbe piano trois-quarts-de-queue accordé pour dégourdir les doigts des mélomanes. Pas de table

d'hôtes, mais coin cuisine à disposition. Piscine. Une gentille adresse.

Accès : *sur la D 660, entre Sens et Troyes, prenez la D 54 vers Saint-Florentin et suivez le fléchage.*

WARNÉCOURT   08090

Carte régionale A1

6 km SO de Charleville-Mézières

€€ 🏠 10% ***Chambre d'hôtes (Béatrice et Bernard Perret) :*** *25, rue de la Hobette.* ☎ *03-24-58-08-76.* 📱 *06-21-63-08-08.* ● *chambrehotes@yahoo.fr* ● *Ouv 15 mars-15 oct.* Bernard a de l'or dans les mains... il sait tout faire ! Pour preuve, il a entièrement construit sa maison et, croyez-nous, elle a de l'allure ! Béatrice, elle, rêvait d'une cham-bre d'hôtes... Alors, Bernard a construit un petit pavillon indépendant, un vrai petit nid d'amour qui héberge une charmante cham-bre avec mezzanine. Vieilles poutres appa-rentes et rateliers. Sanitaires privés. 52 € pour 2, petit déj compris, servi dans le jardin aux beaux jours, face à l'étang où s'ébat-tent les canards, ou dans la maison de vos hôtes. Au passage, notez la grande hotte en cuivre, les lustres, le mobilier... que des réa-lisations de Bernard. Ici, on est réveillé par le chant des oiseaux. Accueil chaleureux. Une adresse comme on les aime.

Accès : *de Charleville, empruntez la D 3 vers Launois jusqu'à Warnécourt, la maison est à l'entrée du village.*

Corse

Haute-Corse (2B)

Corse-du-Sud (2A)

ALÉRIA 20270

Carte régionale A2

15 km N de Ghisonaccia

€€ 🏠 |●| *Chambres d'hôtes Di U Fiume (Jean Martinière) : Cateraggio.* ☎ et fax : 04-95-57-02-89. 📱 06-12-04-51-20. ● jean.martiniere@orange.fr ● di-u-fiume. com ● *Ouv avr-nov.* En retrait de la nationale et en bordure de rivière, grande maison assez récente dont toute la partie basse est en granit. À l'étage, 5 chambres climatisées, pas immenses mais agréables et claires, avec sanitaires privés. Préférez celles qui ouvrent sur la rivière. 70 € pour 2, petit déj compris, servi sur la terrasse couverte aux beaux jours. Possibilité de table d'hôtes sur réservation, et plein de restos à proximité. Accueil chaleureux.

Accès : à l'entrée d'Aléria en venant du nord, prenez la route de Corte, la maison est à 100 m à gauche.

BARBAGGIO 20253

Carte régionale A1

17 km O de Bastia ;
5 km E de Saint-Florent

€€€€ 🏠 |●| *Chambres d'hôtes Casa Andria (Ange et Carole Mei) : lieu-dit Ostéria.* ☎ 04-95-58-26-07. 📱 06-67-47-55-64. ● sas.andria@orange.fr ● ♨ *Fermé 31 déc-31 mars.* 📶 Domaine familial de caractère installé dans un cadre calme et arboré, avec une magnifique vue sur les côteaux de Patrimonio, en plein cœur des vignobles. Carole et Ange y proposent 5 chambres personnalisées, toutes de plain-pied, avec terrasse et salon de jardin particulier, et accès à la piscine centrale. TV, clim et sanitaires privés. Selon la période, de 90 à 180 € pour 2, petit déj compris, et de 150 à 220 € pour 4. Possibilité de table d'hôtes sur réservation. Pour ceux qui veulent séjourner, un gîte, indépendant et entièrement équipé pour 4 à 6 personnes avec jardin privatif, grand salon de jardin, barbecue et accès à la piscine qui se loue de 600 à 1 200 € la semaine (linge de lit fourni gratuitement sur demande). Accueil très chaleureux et site reposant. Une très bonne adresse en pleine nature.

Accès : au village de Patrimonio, en face de la poste, suivez le fléchage « Chambres d'hôtes Casa Andria ».

CERVIONE 20221

Carte régionale A1

46 km S de Bastia ; 24 km N d'Aléria

€€ 🏠 *Chambres d'hôtes Casa Corsa (Anne-Marie et Jean-Jules Doumens) : Prunete.* ☎ 04-95-38-01-40. 📱 06-25-89-89-32. *Fax : 04-95-33-39-27.* ● casa-corsa1@orange.fr ● casa-corsa.net ● 📶 En retrait de la nationale, maison récente avec 5 chambres vastes, agréables et claires :

Nous vous rappelons que la table d'hôtes est le complément d'une formule d'héberge-ment (chambre d'hôtes, gîte d'étape...). Ce service n'est offert qu'aux personnes qui dorment sur place (excepté lorsqu'il est clairement écrit « ouvert aux extérieurs »).

2 à l'étage, une suite au rez-de-chaussée (composée de 2 chambres), avec accès indépendant, et 2 autres chambres dans une maison mitoyenne de celle des proprios, avec entrée indépendante. Sanitaires privés pour toutes. Comptez 73 € pour 2, petit déj compris, servi sous une agréable treille aux beaux jours. Pas de table d'hôtes, mais plusieurs restos sympas dans le village et une cuisine d'été à disposition. Au fait, pour aller à la plage, il vous suffit de traverser la route. Ambiance agréable et accueil chaleureux.

Accès : au cœur de Prunete (situé sur la N 198 entre Moriani et Aléria), prenez le petit chemin à droite en venant de Bastia, la maison est à 100 m.

CORTE 20250

Carte régionale A1

96 km SE de Calvi ; 10 km S de Corte

€€ 🏠 🍴 **Chambres d'hôtes Chez Charles et Antoinette (Antoinette et Charles Hiver) :** ☎ 04-95-47-07-29. 📠 06-03-92-60-83. ● antoinette.hiver@laposte.net ● antoinette.charles.free.fr ● *Ouv mars-fin oct. Résa indispensable en été, car c'est souvent complet.* Tout en haut du village, sur les contreforts d'un massif sauvage et peu connu dont les sommets dépassent les 2 000 m d'altitude, la maison tout en pierre de Charles et Antoinette vous attend pour randonner en étoile. 4 chambres, à 64 € pour 2, petit déj compris. Sur réservation, table d'hôtes à 20 €, vin compris. Si vous le souhaitez, Charles, qui est accompagnateur de moyenne montagne, vous conseillera avec compétence et gentillesse et vous racontera des tas d'histoires (corses, bien sûr). Accueil direct, familial et sans façon.

Accès : Saint-Pierre-de-Venaco se trouve à 10 km de Corte (en direction d'Ajaccio).

LURI 20228

Carte régionale A1

34 km N de Bastia

€ 🏠 🍴 **Chambres d'hôtes I Fundali (Marie-Thé et Alain Gabelle) :** Spergane. ☎ 04-95-35-06-15. ● alaingabelle@wanadoo.fr ● locationcorse-ifundali.com ● *Ouv avr-début nov. Vu le succès (légitime) de l'endroit, résa conseillée.* 🛜 Une chouette adresse toute proche du cap Corse ! Pas facile de se rendre dans cette petite enclave où rien ne parvient à troubler le silence... Dans un vallon verdoyant, impo-

santes ruines de tour médiévale. Au centre du décor, la maison de Marie-Thérèse et Alain, où 5 mignonnes chambres vous attendent. Selon la période, de 48 à 55 € pour 2, petit déj compris. Table d'hôtes à 17,50 €. Cuisine familiale. Pour ceux qui préfèrent l'indépendance, 2 petits gîtes (2 et 4 personnes) de 250 à 430 € la semaine. Marie-Thé et Alain sont chaleureux et ne sont pas avares de renseignements sur les environs. Prix doux pour la qualité des lieux. Une bonne adresse.

Accès : depuis le village de Piazza (un des 17 hameaux qui composent la commune de Luri), au niveau de la poste, prenez la direction de Spergane sur 3 km env et vous trouverez la maison, au pied d'une tour carrée.

MONTICELLO 20220

Carte régionale A1

24 km NE de Calvi ; 6 km S de L'Île-Rousse

€€€ 🏠 **Chambres d'hôtes Tre Castelli (Christiane Bandini) :** 📱 06-17-96-16-66. ● vanessabandini@orange.fr ● *Ouv avr-oct.* Sur les hauteurs de L'Île-Rousse, à l'écart de la foule, construction à l'architecture moderne et cubique, bénéficiant d'un panorama exceptionnel sur la mer et le rocher. Cinq chambres élégantes dans la maison des propriétaires. Elles possèdent climatisation, TV et sanitaires privés. Terrasse aménagée devant chaque chambre et accès indépendant pour chacune. Selon la saison, de 80 à 85 € pour 2, copieux petit déj compris. Atmosphère chaleureuse et décontractée. Accueil charmant. Une de nos adresses préférées sur le département.

Accès : de L'Île-Rousse, prenez la D 63 en direction de Monticello ; longez le village, la maison est 1,5 km plus loin à gauche.

OLETTA 20232

Carte régionale A1

10 km SE de Saint-Florent

€€€€ 🏠 **Chambres d'hôtes U Lampione (Anne Sognobezza) :** pl. de l'Église. ☎ 04-95-35-28-46. 📠 06-11-36-48-49. ● annesognobezza@orange.fr ● ulampione.fr ● *Ouv mai-nov.* 🛜 Cette maison nichée au cœur du village vous charmera par sa décoration : une cloison de chambre percée de hublots, façon bateau, des volets en guise de tête de lit, des couleurs tranchant sur des murs de pierre et autres pièces voûtées. En tout, 3 chambres et un

| Corte | Adresses |
| Bastia | Villes repères |

NORD

Cap Corse

MER
MÉDITERRANÉE

Pino
D 80
Luri
D 180
D 80

D 81
St-Florent
Barbaggio
N 197
D 84
D 82
Oletta
Bastia

Monticello
N 1197
N 193
N 193
N 198

HAUTE-CORSE

D 8 1b
D 81
N 197

Calvi

D 84
Corte
N 193
Cervione
D 71
2B

D 81
N 200

D 84

D 81
D 70
CORSE-

DU-SUD

Aléria

D 344

D 81
N 193
Ghisonaccia

2A

Ajaccio

Îles Sanguinaires

D 55
N 196
D 69

D 69
D 288

N 198

Zérubia
D 368
N 196

D 155

Propriano
D 69

Porto-Vecchio

N 196
D 859

Îles Cerbicale

N 198

Bonifacio
Île Cavallo
Île Lavezzi

0   10   20 km

CORSE

studio. Selon la saison, de 80 à 95 € pour 2, petit déj compris, et entre 400 et 490 € la semaine pour le studio. Accueil sympa. Une très gentille adresse.

Accès : *au centre du bourg.*

PINO   20228

Carte régionale A1

20 km S du cap Corse

€€ 🏠 ***Chambres d'hôtes (Martine Beneventi) :*** *hameau de Metimo.* ☎ *04-95-35-10-42.* 📱 *06-19-19-21-11.* ● *eric.bene venti@bbox.fr* ● *Fermé nov-déc.* Au cœur du village, parcouru par un dédale d'escaliers, Martine a ouvert 2 chambres avec sanitaires privés et accès indépendant. 60 € pour 2, petit déj compris, servi en terrasse aux beaux jours. Attention, pas de table d'hôtes ; le bar propose une petite restauration rapide, mais premier resto à 15 km. Martine possède aussi un gîte et un appartement, dans le village, de 4 et 5 personnes, loués entre 250 et 600 € la semaine, draps et linge de maison fournis. Accueil authentique et vrai.

Accès : *à l'entrée de Pino en venant du nord, au bar, garez-vous, prenez l'escalier à gauche, passez sous le porche et grimpez jusqu'à la maison rose aux volets verts.*

PROPRIANO   20110

Carte régionale A2

74 km SE d'Ajaccio

€€ 🏠 🎿 ***Chambres d'hôtes Île de Beauté (Gisèle et Bernard Tafanelli) :*** *route de Viggianello.* ☎ *et fax : 04-95-76-06-03.* 📱 *06-10-58-37-35.* ● *locations-tafanelli.com* ● 📶 Sur les hauteurs de Propriano, dans un parc de 1 ha, Gisèle

et Bernard ont installé 8 petites locations, chacune disposant d'un salon-kitchenette, d'une chambre, d'une salle d'eau, ainsi que d'une petite terrasse d'où l'on a une vue imprenable sur le golfe de Valinco (on ne vous parle même pas des couchers de soleil...). Comptez de 340 à 550 € la semaine (pour 2 à 4 personnes) suivant la période. Également 3 petits chalets, avec frigo, faisant office de chambres d'hôtes, à 60 € pour 2, petit déj compris (délicieuses confitures maison).

Accès : *dans Propriano, allez jusqu'au rond-point du supermarché Casino et suivez les flèches.*

ZÉRUBIA   20116

Carte régionale A2

57 km NO de Porto-Vecchio ;
34 km NE de Propriano

€€ 🏠 🍽️ 🎿 ***Chambres d'hôtes U Rughjonu (Marie-Claire Comiti) :*** ☎ *04-95-78-73-64.* 📱 *06-85-33-44-88.* ● *comiti@ wanadoo.fr* ● *chambres-dhotes-alta-rocca-corse.com* ● *Ouv avr-oct.* À 830 m d'altitude, maison tout en granit, vieille de plus d'un siècle. Cinq chambres à l'atmosphère campagnarde, toutes de plain-pied, avec sanitaires privés. 60 € pour 2, petit déj compris. Un peu partout, des peintures réalisées par le papa de la maîtresse des lieux vous feront découvrir les paysages et villages de Corse. Table d'hôtes à 20 €, apéro maison (vin de gentiane), vin et café ou infusion compris. Marie-Claire est née juste à côté et elle connaît tous les sentiers alentour (elle a fait un petit classeur où tout est marqué). Accueil chaleureux où l'hospitalité est de mise.

Accès : *de l'église du village, tournez à gauche et prenez le 1ᵉʳ ou le 2ᵉ chemin à droite.*

CORSE

Franche-Comté

Champagne-
Ardenne

Lorraine

Alsace

Haute-
Saône
(70)

Terr. de
Belfort
(90)

Bourgogne

Doubs
(25)

Jura
(39)

Rhône-Alpes

ARC-SOUS-CICON   25520

Carte régionale B2

*41 km SE de Besançon ;
20 km N de Pontarlier*

€€ 🏠 **Chambres d'hôtes La Fée Verte (Cédric Paté Aubry) :** *12, rue du Crêt-Monniot.* ☎ 06-83-32-83-59. ● *dormirala feeverte@hotmail.com* ● 🛜 À 800 m d'altitude, ancienne et grande ferme du début du XXᵉ s avec une belle vue sur la campagne et les crêts boisés environnants. 4 chambres chaleureuses et douillettes. Déco de style « montagne » où le bois est à l'honneur. Une préférence pour la chambre aux murs en tavaillons (petites planchettes de bois qui couvrent le plus souvent les murs extérieurs). Sanitaires privés. 65 € pour 2, petit déj compris. En hiver, on part pour les pistes de ski de fond depuis la maison.

Accès : sur la N 57 entre Pontarlier et Besançon, prenez la D 41 vers Arc-sous-Cicon, c'est la 1ʳᵉ rue à droite à l'entrée du village.

€ 🏠 |●| **Chambres d'hôtes La Ferme d'Arc (Marie-Claude et Dominique Pourcelot) :** *3, rue des Frères-Vuillemein.* ☎ 03-81-69-90-76. 📱 06-74-07-54-27. ● *lafermedarc@laposte.net* ● *lafermedarc. free.fr* ● *Fermé en déc.* 🛜 Au cœur du village, grande et ancienne ferme avec petite avancée style chalet. Marie-Claude et Dominique, anciens agriculteurs, élevaient des montbéliardes. Au 1ᵉʳ étage, un

long couloir paré d'une jolie fresque représentant des vaches (faut c'qui faut) dessert 3 chambres agréables tapissées de sapin. Sanitaires privés. 55 € pour 2, petit déj compris (avec les confitures maison). Table d'hôtes (sauf le dimanche de mai à août), partagée en famille, à 20 €, apéro et vin compris. Goûteuse cuisine traditionnelle et régionale dont on se souvient encore... Ski de fond sur place. Accueil authentique et vrai.

Accès : sur la N 57 entre Pontarlier et Besançon, prenez la D 41 jusqu'à Arc-sous-Cicon, la ferme est dans la 1ʳᵉ rue à gauche à l'entrée du bourg.

€€ 🏠 |●| **Chambres d'hôtes La Ferme du Besongey (Sylvie et Daniel Jeannin) :** *Le Besongey.* ☎ et fax : 03-81-69-95-27. 📱 06-31-54-38-69. ● *jeannin. dansyl@wanadoo.fr* ● *gite-ferme-doubs. com* ● 🛜 À 950 m d'altitude, entre forêts et pâturages, Sylvie, Daniel et leurs trois filles vous accueillent dans leur ferme isolée dans la campagne. Détruite par un incendie, ils l'ont entièrement reconstruite. Ils élèvent un petit troupeau de vaches laitières ainsi que tout un tas d'autres animaux car la ferme est classée pédagogique, et les enfants de la ville viennent y découvrir la vie d'une exploitation agricole. Dans une aile indépendante et au calme, 2 chambres avec sanitaires privés. Ambiance chalet et atmosphère campagnarde. 56 € pour 2, petit déj compris. Table d'hôtes (seulement de début novembre à fin mars), partagée en famille, à 22 €, apéro et vin compris. Cuisine régionale à partir des produits

---

Nous vous rappelons que la table d'hôtes est le complément d'une formule d'hébergement (chambre d'hôtes, gîte d'étape...). Ce service n'est offert qu'aux personnes qui dorment sur place (excepté lorsqu'il est clairement écrit « ouvert aux extérieurs »).

A

NORD

Montigny-
le-Roi

A 5
E 17
E 54

D 819

A 21

A 31

N 19

D 965

Châtillon-
sur-Seine

Langres

D 417

HAUTE-MARNE
(52)

HAUTE-
SAÔNE

70

D 3

D 56

Breurey-
lès-Faverney

N 19

D 428

A 31
E 17
E 21

D 67

N 19

D 974

CÔTE-D'OR
(21)

Vy-lès-Rupt

Ray-sur-Saône

D 3

D 13

Chargey-lès-Gray

D 67

D 70

D 13

D 5

D 474

D 996

D 70

D 474

D 5

D 971

Esmoulins

D 475

D 12

D 3

N 57

Dijon

D 70

D 961

Hugier

D 475

Dannemarie-sur-Crète

Besançon

D 61

A 38

A 39

A 905

D 974

Larnod

D 13

A 6
E 15
E 60

A 31
E 17

D 673

Dole

JURA

D 12

Chouzelot

N 83

D 15

D 9006

A 36
E 60

D 673

D 472

Nans-sous-
Sainte-Anne

Beaune

D 468

D 475

D 39
E 21

D 905

Chilly-
sur-Salins

N 83

Villers-
ss-Chalamon

D 457

D 996

N 73

Château-
Chalon

Arlay

D 5

Chalon-
sur-Saône

N 78

D 970

Fontainebrux

Lons-
le-Saunier

Fay-
en-Montagne

A 6
E 15
E 21

N 6

D 978

D 971

Louhans

D 1083

D 52

D 678

SAÔNE-ET-LOIRE
(71)

Tournus

Grusse

39

Les Rousses

D 117

Prémanon

N 79

Montagna-
le-Reconduit

A 36
E 21

D 109

Martigna

D 436

Lajoux

AIN
(01)

Montfleur

D 27

D 436

Gex

Mâcon

A 40
E 21 E 62

D 1083

D 975

A

maison. Deux gîtes de 5 et 10 personnes pour ceux qui veulent séjourner. En hiver, le ski de fond est à l'honneur et une piste passe devant la maison ; l'été c'est la rando. Pour vous remettre de vos courbatures, espace détente avec spa et sauna (payant). Accueil souriant et authentique.

Accès : de Pontarlier, N 57 vers Besançon puis D 41 jusqu'à Arc-sous-Cicon ; traversez le village puis tournez à droite vers Gillez sur 3 km et suivez le fléchage.

ARLAY 39140

Carte régionale A2

20 km S d'Arbois ;
12 km N de Lons-le-Saunier

€€ 🏠 |●| 🏡 *Chambres d'hôtes Le Jardin de Misette (Marie-Claude et Christian Petit) :* 2, rue de la Gravière. ☎ 03-84-85-15-72. ● cmc.petit@aliceadsl.fr ● sites.google.com/site/lejardindemisette ● 🖥 La maison de vos hôtes ? Vous ne pouvez pas la rater, elle est au centre du village, et Christian a peint une fresque sur la façade. On accède aux 3 premières chambres par un escalier extérieur, la dernière se situe dans une petite maison au fond du jardin, tandis qu'au bout du pré coule la Seille ; 2 sont composées de 2 chambres pour les familles. Déco sobre, papiers colorés, mobilier neuf ou campagnard, toutes avec sanitaires privés. Comptez 60 € pour 2, petit déj compris, et 80 € dans les familiales (pour 2 ou 3 personnes). Chaleureux salon orné d'une belle cheminée avec le four à pain. Les livres régionaux édités par les proprios, le piano et l'accordéon complètent le décor. Salle à manger où vous dînerez avec Marie-Claude. 33 € le repas (sauf le dimanche soir), apéro et vin compris, pour une excellente cuisine régionale et familiale. Ambiance chaleureuse et décontractée. Le village, avec son château, son parc et les ruines de sa forteresse, mérite qu'on s'y attarde.

Accès : de Lons, prenez la N 83 vers Besançon, puis à gauche la D 120 vers Arlay ; la maison est à côté de l'église.

AUBONNE 25520

Carte régionale B2

50 km SE de Besançon ;
15 km N de Pontarlier

€€ 🏠 |●| *Chambres d'hôtes La Ferme du Château (Véronique et Xavier Lombardot) :* ☎ et fax : 03-81-69-90-56. Fermé 15 oct-1er avr. C'est un château et c'est aussi une ferme... Ancienne résidence de vacances d'un marquis du coin, cette superbe demeure date de 1706 et a été achetée en 1920 par le grand-père de Véronique qui la transforma en ferme laitière, reprise depuis de père en fils. Un grand escalier vous conduit aux 3 chambres, spacieuses et claires. Joli parquet d'époque, belle hauteur sous plafond, mobilier à l'opposé du style château et papiers colorés. Sanitaires privés. Comptez 53 € pour 2 et 12 € par personne supplémentaire, petit déj compris, avec le bon lait de la ferme, les confitures maison et plusieurs sortes de miel. Pour prendre les repas, une grande salle à manger avec une surprenante cheminée dont les piédroits sont deux imposantes colonnes. Table d'hôtes à 16 €, vin compris, partagée avec Véronique, souriante, jeune et discrète hôtesse, mais aussi avec Louis, son papa, qui participe activement à l'animation de la table. Quel plaisir de l'entendre parler des champignons et des spécialités locales que vous dégusterez en sa compagnie. Pratiquement tout ce qui est servi sort de la maison : les volailles, le veau, les légumes du jardin, la saucisse de Morteau, et même le fromage, puisque la ferme livre la coopérative qui fabrique le fameux Mont-d'Or (servi chaud certains soirs... hmm !). Une adresse comme on les aime, chaleureuse et sans façon. Bon rapport qualité-prix-convivialité. Ceux qui aiment l'ambiance château ne manqueront pas de visiter celui de Joux, au sud de Pontarlier.

Accès : de Pontarlier, empruntez la N 57 vers Besançon que vous ne quittez plus jusqu'au fléchage « Aubonne » à gauche, puis allez jusqu'au centre du village.

BAUME-LES-DAMES 25110

Carte régionale B1

28 km NE de Besançon ;
18 km O de Clerval

€€€ 🏠 ⑩ % *Chambres d'hôtes La Maison de Béred (Béred et Jean-Marc Vuillemin) :* 5, rue de Champvans. ☎ 03-81-84-29-99. 📱 06-75-50-68-21. ● bered@orange.fr ● gites-champsdudoubs.fr ● 🖥 À l'orée de la ville, dans un petit coin calme et agréable, belle ferme du XVIIIe s. La grange s'est transformée en superbe véranda au volume impressionnant. Au 1er étage, 2 chambres spacieuses et charmantes avec sanitaires privés. La déco a été réalisée par Béred avec beaucoup d'objets de récupération et de meubles anciens. Bois et pierre sont à l'honneur, mais aussi de jolis enduits colorés. 76 € pour 2, copieux petit déj compris. Pas de table d'hôtes mais plusieurs restos dans le village (à 2-3 km). Joli jardin qui ouvre sur la campagne et jacuzzi pour vous détendre. Accueil souriant et convivial. Une adresse qui ne manque pas de charme.

Accès : A 36 sortie Baume-les-Dames ; traversez le centre-ville en direction de Besançon puis prenez la sortie Champvans et c'est la 1re à droite direction La Roche-du-Quint, la maison est à gauche.

BOUROGNE 90140

Carte régionale B1

11 km S de Belfort ;
11 km NE de Montbéliard

€€ 🏠 |●| 🐾 ⑩ % **Chambres d'hôtes Côté Grange (Marie-Claude et Jacques Bonin) :** 16, rue Bernardot. ☎ 03-84-27-74-52. 📱 06-07-11-53-79. ● jacques. bonin@wanadoo.fr ● cote-grange. fr ● 🛜 Anciens assureurs, Marie-Claude et Jacques ont décidé de tout lâcher pour accueillir des hôtes. Dans l'ancienne grange à côté de leur maison, 5 chambres champêtres avec sanitaires privés : 3, plus petites (façon de parler !), sont situées au 1er étage, les 2 autres, très vastes, sont au second. Déco sympa avec nombreux bibelots et collection d'appareils photo. De 58 à 78 € pour 2, petit déj compris. Table d'hôtes sur demande à 28 €, apéro, vin et café compris. Belle piscine dans le jardin et sauna. Accueil chaleureux de Marie-Claude et Jacques qui se connaissent depuis l'âge de 9 ans... chapeau ! Une adresse qu'on aime bien.

Accès : A 36 sortie n° 11 puis prenez la N 19 vers Delle ; entrez dans Bourogne, et juste avant la poste, tournez à droite et suivez le fléchage.

BREBOTTE 90140

Carte régionale B1

15 km SE de Belfort

€€ 🏠 |●| ⑩ % **Chambres d'hôtes Les Colombages (Martine Ehret-Bouniol) :** 9, rue de la Fontaine. ☎ 03-84-23-42-91. ● info@colombages.com ● colombages. com ● 🛜 Jolie maison à colombages dans ce petit village de 300 âmes. Deux chambres agréables, dont une familiale composée de 2 chambres, installées aux 1er et 2e étages. Sanitaires privés. 62 € pour 2, petit déj compris. Table d'hôtes à 21 €, vin compris. Cuisine saine avec les légumes de saison. Les repas se prennent dans une véranda lumineuse. Également 2 gîtes de

6 et 7 personnes pour ceux qui veulent séjourner. Accueil convivial.

Accès : A 36 sortie n° 11, puis N 19 vers Delle et sortie Froidefontaine, que vous traversez, puis Brebotte ; c'est la 1re maison à droite à l'entrée du village.

BREUREY-LÈS-FAVERNEY 70160

Carte régionale A1

21 km SO de Luxeuil ;
19 km N de Vesoul

€€€€€ 🏠 |●| 🏇 ⑩ % **Chambres d'hôtes Château de la Presle (Marie-France et Geoffrey Smith) :** 3, rue Louis-Pergaud. ☎ 03-84-91-41-70. 📱 06-11-78-41-04. ● resa@chateaudelapresle.com ● chateaudelapresle.com ● Fermé janv. 🛜 Joli château du XIXe s en pierre et brique installé dans un superbe parc de 6 ha. Cinq chambres répondant au nom de poèmes de Louis Pergaud, spacieuses et décorées avec goût, dont 3 suites, chacune avec coin salon : 2 au 1er étage, les 3 autres au second. Chacune avec téléviseur LCD et lecteur DVD. On a craqué pour « Coucher du Coq », décorée sur le thème de la photographie. Sanitaires privés. De 110 à 145 € pour 2, copieux petit déj compris (formule brunch avec plateau de fromages, salade de fruits, pain maison...). Table d'hôtes à 48 €, apéro, vin et café compris, pour une cuisine gastro, souvent parfumée à l'absinthe. Côté loisirs : hammam, salle de fitness, court de tennis gazonné, vélos et gigantesque billard snooker 8 pieds. Accueil de qualité. Une adresse de charme pour séduire sa dulcinée.

Accès : dans le village, direction Faverney ; en face du terrain de sport, remontez la rue à droite jusqu'à l'entrée.

CHARGEY-LÈS-GRAY 70100

Carte régionale A1

52 km NO de Besançon ;
5 km N de Gray

€€ 🏠 |●| ⑩ % **Chambres d'hôtes Le Moulin à Épices (Angélique et Stéphane Geoffray) :** 55, rue Nationale. ☎ 03-84-64-87-55. Fax : 03-67-10-01-64. ● contact@ moulin-a-epices.com ● moulin-a-epices. com ● Fermé dim et aux vac de fév et de la Toussaint. 🛜 Au cœur du village mais bien au calme, le moulin à épices était un immense bâtiment de stockage des épices tout en pierre qu'Angélique et Stéphane ont entièrement restauré. Quatre chambres coquettes et colorées, pour 2 à 4 personnes, avec sanitaires privés. 66 € pour 2, petit déj compris, et 15 € par personne supplémentaire. Table d'hôtes (sur réservation le week-end), partagée avec vos hôtes, à 26 €, apéro et vin compris. Cuisine familiale et régionale à partir de bons produits du terroir et des légumes et les fruits du jardin. Piscine. Accueil chaleureux. Bon rapport qualité-prix-convivialité.

Accès : sur la D 67, juste après Gray en direction de Champlitte, bifurquez vers Chargey-lès-Gray, la maison est dans la rue principale, près de l'église.

CHARQUEMONT 25140

Carte régionale B1

*65 km E de Besançon ;
12 km S de Maîche*

€€ 🏠 **Chambres d'hôtes Les Grillons (Sylvie Marcelpoix) :** *bois de la Biche.* ☎ 03-81-44-07-01. *Fermé 15 j. en janv.* À 1 000 m d'altitude, en pleine nature, au milieu des bois et des prés. Grande maison dans laquelle Sylvie vous propose 4 chambres, dont une composée de 2 chambres (pour 4 personnes). Sanitaires privés, et pour les inconditionnels du petit écran, TV dans chaque chambre. Comptez 60 € pour 2, avec le petit déj, et 20 € par personne supplémentaire. Pas de table d'hôtes, mais le frère de Sylvie tient un petit resto 100 m plus bas, où elle travaille d'ailleurs en saison. Accueil convivial et très souriant, bref, une gentille adresse.

Accès : de Maîche, prenez la D 464 vers Charquemont ; dans le village, prenez la D 10 vers La Combe-Saint-Pierre, puis suivez le fléchage « Bois de la Biche ».

CHÂTEAU-CHALON 39210

Carte régionale A2

*17 km N de Lons-le-Saunier ;
4 km E de Voiteur*

€€€ 🏠 |●| **Chambres d'hôtes Le Relais des Abbesses (Anne-Marie Corthésy et André) :** *rue de la Roche.* ☎ 03-84-44-98-56. 📱 06-37-37-65-03. ● *contact@relais-des-abbesses.fr* ● *relais-des-abbesses. fr* ● *Ouv mars-nov.* 📶 Dominant la région et les vigobles alentours, superbe village classé parmi les plus beaux de France. Quatre chambres et une suite coquettes installées aux 1er et 2e étages de la maison (on a craqué pour la chambre « Agnès » qui jouit d'une superbe vue). Selon la

chambre, de 80 à 105 € pour 2, petit déj compris, souvent servi dans un agréable jardin ombragé qui ouvre sur un magnifique panorama. Table d'hôtes à 28 €, vin et café compris. Accueil agréable.

Accès : sur la N 83 entre Poligny et Lons-le-Saunier, prenez la D 120 vers Domblans/ Voiteur puis Château-Chalon ; la maison est au cœur de la cité.

CHILLY-SUR-SALINS 39110

Carte régionale A2

*45 km NE de Lons-le-Saunier ;
6 km S de Salins-les-Bains*

€€ 🏠 |●| (10 %) **Chambres d'hôtes Au P'tit Bonheur (Marie-Claude et Roger Clerc) :** *D 107.* ☎ 03-84-73-12-93. 📱 06-38-81-72-98. ● *contact@leptitbonheur.fr* ● *leptitbonheur.fr* ● 📶 À 640 m d'altitude, grande ferme jurassienne située sur un plateau parsemé de pâturages. Marie-Claude et Roger sont agriculteurs et élèvent des montbéliardes dont le lait part directement à la fruitière du village pour la fabrication du comté. Par un accès indépendant, on parvient aux 4 chambres, dont une au 1er étage, les 3 autres au second. Déco sans prétention et sanitaires privés. 55 € pour 2, petit déj compris (confitures et yaourts maison, sans oublier le fromage). Table d'hôtes à 20 €, apéro, vin et café compris, pour déguster une bonne cuisine régionale concoctée avec les produits de la ferme et accompagnée de vin d'Arbois. Accueil chaleureux, authentique et vrai.

Accès : d'Arbois, D 107 vers Mesnay puis Chilly-sur-Salins.

CHOUZELOT 25440

Carte régionale A2

*20 km S de Besançon ;
2 km N de Quingey*

€€ 🏠 |●| (10 %) **Chambres d'hôtes La Pillarde (Famille Guinet) :** *32, rue Charles-Pillard.* ☎ 03-81-63-66-27. 📱 06-72-05-40-38. ● *guinetpauline@orange.fr* ● 📶 Ici, vous serez reçu en famille et à la ferme. Pauline et Nadège ont repris l'élevage de vaches laitières des parents, dont le lait est destiné à la fabrication du comté. Trois chambres bien tenues avec sanitaires privés (séparés pour l'une d'elles, mais on vous donne une peignoir). Au rez-de-chaussée elles sont côté rue, à l'étage côté jardin. Tapisseries contemporaines et meubles anciens. Comptez 62 € pour 2, petit déj compris (yaourts et confitures

FRANCHE-COMTÉ

maison). Table d'hôtes partagée en famille à 18 €, apéro, vin et café compris. Cuisine traditionnelle à tendance régionale avec les légumes du jardin en saison. Les pêcheurs pourront aller taquiner la truite dans la Loue qui coule en contrebas de la ferme, les autres pourront participer à la traite, même si l'élevage n'est plus sur place. Une adresse chaleureuse et sans façon.

Accès : *de Besançon, N 83 vers Lons-le-Saunier, sortie Chouzelot-Quingey ; la maison est à l'entrée du village à gauche.*

CROSEY-LE-PETIT   25340

Carte régionale B1

45 km NE de Besançon ;
10 km S de Clerval

€ 🏠 |O| 🐾 ***Chambres d'hôtes La Mont-noirotte (Joëlle et Alain Bouchon) :*** *route de Vellevans.* ☎ 03-81-86-83-98. 📱 06-88-03-81-82. ● *bouchona@wanadoo.fr* ● *montnoirotte.com* ● *Fermé la 2e quinzaine de sept.* 📶 À 600 m d'altitude, entre prairies et sous-bois, ancienne ferme comtoise transformée aujourd'hui en ferme de séjour équestre. Trois chambres fonctionnelles et bien tenues, avec sanitaires privés. De 48 à 52 € pour 2, petit déj compris, et 18 € par personne supplémentaire. Table d'hôtes partagée en famille à 20 €, apéro local et vin compris. Bien sûr, l'équitation s'adresse à tous (enfants, débutants et confirmés). L'occasion de découvrir le Haut-Doubs à l'heure (17 €), mais on peut faire des randos sur plusieurs jours. Ceux qui n'aiment pas avoir le derrière tanné pourront profiter de la piscine... Mais rien n'empêche de faire les deux ! Accueil chaleureux et sans façon. Une adresse nature, familiale et sportive.

Accès : *la ferme se situe à 3 km de Crosey-le-Petit en direction de Vellevans (D 27).*

DANNEMARIE-SUR-CRÈTE   25410

Carte régionale A1

12 km SO de Besançon ;
5 km NE de Saint-Vit

€€ 🏠 ⑩% ***Chambres d'hôtes Domaine des Chaumes (Annie Rabolin) :*** *27, rue des Chanets.* ☎ 03-81-58-69-68. 📱 06-99-45-69-07. ● *domainedeschaumes.free.fr* 📶 Au calme d'un petit village, imposante maison des années 1970, construite sur la roche, que vous pourrez d'ailleurs admirer dans le salon ou côté jardin-terrasse. Si elle s'appelle *Domaine des Chaumes,* c'est à cause de son toit... de chaume *(of course !).* Au rez-de-chaussée, 4 chambres alphabétiques, lumineuses et soignées. Voilages et tissus assortis, réalisés par la mère d'Annie. Beau mobilier contemporain ou ancien selon vos goûts. Sanitaires privés. Comptez 60 € pour 2, petit déj compris. Atmosphère très « archi », avec d'originaux volumes. Accueil aimable et courtois. Un point de chute idéal pour découvrir Besançon.

Accès : *sur la N 73 entre Besançon et Dole ; sortez à Dannemarie ; dans le bourg, suivez le fléchage.*

ESMOULINS   70100

Carte régionale A1

40 km NO de Besançon ;
5 km S de Gray

€€ 🏠 |O| ***Chambres d'hôtes Au Hêtre Pourpre (Marie-Claude et René Vezzoli) :*** *4, rue de la Ténise.* ☎ 03-84-67-45-16. 📱 06-74-37-33-39. *Fax : 03-84-64-89-44.* ● *marie.vezzoli@sfr.fr* ● *auhetrepourpre.com* ● 📶 Dans un agréable parc bordé par la Ténise où les amateurs pourront tremper leur bouchon, grande maison de maître dont les origines remontent au XVIIe s. L'intérieur est résolument contemporain et fonctionnel. Au 1er étage, 3 chambres pimpantes et colorées, avec sanitaires privés. 62 € pour 2, petit déj compris. Sur réservation, possibilité de partager la table avec vos hôtes, pour 35 € le repas tout compris. Accueil nature et chaleureux. Une adresse où convivialité rime avec hospitalité.

Accès : *de Pesmes, D 475 vers Gray ; à la sortie de Champvans prenez à gauche vers Esmoulins ; la maison est à l'entrée du village à gauche, en contrebas de la route, après le lavoir.*

ÉTRAY   25800

Carte régionale B2

30 km E de Besançon ;
27 km N de Pontarlier

€€ 🏠 |O| ⑩% ***Chambres d'hôtes Sous les Tilleuls (Georgette et Jacques Hanriot-Colin) :*** *13, rue des Tilleuls.* ☎ 03-81-56-43-35. 📱 06-07-87-71-81. ● *sous-les-tilleuls@laposte.net* ● *sous-les-tilleuls.fr* ● Agréable maison des années 1980 qui ouvre sur les prés... Deux chambres d'hôtes : une plus simple sous forme de suite familiale composée de

2 chambres avec sanitaires sur le palier, l'autre plus récente, très spacieuse, toute de bois vêtue, lumineuse et charmante avec petit salon, coin kitchenette et sanitaires privés (notre préférée mais plus chère). Respectivement 55 et 69 € pour 2, petit déj compris. Table d'hôtes partagée en famille à 20 €, apéro maison, vin du Jura et café compris. Goûteuse cuisine soignée. Accueil convivial.

Accès : *sur le haut du village, en face de la mairie.*

FAY-EN-MONTAGNE   39800

Carte régionale A2

25 km NE de Lons-le-Saunier ;
17 km O de Champagnole

€ 🏠 |●| 🐾 ⑩% ***Chambres d'hôtes (Misan et Alain Romand) :*** ☎ 03-84-85-39-69. 📱 06-83-76-14-19. ● alainromand@orange.fr ● Misan et Alain vous proposent 3 chambres agréables avec sanitaires privés, dont une au rez-de-chaussée les autres à l'étage. Comptez 50 € pour 2, avec le petit déj. Accueil chaleureux et authentique.

Accès : *de Lons-le-Saunier, emprunter la D 471 vers Pontarlier et, à Crançot, la D 4 vers La Marre, puis vers Fay-en-Montagne ; dans le bourg, c'est la maison à la façade jaune-ocre un peu criarde.*

FONTAINEBRUX   39140

Carte régionale A2

15 km O de Lons-le-Saunier ;
15 km NE de Louhans

€€ 🏠 |●| ***Chambres d'hôtes La Grange de Félix (Cécile et Laurent Cagne) :*** *115, rue Derrière.* ☎ 03-84-85-07-68. 📱 06-85-47-87-33. ● cecile.cagne@orange.fr ● gite-cagne.com ● 📶 Aux confins du Jura et de la Saône-et-Loire, ancienne et grande ferme familiale. Aujourd'hui, la grange héberge 3 jolies chambres d'hôtes desservies par un petit salon où vous pourrez admirer Félix qui se dessine sur une belle et grande fresque murale. Deux, familiales, possèdent une mezzanine et peuvent accueillir jusqu'à 5 personnes ; l'autre, avec ciel de lit, dégage une atmosphère romantique. Sanitaires privés. Comptez 65 € pour 2 et 110 € pour 5, petit déj compris. Pour votre détente, possibilité de table d'hôtes à 21 €. Pour votre détente, vous pourrez profiter du parc fleuri, avec salon de jardin et chaises longues, ainsi que de la belle piscine. Cécile travaille

dans le tourisme, et c'est une mine d'infos pour découvrir la région. Elle propose aussi 2 petits gîtes sympas et indépendants pour ceux qui veulent séjourner. Accueil charmant. Excellent rapport qualité-prix-convivialité.

Accès : *A 39 sortie n° 8 Lons-le-Saunier puis N 78 vers Beaurepaire-en-Bresse ; à l'entrée du village, prenez la D 135 jusqu'à Fontainebrux ; devant la mairie, empruntez la rue Mérin puis à droite la rue Derrière.*

FRESSE   70270

Carte régionale B1

20 km NE de Lure ;
17 km N de Champagney

€ 🏠 |●| ⑩% ***Chambres d'hôtes La Scierie (Corinne et Alain Dague) :*** *254, Le Bas.* ☎ 03-84-63-33-54. 📱 06-76-10-37-88. ● la.scierie@wanadoo.fr ● lascierie.eu ● 📶 À 550 m d'altitude, cet ancien moulin, converti par la suite en scierie, accueille aujourd'hui des hôtes. Deux petites chambres mansardées, et une vaste suite familiale avec coin cuisine et salon, qui peut accueillir de 4 à 7 personnes. Sanitaires privés (mais non attenants pour une des chambres). Atmosphère bonbonnière campagnarde, où foisonnent objets et bibelots. 50 € pour 2, petit déj compris. Salle à manger dans la même ambiance, avec cheminée et four à pain ! Table d'hôtes, partagée en famille, à 20 €, apéro et vin compris. Cuisine familiale et régionale. Si vous avez des enfants, sachez que Corinne et Alain en ont deux. La route passe un peu, mais les chambres sont sur l'arrière et le chant du ruisseau couvre souvent le bruit éventuel.

Accès : *de Lure, D 486 vers Le Thillot ; passez Melisey puis prenez, à droite, la D 97 vers Fresse ; traversez le village et continuez pdt 2 km (1re route à gauche après la scierie).*

GRUSSE   39190

Carte régionale A2

15 km S de Lons-le-Saunier

€ 🏠 |●| ⑩% ***Chambres d'hôtes (Germaine et Douglas Baud) :*** ☎ et fax : 03-84-25-04-03. 📱 06-38-40-06-84. ● douglas.baud@orange.fr ● Ici, c'est la vraie vie de la ferme, alors tombez le costard et laissez les talons aiguilles à la maison. La campagne est belle et vous aurez une vue superbe sur le Sud-Revermont avec ses coteaux parsemés de vignobles.

Six chambres au charme désuet dans deux ailes de la maison, dont une avec un baldaquin neuf, 2 autres avec salon et terrasse. Sanitaires privés. Comptez 50 € pour 2, petit déj compris. Les repas (sauf le dimanche soir) se prennent en famille, dans la véranda, sous le regard des poupées en porcelaine qui forment l'importante collection de Germaine. Table d'hôtes à 22 €, apéro et vin compris. Cuisine du terroir avec des produits maison, le tout arrosé du vin sorti tout droit de la cave. Une adresse authentique, qui ne laisse pas indifférent.

Accès : de Lons-le-Saunier, empruntez la N 83 en direction de Lyon jusqu'à Sainte-Agnès (10 km), puis la D 72 vers Vincelles et Grusse et suivez le fléchage.

HUGIER　　　　70150

Carte régionale A1

30 km NO de Besançon ; 17 km SE de Gray

€€ ⌂ |○| Chambres d'hôtes Les Pétunias (Joëlle et Jean-Marie Dollmann-Knab) : 19, Grande-Rue. ☎ 03-84-31-58-30. ☐ 06-83-27-17-81. ● *les.petunias@orange.fr* ● *petunias.fr* ● ☞ Dans la campagne, à l'orée d'un petit village rural d'une centaine d'âmes, imposante et ancienne ferme tout en pierre. Quatre chambres agréables, dont une au rez-de-chaussée, les 3 autres à l'étage. Sanitaires privés. 70 € pour 2, petit déj compris. Table d'hôtes à 25 €, apéro et vin compris. Cuisine à tendance régionale avec des produits du terroir majoritairement bio. D'ailleurs, pour les vins et l'apéro, Jean-Marie fait découvrir la production du viticulteur bio du village. Grand jardin fleuri et belle piscine pour se détendre. Accueil convivial.

Accès : sur la D 67 entre Gray et Besançon, allez jusqu'à Bonboillon et, au rond-point, prenez la D 187 vers Hugier et suivez le fléchage.

LA CHAUX　　　　25650

Carte régionale B2

16 km NE de Pontarlier ; 8 km N de Montbenoît

€€ ⌂ |○| Chambres d'hôtes Les Dolines (Christel et Sébastien Tissot) : 19c, Les Plans. ☎ 03-81-43-42-80. ☐ 06-01-73-91-12. ● *lesdolines25650@gmail.com* ● *chambres-hotes-doubs.com* ● ☞ Dans un petit hameau à 900 m d'altitude, grand et

beau châlet bénéficiant d'un magnifique panorama sur les environs. Quatre jolies chambres de 2 à 6 personnes avec sanitaires privés. Une préférence pour la chambre « Le Crêt » avec sa double orientation. 69 € pour 2, petit déj compris, et 20 € par personne supplémentaire. Table d'hôtes partagée en famille à 22 €, apéro et vin compris. Bien sûr, ski de fond sur place en hiver, rando VTT l'été. Sauna avec supplément de 5 €. Accueil convivial. Une adresse pour se ressourcer.

Accès : N 57 entre Besançon et Pontarlier ; prenez la D 48 vers Bugny pdt 5 km puis à droite vers Les Plans (bon fléchage).

LAJOUX　　　　39310

Carte régionale A2

18 km S des Rousses ; 16 km E de Saint-Claude

€€€ ⌂ |○| Chambres d'hôtes La Trace (Nathalie et Jean-Luc Neusel) : Le Manon. ☎ 03-84-41-25-70. ☐ 06-85-70-64-15. ● *info@latracejura.com* ● *latracejura.com* ● Fermé avr. ☞ Ici, t'es comme à la maison, alors t'enfiles les chaussons, et si t'es randonneur, tu seras à l'honneur ! Située à 1 170 m d'altitude, à proximité de Lajoux, plus haut village du département, ancienne ferme jurassienne installée sur le tracé de la GTJ (la Grande traversée du Jura, ignorant !), reconnaissable à sa façade en tavaillons. En hiver, on part en ski de fond ou en raquettes depuis la maison ! Quatre chambres chaleureuses, toutes de bois vêtues, pour 2 à 4 personnes. Sanitaires privés (pour la grande familiale, ils sont sur le palier). 82 € pour 2, petit déj compris et 30 € par personne supplémentaire. C'est Jean-Luc qui s'occupe principalement des hôtes. Repas à 20 €, vin compris. Cuisine familiale à tendance régionale. Accueil souriant.

Accès : de Lajoux, prenez la direction Les Moussières pdt 1 km, la maison est sur la gauche.

LARNOD　　　　25720

Carte régionale A1

7 km S de Besançon

€€€€ ⌂ |○| Chambres d'hôtes Le Repère des Anges (Denis Michel) : 6, chemin de la Gratte. ☎ 09-50-02-90-51. ☐ 06-30-06-94-11. ● *contact@lereperedesanges.fr* ● *lereperedesanges.fr* ● ☞ Grande et ancienne ferme comtoise dans un petit village campagnard.

Trois suites immenses de 2 à 4 personnes à l'atmosphère contemporaine, avec sanitaires privés : 2 au rez-de-chaussée (nos préférées), la dernière à l'étage. 140 € pour 2, copieux petit déj compris (jus de fruits pressé, crêpes et confitures maison), et 30 € par personne supplémentaire. Table d'hôtes à 25 €, apéro et vin compris. Cuisine à tendance régionale. Les prix peuvent paraître élevés mais Denis n'a pas lésiné pour vous faire passer un séjour détente : piscine chauffée, spa, sauna, salle de sport et billard (tout est inclus dans le prix). Accueil convivial.

Accès : de Besançon, en direction de Lyon, c'est le 2e village que vous traverserez ; a la boulangerie, tournez à gauche et suivez le fléchage.

LE BARBOUX   25210

Carte régionale B1-2

15 km NE de Morteau ;
10 km S du Russey

€€€ 🏠 **Chambres d'hôtes La Chabraque (Anne-Marie Renaud) :** Les Lessus. ☎ 03-81-43-77-24. 🖥 06-79-48-39-61. ● renaud-christophe@wanadoo.fr ● lachabraque.fr ● ♿🛜 A 1 030 m d'altitude, dans un petit hameau, ancienne ferme comtoise qui jouit d'un joli panorama sur les environs. Quatre chambres toutes de bois vêtues, avec sanitaires privés, dont une suite qui bénéficie aussi d'un coin cuisine. Elles sont réparties dans différentes ailes de la maison. Selon la taille de la chambre, de 70 à 120 € pour 2, petit déj compris. Grande salle chaleureuse avec cheminée et piano accordé. Pas de table d'hôtes mais Anne-Marie dépanne les randonneurs... Sauna moyennant un supplément de 6 €. Ambiance un brin bohème, chaleureuse et décontractée.

Accès : du village, suivez le fléchage.

LES GRAS   25790

Carte régionale B2

22 km NE de Pontarlier ;
12 km SO de Morteau

€€ 🏠 🍽 🐴 🔟 % **Chambres d'hôtes La Maison des Seignes (Marie-Hélène et Hervé Poulalion) :** Les Seignes. ☎ 03-81-68-82-20. 🖥 06-79-16-08-78. ● lamaisondesseignes@hotmail.fr ● lamaisondesseignes.free.fr ● Fermé vac de Noël. Par une petite route qui serpente à travers forêts et pâturages, on arrive jusqu'à cette ancienne ferme située à 1 100 m d'alti-

tude. Deux chambres avec accès indépendant, l'une avec chambre à l'étage (toute habillée de bois, elle est champêtre et chaleureuse), l'autre sous forme d'un vaste duplex pouvant accueillir jusqu'à 6 personnes, à la déco montagnarde. Coin cuisine et sanitaires privés. 60 € pour 2, petit déj compris. Table d'hôtes à 20 €, boissons comprises. Amis randonneurs, le GR 5 passe devant la maison. Accueil très convivial. Une adresse pour se mettre au vert.

Accès : sur la D 437 entre Morteau et Pontarlier, prenez la D 47 vers Grand-Combe-Châteleu puis Les Gras ; au centre du village, bifurquez vers Les Seignes et allez jusqu'au hameau (3,5 km).

LONGECHAUX   25690

Carte régionale B1

45 km E de Besançon ;
25 km NO de Morteau

€€ 🏠 🍽 **Chambres d'hôtes Les Bruchels (Rachel et Bruno Pourcelot) :** Grande-Rue. ☎ 03-81-58-35-70. 🖥 06-31-40-64-05. ● lesbruchels@orange.fr ● chambreshotesdoubs.com ● 🛜 Dans un joli petit châlet indépendant de leur maison, Rachel et Bruno ont créé 5 chambres d'hôtes chaleureuses avec sanitaires privés (cabine douche). Une est familiale et composée de 2 chambres. 67 € pour 2, petit déj compris, et 95 € pour 5. Table d'hôtes partagée en famille à 20 €, apéro, vin et café compris. Cuisine traditionnelle. Charmant petit salon sous forme de véranda qui ouvre sur les prés où broutent les vaches de l'exploitation de Bruno et Rachel. Moyennant un supplément de 7 € par personne, vous aurez accès à l'espace détente avec spa et sauna. Accueil chaleureux. Une gentille adresse.

Accès : sur la D 461 entre Besançon et Morteau, prenez la D 327 jusqu'à Longechaux ; la maison est à l'entrée du village à droite.

MAGNY-JOBERT   70200

Carte régionale B1

30 km O de Belfort ; 9 km E de Lure

€ 🏠 🍽 🔟 % **Chambres d'hôtes La Chapelle des Cornottes (Marie-Jeanne et Thiebaud Comte) :** 3, rue du Lavoir. ☎ 03-84-63-15-81. ● thiebaud.comte@orange.fr ● site.voila.fr/cornottes ● 🛜 Thiebaud a décidé de tout lâcher pour accomplir son rêve et recevoir des hôtes.

Il a restauré avec ses moyens cette vieille ferme du XIXe s, mais toujours pour qu'on y soit bien. Au 1er étage, 3 chambres sobres, simples et fonctionnelles, avec sanitaires privés entièrement carrelés (c'est son œuvre). 47 € pour 2, petit déj compris. Marie-Jeanne travaille à l'extérieur mais s'active aussi derrière les fourneaux. Une savoureuse et goûteuse cuisine régionale qui fait des adeptes. Table d'hôtes à 20 €, apéro et vin compris. Certaines spécialités sortent du four à pain, l'œuvre et la fierté de Thiebaud. Accueil authentique, simple et vrai. Côté activités, les proprios vous ont concocté de sympathiques balades à pied ; ils possèdent aussi deux chevaux comtois et peuvent vous emmener en calèche à la découverte des bois et villages environnants. Une adresse qu'on aime bien.

Accès : sur la D 438 (quatre-voies) entre Lure et Belfort, sortie n° 13 Andornay/Ronchamp puis, à droite, jusqu'à Magny-Jobert ; la maison est en face d'une ancienne fontaine-abreuvoir en pierre.

MARTIGNA   39260

Carte régionale A2

40 km SE de Lons-le-Saunier ;
17 km S de Clairvaux-les-Lacs

€€ ⌂ |●| **Chambres d'hôtes La Compagnie des Ânes (Françoise et Jean-Michel Bessieres) :** hameau de Chanon. ☎ 03-84-42-36-83. ▯ 06-83-29-55-33. ● francoise@lacompagniedesanes. fr ● lacompagniedesanes.fr ● Fermé déc-fév. 📶 Dans le parc naturel du Haut-Jura, à 600 m d'altitude, au bout d'un chemin, ancienne ferme du XVIIIe s isolée en pleine nature. Trois chambres chaleureuses et champêtres avec sanitaires privés. Déco où bois, pierre et enduits à la chaux sont à l'honneur. La plupart des travaux ont été réalisés par Jean-Michel, artisan de son état et apiculteur à ses heures perdues. 60 € pour 2, petit déj compris (yaourts, gâteau, confitures et miel maison). Table d'hôtes partagée en famille à 21 €, apéro, vin et café compris. Cuisine goûteuse et créative. Enfin, on ne peut terminer sans parler des ânes qu'on peut aller papouiller, nourrir et promener pour les plus téméraires. Le lac de Vouglans, à 5 km, vous permettra de piquer une tête ou de pratiquer divers sports nautiques. Un couple charmant et un bon rapport qualité-prix-convivialité.

Accès : de Lons-le-Saunier, D 52 puis D 470 vers Orgelet/Saint-Claude puis Moirans et fléchage.

MONTAGNA-LE-RECONDUIT   39160

Carte régionale A2

35 km S de Lons-le-Saunier ;
6 km NE de Saint-Amour

€€ ⌂ |●| **Chambres d'hôtes Refuge de Montagna (Lise Hauger et Francis Métois) :** ☎ 03-84-48-58-02. ▯ 06-27-27-37-76. ● metois.lise.francis@orange. fr ● Francis est une vieille connaissance... Après avoir créé un gîte de séjour en Savoie qu'il a revendu, il a racheté quatre petites maisons en ruine et les a entièrement reconstruites, et croyez-nous, il a de l'or dans les mains ! Ancien Compagnon du Tour de France, il travaille la pierre et le bois. Ici, les fresques murales sont taillées dans la pierre et rappellent le milieu montagnard. Tous les meubles ont été réalisés par ses soins. Quant à la cave voûtée qui sert d'agréable salon, c'est aussi son œuvre et c'est une merveille. Deux chambres champêtres et romantiques, ainsi qu'un petit gîte qui peut aussi servir de chambre. Sanitaires privés. De 67 à 70 € pour 2, copieux petit déj compris. Table d'hôtes, partagée en famille, de 18 à 23 €, apéro et vin compris. Accueil ultra chaleureux, teinté par l'accent de Lise, Norvégienne d'origine. Au fait, Francis est aussi le maire du village. Une adresse où l'on aurait aussi bien posé nos sacs plus longtemps. En bref, notre coup de cœur sur le département.

Accès : sur la D 1083 entre Lons-le-Saunier et Bourg-en-Bresse, prenez la D 51 vers Montagna ; ne descendez pas vers le village, continuez sur cette route et, au virage suivant, garez votre voiture sur le petit parking, la maison est en contrebas.

MONTBENOÎT   25650

Carte régionale B2

15 km NE de Pontarlier ;
12 km SO de Morteau

€€€€ ⌂ |●| **Chambres d'hôtes Le Crêt de l'Agneau (Liliane et Yves Jacquet-Pierroulet) :** ☎ 03-81-38-12-51. ▯ 06-89-93-24-49. ● lecret.lagneau@wanadoo. fr ● lecret-lagneau.com ● Ouv tte l'année, mais sur résa slt. Authentique ferme du XVIIe s située entre prés et forêts, à 900 m d'altitude. Ici, vous allez faire un véritable retour en arrière dans un environnement magnifique. Pratiquement toute de bois vêtue, le « thué » (comprenez séchoir à charcuteries) s'élève en son centre.

Quatre chambres avec sanitaires privatifs (mais attenants pour l'une d'entre elles). Atmosphère chaleureuse où l'authentique et le bois sont à l'honneur. De 95 à 125 € pour 2, copieux petit déj compris, avec charcuterie, confitures et pain maison. Table d'hôtes à 32 €. Ici, c'est le paradis pour la rando, que ce soit en ski de fond ou raquettes l'hiver, à pied ou à VTT l'été (un gentil circuit empierré suit l'ancienne voie ferrée entre Morteau et Pontarlier). Yves propose tout un tas d'activités, dont un séjour fond-raquettes et des séjours à thème (randonnée pédestre, VTT, découverte des champignons). Enfin, si l'histoire de l'absinthe vous passionne, Liliane possède des documents uniques sur la « fée verte ». Accueil chaleureux.

Accès : de Montbenoît, prenez la route de Gilley sur 5,5 km ; au lieu-dit Les Auberges, suivez le fléchage.

MONTFLEUR 39320

Carte régionale A2

25 km NE de Bourg-en-Bresse ;
40 km S de Lons-le-Saunier

€€ 🏠 *Chambres d'hôtes Plume et Notes (Marie-Ella Stellfeld) :* pl. des Marronniers. ☎ 03-84-44-37-42. 📱 07-61-23-75-02. • plumenotes@orange.fr • plumenotes.com • Ouv le w-e mai-déc. 📶 C'est l'ancienne épicerie du village, installée sur la place à côté de la fontaine. Ici, c'est une maison d'artiste (Marie-Ella est mosaïste) et ses 4 chambres portent des noms de personnages célèbres. Elles sont immenses, lumineuses et agréablement décorées dans un mélange de styles harmonieux. Deux ouvrent sur le jardin, les 2 autres sur la place, mais la nuit, il ne passe pas un chat. Sanitaires privés. De 61 à 65 € pour 2, petit déj compris (gâteau et confitures maison). Pas de table d'hôtes mais un petit resto en face de la maison. Accueil convivial.

Accès : au centre du village.

NANS-SOUS-SAINTE-ANNE 25330

Carte régionale A2

35 km O de Pontarlier ;
15 km NE de Salins-les-Bains

€ 🏠 |○| *Gîte d'étape Lison Accueil (Gérard, Marc et Michel) :* 7, Grande-Rue. ☎ 03-81-86-50-79. • lison.accueil@wanadoo.fr • lison.accueil.free.fr • C'est l'amour

du sport et de la nature qui a poussé Gérard, Marc et Michel (amis d'enfance) à ouvrir cette structure d'accueil comprenant 7 chambres de 2 à 4 lits (dont 6 avec douche privative) et 3 dortoirs de 4 à 8 places. Nombreux sanitaires. Comptez de 16 à 21 € la nuit par personne, de 36 à 46 € en demi-pension, et de 49 à 54 € en pension complète. Cuisine familiale, servie dans une agréable salle à manger avec une noble cheminée (spécialité : jambon cuit à l'os sauce au vin jaune) ou en terrasse. Également 2 cabanes sur pilotis installées au milieu des arbres à 3 m de haut louées entre 57 et 67 € pour 2, draps compris. Tous trois moniteurs de spéléo, mais aussi de canyoning et d'escalade, ils proposent des tas d'activités pour tous niveaux. Le gîte est situé au départ de la via ferrata des Baumes du Verneau (conseils et location de matériel sur place).

Accès : au centre du bourg.

ORCHAMPS-VENNES 25390

Carte régionale B1-2

40 km E de Besançon ;
20 km NO de Morteau

€€ 🏠 |○| ⑩% *Chambres d'hôtes La Ferme des Ravières (Maria et Bernard Vivot) :* 16, Les Ravières. ☎ 03-81-43-54-87. 📱 06-33-58-02-35. • maria71fr@yahoo.fr • giteschambreshotes.com • 🐾 📶 Belle ferme comtoise joliment restaurée. Maria et Bernard élèvent des vaches dont le lait sert à la fabrication du comté. Cinq grandes chambres familiales de 2 à 5 personnes : une au rez-de-chaussée, les 4 autres à l'étage. Le bois est à l'honneur et l'atmosphère est douillette. 67 € pour 2, petit déj compris. Table d'hôtes à 20 €, apéro et vin compris, avec des spécialités régionales ou roumaines, la patrie d'origine de Maria. Accueil souriant et discret.

Accès : du village, prenez la direction de Pontarlier jusqu'aux Ravières, la ferme est sur la droite.

PREMANON 39220

Carte régionale A2

30 km S de Saint-Claude ;
11 km SE de Morez

€€ 🏠 |○| *Gîte d'étape et de séjour La Grenotte (Isabelle et Jean-Claude Feugère) :* 476, chemin de Bacon. ☎ 03-84-60-54-82. 📱 06-07-64-93-23. Fax : 03-84-60-04-67. • lagrenotte@aol.com •

lagrenotte.com ● *Fermé 15 oct-15 déc env et en avr.* ☏ À 1 100 m d'altitude, en pleine nature, grand gîte de 36 lits répartis en 8 chambres pour 2 à 5 personnes et un dortoir de 9 couchages. Murs lambrissés, déco gentillette, mobilier en pin naturel. Sanitaires communs. Deux formules sont proposées par Isabelle et Jean-Claude, les proprios, qui ont repris cette structure : soit en petit dortoir et vous apportez votre duvet, soit en chambre avec couette. De 24 à 30 € la nuit par personne avec le petit déj. Une petite salle d'auberge avec coin détente, ouverte aux personnes extérieures. Menu du jour à 18 € et petite carte simple pour les randonneurs : omelettes, assiette de charcuterie, tarte aux myrtilles (miam miam !), et des spécialités comme la quiche comtoise, la croûte aux morilles, fondue, raclette, morbiflette. Pour ceux qui dorment, possibilité de formules avec les repas : de 43 à 48 € par personne en demi-pension et de 54 à 59 € en pension complète. Une adresse idéale pour les sportifs : l'hiver, le ski alpin (les remontées sont à 800 m), mais surtout le fond et les raquettes ; l'été, la randonnée (les GR 9 et 5 sont tout proches). La GTJ (Grande traversée du Jura) passe devant la maison. Circuits VTT également. Accueil équestre sur le circuit du Grand 8 et de la GTJ équestre. Accueil décontracté et chaleureux.

Accès : *des Rousses, empruntez la N 5 en direction de Genève ; à la sortie du bourg, prenez la D 29 (à droite) vers Lamoura et fléchage à 1,5 km. Attention, en hiver le gîte n'est pas accessible en voiture (300 m à pied).*

RAY-SUR-SAÔNE   70130

Carte régionale A1

35 km O de Vesoul ;
15 km NE de Dampierre-sur-Salon

€€ ▣ |◉| ***Chambres d'hôtes Le Tilleul de Ray (Isabelle Ladouce et Dominique d'Onghia) :*** *14, rue Sainte-Anne.* ☏ *03-84-78-97-55.* ▤ *06-89-97-17-32.* ● *letilleulderay@orange.fr* ● *letilleulderay. eu* ● ☏ Agréable demeure au cœur de cette jolie cité comtoise dominée par son château dont les origines remontent au XIᵉ s. Cinq jolies chambres, dont 2 avec mezzanine pouvant accueillir 4 personnes. Sanitaires privés. De 68 à 80 € pour 2, petit déj compris, et 120 € pour 4. Possibilité de table d'hôtes à 26 €, vin et café compris, mais aussi 2 restos simples dans le village, dont *Chez Yvette* où vous pourrez croiser la comtesse qui vient souvent y boire un verre... Le dimanche,

elle fait visiter son château, empli de souvenirs des seigneurs de Ray. Le parc est ouvert à tous, tous les jours : on y profite d'un joli point de vue sur les alentours, et le soir, fortifications et tours crénelées sont éclairées.

Accès : *sur la D 700 entre Combeaufontaine et Gray, bifurquez vers Theuley puis Ray-sur-Saône.*

SAINT-GEORGES-ARMONT   25340

Carte régionale B1

50 km NE de Besançon ;
7 km E de Clerval

€€ ▣ |◉| ♘ ⑩%⃝ ***Chambres d'hôtes La Ferme du Hérisson Rose (Nelly et Bernard Dunzer) :*** ☏ *et fax : 03-81-93-86-15. Fermé déc-janv.* À 500 m d'altitude, au cœur d'un petit village rural de 110 âmes, ancienne ferme du XVIIIᵉ s, que Bernard a entièrement réaménagée. Une immense terrasse couverte qui domine le jardin donne accès à la maison. Deux chambres campagnardes avec sanitaires privés, à 60 € pour 2, petit déj compris. Table d'hôtes entre 20 et 26 €, quart de vin compris. La cuisine de Nelly est réputée dans la région. À la fois goûteuse et saine, à partir de nombreux produits bio, dont ceux du jardin. Accueil chaleureux de ce charmant couple de retraités. Une adresse qui est un peu la maison de campagne des grands-parents idéaux... et leurs petites-filles en profitent !

Accès : *sortie nº 6 de l'A 36 L'Isle-sur-le-Doubs, puis N 83 vers Besançon pdt 2 km puis Saint-Georges ; la maison est au centre du village.*

TERNUAY   70270

Carte régionale B1

25 km E de Luxeuil-les-Bains ;
18 km NE de Lure

€€ ▣ |◉| ♘ ***Chambres d'hôtes La Maison d'en Haut (Josie et Maurizio Della Fiorentina) :*** *hameau de Melay.* ☏ *et fax : 03-84-20-48-46.* ● *lamaisonden haut@orange.fr* ● ☏ Quel que soit l'endroit où l'on se place, le panorama est superbe autour de cette ancienne ferme du XVIIIᵉ s en grès rose des Vosges. Quatre chambres lumineuses, éclairées par les œuvres de Maurizio, artiste-peintre et remarquable copiste, notamment de Fernand Léger. Josie, elle, malaxe la glaise et cuit ses

FRANCHE-COMTÉ

œuvres façon raku, car vous êtes ici dans une maison d'artistes. Deux chambres au 1er étage, dont une familiale avec lits enfants en mezzanine, les 2 autres au second, dont une pour 4 personnes. Sanitaires privés. De 59 à 64 € pour 2, petit déj compris, et 22 € par personne supplémentaire. Table d'hôtes, partagée en famille, à 26 €, apéro et vin compris. Une cuisine régionale avec des accents méditerranéens. Accueil de qualité. Une de nos adresses préférées sur le département.

Accès : de Lure, D 486 vers Le Thillot jusqu'à Melisey ; au milieu du village, prenez la D 293 jusqu'à Melay. Du Thillot, D 486 vers Lure jusqu'à Ternuay ; à côté de l'église, prenez la D 266 et montez en haut du hameau.

€€ 🏠 |◉| 🐾 **Chambres d'hôtes Les Contances (Muriel Laroche) :** 📞 07-60-70-50-66. ● les.contances@wanadoo.fr ● monsite.orange.fr/gite-contances ●*Ouv tte l'année, mais slt sur résa 48h avt.* Vous êtes à 450 m d'altitude, en pleine forêt, dans le parc naturel régional des Ballons des Vosges. La maison est grande et on y trouve 5 chambres de 2 à 4 personnes : une au rez-de-chaussée avec terrasse privée (la plus chère), 2 au 1er étage et 2 autres au second. Sanitaires privés. Déco et atmosphère simples et campagnardes. Selon la chambre, de 50 à 60 € pour 2, petit déj compris. Table d'hôtes à 22 €, apéro et vin compris. Accueil agréable.

Accès : de Lure, D 486 vers Le Thillot jusqu'à Ternuay ; là, entre l'église et la poste, prenez la direction de Melay ; après la sortie du village, dans un virage, direction Contances et faites 3 km dans la forêt.

VILLERS-SOUS-CHALAMONT 25270

Carte régionale A2

30 km O de Pontarlier ;
7 km N de Levier

€ 🏠 🐾 10% **Chambres d'hôtes (Jeanne et Yves Jeunet) :** Grande-Rue. 📞 03-81-49-37-51. 📱 06-84-77-21-35. ● yvesetjeanne@orange.fr ● yvesetjeanne.wordpress.com ● 📶 À 800 m d'altitude, Jeanne et Yves, retraités du monde agricole, ont aménagé 3 chambres : une au

1er étage de leur maison et 2 dans une petite maison indépendante (préférez la chambre rustique qui donne sur l'arrière). Sanitaires privés pour la première, salle d'eau privée mais w-c communs pour les deux autres. En outre, ceux qui préféreront l'indépendance auront un petit coin cuisine à disposition. Tout le monde se retrouve au petit déj dans la grande salle à manger de Jeanne (c'est le moment de lui demander des tuyaux sur la région, qu'elle connaît bien). Comptez 48 € pour 2, petit déj compris, et 10 € par personne supplémentaire. Piscine couverte avec un bassin spécialement aménagé pour les bambins. Ceux qui le désirent pourront visiter l'exploitation et la fromagerie. Accueil authentique et vrai.

Accès : par la D 49 ; au milieu du bourg.

VY-LÈS-RUPT 70120

Carte régionale A1

28 km O de Vesoul ;
9 km S de Combeaufontaine

€€ 🏠 |◉| 🐾 10% **Chambres d'hôtes Chez Mirette (Dominique et François Arambourg) :** 9, Grande-Rue. 📞 03-84-92-74-81. 📱 06-88-33-46-85. ● chez.mirette@gmail.com ● chezmirette.fr ● 📶 Mirette, c'est la mascotte de la maison, une jument francomtoise. Passionnée par les chevaux, Dominique en a quatre et héberge aussi des chevaux de propriétaires. Dans sa maison, 4 chambres champêtres et colorées avec sanitaires privés. On aime bien « Papillon » avec ses murs tapissés de bois lazuré, et « Loulou » dans les tons mauve et blanc. 59 € pour 2, petit déj compris. Dans les pâtures, un tipi peut aussi accueillir les moins fortunés ou les enfants. Table d'hôtes à 17,50 €, vin et café compris. Goûteuse cuisine à tendance régionale, sans oublier les pizzas à la farine bio cuites dans le four à bois. Agréable piscine couverte et chauffée pour vous détendre. Accueil hors pair. Très bon rapport qualité-prix-convivialité. Une adresse chaleureuse et sans façon, juste comme on les aime.

Accès : de Vesoul, N 19 jusqu'à Combeaufontaine puis D 70 vers Gray puis D 164 vers Confracourt puis Vy-lès-Rupt ; la maison est au bout de la rue qui descend entre la mairie et l'église.

Île-de-France

ABBÉVILLE-LA-RIVIÈRE 91150

Carte régionale A2

12 km S d'Étampes

€ 🏠 🏇 *Chambres d'hôtes de l'Orme (Dominique et François Beaumont) :* ☎ 01-60-80-91-82. 📱 06-74-63-83-82. ● beaumont.francois@wanadoo.fr ● gite delorme.fr ● 🚿 📶 Grand et beau corps de ferme dont un des bâtiments abrite d'un côté un confortable gîte et de l'autre 2 belles chambres et une suite familiale en duplex à la déco contemporaine. Toutes disposent de sanitaires privés, d'un grand espace salon-cuisine équipée et d'un accès indépendant sur une cour-jardin. L'ensemble est bien aménagé et décoré avec goût et simplicité. De 50 à 60 € pour 2, avec le petit déj. Également un agréable gîte de 5 personnes installé dans les anciennes écuries, qui se loue de 265 à 395 € la semaine ou 200 € le week-end. On se sent ici comme à la maison, grâce à l'excellent accueil des propriétaires. Parfait pour un séjour détente à la campagne.

Accès : d'Étampes, D 721, puis D 12 direction Roinvilliers-Mespuits-Boischambault.

ACHÈRES-LA-FORÊT 77760

Carte régionale B2

18 km SO de Melun ;
12 km O de Fontainebleau

€€ 🏠 🍴 *Chambres d'hôtes La Courti-lière (Cidalia et François Le Bail) :* 16, rue du Closeau, Meun. ☎ 01-64-69-88-41. 📱 06-70-98-87-21. ● lacourtiliere. com ● 📶 Ancienne ferme au cœur du hameau. La maison principale est entièrement dédiée aux 3 chambres. Une au rez-de-chaussée (notre préférée, dans les tons jaunes), les 2 autres à l'étage, dont une familiale avec lit enfant en mezzanine. Sanitaires privés. 65 € pour 2, petit déj compris, et 30 € par personne supplémentaire. Cuisinier de formation, François propose la table d'hôtes. Compter autour de 22 € le repas, vin compris. Recettes traditionnelles où produits fermiers et légumes du jardin sont à l'honneur. Grand parc fleuri pour se détendre et vélos à disposition. Accueil chaleureux.

Accès : dans le bourg, prenez la direction de la mairie, vous arrivez dans Meun où vous poursuivez dans la rue principale, la maison est juste après l'écomusée (bien fléché).

AINCOURT 95510

Carte régionale A1

30 km O de Pontoise ;
11 km S de Magny-en-Vexin

€€€ 🏠 *Chambres d'hôtes La Forge de la Bucaille (Laure et Emmanuel Couesnon) :* 32, rue de la Bucaille. ☎ 01-34-76-71-03. 📱 06-72-47-97-21. ● forge.bucaille@orange.fr ● 🚿 📶 C'est l'ancienne forge du village, implantée dans le parc naturel régional du Vexin. Immense

ÎLE-DE-FRANCE

A

EURE
(27)

OISE
(60)

Oise
Chantilly

Magny-en-Vexin
D 86

D 14

D 915

VAL-
D'OISE

Viarmes

Asnières-sur-Oise

Chaussy

Vienne
en-Arthies

Chérence

Vernon

Giverny

D 37

Aincourt

Vétheuil

Seraincourt

D 983

Jouy-
le-Moutier

Pontoise

N 184

le Mesnil-
Aubry

95

N 104

D 316

D 301

D 14

A 115

A 16

N 1001

N 92

A 15

St-Denis

N 13

A 13

Mantes

D 190

Seine

D 190

Soindres

D 928

Aulnay-
sur-Mauldre

D 191

YVELINES

St-Germain-
en-Laye

A 86

Bobigny

D 983

D 11

Nanterre

92

Paris

Neauphle-
le-Château

D 11

N 12

D 307

A 12

A 13

Malakoff

N 12

Versailles

Grosrouvre

les Loges-
en-Josas

D 36

A 86

Créteil

78

D 191

N 10

N 118

A 6

N 7
E 15

D 929

D 906

Rambouillet

D 27

D 988

A 10
E 5

N 104

Évry

E 50

D 19

St-Cyr-
sous-Dourdan

D 116

ESSONNE

D 191

Dourdan

Mauchamps

N 20

91

A 11

N 191

D 838

D 191

D 191

Moigny-
sur-École

D 963

E 50

D 910

Chartres

EURE-ET-LOIR
(28)

Étampes

N 20

Saclas

Buno-
Bonnevaux

D 837

N 154

A 10
E 9

D 838

Abbéville-
la-Rivière

D 410

D 910

N 154

D 2020

Malesherbes

D 921

D 927

D 410

LOIRET
(45)

Pithiviers

D 927

D 927

N 152

N 152

D 950

0   10   20 km

A 19 E 60

A

pièce de jour, où vous découvrirez l'ancien foyer de la forge avec ses deux imposants réservoirs d'air. Deux chambres agréables situées aux rez-de-chaussée et 1er étage, dont une familiale composée de 2 chambres. Sanitaires privés. 73 € pour 2, petit déj compris. Laure a gardé de ses origines méditerranéennes l'exhubérance, la chaleur et la gentillesse de l'accueil.

Accès : de Paris, A 15 vers Cergy ; continuez et sortez à Magny-en-Vexin puis direction Mantes-la-Jolie (D 983) pdt 6 km puis à droite D 130 vers Aincourt ; dans le village, direction « Centre médical », la maison est en face du tabac.

ASNIÈRES-SUR-OISE 95270

Carte régionale A1

32 km N de Paris ; 17 km SO de Chantilly

€€€€€ 🏠 |●| 🔟% **Maison d'hôtes Sweet Home (Jean-Michel Buffet) :** 10, ruelle du Crocq. 📱 06-85-32-02-50. ● sweethomeresa@gmail.com ● sweethome-lacrouteetbuffet.fr ● 🛜 Si la maison n'a pas de charme côté extérieur, l'intérieur vous ravira par la déco et l'hospitalité du propriétaire. Enfant d'une famille d'expats (dont le dernier gouverneur du Gabon), « Captain Buffet » a vécu comme un aventurier toute sa vie. Pilote de ligne, il aime aussi la littérature, les arts et la cuisine. Avec son complice « Captain Lacroute », ils animent un *Guide des découvertes en escale*. Cinq chambres d'hôtes pas immenses mais douillettes et plus originales les unes que les autres. On dort dans une capsule spatiale, ou une cabine de paquebot... Souci du détail, nombreux souvenirs de voyages et on part pour un autre monde ! Sanitaires privés. 150 € pour 2, copieux brunch compris. Sur réservation, table d'hôtes partagée avec le propriétaire à 30 €. Cuisine du monde bien entendu. Superbe pièce de jour avec véranda qui ouvre sur le jardin, bar composé d'une aile d'avion, canapé argenté à l'aspect métallique. Comme Jean-Michel va au bout de ses idées, un espace détente avec hammam, petite piscine avec coin remous et coin nage à contre courant. Possibilité de massage. Un original baby-foot complète le tout. La maison est sur l'avenue verte qui mène de Paris à Londres en vélo et le GR1 passe au fond du jardin. Une adresse comme on en voit peu.

Accès : allez jusqu'à l'église du village, faites le tour du château de la reine Blanche, la maison est sur la droite, à côté de la source.

AULNAY-SUR-MAULDRE 78126

Carte régionale A1

50 km NO de Paris ;
30 km NO de Versailles

€€€ 🏠 |●| 🔟% **Chambre d'hôtes Les Hauts du Val (Gilberte Leviautre) :** 24, Le Val-d'Aulnay. ☎ 01-30-90-27-33. 📱 06-21-97-58-03. ● gil-gian@orange.fr ● les-hauts-du-val.monsite.orange.fr ● 🛜 Quel pied de quitter l'agitation des villes pour se retrouver dans cette belle maison, dernière du village, qui ouvre sur les champs ! Elle est récente mais construite à partir de deux anciennes bergeries. Trois chambres charmantes avec luxueux sanitaires privés (douche et baignoire). Ici, on vient pour se détendre et Gilberte propose bain moussant et gel douche aux différentes essences relaxantes. 85 € pour 2, petit déj compris (gâteaux, viennoiseries et confitures maison). Table d'hôtes à 26 € apéro, vin et café compris. Pour compléter votre détente, un jacuzzi vous attend dans le jardin. Accueil de qualité. Une très bonne adresse.

Accès : sur la D 191 entre Beynes et Mantes-la-Jolie, entrez dans le village ; à l'église, tournez à gauche puis tt de suite à droite (route du Val) et montez tt en haut.

BRÉAU 77720

Carte régionale B2

15 km E de Melun

€€ 🏠 |●| ♘ **Chambres d'hôtes La Ferme du Couvent (Nicole Legrand) :** ☎ 01-64-38-75-15. 📱 06-18-10-91-68. Fax : 01-64-38-75-75. ● ferme.couvent@wanadoo.fr ● lafermeducouvent.com ● 🍴 Fermé janv. 🛜 Domaine de 12 ha avec belle vue sur les prés. Dans une ancienne ferme, 13 chambres pour 2, 3, 4 ou 5 personnes, simples et agréables. 65 € pour 2, petit déj compris. Pour les amoureux d'insolite, Nicole vous propose aussi de séjourner dans une roulotte pour le même tarif. Grande salle avec cheminée pour les petits déj et la table d'hôtes. Repas, sur réservation, à 20 €, apéro, vin et café compris. Pour les sportifs, court de tennis sur place. C'est à 30 mn de *Disneyland Paris*.

Accès : fléchage depuis le bourg.

BUNO-BONNEVAUX 91720

Carte régionale A2

*21 km SE d'Étampes ;
8 km SO de Milly-la-Forêt*

€€ 🏠 🐾 (10 %) **Chambre d'hôtes (Mireille et Georg Neuhoff) :** *1, chemin de la Butte-Ronde.* ☎ 01-64-99-37-59. ● *mireille.thuegaz-neuhoff@wanadoo. fr* ● 📶 Georg a quitté son Allemagne natale et, avec Mireille, ils ont acheté cette vieille ferme dans un petit sous-bois. Une partie est encore en ruine mais le maître des lieux s'attache à la restaurer avec patience et goût de l'authenticité. Une seule chambre, au rez-de-chaussée, pour 3 personnes, spacieuse et campagnarde, avec poutres et vieilles tomettes. Petit coin kitchenette et sanitaires privés. 60 € pour 2 et 75 € pour 3, petit déj compris, servi dans la salle à manger des proprios avec cuisine américaine, à l'atmosphère tout aussi champêtre. Accueil convivial. Le seul petit inconvénient, c'est le passage des trains qui vous rappellent que vous êtes proche de la capitale.

Accès : *allez jusqu'à la gare RER de Buno ; quand vous êtes face à la gare, tournez à droite, longez la ligne et, avt de passer le prochain passage à niveau, prenez le petit chemin à droite (fléchage).*

CHÂTRES 77610

Carte régionale B1

*45 km SE de Paris ;
4 km O de Fontenay-Trésigny*

€€€ 🏠 🍽️ (10 %) **Chambres d'hôtes Le Portail Bleu (Dominique et Pierre Laurent) :** *2, route de Fontenay.* ☎ et fax : 01-64-25-84-94. 📱 06-61-17-59-76. ● *leportailbleu@voila.fr* ● *leportailbleu. com* ● 📶 Ancienne ferme du XIXᵉ s rénovée, avec cour intérieure gravillonnée fermée par un portail bleu (bien sûr). Cinq chambres agréables et confortables, de 2 à 5 personnes, vous accueillent dans le bâtiment principal et les dépendances. Sanitaires privés. De 80 à 85 € pour 2, petit déj compris (avec confitures, yaourts et pain maison), et 35 € par personne supplémentaire. Mignonnet jardin. Ambiance décontractée et accueil chaleureux.

Accès : *de Paris, empruntez la N 4 en direction de Metz ; 4 km avt Fontenay-Trésigny tournez à droite (D 96) vers Châtres ; la maison est à côté de l'église.*

CHAUSSY 95710

Carte régionale A1

*65 km NO de Paris ;
8 km SO de Magny-en-Vexin*

€€ 🏠 🍽️ **Chambres d'hôtes Au Relais de Chaussy (Gaëlle et Olivier Cuntz) :** *4, Grande-Rue.* ☎ 01-75-81-02-38. 📱 06-63-41-67-57. ● *contact@aurelaisdechaussy. com* ● *aurelaisdechaussy.com* ● *Fermé 22 déc-3 janv.* 📶 Arriver à Chaussy par le château de Villarceaux est un ravissement pour les yeux, et vous continuerez le romantisme chez Gaëlle en prenant la chambre du même nom, très douillette avec sa belle charpente apparente. C'est un ancien relais de poste avec les écuries et une cour pavée. Deux autres chambres, qui sont tout aussi charmantes : la « Roche-Guyon », qui invite au voyage à travers ses meubles et son parquet bateau, puis « Giverny » gaie et pimpante. 70 € pour 2, petit déj compris (compote et yaourt, pain ou brioche et confitures maison). Agréable jardin derrière la maison avec petit bassin. Table d'hôtes partagée en famille à 20 €, sans les boissons. Gaëlle a obtenu une médaille en éco-défis car les produits qu'elle utilise (même pour le ménage) sont majoritairement bio. Accueil simple et chaleureux. Bon rapport qualité-prix-convivialité.

Accès : *dans la rue principale du village après l'église (venant de Paris).*

CHÉRENCE 95510

Carte régionale A1

*16 km NO de Mantes ;
16 km E de Vernon*

€€€ 🏠 🍽️ **Chambres d'hôtes La Petite Ferme (Catherine et Christophe Hazard) :** *2, route des Crêtes.* ☎ 01-34-78-23-18. 📱 06-18-63-92-48. ● *catheri nehazard8@yahoo.fr* ● *cherence-lapeti teferme.com* ● En pleine campagne, au cœur du Parc Naturel Régional du Vexin, jolie ferme de la fin du XIXᵉ. Un escalier extérieur et couvert dessert 4 chambres décorées avec goût, agréables et sereines dont 1 suite composée de 2 chambres avec mezzanine pour accueillir famille ou amis jusqu'à 6 personnes. Sanitaires privés. Atmosphère chaleureuse et beaux matériaux : vieilles tomettes, poutres, pierres apparentes. 75 € pour 2, petit déj compris (confitures et brioche maison ainsi que le St-Germain, délicieux gâteau inventé par Catherine), et 15 € par personne supplémentaire. Table d'hôtes pas

ÎLE-DE-FRANCE

systématiquement partagée avec les propriétaires à 22 €, apéro et vin compris. Cuisine saine, familiale et goûteuse, très tendance. Il faut dire que votre hôtesse donne aussi des cours de cuisine alors si ça vous chante ! Sauna en prévision. Pour les randonneurs le GR2 passe tout à côté, et pour les cyclotouristes vous êtes sur une étape du Paris-Londres. Également un gîte de 6 personnes loué 400 € en toute saison. Accueil convivial. *NOUVEAUTÉ.*

Accès : de Paris prendre la A13 ou la A15, suivant d'où vous venez. Arrivés à Chérence, prenez à gauche la route qui surplombe le village.

€€€ 🏠 **Chambres d'hôtes Le Saint-Denis (Andrée Bessenet-Pernelle) :** *1, rue des Cabarets.* ☎ *01-34-78-15-02.* 📱 *06-48-26-16-00.* ● *andree.pernelle@orange.fr* ● *Ouvtte l'année, mais sur résa slt.* Avant, c'était un petit hôtel de charme... Ne voulant pas prendre sa retraite trop vite, Andrée a décidé de le transformer en chambres d'hôtes. C'est une hôtesse sympathique, qui a son franc-parler et qui tient au calme et à la tranquillité de ses habitués (vous voilà prévenu ; même si elle habite rue des Cabarets, elle déteste le bruit !). Deux chambres mignonnettes à la déco rustique, avec sanitaires privés. 80 € pour 2, copieux petit déj compris (œufs frais, yaourts et confitures maison), servi dans le jardin par beau temps. Une gentille adresse.

Accès : A 15 en direction de Pontoise ; prenez la N 14 en direction de Magny-en-Vexin, de Chaussy et de Chérence.

CRÉCY-LA-CHAPELLE 77580
Carte régionale B1

15 km S de Meaux ;
15 km O de Coulommiers

€€€ 🏠 🐴 ⑩% **Chambres d'hôtes Le clos des Bergenias (Sacha Le Berre) :** *10, impasse Charles-Dullin.* ☎ *01-64-63-73-65.* 📱 *06-08-74-46-99.* ● *sacha_leberre@yahoo.fr* ● *bergenias.fr* ● 📶 Cachée derrière un grand portail en bois, ancienne ferme briarde nichée au cœur d'un agréable jardin ombragé. Deux chambres agréables, une double, avec terrasse privée, l'autre sous forme de suite familiale pour 4 personnes, chacune avec coin cuisine. Sanitaires privés. Selon la chambre, 80 et 96 € pour 2, petit déj compris, et 30 € par personne supplémentaire. Accueil convivial.

Accès : A 4 sortie n° 16 Crécy-la-Chapelle puis D 33b vers Bouleurs Centre puis D 85 jusqu'à Férolles puis tournez 2 fois à gauche (rue Charles-Dullin), l'impasse est à gauche.

DOURDAN 91410
Carte régionale A2

15 km NO d'Étampes

€€ 🏠 🐴 ⑩% **Chambres d'hôtes (Paulette et Bernard Évain) :** *4, rue de la Gambade, Rouillon.* ☎ *01-64-59-84-27.* À l'écart de tout, au calme, immense ferme fortifiée avec cour carrée et deux belles tours. Deux chambres meublées rustique, avec sanitaires privés, à 55 et 58 € pour 2, petit déj inclus, servi dans une agréable salle avec cheminée. Grand étang avec canards. Vente de produits fermiers. Accueil chaleureux. À proximité, circuits de randonnée, les forêts de Dourdan et de Rambouillet, la ville de Dourdan (3 km).

Accès : A 10, sortie et direction Dourdan ; à 500 m à gauche, direction Bouc-Étourdi.

ÉGREVILLE 77620
Carte régionale B2

30 km O de Sens ;
20 km SE de Nemours

€€€ 🏠 ⑩% **Chambres d'hôtes Les Deux Noyers (Catherine et Jean-Pierre Latscha) :** *10, route de Villebon.* ☎ *01-64-29-58-58.* 📱 *06-86-45-79-27.* ● *info@loisirsengatinais.com* ● *loisirsengatinais.com* ● 📶 Belle demeure dont les origines remontent au XVIIIe s et c'est côté jardin qu'elle dévoile tout son charme. Trois chambres spacieuses et lumineuses, avec sanitaires privés, dont 2 familiales pouvant accueillir 4 personnes. Déco qui mélange les meubles de style et rustiques, mais aussi une foultitude de bibelots chinés par Catherine. Atmosphère chaleureuse. 80 € pour 2 et 30 € par personne supplémentaire, petit déj compris. Il est servi dans le jardin aux beaux jours ou dans une immense salle à manger où crépite la cheminée en hiver. Accueil convivial.

Accès : sur la D 225 entre Sens et Nemours, prenez la D 58 vers Égreville et continuez tt droit vers Villebon, jusqu'à La Borde.

GROSROUVRE 78490
Carte régionale A1

45 km O de Paris ;
30 km O de Versailles

€€€ 🏠 ⑩% **Chambres d'hôtes Le Cèdre Bleu (Danuta et Jean-Yves Coutand) :** *20 bis, route de la Troche.* ☎ *09-82-20-09-88.* 📱 *06-99-15-36-64.* ● *contact@cedrebleu.fr* ● *cedrebleu.*

ÎLE-DE-FRANCE

fr ● 🛜 Dans ce petit village tranquille, jolie maison en meulière plantée dans un grand parc. Trois chambres pas immenses mais décorées avec goût. Chacune avec TV écran plat et petit nécessaire pour se faire café ou thé. Sanitaires privés. « L'Orientale » au rez-de-chaussée est notre préférée avec son lit à baldaquin. Les amoureux de B.D. choisiront la chambre « Tintin ». 78 € pour 2, petit déj compris. Pas de table d'hôtes mais plusieurs restos à proximité. Pour les amateurs, le golf des Yvelines est juste à côté. Accueil convivial teinté par l'accent polonais de Danuta.

Accès : *sur la N 12 entre Paris et Dreux, sortie Grosrouvre, passez le golf, et au stop, tournez à gauche, la maison est un peu plus loin à gauche.*

JOUY-LE-MOUTIER   95280

Carte régionale A1

30 km NO de Paris ;
5 km NO de Conflans-Sainte-Honorine

€€€€ 🏠 10% ***Chambres d'hôtes Les Chènevis (Annie et Daniel Muzard) :*** 3, rue de l'Oise-Glatigny. ☎ 09-71-34-73-24. 📱 06-13-13-15-13. ● les-chenevis@orange. fr ● les-chenevis.fr ● 🛜 Elle dénote aujourd'hui cette jolie demeure du tout début du XXᵉ s, alors que c'était la maison bourgeoise de cet ancien village de vignerons ! Aujourd'hui, les zones pavillonnaires se multiplient. Si l'extérieur a gardé le charme d'antan, l'intérieur est tout autre, puisque complètement modifié par les propriétaires. Trois chambres à l'étage, dont une suite familiale composée de 2 chambres. 105 € pour 2, petit déj compris. Salon avec piano accordé et violoncelle (un petit concerto ?). Pas de table d'hôtes mais plein de restos facilement accessibles, dont certains à pied. Accueil courtois.

Accès : *venant de Paris, A 15 sortie Cergy-Préfecture puis direction Jouy-le-Moutier ; à l'entrée de Jouy, prenez à gauche l'av. des Saules qui vous emmènera jusqu'à la rue de l'Oise.*

LA CHAPELLE-
LA-REINE   77760

Carte régionale B2

12 km SO de Fontainebleau ;
12 km S de Milly-la-Forêt

€€ 🏠 |●| ***Chambres d'hôtes Le Clos du Tertre (Stéphane Dagnicourt et Valérie Simon) :*** 6, chemin des Vallées.

☎ 01-64-24-37-80. 📱 06-20-14-70-17. ● leclosdutertre@wanadoo.fr ● leclos dutertre.com ● 🛜 Ancienne grange du XVIIIᵉ s, complètement anachronique au milieu d'un ensemble pavillonnaire. Toutes les ouvertures ont été conservées, voire agrandies, pour donner beaucoup de luminosité à cet ensemble au charme indéniable. Au 1ᵉʳ étage, 3 chambres coquettes avec sanitaires privés. Déco qui mêle agréablement rustique et moderne. 65 € pour 2, petit déj compris. Ici, c'est Stéphane qui s'occupe des hôtes et qui s'active derrière les fourneaux. Immense salle à manger lumineuse pour partager les repas en famille, pour 22 €, apéro et vin compris. Accueil dynamique et convivial. Un point de chute idéal pour les randonneurs et amateurs d'escalade.

Accès : *de Fontainebleau, N 152 vers Orléans (ou A 6 sortie nº 14 Ury) jusqu'à La Chapelle-la-Reine, puis D 16 vers Nemours-Larchant et 2ᵉ à gauche.*

LE MESNIL-AUBRY   95720

Carte régionale A1

20 km N de Paris ;
28 km SO de Chantilly

€€€ 🏠 |●| ♆ 10% ***Chambres d'hôtes Le GL (Marie-France Lartigau) :*** 1, impasse du Parc. ☎ 01-34-09-40-00. 📱 06-07-02-15-44. ● resa@lartigau.net ● lartigau.net ● 🛜 C'est l'ancien presbytère du village, qui fut tour à tour maison du peuple, école et aujourd'hui chambres d'hôtes. Elles sont 2 : la « Bleue », comme son nom l'indique, spacieuse et élégante, avec grand écran plat, câble avec chaînes cinéma et système wifi. Sanitaires privés avec douche et baignoire sur pied. La « Rouge », composée de 2 chambres pour les familles, douillette et rigolote avec ses vieilles pochettes de disques vinyl en guise de frise. Sanitaires privés. Réunissant les 2 chambres, un petit couloir où vous découvrirez la collection de crocodiles de la maison (emblème de l'ancienne boîte de production de Marie-France « Microcodil »). De 80 à 85 € pour 2, petit déj compris, et 115 € pour 4. Table d'hôtes à 25 €, apéro et vin compris. Privilégié que vous êtes, vous pourrez découvrir l'église du village (Marie-France a la clé) dont les vitraux sont classés Monuments historiques et admirer une rare Vierge allaitante qui découvre son sein. Accueil convivial. Une bonne adresse pour découvrir le coin.

Accès : *sur la D 316 entre Paris et Chantilly, sortez vers Le Mesnil-Aubry, la maison est juste à côté de l'église.*

ÎLE-DE-FRANCE

LES LOGES-EN-JOSAS 78350

Carte régionale A1

22 km SO de Paris ; 5 km S de Versailles

€€€ ⌂ ⑩% *Chambres d'hôtes Les Marronniers (Béatrice Cuzon) :* 7, Grande-Rue. ☎ 01-39-56-65-74. ⑬ 06-62-13-65-74. ● marronniersdesloges@yahoo.fr ● marronniersdesloges.com ● 🛜 En plein cœur du village, grande demeure qui était un ancien restaurant avec vaste cour intérieure fermée. À l'étage d'une aile indépendante, 3 chambres claires et agréables avec sanitaires privés. Mélange harmonieux de meubles anciens, de style ou contemporains. 89 € pour 2, petit déj compris. Accueil convivial.

Accès : sur l'A 86 entre Paris et Versailles, sortie n° 32 Jouy-en-Josas, puis direction Les Loges-en-Josas Centre-ville.

LIVERDY-EN-BRIE 77220

Carte régionale B1

*22 km NE de Melun ;
6 km O de Fontenay-Trésigny*

€€ ⌂ ⑩% *Chambres d'hôtes La Briarde de Retal (Marie-Christine et Jacques Guenancia) :* 14, rue des Chaumes, Retal. ☎ 01-64-25-85-52. ⑬ 06-08-42-24-64. ● jguenancia@orange.fr ● briarde.com ● 🛜 Jolie maison récente tout en pierre avec belle poutraison intérieure. Deux chambres agréables, avec clim et sanitaires privés ; une au rez-de-chaussée, l'autre à l'étage, plus vaste, toute habillée de bois, qui peut recevoir 3 personnes et possède un petit coin cuisine. Comptez respectivement 65 et 75 € pour 2, petit déj compris, et 25 € par personne supplémentaire. Accueil convivial.

Accès : de Liverdy-en-Brie, prenez la D 32 vers Chaumes jusqu'au hameau de Retal, la maison est sur la gauche.

LIZINES 77650

Carte régionale B2

15 km SO de Provins

€€ ⌂ *Chambres d'hôtes (Christine et Jean-Claude Dormion) :* 2, rue des Glycines. ☎ et fax : 01-60-67-32-56. ● cjcdormion@gmail.com ● dormion.cpur.fr ● 🛜 Cinq chambres d'hôtes, pour 2 ou 3 personnes, avec coin cuisine, aménagées dans une maison annexe à celle des propriétaires. 60 € pour 2 et 70 € pour 3,

petit déj inclus. Également 2 gîtes ruraux pour 4 et 5 personnes, loués de 260 à 440 € la semaine selon la saison.

Accès : au centre du village, prenez sur la droite la D 209 en direction de Bray-sur-Seine.

MAGNY-EN-VEXIN 95420

Carte régionale A1

60 km NO de Paris 21 km N de Mantes-la-Jolie

€€ ⌂ ◉ *Chambres d'hôtes La Maison de l'Aubette (Natalie Philippon) :* 1, rue de Velannes-la-Ville. ☎ 01-34-67-11-14. ⑬ 06-02-30-74-89. ● contact@lamaisondelaubette.fr ● lamaisondelaubette.fr ● Fermé 2 sem début mars et 2 sem début nov. 🛜 Natalie a tout abandonné pour ouvrir des chambres d'hôtes dans sa maison familiale des années 1970 située en pleine campagne, dans un parc de 1 ha. À l'étage couleur soleil, 3 chambres sympas, l'une avec sanitaires privés (la plus chère) et 2 autres qui se partagent salle de bains et w-c sur le palier. Pour 2, comptez 75 € pour la première et 58 € pour les 2 autres (idéal si votre budget est serré d'autant que les 2 chambres ne sont pas toujours complètes), petit déj compris. Table d'hôtes, pas systématiquement partagée avec votre hôtesse, à 25, apéro et vin compris. Pour les randonneurs, de nombreux GR passent tout près. Accueil chaleureux et sans façon. Une adresse qu'on aime bien.

Accès : A 15 puis A 14 sortie Magny-en-Vexin ; dans Magny, allez dans le centre, et au niveau de la gendarmerie, tournez à droite et tt droit jusqu'à prendre la direction Nucourt puis Vélannes-la-Ville.

MALAKOFF 92240

Carte régionale A1

3 km SO de Paris

€€€€ ⌂ *Chambres d'hôtes La Gurinière (Micheline et Jean-Paul Barbu) :* 6, rue Raymond-Fassin. ☎ 01-40-92-17-98. ⑬ 06-12-58-42-72. ● laguriniere@hotmail.com ● laguriniere.com ● 🛜 Voilà une adresse de chambres d'hôtes qui devrait faire date, puisque c'est notre première adresse extra-muros accessible par le métro ! Quoi de plus sympa que de découvrir Paris en séjournant dans cette jolie maison blanche aux volets bleus dont les origines remontent à 1870 ! Pour éviter que cette demeure abandonnée soit remplacée par un immeuble, Micheline et Jean-Paul l'ont achetée et ont décidé d'y accueillir des hôtes. Il faut dire qu'ils habitent la maison d'à côté... Trois chambres charmantes, à la déco sobre mais élégante, aux doux tons pastel : une au rez-de-chaussée, 2 à l'étage avec mezzanine pour accueillir les enfants. Sanitaires privés. 95 € pour 2, petit déj compris, servi sur tables individuelles dans un agréable salon ou dans le jardin aux beaux jours. Accueil volubile. Une adresse où l'on se sent bien et située à cinq stations de Montparnasse !

Accès : par le métro, ligne 13 station Malakoff-Plateau-de-Vanves ; en voiture (porte de Vanves), allez jusqu'à la pl. du 11-Novembre (« Théâtre 71 »), la rue Fassin donne dessus.

MAUCHAMPS 91730

Carte régionale A2

40 km SO de Paris ; 10 km N d'Étampes

€€ 🏠 (10 %) **Chambres d'hôtes La Manounière (Françoise et Jean-Jacques Richer) :** 12, rue des Templiers. ☎ et fax : 01-60-82-77-10. 📱 06-74-05-20-35. ● jean-jacques.richer@orange.fr ● chambres-manouniere.com ● 🛜 Cette ancienne ferme est sûrement l'une des plus vieilles habitations de ce joli petit village. Tout en pierre, avec jardin clos, Françoise et Jean-Jacques l'ont restaurée et aménagée avec raffinement. Au 1er étage d'une aile indépendante, 4 chambres spacieuses et lumineuses. Beaux meubles anciens chinés et restaurés par ce couple charmant. Sanitaires privés, avec w-c séparés et eau chaude solaire, télé et accès wifi. 65 € pour 2, petit déj compris (avec confitures et gâteau maison). Pas de table d'hôtes, mais plusieurs restos sympas dans un rayon de 5 km. Accueil chaleureux. Une bonne adresse, idéale pour se mettre au vert tout en étant à proximité de Paris. Au fait, le village possède une superbe église templière du XIVe s !

Accès : sur la N 20 de Paris à Orléans, sortez à Mauchamps ; entrez dans le village et, au stop, tournez à gauche.

MÉRY-SUR-MARNE 77730

Carte régionale B1

25 km E de Meaux ;
7 km NE de La Ferté-sous-Jouarre

€€€ 🏠 |●| ⋔ (10 %) **Chambres d'hôtes Le Russelet (Sylvie et Yves Leroy-Droller) :** 6, route du Russelet. 📱 06-07-08-67-17. Fax : 01-60-23-54-99. ● sylvie@russelet.

com ● russelet.com ● 🛜 Belle demeure des années 1900 dans un parc de 2 ha avec un bois. Ici, on aime les animaux et ils font partie de l'accueil. Il y a Alex et Pierrot, deux gros chiens affectueux, mais aussi une ânesse et des chevaux. Au 1er étage, 2 chambres agréables avec sanitaires privés : une dans les tons ocre à l'atmosphère méditerranéenne, l'autre, composée de 2 chambres pour les familles, qui dégage une ambiance plus rustique. 78 € pour 2, petit déj compris. Enfin, la suite « Les Anges » pour ceux qui aiment le luxe et le raffinement (avec vaste baignoire, plus une douche qui se transforme en hammam !), à 150 € pour 2, petit déj compris. Table d'hôtes, sur réservation, entre 25 et 28 €. Ici, on aime aussi les couleurs, comme en témoigne la grande cuisine d'un jaune lumineux. Pour vous détendre, rien n'a été oublié : table de ping-pong et flipper, trampoline et jeux pour les enfants. Accueil chaleureux.

Accès : de Meaux, N 3 vers La Ferté-sous-Jouarre ; passez le 1er rond-point et, au 2e, tournez à gauche (D 402) vers Charly-sur-Marne jusqu'à Méry ; dans le village, prenez la 1re à droite après la petite place.

MOIGNY-SUR-ÉCOLE 91490

Carte régionale A2

21 km O de Fontainebleau ;
3 km N de Milly-la-Forêt

€ 🏠 (10 %) **Chambres d'hôtes (Marie-Claude Roulon-Appel) :** 10, sentier de la Grille. ☎ 01-64-98-49-97. 📱 06-81-70-27-44. ● roulon-appel@wanadoo.fr ● De préférence sur résa. 🛜 C'est derrière un grand mur que se cache cette charmante maison de caractère en pierre, installée dans les anciennes granges d'une ferme. Deux jolies chambres contiguës avec entrée indépendante et ouverture directe sur le jardin. Coin cuisine à disposition. 49 € pour 2 et 98 € pour 4, petit déj compris, servi dans le jardin quand il fait beau. Accueil détendu et chaleureux. Une adresse qu'on aime bien.

Accès : A 6 vers Lyon, sortie n° 11 (Auvernaux) ; vous êtes sur la D 948 en direction de Moigny ; depuis l'église, prenez à droite la rue de Verdun, c'est à 50 m à droite.

€€ 🏠 |●| ⋔ (10 %) **Chambres d'hôtes Le Clos de la Croix Blanche (Frédéric Lenoir) :** 9, rue du Souvenir. 📱 06-76-95-56-87. ● la-compagnie-des-clos@orange. fr ● compagnie-des-clos.com ● 🛜 Belle fermette en pierre aux volets verts abritant 4 chambres croquignolettes, pleines de romantisme. Ambiance douillette et

ÎLE-DE-FRANCE

chaleureuse : vieilles tomettes, toiles, gros édredon en dentelle. 69 € pour 2, petit déj inclus. Table d'hôtes occasionnelle (sur réservation) à 18 €, vin non compris, à partir des légumes et des volailles maison. Piscine. Avant de partir, descendez la rue du Moulin près de l'église jusqu'au moulin grenat, vous découvrirez un cadre enchanteur.

Accès : A 6, sortie n° 11 (Auvernaux/Le Coudray-Monceau) ; prenez la D 948 en direction de Milly ; fléchage dans le bourg.

MONTIGNY-SUR-LOING
77690

Carte régionale B2

10 km S de Fontainebleau

€€ 🏠 ⑩% *Chambres d'hôtes (Jean-Michel Gicquel) :* 46, rue Renée-Montgermont. ☎ 01-64-45-87-92. 📱 06-85-61-06-35. ● gicquel.jm@orange.fr ● 🛜 Ancienne ferme rénovée avec goût, avec une jolie petite cour intérieure. à l'étage, 2 ravissantes et douillettes chambres avec sanitaires privés, à 67 € pour 2, petit déj inclus. Pas de table d'hôtes, mais plusieurs restos dans les alentours. Accueil vraiment charmant. Une de nos meilleures adresses sur le département.

Accès : au carrefour de l'obélisque de Fontainebleau, prenez la D 58 vers Bourron-Marlotte, puis Montigny ; la maison se trouve au centre du village.

NEAUPHLE-LE-CHÂTEAU
78640

Carte régionale A1

18 km O de Versailles ;
10 km SE de Thoiry

€€€€€ 🏠 🐎 ⑩% *Chambres d'hôtes Le Clos Saint-Nicolas (Marie-France Drouelle) :* 33, rue Saint-Nicolas. ☎ et fax : 01-34-89-76-10. 📱 06-84-18-58-66. ● mariefrance.drouelle@wanadoo.fr ● clos-saint-nicolas.com ● 🛜 Au cœur de Neauphle-le-Château, belle demeure Directoire au milieu d'un agréable jardin. Tout le 1er étage est réservé aux hôtes. Trois chambres élégantes, vastes et lumineuses, avec belles tentures murales et tissus assortis. Deux autres chambres en rez-de-jardin, dans de petites structures annexes, avec kitchenette. Toutes avec sanitaires privés. 117 € pour 2, petit déj compris, servi dans un agréable salon en hiver et dans une superbe véranda en été. Accueil charmant. Une adresse pour routards aisés.

Accès : au centre du village.

PROVINS
77160

Carte régionale B2

45 km E de Melun

€€€ 🏠 *Chambres d'hôtes La Ferme du Chatel (Annie et Claude Lebel) :* 5, rue de la Chapelle-Saint-Jean. ☎ 01-64-00-10-73. 📱 06-73-79-36-68. ● fermeduchatel@wanadoo.fr ● fermeduchatelprovins.fr ● 🛜 Au cœur du village médiéval, chez l'un des cinq derniers agriculteurs, 5 chambres avec sanitaires privés dans une partie indépendante de la ferme. Elles manquent un peu de caractère, excepté une belle charpente apparente, mais sont au calme et tenues parfaitement par Annie, la maîtresse des lieux. 89 € pour 2, petit déj compris. Coin cuisine et barbecue à disposition. Une adresse idéale pour découvrir la ville haute de Provins. Attention, pour la Fête médiévale et la Fête de la moisson, réservez à l'avance car c'est bondé. Accueil agréable.

Accès : suivez le fléchage « Ville haute », puis « Chambres d'hôtes », « Cité médiévale ».

SACLAS
91690

Carte régionale A2

9 km S d'Étampes

€€ 🏠 ⑩% *Chambres d'hôtes Ferme des Prés de la Cure (Françoise et André Souchard) :* 17, rue Jean-Moulin. ☎ 01-60-80-92-28. 📱 06-38-83-32-55. Fax : 09-53-94-81-61. ● lespresdelacure.com ● 🛜 Dans un grand et agréable corps de ferme, 4 charmantes chambres installées dans une aile indépendante de la maison. Elles sont claires et engageantes (préférez la « Graine d'ortie »), avec sanitaires privés. 58 € pour 2, avec un copieux petit déj. Pas de table d'hôtes, mais petit coin cuisine à disposition et un traiteur dans le village. Une adresse teintée par la gentillesse de la maîtresse des lieux.

Accès : d'Étampes, suivez la D 49 ; dans le bourg, prenez la D 108 ; la ferme est en face de l'école.

€€ 🏠 *Chambres d'hôtes Les Prés de Gittonville (Igor Drigatsch) :* 21, rue de Gittonville. ☎ et fax : 01-69-58-25-03. ● drigatschigor@gmail.com ● lespresdegit *tonville.fr* ● 🛰 Jolie maison ancienne, installée au bord de la Juine, entourée d'un parc fleuri, avec étang et roseraie. Le maître des lieux, d'origine russe, est artiste : il peint sans se lasser les coins et recoins de son jardin bucolique. Une suite familiale au rez-de-chaussée, qui donne de plain-pied sur le jardin ; au 1er étage, une seconde suite, très vaste, composée de 2 chambres, avec terrasse ouvrant sur le jardin ; enfin, au 2e étage, une dernière chambre, mansardée. Sanitaires privés. 55 € pour 2, petit déj compris. Accès à la cuisine et possibilité de pique-nique dans le parc.

Accès : en venant d'Étampes par la D 49, traversez Saclas jusqu'à la station-service ; prenez à droite la petite route face à la station-service, traversez un petit pont, puis un peu plus loin, à la fourche, prenez légèrement sur la gauche.

SAINT-CYR-SOUS-DOURDAN   91410

Carte régionale A2

5 km NE de Dourdan

€€€€ 🏠 (10 %) **Chambres d'hôtes Le Logis d'Arnière (Claude et Tae Dabasse) :** 1, rue du Pont-Rué. ☎ 01-64-59-14-89. 📱 06-86-73-59-12. Fax : 01-64-59-07-46. ● *taedabasse@free.fr* ● *dabasse.com/arniere* ● 🛰 Dans un manoir entouré d'un parc avec des chevaux, 2 superbes suites de 2 chambres communiquantes. Déco soignée. De 95 à 110 € pour 2 et 160 € pour 4, petit déj compris. La salle où sont servis les petits déj, tout en boiserie, a beaucoup de caractère. Aux beaux jours, on peut aussi profiter du jardin, abondamment fleuri. Accueil très sympa.

Accès : à 5 km de Dourdan, à l'intersection de la D 838 et de la D 27.

SERAINCOURT   95450

Carte régionale A1

56 km NO de Paris ; 5 km NO de Meulan

€€€ 🏠 ❙❙ 🐎 (10 %) **Chambres d'hôtes Le Relais de Dalibray (Brunette Bressan et Fabrice Perrette) :** 6, chemin de Dalibray, Gaillonet. 📱 06-18-40-80-86. ● *kdubonheur@orange.fr* ● *lerelaisdedalibray.fr* ● 🛰 C'est sur la place d'un ancien relais de poste qu'un couple de chirurgiens décida de construire cette maison en 1953, qui pourrait faire penser à une ancienne ferme crépie... Au rez-de-chaussée, un grand salon avec billard

français et une suite familiale composée de 2 chambres. Deux autres chambres à l'étage, sereines et lumineuses. On aime la « Roseraie » avec sa triple orientation, dans les tons gris et blanc. 90 € pour 2, petit déj compris, servi face à l'agréable et grand jardin. Si vous êtes moins fortuné, la suite se loue séparément, mais l'on partage alors les sanitaires (70 € pour 2 avec le petit déj). Table d'hôtes sans les propriétaires à 15 €, sans la boisson. Spécialités italiennes sur demande, la patrie d'origine de Brunette. Si vous êtes golfeur, il suffit juste de sortir de la maison, il est en face. Accueil chaleureux. Une bonne adresse pour se mettre au vert.

Accès : A 13 sortie Meulan-Les Mureaux ; traversez Meulan puis Seraincourt ; dans le village suivez le fléchage du golf (7 km depuis la sortie de l'autoroute).

SOINDRES   78200

Carte régionale A1

5 km SO de Mantes-la-Jolie

€€ 🏠 (10 %) **Chambres d'hôtes Ferme des Vallées (Marie-Claudine et Didier Raux-Leduff) :** 20 bis, rue Henri-Duverdin. ☎ 01-34-76-57-44. 📱 06-78-79-51-48. Fax : 01-34-76-57-83. ● *mc.rauxleduff@wanadoo.fr* ● *fermedesvallees.com* ● Fermé 15-31 août. 🛰 On oublie vite l'agitation de Mantes quand on se trouve dans ce village. Marie-Claudine et Didier sont agriculteurs. Ils ont restauré cet ancien bâtiment du XIXe s pour aménager 3 chambres d'hôtes avec sanitaires privés : une au rez-de-chaussée avec accès direct sur le jardin, les 2 autres à l'étage. Atmosphère rustico-contemporaine. 68 € pour 2, petit déj compris, avec jus de fruits frais, confitures et yaourts maison. Également un gîte de 4 personnes pour les séjours. Accueil convivial et décontracté.

Accès : A 13 sortie n° 12 puis direction Dreux jusqu'à Soindres ; c'est la 3e rue à gauche après le panneau d'entrée d'agglomération.

TRILBARDOU   77450

Carte régionale B1

45 km E de Paris ; 5 km SO de Meaux

€€ 🏠 (10 %) **Chambres d'hôtes (Évelyne et Patrick Cantin) :** 2, rue de l'Église. tél et fax : 01-60-61-08-75. 📱 06-11-23-87-23. ● *cantin.evelyne@gmail.com* ● 🛰 Entre l'église et l'école, superbe demeure bourgeoise des années 1900 avec deux petits

ÎLE-DE-FRANCE

perrons. Si l'extérieur a du charme, l'intérieur tient toutes ses promesses. Les faux marbres de l'entrée vous mettent dans l'ambiance, et Évelyne et Patrick ont su mêler harmonieusement le mobilier de style avec le rustique et le moderne. Un noble escalier conduit à une suite familiale composée de 2 chambres, avec une rigolote véranda avec salon de jardin ; 2 autres chambres pour 3 et 4 personnes sont installées au rez-de-chaussée de l'ancienne maison du gardien : l'une est revêtue de marbre avec un joli plafond en brique d'origine, l'autre dégage une atmosphère plus campagnarde avec ses vieilles tomettes. 70 € pour 2 et 20 € par personne supplémentaire, petit déj compris, servi dans une pièce déguisée en troquet avec le bar en zinc, la collection de carafes Pernod-Ricard et le flipper. Deux agréables salons de détente, dont un avec fresques, l'autre doté d'un plafond à la française avec une cheminée en bois sculpté. Joli jardin qui débouche sur le canal de l'Ourcq. Enfin, Patrick collectionne de vieilles motos belges des années 1930-1940 et de vieilles BMW. Accueil de qualité. Une adresse coup de cœur.

Accès : de Paris, A 4 sortie n° 12.1 (Val-d'Europe) ; suivez la direction Marne-la-Vallée/Meaux et Esbly ; à la sortie d'Esbly, prenez à gauche la D 27 pour arriver à Trilbardou ; au feu, allez tt droit et vous êtes arrivé.

VERNOU-LA-CELLE   77670

Carte régionale B2

*17 km E de Fontainebleau ;
8 km NE de Moret-sur-Loing*

€€ �🔟% *Chambre d'hôtes Les Quatre Saisons (Monique et Daniel Dessogne) :* 25, rue du Montoir. 📱 06-87-08-76-19. ● daniel.dessogne@wanadoo.fr ● *demeure-des4saisons.com* ● 🌐 Jolie maison de village tout en pierre, avec un agréable jardin fleuri. Monique et Daniel aiment accueillir. Ils ont aménagé 2 grandes suites familiales composées de 2 chambres, avec salle de bains privée. De 62 à 66 € pour 2, copieux petit déj compris, et 22 € par personne supplémentaire. Beaux meubles anciens et horloge comtoise qui égrène le temps qui passe. Pour ceux qui veulent séjourner, 3 gîtes dans des dépendances de la maison, pour 3, 4 et 6 personnes. Pas de table d'hôtes, mais à deux pas, un resto très sympa en bord de Seine. Accueil vraiment chaleureux. Bon rapport qualité-prix-convivialité.

Accès : sur la D 210 entre Fontainebleau et Montereau, prenez la C 4 vers Le Montoir/Vernou-la-Celle et suivez le fléchage.

VÉTHEUIL   95510

Carte régionale A1

75 km NO de Paris ; 15 km E de Giverny

€€ 🏠 🍽️ *Chambres d'hôtes La Véthinoise (Catherine et Laurent Lecène) :* 22, av. des Millonets. ☎ 01-34-78-13-07. 📱 06-60-16-67-93. ● lavethinoise.contact@gmail.com ● lavethinoise.blogspot.fr ● Ouv les w-e, vacs et j. fériés. 🌐 Aux confins du Val-d'Oise, des Yvelines et de l'Eure, agréable maison de village de la fin du XIX° avec un petit jardin clos. À l'étage, 2 chambres croquignolettes et charmantes dont une suite pour 3 personnes. On aime bien « la chambre » avec son originale salle d'eau aux bambous colorés. Une 3° sous forme de mini appart devrait rapidement voir le jour. 60 € pour 2, petit déj compris (confitures et gâteau maison, smoothie ou salade de fruits frais) et 15 € par personne supplémentaire. Table d'hôtes partagée en famille à 21 €, eau minérale, café ou infusion compris. Laurent travaille au Ritz (chut !...) et Catherine est prof dans une école hôtelière de haute gastronomie. La cuisine se fait donc à 4 mains...Traditionnelle, rien qu'avec des produits frais en fonction du marché. Les repas se prennent sur une belle table réalisée à partir de l'ancien escalier de la maison. Une caresse aux 2 sympathiques chiens qui savent rester à leur place et ne rentrent jamais dans la maison. Accueil chaleureux. Très bon rapport qualité-prix-convivialité. *NOUVEAUTÉ.*

Accès : A 13 sortie Mantes-la-Jolie puis D 983 et D 913 vers Magny-en-Vexin, puis à gauche vers Vétheuil, la maison est à l'entrée du village à gauche.

VIARMES   95270

Carte régionale A1

*35 km N de Paris ;
14 km SO de Chantilly*

€€€ 🏠 *Chambres d'hôtes La Montcelloise (Marie-Thérèse et Dominique Pichot) :* 10, rue du Montcel. ☎ 01-30-35-36-62. 📱 06-81-55-53-26. ● mt.guillaume@hotmail.fr ● perso.orange.fr/lamontcelloise ● 🌐 Dans une petite rue bien au calme, belle et ancienne ferme en pierre dont les origines remontent à 1830. Au 1er étage, 2 chambres charmantes, calmes et sereines, dont une familiale composée de 2 chambres. Jolis meubles anciens, poutres apparentes. Elles ouvrent sur le beau jardin intérieur doté d'un grand verger aux essences variées. Sanitaires privés. 75 € pour 2, petit déj compris, et 20 € par personne supplémentaire. Pas de table d'hôtes mais plusieurs petits restos dans le village. Amis randonneurs, le GR 1 passe dans la rue. L'abbaye de Royaumont est à 3 km. Enfin, depuis la gare du village, on rejoint Paris. Accueil de qualité. Une de nos adresses préférées sur le département.

Accès : de Paris, N 1 jusqu'à La Croix-Verte puis direction Viarmes ; dans le village, la rue est près de l'église, en face du garage Renault (merci pour la pub !).

VIENNE-EN-ARTHIES 95510

Carte régionale A1

12 km N de Mantes-la-Jolie ;
12 km S de Magny-en-Vexin

€€€€ 🏠 ⑩⑳ *Chambres d'hôtes La Villa (Fabienne et Arnaud Boinet) :* 23, chemin de la Vallée, hameau de Chaudry. 📱 06-03-17-92-31. ● fabienne@villa-de-vienne-en-arthies.fr ● villa-de-vienne-en-arthies.fr ● Fermé à Noël et au Nouvel An. 📶 Belle demeure mitoyenne au cœur d'un petit hameau. Côté rue, on monte l'escalier et l'on se retrouve au rez-de-chaussée côté jardin... Quatre chambres confortables et colorées : 2 au 1er étage de la maison avec de spacieux sanitaires privés (baignoire à remous et douche à l'italienne), les 2 autres au second, mansardées et douillettes, avec baignoire. Selon la chambre, de 90 à 110 € pour 2, petit déj compris. Calme assuré. Accueil convivial.

Accès : le hameau se situe à la sortie du village en direction de Villers-en-Arthies.

VILLENAUXE-LA-PETITE 77480

Carte régionale B2

20 km S de Provins ;
16 km SO de Nogent-sur-Seine

€€€ 🏠 🍴 *Chambres d'hôtes (Dominique et Jean-Louis Colas) :* hameau de Toussacq. ☎ 01-64-01-82-90. 📱 06-87-04-14-05. ● toudom@orange.fr ● hameau-de-toussacq.com ● Au pays de la Bassée, en bordure de rivière, on arrive dans une grande cour de ferme et derrière celle-ci se cache un charmant ensemble composé d'un pigeonnier, d'une petite chapelle, d'écuries, d'une forge... Ce sont les anciennes dépendances du château de Toussacq (XVIIe-XVIIIe s). Aux 1er et 2e étages, 5 chambres agréables avec sanitaires privés, pour 2 et 3 personnes. 75 € pour 2 et 100 € pour 3, petit déj compris. Le château proprement dit a été transformé en hangar à grains (il date de 1858 et a été construit par la marquise de Chérisey en remplacement d'un autre plus ancien). Pour ceux qui veulent séjourner, il y a aussi un gîte pour 9 personnes. Atmosphère d'autrefois et accueil authentique.

Accès : de Paris, prenez l'A 5 vers Troyes jusqu'à la sortie n° 18 Marolles-sur-Seine ; prenez ensuite la D 411 vers Nogent sur 24 km et fléchage à gauche après une sablière (n'allez pas à Villenauxe).

ANTUGNAC   11190

Carte régionale A2

45 km S de Carcassonne ;
15 km NE de Quillan

€€€€ 🏠 **10 %** ***Chambres d'hôtes Domaine de Mournac (Arlette et Jean-Claude Beziau) :*** ☎ 04-68-74-21-10. 📱 06-03-90-63-06. Fax : 04-13-33-91-12. ● contact@mournac.com ● mournac. com ● 📶 En pleine nature, dans un site grandiose d'où l'on aperçoit les Pyrénées, ancien relais de diligences parfaitement rénové. Vous y trouverez un parc arboré, une cuisine d'été, une piscine chauffée, une chapelle... et 3 chambres dont une suite familiale. Le confort et l'espace invitent à la détente, les sentiers de randonnée et les sites cathares à la découverte. Pour 2, comptez 100 € pour les chambres et 130 € pour la suite, copieux petit déj compris. Également un gîte de 10 personnes complètement indépendant et un studio.

Accès : *de Carcassonne, direction Limoux, puis D 118 vers Couiza. À la sortie de Couiza, à droite direction Antugnac ; dans le village, prenez le dernier chemin à droite sur 800 m, le domaine est à gauche.*

ARAMON   30390

Carte régionale B1

40 km NE de Nîmes ; 13 km SO d'Avignon

€€€ 🏠 **10 %** ***Chambres d'hôtes Le Rocher Pointu (Annie et André Malek) :*** plan de Dève. ☎ 04-66-57-41-87. ● amk@ rocherpointu.com ● lerocherpointu.wor dpress.com ● Fermé en nov. De préférence sur résa. 📶 En pleine nature, charmante bergerie qu'Annie et André ont aménagée avec beaucoup de goût. Déco personnalisée et jolis meubles anciens. Quatre chambres confortables, avec sanitaires privés. De 70 à 92 € pour 2, avec un copieux petit déj, servi en terrasse. Ambiance très provençale, jolis tissus, bois et teintes naturelles. Cuisine équipée et barbecue à disposition. Également possibilité de louer toute l'année, à la nuitée, studio ou petit appartement. Piscine avec jolie vue sur la garrigue... Accueil agréable. Alors, avis aux festivaliers aisés qui veulent sortir d'Avignon et retrouver une certaine sérénité !

Accès : *d'Avignon, prenez la direction de Nîmes ; prenez ensuite la D 2 vers Aramon, la D 126 en direction de Saze (sur 3 km) et suivez le fléchage.*

ARGILLIERS   30210

Carte régionale B1

8 km SE d'Uzès ;
6 km NO du Pont-du-Gard

€€€ 🏠 |●| ***Chambres d'hôtes La Bastide de Boisset (Philippe et Guillemette de Corneillan) :*** *impasse des Micocouliers.* ☎ 04-66-01-24-57. 📱 06-17-17-41-11. ● phdecorneillan@yahoo.fr ● bastidede boisset.com ● Ouv 15 fév-15 nov. 📶 Jolie demeure en pierre, typique de la région

---

Nous vous rappelons que la table d'hôtes est le complément d'une formule d'héberge-ment (chambre d'hôtes, gîte d'étape...). Ce service n'est offert qu'aux personnes qui dorment sur place (excepté lorsqu'il est clairement écrit « ouvert aux extérieurs »).

avec sa génoise. Ici, on aime les couleurs, les souvenirs de voyage, les croquis, les toiles, sans oublier de belles gravures. Cinq chambres, dont 2 suites familiales, toutes décorées sur des thèmes différents. On aime bien « Uzès » à l'atmosphère romantico-campagnarde, ou « Zanzibar » pour se dépayser dans une ambiance africaine. Selon la chambre, de 87 à 96 € pour 2, petit déj compris, et 141 € pour 4. Table d'hôtes à 23 €, vin compris. Les repas sont servis sur table commune ou individuelle car les proprios ne mangent pas toujours avec les hôtes. Belle piscine chauffée et superbe jardin aux nombreuses essences. Accueil familial.

Accès : sur la D 981 d'Uzès à Avignon, bifurquez vers Argilliers ; la maison est au centre du bourg, près de l'église.

ARZENC-DE-RANDON 48170

Carte régionale B1

36 km NE de Mende ;
8 km O de Châteauneuf-de-Randon

€€ ≙ |O| ⊓⌐ **Chambres d'hôtes (Marie Amarger) :** Le Giraldès. ☎ 04-66-47-92-70. ▤ 06-13-20-01-21. ● marie_amarger@ orange.fr ● vacancesalaferme-lozere.com ● Fermé à Noël. ☎ Dans une ferme d'élevage, au cœur d'une belle nature où passe le GR Tour de Margeride. Quatre chambres simples et sympathiques avec sanitaires privés, à 70 € pour 2, petit déj compris. On peut prendre les repas à la ferme : 52 € par personne en demi-pension. Bons produits maison : pain, lait, beurre, fromages, charcuterie, volailles... Marie a désormais repris l'exploitation de ses parents ; elle élève des vaches de race aubrac, mais aussi aurochs et tarpans et vous trouverez sur place un petit musée pour tout savoir de ces races primitive (visite gratuite pour nos lecteurs). Pour les randonneurs, il y a également un gîte d'étape qui peut accueillir 12 personnes en 4 dortoirs de 3 à 5 lits (14 € par personne pour la nuit et 42 € en demi-pension). Accueil chaleureux.

Accès : A 75 sortie Saint-Chély-d'Apcher, la ferme est un peu avt Arzenc-de-Randon, sur la D 3.

BASSURELS 48400

Carte régionale B1

30 km S de Florac ;
10 km NO de Saint-André-de-Valborgne

€€€ ≙ |O| **Chambres d'hôtes Château du Poujol (Nicole Chabannes et**

Philippe Roger) : Poujol. ☎ 04-66-60-38-16. ▤ 06-78-87-32-17. ● chateaudu poujol@orange.fr ● lechateaudupoujol. com ● ☎ Fièrement dressé sur son éperon rocheux, ce beau château dont les origines remontent au XIIIe s bénéficie d'un panorama de toute beauté. Nicole a réalisé un travail énorme pour lui redonner vie, et il a vraiment de l'allure. 4 chambres élégantes avec sanitaires privés. 2 accessibles par l'escalier à vis de la tour ronde (les moins chères et nos préférées), une dans la partie principale (la plus ancienne de cette demeure), la dernière au rez-de-chaussée si l'on peut dire. Selon la taille des chambres, comptez 80 et 90 € pour 2, petit déj compris. Table d'hôtes partagée en famille, à 25 €, vin et café compris. Elle est servie dans une salle à manger distinguée ou dans la chaleureuse cuisine dotée d'une cheminée monumentale avec four à pain, tourne broche et potence. Un ancien bassin (transformé en piscine) accroché à la roche vous attend pour piquer une tête. Et si vous aimez la rando, ici, c'est le paradis. Accueil de qualité. Une très bonne adresse. *NOUVEAUTÉ.*

Accès : avt d'arriver à Bassurels, fléchage à gauche vers le château, faites 300 m puis petit chemin à droite et là, faites 700 m sur un chemin gravillonné à travers la châtaigneraie jusqu'au château.

CARNAS 30260

Carte régionale B1

30 km N de Montpellier ;
30 km O de Nîmes

€€€ ≙ ⊓⌐ ⑩٪ **Chambres d'hôtes Mas des Carnassoles (Lucie et Alain Roch) :** rue du Château. ☎ 04-66-77-75-20. ▤ 06-12-87-54-65. ● masdescar nassoles@wanadoo.fr ● pagesperso-orange.fr/masdescarnassoles ● Fermé janv-fév. ☎ Au cœur du village, dans une ancienne magnanerie du XVIIe s entourée d'un agréable jardin paysager où vous découvrirez les ruines d'une ancienne chapelle. Quatre chambres spacieuses et charmantes avec sanitaires privés. Selon la saison, de 80 à 100 € pour 2, petit déj compris. Également 2 gîtes pour ceux qui veulent séjourner. Accueil de qualité.

Accès : à l'entrée du village sur la gauche en venant de Sommières.

LANGUEDOC-ROUSSILLON

LANGUEDOC-ROUSSILLON

NORD

CANTAL
(15)

St-Pierre
le-Vieux

Termes

Nasbinals

Le Monastier-
Pin-Moriès

la Canourgue

Laval-
du-Tar

Saint-Rome-
de-Dolan

le Rozier

Souillac

Aurillac

Chaudes-
Aigues

Laguiole

Aubrac

Figeac

Espalion

LOT
(46)

Cahors

Rodez

TARN-
ET-GARONNE
(82)

AVEYRON
(12)

Millau

Montauban

Albi

Dio-et-Valquières

TARN
(81)

Lacaune

la Salvetat-
sur-Agout

Colombières-
sur-Orb

le Poujol-
sur-Orb

HAUTE-
GARONNE
(31)

Castres

Mazamet

Mons-la-Trivalle

Cazouls-
lès-Béziers

Toulouse

Courniou

34

Pouzols-
Minervois

Béziers

Villardonnel

Sallèles-
d'Aude

St-Martin-le-Vieil

Carcassonne

Narbonne

Caux-et-Sauzens

AUDE

Pamiers

St-Hilaire

Montséret

Limoux

Talairan

Roquefort-
des-Corbières

Antugnac

Cascastel-
des-Corbières

Foix

Espéraza

11

Leucate

ARIÈGE
(09)

PYRÉNÉES-
ORIENTALES

Perpignan

AND.

Taurinya

St-Cyprie

Valmanya

Elne

ESPAGNE

Planès

66

Prats-
de-Mollo

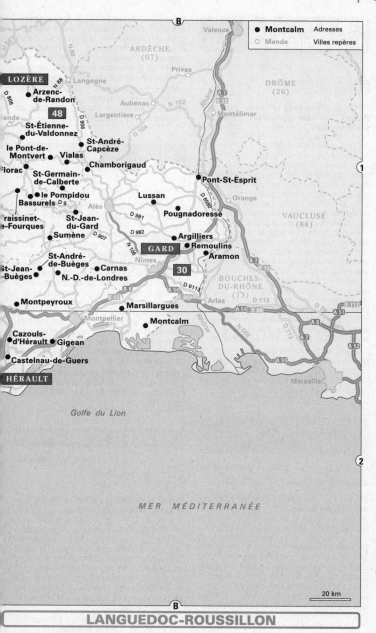

Montcalm — Adresses
Mende — Villes repères

ARDÈCHE (07)

Valence
Privas
Langogne
Aubenas
Largentière
DRÔME (26)
Montélimar

LOZÈRE
Arzenc-de-Randon
48
St-Étienne-du-Valdonnez
le Pont-de-Montvert
Vialas
St-André-Capcèze
Chamborigaud
Florac
St-Germain-de-Calberte
le Pompidou
Bassurels
Fraissinet-de-Fourques
St-Jean-du-Gard
Sumène
Alès
Lussan
Pougnadoresse
Pont-St-Esprit
Orange
VAUCLUSE (84)
Argilliers
GARD
Remoulins
Aramon
Nîmes
St-André-de-Buèges
St-Jean-de-Buèges
Carnas
N.-D.-de-Londres
30
BOUCHES-DU-RHÔNE (13)
Montpeyroux
Marsillargues
Arles
Montpellier
Montcalm
Cazouls-d'Hérault
Gigean
Castelnau-de-Guers
HÉRAULT
Marseille

Golfe du Lion

MER MÉDITERRANÉE

20 km

LANGUEDOC-ROUSSILLON

CASCASTEL-DES-CORBIÈRES 11360

Carte régionale A2

*40 km NO de Perpignan ;
6 km SO de Durban*

€€€€ 🏠 **Chambres d'hôtes Domaine Grand Guilhem (Séverine et Gilles Contrepois) :** *1, chemin du Col-de-la-Serre.* ☎ 04-68-45-86-67. 📱 06-88-79-26-98. *Fax : 04-68-45-29-58.* ● gguilhem@aol.com ● *grandguilhem.com* ● ❄ *Fermé 1 sem en fév.* 📶 Au cœur du vignoble, cette belle demeure en pierre du pays a été entièrement retapée par le sympathique couple qui vous reçoit. Quatre superbes suites avec sanitaires privés. La déco est particulièrement soignée, avec des murs peints de couleurs chaudes, égayés de frises... Mille détails de bon goût rendent l'endroit attachant. Les meubles anciens s'intègrent de façon légère et élégante, comme dans les plus beaux magazines. Luxe suprême, les baignoires à l'ancienne ont même trouvé leur place dans une insolite salle de bains-salon. Comptez 110 € pour 2, petit déj compris. Pour les séjours, un gîte de 6 personnes, avec jacuzzi, loué entre 600 et 810 € la semaine suivant la saison, et un autre de 12 personnes, avec piscine, loué entre 1 430 et 2 100 €. Accueil agréable.

> **Accès :** *de l'A 9 (sortie Sigean) ou de l'A 61 (sortie Lézignan), allez jusqu'à Durban, Villeneuve puis à droite vers Cascastel ; traversez le village, le domaine est à la sortie (route de Quintillan).*

CASTELNAU-DE-GUERS 34120

Carte régionale B2

32 km NE de Béziers ; 17 km N d'Agde

€€ 🏠 ⑩% **Chambres d'hôtes (Michèle et Philippe Vaillé) :** *domaine Saint-Paul-de-Fannelaure.* ☎ 04-67-98-93-87. 📱 06-83-30-00-99. ● contact@fannelaure.com ● *fannelaure.com* ● 📶 Philippe et Michèle perpétuent la tradition familiale : la viticulture. Toute leur production part à la cave coopérative, ce qui ne les empêche pas de faire déguster leur petit vin blanc (ah le... !) : le picpoul de Pinet (sec, idéal avec les coquillages). Dans leur maison au milieu des vignes, ils ont installé 3 chambres : 2 chambres spéciales familles (5 personnes) qui prennent tout l'étage, et une chambre au rez-de-chaussée. Sanitaires privés et climatisation. De 62 à 72 € pour 2 selon la saison, petit déj compris (jus d'orange pressée et confitures maison). Piscine des propriétaires à disposition et petit sentier balisé pour découvrir la garrigue. Quel plaisir de se détendre au milieu des vignes à seulement 15 km de la première plage ! Accueil chaleureux. Une très bonne adresse.

> **Accès :** *d'Agde, prenez la D 13 en direction de Pézenas et sortez à Castelnau-de-Guers ; traversez le village en direction de Pomerols et fléchage à 4 km.*

CAUX-ET-SAUZENS 11170

Carte régionale A2

5 km O de Carcassonne

€€€ 🏠 **Chambres d'hôtes Domaine des Castelles (Isabelle Bretton) :** ☎ et *fax : 04-68-72-03-60.* 📱 06-84-69-31-15. *Ouv mai-oct.* Belle maison de maître plantée dans un immense parc. Isabelle a lâché sa boutique d'art, sur les hauteurs de Paris, pour venir s'installer ici. Déco sans chichis réussie (hi hi !). On aime ces grandes chambres toutes colorées. Sanitaires privés. De 80 à 85 € pour 2, petit déj compris, et 30 € par personne supplémentaire. Également un gîte de 5 personnes pour les séjours prolongés. Isabelle, l'accueil c'est son truc, comme la randonnée, le yoga et la philosophie orientale. Une adresse qui nous a bien plu, tout près de la ville, mais en pleine verdure et au calme.

> **Accès :** *de Carcassonne, prenez la direction de l'aéroport de Salvaza puis la D 119 vers Montréal sur 4 km et suivez le fléchage à gauche.*

CAZOULS-D'HÉRAULT 34120

Carte régionale B2

28 km NE de Béziers ; 6 km N de Pézenas

€€€€ 🏠 **Chambres d'hôtes Villa Saint-Germain (Alix et Richard Guy) :** *13, route de la Grange.* ☎ 04-67-25-28-06. 📱 06-20-19-82-34. ● alixguy@free.fr ● villa-saint-germain.com ● *Fermé janv-mars.* 📶 Superbe demeure de maître installée dans un grand parc aux arbres centenaires. Trois chambres et une suite avec sanitaires privés. Jolie déco qui met en valeur le charme de l'ancien. De 95 à 100 € pour 2, petit déj compris. Agréable piscine pour se détendre. Une adresse au charme indéniable.

> **Accès :** *de Paulhan, direction Pézenas jusqu'à Cazouls ; l'accès à la maison est juste après l'entrée du village sur la gauche.*

CAZOULS-LÈS-BÉZIERS 34370

Carte régionale A2

*28 km N de Narbonne ;
8 km NO de Béziers*

€€ 🏠 |○| 🏇 **Chambres d'hôtes La Noria (Famille Ramos-Barabasz) :** *domaine de la Plaine.* ☎ 04-67-93-58-27. 📱 06-76-50-96-73. ● *la.noria@orange.fr* ● *la-noria.wix. com/la-noria* ●🛜 Belle histoire que celle de cette demeure, ancienne propriété viticole construite par deux moines au XIXᵉ s (il en reste quelques vestiges). Trois coquettes chambres installées au 1er étage de la maison, et une suite (4 personnes) au rez-de-chaussée, avec accès indépendant. Spacieux sanitaires privés. Déco raffinée et campagnarde. De 55 à 60 € pour 2 et 82 € pour 4, petit déj inclus. À la belle saison, vous le prendrez à l'ombre des platanes, en écoutant chanter les cigales (c'est pas beau la vie ?), de même que les repas du soir. Table d'hôtes (quatre soirs par semaine) à 18,50 € tout compris, pour une cuisine méditerranéenne concoctée par Jocia à partir des produits du jardin, sous l'œil averti de Josianne, la maman. Frigo à disposition pour le pique-nique de midi (sympa !). Accueil discret, mais très chaleureux. Bon rapport qualité-prix. Une excellente adresse.

Accès : de Béziers, empruntez la N 112 vers Mazamet jusqu'à Maureilhan, puis la D 162 vers Cazouls-lès-Béziers ; la maison est à 3 km à gauche.

CHAMBORIGAUD 30530

Carte régionale B1

30 km N d'Alès ; 8 km S de Génolhac

€€ 🏠 |○| 🏇 **Chambres d'hôtes Le Mas du Seigneur (Yvonne et Serge Hornung) :** *Altayrac.* ☎ et fax : 04-66-61-41-52. 📱 06-64-33-06-58. ● *horsy.bike@wanadoo.fr* ● *mas-du-seigneur.com* ●🛜 Corps de ferme dominant une superbe vallée. Cinq chambres agréables avec sanitaires privés. Déco et atmosphère médiévales. 63 € pour 2, petit déj compris. Trois gîtes pour ceux qui veulent séjourner et un camping pour les moins fortunés. Tout ce petit monde se retrouve autour de la table d'hôtes. 23 € le repas, apéro et vin compris. Superbe piscine pour profiter du panorama. Accueil courtois.

Accès : bon fléchage depuis Chamborigaud par une petite route sinueuse sur 4,5 km.

COLOMBIÈRES-SUR-ORB 34390

Carte régionale A2

*50 km NO de Béziers ;
7 km O de Lamalou-les-Bains*

€ 🏠 |○| **Chambres d'hôtes (Marie-José Azéma) :** *Sévirac.* ☎ 04-67-95-89-80. *Ouv mars-oct.* Au pied du Caroux, belle maison au cœur d'une propriété de 4 ha, traversée par un ruisseau. Dans une partie indépendante, un coin détente et 3 chambres au rez-de-chaussée. Sanitaires privés. Comptez 49 € pour 2, petit déj compris, et 11 € par personne supplémentaire. Table d'hôtes à 20 €, apéro, vin et café compris. Boulodrome et ping-pong.

Accès : de Lamalou, empruntez la D 908 vers Saint-Pons-de-Thomières ; la maison se trouve à 1 km avt Colombières.

COURNIOU 34220

Carte régionale A2

*58 km NO de Béziers ;
7 km O de Saint-Pons-de-Thomières*

€€ 🏠 🏇 **Chambres d'hôtes (Éliane et Jean-Louis Lunes) :** *Prouilhe.* ☎ 04-67-97-21-59. 📱 06-11-38-07-68. ● *info@metairie-basse.com* ● *metairie-basse.com* ● *Ouv avr-sept ; oct-mars sur résa.* 🛜 À 550 m d'altitude, gentille ferme familiale au cœur d'un petit hameau. Éliane et Jean-Louis produisent des noix et des châtaignes en bio. Dans l'ancienne grange, ils ont aménagé 2 chambres, avec sanitaires privés. Comptez 60 € pour 2, avec un copieux petit déj (délicieux gâteaux maison et du fromage de chèvre !). Pas de table d'hôtes, mais coin cuisine à disposition. Également un gîte pour 2-3 personnes. Accueil convivial. Calme et tranquillité assurés. Une adresse pour se mettre au vert !

Accès : de Saint-Pons, prenez la N 112 vers Mazamet ; traversez Courniou et, à la sortie du village, tournez à droite vers Prouilhe ; la maison est à 3 km.

DIO-ET-VALQUIÈRES 34650

Carte régionale A1

*45 km N de Béziers ;
12 km NE de Bédarieux*

€€€ 🏠 |○| 🏇 **Chambres d'hôtes La Bergerie des Maurelles (Michèle Lauffenburger) :** *Vernazoubres.* ☎ et fax : 04-67-23-00-65. 📱 06-17-97-25-19. ● *maurelles@*

hotmail.com ● *Ouv avr-sept ; résa indispensable.* 🛜 *La Bergerie,* c'est d'abord la montagne et le dépaysement total... On est loin de l'agitation et du bruit. Trois chambres confortables, avec sanitaires privés, dont une qui peut accueillir 4 personnes, et 2 avec accès direct sur le jardin. 73 € pour 2, petit déj compris (fromage blanc et confitures maison). Table d'hôtes à 25 €, apéritif et vin de pays compris. Piscine. Plein de randos à faire (le lac du Salagou est à 12 km).

Accès : de Bédarieux, empruntez la D 35 vers Le Bousquet-d'Orb jusqu'au Mas-Blanc, prenez à droite la D 157 vers Brenas, puis à gauche vers Vernazoubres (n'allez pas à Dio).

ELNE — 66200

Carte régionale A2

13 km SE de Perpignan

€€ 🏠 |●| 🏇 (10 %) **Chambres d'hôtes du Mas de la Roubine (Régine Piquemal-Pastré) :** ☎ 04-68-22-76-72. 📱 06-26-79-00-74. ● contact@mas-roubine.com ● mas-roubine.com ● 🛜 Vieux mas blotti dans une exploitation, au calme. Dans une maison indépendante, Régine a aménagé 3 chambres confortables et bien meublées, à 70 € pour 2 avec le petit déj. À sa table d'hôtes, pour 28 € le repas boissons comprises, vous dégusterez de savoureuses recettes régionales : encornets farcis, lapin à l'ariégeoise, salmis de pintade et desserts maison. Accueil agréable. Anaïs, la fille de Régine, propose des balades à cheval et des cours d'équitation à ceux qui le désirent, et différents types de massages pourront vous être prodigués par une masseuse diplômée. Une adresse qui présente en plus l'avantage d'être à 5 km de la mer et à proximité de nombreux sentiers de randonnée.

Accès : A 9, sortie Perpignan-Sud ; prenez la rocade en direction d'Argelès-sur-Mer ; à Elne, prenez la D 40 ; à l'Intermarché, entrez dans Latour-Bas-Elne, passez devant la mairie, faites 500 m, tournez à droite, passez sur le pont, c'est à 800 m à gauche.

ESPÉRAZA — 11260

Carte régionale A2

50 km S de Carcassonne ;
12 km N de Quillan

€ 🏠 |●| 🏇 (10 %) **Chambres d'hôtes Les Pailhères (Monique et René Pons) :** ☎ et fax : 04-68-74-19-23. 📱 06-14-91-35-43. ● monique.pons.11@wanadoo.fr ● domaine-de-pailheres.fr ● Au cœur du pays cathare, on accède à la ferme de Monique et René par un petit chemin qui serpente entre champs et garrigue. Elle est dans la famille depuis plusieurs générations et ils continuent à l'exploiter : vignoble et élevage de vaches allaitantes qualifiés « Agriconfiance » (bravo !). Cinq chambres avec accès indépendant dans l'ancienne grange : 3 au rez-de-chaussée, une autre à l'étage, la dernière en contrebas de l'agréable terrasse panoramique. Sanitaires privés. Comptez 50 € pour 2, petit déj compris (avec le jus de raisin maison !). Table d'hôtes servie dans la chaleureuse salle à manger des proprios, avec sa cheminée et sa vieille horloge, qui laisse entendre son tic-tac rassurant. Repas à 19 € et priorité aux produits de la ferme (hmm !). Côté intérêts touristiques, des petits classeurs vous aideront à faire votre choix. Accueil authentique et vrai. Une bonne adresse.

Accès : de Carcassonne, empruntez la D 118 en direction de Perpignan ; 3 km après Couiza en direction de Quillan, prenez le chemin à gauche vers Pailhères sur 2 km.

FLORAC — 48400

Carte régionale B1

39 km S de Mende

€€ 🏠 **Chambres d'hôtes La Ferme de Salièges (Claudie et Jean-François Martin) :** Salièges. ☎ 04-66-45-22-51. 📱 06-79-37-01-50. ● lafermedesalieges@wanadoo.fr ● lafermedesalieges.com ● 🛜 Claudie est née dans le hameau (si, si !) et c'est dans l'ancienne écurie des chèvres en schiste et en galet qu'elle a créé 2 chambres d'hôtes mignonnettes avec sanitaires privés. Chacune avec accès indépendant, l'une au rez-de-chaussée, l'autre à l'étage. 51 € pour 2, petit déj compris avec le jus de pomme maison et les délicieuses confitures aux fruits rouges de Claudie. Eh oui, c'est sa 2ᵉ activité. Elle vend sa petite production une fois par semaine au marché de Florac. Atmosphère calme et sereine. Accueil chaleureux et sans façon. Une adresse comme on les aime. *NOUVEAUTÉ.*

Accès : au rond-point de la gendarmerie suivre le fléchage Salièges jusqu'au hameau (1,6 km de Florac).

FRAISSINET-DE-FOURQUES — 48400

Carte régionale B1

30 km SO de Florac ;
15 km NE de Meyrueis

€€ 🏠 |●| **Chambres d'hôtes Ferme de l'Hom (Martine et Julie Turc) :** L'Hom.

☎ 04-66-45-66-14. ● *martine.turc@ orange.fr* ● *ferme-de-lhom.com* ● 🛜 À 1060 m d'altitude, sur le causse Méjean, dans un petit hameau, une ancienne ferme caussenarde recrépie. 2 chambres d'hôtes de 2 et 4 personnes bien tenues, de plain-pied, installées dans un batiment indépendant. Sanitaires privés. 56 € pour 2, petit déj compris et 112 € pour 4. Martine et Julie, la mère et la fille, sont agricultrices ; elles élèvent moutons, vaches allaitantes, cochons et volailles. Une grosse partie de l'élevage est transformée pour la ferme auberge. Aussi elles proposent la demi-pension à 88 € pour 2 et 176 € pour 4, vin et café compris. Au programme, rien que des produits maison et des spécialités régionales. Si votre budget est serré, on peut faire sa popote dans la cuisine du gîte d'étape de 12 places aménagé juste à côté. On peut aussi acheter les produits maison. Accueil convivial. Une adresse vraiment nature. *NOUVEAUTÉ.*

Accès *: de Fraissinet-de-Fourques prenez la D 996 vers Meyrueis puis à droite vers l'Hom (9 km du village).*

GIGEAN   34770

Carte régionale B2

20 km SO de Montpellier ;
12 km N de Sète

€€€ 🏠 🍽️ **Chambres d'hôtes L'Iris Bleu (Roland Niéri) :** *55, av. de la Gare.* ☎ 04-67-78-39-91. 📱 06-82-66-23-11. ● *liris.bleu@wanadoo.fr* ● *lirisbleu. com* ● 🛜 Belle maison vigneronne qui va bientôt fêter son bicentenaire. Au 1er étage, 2 chambres agréables (préférez celle qui donne côté jardin), avec sanitaires privés, à 75 € pour 2, petit déj compris. Table d'hôtes à 24 €, apéro, vin bio et café compris. Grande piscine pour se rafraîchir. Une adresse au calme, pour ceux qui préfèrent être au cœur d'un village.

Accès *: du village, suivez la direction Montbazin, la maison est au centre du bourg, fléchée « Gîtes de France » (merci pour la pub).*

LA CANOURGUE   48500

Carte régionale A1

32 km SO de Mende ;
22 km S de Marvejols

€€ 🏠 🍽️ 🐴 **Chambres d'hôtes La Vialette (Franck Fages) :** *La Vialette.* ☎ 04-66-32-83-00. 📱 06-08-86-57-38. *Fax : 04-66-32-99-63.* ● *domaine.delavia*

lette@gmail.com ● *gite-sauveterre.com* ● *Fermé 10 janv-28 fév inclus.* 🛜 En plein causse de Sauveterre, à 850 m d'altitude. Ensemble de maisons du XIVe s restaurées, avec 5 chambres de caractère avec sanitaires privés. 67 € pour 2, petit déj compris, et 20 € le repas en table d'hôtes, pas systématiquement partagée avec les proprios. Dans l'ancienne grange, sous une magnifique charpente en coque de bateau renversée, grand salon en mezzanine, salle multimédia et piscine intérieure chauffée avec nage à contre-courant et spa ! Pour vos séjours, 2 gîtes pour 2 à 5 personnes. Calme et tranquillité garantis. Accueil chaleureux. Une adresse agréable.

Accès *: La Vialette est à 10 km après La Canourgue (en direction de Sainte-Énimie), en face de La Capelle, sur la D 998.*

LA SALVETAT-SUR-AGOUT   34330

Carte régionale A2

72 km NO de Béziers ;
21 km N de Saint-Pons-de-Thomières

€ 🏠 🍽️ ⑩% **Chambres d'hôtes La Moutouse (Magali Cazals) :** ☎ 04-67-97-61-63 ou 04-67-95-43-99. 📱 06-32-27-18-45. ● *cazals.magali@neuf.fr* ● *loustal-lamoutouse.com* ● *Ouv Pâques-Toussaint.* À 870 m d'altitude, au cœur du parc naturel régional du Haut-Languedoc. La Moutouse est une ancienne ferme familiale. Trois chambres d'hôtes avec sanitaires privés, à 50 € pour 2, petit déj inclus. Table d'hôtes à 15 €. Cuisine familiale et traditionnelle avec les produits de la ferme. Nombreux sentiers de randonnée (un des chemins de Saint-Jacques-de-Compostelle passe à La Moutouse) et plusieurs lacs, qui offrent la possibilité de se baigner.

Accès *: allez à la poste de La Salvetat, prenez la route de gauche sur 4 km et suivez le fléchage.*

LAVAL-DU-TARN   48500

Carte régionale B1

37 km SO de Mende ;
17 km SE de La Canourgue

€€€ 🏠 🍽️ **Chambres d'hôtes La Maison Jeananie (Geneviève Mirmand et Alain Le Floch) :** *Village.* ☎ 04-30-11-77-39. 📱 06-26-56-73-21. ● *mir legen48@neuf.fr* ● *lamaisonjeananie.*

fr ● *Fermé 15 dec-15 janv.* 🛜 À l'orée d'un petit village de 25 âmes, agréable maison des années 1960 qui a depuis longtemps une tradition d'accueil (la maman de Geneviève recevait déjà des hôtes !). Au 2e étage, 3 chambres coquettes avec sanitaires privés mais pour 2 d'entre elles sur le palier. Selon chambre, 60-80 € pour 2, petit déj compris, 100 € pour 4. Table d'hôtes à 23 €, apéro, vin et café compris. Cuisine traditionnelle avec les produits du jardin en saison. Accueil convivial. *NOUVEAUTÉ.*

Accès : *à l'entrée du village en venant de La Canourgue par la D 998.*

LE MONASTIER-PIN-MORIÈS   48100

Carte régionale A1

40 km O de Mende ;
14 km N de La Canourgue

€€€ 🏠 |○| *Chambres d'hôtes (Marie-France et Alexandre Gély) :* *La Tarabelle.* ☎ 04-66-32-76-81. 🖥 06-82-61-09-36. ● latarabelle@gmail.com ● chambre-hote-lozere.com ● *Ouv de fév à fin oct.* 🛜 Pour vivre heureux vivons cachés ! Cette maxime prend ici toute sa dimension car il faut passer devant un grand hangar peu engageant puis descendre un chemin gravillonné de 800 m pour arriver jusqu'à cette magnifique ferme typique de la région avec son toit de lauzes que Marie-France et Alexandre ont construite comme le faisaient les anciens. Difficile de croire que c'est une maison neuve... Le cadre est splendide et le panorama superbe. Ils sont agriculteurs et élèvent des vaches Aubrac pour la viande. 5 chambres de 2 à 4 pers. chaleureuses, toutes différentes où le bois est à l'honneur (le mobilier a été réalisé par vos hôtes avec les arbres de l'exploitation). Certaines avec petit coin salon en mezzanine. Sanitaires privés. Selon la chambre, de 63 à 95 € pour 2, petit déj compris (fouace et confitures maison), 123 € pour 4. Table d'hôtes partagée en famille, à 25 €, apéro, vin et café compris. Cuisine régionale à partir des produits de la ferme, et croyeznous, la liste est longue. Un point de chute pour se mettre au vert, randonner et découvrir le coin. Accueil chaleureux. *NOUVEAUTÉ.*

Accès : *A 75 sortie n° 39 puis D 56 vers Les Salces pendant 7 km jusqu'au lieu-dit La Tarabelle.*

LE POMPIDOU   48110

Carte régionale B1

30 km NO de Saint-Jean-du-Gard ;
23 km SO de Florac

€€ 🏠 |○| ⑩% *Chambres d'hôtes Le Poulailler des Cévennes (Jean-Marie et Catherine Causse) :* ☎ 04-66-60-31-82. 🖥 06-98-28-80-96. ● jm.causse@orange.fr ● *Fermé 20 déc-10 janv.* Dans le village, à l'enseigne du « Poulailler », on élève des volailles et on gave des canards... Cinq chambres sympas avec sanitaires privés (demandez celle qui donne sur le pré), à 56 € pour 2, petit déj compris. Table d'hôtes à 22 €, vin et café compris, à base des produits de la ferme.

Accès : *de Florac, empruntez la D 907 en direction de Saint-Laurent-de-Trèves ; à Saint-Laurent, prenez la D 9 vers Saint-Jean-du-Gard jusqu'au Pompidou.*

LE PONT-DE-MONTVERT   48220

Carte régionale B1

45 km SE de Mende ;
21 km NE de Florac

€€ 🏠 |○| ⌂ *Chambres d'hôtes (Jacqueline Galzin et Mario Pantel) :* *maison Victoire, Finiels.* ☎ 04-66-45-84-36. 🖥 jacqueline.galzin@free.fr ● gites-mont-lozere.com ● 🛜 À 1 200 m d'altitude, grande maison cévenole tout en pierre et en lauze, située dans un hameau tranquille. Cinq chambres simples et spacieuses, avec sanitaires privés. Système demi-pension, à 112 € pour 2 personnes. Petit déj avec gâteau et confitures maison (demandez celle de « gratte-culs »...). Grande salle à manger avec cheminée et de beaux meubles fabriqués par Mario, menuisier-artiste. Le chemin de Stevenson passe par le village, et côté soirées, il arrive que Mario sorte son « piano à bretelles ». Une bonne adresse pour les amateurs de nature.

Accès : *de Mende, prenez la direction de Bagnols-les-Bains par la D 901 ; allez jusqu'à Bleymard et prenez la route du mont Lozère (D 20) ; c'est le 1er village une fois passé le col de Finiels (en hiver, vérifiez que le col est ouvert, sinon passez par Le Pont-de-Montvert).*

€€ 🏠 |○| ⌂ *Chambres d'hôtes et gîtes du Merlet (Perrine Galzin) :* ☎ 04-66-45-82-92. 🖥 06-80-73-46-26. ● lemerlet@wanadoo.fr ● lemerlet.com ● *Résa obligatoire.* 🛜 Au carrefour des Cévennes et du mont Lozère, en pleine montagne, le hameau regroupe plusieurs maisons en granit et en lauze. Panorama de toute beauté, à perte de vue. Cinq chambres doubles, avec sanitaires privés, absolument impeccables. Déco simple. Ici, c'est le système demi-pension qui prévaut, et il vous en coûtera 118 € pour 2. Belle salle de séjour avec magnifique cheminée et four à pain. Et aussi 4 gîtes ruraux (pour 2 à 5 personnes), avec possibilité de prendre des repas à la table d'hôtes. Philippe est accompagnateur de moyenne montagne et vous aidera dans l'organisation de vos randonnées.

Accès : du Pont-de-Montvert, prenez la direction de Génolhac et, à 5 km, suivez le fléchage.

LE POUJOL-SUR-ORB 34600

Carte régionale A2

45 km NO de Béziers ;
2 km NE de Lamalou-les-Bains

€€ 🏠 (10 %) **La Maison d'hôtes (Delphine et Richard) :** 11, pl. de l'Église. ☎ 04-67-95-71-80. 📱 06-16-47-21-59. ● maison dhotes@neuf.fr ● la-maison-dhotes.com ● Fermé 15 nov-15 déc. 📶 Qu'elle est douillette cette ancienne demeure de village retapée avec amour par un jeune couple fort sympathique ! Quatre chambres charmantes (dont 2 suites), avec sanitaires privés. Les amoureux choisiront la « suite d'Antan », très vaste, avec lit à baldaquin. Selon la chambre, de 60 à 79 € pour 2, petit déj compris, et 15 € par personne supplémentaire. Dans les anciennes cuves à vin, on papote autour d'un verre, on bouquine ou on se fait une petite partie de billard. Delphine et Richard organisent aussi des stages de peinture et d'orfèvrerie. Une adresse comme on les aime.

Accès : de Lamalou, D 908 vers Saint-Pons jusqu'à Poujol ; la maison est au cœur du village.

LE ROZIER 48150

Carte régionale A1

60 km SO de Florac ;
22 km O de Meyrueis

€€ 🏠 **Chambres d'hôtes La Pause (Pierrette et Francis Espinasse) :** route de Capluc. ☎ 05-65-62-63-06. 📱 06-43-06-69-36. ● gite.la.pause@wanadoo.fr ● chambres-hotes-gorgesdutarn.com ● 📶 Maison récente toute en pierre des années 1980 qui domine le village et qui jouit d'une superbe vue sur Peyreleau,

cité médiévale sur la colline juste en face mais domiciliée dans l'Aveyron (la Jonte sépare les 2 départements et se jette ici dans le Tarn). Au 1er étage, 5 chambres coquettes et bien tenues, avec sanitaires privés. Une préférence pour « Saint-Jean-de-Balme » qui bénéficie du plus joli panorama. 62 € pour 2, petit déj compris. Pas de table d'hôtes mais les restos ne manquent pas dans le village. Agréable piscine. Une bonne adresse pour découvrir le coin ou pour les kayakistes. Bon rapport qualité-prix-convivialité. *NOUVEAUTÉ.*

Accès : sur les hauteurs du village (bon fléchage depuis le centre).

LEUCATE 11370

Carte régionale A2

33 km N de Perpignan ;
14 km S de Sigean

€€€€€ 🏠 (10 %) **Chambres d'hôtes La Franqui (Nathalie Chappert-Gaujal) :** 20 bis, rue de la Fount-d'Amand, La Franqui-plage. 📱 06-79-18-37-30. ● chappert-gaujal@wanadoo.fr ● chambreslafranqui.com ● 📶 Une passerelle, une porte qui s'ouvre... et la vue apparaît dans toute sa beauté ! Les 3 chambres (avec accès indépendant), d'un charme fou, sont là, arrimées à la terrasse qui s'étend vers le lac marin, la plage et la mer ! Des chambres luxueuses, fraîches et design, aménagées par Nathalie et décorées d'œuvres de son artiste de mari. Selon la saison, de 110 à 135 € pour 2, avec un copieux petit déj de rêve (selon la bonne humeur de la chef !), servi sur la terrasse. Confort douillet, vue imprenable sur l'horizon au-dessus des pins. Accueil chaleureux et plein de petites attentions pour les hôtes. Cadre d'exception. Une merveille de coup de cœur.

Accès : dans le village, suivez l'av. du Languedoc, puis la rue de la Falaise (fléchage « La Chapelle »).

LIMOUX 11300

Carte régionale A2

24 km SO de Carcassonne

€€€ 🏠 (10 %) **Chambre d'hôtes Domaine La Monèze Basse (Tania et Jérémy) :** ☎ 04-68-31-66-43. ● lamoneze@orange.fr ● lamoneze.com ● 📶 Jérémy et Tania ont rénové pour notre plus grand plaisir cette vieille bâtisse vigneronne plantée sur un ancien domaine limouxin. Ils vous accueilleront de façon vraiment chaleureuse. Au salon comme dans les 5 chambres, vieux matériaux côtoient mobilier et tons contemporains au gré d'une décoration de très bon goût. Certaines chambres donnent sur la campagne, d'autres sur le parc, la plus grande ayant les 2 expositions. Selon taille et saison, de 75 à 95 € pour 2 petit déj compris, servi dans le jardin aux beaux jours. Quant au parc, il vous tend les bras pour un moment de détente.

Accès : à 2,5 km du centre ; suivez la D 620 direction Mirepoix, puis la D 102 à droite, c'est fléché ensuite à gauche.

LUSSAN 30580

Carte régionale B1

30 km E d'Alès ;
25 km O de Bagnols-sur-Cèze

€ 🏠 🏇 **Chambres d'hôtes et ferme équestre (M. et Mme Cailar) :** *mas de Rossière.* ☎ *et fax : 04-66-72-96-57.* ● *spectacle-equestre30.e-monsite.com* ● *Ouv juin-oct. Résa obligatoire.* 📶 Ferme équestre avec 2 petites chambres d'hôtes simples, avec salles de bains privés, à 48 € pour 2, petit déj compris. Une salle avec coin cuisine à disposition. Également un gîte pour 5 personnes pour ceux qui souhaitent séjourner plus longtemps. Promenades à cheval (14 € de l'heure). Une adresse pour cavaliers.

Accès : de Lussan, prenez la D 37 vers Saint-Amboix sur 3 km et suivez le fléchage à gauche.

€€€ 🏠 🍽️ **Chambres d'hôtes Les Buis de Lussan (Françoise et Thierry Vieillot) :** *rue de la Ritournelle.* ☎ *04-66-72-88-93.* 📱 *06-79-72-53-27.* ● *buisdelussan@free. fr* ● *buisdelussan.free.fr* ● *Fermé de janv à mi-fév.* 📶 Dans l'un des plus beaux villages perchés du Gard (classé « Village de caractère »), jolie maison du XVIIIᵉ s. Chambres charmantes avec leur déco très Sud. Sanitaires privés. 85 € pour 2, petit déj compris. Croquignolet jardin, interprétation méditerranéenne de l'art japonais de la taille, avec bassin jacuzzi pour se rafraîchir aux heures chaudes. D'ici, on domine la campagne alentour joliment vallonnée. Table d'hôtes à 25 €, apéro et vin compris, pour découvrir quelques secrets de Thierry, ancien restaurateur. Cuisine parfumée tendance méditerranéenne. Aux beaux jours, petit déj et repas se prennent sous la tonnelle. Excellent accueil. Si vous séjournez ici, faites comme les locaux : le tour des remparts au soleil couchant ; vous verrez, ça remplace avantageusement la télé...

Accès : d'Uzès, D 979 jusqu'à Lussan ; la maison se trouve à l'entrée du bourg, côté rempart sud.

MARSILLARGUES 34590

Carte régionale B1-2

26 km E de Montpellier ;
4 km SE de Lunel

€€€ 🏠 🍽️ **Chambres d'hôtes Au Soleil (Catherine Maurel) :** *9, rue Pierre-Brossolette.* ☎ *04-67-83-90-00.* 📱 *06-89-54-26-69.* ● *catherine.maurel@ausoleil. info* ● *ausoleil.info* ● Chiner demande du temps, mais surtout un vrai talent, dont Catherine ne manque pas. Ses trouvailles lui ont permis de décorer sa belle maison de maître avec un goût très sûr, choisissant tour à tour un style printanier, rustique ou bourgeois pour chacune de ses 3 jolies chambres climatisées, avec sanitaires privés. 75 € pour 2, petit déj compris. Un charme indéniable, renforcé par les petits déj servis dans un adorable patio. Possibilité de table d'hôtes à 25 €.

Accès : dans le village.

MONS-LA-TRIVALLE 34390

Carte régionale A2

47 km NO de Béziers ;
12 km O de Lamalou-les-Bains

€ 🏠 🍽️ **Gîte d'étape Le Presbytère (Roland Arnaud) :** 📱 *06-07-56-51-69.* ● *arnaud-roland@wanadoo.fr* ● *Ouv de mi-mars à mi-déc.* 📶 Après avoir gravi la « rue de la Condition-Physique », on découvre un délicieux presbytère aménagé en gîte d'étape de 18 places. Superbe vue sur la vallée. Comptez 12 € par personne et par nuit, plus 6 € le petit déj. Possibilité de repas sur demande à 16 € et de panier pique-nique à 8 €. Également une chambre d'hôtes à 45 € pour 2, avec le petit déj. Accueil chaleureux des propriétaires, qui proposent des randonnées pour découvrir le coin.

Accès : dans la partie haute du village.

MONTCALM 30600

Carte régionale B2

50 km S de Nîmes ;
10 km NE d'Aigues-Mortes

€€€ 🏠 ⑩% **Chambre d'hôtes des Pierrades (Virginia Rutyna) :** *106, rue du Château.* ☎ *04-66-73-52-72.* 📱 *06-51-31-48-82.* ● *contact@lespierrades. fr* ● *lespierrades.fr* ● *Fermé à Noël.* À l'ombre des ruines du château de Montcalm, au cœur de la Camargue et de ses fêtes. Une chambre, pour 2 à 4 personnes, avec sanitaires privés, à 80 € pour 2, petit déj compris. Moustiquaires aux fenêtres et eau chaude solaire. Propose aussi un appartement pour 4 à 7 personnes, loué entre 335 et 565 € la semaine selon la saison. Piscine. Jeux pour les enfants. Première plage à 15 km.

Accès : d'Aigues-Mortes, faites 10 km en direction des Saintes-Maries-de-la-Mer et suivez le fléchage.

MONTPEYROUX   34150

Carte régionale B1

25 km E de Lodève ; 7 km N de Gignac

€€ 🏠 |○| **Chambres d'hôtes L'Ostal del Poeta (Sylvie et Jean-Paul Creissac) :** 11, rue de l'Église. ☎ et fax : 04-67-96-64-79. ● creissac@wanadoo.fr ● creissac. free.fr ● Dans cette maison vigneronne bien cachée au cœur du village flotte l'âme du Languedoc : les 2 chambres confortables, avec sanitaires privés, ont hérité du mobilier de famille, la jolie salle commune est remplie de bouquins sur le pays, les gâteaux du petit déj sont cuisinés maison et les vers du vigneron-poète, maître de céans, sont déclamés en occitan ! 62 € pour 2, petit déj compris. Sur réservation, possibilité de table d'hôtes (sauf le dimanche) à 20 €, ou cuisine à disposition pour se préparer un frichti. Galerie à l'étage pour l'apéro, jardin de curé pour prendre le frais. Accueil chaleureux.

Accès : dans le village.

MONTSÉRET   11200

Carte régionale A2

40 km SE de Carcassonne ; 18 km SO de Narbonne

€€ 🏠 **Chambres d'hôtes Domaine Sainte-Marie-des-Ollieux (Sylvette Mounié) :** ☎ 04-68-43-59-20. 📱 06-75-51-48-65. ● sylvette-mounie@orange.fr ● ste-marie-des-ollieux.com ● 🛜 Ce domaine viticole du XIXe s'est la propriété familiale de Sylvette, nichée dans un vaste parc propice à la détente. 3 chambres d'hôtes agréables avec clim et sanitaires privés, à 65 € la nuit pour 2, petit déj compris. Une bonne adresse pour découvrir abbayes et châteaux du pays cathare, surtout si vous prêtez une oreille attentive à Martine, la sœur de Sylvette, qui est historienne de l'art...

Accès : de Narbonne, prenez la direction de Fontfroide, le domaine est à l'intersection de la D 613 et de la D 123 (à 7 km de l'abbaye).

NASBINALS   48260

Carte régionale A1

50 km NO de Mende ; 23 km NO de Marvejols

€€ 🏠 |○| 🅟 **Chambres d'hôtes Les Puechs de l'Aubrac (Jeanine Boyer) :** Marchastel. ☎ 04-66-32-53-79. 📱 06-75-75-72-21. ● location-gites-aubrac.com ● Fermé en hiver. Au cœur de l'Aubrac et aux confins de la Lozère, du Cantal et de l'Aveyron. Dans l'ancienne grange restaurée, Jeanine et André ont aménagé 5 chambres : 2 au rez-de-chaussée et 3 à l'étage. Sanitaires privés. 55 € pour 2, petit déj compris (toujours avec une petite douceur maison : brioche, gaufres ou fouace). Goûteuse cuisine qui vous fera découvrir les spécialités du terroir (farçou, aligot, truffade, paschade...), pour 18,50 € le repas, vin compris. Accueil chaleureux. En été, à vous les randos dans l'Aubrac (le GR 65 passe tout près).

Accès : de Marvejols, empruntez la D 900 en direction de Nasbinals ; Marchastel se trouve 5 km avt, sur la droite (fléchage).

€€€ 🏠 ⑩% **Chambres d'hôtes Lô d'Ici (Laurence Rieutord) :** ☎ 04-66-32-92-69. 📱 06-80-28-51-12. ● contact@lodici-aubrac.com ● lodici-aubrac.com ● Fermé 11 nov-10 déc, et mer oct-avr. 🛜 Laurence, charmante fille du pays, a ouvert cette magnifique adresse dans son village natal. Déco contemporaine très réussie, structure et matériaux anciens de cette vieille grange alliés au métal et aux meubles modernes, lumière et couleurs douces en camaïeu de bleu, vert, ocre... À l'étage, 4 chambres en duplex (pour 2 à 6 personnes), toutes décorées soigneusement et inspirées par la nature de l'Aubrac (« Lôvive », « Lôrizon », « Lôdyssée » et « Lôbrac »). Chambres à partir de 75 € pour 2 (28 € la nuit pour les pèlerins) ; petit déj à 8,50 €. Petite boutique de vente de produits régionaux, de cosmétiques, mais aussi d'objets et œuvres d'artisans de la région. Chaises longues pour buller dans le jardin, accueil tout en douceur...

Accès : dans le village.

NOTRE-DAME-DE-LONDRES   34380

Carte régionale B1

33 km N de Montpellier

€€ 🏠 **Chambres d'hôtes Domaine du Pous (Patrick de Morogues) :** ☎ 04-67-55-

01-36. 📠 *06-30-80-38-39.* ● *lepous@orange. fr* ● *domainedupous.fr* ● *Ouv mai-sept.* Au milieu des garrigues et des vignes, vaste domaine qui appartient à la famille depuis la Révolution (une paille !). Aujourd'hui, tous les bâtiments sont ouverts aux touristes. D'abord, l'ancienne demeure, où nichent 4 chambres d'hôtes confortables, avec sanitaires privés. Selon la chambre, de 65 à 75 € pour 2, petit déj compris, et 15 € par personne supplémentaire. Dans le séduisant salon, quatre admirables statues (les Quatre Saisons) supportent le plafond. Ici, on apprécie le calme, ponctué par le chant des cigales. Au fait, on oubliait la chapelle... Elle n'est ouverte que pour les célébrations familiales, mais si vous voulez la voir, Patrick fera une petite entorse à la règle. Ceux qui s'adonnent à la marche ou au VTT trouveront de nombreux chemins de randonnée.

Accès : *de Montpellier, prenez la D 986 en direction de Ganges sur 30 km ; 6 km après Saint-Martin-de-Londres, tournez à droite vers Ferrières-les-Verreries et suivez le fléchage.*

PLANÈS 66210

Carte régionale A2

90 km SO de Perpignan ;
5 km SE de Mont-Louis

€ 🏠 |⊙| 🏡 ***Chambre d'hôtes Le Malaza (Anne-Marie Allies) :*** *hameau Al Castell.* ☎ *04-68-04-20-99.* 📠 *06-66-29-03-79.* ● *annemarie.allies@orange.fr* ● *Sur résa.* 📶 Le Malaza, c'est le nom de la montagne qui domine le petit village de Planès, à 1 550 m d'altitude. Anne-Marie, qui prodigue un accueil discret et chaleureux, y propose une chambre d'hôtes, à 50 € pour 2, petit déj compris. Repas à la demande pour 15 €. Une adresse idéale pour les randonneurs et les sportifs, car vous êtes sur le GR 10 !

Accès : *A 9, sortie Perpignan-Nord, puis N 116 vers Prades/Andorre ; à Mont-Louis, prenez à gauche direction La Cabanasse/Saint-Pierre-dels-Forcats/Planès ; à Planès, 1re maison à gauche, dans un pré, en arrivant du village.*

PONT-SAINT-ESPRIT 30130

Carte régionale B1

14 km S de Bourg-Saint-Andéol ;
10 km N de Bagnols-sur-Cèze

€€€ 🏠 |⊙| 🏡 ⑩% ***Chambres d'hôtes du domaine de Lamartine (Mme d'Anselme) :*** *636, chemin de Lamartine.* ☎ *04-66-79-20-24.* 📠 *06-80-36-32-72.* ● *contact@domaine-lamartine.com* ● *domaine-lamartine. com* ● 📶 Gentilhommière ou château ? Peu importe, cette adresse a de l'allure. Allée de platanes, tours rondes, superbe parc à l'arrière avec piscine... le décor est planté. Un escalier à vis conduit à 4 belles chambres avec sanitaires privés. Déco où se mêlent portraits de famille et meubles de belle facture. 70 € pour 2, petit déj compris. Table d'hôtes à 22 €, vin compris, avec les légumes du potager. Sur place, également un gîte de 6 personnes pour les séjours, et un gîte d'étape de 15 lits. Accueil agréable.

Accès : *à 3 km de Pont-Saint-Esprit, sur la route de Bourg-Saint-Andéol.*

POUGNADORESSE 30330

Carte régionale B1

40 km NE de Nîmes ; 18 km NE d'Uzès

€€€ 🏠 |⊙| 🏡 ***Chambres d'hôtes Maison Pons (Florence et Mathieu Pons) :*** *mas Carrière.* ☎ *04-66-82-91-88.* 📠 *06-08-32-46-44.* ● *maison.pons@wanadoo.fr* ● *maisonpons.com* ● *Fermé janv-fév.* 📶 Au milieu des vignobles des côtes du Rhône, cette ancienne bergerie a pu renaître de ses cendres grâce aux efforts de Florence et Mathieu. Elle abrite 3 chambres, dont une suite avec kitchenette pour 3 personnes, toutes avec sanitaires privés et climatisation. De 65 à 75 € pour 2, petit déj compris. Dans la maison, plein d'affiches, de photos et de CD... Florence est violoniste de jazz (elle a joué, entre autres, avec Stéphane Grappelli), mais elle a aussi à cœur de gâter ses hôtes à sa table ; les repas (27 €, boissons et café compris) sont servis sous la tonnelle : cuisine méditerranéenne, provençale et produits du jardin biologique (ah ! les terrines de poisson, la daube aux olives, ou encore le poulet aux citrons confits...). Joli jardin arboré et piscine pour se prélasser. Également un gîte tout confort pour 2 à 5 personnes pour qui souhaite séjourner. Accueil très chaleureux.

Accès : *de Bagnols-sur-Cèze, direction Cavillargues ; dans le village, prenez direction Pougnadoresse ; faites 2 km et prenez le petit chemin à gauche sur 50 m (maison ocre jaune un peu en retrait).*

POUZOLS-MINERVOIS 11120

Carte régionale A2

35 km E de Carcassonne ;
4 km N du canal du Midi

€€€ 🏠 |⊙| 🏡 ⑩% ***Chambres d'hôtes Domaine de Crèva Tinas (Anne*

Chardonnet-Torres) : *1, chemin de Saint-Valière.* ☎ 04-68-46-38-69. 🖥 06-20-60-47-83. ● *anne.chardonnet-torres@wanadoo.fr* ● *domainedecreva-tinas.gites11.com* ● *Fermé à Noël.* Au milieu des vignes et des pins, Anne est une viticultrice enthousiaste, qui vous accueillera avec simplicité et naturel. 4 chambres confortables et colorées avec salles d'eau privées, de 64 à 75 € pour 2 selon saison, petit déj compris. et 15 € par personne supplémentaire. Possibilité de table d'hôtes (souvent servie à l'extérieur), pour 24 €. Après un séjour ici, vous saurez tout sur la vigne et le vin, sans oublier les balades à pied ou en VTT alentour (le convoyage des bagages et des voyageurs est d'ailleurs assuré depuis le canal jusqu'au domaine). Également une agréable piscine. Accueil convivial.

Accès : *prenez la route de Carcassonne à Béziers, jusqu'à Pouzols ; en face de la coopérative, suivez le chemin qui s'éloigne du village, la maison est à 200 m, au pied de la pinède.*

PRATS-DE-MOLLO   66230

Carte régionale A2

55 km SO de Perpignan ;
10 km de l'Espagne

€€€ 🏠 **Chambres d'hôtes Mas El Casal (Jane et Patrick Maison) :** *route du col d'Arès.* 🖥 06-72-82-28-61. ● *elcasal66@gmail.com* ● *chambres-hotes-catalogne.com* ● *Fermé au carnaval.* 📶 Avouez que Maison est un nom prédestiné pour accueillir des hôtes ! La leur (de maison), chaleureuse et superbement aménagée, est une ancienne étable. Ils a délaissé ses bovins mais gardé leurs attributs : mangeoires, abreuvoirs... intégrés avec goût dans la déco de 2 vastes chambres tout confort et de la grande pièce commune où se prend le petit déj. 80 € pour 2, petit déj compris. Vue imprenable sur les magnifiques montagnes environnantes. Un lieu parfait pour établir le camp à la découverte des environs.

Accès : *à 5 km en direction de l'Espagne par la D 115.*

REMOULINS   30210

Carte régionale B1

20 km O d'Avignon ; 17 km NE de Nîmes

€€€€ 🏠 (10 %) **Chambres d'hôtes Bize de la Tour (Pierre Ducruet) :** *2, pl. du Portail.* ☎ 04-66-22-39-33. 🖥 06-46-12-63-44. ● *contact@bizedelatour.com* ● *bizedelatour.com* ● 📶 Belle demeure de caractère avec une tour du XIIe s. 4 chambres

élégantes, avec sanitaires privés, dont une sous forme de suite de 2 chambres. Chacune avec sa couleur dominante qui décline les tentures murales, ciels de lit, rideaux, et font écrin au beau mobilier de style. 100 € pour 2, petit déj gourmet compris. Une adresse de charme.

Accès : *de l'A 7, à la hauteur d'Orange, prenez l'A 9 vers Barcelone sortie Remoulins ; au rond-point, N 100 vers Nîmes puis Remoulins-Centre, et au 3e feu, à droite vers Uzès, la maison est en face de l'église.*

ROQUEFORT-DES-CORBIÈRES   11540

Carte régionale A2

25 km S de Narbonne ;
13 km N de Leucate

€€ 🏠 |●| (10 %) **Chambres d'hôtes Zenaïde (Anne Escalier) :** *27, rue des Chasseurs.* ☎ 04-68-48-66-09. 🖥 06-62-98-70-13. ● *zenaide@wanadoo.fr* ● *zenaide.net* ● *Fermé en janv.* 📶 Dans ce mignon village, belle et grande demeure vigneronne du XIXe s, réunion de 3 maisons dont la première fut achetée par les ancêtres d'Anne en 1870 ! 5 chambres, dont une familiale, installées aux 1er et 2e étages. La déco élégante prend des côtés brocante avec cette antique chaise à bébé transformée en chevet, ces cadres de grands-parents au mur... Les nostalgiques du métro-dodo demanderont la chambre avec sa baignoire revêtue de carreaux façon métro parigot. Et pour ne rien gâcher, cet aspect rétro n'empêche en rien un équipement moderne et complet, dont la clim. Selon la chambre, de 58 à 60 € pour 2, petit déj compris, et 85 € pour 4. Table d'hôtes occasionnelle à 18 €, vin compris. Anne est un fin cordon-bleu qui vous régalera de bons plats régionaux (tendance bio) servis dans l'ancien chai. Sinon, elle vous confectionnera un petit plateau ou une planche pour manger dans le jardin ou dans votre chambre (à partir de 10 € par personne). Première plage à 8 km. Accueil charmant.

Accès : *au cœur du village.*

SAINT-ANDRÉ-CAPCÈZE   48800

Carte régionale B1

60 km SE de Mende ; 7 km S de Villefort

€€ 🏠 |●| (10 %) **Chambres d'hôtes Au Portaou (Patricia Tholet et Hans-Dieter**

Rocher) : *Valcrouzès.* ☎ 04-66-46-20-10. ● au-portaou@wanadoo.fr ● au-portaou. com ● *Fermé 15 nov-1er fév, sf entre Noël et le Nouvel An.* 🛜 Cadre idyllique pour cette très belle adresse, isolée en pleine nature. Mas cévenol de la fin du XVIIIe s, superbement restauré par Patricia et Hans, un couple belgo-allemand très accueillant. 4 chambres coquettes et confortables (accès indépendant), dont une aménagée dans l'ancienne clède et avec lit en mezzanine. Source et plan d'eau pour se rafraîchir, jardin en terrasses et tonnelle ombragée. De 55 à 60 € pour 2, avec le petit déj (pas moins de 25 confitures maison !), et savoureuse table d'hôtes à base de produits maison ou locaux, majoritairement bio, à 20 € tout compris (menu végétarien ou pour intolérants au gluten sur demande). Également un gîte de 4-6 personnes sur place et une cuisine d'été. Possibilité de stages à thème. Une adresse propice aux séjours prolongés...

Accès : *de Villefort, direction Saint-André-Capcèze puis Vielvic, et fléchage vers Pont-Perdu-Valcrouzès.*

SAINT-ANDRÉ-DE-BUÈGES　　34190

Carte régionale B1

45 km NO de Montpellier ; 13 km SO de Ganges

€€€€ 🛏 |●| ⑩% *Chambres d'hôtes* **Mas de Bombequiols (Anne-Marie Bouec et Rolan Dann) :** *Bombequiols.* ☎ 04-67-73-72-67. 📱 06-83-54-44-60. ● bombequiols@wanadoo.fr ● masde bombequiols.free.fr ● 🛜 Magnifique bastide médiévale située dans un cadre enchanteur, restaurée avec goût. Six chambres avec salles de bains privées et déco personnalisée. Mobilier superbe et très beaux matériaux. Évidemment, tout cela n'est pas à la portée de tous... alors routards aisés, comptez de 90 à 130 € pour 2, petit déj compris. Possibilité de repas à la table d'hôtes (le soir uniquement, et sur réservation) pour 30 €, apéro et vin compris. Bons produits du terroir. Idéal pour les cadres sup' parisiens surmenés et stressés, ils trouveront ici une hôtesse qui saura les mettre au vert. Et il y a même une piscine !

Accès : *après avoir passé le village de Brissac (entre Ganges et Saint-André-de-Buèges), Bombequiols est indiqué à 5 km sur la gauche.*

SAINT-CYPRIEN　　66750

Carte régionale A2

17 km SE de Perpignan ; 10 km N d'Argelès

€€ 🛏 |●| 🐴 *Gîte Les Aulnes (Serge Berdaguer) :* chemin de la Varnède. ☎ 04-68-21-97-97. 📱 06-30-38-97-32. ● berdaguer. gites@wanadoo.fr ● giteslesaulnes. fr ● 🛜 À 1,5 km des plages, exploitation agricole où Serge et Michel, son frère, élèvent des chevaux. Par un escalier extérieur on accède aux 3 chambres, claires, gaies et résolument modernes. Sanitaires privés. 60 € pour 2, copieux petit déj compris, servi sur une grande terrasse aux beaux jours. Coin pique-nique avec barbecue à disposition. Si vous aimez les chevaux, Serge organise, de juin à septembre, des « balades gourmandes » en calèche, pour découvrir le terroir catalan au pas des chevaux de trait. Également des gîtes (2 à 5 personnes) pour ceux qui souhaitent séjourner. Accueil chaleureux. Bon rapport qualité-prix-convivialité. Une gentille adresse.

Accès : *A 9, sortie Leucate en direction de Barcarès et Canet jusqu'à Saint-Cyprien ; traversez Saint-Cyprien-Page en direction du village puis tournez à droite en direction des Aulnes.*

SAINT-ÉTIENNE-DU-VALDONNEZ　　48000

Carte régionale B1

28 km SE de Mende ; 25 N de Florac

€ 🛏 |●| *Chambres d'hôtes de la Fage (Madeleine et Georges Meyrueix) :* ☎ 04-66-48-05-36. ● gites-refuges.com ● *Ouv de début avr à mi-nov.* En pleine nature, pour ceux qui affectionnent les adresses isolées... Hameau typique en pierre et lauze. Les Meyrueix y tiennent 2 chambres d'hôtes avec sanitaires privés. Comptez 50 € pour 2, petit déj inclus. Possibilité de repas (sauf le dimanche) en compagnie des proprios pour 18 €, vin compris. Spécialités de saucisse aux herbes, soupe aux légumes du jardin, fromages de pays. Tranquillité et calme assurés. GR 44 et proximité des GR 68 et 43.

Accès : *au col de Montmirat, prenez la D 35 vers Pont-de-Montvert pdt 6 km, puis tournez à gauche au fléchage « La Fage » (n'allez pas à Saint-Étienne-du-Valdonnez).*

SAINT-GERMAIN-DE-CALBERTE   48370

Carte régionale B1

40 km SE de Florac ; 40 km NO d'Alès

€€ 🏠 |●| 🐾 **Chambres d'hôtes (Sabine et Gérard Lamy) :** *Vernet.* ☎ 04-66-45-91-94. • gerardsabine.lamy@orange.fr • ver netcevennes.com • *Ouv 1er avr-15 nov. Slt sur résa.* Vous avez dit nature ? C'est par une petite route forestière de 3,6 km que vous arriverez jusqu'à ce charmant petit hameau situé au cœur du parc national des Cévennes (maisons en pierre et toits de lauze). Sabine et Gérard sont agriculteurs, ils élèvent moutons pour la viande et ânesses pour la reproduction. 5 chambres à l'atmosphère sereine, avec du mobilier réalisé par des artisans locaux. Sanitaires privés. Comptez 60 € pour 2, petit déj compris (délicieuses confitures de châtaigne et de framboise). Table d'hôtes à 19 €, apéro, vin et café inclus. Une cuisine saine à partir des produits de la ferme. Gérard, maire du village, amoureux inconditionnel de la nature et de son hameau, est aussi hydro-biologiste ; il organise des randos sur le thème de l'eau. Accueil chaleureux. Une adresse comme on en voit peu...

> **Accès :** de Florac, prenez la N 106 en direction d'Alès jusqu'au col de la Jalcreste, puis la D 984 vers Saint-Germain-de-Calberte ; après Saint-André-de-Lancize, tournez à droite vers Vernet.

SAINT-HILAIRE   11250

Carte régionale A2

*70 km SO de Narbonne ;
14 km S de Carcassonne*

€€ 🏠 **Chambres d'hôtes Aux Deux Colonnes (Joël Thevenot et Pierre Hoyos) :** *3, av. de Limoux.* ☎ 04-68-69-41-21. 🖥 06-75-58-26-14. • auxdeuxco lonnes@aol.com • auxdeuxcolonnes. com • *Fermé janv-fév.* Au centre du village, mais au calme, belle maison de maître restaurée avec amour par ses propriétaires. Joël est peintre et décorateur, et il se dégage de l'ensemble une atmosphère raffinée, notamment grâce aux meubles achetés au hasard de visites chez les antiquaires. 3 chambres d'hôtes élégantes et personnalisées au 1er étage et 2 autres en duplex. Sanitaires privés. Selon la chambre, de 55 à 65 € pour 2, petit déj compris. Pas de table d'hôtes, mais plusieurs restos à proximité. Accueil chaleureux. Bien sûr, l'abbaye et son cloître du VIIIe s valent une petite visite (vous n'avez que la rue à traverser).

> **Accès :** de Carcassonne, ne prenez pas la D 108, mais la D 104 vers Saint-Hilaire qui passe par Cavanac et Leuc (la maison est en face de l'abbaye).

SAINT-JEAN-DE-BUÈGES   34380

Carte régionale B1

*43 km NO de Montpellier ;
18 km SO de Ganges*

€€ 🏠 🐾 ⑩% **Chambres d'hôtes du Grimpadou (Jean-Luc Coulet) :** ☎ 04-34-46-91-84. 🖥 06-07-78-57-24. • legrimpadou@hotmail.fr • minisite.gdf34. com/le-grimpadou • *Fermé janv.* 📶 Dans ce village médiéval, 4 chambres d'hôtes avec sanitaires privés, de 58 à 68 € pour 2, petit déj compris. Pas de table d'hôtes, mais une cuisine à disposition avec salle à manger et plusieurs restos dans le village. Une adresse pour découvrir l'un des plus pittoresques villages de la Séranne.

> **Accès :** dans le village, près du château médiéval.

€ 🏠 |●| 🐾 ⑩% **Gîte de groupe L'Aire de la Séranne (Konstanze Baade) :** ☎ 04-67-73-11-19. 🖥 06-51-76-31-17. Fax : 04-67-73-10-84. • horizonsseranne@ libertysurf.fr • seranne.org • *Résa conseillée.* Au cœur d'un des villages les plus pittoresques de la haute vallée de l'Hérault, gîte tenu par une non moins pittoresque jeune Allemande et pouvant accueillir une vingtaine de personnes en chambres et dortoirs, sobres et bien tenus. Comptez 16 € la nuit par personne, 6 € le petit déj, et 39 € en demi-pension. Cuisine familiale. Diverses activités possibles (découverte de la faune et de la flore, soirées contes, visite d'une réserve naturelle privée...).

> **Accès :** à côté de la petite place aux deux platanes.

SAINT-JEAN-DU-GARD   30270

Carte régionale B1

25 km O d'Alès

€€ 🏠 **Chambres d'hôtes Les Fromentières (Gladys Chagnolleau et Laurent Polti) :** *Les Plaines.* ☎ et fax : 04-66-85-10-25. • gla dys.chagnolleau@wanadoo.fr • pagesperso-orange.fr/chambres-lesfromentieres •*Ouv* *d'avr à mi-nov.* En pleine nature, au milieu des bois, un petit chemin mène à la vieille ferme XVIᵉ s de Laurent. Avec Gladys, ils cultivent des fruits, des plantes aromatiques bio et élèvent des moutons et des ânes. Dans l'ancienne bergerie, belle pièce à vivre avec poutres, cheminée et murs enduits à la chaux (et petite cuisine à disposition des hôtes). À l'étage, 4 chambres douillettes et joliment décorées de tableaux et cadres de famille, à 63 € pour 2, petit déj compris.

Accès : à Saint-Jean-du-Gard, dirigez-vous vers la gare du petit train ; prenez à gauche la route des Plaines devant la gare et suivez le fléchage.

SAINT-MARTIN-LE-VIEIL 11170

Carte régionale A2

20 km E de Castelnaudary ;
4 km O de Montolieu

€€€ 🏠 *Chambres d'hôtes Abbaye de Villelongue (Jean Eloffe) :* 📱 06-61-44-36-24. ● abbaye-de-villelongue.com ● *Fermé 1 sem à Noël.* C'est dans une abbaye que Jean vous propose de séjourner (j'y crois pas !). Le cadre est grandiose et le travail de restauration et de décoration admirable. Les 4 chambres, toutes différentes et charmantes, respectent l'harmonie des lieux. Sanitaires privés. Comptez 75 € pour 2, petit déj compris. Plein de recoins pour installer sa chaise longue et découvrir le cloître et le jardin d'inspiration médiévale où pousse une ribambelle de courges. Vous pourrez également profiter du très mignon salon d'été installé dans l'ancien pigeonnier. Accueil très chaleureux. Un de nos coups de cœur.

Accès : de Montolieu par la D 64.

€€€ 🏠 ●│●│ 🏇 ⑩﹪ *Chambres d'hôtes Villelongue Côté Jardins (Claude Antoine) :* ☎ 04-68-76-09-03. ● villelongue-cote-jardins@orange.fr ● villelongue-cote-jardin.com ● *Fermé 24-25 déc.* 🛜 Cet ancien logis de l'abbaye de Villelongue, abrité par des arbres bicentenaires, est dans la famille de Claude depuis 1938. On y trouve 4 chambres spacieuses, 2 en rez-de-chaussée et 2 à l'étage, donnant sur le jardin. La salle à manger, autrefois cuisine, chaleureuse avec son mobilier Henri II, accueille les hôtes pour de copieux petits déj. Comptez 80 € pour 2 et 25 € pour le repas en table d'hôtes. Grand parc arrosé par les béals de l'hydraulique cistercienne.

Accès : de Carcassonne, D 344 puis N 113 ; après Pezens, D 629 vers Montolieu, puis D 8 et D 64 direction l'abbaye de Villelongue.

SAINT-PIERRE-LE-VIEUX 48200

Carte régionale A1

50 km N de Mende ;
56 km NE de Saint-Chély-d'Apcher

€ 🏠 *Chambres d'hôtes La Clé des Champs (Karine et Éric Meissonnier) :* lieu-dit Bébulon. ☎ 04-66-31-78-08. 📱 06-72-75-59-37. ● lacledeschamps48@free.fr ● lacledeschamps48.free.fr ● 🛜 Dans un petit hameau, ferme traditionnelle en granit. Karine et Éric sont agriculteurs. Ils élèvent des vaches laitières et leur production participe à la fabrication du bleu d'Auvergne car vous êtes sur le massif de la Margeride. Au 2ᵉ étage de la maison, 2 chambres simples avec sanitaires privés. Mobilier en pin naturel réalisé par des artisans du coin. 50 € petit déj compris (lait cru de la ferme, confitures maison). Pas de table d'hôtes. Accueil convivial. Une adresse pour découvrir la vie de la ferme (on peut assister à la traite !). *NOUVEAUTÉ.*

Accès : A 75 sortie n° 33 vers St-Chély-d'Apcher puis suivez direction le Malzieu-Ville (D 989) pendant 5 km et fléchage Bébulon à droite et continuez jusqu'au hameau.

SAINT-ROME-DE-DOLAN 48500

Carte régionale A1

45 km SO de Mende ; 18 km N du Rozier

€€€ 🏠 ●│●│ *Gîte d'étape et de séjour les Fleurines (Nathalie Chaytan et Bernard Camborde) :* Almières. ☎ 04-66-48-81-01. ● lesfleurines@yahoo.fr ● lesfleurines.fr ● *Ouv 26 mars-2 nov.* 🛜 Le site est magnifique : ancienne ferme caussenarde des XVIIᵉ et XVIIIᵉ s en pierre calcaire avec toit de lauzes, qui bénéficie d'un point de vue sublime sur les gorges du Tarn. D'ailleurs Bernard a installé un petit belvédère avec terrasse pour en profiter. L'ancienne bergerie est encore, là, immense, voûtée et une des plus grandes de la région. Une chambre d'hôtes donc et 7 chambres de 2 à 4 personnes plus un dortoir de 1 à 8 personnes. Sanitaires privés. Réparties dans différents petits bâtiments. Belles voûtes et pierres apparentes. En chambre d'hôtes, 115 € pour 2, petit déj compris, et 145 € pour 4 ; en gîte d'étape la chambre de 2 est à 40 € si vous amenez vos draps (4 € pour la location), 8 € le petit déj (confitures et cake maison). Table d'hôtes sans les proprios à 22 €, vin et café compris. Cuisine familiale goûteuse avec des produits locaux. Mais on peut aussi utiliser la salle de vie avec grande cuisine et vaisselle à disposition, installée dans l'ancienne étable conviviale conservée dans son jus. Ici on vient pour la rando mais aussi pour les orchidées (25 variétés sauvages sur le domaine), pour le kayak... Accueil chaleureux. Une adresse à prix doux si on sait faire son lit. *NOUVEAUTÉ.*

Accès : *en montant sur le Sauveterre depuis Les Vignes par la D 995 prenez la D 46 à droite avt St-Rome-de-Dolan et continuez sur 2 km.*

SALLÈLES-D'AUDE   11590

Carte régionale A2

N de Narbonne

€€€ 🏠 |○| ✦ ***Chambres d'hôtes Les Volets Bleus (Famille Evans) :*** *43, quai d'Alsace.* ☎ 04-68-46-83-03. ● *lvb. aude@gmail.com* ● *les-volets-bleus. com* ● Maison de maître avec une mini-terrasse ombragée et des volets... bleus, installée au bord du canal de jonction qui relie le Canal du Midi à l'Aude (il est inscrit au Patrimoine de l'Unesco !). Les intérieurs sont superbes avec leurs peintures murales en faux marbre, stucs aux plafonds, bel escalier monumental. 5 grandes chambres meublées à l'ancienne, de 65 à 90 € pour 2, petit déj compris. La moins chère a sa cabine de douche posée à même la pièce, juste séparée par un paravent. Les propriétaires, écossais, sont tout bonnement adorables. Table d'hôtes à 30 €. Les bons dîners partagés entre tous sont souvent polyglottes, ce qui donne un charme supplémentaire aux discussions !

Accès : *dans le village, sur la D 1626 qui longe le canal.*

SUMÈNE   30440

Carte régionale B1

50 km N de Montpellier ;
17 km E du Vigan

€€ 🏠 |○| ***Chambre d'hôtes Le Cap du Mas (Françoise Delpuech) :*** *Sanissac.* ☎ 04-67-81-41-13. 🖥 06-23-97-86-22. ● *delpuech.francoise@wanadoo.fr* ● *cap dumas.com* ● Un petit chemin qui grimpe doucement et, perchée sur une colline face à la vallée du Rieutord et au village de Sanissac, la maison de Françoise au milieu de terrasses fleuries. C'est en fait la ferme de sa grand-mère que Françoise

a rénovée, pour y aménager une chambre avec salle de bains, à 58 € pour 2, petit déj compris. Également un gîte de 3 chambres sur place. Table d'hôtes sur réservation à 18 €, avec les bons produits des fermes de la famille. Une bonne adresse.

Accès : *de Montpellier, direction Ganges ; à Ganges, direction Sumène, et de Sumène, prenez vers Saint-Martial puis fléchage sur 3,5 km.*

TALAIRAN   11220

Carte régionale A2

35 km SO de Narbonne ;
10 km SE de Lagrasse

€€ 🏠 ⑩% ***Chambres d'hôtes Domaine Degrave (Daniel Rémon) :*** *7, av. du Grand-Bassin.* ☎ 04-68-44-00-65. 🖥 06-85-05-34-44. ● *daniel.remon@ louisdegrave.com* ● *louisdegrave.com* ● Ouv sept-oct. Résa obligatoire. 📶 Dans une maison de caractère indépendante, 3 chambres avec sanitaires privés et une suite de 2 chambres attenantes. 70 € pour 2, petit déj compris, et 120 € pour la suite de 4 personnes. Sur demande, possibilité de vous faire confectionner une « assiette du terroir » pour 20 € ; autrement, cuisine d'été à disposition. Également un gîte (de 4 ou 5 personnes) loué de 400 à 480 € par semaine selon la saison, et 200 € le week-end (draps fournis). Les proprios, extrêmement chaleureux, ne manqueront pas de vous faire déguster le corbières du domaine. Une adresse à ne pas louper si vous faites la route des Châteaux cathares ou si vous vous dirigez vers l'Espagne.

Accès : *A 9, sortie Narbonne-Sud ; prenez en direction de l'abbaye de Fontfroide ; 5 km après Saint-Laurent-de-Cabrerisse et à 10 km de Lagrasse, vous trouverez Talairan ; bien fléché à partir du centre du village.*

€€ 🏠 ⑩% ***Chambres d'hôtes La Talayrane (Paule et Pierre Chertier) :*** *12, pl. de la République.* ☎ et fax : 04-68-44-09-92. 🖥 06-76-86-97-88. ● *p-chertier@wanadoo.fr* ● Fermé 27 déc-3 janv. 📶 Dans un petit village pittoresque, sur une placette tranquille où gazouille une fontaine, grande demeure familiale au crépi beige rosé et aux volets verts dont une partie appartient à l'ancien château. À l'étage, 4 chambres originales et douillettes avec sanitaires privés. Beaux meubles anciens, nombreux bibelots, superbes tableaux et murs enduits à la chaux. Atmosphère remplie d'authenticité. De 63 à 70 € pour 2, petit déj compris, servi dans de la belle vaisselle ancienne. Agréable patio et terrasse d'été bien abritée. Accueil de qualité. Une adresse qui ne manque pas de charme.

Accès : A 9 sortie Narbonne-Sud, puis direction abbaye de Fontfroide jusqu'à Talairan ; la maison se trouve sur la place du village, face à l'école.

TAURINYA 66500

Carte régionale A2

40 km SO de Perpignan ;
5 km S de Prades

€€ 🏠 |O| **Chambres d'hôtes Las Astrillas (Bernard Loupien) :** 12, carrer d'Avall, route du Canigou. ☎ 04-68-96-17-01. ● bernardloupien@gmail.com ● lasastrillas.com ● Ouv mars-nov. 📶 On l'a surnommée « la maison du pauvre » par dérision. Cette demeure vieille de trois siècles a été restaurée par Bernard dans le respect des vieilles pierres. Adorable jardin bien fleuri. Cinq chambres d'hôtes agréables et coquettes, dont une suite avec coin salon et terrasse privative. Sanitaires privés. Comptez 55 € pour 2, petit déj compris, et 12 € par personne supplémentaire. Belle salle à manger dont les murs se sont parés de vieilles faïences et tableaux. Bernard a aussi créé un petit musée rempli de vieux outils et autres témoignages de la vie d'autrefois. Ne manquez pas l'abbaye de Saint-Michel-de-Cuxa, célèbre pour son festival, et la grimpette au pic du Canigou, situé à quelques encablures. Pour le reste, faites confiance à Bernard pour vous orienter. Accueil très chaleureux.

Accès : de Perpignan, empruntez la N 116 en direction de l'Andorre jusqu'à Prades ; là, prenez la direction de l'abbaye de Saint-Michel-de-Cuxa, puis Taurinya ; la maison est à l'entrée du village à gauche.

TERMES 48310

Carte régionale A1

60 km NO de Mende ;
8 km O de Saint-Chély-d'Apcher

€€ 🏠 |O| 🐴 **Chambres d'hôtes (Lydie et Alain Chalvet) :** La Narce. ☎ 04-66-31-64-12. 📱 06-43-48-61-39. ● lanarce@orange.fr ● picasaweb.google.fr/alain.chalvet/lanarce ●À 1 180 m d'altitude, entre Aubrac et Margeride, La Narce (ou source issue des volcans) abrite une ancienne ferme du début du XXᵉ s, située à 500 m du village, en pleine nature. Dans l'ancienne étable et grange, 3 chambres adorables et une chambre familiale (4 personnes) sous les combles. Sanitaires privés. 62 € pour 2,

petit déj inclus. Table d'hôtes familiale et goûteuse. Système de demi-pension à 92 € pour 2, boissons comprises. Accueil prévenant et chaleureux.

Accès : A 75, sortie Saint-Chély-d'Apcher ; empruntez la D 989 en direction de Fournels ; La Narce se trouve 5 km avt Fournels ; à Termes, tournez à droite et suivez le fléchage.

VALMANYA 66320

Carte régionale A2

47 km SO de Perpignan ;
27 km SE de Prades

€ 🏠 |O| 🐴 **10 %** **Gîte d'étape Le Roc de l'Ours (Sophie et Bernadette Mary) :** ☎ et fax : 04-68-96-25-79. 📱 07-77-94-23-40. ● sofy.l.m@wanadoo.fr ● mairie-valmanya.fr ● Ouv 1ᵉʳ mai-15 sept, et sur résa pour groupe de 10 pers min le reste de l'année. Au cœur du massif du Canigou, Le Roc de l'Ours, c'est la maison familiale du père de Sophie qui reprend petit à petit le flambeau... Tout en pierre de taille, elle s'est transformée en un gîte d'étape très confortable et particulièrement accueillant. 7 chambres coquettes pouvant recevoir jusqu'à 15 personnes, presque toutes avec sanitaires privés. 15 € la nuit par personne, en gestion libre. Grande salle de détente avec TV, jeux et bibliothèque. Les randos sont nombreuses, et deux GR passent juste à côté. Hospitalité, nature et liberté au rendez-vous.

Accès : de Perpignan, prenez la N 116 en direction de l'Andorre jusqu'à Vinça ; prenez ensuite, sur la gauche, la D 36 et la D 13 vers Baillestavy, puis Valmanya ; le gîte est dans le village.

VIALAS 48220

Carte régionale B1

45 km E de Florac ;
16 km O de Génolhac

€€€ 🏠 |O| **Chambres d'hôtes La Bastide de Trémiéjols (Marc Mollaert et Michael Vedder) :** Trémiéjols. ☎ 04-66-41-08-19. ● bastide.cevennes@gmail.com ● bastide-cevennes.com ● 📶 Lorsque Marc et Michael ont acheté cette bastide du XVIᵉ s, elle se cachait sous les ronces. À force de travaux et de défrichage, elle a retrouvé son âme. Au 1ᵉʳ étage, 3 chambres de 2 à 4 personnes, agréables, avec sanitaires privés. Selon la saison de 78 à 82 € pour 2, petit déj compris. Marc, ancien chef de cuisine, propose une goûteuse table d'hôtes partagée en famille à 27 €, apéro, vin et café compris. Le Luëch coule en contrebas et on trouve de nombreuses « marmites » pour se rafraîchir. Bien sûr, ici, la rando est à l'honneur. Accueil chaleureux et sans façon. Une adresse pour se mettre au vert. *NOUVEAUTÉ.*

Accès : *de Vialas, prenez la D 998 vers Génolhac pendant 3 km et, après le Crépon prenez la 1re route à droite (voie sans issue) et faites 5 km.*

€€€€ 🏠 |○| **Chambres d'hôtes La Source de Castagnols (Marjoleine et Henk-Jan Spruut) :** Castagnols. ☎ 04-66-41-05-79. 📱 06-30-06-39-46. ● *info@castagnols.com* ● *castagnols.com* ● *Ouv de début mai à fin oct.* 📶 Dans le Parc national des Cévennes, dans un petit hameau isolé, ancienne ferme en schiste dont les origines remontent aux XIIe s. Tombé amoureux de la région, ce charmant couple de Hollandais a décidé de s'y installer. 5 chambres agréables à l'atmosphère sereine, avec sanitaires privés. 94,50 € pour 2, petit déj compris. Table d'hôtes partagée en famille à 25 €, apéro, vin et café compris. Ici, on vient pour le calme, la nature et la rando. Accueil chaleureux teinté par l'accent de vos hôtes. Une adresse pour prendre le temps de vivre. *NOUVEAUTÉ.*

Accès : *sur la D 906 entre Alès et Génolhac, prenez D 998 vers Vialas ; là, prenez la route des Crêtes puis fléchage Castagnols.*

VILLARDONNEL   11600
Carte régionale A2

18 km N de Carcassonne

€€€ 🏠 |○| 🏇 **Chambres d'hôtes L'Abbaye de Capservy :** ☎ 04-68-26-61-40. 📱 06-75-04-53-08. ● *ab.cap@orange.fr* ● *abbayedecapservy.com* ● *Fermé en déc.* 📶 Ancien prieuré du XIIe s admirablement restauré (et on pèse nos mots !). On longe le mur d'enceinte, ouvert d'arcades successives, et on pénètre dans la cour. Ambiance sereine alimentée par la taille des pièces et l'authenticité du décor. Au cœur de la bâtisse, 3 chambres, dont une avec mezzanine et une suite immense composée de 2 chambres (idéales pour les familles). Sanitaires privés. Selon la saison, comptez de 83 à 93 € pour 2, et 20 € par personne supplémentaire, petit déj compris. Sur réservation, possibilité de repas ou d'assiette de saison pour 20 ou 25 €, vin de la maison compris. Domaine de 30 ha, avec un lac (routards pêcheurs, à vos cannes !), une agréable piscine, sans oublier les quelque 4 ha de vignes qui produisent un excellent vin de pays (classé AOC Cabardès depuis mars 2015) médaillé d'or au concours interrégional Méditerranée.

Accès : *de Carcassonne, empruntez la D 118 en direction de Mazamet sur 17 km ; laissez Villardonnel sur votre droite, et prenez la 1re à gauche (en face des auberges).*

LANGUEDOC-ROUSSILLON

Limousin

Carte régionale : Poitou-Charentes, Centre, Haute-Vienne (87), Creuse (23), Corrèze (19), Aquitaine, Auvergne, Midi-Pyrénées, Lang.

AIX   19200

Carte régionale B2

10 km NE d'Ussel

€ 🏠 |○| 🐾 *Chambres d'hôtes Domaine de l'Araucaria (Cathy et Christian Laly)* : Le Bourg. ☎ 05-55-72-19-51. 📱 06-31-23-72-62. ● c.laly@free.fr ● domainedelarocaria.fr ● *Ouv mai-oct.* À la frontière de la Corrèze, de la Creuse et du Puy-de-Dôme, agréable demeure familiale du début du XXᵉ s, située en pleine nature dans un superbe parc de 3 ha bordé d'un ruisseau et d'un étang. Une chambre et 2 suites familiales décorées avec amour et bon goût. Sanitaires privés. 50 € pour 2 et 70 € pour 4, petit déj compris. Table d'hôtes partagée en famille à 20 €, vin compris. Une adresse idéale pour se mettre au vert et faire de superbes promenades dans la région. Enfin, info spéciale pour les amateurs de musique : Christian réunit régulièrement ses amis pour une jam session impromptue. Une adresse qu'on aime et un très bon rapport qualité-prix-convivialité.

Accès : à 3 km de l'A 89 (sortie n° 24) ; d'Ussel, N 89 vers Clermont-Ferrand pdt 3 km puis à gauche D 49 vers Aix que l'on traverse en direction Courteix, puis prendre le chemin à gauche 400 m plus loin.

BERSAC-SUR-RIVALIER   87370

Carte régionale A1

37 km N de Limoges ;
22 km S de La Souterraine

€ 🏠 |○| 🐾 ⑩% *Chambres d'hôtes Domaine du Noyer (Anna et Jean Masdoumier)* : 📱 06-68-88-70-78. *Fax :* 05-55-71-51-48. ● noyer.prats@free.fr ● *Fermé 14 nov-25 mars.* Ici, en pleine nature, vous découvrirez une superbe demeure du XVIᵉ s, avec une vue magnifique sur les monts d'Ambazac. On accède aux 4 chambres par un très bel escalier d'époque en pierre. Décoration sobre et plutôt dépouillée. Sanitaires privés. Comptez 49 € pour 2, petit déj compris. Nombreuses salles de séjour à disposition et une grande salle avec poutres et cheminée. Table d'hôtes à 19 € vin non compris ou 21 € avec les boissons : potée limousine, confit de porc, fondant aux châtaignes, etc. Menu végétarien sur demande. C'est Jean, sculpteur, qui se charge d'accueillir ses hôtes. Mais il a aussi une passion pour les chevaux et a créé un petit élevage il y a quelques années. Nombreuses activités : piscine sobre couverte, étang privé de 1 ha, et tout au long de l'année, des week-ends thématiques organisés par les propriétaires (gastronomie régionale,

---

Nous vous rappelons que la table d'hôtes est le complément d'une formule d'hébergement (chambre d'hôtes, gîte d'étape...). Ce service n'est offert qu'aux personnes qui dorment sur place (excepté lorsqu'il est clairement écrit « ouvert aux extérieurs »).

champignons, pêche...). Excellent rapport qualité-prix-convivialité.

Accès : N 20, sortie n° 24 (en venant de Paris) direction Bersac-sur-Rivalier ; depuis le village, prenez la direction de Laurière et, tt de suite à la sortie, tournez à gauche après le pont de chemin de fer, en direction de Folles puis, à 2 km, suivez le fléchage « Le Noyer ».

€ 🏠 |●| 🛏 *Gîte d'étape (Yvonne et Maurice Forgeron) :* Galachoux. ☎ 05-55-71-44-16. 📱 06-37-42-62-66. ● gites.galachoux@gmail.com ● Fermé janv-mars. Au milieu d'un petit hameau, dans une maison indépendante de la leur, Yvonne et Maurice, agriculteurs à la retraite, ont installé un gîte d'étape pour 10 personnes. 18 € la nuit par personne (20 € l'hiver). Les petits déj sont pris chez Yvonne, dans un ancien moulin au bord d'une rivière. Également un gîte rural, avec 6 chambres (14 personnes), mitoyen au gîte d'étape. Une gentille adresse, des prix doux et un accueil chaleureux. Idéal pour les familles (les enfants vont adorer la vie de la ferme) et pour les randonneurs (nombreux circuits).

Accès : A 20, sortie n° 24 (Bessines et Bersac).

BLOND   87300

Carte régionale A1

40 km NO de Limoges ;
4 km S de Bellac

€ 🏠 |●| 🛏 10% *Chambres d'hôtes La Flambée (Myriam Morice) :* Thoveyrat. ☎ 05-55-68-86-86. 📱 06-19-97-49-20. ● chambrehote@freesurf.fr ● laflambee.info ● 🏠 Au milieu d'un petit hameau rural, ancienne et jolie ferme du XVIIIe s. Un vieil et noble escalier conduit aux 4 chambres colorées et guillerettes qui peuvent accueillir de 2 à 4 personnes. Ambiance campagnarde. Sanitaires privés. 45 € pour 2 et 65 € pour 4, petit déj compris. Table d'hôtes partagée en famille autour d'une grande table ronde à 20 €, vin et café compris. Bonne cuisine où les produits maison sont légion ! Charcuterie, volaille, agneau, sans oublier les légumes du jardin. Vos chères têtes blondes pourront jouer avec les deux enfants de la maison. Atmosphère chaleureuse, accueil souriant et charmant. Excellent rapport qualité-prix-convivialité. Une adresse pour redécouvrir la vie de la campagne.

Accès : à la sortie de Bellac en direction de Limoges, prenez à droite la D 3 vers Blond jusqu'au hameau Thoveyrat à 3 km ; la maison est un peu avt la sortie à gauche.

BOISSEUIL   87220

Carte régionale A1

10 km SE de Limoges

€ 🏠 *Chambres d'hôtes (Brigitte et Philippe Ziegler) :* domaine de Moulinard. ☎ 05-55-06-91-22. ● ph.ziegler@laposte.net ● gites-limoges.fr ● Ouv de mi-avr à mi-oct. À 10 mn du centre de Limoges et pourtant en pleine nature. Sur leur ferme d'élevage ovin et d'arboriculture, Brigitte et Philippe ont restauré une partie de la maison de maître du XIXe s, à proximité de leur habitation. Les 4 chambres sont donc indépendantes, spacieuses, et ouvrent sur un beau jardin ombragé. Elles disposent de sanitaires privés, mais les w-c sont à l'extérieur pour l'une d'entre elles. 50 € pour 2, petit déj compris. Très bon accueil. On peut pique-niquer dans le parc et plusieurs restos sont à proximité.

Accès : de Limoges, A 20 en direction de Toulouse, sortie n° 37, Boisseuil ; fléchage depuis le centre commercial.

CHÉNÉRAILLES   23120

Carte régionale B1

28 km E de Guéret ;
18 km N d'Aubusson

€€€ 🏠 *Chambres d'hôtes Le Cellier de Stéphane (Anne-Marie et Georges Pageix) :* 12, route de Peyrat. ☎ 05-55-62-14-63. ● georges.pageix@orange.fr ● Fermé 23-28 déc. 🏠 Jolie maison au cœur du village. Au 1er étage, 2 mignonnes chambres, dont une familiale composée de 2 chambres. Elles sont bien au calme car elles ouvrent sur l'arrière, côté jardin. Sanitaires privés. 75 € pour 2, petit déj compris. Anne-Marie est passionnée par la broderie et la tapisserie et partout vous retrouverez les œuvres de son travail minutieux. Accueil charmant.

Accès : le village est située sur la D997 entre Aubusson et Montluçon, la maison est dans le bourg.

CLERGOUX   19320

Carte régionale B2

30 km E de Tulle ;
6 km O de Marcillac-la-Croisille

€ 🏠 *Ferme équestre de Leix (Sylvie et André Soudant) :* ☎ et fax : 05-55-27-75-49. ● asoudant@wanadoo.fr ● ferme-de-leix.com ● Ouv avr-sept. La petite route qui

NORD

Montmorillon

Gençay

VIENNE
(86)

les Grands-Chézeaux

N 147 - E 62

D 723

D 951

D 942

Civray

D 148

Bellac

N 145 E 62

D 711

D 914

N 147

D 1

D 741

D 729

Blond

Bersac-sur-Rivalier

1

Ruffec

CHARENTE
(16)

D 948

Confolens

N 10

D 739

N 141 - E 603

D 914

N 141 - E 803

N 10

HAUTE-VIENNE

Limoges

D 941

la Rochefoucauld

87

D 979

Boisseuil

Angoulême

la Chapelle-Montbrandeix

Flavignac

N 21

D 704

D 9

D 72

St-Hilaire-les-Places

A 20

Dournazac

D 675

Nontron

N 21

Coussac-Bonneval

D 901

St-Yrieix-la-Perche

Lubersac

D 39

DORDOGNE
(24)

D 939

D 708

N 21

D 639

D 705

Segonzac

Saint-Bonnet-l'Enfantier

Ribérac

2

Périgueux

A 89

E 70

Brive-la-Gaillarde

D 6099

D 6089

Mussidan

D 709

N 21

D 710

D 704

D 60

Saint-Cernin-de-Larche

A 20

D 820

Sarlat-la-Canéda

20 km

mène jusqu'à la ferme s'arrête là. Grand corps de ferme traditionnel en pierre. Dans l'ancienne grange, 4 chambres agréables, équipées de sanitaires privés, dont 2 familiales avec lits enfants en mezzanine. Elles sont toutes de plain-pied avec accès indépendant. Comptez 50 € pour 2, petit déj compris (confitures, viennoiserie, yaourt et jus de pomme maison), et 12 € par personne supplémentaire. Derrière sa forte carrure, André paraît assez bourru, mais ne vous y fiez pas, il sait être très cordial. Vous pouvez randonner à pied et vous trouverez sur place tous les itinéraires. Une adresse nature.

Accès : de Tulle, prenez la D 978 en direction d'Aurillac, puis de Mauriac sur 22 km ; à la sortie du lieu-dit Les Cambuses, tournez à droite au fléchage (3 km avt Clergoux).

CONFOLENT-PORT-DIEU   19200

Carte régionale B2

27 km N de Bort-les-Orgues ;
20 km E d'Ussel

€ 🏠 🍽️ 🐴 *Chambres d'hôtes Passion et Découverte (James Simonin) :* presbytère de Port-Dieu. ☎ 05-55-94-39-56. 📱 06-85-66-66-66. ● james@passionet decouverte.com ● passionetdecouverte. com ● 🛜 Encore une adresse pour le moins insolite, située au-dessus de la retenue du barrage de Bort-les-Orgues. Le village a été détruit et inondé lors de la création du barrage et il ne reste plus que cet ancien presbytère au toit de lauzes et la chapelle. 3 chambres fonctionnelles de 2 à 4 personnes, dont 2 avec sanitaires communs. 42 € pour 2, petit déj compris, et 72 € pour 4. Table d'hôtes à 15 €, vin et café compris. James est guide randonnée en quad... alors si vous avez le vôtre, c'est le moment de l'amener pour venir à la découverte du coin. Possibilité de baignade dans la retenue, pêche... Accueil chaleureux. Une adresse authentique où calme et sérénité sont garantis.

Accès : A 89 sortie n° 24 Ussel-Est puis N 89 vers Clermont-Ferrand puis à droite D 27 vers Confolent-Port-Dieu et suivez le fléchage.

CORNIL   19150

Carte régionale B2

21 km NE de Brive ; 6 km SO de Tulle

€€ 🏠 🍽️ *Chambres d'hôtes La Lupronne (Marie-Pascale Lesieur) :* Le Mons. ☎ 05-55-27-26-47. ● lalupronne@

free.fr ● lalupronne.jimdo.com ● *Ouv avr-nov.* 🛜 Grande demeure bourgeoise de style Napoléon I er, plantée dans un agréable parc qui répond au doux nom de Lupronne (lutin de sexe féminin, ignorant !). 5 chambres lumineuses, dont 4 au 1 er étage, la dernière au second. 2 sont plus petites et moins chères, les 3 autres (dont une suite composée de 2 chambres pour les familles) sont vraiment spacieuses. Sanitaires privés. Respectivement 68 et 79 € pour 2, petit déj compris. Belle salle à manger au beau dallage en pierre avec une immense cheminée. Table d'hôtes à 25 €, apéro, vin et café compris. Cuisine à tendance régionale. Marie-Pascale propose de nombreux séjours à thème (demandez le programme !). Accueil de qualité.

Accès : sur la N 89 entre Tulle et Brive, prenez la sortie « Cornil », traversez le village par la D 1 en direction de Sainte-Fortunade pdt 2 km, le hameau est sur la gauche (bon fléchage).

COUSSAC-BONNEVAL   87500

Carte régionale A2

40 km S de Limoges ;
12 km E de Saint-Yrieix-la-Perche

€€ 🏠 10 % *Chambres d'hôtes Moulin de Marsaguet (Valérie et Renaud Gizardin) :* ☎ 05-55-75-28-29. 📱 06-26-16-34-47. ● renaud.gizardin@sfr.fr ● moulin-mar saguet.com ● *Ouv avr-oct.* 🛜 Superbe site au bord d'un étang de 13 ha. Renaud aime depuis toujours la sérénité de ce lieu. Il se souvient quand son arrière-grand-père, l'un des derniers meuniers du pays, libérait la grande roue et déclenchait la puissante machinerie du moulin. C'est ici qu'aujourd'hui Valérie a voulu installer sa ferme d'élevage de canards. Grande maison aux volets bleus avec 3 chambres d'hôtes, dotées de sanitaires privés, à 60 € pour 2, petit déj inclus. Piscine chauffée. Possibilité de pêcher sur place (accès payant), car le lieu est réputé pour la prise de gros carnassiers, comme le brochet par exemple. Renaud pourra d'ailleurs vous initier à différents types de pêche si vous le souhaitez.

Accès : de Limoges, A 20 en direction de Brive, sortie n° 39 vers Pierre-Buffière, puis D 15 et D 19 vers Saint-Yrieix ; au carrefour de La Croix-d'Hervy, prenez la D 57 vers Coussac-Bonneval sur 6 km et longez l'étang, c'est au bout.

CROZE   23500

Carte régionale B1

15 km S d'Aubusson

€€ 🏠 |♦| 🐾 10% *Chambres d'hôtes La Provence (Carmen et Jean-Louis Nazon)* : 20, Le Tarderon. ☎ 05-55-66-95-58. ● *nazon.jean-louis@orange.fr* ● 🐾 📶 Petite maison au bord d'une petite route calme. Venir chez Carmen et Jean-Louis, c'est un peu venir dans la maison des grand-parents. 2 chambres au charme désuet : une au rez-de-chaussée plus petite et moins chère, l'autre à l'étage. Sanitaires privés. Respectivement 60 et 66 € pour 2, petit déj compris. Table d'hôtes partagée en famille à 20 €, apéro, vin compris. Goûteuse cuisine provençale ou régionale. Accueil authentique et vrai teinté par l'accent chantant de Carmen.

Accès : sur la D 982 entre Aubusson et La Courtine, passer Felletin et l'accès à Tarderon est à 5 km à droite (n'allez pas à Croze).

DOMPS   87120

Carte régionale B2

50 km SE de Limoges ;
12 km S d'Eymoutiers

€€ 🏠 |♦| 🐾 *Chambres d'hôtes Domaine La Borderie (Caroline Lemaire et Stephan Dijkstra)* : La Borderie. ☎ 05-55-04-54-49. 📱 06-61-01-12-27. ● *dijkstra.lemaire@gmail.com* ● *domainelaborderie.eu* ● 📶 En pleine nature, à 500 m d'altitude, ancienne ferme rénovée qui jouit d'une superbe vue sur le massif forestier du mont Gargan (730 m d'altitude, site emblématique de la Résistance limousine), et tenue par un sympathique couple de Néerlandais. 2 chambres spacieuses, à la déco contemporaine. Chacune avec coin cuisine, sanitaires privés et accès indépendant. 70 € pour 2, copieux petit déj compris, avec jambon, fromage et œufs de la maison. Table d'hôtes partagée en famille à 20 €, vin et café compris. Une adresse idéale pour se mettre au vert, profiter du charme du site, et tout pour les amateurs de rando ou de VTT.

Accès : d'Eymoutiers, prenez la D 30 jusqu'à Domps que vous traversez en direction de Chamberet et, à 1,5 km, prenez à droite la D 39A vers Mont-Gargan pdt 2 km jusqu'au hameau de La Borderie.

DOURNAZAC   87230

Carte régionale A2

40 km SO de Limoges ;
3 km SO de Châlus

€€ 🏠 |♦| 🐾 10% *Chambres d'hôtes Le Mas du Loup (Laurence et Philippe Chaplain)* : ☎ 05-55-78-11-59. 📱 06-60-42-89-98. ● *lemasduloup@wanadoo.fr* ● *mardalou.com* ● Fermé 15 nov-fin fév. 📶 Ce petit hameau qui sent bon la campagne était un seul et unique domaine qui comprenait cette magnifique ferme fortifiée du XVIIᵉ s avec son porche à colombages. Au 1ᵉʳ étage, un noble et vieil escalier conduit aux 3 chambres, dont une suite familiale composée de 2 chambres. Sanitaires privés. 56 € pour 2, petit déj compris, et 86 € pour 4 dans la suite. Table d'hôtes partagée en famille à 20 €, apéro, vin et café compris. Cuisine familiale en fonction des produits du marché. Pour vous détendre, un immense parc aux arbres centenaires avec piscine vous attend. Autrement, une voie verte relie Châlus à Oradour-sur-Vayre, et le château féodal de Dournazac vaut bien une petite visite.

Accès : à Châlus, sur la N 21 entre Limoges et Périgueux, prenez la D 6bis vers Dournazac pdt 3 km et prise route à gauche vers le hameau Le Mas-du-Loup ; la maison est au bout.

ESPAGNAC   19150

Carte régionale B2

15 km SE de Tulle ;
6 km S de Saint-Martial-de-Gimel

€€ 🏠 |♦| *Chambres d'hôtes (Viviane et Hubert Rouget)* : La Traverse. ☎ 05-55-29-29-79. 📱 07-83-75-73-42. ● *fae@espagnac.com* ● *espagnac.com* ● Ouv mars-nov. 📶 Curieuse demeure du début du XVIIᵉ s qui, après avoir servi de tour de guet et de prison, est aujourd'hui une ferme apicole. D'ailleurs, Hubert a créé une petite boutique assez rustique où il propose tous ses produits (miel, pain d'épice et hydromel). On accède aux 2 chambres par l'escalier en pierre de la tour. Déco et mobilier simples. Sanitaires privés. Comptez 55 € pour 2, petit déj compris (l'occasion de savourer la production maison). Table d'hôtes (sauf le dimanche soir), partagée avec vos hôtes, à 20,50 €, apéro et vin compris. Calme et tranquillité assurés. Accueil chaleureux.

Accès : dans le village, prenez la petite route entre l'église et l'école et suivez-la jusqu'au bout, c'est la dernière maison à droite.

FLAVIGNAC   87230

Carte régionale A1

25 km SO de Limoges ;
12 km S d'Aixe-sur-Vienne

€ 🏠 **Chambres d'hôtes Clos de l'Arthonnet (Marie-France et Thierry Viviant-Morel) :** *Les Mingoux.* ☎ 05-55-36-08-62. 📱 06-75-89-84-74. ● *th.viviant@ orange.fr* ● *vivacesflavignac.com* ● *Ouv de mi-mars à mi-nov.* 📶 Si vous aimez les plantes, ici vous serez servi... Marie-France est pépiniériste et Thierry architecte paysagiste. Pas moins de 500 variétés de plantes vivaces sont cultivées autour de la maison, dont une belle sélection de plantes mélifères et nectarifères (pour les abeilles et les papillons). 2 chambres coquettes installées dans une aile de la maison, avec sanitaires privés, à 55 € pour 2, petit déj compris (brioche, pain, confitures et jus de pomme... le tout maison !). Pas de table d'hôtes, mais une jolie terrasse couverte réservée aux hôtes, avec coin cuisine pour se confectionner un frichti. Accueil convivial. Une adresse en pleine nature au cœur d'un hameau tranquille.

Accès : de Flavignac, prenez la D 59 vers Saint-Laurent-sur-Gorre pdt 3 km et, juste après un petit pont, tournez à droite et continuez jusqu'à la maison.

GLÉNIC   23380

Carte régionale B1

7 km N de Guéret

€€€€€ 🏠 |O| 🐾 (10 %) **Chambre d'hôtes Domaine du Boucheteau (Liliane et Georges Gouny) :** *2, Boucheteau.* ☎ 05-55-51-21-31. 📱 06-83-03-14-44. ● *liliane.gouny@wanadoo.fr* ● *chambre. dhote.balneo.monsite-orange.fr* ● 📶 Isolée en pleine nature, dans un décor majestueux, superbe corps de ferme sur un domaine de 15 ha. Une seule et immense chambre de 4 personnes sous forme d'appartement avec cuisine, grand salon avec cheminée, baignoire à remous et hammam rien que pour vous ! 130 € pour 2, petit déj compris, et 180 € pour 4. Table d'hôtes à 25 €, apéro, vin et café compris. Une piscine pour les beaux jours complète le tout. Si vous avez les moyens, c'est l'adresse idéale pour se mettre au vert. Accueil chaleureux.

Accès : de Guéret, D 940 vers La Châtre ; rentrez dans le village et prenez la rue à droite et un viaduc, montez jusqu'à l'église et poursuivez en direction de Roche (D 63) sur 4 km jusqu'au Boucheteau.

GOUZON   23230

Carte régionale B1

30 km E de Guéret ; 17 km S de Boussac

€€ 🏠 |O| (10 %) **Chambres d'hôtes (Frédéric Messelier) :** *Lachaud.* ☎ 05-55-81-34-76. 📱 06-98-00-42-39. ● *frederic.messelier@ sfr.fr* ● 📶 Frédéric a restauré cette ancienne grange en ruine au cœur d'un petit hameau campagnard. Au 1er étage, 2 jolies chambres familiales avec lits enfants en mezzanine, spacieuses et décorées de nombreux souvenirs de voyages. Une grande pièce lumineuse avec un beau volume. 70 € pour 2, petit déj compris. Table d'hôtes 20 €, apéro, vin et café compris. Cuisine familiale et régionale. Accueil convivial.

Accès : de Gouzon D 915 vers Chambon-sur-Voueize pdt 500 m, le hameau se trouve à gauche juste après la cristallerie.

JOUILLAT   23220

Carte régionale B1

15 km N de Guéret ; 7 km S de Bonnat

€€€ 🏠 |O| **Chambres d'hôtes La Maison Verte (Ann et Jean-Pierre Leclercq) :** *2, Lombarteix.* ☎ 05-5-51-93-34. 📱 06-58-24-63-46. ● *lamaisonvertecreuse@gmail.com* ● *lamaisonvertecreuse.net* ● 📶 Ancienne ferme qui bénéficie d'un joli panorama sur la campagne. 4 chambres dont une familiale avec accès extérieur indépendant, les 3 autres à l'étage de la maison. Elles sont spacieuses et agréables, avec sanitaires privés. Selon la chambre, de 80 à 90 € pour 2, petit déj compris. Table d'hôtes partagée en famille à 28 €, apéro, vin et café compris. Cuisine régionale selon l'humeur d'Ann. Pour vous détendre, piscine et espace spa avec jaccuzzi et sauna avec supplément (35 € pour un couple). Une adresse tenue par un sympathique couple belge.

Accès : de Guéret, D 940 vers La Châtre ; laissez Jouilllat sur la droite, faites 1,5 km et tournez à droite vers Lombarteix, traversez le hameau, la maison est à la sortie sur la gauche.

LA CHAPELLE-MONTBRANDEIX   87440

Carte régionale A1-2

50 km SO de Limoges ;
15 km O de Chalus

€€ 🏠 |O| (10 %) **Chambres d'hôtes Le Jardin des Oiseaux (Évelyne et Bernard**

Guérin) : Lartimache. ☎ 05-55-78-75-65. 📠 06-31-84-41-23. ● *lartimache@orange. fr* ● *lartimache.com* ● Ah, que la campagne est belle ! Au pays des feuillardiers (comprenez tailleurs de piquets), ravissant corps de ferme composé d'un ensemble de petits bâtiments dont deux clédiers (séchoirs à châtaignes) et le four à pain. 4 chambres, dont une familiale composée de 2 chambres. Sanitaires privés. Déco sans prétention qui tranche un peu avec le charme des extérieurs. 62 € pour 2, petit déj compris (pain grillé, car le premier boulanger est à 12 km, et confitures maison). Table d'hôtes, partagée en famille, à 16 €, vin compris. Cuisine à disposition avec lave-linge (sympa !). 2 étangs pour les pêcheurs (la maison est classée « Pêche et Nature » : initiation et prêt de matériel possible) et observation des oiseaux (prêt de jumelles). Ne manquez pas le château féodal de Montbrun à 5 km (ne se visite pas, mais vaut le coup d'œil). Pour les randonneurs, le GR 4 passe dans le village. Accueil chaleureux et décontracté.

Accès : du village, prenez la direction de Marval sur 1 km puis, à droite, vers Lartimache.

LA CHAPELLE-SAINT-MARTIAL — 23250

Carte régionale B1

22 km SE de Guéret

€€ 🏠 📡 (10%) *Chambres d'hôtes (Simone et Alain Couturier) :* ☎ et fax : 05-55-64-54-12. ● *couturier.a@orange. fr* ● 📡 Un peu en bord de route, jolie maison avec agréable jardin et piscine. 3 chambres confortables, à la décoration soignée, avec sanitaires privés : une dans une petite maison séparée, à côté de la piscine (notre préférée), une autre avec lit à baldaquin, à 65 € pour 2 ; une dernière, mansardée, au 2e étage (tout aussi charmante) à 60 € pour 2. Mobilier de style et, pour les inconditionnels, TV dans chaque chambre. À 500 m, immense étang pour se balader.

Accès : sur la D 13, au milieu du bourg.

LES GRANDS-CHÉZEAUX — 87160

Carte régionale A1

60 km N de Limoges ;
12 km NO de La Souterraine

€€ 🏠 (10%) *Chambres d'hôtes Le Grand Moulin (Malou et Hervé Dru) :* ☎ 05-55-

76-75-67. 📱 06-52-48-75-34. ● *rvdru@free. fr* ● 📡 Au milieu des prés, avec vue dégagée sur la campagne environnante. Dans un grand corps de ferme joliment restauré, Malou et Hervé élèvent des volailles et des moutons. Ils proposent 3 chambres champêtres (dont 2 avec accès extérieur indépendant), avec sanitaires privés : 2 doubles et une pour 4 personnes. Joli salon avec charpente apparente à la disposition des hôtes. 55 € pour 2, petit déj inclus, servi sur la terrasse.

Accès : A 20, sortie n° 21 ; prenez la direction Les Grands-Chézeaux ; c'est à 800 m après le bourg.

LOSTANGES — 19500

Carte régionale B2

25 km SE de Brive ;
11 km N de Beaulieu-sur-Dordogne

€€ 🏠 �🍴 *Chambres d'hôtes Les Chèvrefeuilles (Chantal et Michel Merlet) :* La Tréganie. ☎ 05-55-84-00-20. 📱 06-18-58-81-38. ● *chantalmerlet19@gmail.com* ● *treganie.wifeo.com* ● 📡 Dans un joli coin de nature, ancienne grange retapée dans les années 1960. Au 1er étage, 2 suites composée de 2 chambres pour les familles (on peut même vous fournir l'équipement bébé). Atmosphère sereine. Sanitaires privés. 65 € pour 2, petit déj compris, et 110 € pour 4. Table d'hôtes partagée en famille à 29 €, apéro maison, vin et café compris. Cuisine traditionnelle à tendance régionale. Belle piscine pour vous détendre. Accueil convivial.

Accès : sur la D 940 entre Tulle et Figeac, prenez la D 163 vers Lostanges ; passez le village en restant sur cette route, le lieu-dit est à 2 km et la maison sur la gauche (panneau « Les Chèvrefeuilles »).

LUBERSAC — 19210

Carte régionale A2

60 km S de Limoges ;
8 km N de Pompadour

€€ 🏠 �🍴 (10%) *Chambres d'hôtes La Panetterie (Daniel Guéroult et Sébastien Malouitre) :* ☎ et fax : 05-55-73-44-09. 📱 06-79-66-37-82. ● *la.panet terie@orange.fr* ● *lapanetterie.over-blog. com* ● 📡 Daniel et Sébastien ont quitté la vie citadine en Normandie pour venir s'installer dans cette ferme en pleine campagne, y élever des chèvres et fabriquer du fromage. 4 chambres colorées et bien tenues, installées aux 1er et 2e étages de

LIMOUSIN

la maison. Sanitaires privés. 54 € pour 2, petit déj compris (pain, brioche et confitures maison). Table d'hôtes à 23 €, apéro, vin et café compris. Cuisine à partir de nombreux produits maison : poulet, chevreau, cochon, et bien sûr les fromages (feuille du limousin, pyramide cendrée, cabécou, tomme de chèvre...). Accueil convivial. Une adresse vraiment nature.

Accès : dans Lubersac, prenez la direction Uzerche jusqu'à la sortie du village, puis la D 20 vers Benayes-Masseret pdt 1 km, puis à droite vers La Panetterie située à 2,7 km.

LUPERSAT   23190

Carte régionale B1

18 km E d'Aubusson ; 12 km O d'Auzances

€€ 🏠 |◎| (10 %) **Chambres d'hôtes Le Bistro d'Émile (Jean-Claude Bourdeau) :** *2, route de Sermour.* ☎ 05-55-67-57-05. 📱 06-19-91-14-03. ● lebistrodemile@ orange.fr ● lebistrodemile.com ● Ouv jeu-dim. 🛜 Émile, c'était l'arrière-grand-père de Jean-Claude qui était négociant en vin. Avec sa fille Céline, ils ont décidé de reprendre la tradition familiale. Par un noble escalier à vis en pierre on accède aux 3 chambres, une au 1er étage (notre préférée), les 2 autres au second. Sanitaires privés. Atmosphère campagnarde et rustique à souhait. 70 € pour 2, petit déj compris servi dans le bistro à l'ambiance chaleureuse. On peut aussi y déjeuner et dîner durant les jours d'ouverture (menus entre 13,50 et 24,50 €). Un petit musée rural et un caveau dégustation complètent le tout. Accueil convivial.

Accès : d'Aubusson, D 941 vers Bellegarde-en-Marche puis Auzances, l'accès au village est à 5 km à droite ; la maison est au centre du bourg.

MÉRINCHAL   23420

Carte régionale B1

30 km E d'Aubusson ; 18 km S d'Auzances

€ 🏠 |◎| 🐾 **Chambres d'hôtes Les Soleils (Jehan Leprêtre) :** *Marlanges.* ☎ 05-55-67-27-88. 📱 06-76-33-08-96. ● contact@ lessoleils.com ● lessoleils.com ● 🛜 Proche d'un axe routier, mais en pleine campagne, ancienne ferme avec un petit étang. 5 chambres agréables : 3 dans la maison, 2 autres dans un petit bâtiment indépendant qui ouvre sur l'étang. 40 € pour 2, petit déj compris, et 18 € par personne supplémentaire (15 € pour les enfants). Table d'hôtes à 12 €, boissons comprises,

à base des produits du jardin et de plantes sauvages (à noter : les repas sont servis sans alcool). Accueil décontracté et chaleureux. Camping également possible. Nombreuses randos à proximité. Un lieu de calme et de ressourcement.

Accès : en venant de Montluçon, suivez Évaux-les-Bains/Auzances et Mérinchal jusqu'à Létrade (où l'axe Aubusson/Clermont passe de la N 141 à la D 941) ; là, en tournant à gauche au carrefour puis à droite, à la sortie de Létrade, direction Marlanges ; vous êtes à 500 m ; la maison est la dernière dans Marlanges.

MOUTIER-D'AHUN   23150

Carte régionale B1

23 km NO d'Aubusson ;
21 km SE de Guéret

€€ 🏠 |◎| 🐾 **Chambre d'hôtes Ferme du Puyberaud (Thérèse et Jean-Marie Berthe) :** ☎ 05-55-62-46-20. ● thjm. berthe@orange.fr ● ferme-de-puyberaud. com ● 🛜 Ancienne ferme toute en pierre située à 420 m d'altitude dans un petit hameau d'une douzaine d'âmes. Dans l'ancien four à pain indépendant de la maison, une chambre sur 2 niveaux avec salon, sanitaires et coin cuisine au rez-de-chaussée et chambre à l'étage. Atmosphère campagnarde à souhait. 64 € pour 2 et 80 € pour 3, petit déj compris. Table d'hôtes à 20 €, apéro, vin et digeo compris. Cuisine à partir des légumes du jardin et des lapins, agneau et cochon maison ! Les amateurs de rando trouveront de nombreux sentiers aux alentours. D'ailleurs il y a aussi un gîte d'étape familial de 8 personnes et un petit camping à la ferme de 6 emplacements. Accueil chaleureux, authentique et vrai.

Accès : de Guéret, D 942 vers Aubusson jusqu'à Ahun, là bifurquez vers Moutier-d'Ahun et bon fléchage depuis le village sur 3 km.

MOUTIER-MALCARD   23220

Carte régionale B1

25 km S de La Châtre ;
10 km N de Bonnat

€€ 🏠 |◎| 🐾 **Chambres d'hôtes Veï Lou Quéri (Corrie et Ron de Hoog) :** *3, route de Geay.* ☎ et fax : 05-55-80-66-08. 📱 06-83-23-95-69. ● corrieron@wanadoo. fr ● veilouqueri.com ● 🛜 Au pays de Françoise Chandernagor, dans la maison de ce couple de Néerlandais, les chambres sont paisibles, aménagées avec goût et respirant le bien-être. Beaux matériaux, à la fois modernes tout en conservant cette pointe d'authenticité qui donne à cette vieille demeure tout son charme. 5 chambres avec sanitaires privés, à 65 € pour 2, petit déj compris. Table d'hôtes à 24 €. Grand jardin peuplé d'arbres fruitiers. Pour ceux qui voudraient prolonger leur séjour, un gîte de 4 personnes a été aménagé dans la fermette annexe à la maison. Une bien belle adresse.

Accès : dans le bourg (bon fléchage).

NEDDE   87120

Carte régionale B1

50 km E de Limoges ;
9 km E d'Eymoutiers

€€ 🏠 |●| ⑩% *Chambres d'hôtes Au Bout des Mondes (James et Régine Elliot) :* La Cité des Insectes, Chaud. ☎ 05-55-04-02-55. 📱 06-86-45-43-29. ● info@aboutdesmondes.com ● aboutdesmondes.com ● Fermé déc-janv. 📶 Auriez-vous eu l'idée d'acheter un musée vivant dédié aux insectes ? Eh bien, James et Régine se sont lancés dans cette folle aventure, en la complétant par la création de 3 chambres chaleureuses, dont une suite familiale composée de 2 chambres. Toutes sont parées de jolies fresques réalisées par la nièce de Régine. Sanitaires privés. 65 € pour 2, petit déj compris. La maison est aussi peuplée par les œuvres de Régine, qui est plasticienne. Eh oui, ici, c'est James qui s'occupe des hôtes et prépare la cuisine. Table d'hôtes à 27 €, vin et café compris. La Cité des Insectes demande beaucoup de monde, aussi vous rencontrerez sûrement de jeunes stagiaires, ou la sympathique jardinière-paysagiste. C'est un plaisir de plonger au cœur du superbe jardin peuplé de plantes, de fleurs et d'insectes... Et c'est un pur bonheur d'aller visiter, à la tombée de la nuit, l'insectarium très rigolo, ludique et éducatif, composé de colonies d'insectes, d'une présentation des nombreux produits qui les détruisent... sans oublier la très discrète vedette de la maison, l'amie migale (oh oui !). L'entrée est gratuite pour ceux qui séjournent, veinards ! Une adresse conviviale qu'on n'oublie pas.

Accès : dans Nedde, prenez la D 81 en suivant le fléchage « La Cité des Insectes ».

PALAZINGES   19190

Carte régionale B2

20 km E de Brive ; 20 km S de Tulle

€€ 🏠 |●| *Chambres d'hôtes (Nicole et Dominique Cure) :* Le Bourg. ☎ 05-55-

84-63-44. Ouv mai-sept. 📶 Ancienne et belle ferme tout en pierre du pays qui bénéficie d'un superbe panorama sur les environs. Nicole et Dominique ont entièrement aménagé la grange pour les hôtes. 4 chambres agréables avec sanitaires privés. La dernière, notre préférée, est installée dans un petit pavillon indépendant. 53 € pour 2, petit déj compris. Ici, c'est Dominique qui cuisine (c'était son métier !). Table d'hôtes partagée en famille à 21 €, apéro, vin et café compris. Cuisine goûteuse et recherchée en fonction du marché. Accueil chaleureux. Une petite visite à l'abbaye cistercienne d'Aubazine s'impose... c'est dans le pensionnat que Coco Chanel passa quelques années !

Accès : sur la N 89 entre Brive et Tulle, prenez la D 48 vers Aubazine, continuez vers Le Chastang puis prenez à droite la D 175 jusqu'à Palazinges ; la maison est au centre du bourg.

ROCHES   23270

Carte régionale B1

20 km NE de Guéret ;
4 km S de Châtelus-Malvaleix

€€ 🏠 |●| 🐴 ⑩% *Chambres d'hôtes (Nelly et Philippe Bouret) :* La Vergnolle. ☎ 05-55-80-81-97. 📱 06-63-42-23-14. ● reservation@lavergnolle.com ● lavergnolle.com ● 📶 Dans un petit hameau tranquille, gentille demeure où un âne et les canards paressent près de l'étang ombragé par de vieux chênes. 5 chambres charmantes, avec de beaux tissus et la fraîcheur des pierres de taille. Toutes avec sanitaires privés et TV. 68 € pour 2, petit déj compris. Table d'hôtes à 28 €, apéro, café et digeo compris. Une cuisine du terroir à base des volailles de la ferme ou des alentours. Piscine, et un espace spa-sauna installé dans un petit chalet en bois. Également une chambre sur pilotis, toute de bois vêtue et 2 gîtes de pêche en rondins de bois pour ceux qui veulent séjourner. Accueil adorable.

Accès : de Roches, direction Ajain et fléchage.

SAINT-BONNET-
L'ENFANTIER   19410

Carte régionale A2

20 km N de Brive-la-Gaillarde ;
18 km SO d'Uzerche

€€ 🏠 |●| ⑩% *Chambres d'hôtes (Nadine Buge) :* La Borde. ☎ et fax : 05-55-73-72-44. 📱 06-09-25-56-96.

● *nadinebuge7@gmail.com* ● *fermede laborde.fr* ● *Fermé 15 sept-15 oct. Résa souhaitée.* 🛜 Dans une grande maison des années 1930, en pierre, 5 chambres avec sanitaires privés et climatisation, à 60 € pour 2, petit déj compris. Au 1er, petite cuisine à disposition, et au second, salle de détente avec jeux de société et un sympathique choix de B.D... sans oublier le spa à l'arrière de la maison. Nadine, jeune hôtesse dynamique, partage ses repas avec vous (table d'hôtes à 20 €), servis dans le jardin aux beaux jours. Ne manquez pas les bonnes spécialités d'Yvette, son cordon bleu de maman : potage (et ici, on fait chabrot), chapon fermier, magret d'oie aux noix, confit de porc, petit salé aux lentilles. De décembre à mars, Nadine organise des « week-ends foie gras » : forfait 2 nuits, 2 petits déj et 5 repas (du vendredi midi au dimanche) à 320 € par personne, pour tout savoir sur la découpe de l'oie grasse et la manière de cuisiner le foie ! Accueil très agréable, une très bonne adresse.

Accès : A 20, sortie no 46 Perpezac-le-Noir ; allez dans le bourg puis rejoignez Saint-Bonnet par la D 156 ; c'est la 1re maison du village de La Borde.

SAINT-CERNIN-DE-LARCHE   19600

Carte régionale A2

12 km SO de Brive-la-Gaillarde ;
6 km S de Saint-Pantaléon-de-Larche

€€€ 🏠 |●| *Chambres d'hôtes Le Moulin de la Roche (Danielle et Michel Andrieux) :* La Roche. ☎ 05-55-85-40-92. 🖳 06-15-11-74-54. Fax : 05-55-85-34-66. ● *lemoulinvieux delaroche@gmail.com* ● *lemoulinvieuxde laroche.fr* ● ♿ *Ouv 1er avr-15 nov.* Bien que vous soyez en Corrèze, vous vous rapprochez franchement du Sud-Ouest et de la Dordogne. D'ailleurs, il vous suffira de connaître la personnalité et l'hospitalité de Michel pour en être définitivement convaincu. Magnifique demeure entièrement restaurée et décorée par vos hôtes. Le résultat est grandiose et l'intérieur tient toutes ses promesses. On entre dans un joli salon méditerranéo-campagnard : beau dallage du Luberon, murs peints au gant couleur soleil et poutres bleues. La salle à manger est immense avec la vieille table de ferme, le vaisselier et l'horloge comtoise qui n'en finit pas de se balancer, sans oublier les jolis vitraux dessinés par Danielle et réalisés sur mesure. 4 chambres d'hôtes pas immenses mais ravissantes, avec de luxueux sanitaires privés. Peintures au gant, patines, frises au pochoir. Le moulin du XIIIe s héberge 2 chambres élégantes,

dont une suite avec coin salon. Selon la chambre, de 70 à 90 € pour 2, petit déj compris. À l'extérieur, agréable parc qui vous réserve quelques surprises. Table d'hôtes, sur réservation, à 26 €. Accueil de qualité. Une adresse de charme. Juste à côté, le lac de Causse vous permettra de pratiquer tous sports nautiques ; on peut aussi s'y baigner.

Accès : de Brive, empruntez la N 89 en direction de Périgueux jusqu'à Larche ; au rond-point, tournez à gauche vers le lac de Causse (D 19) ; à la marbrerie du village de La Roche, 2e à droite vers Chavagnac, c'est l'avant-dernière maison à gauche.

SAINT-HILAIRE-LES-PLACES   87800

Carte régionale A1-2

30 km S de Limoges ;
20 km N de Saint-Yrieix-la-Perche

€€€ 🏠 |●| 🐎 (10 %) *Chambres d'hôtes Les Drouilles Bleues (Maïthé et Paul de Bettignies) :* La Drouille. ☎ 05-55-58-21-26. 🖳 06-80-71-73-95. ● *drouillesbleues@ free.fr* ● *drouillesbleues.free.fr* ● 🛜 Maïthé et Paul ont pris une retraite active dans leur belle longère perchée sur un éperon granitique qui domine le Pays arédien. 2 chambres, une dite dans le « logis » et l'autre dans la « chaumière », chacune conçue en duplex. Un gain de place et, surtout, une notion d'espace qui fait souvent défaut en maison d'hôtes. Compter 73 € pour 2, petit déj compris. Vos hôtes sont passionnés de balades, culture et autres richesses locales, qu'ils vous feront partager autour de la table d'hôtes, conçue à base de produits entièrement naturels (ceux du jardin et de fermes voisines principalement). 26 € le repas, apéritif, vin et café compris. De l'espace, il y en a aussi tout autour, dans le jardin et les prés environnants où broutent les ânes ; dans la campagne aussi, où Paul et Maïthé se feront un plaisir de vous indiquer les chemins de randonnée. Ambiance familiale et chaleureuse. Autant dire qu'on aurait bien posé là nos valises pour un bout de temps...

Accès : bon fléchage dans le village.

SAINT-JULIEN-PRÈS-BORT   19110

Carte régionale B2

20 km SE d'Ussel ;
8 km NO de Bort-les-Orgues

€€ 🏠 |●| (10 %) *Chambres d'hôtes La Garenne (Martine et Éric Mesnil) :*

Nuzéjoux. ☎ et fax : 05-55-94-83-83. 📠 07-81-02-09-05. ● eric.mesnil0703@orange.fr ● la-garenne.net ● Fermé 15 déc-15 mars. 🌐 À 600 m d'altitude, dans un bel environnement de nature, maison typique du pays. 3 chambres d'hôtes coquettes et colorées (2 à 4 personnes), avec sanitaires privés. Comptez 58 € pour 2, petit déj compris. Agréable véranda où vous pourrez, sur réservation, partager le repas du soir pour 25 €, vin et café compris. Cuisine familiale et régionale. Belle piscine devant la maison, mais aussi tables de pique-nique dans le petit bois de la propriété.

Accès : sur la D 979 entre Bort-les-Orgues et Ussel (n'allez pas à Saint-Julien).

SAINT-PARDOUX-LE-NEUF   23200

Carte régionale B1

6 km SE d'Aubusson

€€€ 🏠 |●| 🐾 10% *Chambres d'hôtes (Patrick Dumontant) :* Les Vergnes. ☎ 05-55-66-23-74. 📱 06-82-48-33-29. ● patrick.dumontant@orange.fr ● les vergnes.fr ● Ouv mars-nov. 🌐 En pleine nature, jolie maison typiquement creusoise, avec un étang privé juste devant. 5 chambres décorées avec goût, dont une avec salle de bains balnéo en mezzanine (plus chère). Sanitaires privés. De 80 à 86 € pour 2, petit déj compris. Piscine couverte et jardin ombragé. Également 3 gîtes ruraux sur place : 2 mitoyens et 1 indépendant dans une maison tricentenaire superbement restaurée et décorée. Un charme fou. Eux aussi disposent de leur propre piscine. De 580 à 690 € la semaine, suivant la saison. Sur réservation, possibilité de table d'hôtes à 25 €. Accueil jeune et chaleureux.

Accès : d'Aubusson, empruntez la D 941 en direction de Clermont-Ferrand ; restez sur la D 941, sans bifurquer vers Saint-Pardoux ; 6 km plus loin, prenez le petit chemin sur la droite, en face de la route vers Bellegarde/Auzances.

SAINT-VAURY   23320

Carte régionale B1

11 km O de Guéret

€€€ 🏠 |●| 10% *Chambres d'hôtes Domaine de la Jarrige (Yolande et Marc Muller) :* ☎ 05-55-41-05-81. 📱 06-64-42-70-71. ● contact@domainedelajarrige.fr ● domainedelajarrige.fr ● 🐾 🌐 Dans un joli coin de campagne, joli domaine du XVIIe s, ancienne propriété du comte de la Jarrige, s'il vous plaît ! 5 chambres réparties dans différents petits bâtiments, et un loft avec cuisine, pour 4 personnes, qui se loue uniquement pour 2 nuits. Côté chambres, elles sont spacieuses et élégantes, colorées et meublées avec goût. On aime bien « Sabot de Vénus », plus petite et moins chère, et « Tilleul », dans un petit pavillon indépendant. Selon la chambre, de 80 à 90 € pour 2, petit déj compris. Pour le loft, 320 € pour 2 personnes pour 2 nuits sans le petit déj. Table d'hôtes partagée en famille à 25 €, apéro, vin et café compris. Pour vous relaxer, un espace détente avec jacuzzi et sauna avec supplément. Accueil teinté par l'accent alsacien des proprios. Une adresse au charme indéniable.

Accès : sur la N 145 entre Guéret et la Souterraine, sortie Saint-Vaury, et suivez le fléchage « La Jarrige ».

SAINT-YRIEIX-LA-PERCHE   87500

Carte régionale A2

37 km S de Limoges ;
11 km O de Coussac-Bonneval

€€€ 🏠 10% *Chambres d'hôtes Le Passé Antérieur (Mme Martin) :* 7, pl. du Président-Magnaud. ☎ 05-55-75-35-02. 📱 06-85-70-22-10. ● lepasseanterieur@yahoo.fr ● lepasseanterieur.free.fr ● Ouv de mi-avr à oct. 🌐 On peine à imaginer qu'ici se cache, derrière une façade anodine, une véritable demeure de charme. Et pour cause, la vaste maison bourgeoise datant du XVIIIe s a révélé d'authentiques colombages lors de sa restauration (que l'on retrouve dans l'entrée), d'anciens planchers cirés et de belles fenêtres ouvrant sur un grand jardin aménagé où est servi le petit déj aux beaux jours. Les chambres ont été décorées par Madame, antiquaire, avec le bon goût des meubles patinés et des objets qui racontent tant d'histoires... 80 € pour 2, petit déj compris. Au fait, c'est sans doute la seule chambre d'hôtes du Limousin dont on peut acheter le mobilier avant de repartir !

Accès : en centre-ville, face à l'hôpital.

SEGONZAC   19310

Carte régionale A2

30 km NO de Brive ; 13 km E d'Objat

€€ 🏠 |●| *Chambres d'hôtes Pré Laminon (Christine Payot et Jacques Derrien) :* lieu-dit Laurègie. ☎ 05-55-84-17-39.

LIMOUSIN

📱 06-30-56-30-18. ● prelaminon@wana
doo.fr ● prelaminon.com ● Ouv avr-oct. À la
frontière de la Corrèze et de la Dordogne,
superbe grange à colombages et toit quatre pentes, typique de la région. 3 chambres de 2 à 6 personnes, chaleureuses et
douillettes, toutes de bois vêtues. Sanitaires privés. 65 € pour 2, petit déj compris
(jus de fruits frais, viennoiseries et confitures maison), et 100 € pour 4. Table d'hôtes,
sans les proprios, à 20 €, vin compris.
Cuisine familiale à tendance régionale où
le canard maison (foie gras, confit, magret,
cou farci...) et les légumes du jardin sont
souvent à l'honneur. Les repas se prennent
dans l'ancienne étable qui a été conservée
dans son jus (notamment les « cornadis »
comme on dit ici !). Belle piscine. Accueil
convivial. Vous êtes à deux pas du petit village de Saint-Robert, classé parmi les plus
beaux villages de France.

Accès : dans le village, prenez la direction
de Juillac jusqu'au garage et tournez à
gauche vers Laurègie.

VALLIÈRES   23120

Carte régionale B1

15 km SO d'Aubusson ;
4 km N de Saint-Yrieix-la-Montagne

€€ 🏠 ⌂ ***Chambres d'hôtes (Frédérique***
et Yannick Crouteix) : *La Lombrière.*
☎ 05-55-66-94-41. ● yannick.crouteix@
orange.fr ● Petite maison bourgeoise
avec 4 chambres aménagées dans un
goût moderne, raffiné et original. Chacune décorée sur un thème différent,
on a craqué sur « La mer » (Yannick est
breton d'origine, forcément...), avec sa
belle vue sur la campagne. Sanitaires
privés. 60 € pour 2, petit déj compris. Pas
de table d'hôtes, mais cuisine à disposition. Accueil plein de gentillesse et de
sincérité.

Accès : en arrivant sur Vallières par la
route d'Aubusson, c'est la 1re maison à
droite.

LIMOUSIN

Lorraine

Meuse (55)

Moselle (57)

Meurthe-et-Moselle (54)

Alsace

Champagne-Ardenne

Vosges (88)

Franche-Comté

ANCEMONT 55320

Carte régionale A1

43 km NE de Bar-le-Duc ;
10 km S de Verdun

€€€ 🏠 |●| ***Chambres d'hôtes (Marie-José et René Eichenauer) :*** *château de Labessière.* ☎ 03-29-85-70-21. 📱 06-08-51-17-29. ● *rene.eichenauer@orange.fr* ● *chateau-labessiere.fr* ● *Fermé à Noël et au Jour de l'an.* 📶 Château du XVIIIe s, mitoyen à d'autres maisons, que René a entièrement aménagé. 3 chambres doubles avec meubles de style et sanitaires privés. Préférez celle de l'arrière avec son immense salle de bains ou celle avec l'immense terrasse privée donnant sur le parc. Ici, système demi-pension de 80 à 90 € par personne, toutes boissons incluses (c'est ça la vie de château !). Agréable jardin avec piscine couverte. Une adresse pour routards aisés.

Accès : *de Verdun, empruntez la D 34 ; dans le bourg.*

BELLEAU 54610

Carte régionale A1

18 km N de Nancy ;
15 km SE de Pont-à-Mousson

€€€€ 🏠 |●| ⑩% ***Chambres d'hôtes Château de Morey (Famille Karst) :*** *Morey.* ☎ 03-83-31-50-98. ● *cha teaudemorey@orange.fr* ● *chateau demorey.com* ● *Fermé le dim soir.* 📶 Il a fallu aux proprios abattre un travail de titan pour redonner vie à cet endroit après un terrible incendie en 1985. Le résultat est superbe... 5 chambres pleines de charme, spacieuses, toutes avec petit coin salon et sanitaires privés. On aime bien la « Tourelle » pour son côté romantique, avec lit à baldaquin. 105 € pour 2, petit déj compris. Table d'hôtes à 30 €, vin compris. Cuisine régionale et familiale. Agréable piscine dans le parc. Espace détente avec spa (payant). Une adresse pour vivre la vie de château !

Accès : *suivez le fléchage depuis le village.*

BIONVILLE 54540

Carte régionale B2

48 km S de Sarrebourg ;
32 km N de Saint-Dié

€€ 🏠 |●| ***Chambres d'hôtes Le P'tit Bonheur (Louis Hoblingre) :*** *21, Les Noires-Colas.* ☎ *et fax : 03-29-41-12-17.* 📱 *06-21-62-03-10.* ● *chambre@ vosgespetitbonheur.fr* ● *vosgespe titbonheur.fr* ● *Sur résa de préférence.* 📶 À 370 m d'altitude, dans le massif vosgien, jolie petite maison avec balcon de bois. Louis y propose 5 chambres avec sanitaires privés, à 60 € pour 2, petit déj compris. Table d'hôtes à 24 €, vin compris. Accueil vraiment sympa, ambiance décontractée

---

Nous vous rappelons que la table d'hôtes est le complément d'une formule d'hébergement (chambre d'hôtes, gîte d'étape...). Ce service n'est offert qu'aux personnes qui dorment sur place (excepté lorsqu'il est clairement écrit « ouvert aux extérieurs »).

Map legend:
● **Ancemont** — Adresses
○ Metz — Villes repères

NORD

ALLEMAGNE

A 1
E 422
A 62
A 8
E 50
A 6
E 50
A 620
E 29
A 623
A 6
E 50
A 8

D 956
D 918
D 19
D 854
Burtoncourt
Condé-Northen
A 4 — E 25 — E 50
D 603
Gaubiving
Saarbrücken
Sarreguemines
MOSELLE
D 9.99
D 674
D 674
D 999
D 620
D 35
Rahling
Montbronn
Niederbronn
D 3
D 28
D 28
D 668
D 855
57
Sarre-Union
D 1061
D 1063
Château-Salins
D 38
D 43
N 4
Sarrebourg
A 4 — E 25
Haguenau
Saverne
D 421
A 35

ET-
D 914
D 955
D 955
Niderviller
BAS-RHIN (67)
MOSELLE
D 7
D 41
D 1004
D 1004
Strasbourg
D 400
Lunéville
N 4
D 33
E 21
Meurthe
N 59
Herbéviller
Bionville
Molsheim
E 25
A 35
D 9
D 914
D 1420
D 112
Loromontzey
D 414
D 424
D 424
A 35
E 25
A 5
E 35
D 32
D 424
D 657
Saint-Dié-des-Vosges
N 59
N 59
D 468
D 166
D 420
Laveline-du-Houx
Granges-sur-Vologne
Ribeauvillé
Sélestat
Épinal
N 57
88
D 8
Gérardmer
D 415
Colmar
ALLEMAGNE
D 434
Sapois
D 417
D 475
HAUT-RHIN (68)
D 43
D 468
la Bresse
Ventron
D 430
Guebwiller
Freiburg
N 66
Le Ménil
N 66
Fresse-sur-Moselle
Thann
N 57
Luxeuil
Mulhouse
A 5
E 35

LORRAINE

LORRAINE

et conviviale. Location d'ânes pour les randonnées. Une adresse qui porte bien son nom.

Accès : *de Bionville, par D 183 vers Les Noires-Colas ; au centre du hameau.*

BRÛLEY 54200

Carte régionale A2

5 km NO de Toul

€€ 🏠 ***Chambres d'hôtes Domaine de la Linotte (Géraldine et Marc Laroppe) :*** *90, rue Victor-Hugo.* ☎ 03-83-63-29-02. 📱 06-89-53-61-90. ● *domainedelalinotte@orange.fr* ● *domainedelalinotte.fr* ● 📶 2 chambres mignonnettes dans une petite maison de ce typique village du vignoble, situé dans le parc régional de Lorraine. Sanitaires privés. 55 € pour 2, petit déj compris. Accueillant jeune couple de vignerons, qui ne se fera pas prier pour vous faire goûter leur production.

Accès : *de Toul, D 908 vers Lucey, jusqu'à Brûley.*

BURTONCOURT 57220

Carte régionale B1

23 km NE de Metz ;
16 km SO de Bouzonville

€€ 🏠 ◉ 10% ***Chambres d'hôtes (Alina et Gérard Cahen) :*** *51, rue de Lorraine.* ☎ *et fax : 03-87-35-72-65.* 📱 *06-72-89-08-18.* ● *ag.cahen@wanadoo.fr* ● *maisonlorraine.com* ● 📶 Dans ce village où les habitations s'alignent le long de la départementale, petite maison sur 2 niveaux. 2 chambres mignonnettes équipées de sanitaires privés agréablement inclus dans la déco. 63 € pour 2, petit déj compris (gâteau, confitures et miel maison). Charmante cuisine avec le vieux fourneau de grand-mère et une superbe salle à manger avec de beaux volumes agrémentés par de petites tapisseries polonaises (la patrie d'Alina). Table d'hôtes à 25 €, vin compris, toujours partagée avec les propriétaires. Cuisine plutôt végétarienne, avec des spécialités polonaises, comme les *pierogi* (sortes de raviolis) ou le *bortsch* (soupe de betterave). Accueil souriant, teinté par la gentillesse d'Alina.

Accès : *de Metz, prenez la D 3 en direction de Bouzonville, puis à droite la D 53A vers Burtoncourt ; la maison est au centre du bourg.*

CHARENCY-VEZIN 54260

Carte régionale A1

25 km O de Longwy ;
10 km NO de Longuyon

€€ 🏠 ◉ ***Chambres d'hôtes (Viviane et Miroslave Jakircevic) :*** *1, Grand-Rue.* ☎ *03-82-26-66-26.* ● *chambreshotes@wanadoo.fr* ● *chambreshote.com* ● 📶 Vous êtes dans une maison républicaine tout en pierre dorée, au carrefour de la Belgique et du Luxembourg... D'ailleurs, c'est marqué au-dessus de la porte (L 12 RF). 3 chambres, dont 2 familiales (avec chambres attenantes pour les enfants) : une au rez-de-chaussée avec un croquignolet phonographe, les 2 autres à l'étage. Mobilier néorustique ou moderne. Sanitaires privés. 60 € pour 2, petit déj compris, et 20 € par personne supplémentaire. Table d'hôtes partagée avec les proprios à 18 €, apéro et vin compris. Cuisine traditionnelle avec des produits fermiers et légumes du jardin. Accueil convivial. Aux abords du village, « la pelouse calcaire » offre une belle balade pour découvrir orchidées et papillons.

Accès : *de Longuyon, prenez la N 43 vers Charleville/Reims sur 10 km puis la D 29 jusqu'à Charency-Vezin ; la maison est avt l'église à droite.*

CONDÉ-NORTHEN 57220

Carte régionale B1

20 km NE de Metz ;
5 km SO de Boulay-Moselle

€€ 🏠 ◉ ***Chambres d'hôtes de la Nied (Joëlle et Michel Scholtès) :*** *25, rue du Pont-de-Nied.* 📱 06-10-09-30-95. *Fax : 03-87-79-34-86.* ● *s.michel195@aliceadsl.fr* ● *chambresdelanied.fr* ● Jolie maison soigneusement restaurée, en retrait de la route. 5 chambres très soignées, coquettes et colorées car Joëlle adore la déco. 2 d'entre elles se partagent une grande terrasse. Sanitaires privés avec douche à jets pour notre préférée, baignoire balnéo et douche à jets pour la familiale. Selon la chambre, de 63 à 85 € pour 2, petit déj compris. Table d'hôtes à 20 €, vin compris. Accueil chaleureux.

Accès : *peu après la sortie de Condé en direction de Metz, ou juste avt le village si vous venez de l'A 4 (à 4 km).*

FRESSE-SUR-MOSELLE 88160

Carte régionale B2

*35 km S de Gérardmer ;
3 km E du Thillot*

€€ 🏠 |●| 🛏 **Chambres d'hôtes (Michèle et Georges Gross) :** *La Colline- 22, rue de la Chapelle.* ☎ 03-29-25-83-31. ● mgi. gross@wanadoo.fr ● bergeriedelacolline. monsite.orange.fr ● *Fermé 1re quinzaine de sept et 15 déc-1er fév. Résa conseillée, et indispensable pdt les vac scol.* 🛜 À 650 m d'altitude, mignonnette ferme au milieu des forêts et des pâturages, avec une superbe vue sur les montagnes. 5 chambres : 2 au 1er étage, 3 autres au second, toutes avec sanitaires privés. Couettes, ambiance très douillette. 54 € pour 2 petit déj compris, et 17 € le repas, vin compris. Parmi les spécialités de Michèle : tranches farcies (spécialité alsacienne, sorte de cannellonis), pintade à la mirabelle, pommes de terre au munster... Les repas sont partagés en famille autour d'une grande table, au coin de la cheminée. Accueil souriant. Une bonne adresse.

Accès : sur la N 66 ; dans le village, suivez le fléchage « La Colline », puis « Chambres d'hôtes à la ferme ».

FUTEAU 55120

Carte régionale A1

*38 km SO de Verdun ;
11 km SO de Clermont-en-Argonne*

€€ 🏠 ⑩% **Chambres d'hôtes Le Four au Bois (Michel Clo) :** *hameau de Belle-fontaine.* ☎ 03-29-88-22-08. 📱 06-81-74-53-26. ● michel-clo@wanadoo.fr ● lefour raubois.com ● ♿ Dans un petit hameau niché dans la forêt d'Argonne, vieille demeure restaurée avec goût. 4 belles chambres confortables, décorées avec soin, qui ouvrent sur la nature. Sanitaires privés. Selon la chambre, de 60 à 70 € pour 2, petit déj compris, et 20 € par personne supplémentaire. Accueil cordial.

Accès : fléchage depuis le bourg.

GAUBIVING 57500

Carte régionale B1

*18 km Ne de Sarreguemines ;
5 km S de Forbach*

€€ 🏠 |●| ⑩% **Chambres d'hôtes Les Hirondelles (Christiane et Phi-lippe Wagner) :** *6, rue de Forbach.* ☎ 03-87-87-79-23. 📱 06-24-47-35-55. ● philippewagner@wanadoo.fr ● gite-les-hirondelles.fr ● La couleur de la maison a de quoi surprendre mais l'intérieur l'est tout autant... Christiane et Philippe sont agriculteurs et habitent à côté. Ils ont restauré cette ferme du XVIIe s (eh oui !) en mélangeant les styles et en conservant une partie de ses origines. 5 chambres agréables avec une préférence pour « Rose », dans les tons de blanc, et « Marguerite » avec accès direct sur l'extérieur. 67 € pour 2, petit déj inclus. Table d'hôtes à 25 €, apéro et vin compris. Accueil chaleureux.

Accès : sur la voie rapide Sarreguemines vers Folkling sortie Gaubiving, c'est la maison rouge, dans la descente.

GÉRARDMER 88400

Carte régionale B2

*51 km SE d'Épinal ;
50 km SO de Colmar*

€€€ 🏠 |●| **Chambres d'hôtes Chalet L'Épinette (Claudine et Gisèle Poirot-Scherrer) :** *70, chemin de la Trinité.* ☎ et fax : 03-29-63-40-06. 📱 06-08-61-60-64. ● info@chalet-epinette.com ● chalet-epinette.com ● 🛜 Claudine est une enfant du pays, fille et petite-fille de bûcherons. Elle a décidé, avec sa fille Gisèle, de faire construire un superbe chalet en bois massif, typique de la région. 5 chambres d'hôtes chaleureuses et douillettes, avec sanitaires privés : 2 au rez-de-chaussée, les 3 autres à l'étage. On aime bien la bleue, car elle a un romantique lit à baldaquin. 90 € pour 2, petit déj compris (confitures et brioche maison). Agréable séjour qui ouvre, par de larges baies vitrées, sur la forêt d'un côté et Gérardmer de l'autre. Table d'hôtes à 22 ou 32 €, apéritif, vin et café compris. Ici, on se sent bien... Est-ce le bois qui diffuse son agréable chaleur, ou toutes les photos noir et blanc qui vous conteront le travail des bûcherons (débardage, traîneau chargé de bois...), ou encore le sourire et le charme de vos deux hôtesses ? Pour vous détendre, un sauna, un hammam, un spa, et un grand billard américain. Bref, une adresse très sympa.

Accès : dans Gérardmer, direction Colmar (bd de Jamagne) jusqu'au pont ; en face commence le chemin qui mène jusqu'au chalet.

GRANGES-SUR-VOLOGNE 88640

Carte régionale B2

40 km E d'Épinal ;
13 km NO de Gérardmer

€€€€ 🏠 |●| ⑩% *Chambres d'hôtes Villa des Fougères (Danièle et Christian Walter) :* 17, rue Charles-de-Gaulle. ☎ 03-29-51-47-60. 📱 06-87-05-83-90. ● lesfougeres.granges@free.fr ● lesfougeres.granges.free.fr ● *Fermé 20 déc-10 janv.* 📶 Pittoresque villa de la fin du XIXᵉ s entourée d'un grand jardin. 2 chambres charmantes, dont une suite familiale. Sanitaires privés. Selon chambre, 90 ou 130 € pour 2, petit déj compris. Ambiance et déco un peu bourgeoise, un peu artiste, avec une foule de bibelots, de gravures et de tableaux de la maîtresse des lieux. Table d'hôtes goûteuse à 25 €, tout compris. Accueil chaleureux.

> *Accès : dans le bourg, à côté de la poste.*

HERBÉVILLER 54450

Carte régionale B2

33 km SO de Sarrebourg ;
22 km E de Lunéville

€€ 🏠 |●| 🐎 ⑩% *Chambres d'hôtes (Brigitte et Gilbert Bregeard) :* 7, route Nationale. ☎ 03-83-72-24-73. 📱 06-22-02-40-31. ● g2bregeard@wanadoo.fr ● *Fermé 1ʳᵉ sem d'août.* Petite maison typique que Brigitte et Gilbert ont retapée avec beaucoup de goût. Ils vous accueillent dans 2 chambres d'hôtes guillerettes, claires et agréables. Sanitaires privés. La maison est en bordure de nationale, mais comme les chambres donnent sur le jardin, à l'arrière, c'est plus au calme. 55 € pour 2, petit déj compris. Repas à 22 €, apéro et vin compris : potage, crudités, brochette de Saint-Jacques, grillades du jardin, pintade aux groseilles, savarin aux mirabelles, mille-feuille aux framboises, etc. Accueil jeune et sympa, ambiance décontractée.

> *Accès : par la D 400 ; à la sortie du village sur la droite en direction de Blamont.*

LA BRESSE 88250

Carte régionale B2

55 km SO de Colmar ;
12 km S de Gérardmer

€ 🏠 |●| *Chambres d'hôtes Les Tannes (Line Perrin et Christian Harang) :* 6, chemin des Tannes. ☎ 03-29-25-60-98.

📱 06-82-62-98-58. ● info@lestannes.fr ● lestannes.fr ● 📶 À 950 m d'altitude, grande ferme traditionnelle complètement isolée, avec une belle vue sur les montagnes environnantes. 4 chambres, dont 2 regroupées pour les familles, avec sanitaires privés (eau chaude solaire). Décoration bois très chaleureuse, jolis tissus, beaux parquets. 55 € pour 2, avec le petit déj (*kugelhopf*, pain bio et confitures maison, entre autres !), et 17 € par personne supplémentaire. Repas (certains soirs, et sur réservation) à 22 €, apéro, vin et café compris, partagé avec vos hôtes. La maison est labellisée Panda et vous y trouverez une pièce détente avec bibliothèque (cartes, guides et documents sur la nature) à disposition. Avec un peu de chance, vous pourrez même voir gambader des chevreuils près de la maison. Également 2 gîtes ruraux pour ceux qui veulent séjourner. Nombreux circuits pédestres et VTT. Petit étang privé à proximité pour les pêcheurs. Accueil chaleureux.

> *Accès : dans La Bresse, prenez la direction de Gérardmer ; à la sortie du bourg, prenez la D 34 vers La Croix-des-Moinats et, 1 200 m après, direction Le Droit, puis le chemin des Huttes et celui des Tannes.*

LAVELINE-DU-HOUX 88640

Carte régionale B2

27 km E d'Épinal ;
18 km NO de Gérardmer

€€€ 🏠 *Chambres d'hôtes La Colline aux Loups (Éric Fialek) :* 17, route de Herigoutte. ☎ 03-29-67-21-49. 📱 06-87-87-31-20. ● contact@la-colline-aux-loups.com ● la-colline-aux-loups.com ● 📶 Voilà un endroit que les amoureux de calme, de nature ne manqueront pas ! Dans cette ancienne ferme en grès rose, 3 chambres (dont une suite), charmantes et décorées avec goût, qui dégagent beaucoup de sérénité. 73 € pour 2, petit déj compris, et 105 € dans la suite (et 20 € par personne supplémentaire). Table d'hôtes à 25 € pour découvrir une cuisine savoureuse et créative. Accueil chaleureux.

> *Accès : à l'entrée du village, prenez la route à droite vers Hérigoutte et suivez les panneaux.*

LE MÉNIL 88160

Carte régionale B2

35 km S de Gérardmer ;
15 km NO de Saint-Maurice-sur-Moselle

€€ 🏠 |●| 🐎 ⑩% *Chambres d'hôtes La Ferme des Granges (Aline et Julien*

Didierjean) : 23, route des Granges. ☎ 03-29-25-03-00. 📱 06-01-08-17-55. ● aline.julien@me.fr ● lafermedesgranges. fr ● 🌐 Ancienne ferme vosgienne en pleine nature, entre forêts et pâturages. 4 chambres claires et sans prétention avec sanitaires privés, à 60 € pour 2, petit déj compris. Bonne table d'hôtes partagée en famille à 20 €, apéro, vin et café compris. Cuisine familiale en fonction des produits de saison. Accueil chaleureux.

Accès : du Ménil, prendre la route des Granges (bon fléchage).

LIGNY-EN-BARROIS   55500

Carte régionale A2

65 km O de Nancy ;
15 km SE de Bar-le-Duc

€€€ 🏠 *Chambres d'hôtes Le Vieux Logis :* 43, rue du Général-de-Gaulle. 📱 06-70-54-82-82. ● contact@demeu reduvieuxlogis.com ● demeureduvieux logis.com ● Fermé aux vac scol de Noël. 🌐 Vaste hôtel particulier du XVIIIᵉ s disposant d'un agréable jardin clos. 3 chambres élégantes, lumineuses, installées au rez-de-chaussée. Déco qui mêle avec harmonie boiseries, cheminées anciennes et déco contemporaine. Sanitaires privés. Selon la chambre, de 80 à 85 € pour 2, petit déj bio compris. Accueil de qualité.

Accès : au cœur de la cité.

LOROMONTZEY   54290

Carte régionale B2

40 km SE de Nancy ;
10 km N de Charmes

€ 🏠 *Chambres d'hôtes Ferme de Loro (Mariam et Damien Colin) :* ☎ et fax : 03-83-72-53-73. 📱 06-09-30-16-26. ● damien.colin@loro.fr ● loro.fr ● Ouv de fév à la fin des vac de la Toussaint. 🌐 Dans un petit hameau, jolie ferme avec cour intérieure fermée. 2 chambres familiales, claires et agréables, avec sanitaires privés, à 48 € pour 2, petit déj compris (avec brioche, jus de fruits et confitures, le tout fait maison), et 20 € par personne supplémentaire. Pas de table d'hôtes, mais une cuisine à disposition. Bon accueil.

Accès : de Charmes, prenez la D 55 vers Saint-Germain, puis Loromontzey (D 133), c'est un peu avt d'arriver au village.

LUNÉVILLE   54300

Carte régionale B2

30 km SE de Nancy ;
25 km NO de Baccarat

€€ 🏠 *Chambres d'hôtes La Condamine (Marie-Ange Strazielle) :* 3, rue Gambetta. ☎ 03-8375-10-03. 📱 06-10-39-04-95. ● lacondamine.fr ● 🌐 Belle demeure aux allures de château. Deux vastes chambres, décorées avec goût ; l'une au rez-de-chaussée, l'autre au 2ᵉ étage et sous forme de suite familiale. Comptez 68 € pour 2, petit déj compris. Grand jardin abrité des regards indiscrets. Accueil agréable.

Accès : dans le centre, à deux pas de la pl. Léopold.

MAIZIÈRES   54550

Carte régionale A2

16 km SO de Nancy

€ 🏠 🚶 *Chambres d'hôtes (Laurent Cotel) :* 69, rue Carnot. ☎ 03-83-52-75-57. 📱 06-88-03-45-66. ● laurentcotel@ yahoo.fr ● 🌐 Demeure du XIIᵉ s qui servait de maison forte à l'évêché de Toul, et qui appartient à la famille depuis le XVIIᵉ s. 4 chambres rustiques et agréables : 2 au rez-de-chaussée et 2 à l'étage. Préférez celle avec la salle de bains et les chapeaux accrochés aux murs. Ambiance vieille France, avec les portraits des ancêtres qui sont là pour rappeler l'histoire. Des chambres, belle vue sur le jardin. Comptez 50 € pour 2, petit déj compris. Laurent vous donnera de bons tuyaux pour visiter la région à partir de chez lui. Une adresse où l'on séjourne volontiers et un bon rapport qualité-prix-convivialité.

Accès : de Nancy, prenez la direction Parc-Expo puis l'A 330 direction Épinal jusqu'à la sortie nᵒ 6 ; au rond-point, direction A 31 par la D 331, descente Maizières.

MAXEY-SUR-VAISE   55140

Carte régionale A2

43 km SO de Nancy ;
8 km S de Vaucouleurs

€€ 🏠 10% *Chambres d'hôtes (Danielle Noisette) :* ☎ 03-29-90-85-19. ● daniellen@ tourismerural.fr ● tourismerural.fr ● 🌐 Dans une partie annexe de sa maison, Danielle vous propose 2 chambres meublées façon rustique, claires et agréables, avec sanitaires privés. 54 € pour 2, petit déj inclus.

Pas de table d'hôtes, mais coin cuisine à disposition et quelques restos à proximité. Piscine à disposition. Accueil convivial.

Accès : sur la D 964 entre Vaucouleurs et Neufchâteau ; au centre du bourg.

MONTBRONN 57415

Carte régionale B1

28 km SE de Sarreguemines ;
4 km O de Saint-Louis-lès-Bitche

€ 🏠 |●| ⑩% **Chambres d'hôtes Havre Blanc (Christiane et Gilbert Schneider) :** *43, rue de Bitche.* ☎ 03-87-96-32-22. 📱 06-32-04-66-71. ● *contact@havreblanc. fr ● havreblanc.fr ● 🛜* Ce qui caractérise avant tout cette demeure, c'est son superbe parc et ses 2 croquignolettes chambres : « Asia », d'inspiration asiatique, et « Nature », parée de jolis meubles de famille et de souvenirs de voyage. Sanitaires privés. 50 € pour 2, copieux petit déj compris. Table d'hôtes à 23 €, vin compris. Cerise sur le gâteau, un sauna installé dans un petit chalet (15 € pour un couple). Accueil convivial.

Accès : dans la rue principale du village.

NIDERVILLER 57565

Carte régionale B2

6 km SE de Sarrebourg

€€ 🏠 🏡 **Chambres d'hôtes Au Grenier d'Abondance (Sylvie et Vincent Schmitt-Fetter) :** *11, rue des Vosges.* ☎ 03-87-23-79-96. 📱 06-71-85-00-09. ● *au-grenierdabondance@orange. fr ● augrenierdabondance.wifeo. com ● 🛜* Grande maison lorraine proposant 4 chambres aux noms des services de la faïencerie de la cité. Celles du grenier dégagent plus de cachet avec leurs colombages et leurs armoires Art déco. Petits sanitaires privés. 55 € pour 2, petit déj compris. Pas de table d'hôtes mais cuisine à disposition. Accueil chaleureux.

Accès : de Sarrebourg, D 45 jusqu'à Niderviller et suivez le fléchage.

RAHLING 57410

Carte régionale B1

25 km SE de Sarreguemines ;
20 km de Bitche

€ 🏠 ⑩% **Chambres d'hôtes (Annie et Louis Bach) :** *2, rue du Vieux-Moulin.* ☎ 03-87-09-86-85. 📱 06-88-64-97-08. ● *louis.bach@orange.fr ● 🛜* Aux portes de l'Alsace, ancien moulin du village, dont il ne reste plus grand-chose. Au 2e étage de la maison, 2 chambres d'hôtes, avec sanitaires privés. Déco simple. Comptez 50 € pour 2, copieux petit déj compris (gâteau maison, fromages et charcuterie). Pas de table d'hôtes, mais coin cuisine à disposition. Accueil authentique et familial.

Accès : de Sarreguemines, prenez la N 662 jusqu'à Rohrbach, puis la D 35 vers Rahling ; fléchage dans le bourg.

RARÉCOURT 55120

Carte régionale A1

45 km N de Bar-le-Duc ;
25 km SO de Verdun

€€€ 🏠 ⑩% **Chambres d'hôtes La Neuve Tuilerie (Famille Amory) :** *lieu-dit La Neuve-Tuilerie.* 📱 06-71-00-61-56. ● *laneuvetuilerie@orange.fr ● la-neuve-tuilerie.com ● Fermé de mi-nov à fin fév.* À quelques enjambées de la forêt d'Argonne (50 000 ha tout de même !), ancien et imposant pavillon de chasse du XIXe s, installé au beau milieu de la campagne. 3 chambres élégantes et charmantes, dont une suite composée de 2 chambres pour les familles. Sanitaires privés. Selon chambre, de 75 à 100 € pour 2, petit déj compris, et 15 € par personne supplémentaire. Accueil charmant. Une très bonne adresse.

Accès : A 4 sortie nº 29.1 puis direction Bar-le-Duc, puis Rarécourt et fléchage.

REVIGNY-SUR-ORNAIN 55800

Carte régionale A1

60 km SO de Verdun ;
17 km NO de Bar-le-Duc

€€€€ 🏠 🏡 **Chambres d'hôtes La Maison Forte (Caroline Cheurlin) :** *6, pl. Henriot-du-Coudray.* ☎ 03-29-70-78-94. 📱 06-63-46-03-26. ● *caroline_cheurlin@hotmail.com ● lamaisonforte.fr ● 🍴 Fermé en déc.* Belle maison forte, patinée par le temps, qui fut naguère propriété du duc de Bar puis du duc de Lorraine. 5 chambres confortables, bien décorées, mariant la pierre ancienne et le design moderne. Sanitaires privés. On aime bien la chambre « Tour », qui ouvre sur le jardin, et la « Suite » avec son joli salon (qui peut accueillir jusqu'à 4 personnes). De 85 à 135 € pour 2, petit déj compris, et 170 € la « Suite » pour 4. Accueil très sympa.

Accès : au centre du bourg.

SAINT-AUBIN-SUR-AIRE   55500

Carte régionale A2

26 km SE de Bar-le-Duc ;
10 km E de Ligny-en-Barrois

€€ 🏠 |●| 🐾 10% *Chambres d'hôtes Le Domaine de Hellebore (Mr et Mme Pothier) :* 28, rue Basse. ☎ et fax : 03-29-77-06-61. 📱 06-74-54-69-48. ● domaine.hellebore@wanadoo.fr ● perso.wanadoo.fr/domaine.hellebore ●🖅 Imposante maison rurale bien restaurée. 3 chambres agréables, avec sanitaires privés, à 70 € pour 2, petit déj compris. Table d'hôtes à 25 €, apéro, quart de vin, café et digeo compris. Cuisine soignée. Billard américain et grand jardin pour vous détendre. Accueil chaleureux. Une gentille adresse.

Accès : le village se trouve sur la N 4, à mi-chemin entre Nancy et Saint-Dizier.

SAPOIS   88120

Carte régionale B2

18 km E de Remiremont ;
10 km SO de Gérardmer

€€ 🏠 |●| 🐾 *Chambres d'hôtes Les Tournées (Bernadette et Francis Fellmann) :* 1, chemin des Tournées. ☎ 03-29-61-79-98. 📱 06-18-82-04-44. ● fellmann@lestournees.fr ●🖅 À 550 m d'altitude, en pleine campagne, ancienne ferme accrochée aux premières pentes des Vosges. Dans l'herbeau où était engrangée la moisson, 4 chambres agréables, joliment et sobrement décorées, dont une suite familiale. Sanitaires privés. 55 € pour 2, petit déj compris. Table d'hôtes (sauf le dimanche soir) partagée en famille à 20 €, vin compris. Cuisine traditionnelle et régionale avec pain maison cuit dans le four à pain. Accueil authentique et chaleureux.

Accès : fléché depuis le village de Rochesson (attention, l'accès est assez raide, prévoir l'équipement nécessaire en hiver).

SARREGUEMINES   57200

Carte régionale B1

70 km O de Metz ; 25 km SE de Forbach

€€ 🏠 *Chambres d'hôtes Majolique (Loekie et Hubert Jager) :* 51, rue des Deux-Ponts. ☎ 03-87-95-14-54. ● contact@majolique.fr ● majolique.fr ●🖅 Dans une ancienne fermette lorraine, 4 chambres confortables aux noms de faïences de Sarreguemines. Déco soignée et belles poutres. Sanitaires privés. 68 € pour 2, copieux petit déj compris. Accueil convivial.

Accès : dans le quartier de Neunkirch, dans la continuité de la rue Foch, avt de sortir de la ville.

VENTRON   88310

Carte régionale B2

26 km S de Gérardmer ; 13 km N du Thillot

€€€ 🏠 |●| *Chambres d'hôtes Le Chalet de Valentine (Valentine Poirot) :* 3, Sous l'Ermitage. ☎ 03-29-24-26-16. 📱 06-15-92-01-08. ● valentine.poirot@orange.fr ● lechaletdevalentine.fr ● Ce beau et grand chalet accroché sur les hauteurs abrite 5 agréables chambres, spacieuses et confortables à l'atmosphère montagnarde. 73 € pour 2, petit déj compris. Table d'hôtes à 23 € tout compris. Cuisine traditionnelle. Accueil convivial

Accès : à 6 km au sud de Ventron par la D 43, route qui contourne l'église sur la droite, la maison se trouve à gauche, en montant vers l'Ermitage.

WOINVILLE   55300

Carte régionale A1

20 km S de Commercy ;
10 km E de Saint-Mihiel

€€€ 🏠 *Chambres d'hôtes Domaine de Pomone (Nicole Gérard) :* 1, ruelle de Haldat-du-Lys. ☎ et fax : 03-29-90-01-47. 📱 06-14-93-55-92. ● ledomainedepomone@wanadoo.fr ● ledomainedepomone.com ● 🖅 Dans le parc naturel régional de Lorraine, jolie maison du XVIIIe s, aux murs couverts de plantes grimpantes et entourée d'un grand parc ombragé. 3 chambres à la déco agréable et une suite avec kitchenette. Sanitaires privés. De 65 à 75 € pour 2, petit déj compris (90 € pour la suite). Accueil convivial.

Accès : au cœur du bourg.

Midi-Pyrénées

ANSOST   65140

Carte régionale A2

25 km N de Tarbes ;
7 km NO de Rabastens

€ 🏠 I●I ***Chambres d'hôtes (M. et Mme Louit) :*** *40, rue de l'Église.* ☎ *et fax : 05-62-96-62-63.* 📱 *06-26-56-29-69.* ● *louit.mariemadeleine@wanadoo.fr* ● Charles et son épouse cultivent des céréales et des vignes pour leur consommation personnelle. Dans une ancienne grange à colombages, 5 chambres spacieuses, avec poutres apparentes, desservies par un immense couloir. Sanitaires privés. Comptez 45 € pour 2, petit déj inclus, et 15 € le repas en table d'hôtes pour déguster magret et confit, légumes du jardin, flan au caramel ou tartes aux fruits. Accueil charmant.

Accès : *à Rabastens, prenez la D 124 vers Barbachen, puis la D 52 jusqu'à Ansost.*

ARCIZANS-AVANT   65400

Carte régionale A2

15 km SO de Lourdes ; 3 km S d'Argelès-Gazost

€€ 🏠 I●I ***Chambres d'hôtes Antaya (Françoise Aguillon et Alain Begarie) :*** *49, camin d'Azun.* ☎ *05-62-97-91-74 ou 05-62-97-13-69.* 📱 *06-84-54-48-95.* ● *francoise-aguillon@orange.fr* ● *ferme-antaya.com* ● Au cœur du parc national des Pyrénées, en pleine nature, ancienne étable bien restaurée qui jouit d'une vue splendide sur le Val-d'Azun. À l'étage, 3 chambres originales et gaies avec sanitaires privés. 60 € pour 2, petit déj compris. Table d'hôtes à 22 € pour une cuisine saine basée sur les produits maison. Si vous venez avec des enfants, ils seront ravis de découvrir un petit monde d'animaux sympathiques : dans un enclos, quelques cochons gascons, deux ânes, deux chats, sans oublier le labrador de la maison. L'exploitation agricole de Françoise et Alain (frère et sœur) est un peu plus loin. Si ça vous intéresse, vous pourrez même accompagner le maître des lieux quand il part en estive. Accueil agréable.

Accès : *au rond-point à la sortie d'Argelès-Gazost, prenez direction Arcizans-Avant ; traversez le village, prenez la route du lac d'Estaing et suivez le fléchage « Antaya ».*

ASCOU   09110

Carte régionale B2

35 km SE de Foix ;
4 km E d'Ax-les-Thermes

€€ 🏠 I●I ***Chambres d'hôtes Le Belvédère (Annick et Alain Visine) :*** ☎ *05-61-64-04-40.* 📱 *06-47-76-91-63.* ● *info@ chambre-dhote-ariege.com* ● *chambre-dhote-ariege.com* ● 📶 À 1 000 m d'altitude, au bord d'une petite route qui conduit dans la montagne, jolie demeure

---

Nous vous rappelons que la table d'hôtes est le complément d'une formule d'hébergement (chambre d'hôtes, gîte d'étape...). Ce service n'est offert qu'aux personnes qui dorment sur place (excepté lorsqu'il est clairement écrit « ouvert aux extérieurs »).

à colombages de la fin du XIXe s. 5 chambres, dont 2 suites familiales, décorées avec goût. Sanitaires privés. Atmosphère calme et sereine. Agréables jardin et terrasse pour profiter de la vue exceptionnelle sur les sommets. De 52 à 64 € pour 2, petit déj compris. Bonne table d'hôtes à 20 € tout compris. Goûteuse cuisine familiale. Une adresse idéale pour les amateurs de ski et de randos. Accueil très chaleureux et un très bon rapport qualité-prix-convivialité.

Accès : sur la N 20 entre Foix et l'Andorre, allez jusqu'à Ax-les-Thermes puis prenez la D 25 vers le col de Pailhères ; après le panneau « Ascou », garez-vous sur le parking, c'est la 1re maison à droite.

AUJOLS   46090

Carte régionale A1

17 km E de Cahors ;
8 km N de Lalbenque

€€€€€ 🏠 |◉| **Chambres d'hôtes Lou Repaou (Odile et Nano Oller-Perret) :** ☎ 05-65-22-03-47. ● odile@lourepaou. fr ● lourepaou.fr ● 🍴 Fermé de mi-nov à mi-déc. 🛜 Après avoir fait le tour du monde, Odile et Nano se sont posés dans cette ancienne ferme quercynoise du XIXe s. Avec beaucoup de goût et de sobriété, dans le plus grand respect du lieu et de son esprit, ils ont tout restauré. Les matériaux naturels ont été privilégiés et le résultat est superbe. 5 chambres très vastes qui évoquent les pays lointains (Pérou, Mali, Népal, Australie, sans oublier le Quercy). Beaux sanitaires privés, avec baignoires balnéo ou douche hammam ! De 115 à 135 € pour 2, petit déj compris. Table d'hôtes à 29 € ou dîner gourmet à 39 €, vin compris. Pour compléter ce joli tableau, une chouette piscine au fond du petit jardin. Une adresse de charme pour séduire sa routarde préférée.

Accès : dans le bourg.

AUZITS   12390

Carte régionale B1

30 km NO de Rodez

€ 🏠 |◉| **Chambres d'hôtes (Anne-Marie et Jean-Marie Delcamp) :** Lestrunie. ☎ 05-65-63-11-40. 📱 06-52-34-45-67. ● lestrunie.fr ● Fermé aux vac de Noël. 🛜 Dans un petit hameau, belle ferme familiale avec pigeonnier et four à pain. Anne-Marie et Jean-Marie, agriculteurs, vous y accueillent très

chaleureusement. Belle salle de séjour avec meubles anciens. 3 grandes chambres indépendantes à 42 € pour 2, petit déj compris. Vous y goûterez les savoureuses confitures que prépare Anne-Marie (une vingtaine en tout !), comme celles aux fleurs d'acacia, aux pétales de rose, aux baies d'églantier ou à la rhubarbe. Mais ses talents culinaires ne s'arrêtent pas là puisqu'elle propose également la table d'hôtes, pour 13 €, vin compris. Spécialités de gratin au potimarron, d'estofinade et de tarte aux framboises. Possibilité de découvrir les différentes activités de la ferme, classée en bio. Excellent rapport qualité-prix-convivialité. Bref, une de nos adresses préférées dans la région.

Accès : dans le triangle Villefranche/Decazeville/Rodez ; entre Rulhe et Roussenac, sur la D 525.

AVIGNONET-LAURAGAIS   31290

Carte régionale B2

40 km SE de Toulouse ;
12 km SE de Villefranche-de-Lauragais

€ 🏠 **10 %** **Chambres d'hôtes (Anne Goyet) :** en Jouty. ☎ 05-61-81-57-35. 📱 06-58-35-51-94. ● annegoyet@orange. fr ● Ouv mars-oct. Ferme familiale (production de céréales et d'asperges) dans un environnement très calme. Deux chambres à l'étage de la maison, et une 3e au rez-de-chaussée. Sanitaires privés. Comptez 50 € pour 2, petit déj compris. Kitchenette à disposition. Accueil convivial.

Accès : A 61 vers Montpellier, sortie Villefranche-de-Lauragais, puis N 113 jusqu'à Avignonet ; à l'entrée du village, tournez à droite vers Beauteville, passez la voie ferrée, l'autoroute, le canal du Midi et, au sommet de la côte, fléchage ; la maison est à 3 km du bourg.

AYGUESVIVES   31450

Carte régionale A2

20 km SE de Toulouse ;
12 km NO de Villefranche-de-Lauragais

€€€€ 🏠 |◉| **Chambres d'hôtes La Pradasse (Christine et Frédéric Antoine) :** 39, chemin de Toulouse. ☎ 05-61-81-55-96. 📱 06-19-21-36-71. ● contact@lapradasse.com ● lapradasse.com ● 🛜 Havre de paix tout en harmonie dans un style contemporain qui intègre l'architecture en brique de l'ancienne ferme lauragaise. Les

5 chambres climatisées, spacieuses, à la déco soignée, c'est déjà tout un film ! On a craqué pour la « Dolce Vita » et pour « Le Patient anglais ». Il y a aussi la roulotte pour 2 personnes avec coin kitchenette. Selon la chambre, de 99 à 125 € pour 2, petit déj compris. Grande piscine. Accueil convivial. Un vrai coup de cœur sur le département.

Accès : A 61, sortie n° 19.1 Ayguesvives ; la maison est à 2,5 km de là en direction de La Pradasse par le CD 16.

BAZET   65460

Carte régionale A2

33 km S de Marciac ; 7 km N de Tarbes

€€ 🏠 **Chambres d'hôtes Le Clos Martel (Dominique et Jean-Claude Martel) :** 4-6, rue du 8-Mai. ☎ 05-62-33-42-55. 📱 06-33-69-14-13. ● dominique.piersonmartel@wanadoo.fr ● leclosmartel.com ● Fermé 15 j. en oct. 🛜 Au cœur de la cité, belle demeure du XIXᵉ s aux allures bourgeoises, entourée d'un grand jardin où siège un noble marronnier. Trois chambres, dont 2 familiales, claires et spacieuses (une au rez-de-chaussée, les 2 autres à l'étage). Déco sobre et de bon goût, atmosphère sereine et couleurs pastel. Sanitaires privés. 65 € pour 2, copieux petit déj compris. Pour aiguiser votre curiosité, sachez que Jean-Claude forge les couteaux et se fera un plaisir de vous présenter son travail. Et, sur demande, des stages d'aquarelle et de dessin peuvent être organisés en été. Accueil chaleureux. Une adresse où l'ambiance campagne se mêle au charme d'être dans le village.

Accès : A 64 sortie n° 13 Sémèac, puis direction Aureilhan puis Orleix et Bazet ; dans le village, au rond-point, suivez la direction « Mairie » et c'est la 3ᵉ rue à droite.

BEAUCENS   65400

Carte régionale A2

12 km S de Lourdes ;
4 km S d'Argelès-Gazost

€€€ 🏠 🍴 **Chambres d'hôtes Eth Béryé Petit (Ione et Henri Vielle) :** 15, route de Vielle. ☎ et fax : 05-62-97-90-02. ● contact@beryepetit.com ● beryepetit.com ● Fermé 24 déc-2 janv. 🛜 Eth Béryé Petit (« le petit verger ») est une splendide demeure familiale du XVIIIᵉ s située à 500 m d'altitude. Le cadre est superbe et la vue imprenable sur le donjon de Beaucens, appelé aussi donjon des Aigles. Henri est un enfant du pays... Pour preuve ? Il porte le même nom que le hameau ! Trois chambres d'hôtes raffinées, avec d'originaux sanitaires privés, occupent les 1ᵉʳ et 2ᵉ étages. 75 € pour 2, copieux petit déj compris (gâteau, confitures et petits pains maison). Du 1ᵉʳ novembre au 30 avril, possibilité de table d'hôtes les vendredi et samedi soir (sur réservation) pour 23 € le repas, apéritif, vin et café compris. Sinon, une auberge typique dans le hameau. Pour les amateurs de balades nature, plein de randos possibles à proximité (cirque de Gavarnie, pic du Midi de Bigorre...). Accueil chaleureux et charmant. Bon rapport qualité-prix-convivialité.

Accès : de Tarbes, prenez la N 21 vers Lourdes puis Argelès-Gazost ; sur la quatre-voies, suivre les panneaux direction Beaucens ; de là, suivez le fléchage « Eth Béryé Petit ».

BÉDEILHAC   09400

Carte régionale A-B2

15 km S de Foix ;
5 km O de Tarascon-sur-Ariège

€€ 🏠 🍴 10 % **Chambres d'hôtes Domaine des Espinassières (Marie-Christine Dussotier) :** ☎ 05-61-05-11-34. 📱 06-11-81-44-95. ● mariechristinedussotier@orange.fr ● domaine-des-espinassieres.com ● Ouv avr-nov. 🛜 Voilà une adresse que les nostalgiques des années 1960 ne manqueront pas ! Au pied de la montagne, dans un vaste parc gazonné et arboré bordé par la rivière, la maison de Marie-Christine, c'est un authentique *diner* américain, et lorsqu'on y entre, on se retrouve projeté à l'époque des Chaussettes Noires. Tout est là, même le juke box avec les disques d'époque ! Les plus fortunés choisiront de dormir dans la belle caravane Airstream, les autres obtiendront pour une chambre dans l'un des 3 chalets. Comptez 66 € pour 2, et 110 € lorsqu'on loge dans la caravane, petit déj compris, servi dans le *diner*. Grande salle à manger extérieure couverte et cuisine à disposition si vous ne faites pas le choix de la table d'hôtes (20 € le repas). Piscine et jacuzzi pour se détendre. Accueil chaleureux. « I love you yeh, yeh, yeh ! »

Accès : après le tunnel l'Ariégeoise, au rond-point de Tarascon, prenez à droite vers Bédeilhac ; le domaine est sur la gauche à la sortie du village.

BELLEGARDE   32140

Carte régionale A2

30 km S d'Auch ; 4 km E de Masseube

€€€ 🏠 🍴 10 % **Chambres d'hôtes Balcon Vert des Pyrénées (Mireille et Olivier**

Courouble): *La Garenne.* ☎ 05-62-66-03-61 *et* 09-71-33-25-67. 📱 06-88-71-84-49. Fax : 05-62-66-03-61. ● ocourouble@wanadoo.fr ● balconvertpyrenees.e-mon site.com ● 📶 Belle maison typique qui était autrefois la métairie du château voisin. Deux chambres au 1er étage, avec beau balcon rustique offrant une belle vue sur les Pyrénées. Jolis bibelots et beaux meubles anciens, le tout donne une ambiance un peu bonbonnière. Comptez 75 € pour 2, petit déj compris. Sur réservation, table d'hôtes à 25 €. Egalement 2 gîtes pour 4 et 6 personnes, décorés à l'ancienne avec goût. Piscine. Très bon accueil et de nombreuses infos sur la région.

Accès : *dans Masseube, prenez la direction de Simorre (CD 27) ; après 4 km, au panneau indiquant Bellegarde, prenez le 1er chemin à gauche avt l'église et le château.*

BÉNAC 09000

Carte régionale B2

7 km O de Foix

€€€ 🏠 |●| 🏇 ⑩% **Chambres d'hôtes Château de Bénac (Sylvie et Serge Doumenc) :** ☎ 05-61-02-65-20. 📱 06-23-40-71-67. ● chateaudebenac@orange.fr ● chambres-hotes-gites-ariege.com ● *Ouv de mi-fév à la Toussaint.* 📶 En pleine nature, très belle demeure du XVIIIe s dans un grand parc arboré. Serge et Sylvie ont restauré avec amour leur « château » qui avait été saccagé pendant la Révolution puis transformé en bergerie ! Cinq chambres élégantes, lumineuses et agréables, dont une familiale et une suite. Sanitaires privés. 72 € pour 2, petit déj compris. Table d'hôtes à 23 € tout compris. Cuisine traditionnelle avec d'excellents desserts réalisés par Serge, ancien pâtissier de métier... Slurp ! Possibilité de repas végétarien sur demande. Billard et piano accordé pour les amateurs. Des prix doux, un accueil simple et chaleureux : une adresse comme on les aime.

Accès : *de Foix, D 117 jusqu'à Saint-Pierre-la-Rivière puis direction Bénac ; traversez le village et suivez le fléchage.*

BÉRAUT 32100

Carte régionale A1

6,5 km S de Condom

€€ 🏠 |●| 🏇 **Chambres d'hôtes Le Hour (Florence et David Bonneville) :** ☎ 05-62-68-48-33. 📱 06-85-63-96-03. ● le-hour@orange.fr ● le-hour.com ● *Fermé*

janv-fév. 📶 Dans une ancienne ferme au cœur d'un cadre enchanteur et paisible, 5 superbes chambres dans lesquelles Florence et David ont laissé s'exprimer toute leur créativité : déco à base d'objets de récup, de vieux outils détournés... Tout est du meilleur goût, ravissant. Sanitaires privés. 59 € pour 2, petit déj compris, servi en été dans le jardin ombragé sur fond de musique relaxante. Table d'hôtes entre 15 et 22 €, vin compris. Piscine à l'écart, ping-pong, boulodrome... Excellent accueil. Une très belle adresse en famille ou pour un week-end en amoureux.

Accès : *de Condom, D 654 vers Saint-Puy sur 5,5 km puis tournez à gauche et suivez le fléchage.*

BOURG-DE-BIGORRE 65130

Carte régionale A2

30 km SE de Tarbes ;
15 km NE de Bagnères-de-Bigorre

€€ 🏠 |●| **Chambres d'hôtes La Caminade (Gérald Magnien) :** ☎ 05-62-39-08-63. 📱 06-44-10-40-87. ● magnienlacaminade@aliceadsl.fr ● chambres-hotes-lacaminade.com ● 📶 Au pays de Gaston Phébus, ancienne et jolie ferme bigourdane du XIXe s, restaurée avec amour par Gérald et Nicole. On passe sous un porche pour découvrir cette demeure, sa piscine et son grand parc. Quatre chambres coquettes et chaleureuses avec accès indépendant et sanitaires privés. De 65 à 77 € pour 2, petit déj compris. Table d'hôtes à 26 € tout compris. Bonne cuisine familiale avec les produits du terroir. Excellent accueil. Un point de chute idéal pour découvrir les richesses de la région.

Accès : *A 64 sortie Tournay puis direction L'Escaladieu/Mauvezin jusqu'à Bourg-de-Bigorre ; longez le petit terrain de sport du village, la maison est à gauche (fléchage discret).*

BOURG-DE-VISA 82190

Carte régionale A1

45 km NO de Montauban ;
20 km N de Moissac

€€ 🏠 |●| 🏇 **Chambres d'hôtes La Marquise (Michèle et Gilbert Dio) :** *Brassac.* ☎ *et fax :* 05-63-94-25-16. 📱 06-82-72-91-97. ● mglamarquise@infonie.fr ● fer melamarquise.com ● *Résa recommandée.* 📶 Dans une ferme du Bas-Quercy, dans la vallée du château de Brassac, un couple d'agriculteurs propose 4 chambres d'hôtes confortables, agréablement décorées, avec poutres apparentes. 53 € pour 2, avec un copieux petit déj. Table d'hôtes à 22 €, apéro, vin et café compris, servie dans une véranda. Parmi les activités à pratiquer sur place : pêche en étang privé avec prêt de cannes à pêche, randonnée pédestre, et six VTT à disposition (que demander de plus, hein ?). Excellent accueil.

Accès : *de Moissac, suivez la D 7 vers Bourg-de-Visa, puis fléchage « La Marquise » avt Brassac.*

BOUZIÈS   46330

Carte régionale B1

25 E de Cahors ;
5 km NO de Saint-Cirq-Lapopie

€ 🏠 🛏️ ⟨10%⟩ **Chambres d'hôtes Le Rucher de Pech Larive (Véronique Gault et José Girma) :** ☎ 05-65-30-20-93. 🖥️ 06-09-23-11-17. ● pechlarive@gmail. com ● lerucherdepechlarive.com ● *Ouv Pâques-Toussaint.* 📶 Sur leur exploitation certifiée « agriculture bio » et isolée au milieu des chênes, Véronique et José produisent confitures, pain d'épice, miel, compotes, sirops... Dans une ancienne grange en pierre, légèrement à l'écart, 3 chambres agréables : 2 à l'étage, mansardées, qui se partagent une salle de bains, la dernière de plain-pied sous forme de studio avec cuisine équipée et sanitaires privés. De 45 à 50 € pour 2, petit déj compris. Également un gîte pour 4 personnes, au milieu des vignes et des bois, loué de 260 à 320 € la semaine. L'ensemble est alimenté par l'énergie solaire. Une adresse pour se mettre au vert sans vider son porte-monnaie.

Accès : *suivez le fléchage depuis le village.*

BRIATEXTE   81390

Carte régionale B2

38 km NO de Castres ;
7 km O de Graulhet

€ 🏠 |●| ⟨10%⟩ **Chambres d'hôtes (Geneviève Bru) :** *Engalinier.* ☎ 05-63-42-04-01. Fax : 05-63-34-49-04. *Fermé 20 déc-15 janv.* Ferme caprine proposant 2 chambres d'hôtes, à 46 € pour 2, petit déj inclus. Également un camping à la ferme de 6 emplacements à 6 € par personne. Table d'hôtes à 14 €, à base des produits de la ferme et des légumes du jardin. Spécialités de cassoulet, de veau

maison et de pâtisseries. Visite de la ferme possible. Excellent accueil.

Accès : *de Briatexte en venant de Toulouse, prenez la direction de Graulhet et tournez à droite entre le bureau de tabac et la pharmacie ; faites 3,6 km et vous y êtes.*

BULAN   65130

Carte régionale A2

31 km SE de Tarbes ;
15 km SE de Bagnères-de-Bigorre

€ 🏠 🛏️ ⟨10%⟩ **Chambre d'hôtes (François Viau) :** *La Caucade.* ☎ et fax : 05-62-39-11-71. ● viau.francois@free.fr ● locationpyreneesviau.com ● *De préférence sur résa.* En moyenne montagne, avec vue superbe sur les alentours et la végétation luxuriante. Dans une maison indépendante, une chambre d'hôtes pour 4 personnes, meublée avec goût. Salon et cheminée, salle de bains et w-c privés. Comptez 49 € pour 2, avec le petit déj. Également 4 gîtes pour 4 personnes, qui se louent à la semaine mais peuvent aussi fonctionner en chambres d'hôtes. Les propriétaires font la culture de sapins de Noël et produisent la liqueur de sapin des Pyrénées. Pas de table d'hôtes, mais possibilité de se restaurer dans une auberge toute proche, à prix modérés. Bon accueil.

Accès : *sur la D 26, entre Heches et Bagnères-de-Bigorre.*

CAMARÈS   12360

Carte régionale B1-2

65 km SO de Millau ;
23 km S de Saint-Affrique

€ 🏠 **Gîte de séjour (Muriel Migayrou) :** *Faragous.* ☎ 05-65-99-09-51. ● gite@ faragous.com ● faragous.com ● ♿ Au cœur du Rougier-de-Camarès qui se donne des allures de Colorado tant sa terre est rouge, petit gîte de séjour d'une vingtaine de places : une quinzaine dans un bâtiment annexe, réparties dans des chambres de 2, 4 et 6 lits, chacune avec sanitaires privés ; les autres dans une petite maison indépendante avec sanitaires privés et petite kitchenette. Déco simple, colorée et fonctionnelle. 22 € la nuit par personne (38 € pour 2), et 5 € le petit déj. Muriel organise des stages de danse-improvisation en formule week-end et semaine (demandez le programme !). Accueil souriant et décontracté. Nature et tranquillité assurées.

Accès : de Saint-Affrique, empruntez la D 999 en direction d'Albi ; au Moulin-Neuf, prenez la D 12 vers Camarès et, 1,5 km avt le village, tournez à gauche vers Briols sur 3 km et à droite vers Faragous (fléchage).

CASTANET   82160

Carte régionale B1

60 km NE de Montauban ;
17 km SO de Villefranche-de-Rouergue

€ 🏠 10% **Chambres d'hôtes (Chantal et Jean-Claude Castagné) :** ☎ et fax : 05-63-65-75-04. ● castagne.jc@ wanadoo.fr ● À la limite du Tarn-et-Garonne, à 503 m d'altitude (point culminant du département !), Jean-Claude et Chantal vous accueillent chaleureusement dans leur grande maison de village toute fleurie. Ce sont les plus vieux adhérents des Gîtes de France (merci pour la pub !), c'est dire si l'accueil ça se connaît. Pour la petite histoire, ils ont eu la médaille du tourisme en 1993 et une d'argent en 2000. Trois chambres simples, dont une avec sanitaires privés, les 2 autres avec lavabo mais sanitaires communs (un bon bain vous fera du bien, mais pensez aux suivants !). De 30 à 35 € pour 2, petit déj compris. À proximité, ils ont aussi 2 gîtes et 3 chalets. Piscine à disposition. Pour vous distraire, Jean-Claude organise des randonnées (avec pique-nique, pour ceux qui veulent la jouer cool). Les plus solitaires viendront, en automne, ramasser châtaignes et champignons. Une adresse authentique et vraie et à prix imbattable.

Accès : de Montauban, empruntez la D 820 en direction de Cahors ; à Caussade, prenez la D 926 vers Villefranche-de-Rouergue puis, à Parisot, la D 84 vers Najac, puis la V 3 jusqu'à Castanet.

CASTELNAU-BARBARENS   32450

Carte régionale A2

17 km SE d'Auch

€€ 🏠 |●| 🏠 **Chambres d'hôtes (Alice et René Cartier) :** au Baste. ☎ 05-62-65-97-17. 📱 06-82-53-24-58. Fermé déc.-avr. Belle maison du XVIIIe s, bien entretenue, sur 150 ha de terres exploitées par le fils des propriétaires. Agréable ambiance familiale et excellent accueil. Deux chambres spacieuses et confortables, à 55 €

pour 2, petit déj inclus. Sanitaires privés. À la table familiale, pour 20 €, vin et café compris, les pensionnaires dégusteront des repas gascons (recettes de la grand-mère) avec tous les produits de la ferme. Par exemple, charcuterie gasconne, poulet fermier, oie flambée, confit de canard, magret grillé, croustade gasconne, lapin aux pruneaux, gâteau Alice... Accueil chaleureux.

Accès : à 800 m du village, bien indiqué ; et si d'aventure vous ne trouviez vraiment pas, demandez la maison de l'ancien maire (René a été maire de Castelnau pendant 24 ans !).

CASTELNAU-DE-MONTMIRAL   81140

Carte régionale B1

37 km O d'Albi ; 15 km NO de Gaillac

€€€€€ 🏠 10% **Chambres d'hôtes Le Château de Mayragues (Laurence et Alan Geddes) :** ☎ 05-63-33-94-08. 📱 06-86-43-14-34. ● geddes@cha teau-de-mayragues.com ● chateau-de-mayragues.com ● Ouv de mi-mars à mi-nov. 📶 Remarquable château des XIIIe et XVIe s installé dans un domaine viticole conduit en biodynamie. Deux chambres romantiques, installées sous les toits, qui ouvrent sur l'ancien chemin de ronde. Meubles anciens, murs en chanvre, sanitaires privés. 125 € pour 2, petit déj compris. Accueil convivial. Une adresse pour découvrir la vie de château.

Accès : de Gaillac, D 964 vers Castelnau-de-Montmiral puis D 15 vers Vaour/Le Verdier sur 3 km et fléchage à gauche (n'allez pas à Castelnau, c'est à 7 km !).

CASTELNAU-D'ESTRETEFONDS   31620

Carte régionale A2

18 km N de Toulouse ;
5 km S de Fronton

€€ 🏠 **Chambres d'hôtes Domaine de Saint-Guilhem (Esméralda et Philippe Laduguie) :** 1619, chemin de Saint-Guilhem.. ☎ 05-61-82-12-09. 📱 06-85-20-54-18. ● philippe.laduguie@orange.fr ● domainesaintguilhem.com ● 📶 Dans un domaine viticole réputé, 4 chambres lumineuses et très calmes de 2 à 4 personnes, chacune avec cheminée et sanitaires privés. De 56 à 62 € pour 2, petit déj compris, et 10 € par personne supplémentaire. Au programme : balade dans les bois et plongeon dans la piscine aux beaux jours. Accueil convivial.

Accès : de Fronton, D 4 vers Toulouse et la D 29 (à 2,5 km du village).

CASTELSAGRAT 82400

Carte régionale A1

60 km NO de Montauban ;
18 km NO de Moissac

€€ 🏠 |●| (10 %) **Chambres d'hôtes (Julie et Mark Sellars) :** Tondes. ☎ 05-63-94-52-13. ● juliedsellars@gmail.com ● allezatondes ● 🛜 Julie et Mark sont deux éleveurs de volailles et de brebis, qui proposent 2 chambres à 55 € pour 2, petit déj compris. Table d'hôtes à 25 €, à base d'agneau, de volailles de la ferme et de légumes du jardin. Accueil attentionné et chaleureux. Une gentille adresse, propice à la détente, pour redécouvrir le sens du mot « vrai » !

Accès : A 62 Bordeaux/Toulouse, sortie n° 9 Castelsarrasin ; à Castel, prenez la direction de Moissac et, à la sortie de Moissac, la D 7 vers Bourg-de-Visa ; au rond-point de Fourquet, prenez à gauche la D 953 vers Valence, puis le chemin à 500 m sur la droite et suivez le fléchage.

CASTEX 09350

Carte régionale A2

40 km NO de Foix ;
3 km N de Daumazan

€€€ 🏠 |●| (10 %) **Chambres d'hôtes Maison Matalot (Catherine Dubreuil) :** ☎ 05-61-69-77-10. 🖷 06-03-29-77-03. ● dubreuilgaland@hotmail.fr ● chambres-hotes-ariege-matalot.com ● Fermé à Noël. 🛜 Un paysage grandiose, une vue sur les Pyrénées à 180° dominant de vastes prairies, voici pour le cadre de cette grande ferme du XIXᵉ s restaurée à la perfection par Catherine. Une pro du moindre détail : pierres, poutres, charpentes, murs à la chaux, tout ce que l'on aime retrouver dans ce genre de demeure, en harmonie avec le mobilier de famille, les tableaux, des tas d'objets chinés dans les brocantes ou ramenés de voyages. Trois chambres personnalisées et raffinées, dont une immense suite familiale composée de 2 chambres, avec salon. De 70 à 90 € pour 2, petit déj compris. Catherine est un vrai cordon-bleu, aussi ne manquez pas sa table d'hôtes à 25 € tout compris. Pour

vous détendre, une belle piscine complète le tout. Un havre de paix qui fait partie de nos coups de cœur.

Accès : Axe Tarbes-Foix sortie Carbone puis direction Rieux, Daumazan puis Castex ; traversez le village et prenez à gauche avt le cimetière, la maison est à gauche.

CINTEGABELLE 31550

Carte régionale A2

40 km S de Toulouse ;
8 km SE d'Auterive

€€ 🏠 (10 %) **Chambres d'hôtes (Danielle Deschamps-Chevrel) :** Serres-d'en-Bas. ☎ 05-61-08-41-11. 🖷 06-61-32-69-02. ● danielle.chevrel35@orange.fr ● serres-den-bas.com ● Ouv mai-fin sept. 🛜 Jolie ferme restaurée, lovée entre les douces collines du Lauragais, au milieu des champs, avec vue sur les Pyrénées. La propriétaire y tient 4 chambres arrangées avec goût, confortables et personnalisées, avec sanitaires privés. Comptez 60 € pour 2, petit déj compris, et 20 € par personne supplémentaire. Belle salle à manger avec poutres et cheminée. Également un gîte rural, pour ceux qui veulent séjourner. Bon accueil. Piscine chauffée, ping-pong.

Accès : à 3,5 km de Cintegabelle, direction Nailloux par la D 25.

CONQUES 12320

Carte régionale B1

40 km NO de Rodez ;
30 km NE de Decazeville

€ 🏠 |●| **Chambres d'hôtes (Maurya Metal et Gérard Achten) :** Montignac. ☎ 05-65-69-84-29. ● mauryametal@yahoo.fr ● Ouv début avr-fin sept. Conques est classé parmi les plus beaux villages de France. Dans le hameau juste à côté, superbe maison en schiste et colombages, revêtue de lauze. Quatre chambres rustico-campagnardes tenues par un couple américano-néerlandais adorable. Elles ne sont pas immenses, mais ont gardé le charme d'autrefois. Déco soignée et originale. Sanitaires privés. 53 € pour 2, petit déj compris (pain et confitures maison, fromage blanc et plateau de fromages). Table d'hôtes, pas systématiquement partagée avec les proprios, à 19 €, marcillac compris. Cuisine à partir de produits fermiers et des légumes du jardin. Le lundi et le jeudi c'est le jour du pain, doré dans le four traditionnel (ah, les bonnes odeurs !).

Ambiance nature, un brin bohème. Pour les amateurs, le Lot se descend en kayak dans cette partie.

Accès : de Conques-Faubourg, prenez la D 901 vers Marcillac et, juste après la sortie, prenez à gauche vers Montignac ; la maison est au centre du hameau.

EAUZE   32800

Carte régionale A1

50 km NO d'Auch ;
28 km SO de Condom

€€€ 🏠 |●| *Chambres d'hôtes Ferme de Mounet (Monique et Bernard Molas) :* av. de Parleboscq. ☎ 05-62-09-82-85. Fax : 05-62-09-77-45. ● contact@ferme-de-mounet.com ● ferme-de-mounet. com ● Ouv Pâques-Toussaint, de préférence sur résa.* Sur un plateau de 60 ha, charmant manoir avec deux tours en pierre et parements en brique. Monique et Bernard élèvent des oies et des canards. On peut naturellement visiter l'exploitation, déguster et acheter des produits. Dans leur maison, 4 chambres cossues et tranquilles, avec sanitaires privés, de 75 à 80 € pour 2, petit déj gascon compris. Table d'hôtes à 28 €, apéro, vin et café compris, partagée en famille sur une grande table de monastère, dans une salle à manger chaleureuse agrémentée d'une superbe cheminée : deux entrées (potage, tourain à l'ail, garbure, crudités, charcuterie...), puis, selon les jours, magret ou aiguillettes de canard, daube d'oie, confit, accompagné de gratin ou de légumes de saison, dessert (tarte maison, tourtière, millasson aux pruneaux...). Pour les séjours, un gîte de 10 personnes avec piscine et spa, et un autre pour 4 personnes. Bon accueil.

Accès : de Vic-Fezensac, suivez la D 626 ; dans Eauze, suivez l'av. Parleboscq sur 4 km ; la ferme est sur la gauche.

ENTRAYGUES   12140

Carte régionale B1

50 km N de Rodez ;
14 km S de Montsalvy

€€ 🏠 |●| (10 %) *Chambres d'hôtes Le Clos Saint-Georges (Catherine et Philippe Réthoré) :* 19, coteaux de Saint-Georges. ☎ 05-65-48-68-22. 📱 06-70-44-78-52. ● leclosstgeorges@orange.fr ● leclosstgeorges.com ● Fermé 15 nov-1er mars. Les hauteurs d'Entraygues étaient couvertes de vignes... Aujourd'hui elles ont pratiquement disparu, mais il reste le domaine. Catherine et Philippe ont accompli un travail colossal pour lui redonner une âme, lui qui n'avait plus grand intérêt (et il reste du travail !). Quatre chambres coquettes et claires, dont une avec une petite terrasse (j'la veux, j'la veux !). Sanitaires privés. 70 € pour 2, petit déj compris, avec confitures et fouace maison (hmm !). Ici, on partage des moments de convivialité dans une immense salle à manger avec une imposante cheminée traditionnelle ramenée par vos hôtes. Repas (sauf le dimanche du 15 juin à fin août), partagé en famille, à 20 €, apéro et vin compris. Cuisine traditionnelle, et, s'il ne fait pas encore son vin, Philippe cultive déjà un beau potager et fait sa charcuterie (chut !). Accueil chaleureux. Une adresse de charme et l'une de nos préférées sur le département.

Accès : entre la poste et le Crédit Agricole d'Entraygues, prenez l'av. de Verdun sur 700 m jusqu'à la maison.

ESCOUSSENS   81290

Carte régionale B2

45 km N de Carcassonne ;
17 km S de Castres

€€ 🏠 |●| ⚑ (10 %) *Chambres d'hôtes du Mont Saint-Jean (Marie-Thérèse Escafre) :* ☎ 05-63-73-24-70. 📱 06-14-40-41-53. ● mj.escafre@orange.fr ● mont-st-jean. fr ● ♿ 🛜 En pleine nature, au pied de la Montagne noire, la maison de Marie-Thérèse est une ancienne habitation de chartreux, sur le chemin de Saint-Jacques-de-Compostelle. Vous y trouverez pierres et poutres apparentes, grandes cheminées, mais aussi une collection de bénitiers et de statues. Quatre chambres ravissantes, avec sanitaires privés, à 62 € pour 2, petit déj inclus, et 20 € pour un repas à la table d'hôtes. Accueil chaleureux. Allez faire un tour à Escoussens, charmant village médiéval, et demandez conseil à Marie-Thérèse pour découvrir la région.

Accès : de Castres, empruntez la D 56 en direction de Labruguière, puis la D 60 jusqu'à Escoussens, et faites 2 km en direction du Pas-du-Sant.

ESPÉRAUSSES   81260

Carte régionale B2

34 km NE de Castres ;
17 km O de Lacaune

€€ 🏠 |●| (10 %) *Chambres d'hôtes La Maison de Jeanne (Florence et René*

Artero) : ☎ et fax : 05-63-73-02-77.
● contact@maison-jeanne.fr ● maison-jeanne.fr ● *Ouv mars-fin oct.* 🛜 *La Maison de Jeanne*, c'est l'ancien café-restaurant du village, installé dans une maison tout en pierre (vieille de plus de trois siècles), qu'un éminent cardiologue doit bien connaître... (chut !). Florence et René l'ont admirablement restaurée et ont retrouvé toutes les archives de la maison (même le certificat d'études de Jeanne !). Au 1er étage, 4 chambres personnalisées avec sanitaires privés. Meubles rustiques et vieilles poutres. Comptez 62 € pour 2, petit déj compris. C'est René qui est derrière les fourneaux, dans sa grande cuisine avec cheminée, et croyez-nous, sa table d'hôtes vaut le détour ! Repas à 23 €, avec de super recettes du terroir : pâté au roquefort, filet de bœuf et sa compote aux cèpes, ou encore cochon de lait ou daube de sanglier cuits dans le four à pain... Agréable séjour et salon de détente avec billard. Une petite terrasse vous permettra d'admirer le vieux lavoir alimenté par un petit ruisseau. Spa à disposition. Calme assuré. Accueil sympa. Très bon rapport qualité-prix-convivialité.

Accès : de Castres, prenez la D 622 vers Lacaune ; après Brassac, tournez à gauche vers Castelnau-de-Brassac (D 54), puis continuez jusqu'à Espérausses ; la maison est dans le village, elle a des volets rouges.

ESPLAS-DE-SÉROU 09420

Carte régionale A2

29 km SO de Foix ;
27 km SE de Saint-Girons

€€ 🏠 |●| 🔟% *Chambres d'hôtes (Evelyn Murray et William Ackroyd) :* hameau de Rougé. ☎ 05-61-04-80-36. 📱 06-78-37-68-64. ● murack@wanadoo.fr ● rougeariege.com ● 🐾 🛜 À 600 m d'altitude, entre forêts et pâturages, nichée dans la verdure et les fleurs, ancienne ferme typique avec son vieux séchoir tranformé en balcon et restaurée dans le respect des traditions. Trois chambres agréables, dont une familiale. Sanitaires privés. 65 € pour 2 et 20 € par personne supplémentaire, avec le petit déj servi dans une pittoresque salle à manger avec poutres et authentique cheminée. C'est là aussi que vous pourriez profiter de la table d'hôtes : repas à 22 €, apéro et vin compris. Piano et ordinateur à disposition des hôtes. Accueil très sympa. Une adresse pour se mettre au vert, idéale pour ceux qui aiment randonner.

Accès : dans Castelnau-Durban, sur la D 117 entre Foix et St-Girons, direction Esplas-de-Sérou/Laborie ; 500 m après Laborie tournez à gauche vers Larbont et Rougé.

€€ 🏠 |●| 🔟% *Chambres d'hôtes Les Terrasses de Génat (Pascale et Bernard Revolte) :* hameau de Génat. ☎ 05-34-14-56-06. 📱 06-72-59-58-95. ● contact@terrasses-de-genat.fr ● terrasses-de-genat.fr ● 🛜 Une adresse qu'il faut mériter ! À 800 m d'altitude, au cœur du parc naturel régional des Pyrénées ariégeoises, au milieu des estives, splendide ferme restaurée en pierre et à colombages. D'ici, le paysage est magnifique ! Deux chambres très confortables, à l'atmosphère très différente. Une plus contemporaine (notre préférée), l'autre plus traditionnelle. Sanitaires privés. 65 et 75 € pour 2, petit déj compris. Table d'hôtes à 22 €, tout compris. Cuisine traditionnelle avec de bons produits du terroir. Les activités nature ne manquent pas : randonnées en tout genre, cueillette de champignons et promenade en raquettes l'hiver. Accueil chaleureux.

Accès : de Saint-Girons, D 117 vers Foix ; juste après le panneau « Castelnau-Durban », tournez à droite vers Tourné ; à la fourche après le pont, prenez à droite, suivez le ruisseau, traversez la forêt (9 km), le plateau, puis descendez vers Génat ; la maison est à l'entrée à gauche.

ESTAING 12190

Carte régionale B1

40 km NE de Rodez ;
6 km NO d'Espalion

€€ 🏠 🔟% *Chambres d'hôtes L'Oustal de Cervel (Madeleine et André Alazard) :* route de Vinnac, Cervel. ☎ et fax : 05-65-44-09-89. 📱 06-40-30-53-12. ● loustalde cervel.fr ● *Ouv mai-oct.* 🛜 Dans leur ferme d'élevage de chèvres située à flanc de coteau, dans la vallée du Lot, Madeleine et André tiennent 4 confortables chambres meublées à l'ancienne. Sanitaires privés. Dans le salon avec cheminée, bibliothèque et piano, divers jeux sont mis à la disposition des hôtes. Comptez 65 € pour 2, copieux petit déj compris : confitures et fouace maison (un délice préparé la veille, sous vos yeux, et dont Madeleine vous confiera la recette), lait de chèvre ou de vache. André a participé activement au développement du tourisme rural ; c'est un homme chaleureux avec qui il fait bon partager une conversation. Madeleine aime les plantes et les connaît bien. Une adresse où convivialité et hospitalité sont de mise. Une adresse qui fait des adeptes.

Accès : d'Espalion, prenez la D 920 vers Estaing pdt 5 km, puis à droite vers Vinnac et fléchage.

FLORENTIN-LA-CAPELLE 12140

Carte régionale B1

25 km NO d'Espalion ;
17 km SO de Laguiole

€€ ⌂ |○| 🐾 **Chambres d'hôtes Les Capellous (Valérie et Lucien Veyre) :** ☎ et fax : 05-65-44-46-39. 📱 06-73-16-35-83. ● veyrevalerie@free.fr ● ferme-capellous.com ● 🛜 Au cœur du hameau, dans la ferme familiale, Valérie et Lucien ont aménagé dans une aile indépendante 2 chambres coquettes et chaleureuses, avec sanitaires privés : une au rez-de-chaussée, la 2e à l'étage. 60 € pour 2, petit déj compris (au moins 12 sortes de confitures et gâteau maison). Table d'hôtes à 20 €, apéro maison et vin de pays compris. Une cuisine savoureuse avec la charcuterie maison, les spécialités locales, les légumes du jardin et les volailles de la ferme (n'exagérez pas, pas tout à la fois !). Ici, on aime la culture régionale... Valérie joue de la cabrette dans un groupe folklorique, et ses enfants (qui pourront initier les vôtres) dansent à la Bourrio d'Olt. Accueil vraiment sympa. Une adresse idéale pour découvrir la région de l'intérieur.

> **Accès :** de Laguiole, empruntez la D 42 en direction d'Entraygues ; à la D 897, prenez à droite vers Saint-Amans-de-Cots, puis à droite vers La Capelle (n'allez pas à Florentin).

FOUGAX-ET-BARRINEUF 09300

Carte régionale B2

35 km SE de Foix ; 10 km E de Lavelanet

€€€ ⌂ |○| (10 %) **Chambres d'hôtes Les Mijanes (Chantal et Jean-Dominique Mignot) :** ☎ 05-61-01-63-76. ● ch.les mijanes@wanadoo.fr ● maisonhotes-lesmijanes.com ● Ouv de mi-mars à mi-nov. 🛜 Ancienne et jolie ferme tout en pierre, entourée de 2 ha de prairies et bordée par la forêt. D'ici, la vue est enchanteresse et la nature est belle. Chantal et Jean-Dominique ont restauré leur maison en respectant son authenticité et on s'y sent bien. Deux chambres toutes blanches, champêtres et confortables, avec sanitaires privés. 80 € pour 2, petit déj compris (confitures et gâteau maison). Table d'hôtes à 25 €. Cuisine du terroir avec les légumes du jardin et souvent l'agneau de la ferme. Les repas sont servis dans une chaleureuse salle à manger avec poutres, cheminée et superbe plancher en chêne. Aux beaux jours, ça se passe dans une galerie ouverte où vous pourrez jouir de la beauté du site. Agréable piscine pour se rafraîchir. Accueil chaleureux. Une adresse pour se mettre au vert.

> **Accès :** de Foix, D 117 vers Lavelanet/Perpignan jusqu'à Bélesta, puis D 5 direction Fougax-et-Barrineuf ; passez devant la fontaine de Fontestorbes puis tournez à gauche et prenez la petite route qui monte aux Mijanes sur 1,5 km.

GAILLAC 81600

Carte régionale B1

22 km SO d'Albi

€€€ ⌂ 🐾 (10 %) **Chambres d'hôtes Mas de Sudre (Pippa et George Richmond-Brown) :** ☎ 05-63-41-01-32. 📱 06-81-95-27-53. ● masdesudre@wanadoo.fr ● masdesudre.fr ● 🛜 Au cœur du vignoble, grande maison de maître, tenue par un gentil couple d'Anglais. Quatre chambres : 2 dans la maison des proprios et 2 dans un bâtiment séparé (pour ceux qui préfèrent l'indépendance). Sanitaires privés. 80 € pour 2, petit déj compris. Déco raffinée : frises au pochoir (réalisées par Pippa), jolis meubles glanés sur les brocantes, nombreux tableaux et un piano (chouette !). Pour compléter le tout, un grand jardin fleuri avec piscine et court de tennis. Accueil chaleureux.

> **Accès :** du centre de Gaillac, suivez la direction Cordes et, après le passage à niveau, tournez à gauche vers Castelnau-de-Montmirail (D 964) sur 1,5 km, puis de nouveau à gauche (D 18) vers Montauban, et enfin prenez à droite vers Téoulet (D 4) sur 2 km et fléchage.

GALEY 09800

Carte régionale A2

25 km O de Saint-Girons ;
11 km O de Castillon-en-Couserans

€€ ⌂ |○| 🐾 (10 %) **Chambres d'hôtes L'Ancienne Bergerie (Rebecca et Kevin Banks) :** lieu-dit Le Château. ☎ 05-61-96-36-58. ● anciennebergerie@gmail.com ● anciennebergerie.com ● 🛜 À 700 m d'altitude, au cœur du parc naturel des Pyrénées ariégeoises, ancienne bergerie en pierre au toit pentu couvert d'ardoise. Un jeune couple d'Anglais courageux et dynamique l'a restaurée de fond en comble en respectant son charme d'autrefois.

Quatre chambres sur 2 niveaux, simples, élégantes et spacieuses, avec de confortables sanitaires privés. De 65 à 75 € pour 2, petit déj compris (jus de pommes, confitures et pain maison). Goûteuse table d'hôtes préparée avec amour par Rebecca avec nombre de produits locaux et maison. 25 € le repas tout compris. Accueil souriant et chaleureux. Paradis pour les randonneurs de tout poil, les GR 10 et 78 passent à proximité. Excellent rapport qualité-prix-convivialité. Une adresse pour se mettre au vert.

Accès : A 64 sortie n° 20 direction Saint-Girons ; là, prenez la D 618 vers Castillon sur 15 km, et à Orgibet, à droite vers Galey ; au carrefour avec une grande croix, tournez à gauche, la maison est à 800 m.

GANAC 09000

Carte régionale A-B2

5 km SO de Foix

€€€ 🏠 |●| ⑩% *Chambres d'hôtes Moulin du Quié (Annick et Jean-Marie Lecocq) : Martinet-du-Tourié.* ☎ 05-61-03-53-09. 📠 05-61-01-19-43. ● annick.deganac@wanadoo.fr ● moulindecharme-ariege.com ● Au cœur des Pyrénées ariégeoises, voici une adresse qui conjugue proximité de la ville, insolite et sérénité de la campagne. Une chambre d'hôtes dans le moulin (ancien moulin à martinets où l'on forgeait des objets tranchants, puis plus tard, moulin à blé) et 2 chambres installées dans deux jolies roulottes en bois. Respectivement 65 et 90 € pour 2, petit déj compris, servi sur la terrasse aux beaux jours en profitant du gazouillis de la rivière. Table d'hôtes à 20 € tout compris. Jean-Marie, conteur passionné, saura animer certaines de vos soirées. Les pêcheurs pourront aller taquiner la truite. Excellent accueil. Une adresse bucolique à souhait où l'on aurait bien posé nos sacs plus longtemps.

Accès : à Foix, prenez la D 21 pdt 5 km, et avt Ganac, tournez à gauche vers Micou jusqu'au moulin (100 m après le panneau « Martinet-du-Tourié »).

GARDÈRES 65320

Carte régionale A2

18 km O de Tarbes ;
11 km N de Pontiacq

€ 🏠 |●| *Chambres d'hôtes (Josette et Joseph Laborde) : 27, route de Séron.* ☎ 05-62-32-53-86. Bien que située dans les Hautes-Pyrénées, la ferme de Josette et Joseph se trouve dans un îlot au milieu des Pyrénées-Atlantiques (pratique, quand on sait que les deux départements ne sont pas dans la même région administrative !). Dans l'ancienne étable, ils ont installé 4 chambres d'hôtes : une au rez-de-chaussée, 3 autres à l'étage. Déco simple, mais agréable. Sanitaires privés. 45 € pour 2, petit déj compris. Joseph trône à la table d'hôtes et anime les conversations. C'est l'ami des enfants et il les emmène volontiers jouer ou visiter la ferme. Repas à 15 €. Goûteuse cuisine du terroir avec les produits de la ferme : charcuterie maison, omelette au boudin (vous connaissiez ?), saucisses confites, tomates farcies, confit maison et, sur commande, la poule au pot. Ambiance chaleureuse. Accueil authentique et vrai. Une adresse idéale pour les familles.

Accès : de Tarbes, prenez la N 117 vers Pau jusqu'à Ger ; 1 km après le grand rond-point, prenez la D 47 jusqu'à Gardères (la maison est à 2 km du village).

GISSAC 12360

Carte régionale B1

46 km SO de Millau ;
6 km N de Sylvanès

€€ 🏠 |●| ⑩% *Chambres d'hôtes (Anne-Marie et Gilbert Bosc) : Saint-Étienne.* ☎ et fax : 05-65-99-59-27. 📠 06-84-11-38-96. ● st.etienne12@orange.fr ● saintetiennebosc.fr ● Fermé 1er déc-30 janv. 📶 Superbe corps de ferme comprenant une grande bâtisse bourgeoise de la fin du XIXe s et des dépendances plus anciennes, avec le vieux four et les lessiveuses traditionnelles. Au 2e étage de la maison, 4 chambres vastes et claires avec sanitaires privés. 58 € pour 2, petit déj compris. Table d'hôtes partagée en famille dans une grande salle à manger voûtée avec un beau dallage d'origine. Repas à 21 €, apéro maison et vin compris. Une cuisine saine et naturelle avec les légumes du jardin et les volailles maison. Les fils de Gilbert ont repris l'exploitation familiale et élèvent des brebis dont le lait part à la coopérative de Roquefort. Il s'est battu pour rendre les paysans plus indépendants culturellement et économiquement. Accueil authentique et chaleureux. Bon rapport qualité-prix-convivialité.

Accès : suivez la direction « Abbaye de Sylvanès » puis Gissac ; 200 m après l'église, tournez à droite vers Saint-Étienne et faites 2 km.

GOURDON   46300

Carte régionale A1

47 km N de Cahors ;
27 km S de Souillac

€€ 🏠 **10%** *Chambres d'hôtes Le Paradis (Jacquie Capy) :* route de Salviac, La Peyrugue. ☎ 05-65-41-09-73. 📱 06-72-18-05-44. ● chambresduparadis@gmail.com ● chambresduparadis.com ● *Résa nécessaire en hte saison.* 📶 Maison récente au milieu d'un grand jardin, à deux pas de la ville. Quatre jolies chambres avec sanitaires privés et tout le nécessaire pour se préparer un petit thé ou une tisane. Comptez 60 € pour 2, copieux petit déj compris, avec brioche ou pain maison et plein de confitures originales (pastèque, tomate-courgette à la menthe, gelée de fleurs de pissenlit... hmm !). Grande piscine pour se détendre. Excellent accueil. Une adresse comme on les aime !

Accès : à l'entrée du village en venant de Salviac par la D 673.

GRAMAT   46500

Carte régionale B1

55 km NE de Cahors ;
9 km E de Rocamadour

€€€ 🏠 🍽 🐾 🐴 *Chambres d'hôtes Domaine du Cloucau (Francine et Alain Bougaret) :* route de Cahors. ☎ 05-65-33-76-18. 📱 06-30-07-44-98. ● lecloucau@orange.fr ● domaineducloucau.com ● *Ouv mars-nov.* Jolie demeure quercynoise du XVIIIᵉ s. Quatre chambres pleines de charme, élégantes et douillettes, avec sanitaires privés. Il faut dire que Francine est décoratrice (ça aide !). Comptez 85 € pour 2, petit déj compris (confitures et pain aux noix maison). Belle et grande piscine. Chaleur de l'accueil et gentillesse au rendez-vous. Une adresse pour séduire sa dulcinée.

Accès : à 4 km de Gramat par la D 807 direction Cahors.

€€€€ 🏠 🍽 **10%** *Chambres d'hôtes Moulin de Fresquet (Claude et Gérard Ramelot) :* ☎ 05-65-38-70-60. 📱 06-08-85-09-21. ● info@moulindefresquet.com ● moulindefresquet.com ● *Ouv avr-oct.* 📶 Moulin à eau quercynois du XVIIᵉ s, entièrement restauré. Cinq chambres d'hôtes, dont 2 suites, équipées de salles d'eau et w-c, et décorées dans le style du moulin, avec poutres, pierres apparentes, tapisseries anciennes. Ambiance distinguée. Selon chambre, 83-119 € pour 2, petit déj compris. Cadre agréable, parc important traversé par un cours d'eau privé, canards d'ornement en liberté.

Accès : de Gramat, prenez la direction Rodez/Figeac (D 840), puis, au dernier rond-point, un chemin de 300 m de long qui finit au moulin.

IDRAC-RESPAILLÈS   32300

Carte régionale A2

25 km SO d'Auch ; 3 km E de Mirande

€ 🏠 🍽 🐾 🐴 *Chambres d'hôtes Les Quatre Saisons (Alain Fillos) :* ☎ 05-62-66-60-74. 📱 06-31-17-95-01. ● alain.fillos@wanadoo.fr ● giteles4saisons.com ● *Sur résa.* 📶 Dans un petit bâtiment agrandi et complètement rénové, face à la ferme, Alain a aménagé 4 chambres de plain-pied, à 46 € pour 2, petit déj compris. Bons repas à 18 €, à base des produits de la ferme (céréales et élevage de bovins), souvent servi en terrasse, avec le spectacle reposant des prairies, des vaches qui paissent et des bois environnants. Accueil authentique et vraiment sympa, une bonne adresse pour les familles et les amateurs de nature et de repos.

Accès : de l'A 62 Bordeaux/Toulouse, sortie Aiguillon direction Auch ; 3 km avt Mirande, prenez la direction Lannemezan ; arrivé à Idrac, suivez le fléchage.

ISLE-EN-DODON (L')   31230

Carte régionale A2

65 km SO de Toulouse ;
40 km N de Saint-Gaudens

€€ 🏠 🍽 🐾 **10%** *Chambres d'hôtes (Nathalie et Gilles Ragu) :* Encatello. ☎ 05-61-88-67-72. 📱 06-08-56-89-67. ● encatello@wanadoo.fr ● encatello.fr ● 📶 Nathalie et Gilles tiennent 4 chambres avec sanitaires privés, à 51 € pour 2, petit déj compris. À la table d'hôtes, pour 22 € vin et café inclus, vous goûterez tous les produits de la ferme. Les animaux raviront les petits, et les familles qui le souhaitent pourront aussi séjourner dans 3 gîtes ruraux. Une adresse tranquille et un bon rapport qualité-prix.

Accès : N 124 Toulouse/Auch jusqu'à L'Isle-Jourdain, puis direction Lombez ; traversez le bourg et, à 8 km, prenez la D 17 ; à L'Isle-en-Dodon, direction Saint-Gaudens/Lannemazan et suivez le fléchage « Encatello ».

MIDI-PYRÉNÉES

JUILLAC 32230

Carte régionale A2

40 km N de Tarbes ;
25 km O de Mirande

€€ 🏠 |O| *Chambres d'hôtes Au Château (Hélène et Yves de Rességuier) :* ☎ 05-62-09-37-93. 🖩 06-15-90-25-31. ● contact@auchateaujuillac.com ● aucha teaujuillac.com ● Sur résa. 📶 Belle chartreuse du XVIIIᵉ s, entourée d'un parc fleuri et ombragé, qui jouit d'une vue magnifique sur la campagne environnante. Dans une aile bien restaurée, 4 chambres coquettes avec sanitaires privés, dont une au rez-de-chaussée, les 3 autres à l'étage. De 60 à 70 € pour 2, petit déj compris (ah ! les bonnes confitures maison...). Sur réservation, possibilité de repas à 25 €, avec des produits du terroir frais, frais, frais ! Également une petite cuisine à disposition. Une bonne adresse pour les randonneurs (deux vélos peuvent être prêtés aux plus courageux !), les adeptes de la montagne (les Pyrénées sont à 1h) et les fans de jazz (Marciac est à 5 km). Accueil dynamique et chaleureux.

> *Accès : A 61 jusqu'à Aire-sur-l'Adour et D 935 jusqu'à Riscle ; là, prenez la D 3 vers Plaisance/Marciac, et à Marciac la D 255 direction Juillac ; traversez le village, c'est la 1ʳᵉ à gauche après la sortie de Juillac.*

JUILLAN 65290

Carte régionale A2

14 km N de Lourdes ;
5 km SO de Tarbes

€€ 🏠 ⑩% *Chambres d'hôtes Lou Batistou (Nathalie et Patrick Couilloux) :* 9, rue Voltaire. 🖩 06-81-80-28-55. ● contact@loubatistou.com ● loubatistou. com ● Fermé 15 oct-31 mars. 📶 Dans un petit village, mais bien au calme, ancienne et jolie ferme bigourdane du XIXᵉ s entourée d'un grand jardin fleuri. La grange en galets apparents, où l'ancien pressoir a été conservé, abrite à l'étage 4 chambres spacieuses, chacune décorée sur un thème différent. Entre « Napoléon III », « Années 30 », « Les demoiselles » et « Le pic du Midi » mon cœur balance... Sanitaires privés. 65 € pour 2, petit déj compris. Pas de table d'hôtes, mais plusieurs restos à proximité. Jacuzzi pour vous détendre. Accueil chaleureux. Une bonne adresse aux portes de Tarbes.

> *Accès : de Tarbes, direction Lourdes jusqu'à Juillan ; dans le bourg, prenez la direction de la mairie, la maison est juste à côté.*

JUNCALAS 65100

Carte régionale A2

26 km SO de Tarbes ; 7 km S de Lourdes

€€ 🏠 *Chambres d'hôtes Maison de Monseigneur Laurence (Arlette et Robert Assouere) :* ☎ 05-62-42-02-04. 🖩 06-80-22-42-08. ● robert.assouere@ wanadoo.fr ● maisondeleveque.com ● Ouv Pâques-nov. Au cœur d'un petit village paisible, agréable maison datant de 1802 appartenant à la même famille depuis quatre générations. Pour la petite histoire, c'est ici que grandit Mgr Laurence, évêque de Tarbes, qui officialisa les apparitions de Lourdes ! Au 1ᵉʳ étage, 4 chambres pleines de romantisme et décorées avec goût. Sanitaires privés. De 55 à 60 € pour 2, super petit déj compris (plein de sortes de confitures et pâtisserie maison). Belle salle à manger cossue, agrémentée d'un buffet garde-manger et d'une grande cheminée ornée de bougeoirs rutilants. Coquet jardin fleuri pour se détendre. Accueil ultra chaleureux. Une bonne adresse à deux pas de Lourdes et qui fait des adeptes...

> *Accès : de Lourdes, empruntez la D 921 en direction d'Argelès-Gazost ; avt Le Pont-Neuf, prenez la D 13 vers Lugagnan/Ger ; l'embranchement vers Juncalas est un peu plus loin à gauche (D 26).*

LA SALVETAT-PEYRALÈS 12440

Carte régionale B1

49 km SO de Rodez ;
22 km SE de Villefranche-de-Rouergue

€€ 🏠 |O| 🐴 ⑩% *Ferme des Tronques (Régine et Marc Foulquier) :* ☎ et fax : 05-65-81-81-34. ● lestronques.net ● 🛁 Ouv mai-oct. Résa obligatoire. Sympathique accueil de Marc et Régine (fidèles lecteurs) qui proposent 6 chambres charmantes, avec salle d'eau privée, à 54 € pour 2, petit déj compris. Pour les petits budgets, un camping à la ferme de 4 emplacements, ainsi qu'une yourte mongole de 4 couchages (65 € pour 2 petit déj compris). Très agréable salle à manger dans l'ancienne étable. Table d'hôtes (sauf le lundi, ainsi que certains mardis) à 20 €, avec les produits de la ferme. Au menu, soupe à l'ortie, poule farcie, poulet au foin, foie de veau aux câpres, légumes du jardin, champignons des prés, tarte aux fruits du verger, « boulaigou » aux fleurs d'acacia... Hors juillet-août, possibilité de stage théâtre et équestre en collaboration avec l'élevage de Barthas, situé à 2 km.

Accès : à La Salvetat, prenez la direction de la vallée du Viaur et Bellecombe ; c'est à 2 km ; bien indiqué.

LA SELVE — 12170

Carte régionale B1

32 km S de Rodez ; 8 km N de Requista

€€ ⌂ |●| ⋈ (10 %) **Chambres d'hôtes La Maison de Marie-Jo (Marie-Jo Vernhes) :** Le Favaldou. ☎ 05-65-74-26-21. 📱 06-87-10-63-27. ● marie-jo.v@orange.fr ● maisondemariejo.fr ● ✆ ☎ Marie-Jo était une motarde, non pas de celles qui fréquentent les rassemblements, mais de celles qui parcourent les petites routes de campagne en solitaire, en appréciant les beautés de la nature (je n'ai besoin de personne en...). Quand on entre dans sa maison, on entre un peu dans sa famille, peut-être à cause des vieilles photos ? Au 1er étage, 3 chambres mansardées, croquignolettes et climatisées (dont une pour les familles), une dernière au rez-de-chaussée composée de 2 chambres. Sanitaires privés. Également une roulotte des années 1940 équipée de 2 lits en 140, idéale pour les familles. De 46 à 65 € pour 2, petit déj compris, avec tout plein de sortes de confitures (hmm !). Table d'hôtes à 22 €, apéro, vin et café compris. Cuisine traditionnelle et familiale à partir des légumes du jardin, et croyez-nous, le potager de Marie-Jo, c'est quelque chose ! Elle y passe tout son temps et il est peuplé de fleurs qui lui vont bien. Certaines soirées à thème, du style visite de ferme des environs et repas à l'extérieur, ou soirée chansons à l'orgue de Barbarie. Terrain de pétanque, baby-foot et vélos à disposition. Dynamisme et bonne humeur au rendez-vous et accueil de qualité.

Accès : de Rodez, prenez la D 902 vers Requista, passez La Selve, faites 2,5 km et tournez à gauche puis fléchage.

LABASTIDE-DU-TEMPLE — 82100

Carte régionale A1

18 km NO de Montauban

€ ⌂ ⋈ **Chambres d'hôtes Domaine du Gazania (Oliva et Gilles Colombié) :** 780, chemin de Sainte-Livrade. ☎ 05-63-30-63-24 ou 05-63-31-63-25. 📱 07-89-09-67-75. Fax : 05-63-31-51-02. Maison familiale entourée de vignes, et aussi de serres abritant toutes sortes de fleurs, de plantes exotiques et d'oiseaux. Vous y trouverez 2 chambres confortables, situées au rez-de-chaussée, avec entrée indépendante. Sanitaires privés. 45 € pour 2, petit déj compris (jus de fruits de l'exploitation, confitures et gâteau maison). Et aux beaux jours, vous pourrez profiter de la piscine.

Accès : de Montauban, prenez la direction de Castelsarrasin par la D 958 ; à La Ville-Dieu, prenez la D 42 sur 1 km puis la V 2 et fléchage.

LABASTIDE-ROUAIROUX — 81270

Carte régionale B2

42 km SE de Castres ;
25 km E de Mazamet

€ ⌂ |●| ⋈ **Chambre d'hôtes (Gérard et Marie Bastide) :** Montplaisir. ☎ et fax : 05-63-98-05-76. 📱 06-08-78-02-49. ● gitemonplaisir@orange.fr ● gerardbastide.fr ● Dans un site sauvage au milieu des bois, à mi-pente de la vallée du Merlaussou, Marie et Gérard vous reçoivent dans une ancienne fabrique textile du XVIIIe s. Une chambre d'hôtes, avec sanitaires privés, à 45 € pour 2, petit déj compris. Table d'hôtes sur demande à 13,50 €. Côté loisirs, Gérard, prof d'arts plastiques, vous propose de découvrir les sentiers à VTT (mono diplômé, il écrit même des topoguides), et Marie tient à votre disposition la panoplie du parfait naturaliste. Accueil chaleureux, ambiance un poil bohème, une adresse idéale pour les amateurs de nature.

Accès : à Labastide-Rouairoux, prenez la D 64 (route des lacs) en direction de La Salvetat/Le Soulié, puis la D 165 vers Anglès.

LABATUT-RIVIÈRE — 65700

Carte régionale A2

34 km N de Tarbes ;
8 km N de Maubourguet

€€ ⌂ |●| ⋈ (10 %) **Chambres d'hôtes (Daniel Souquet) :** 5, route du Manoir. ☎ 05-62-96-34-12. 📱 06-83-33-22-61. ● info@manoir-souquet.fr ● manoir-souquet.fr ● ☎ Cette vaste et superbe propriété était en fait l'ancienne perception, jusqu'à ce qu'elle devienne la propriété familiale des Souquet en 1894. Belle cour ombragée et fleurie. Dans un bâtiment indépendant, 5 chambres, de

55 à 60 € pour 2 (selon les sanitaires), petit déj compris. Possibilité de repas, sur demande uniquement, à 18 €. Également 2 gîtes ruraux (pour 2 à 10 personnes) à louer de 300 à 820 € la semaine suivant la saison et la capacité. Grande salle d'animation pour soirées. Pêche sur mare et canal. Piscine, sauna et jacuzzi, ainsi qu'un court de tennis. Vélos et VTT à disposition. Propriétaire extrêmement dynamique.

Accès : sur la D 935 ; à Maubourguet, suivez la direction de Marciac, puis de Plaisance (D 67).

LACAVE 09160

Carte régionale A2

54 km O de Foix ;
15 km NO de Saint-Girons

€€€ 🏠 **Chambres d'hôtes La Maison du Parc (Michel Caujolle) :** 19, rue Principale. ☎ 05-61-04-72-57. 📠 06-23-79-72-35. ● caujolle.fouran@orange.fr ● maison-du-parc.com ● 🛜 À deux pas de la place du village, très belle demeure cossue du XIXe s construite par un Ariégeois qui fit fortune en Amérique. Michel a su garder l'ambiance et l'authenticité de l'époque. Il a tout restauré dans les règles de l'art : tapisseries, meubles et sièges. L'original sol du salon est fait de tomettes en bois ! Au 2e étage, 4 chambres spacieuses et originales avec de confortables sanitaires privés. De 60 à 80 € pour 2, petit déj compris, servi aux beaux jours sur la terrasse près de la piscine. Pas de table d'hôtes mais de nombreux bons restos dans les environs et cuisine d'été à disposition de ceux qui préfèrent se faire leur frichti. Une adresse pour retrouver l'art de vivre.

Accès : A 64 sortie n° 20 direction Saint-Girons ; Lacave est le 1er village de l'Ariège ; la maison est dans le village.

LAGARDIOLLE 81110

Carte régionale B2

25 km SO de Castres ;
16 km NE de Revel

€ 🏠 |○| 🍴 **Chambre d'hôtes (Laurence et Jean-Claude Larroque) :** En Calas. ☎ 05-63-50-38-17. 📠 06-38-58-72-86. ● fermedencalas@e-kiwi.fr ● ferme dencalas.fr.gd ● Fermé 2 janv-15 fév et 20-31 août. 🛜 Dans un petit coin tranquille, Laurence et Jean-Claude habitent dans la seule maison en pierre apparente. Ils vous recevront dans l'ancienne étable restaurée, qui a conservé la mangeoire, le râtelier

et quelques poutres d'origine. Une seule chambre, agréable, avec clim et sanitaires privés, à 45 € pour 2, petit déj compris. Table d'hôtes à 14 €, à partir de recettes locales et des produits de la ferme : soupe à l'ail, fresinat, millas, charcuterie, blanquette de chevreau, fromage de chèvre... Possibilité de panier pique-nique sur demande. Si vous venez avec vos bambins, la basse-cour fera leur bonheur.

Accès : N 126 Castres/Soual, puis D 622 Soual/Revel ; à mi-chemin, prenez la D 12 jusqu'à Lagardiolle que vous traversez ; la maison est dans le hameau suivant, sur la droite.

LAGUIOLE 12210

Carte régionale B1

56 km NE de Rodez ;
10 km S de Cassuejouls

€€€€ 🏠 🍴 **Chambres d'hôtes La Ferme de Moulhac (Mireille et Philippe Long) :** ☎ et fax : 05-65-44-33-25. 📠 06-07-30-55-77. ● contact@fermede moulhac.fr ● fermedemoulhac.fr ● Fermé 2 sem fin janv et 2 sem début déc. 🛜 À 1 100 m d'altitude, au milieu des pâturages, belle ferme traditionnelle du XIXe s, coiffée de lauze. Dans l'ancienne grange, 5 chambres (dont une suite avec accès indépendant et petite terrasse privée) installées à l'étage, avec sanitaires privés. La déco est originale et mélange matériaux bruts de chantier ou naturels, cuivre martelé, bois et fer forgé. 90 € pour 2, et 135 € pour la suite, petit déj compris (fromage blanc, fruits, crêpes, fouace ou brioche, sans oublier les confitures maison), et 25 € par personne supplémentaire. Agréable pièce à vivre avec kitchenette à disposition. Pour les amateurs, petit lac poissonneux sur la propriété. Accueil convivial.

Accès : de Laguiole, prenez la direction de Saint-Flour et, à la sortie du village, juste avt la fromagerie, prenez la 1re à droite.

LAUTREC 81440

Carte régionale B2

32 km S d'Albi ; 15 km NO de Castres

€€€€ 🏠 🍴 (10%) **Chambres d'hôtes (Alain Rouquier-Perret) :** Cadalen. ☎ 05-63-75-30-02. 📠 06-73-38-56-01. ● info@cadalen81.com ● cadalen81.com ● 🛜 Beau corps de ferme avec deux pigeonniers. Trois grandes chambres remarquablement décorées de meubles anciens, avec de spacieux sanitaires privés. Toutes avec TV et connexion wifi.

De 95 à 115 € pour 2, petit déj compris. À l'extérieur, c'est un peu l'arche de Noé : pigeons, oies et poules. Un côté « bourgeois-bohème » qui nous a séduit.

Accès : de Lautrec, suivez la direction Roquecourbe et Vénès puis bien fléché (4 km du bourg).

LAUZERTE   82110

Carte régionale A1

40 km NO de Montauban ;
16 km SE de Montaigu-de-Quercy

€€€ 🏠 **Chambres d'hôtes Le Moulin de Tauran (Joséphine Chambon) :** ☎ 05-63-94-60-68. 📠 06-87-91-83-42. ● moulinde tauran@wanadoo.fr ● moulintauran.free. fr ● Ouv avr-oct. 📶 Tout près d'une petite rivière, à l'abri du passage et du bruit. La grange en pierre du vieux moulin abrite 3 chambres coquettes et confortables (2 doubles et une suite de 2 chambres), avec sanitaires privés. Entre 72 et 78 € pour 2, petit déj compris, et 28 € pour la table d'hôtes. Piscine sur place.

Accès : à 1,5 km du village sur la D 953 (route de Cahors) ; après le garage Renault, suivez le fléchage, le moulin se trouve sur la gauche.

LAVAUR   81500

Carte régionale B2

30 km NE de Toulouse ;
26 km SO de Gaillac

€€ 🏠 **Chambres d'hôtes Le Pépil (Marie-José et Jean-Paul Raynaud) :** Giroussens. ☎ 05-63-41-62-84. 📠 06-30-20-51-13. ● jearaynaud@wanadoo.fr ● pepil.fr ● Fermé 15-30 oct et 28 déc-4 janv. Ancienne ferme restaurée en pierre du pays, avec un charmant pigeonnier qui inspirera peintres et photographes. Trois chambres confortables et lumineuses, aménagées au 1er étage d'une grange, à 55 € pour 2, petit déj inclus, avec pain et confitures maison. Cuisine à disposition. Le pigeonnier, restauré, abrite un gîte pour 4 personnes. Marie-José s'occupe des ânes et de la volaille, ainsi que du jardin. Piscine pour vous rafraîchir, vélos à disposition pour une balade en forêt, ou sinon, allez faire un tour au village de Giroussens, où quelques potiers font revivre une tradition réputée depuis le XVIIIe s.

Accès : de l'A 68 Toulouse/Albi, sortie n° 7 ; faites 6 km en direction de Graulhet ; la maison est à 200 m du croisement entre la D 87 (Gaillac/Lavaur) et la D 631 (route de Giroussens).

LE BASTIT   46500

Carte régionale B1

47 km NO de Figeac ;
15 km S de Rocamadour

€€ 🏠 🍴 🐴 **Chambres d'hôtes Domaine de Bel Air (Sébastien Chambert) :** Bel-Air. ☎ 05-65-38-77-54. 📠 06-74-41-18-38. ● info@domaine-belair.com ● domaine-belair.com ● 🐴 Fermé l'hiver sf vac scol. De préférence sur résa. 📶 Dans sa maison située en pleine nature, Sébastien propose 6 chambres d'hôtes à 58 € pour 2, petit déj compris. Fait aussi table d'hôtes. Cuisine régionale et familiale, à base des produits du potager, du poulailler et des producteurs locaux : foie gras, confit, magret, cèpes, gâteau aux noix... Comptez 20 € le repas, vin compris, et 29 € le samedi, pour le repas « gastronomique ». Et pour digérer, il y a un circuit de randonnée.

Accès : sur la D 807, fléchage sur la droite, juste avt le bourg (en venant de Gramat).

LE PIN-MURELET   31370

Carte régionale A2

45 km SO de Toulouse ;
6 km O de Rieumes

€€ 🏠 🍴 (10 %) **Chambres d'hôtes En Jouanet (Annie et Jean-Louis Flous) :** 670, chemin Saint-Romain. ☎ 05-61-91-91-05. 📠 06-74-24-27-14. ● flousjean louis@neuf.fr ● enjouanet.free.fr ● Ouv juin-sept. 📶 Les fermes nichées au bout d'un chemin sont souvent très belles et celle-ci n'y déroge pas. C'est une métairie vieille de deux siècles. L'étable s'est métamorphosée en un grand séjour avec mezzanine. Beau carrelage à l'ancienne, murs d'un bleu lumineux, grande cheminée moderne toute blanche et immense baie vitrée qui ouvre sur une terrasse fleurie. Les meubles anciens font bon ménage avec la déco plutôt moderne. Deux chambres familiales, claires, modernes et spacieuses, avec sanitaires privés. Comptez 60 € pour 2, petit déj compris. Ne manquez pas la table d'hôtes : pour 17 €, une cuisine régionale goûteuse et originale avec des produits frais. Vos hôtes pratiquent le tango argentin et proposent, un soir par semaine, une initiation-découverte de cette danse envoûtante. Pour vous détendre, il y a une piscine et les balades ne manquent pas.

Accueil très sympa avec un brin d'accent du terroir.

Accès : de Toulouse, A 64 en direction de Tarbes, jusqu'à la sortie n° 34 (Rieumes) ; traversez ce village et continuez vers L'Isle-en-Dodon (D 3) pdt 6 km et, 1 km après La Grande-Carrère, tournez à gauche derrière une grande maison et continuez à gauche le chemin jusqu'au bout.

LESCURE-D'ALBIGEOIS   81380

Carte régionale B1

5 km NE d'Albi

€€ 🏠 |◉| **Chambres d'hôtes Le Pignié (Rachel et Luc Sornin) :** ☎ 05-63-60-44-31. 🖥 06-15-73-06-90. ● *lepignie@gmail.com* ● *lepignie.com* ● 📶 À quelques encablures d'Albi, dans un joli coin de campagne, magnifique propriété. Dans l'ancienne grange, ils ont aménagé 4 chambres tout aussi originales que différentes, avec spacieux sanitaires privés. La dernière, tout aussi charmante, est dans la maison des propriétaires. 79 € pour 2, petit déj compris. Table d'hôtes à 25 €, apéro et vin compris. Aux beaux jours, les repas sont servis sous la terrasse couverte, face à la piscine (je craque !). Pour ceux qui préfèrent préparer leur tambouille, kitchenette à disposition. Accueil sympathique de ce couple belge.

Accès : d'Albi, prenez la D 90 vers Cagnac-les-Mines et, 800 m après l'église de Notre-Dame-de-la-Drêche, tournez à droite et faites 1 km (ne rentrez pas dans Lescure).

LÉZAT-SUR-LÈZE   09210

Carte régionale A2

45 km NE de Foix ; 13 km N de Le Fossat

€€ 🏠 **Chambres d'hôtes Ferme Curnat d'en Haut (Cyril et Muriel Bouny) :** ☎ 05-61-60-38-68. 🖥 06-81-94-24-26. ● *muriel.cyril@wanadoo.fr* ● *ferme-curnat.perso.neuf.fr* ● *Fermé en hiver.* Quand on arrive ici, la vue est incroyable : la chaîne des Pyrénées sur 360° ! La maison ? Une ferme du XVIIIe s que Cyril et Muriel ont restaurée de leurs mains, où voisinent pierre, briques crues et roses. Deux chambres originales et raffinées avec sanitaires privés, à l'atmosphère romantico-campagnarde. De 55 à 65 € pour 2, copieux petit déj compris (gâteaux, yaourts et confitures maison et plusieurs sortes de pains). Si vous venez avec vos enfants, ils seront ravis de faire la connaissance de Rosalie,

la truie apprivoisée, mais aussi des ânes, de la mule et du cheval... Avis aux collectionneurs de voitures anciennes : Cyril les restaure avec amour, et son atelier est tout proche. VTC à disposition. Accueil chaleureux.

Accès : en venant de Toulouse par la D 919, à l'entrée du village, prenez la direction d'Esperce, passez le pont et, à la patte d'oie, continuez tout droit sur 4 km ; la maison se trouve après Ginèbre et Curnat-d'en-Bas.

LIMOGNE-EN-QUERCY   46260

Carte régionale B1

20 km O de Villefranche-de-Rouergue ; 13 km SO de Cajarc

€€ 🏠 ⑩% **Chambres d'hôtes La Hulotte (Claudine et Lionel Baudin) :** lieu-dit Mas de Games. ☎ et fax : 05-65-31-58-51. 🖥 06-17-38-84-47. ● *chambreslahulotte@orange.fr* ● *chambreslahulotte.fr* ● *Fermé de mi-nov à mi-fév.* 📶 Une maison sur d'un petit hameau perdu au beau milieu du causse, des chênes, des murets de pierre. Claudine et Lionel ont aménagé 4 chambres, dont 2 se partagent une salle de bains. Déco colorée et joyeuse. De 58 à 68 € pour 2, petit déj compris. Le jardin fleuri donne un petit côté cottage. Une adresse au charme simple à 180 pas (!) du GR 65 (le chemin de Saint-Jacques-de-Compostelle). Pour les pèlerins et les randonneurs, possibilité de repas, sur réservation, à 19 €. Pour les autres, plusieurs restos dans un rayon de 3 km. Et sinon, cuisine à disposition. Un p'tit coup de cœur.

Accès : à 3 km du village ; prenez la direction de Cajarc, puis à 1 km, fléché sur la droite.

L'ISLE-BOUZON   32380

Carte régionale A1

11 km E de Lectoure

€€ 🏠 |◉| 🐴 ⑩% **Chambres d'hôtes Aux Metges (M. et Mme Litzler) :** ☎ 05-62-28-60-41. 🖥 06-82-88-62-65. ● *aux.metges@wanadoo.fr* ● *auxmetges.wordpress.com* ● *Fermé la 2e quinzaine de janv.* Dans un paysage de cultures et de forêts de chênes, charmante ferme du XVIIIe s nichée au creux d'un vallon. Quatre chambres à la déco de très bon goût : 2 dans la maison (dont une dispose d'un piano), une autre dans le pigeonnier (notre préférée), la dernière, plus indépendante, a été aménagée dans un esprit écolo (en torchis traditionnel). Atmosphère de voyage, chaleureusement entretenue par les sympathiques proprios. 55 € pour 2 (60 € pour la chambre du pigeonnier), petit déj compris. Menus table d'hôtes à 17 ou 25 €. Cuisine gasconne et quelques recettes venues d'ailleurs (Inde, Italie...). Bon rapport qualité-prix-convivialité.

Accès : à 2 km du village en direction de Gramont.

L'ISLE-JOURDAIN   32600

Carte régionale A2

50 km E d'Auch ; 25 km O de Toulouse

€€ 🏠 *Chambres d'hôtes L'Asinerie d'Embazac (Bénédicte et Jean-François Wambeke) :* Goudourvielle. ☎ 05-62-07-02-10. ● embazac@wanadoo.fr ● embazac.com ● 🛜 Ferme typiquement gersoise flanquée d'un pigeonnier où Bénédicte et Jean-François élèvent des ânesses laitières. Deux chambres d'hôtes avec sanitaires privés à 60 € pour 2, petit déj compris. Également un gîte d'étape de 10 lits à 25 € la nuit par personne avec le petit déj. Possibilité de profiter du jacuzzi moyennant supplément. Et pourquoi ne pas vous faire une cure au lait d'ânesse ? Pour la petite histoire, la reine d'Égypte Néfertiti s'en faisait des bains ! Les proprios produisent aussi des savons et tous les produits cosmétiques pour vous refaire une jeunesse. Ils accueillent aussi des groupes (adultes et enfants) qui viennent découvrir la ferme. Accueil chaleureux. Une adresse on ne peut plus originale !

Accès : de Toulouse, N 124 vers Auch sortie 11 et direction Saint-Lys ; faites 2 km puis tournez à droite vers Goudourvielle, c'est à droite après le hameau, tt en haut de la colline.

LORP-SENTARAILLE   09190

Carte régionale A2

*3 km NO de Saint-Girons ;
2 km NO de Saint-Lizier*

€€ 🏠 |◉| *Chambres d'hôtes La Maison Blanche (Agnès et Alain Roques) :* Prat-du-Ritou. ☎ 05-61-66-48-33. 📱 06-12-52-36-00. ● agnes.roques@laposte.net ● couseransmaisonblanche.com ● 🛜 Située près de la rivière, cette maison faisait autrefois partie d'une papeterie actuellement désaffectée (c'était celle du *big boss...*). Elle est toute simple, mais l'accueil d'Agnès et d'Alain est par-

ticulièrement chaleureux. Trois chambres confortables et un studio avec cuisine équipée. Sanitaires privés. Comptez 60 € pour 2, petit déj compris. Agnès est puéricultrice et elle accueillera vos chères têtes blondes avec bonheur. C'est aussi une fine cuisinière, qui n'hésite pas à se lancer dans des recettes originales... 22 € le repas, apéro, vin et café compris. Les proprios adorent les chevaux ; ils peuvent recevoir cavaliers et montures. Possibilité de balades accompagnées (pour cavaliers confirmés et équipés de leur monture) en compagnie d'Agnès. Pour les amoureux des vieilles pierres, Saint-Lizier est tout proche et possède une belle cathédrale avec des fresques romanes et un cloître.

Accès : de Saint-Girons, empruntez la D 117 en direction de Toulouse jusqu'à Lorp ; à l'église, tournez à droite, puis traversez l'ancienne voie ferrée et c'est à droite (fléchage).

LOUBAJAC   65100

Carte régionale A2

*25 km SO de Tarbes ;
5 km NO de Lourdes*

€€ 🏠 |◉| *Chambres d'hôtes (Nadine Vivès) :* 28, route de Bartres. ☎ 05-62-94-44-17. 📱 06-08-57-38-95. ● nadine.vives@wanadoo.fr ● anousta.com ● Ouv des vac de fév au 11 nov. 🛜 Dans le village, vieille ferme restaurée avec 5 chambres bien meublées, à 53 € pour 2, petit déj compris. Nadine fait aussi table d'hôtes, à 20 € le repas avec vin et café, et sert des produits provenant de l'exploitation : charcuterie ou crudités, viande (poulet, lapin, canard, mouton), fromage et dessert. Vente de produits fermiers. Belle salle à manger avec poutres, cheminée et meubles anciens. Joli parc arboré et piscine à disposition. Accueil convivial. Une adresse qui fait des adeptes !

Accès : sur la D 3 de Bartres à Loubajac, à 500 m de la nationale pour Lourdes.

LUNAX   31350

Carte régionale A2

*35 km N de Saint-Gaudens ;
6 km NE de Boulogne-sur-Gesse*

€ 🏠 |◉| 🐾 ⤢ 10 % *Chambres d'hôtes (Werner et Karin Mazanek) :* ☎ 05-61-88-26-06. 🛜 Ancienne ferme entourée d'un jardin. Dans un bâtiment indépendant de la maison, 2 chambres coquettes et parées des toiles d'Hubert, l'ami de la famille. Chacune avec entrée indépendante et sanitaires privés. Comptez 40 € pour 2, copieux petit déj compris (charcuterie, fromages, fruits...). Repas et petit déj sont servis chez Karin et Werner, dans une cuisine-séjour agrémentée d'une agréable cheminée. Table d'hôtes à 15 €, pour une cuisine originale et internationale, avec des produits de qualité... Pour les loisirs, le lac de la Gimone est à quelques enjambées et est équipé d'une base nautique. Pour les petits budgets, il y a aussi une petite aire de camping pour planter sa tente ou même louer une grande caravane ou un mobile home tout équipés (idéal pour les familles de 4 personnes), respectivement à 20 et 30 € par jour. Accueil jeune et sympa.

Accès : de Boulogne-sur-Gesse, D 632 vers Toulouse sur 6 km et sortie Lunax ; au carrefour, laissez le village à droite et tournez à gauche, c'est la 2e maison à droite.

MASSAT   09320

Carte régionale A2

27 km SE de Saint-Girons

€€ 🏠 🏡 (10%) **Chambres d'hôtes Las Paouses (Béatrice et Denis Leblon) :** ☎ et fax : 05-61-04-94-45. 📱 06-87-13-10-67. ● las.paouses@wanadoo.fr ● laspaouses.com ● À 750 m d'altitude, agréable maison (genre grand chalet) qui bénéficie d'un magnifique panorama sur les Pyrénées et la vallée de Lers. Deux chambres confortables installées dans une partie indépendante. Sanitaires privés, avec eau chaude solaire. Comptez 55 € pour 2, petit déj compris. Cuisine à disposition et barbecue l'été. Denis est horticulteur, Béatrice infirmière, et c'est à deux qu'ils préparent les repas. Les fans de rando trouveront plein de circuits à faire autour de la maison. Accueil agréable.

Accès : de Saint-Girons, prenez la D 618 jusqu'à Massat ; dans le bourg, suivez la direction Boates et fléchage.

MAUBEC   82500

Carte régionale A1-2

45 km SO de Montauban ;
12 km SO de Beaumont-de-Lomagne

€€ 🏠 🏡 (10%) **Chambres d'hôtes Jardin d'En Naoua (Valérie Zamora) :** ☎ 05-63-65-39-61. 📱 06-87-24-29-93. ● gite@en-naoua.com ● en-naoua.com ● 🛏 Fermé janv. 📶 En Naoua, c'est la propriété familiale de Valérie ; elle remonte au XVIIe s. Au rez-de-chaussée, une grande chambre familiale ; à l'étage, 4 chambres jouissant d'une belle vue sur la campagne environnante. Sanitaires privés. 70 € pour 2, petit déj compris, avec lait, confitures et gâteau maison. Également un gîte (de 5 à 25 personnes, en chambres de 2 ou 4 lits) à 26 € la nuit par personne et 3 € le petit déj. Table d'hôtes à 25 €, apéro, vin et café compris. Autrement, cuisine à disposition. Sous le grand auvent, vous pourrez apercevoir bon nombre d'outils que Maurice, le grand-père de Valérie, a remis en état et exposés. Terrain de boules, baby-foot, table de ping-pong et billard à disposition. Pour vous détendre, il y a la piscine. Si vous préférez vous dégourdir les jambes, prenez l'un des chemins qui partent de la maison, soit vers le village fortifié de Maubec, soit vers le village médiéval de Sarrant.

Accès : de Montauban, prenez la route des Pyrénées direction Auch (D 928) ; passez Beaumont-de-Lomagne, allez jusqu'à Solomiac ; dans le village, prenez la D 165 sur 2 km, le lieu-dit En-Naoua est sur la gauche.

MAUBOURGUET   65700

Carte régionale A2

26 km N de Tarbes

€€ 🏠 🍽 (10%) **Chambres d'hôtes (Françoise et Henri-Paul Nouvellon) :** domaine de la Campagne. 📱 06-81-57-02-23. ● hpnou@wanadoo.fr ● Ouv Pâques-Toussaint. 📶 Belle ferme restaurée avec 4 chambres d'hôtes : 2 au rez-de-chaussée avec entrée indépendante, les 2 autres à l'étage. Sanitaires privés. 65 € pour 2, petit déj inclus. Table d'hôtes à 17 €, vin et café compris. Également un gîte pour 4 à 6 personnes à 800 € la semaine. Prêt de vélos et tuyaux sur les randos à faire dans le coin. Hamacs, piscine et terrain de pétanque pour la détente. Bon rapport qualité-convivialité-prix.

Accès : de Maubourguet, prenez à gauche la direction d'Auriébat, puis le petit chemin à droite.

MAUROUX   32380

Carte régionale A1

40 km NE d'Auch ; 7 km NE de Saint-Clar

€€€ 🏠 🍽 (10%) **Chambres d'hôtes La Ferme des Étoiles (Marie et Bruno Monflier) :** ☎ 05-62-06-09-76. 📱 06-79-17-30-81. Fax : 05-62-06-24-99. ● contact@

fermedesetoiles.com • fermedesetoiles. com • Ouv avr-oct. 🛜 En pleine nature, sur une petite colline, belle ferme gersoise bien restaurée. Six chambres coquettes, dont une salle familiale : une au rez-de-chaussée, les 5 autres à l'étage, toutes avec sanitaires privés. Selon la chambre, de 76 à 85 € pour 2, petit déj compris. Table d'hôtes à 27 € et repas gastro à 38 €. La nuit tombée, vous comprendrez le sens de son nom... Pour la petite histoire, la maison est parrainée par Hubert Reeves (le célèbre astrophysicien). Il y a bien sûr un planétarium (ouvert au public ; droit d'entrée). L'été, quand le ciel est découvert, les proprios organisent aussi des veillées aux étoiles (payantes). Et pour les amateurs d'insolite, abritées au sein du parc, 5 originales « astrobulles » pour passer la nuit « à ciel ouvert » (76 € pour 2 avec le petit déj). Également une grande piscine pour se relaxer.

Accès : *de Saint-Clar, en direction de Lavit, en bas du village, prenez la D 13 jusqu'à Mauroux ; la maison est à la sortie du bourg à gauche.*

MAZÈRES   09270

Carte régionale B2

45 km N de Foix ; 15 km N de Pamiers

€€ 🏠 🍴 **Chambres d'hôtes (Valérie et Robert Vaynier) :** *Bellune.* ☎ 05-61-69-37-85. 📱 06-62-88-83-66. 🛜 En pleine campagne, ferme céréalière du XIXe s. La déco intérieure est résolument contemporaine. Dans une aile de la maison, 3 jolies chambres à l'atmosphère sereine, avec sanitaires privés. 70 € pour 2, petit déj compris. Bonne table d'hôtes à 25 € tout compris. Produits maison à l'honneur. Agréable jardin arboré et fleuri où se promènent d'adorables poules naines. Piscine couverte et chauffée. Une excellente adresse pour se mettre au vert, où hospitalité rime avec convivialité.

Accès : *A 66 sortie Mazères, puis suivez la direction Belpech puis à droite vers Bellune pdt 500 m et tournez à droite au croisement (fléchage).*

€€€ 🏠 🍴 **Chambres d'hôtes Les Chambres de Bellevue (Geneviève Gérouit) :** *route de Gaudiès, Le Freyche.* ☎ 05-61-69-41-88. 📱 06-16-75-03-61. Fax : 05-61-69-41-62. • contact@bellevue-ariege. fr • bellevue-ariege.fr • Ferme en galets et briques, typique de la région toulousaine (si ce n'est le moucharabieh tunisien qui remplace la porte du fenil), avec les Pyrénées en fond de décor. À l'étage, 5 chambres spacieuses et confortables,

avec sanitaires privés. Selon la chambre et la période, de 70 à 79 € pour 2, petit déj compris. Table d'hôtes (sauf les vendredi et dimanche) à 25 €, vin et café compris. Cuisine familiale à base de produits du terroir. Grande piscine. Geneviève se fera un plaisir de donner tous les tuyaux pour découvrir sa région. Accueil très sympa. Une bonne adresse.

Accès : *A 66 sortie n° 2 (Mazères) ; au rond-point, tt droit vers Belpech/ZI Lacroix, puis à droite la D 611 vers Gaudiès ; passez l'entreprise Lacroix et prenez le 2e chemin à droite vers Le Freyche.*

MÉZENS   81800

Carte régionale B1-2

35 km NE de Toulouse ; 25 km SO de Gaillac

€€ 🏠 🍴 10% **Chambres d'hôtes (Régine Saulle) :** *Le Cambou.* ☎ 05-63-41-82-66. 📱 06-20-27-17-43. • cambou81@orange. fr • perso.orange.fr/le-cambou •Fermé 1er janv-1er fév. 🛜 Belle maison lauragaise abritant 2 jolies chambres avec sanitaires privés. Décoration personnalisée. 55 € pour 2, petit déj compris. Routards à l'âme d'artiste, n'hésitez pas, c'est ici qu'il vous faut venir ! Régine est spécialiste des tissages et tapisseries. Elle se fera un plaisir de répondre à toutes vos questions sur les différentes techniques. Elle organise d'ailleurs des stages de tissage. Possibilité de repas à 16 €, apéro, vin et café compris. Cuisine familiale. Nombreux sentiers de balades au départ de la maison, et si vous le souhaitez, Régine vous accompagnera pour vous faire découvrir les particularités de la faune et de la flore locales. Par une belle nuit étoilée, elle pourra vous parler des constellations. Prêt de VTT et jolie piscine. Une adresse idéale pour les amoureux de la nature et des arts.

Accès : *dans le bourg.*

MONTAUBAN   82000

Carte régionale A1

41 km N de Toulouse

€€€ 🏠 10% **Chambres d'hôtes du Ramiérou (Sabrina et Brigitte Kayser) :** *960, chemin du Ramiérou.* ☎ 05-63-20-39-86. 📱 06-67-74-07-38. • leramierou@ gmail.com • leramierou.co • 🛜 Belle demeure de maître située au cœur de 16 ha de prés et de bois. Tout en brique, typique de la région, c'est dans un bâtiment proche du pigeonnier qu'on trouve les 2 premières chambres qui ouvrent côté jardin. Elles sont confortables, avec petit salon. La dernière se situe dans le bâtiment où l'on triait le raisin et ouvre sur la forêt (salon avec cheminée et terrasse !). Spacieux sanitaires privés. De 70 à 80 € pour 2, petit déj compris, et 20 € par personne supplémentaire. Accueil convivial. Un point de chute idéal aux portes de Montauban.

Accès : *venant de Paris ou de Toulouse, sortie n° 61 puis direction Saint-Étienne-de-Tulmont pdt 800 m et à droite chemin de Ferrié ; au bout à droite, faites encore 800 m, la maison est sur la gauche.*

MONTAUT   09700

Carte régionale B2

25 km N de Foix ; 10 km SE de Saverdun

€€€ 🏠 |●| ⑩% *Chambres d'hôtes* **Domaine La Vernoune (Marie-Joëlle Jaumot) :** *La Vernoune.* ☎ 05-61-69-23-12. 📠 06-60-20-73-62. ● *vernoune@club.fr* ● *vernoune.com* ● 🛜 Belle ferme avec pigeonnier du XIX° s, plantée dans un parc de 4 ha et bénéficiant d'une magnifique vue sur la chaîne des Pyrénées. Trois jolies chambres, dont une au rez-de-chaussée avec un grand salon-bibliothèque, les 2 autres à l'étage, dont une familiale. Atmosphère calme et sereine. Sanitaires privés. Selon la chambre, de 72 à 77 € pour 2, petit déj compris, et 137 € pour 4. Table d'hôtes à 25 €, tout compris. Bonnes spécialités du terroir avec des produits de qualité. La cuisine est aussi à disposition. Également un gîte de 8 personnes pour les séjours. Piscine hors sol et jacuzzi pour vous délasser. Ambiance conviviale et accueil vraiment chaleureux. Une très bonne adresse.

Accès : *de Pamiers, D 11 vers Belpech jusqu'au hameau Georges ; tournez à gauche vers Haras, passez l'intersection et continuez tt droit sur 1 km puis tournez à gauche et suivez le fléchage.*

€€ 🏠 ⑩% *Chambres d'hôtes* **Ferme de Royat (Bernadette Gianésini) :** *Royat-Montaut.* ☎ 05-61-68-32-09. ● *gaecgianesini@orange.fr* ● *domainederoyat.fr* ● 🛜 On entre par une grande allée bordée de platanes et on découvre une demeure immense, au milieu d'un beau parc aux arbres centenaires. Son histoire est fabuleuse... C'est une ancienne ferme-école d'agriculture fondée en 1843 et transformée pendant la Grande Guerre en centre de réinsertion pour les Poilus (toutes les archives sont là ; la maison a même reçu la visite du général de Gaulle

en 1950 !). Au 1er étage, 2 chambres claires et agréables, toutes équipées de sanitaires privés. De 65 à 70 € pour 2, petit déj compris. Pas de table d'hôtes, mais cuisine à disposition. Immense étang privé de 10 ha pour une agréable balade ou pour la pêche à la mouche de grosses truites (l'étang est né suite aux travaux de l'autoroute Toulouse-Pamiers, mais qui passe fort heureusement à 700 m de la maison). Accueil agréable.

Accès : *de Foix, prenez la RD 820 en direction de Toulouse jusqu'au Vernet-d'Ariège, puis tournez à droite sur la D 624 vers Mazères/Castelnaudary et fléchage à droite (1 km de la RD 820).*

MONTBRUN   46160

Carte régionale B1

22 km SO de Figeac ; 7 km NE de Cajarc

€ 🏠 ⑩% *Chambres d'hôtes* **La Treille (Nathalie et Emmanuel Pradines) :** ☎ 05-65-40-77-20. 📠 06-22-49-69-91. ● *latreille-46@orange.fr* ● 🐾 Dans une ancienne grange restaurée, Nathalie et Emmanuel, jeune et sympathique couple d'agriculteurs (production de tabac, maïs, asperges et noix), ont aménagé 4 chambres avec sanitaires privés, dont une familiale. Comptez 48 € pour 2 et 55 € pour 4, avec un copieux petit déj (gâteau et confitures maison) servi sur la terrasse aux beaux jours. Pour les amateurs de pêche, le Lot coule au bout du jardin. Pas de table d'hôtes, mais plusieurs restos à proximité.

Accès : *de Cajarc, prenez la D 662 en direction de Figeac ; traversez Montbrun, la propriété se trouve à 1 km à droite (2e chemin en contrebas de la route).*

MONTCABRIER   46700

Carte régionale A1

43 km NO de Cahors ;
9 km NO de Puy-l'Évêque

€ 🏠 |●| *Chambres d'hôtes* **(Odette et Roger Lemozy) :** *Mérigou.* ☎ et fax : 05-65-36-53-43. ● *roger.lemozy@orange.fr* ● *gite-merigou-lot.com* ● Petit hameau tout mignon. Ferme perchée sur une colline boisée, totalement à l'écart de tout passage. Environnement de rêve pour les amoureux de la nature. Odette et Roger prodiguent une hospitalité hors pair et proposent leurs chambres d'hôtes à la ferme, ainsi que deux splendides et confortables gîtes ruraux dans des maisons de caractère. Un petit gîte pour 4 personnes au moins, en pleine campagne, et un plus grand disposant de 4 chambres, dans le hameau, de 350 à 1 000 € la semaine selon la capacité et la période. Piscine près du grand gîte, également accessible aux locataires de l'autre gîte. Pour les 2 chambres d'hôtes, comptez 40 € pour 2, avec le petit déj. Possibilité de repas du soir (partagé avec vos hôtes) à 14 €, apéro, vin et café compris. Du 15 septembre au 15 mai, « week-ends foie gras » (du vendredi après-midi au dimanche après-midi) pour tout savoir sur le foie gras et le confit dans le but d'épater et de régaler les copains. Une gentille adresse à prix très doux.

Accès : sur la D 68 entre Montcabrier et Sauveterre.

MONTESQUIEU-LAURAGAIS   31450

Carte régionale A2

26 km SE de Toulouse ;
8 km NO de Villefranche-de-Lauragais

€€€ 🏠 |○| ⑩% *Chambres d'hôtes (Irène et José Pinel) :* Bigot. ☎ et fax : 05-61-27-02-83. 📱 06-71-64-98-12. ● joseph.pinel@libertysurf.fr ● hotebigot. chez-alice.fr ● 🛜 Au cœur du Lauragais et à quelques encablures du canal du Midi, superbe ferme du XVIIᵉ s restaurée de façon contemporaine. L'intérieur est superbe. Une cuisine moderne, où siège un poêle scandinave, avec un sympathique coin petit déj. Grand salon avec cheminée et piano. Au 1ᵉʳ étage, un joli hall avec poutres apparentes dessert 3 chambres douillettes, où s'exprime la passion d'Irène : le patchwork (elle organise même des stages... nous on craque !). La chambre « Nord », avec sanitaires privés, est la moins chère. La chambre « Est » est dotée d'immenses sanitaires (balnéo et douche hydromassante). Trois autres chambres, dont une familiale avec coin cuisine, sont situées au-dessus d'une étable superbement rénovée. Toutes sont climatisées. De 75 à 90 € pour 2, petit déj compris, et 25 € tout compris pour la table d'hôtes. Grand jardin avec piscine (ça va de soi) et un beau potager, la fierté de José. Il fait bon s'arrêter là, d'autant que c'est un excellent point de chute pour visiter la région. Délicieuses balades à faire à vélo (chouette, les proprios en prêtent !) au bord de l'eau en longeant le canal, sans compter les ravissants villages des alentours. Également 2 gîtes pour vos séjours. Accueil de qualité. Une adresse

de charme. Bref, un de nos coups de cœur sur le département.

Accès : de Toulouse, N 113 vers Villefranche-de-Lauragais ; passez Baziège et, à l'entrée de Villenouvelle, tournez à droite après l'abribus, face au garage ; suivez le chemin Bigot, traversez l'Hers par le vieux petit pont de brique, c'est la grande ferme à droite.

MONTESQUIEU-VOLVESTRE   31310

Carte régionale A2

50 km S de Toulouse ; 8 km S de Rieux

€€€ 🏠 |○| 🐴 ⑩% *Chambres d'hôtes La Halte du Temps (Marie-Andrée et Dominique Garcin) :* 72, rue Mage. ☎ 05-61-97-56-10. 📱 07-83-17-90-86. ● lahalte dutemps@free.fr ● lahaltedutemps. com ● 🛜 Superbe demeure du XVIIᵉ siècle, ancienne propriété du marquis de La Loubère, ancien seigneur de Montesquieu. Ici, tout est beau... Un noble escalier Louis XIII mène à 5 chambres, charmantes, spacieuses et colorées. 80 € pour 2, petit déj compris. Table d'hôtes à 25 €, apéro, vin et café compris. Belle piscine entourée de palmiers et un espace détente avec hammam et jacuzzi. Marie-Andrée et Dominique reçoivent avec passion et donnent les meilleurs conseils pour découvrir la région. Ils organisent des soirées spectacle. Une adresse au charme indéniable et un excellent rapport qualité-prix-convivialité.

Accès : à deux pas de la halle.

MONTFERRIER   09300

Carte régionale B2

30 km SE de Foix ; 8 km SO de Lavelanet

€€ 🏠 |○| *Chambres d'hôtes (Nicole et Yves Masset) :* serre de Marou. ☎ 05-61-01-14-75. 📱 06-82-83-33-60. ● yves.mas set@wanadoo.fr ● ariege.com/serrede-marou ●Fermé pdt les fêtes de Noël. 🛜 Au pays cathare, face au majestueux château de Montségur, mignonnette ferme de plain-pied située à 1 000 m d'altitude. De la terrasse, la vue est splendide et on n'a qu'une envie : s'y installer pour profiter de la beauté du site ! Dans une aile indépendante, 2 chambres confortables avec sanitaires privés. Déco agréable avec de nombreux meubles de famille. 55 € pour 2, petit déj compris. Bonne table d'hôtes à 21 €, boissons comprises. Une cuisine saine et de saison avec les produits de la ferme et les légumes du jardin. Pour les amateurs de rando, le GR 7 passe à proximité. Accueil vraiment sympa. Une adresse et un panorama à découvrir.

Accès : de Foix, D 117 puis D 9 vers Montségur ; traversez Montferrier dans la même direction et, 4 km après, suivez le fléchage à gauche.

MONTGAILLARD   65200

Carte régionale A2

14 km S de Tarbes ;
6 km NO de Bagnères-de-Bigorre

€€ 🏠 **Chambres d'hôtes Maison Burret (Jo et Jean-Louis Cazaux) :** *67, Le Cap-de-la-Vielle.* ☎ 05-62-91-54-29. 📱 06-11-77-87-74. ● *joetjl.cazaux@wanadoo.fr* ● *maisonburret.com* ● *Ouv de mi-juin à fin oct.* 📶 Beau manoir bigourdan aux persiennes bleu lavande vieilli, deux fois centenaire, habité par une famille dotée d'un sens de l'hospitalité rare. Deux chambres, dont une suite composée de 2 chambres (l'une dans les tons roses style infante espagnole, l'autre avec vraie fenêtre en trompe l'œil). Sanitaires privés. De 55 à 65 € pour 2, petit déj compris (pain brioché, cake et confitures maison) et 13 € par personne supplémentaire. Pas de table d'hôtes mais possibilité de préparer vous-même votre pique-nique au barbecue. Jean-Louis viendra peut-être vous jouer un petit air de vielle... Également 2 gîtes de 2 et 4 personnes et un petit musée paysan.

Accès : en venant de Bagnères, prenez la route de Lourdes sur la gauche ; en venant de Tarbes, dépassez le village et prenez la sortie à droite.

MUR-DE-BARREZ   12600

Carte régionale B1

77 km N de Rodez ;
13 km NE d'Entraygues-sur-Truyère

€ 🏠 ⦿ 🐴 ⟨10 %⟩ **Centre de tourisme équestre Les Sentiers Battus (Christian Hervé et Cathie Romand) :** *Le Batut-de-Murols.* ☎ 05-65-66-18-61. 📱 06-50-95-14-10. ● *contact@le-batut.com* ● *le-batut.com* ● *Ouv avr-oct.* Un centre de tourisme équestre complètement paumé, en pleine nature. Christian adore les chevaux (qui vivent en troupeau toute l'année) et les longues balades dans la campagne sur les vieux sentiers aveyronnais. Il aime faire partager aux autres cette passion « cheval-liberté ». Il propose plusieurs programmes : initiation bien sûr, mais aussi balades, sur une ou plusieurs journées. Possibilité également de randonner à pied avec un poney bâté. Nombreuses autres activités : canoë-kayak (en eau calme), baignade et pêche en rivière (à 2 mn du hameau) ou encore la piscine. Pour séjourner, là encore, le choix est large : charmants gîtes dans des maisons paysannes fort joliment restaurées et décorées avec beaucoup de goût, loués entre 350 et 450 € la semaine ; 8 chambres d'hôtes, dont 3 avec sanitaires privés, à 45 € par personne en demi-pension et 55 € en pension complète. Pour les plus fauchés, camping avec bloc sanitaire complet. N'hésitez pas à contacter les propriétaires pour connaître les tarifs des balades et des randos. Excellent accueil, vous l'aviez deviné !

Accès : d'Entraygues, remontez la D 904, puis, à env 7 km, tournez à gauche, direction Pons et Murols ; toute petite route de montagne qui s'élève rapidement ; le hameau se trouve 4 km avt Murols et 4 km après Pons à gauche.

MURAT-SUR-VÈBRE   81320

Carte régionale B2

70 km NE de Castres ;
17 km E de Lacaune

€ 🏠 **Chambres d'hôtes (Christiane et André Roques) :** *Félines.* ☎ 05-63-37-43-17. 📱 06-75-82-35-23. ● *andre.roque265@orange.fr* ● Au cœur d'un petit hameau, Christiane et André élèvent des brebis et fabriquent des fromages (slurp !). C'est dans cet univers que vous pourrez profiter de 4 chambres simples, mais agréables, toutes équipées de sanitaires privés. 45 € pour 2, petit déj compris. Accueil souriant et authentique. Bon rapport qualité-prix-convivialité.

Accès : de Castres, empruntez la D 622 jusqu'à Lacaune, puis Murat, et fléchage à droite vers Félines.

NAJAC   12270

Carte régionale B1

50 km NO d'Albi ;
15 km S de Villefranche-de-Rouergue

€ 🏠 ⟨10 %⟩ **Chambres d'hôtes (Jean-Pierre et Maïté Verdier) :** *La Prade-Basse.* ☎ 05-65-29-71-51. ● *jp_et_m_verdier@hotmail.com* ● *lapradebasse.com* ● *Résa recommandée.* 📶 En pleine nature, dans une toute nouvelle construction à côté de la maison de Jean-Pierre et Maïté, 3 chambres agréables pour 2 ou 3 personnes, avec sanitaires privés. Comptez 44 € pour 2, petit déj compris. Séjour et coin cuisine à disposition. Camping à la ferme de 6 emplacements, près d'un petit bois de sapins. Accueil charmant.

Accès : sortez du village par la D 239 vers Saint-André-de-Najac ; à un carrefour, suivez les panneaux « Chambres d'hôtes-camping à la ferme La Prade-Basse ».

NOAILHAC   12320

Carte régionale B1

35 km NO de Rodez ;
5 km S de Conques

€ ▲ *Chambres d'hôtes (Simone et Michel Falip) :* Montbigoux. ☎ 05-65-69-85-01. 📱 06-81-93-34-50. ● falip. michel@wanadoo.fr ● gitesdemontbigoux. fr ● 🔊 Maison contemporaine construite dans le style du pays, qui bénéficie d'un magnifique point de vue sur la région environnante : on peut y admirer, à 30 km à la ronde, des points tels que le mont Lévezou ou la cathédrale de Rodez. Deux chambres en soupente, lambrissées, avec sanitaires privés, à prix doux : 48 € pour 2, petit déj compris (avec une vingtaine de sortes de confitures maison, gâteaux régionaux...). Pas de table d'hôtes, mais cuisine aménagée et barbecue à disposition dans le jardin (avec piscine !) et restaurant à 500 m. Conques, avec son abbaye, vaut bien un petit détour (5 km). Le GR 65 passe à 200 m de Montbigoux. Accueil chaleureux.

Accès : sur la D 901 de Rodez à Aurillac ; à Saint-Cyprien, tournez à gauche vers Noailhac (D 502) ; à la sortie du village, direction Firmi et fléchage.

ORE   31510

Carte régionale A2

25 km S de Saint-Gaudens ; 9 km SE de Saint-Bertrand-de-Comminges

€€ ▲ |●| *Chambres d'hôtes L'Oreiller d'Hadrien (Anita et Ronald Bloemen) :* ☎ 05-62-00-13-03. 📱 06-18-03-17-42. ● oreiller31@gmail.com ● oreiller31.com ● Ouv de mi-mai à mi-oct. 🔊 Belle demeure de maître installée dans un grand parc. Anita et Ronald ont longtemps séjourné à l'étranger (Italie, Indonésie, Thaïlande, Singapour...) avant de se poser ici et d'aménager 2 magnifiques chambres spacieuses, avec de beaux sanitaires privés. 70 € pour 2, petit déj compris. Beaux parquets, meubles anciens ou asiatiques et remarquable bouddha dans le salon.

Table d'hôtes occasionelle à 25 €, tout compris. Accueil charmant. Bon rapport qualité-prix-convivialité.

Accès : dans le village.

OUZOUS   65400

Carte régionale A2

30 km SO de Tarbes ;
3 km N d'Argelès-Gazost

€€ ▲ ⌂ 🏂 (10%) *Chambres d'hôtes (Pierre Noguez) :* chemin des Écoliers. ☎ 05-62-97-24-89. 📱 06-66-09-55-55. Fax : 05-62-97-29-87. ● p.noguez@wanadoo.fr ● chambres-hotes-pyrenees.com ● Fermé nov. 🔊 Au concours des maisons fleuries, Pierre remporterait sûrement la palme... Normal, il est horticulteur. Il vous accueille dans sa charmante demeure entourée d'un beau jardin, avec une agréable piscine chauffée qui ouvre sur la vallée d'Argelès et jacuzzi (avec supplément). Six chambres, dont 2 doubles pour les familles. Déco agréable. 62 € pour 2, petit déj compris, et 100 € pour 4. Pas de table d'hôtes, mais coin cuisine à disposition. Un point de chute idéal pour ceux qui veulent se rendre à Lourdes (à 10 km). C'est surpeuplé, mais on dit qu'il faut le faire au moins une fois dans sa vie (on a encore le temps d'y aller !). Pour ceux qui préfèrent la marche, le pic de Pibeste est à 2h30. Et pour les férus d'équitation, sachez que Pierre a créé une ferme équestre et que, sur demande, il peut vous organiser un week-end complet comprenant hébergement, initiation et randonnées. À noter que le frère de Pierre a aussi des chambres d'hôtes dans le village.

Accès : par la N 21 et la D 102 ; fléchage dans le village en direction de Pibeste.

PADIÈS   81340

Carte régionale B1

30 km NE d'Albi ;
5 km N de Valence-d'Albigeois

€€ ▲ |●| 🏂 (10%) *Chambres d'hôtes L'Amartco (Sylvie et Pierre Manesse-Dumetz) :* Saint-Marcel. ☎ 05-63-76-38-47. 📱 06-85-50-27-86. ● lamartco@ wanadoo.fr ● lamartco.com ● 🔊 En pleine campagne, tout près de la vallée du Tarn, ancienne fermette du XIXe s tout en pierre, bien fleurie et ombragée par une glycine. Une belle chambre campagnarde (pour 3-4 personnes), spacieuse et très claire, avec de beaux meubles et une cheminée, une suite familiale (3-4 personnes), et une dernière chambre pour 2 personnes, tout aussi sympa. Sanitaires privés. 60 € pour 2, petit déj compris, avec de délicieuses confitures maison entreposées dans l'ancien four à pain. Table d'hôtes, partagée en famille, à 25 €, apéro, vin et café compris. Bonne cuisine familiale et régionale. Sympathique cuisine avec une cheminée qui héberge un poêle Godin en céramique, un bel évier en pierre garni de faïences et de petits paniers. Piscine. Accueil vraiment chaleureux. Une adresse comme on les aime et qui fait des adeptes.

Accès : d'Albi, prenez la D 903 jusqu'à Valence-d'Albigeois ; là, tournez à gauche (avt la pharmacie) vers Tanus (D 53) sur 5,5 km, puis encore à gauche vers Saint-Marcel (n'allez pas à Padiès).

PALAMINY   31220

Carte régionale A2

45 km SO de Toulouse ;
35 km NE de Saint-Gaudens

€€ 🏠 🍴 **Chambres d'hôtes (Brigitte Le Bris) :** Les Pesques. ☎ 05-61-97-59-28. 📱 06-14-66-11-07. ● reserve@les-pesques.com ● les-pesques.com ● 📶 Au pied des Petites-Pyrénées, demeure de caractère, avec 2 chambres accueillantes et coquettes à souhait, disposant en plus d'une chambre d'enfants ; salle d'eau et w-c privés. 67 € pour 2, petit déj compris. Possibilité de table d'hôtes à 22 €, apéro, vin et café compris : spécialités de saucisses de Toulouse au barbecue avec haricots blancs du jardin et de légumes farcis. Superbe jardin fleuri et excellent accueil.

Accès : prenez l'A 64 Toulouse/Tarbes jusqu'à Cazères (sortie n° 23) ; traversez Cazères, direction Couladère, puis traversez la Garonne et suivez la direction Mauran ; 500 m après le camping du Plantaurel, prenez la D 62 (la maison se trouve en fait sur la rive opposée de la Garonne par rapport à Palaminy).

PEYRELEAU   12720

Carte régionale B1

20 km NE de Millau

€ 🏠 🍴 **Gîte de séjour Évolutions (Stéphanie et Sylvain Riols) :** ☎ 05-65-62-60-93. ● contact@gite-evolutions.com ● gite-evolutions.com ● Ouv Pâques-Toussaint. Sur résa. 📶 Gîte de 30 places, situé merveilleusement au bord des gorges, dans un ravissant village médiéval. Six chambres pour 4 personnes, ainsi qu'un

dortoir pour 6 (pensez à apporter votre duvet). Les patrons proposent des séjours en demi-pension à 42 € par personne en dortoir et 50,50 € en chambre ; en pension complète, ajouter 10 € par personne. Repas typiques : soupes paysannes, aligot, truites, côtes de mouton, fouace, roquefort. Toutes sortes d'activités possibles : escalade, spéléo, VTT, descente de canyons, etc., mais aussi des randos accompagnées par Sylvain. Une adresse idéale pour les sportifs.

Accès : à Aguessac, direction gorges du Tarn.

PINAS   65300

Carte régionale A2

43 km SE de Tarbes ;
7 km E de Lannemezan

€€ 🏠 🍴 **Chambres d'hôtes Domaine de Jean-Pierre (Marie-Sabine Colombier) :** 20, route de Villeneuve. ☎ 05-62-98-15-08. 📱 06-84-57-15-69. ● marie.colombier@wanadoo.fr ● domainedejeanpierre.com ● Téléphoner en hiver. 📶 Au cœur d'un véritable écrin de verdure, magnifique demeure de caractère couverte de vigne vierge et de glycine. Marie-Sabine y tient 3 chambres de charme, arrangées avec goût, mais toujours dans la sobriété. 65 € pour 2, avec un copieux petit déj, servi aux beaux jours dans le parc. Accueil chaleureux, à la fois discret et enjoué.

Accès : sur la route de Montréjeau à Lannemezan ; à l'église de Pinas, prenez la D 158 sur 800 m et suivez le fléchage.

PUYLAROQUE   82240

Carte régionale B1

32 km SE de Cahors ;
14 km NE de Caussade

€€ 🏠 🍴 10 % **Chambres d'hôtes Les Chimères (Lisanne Ashton) :** 23, av. Louis-Bessières. ☎ 05-63-31-25-71. 📱 06-17-53-56-00. ● aux-chimeres@orange.fr ● aux-chimeres.com ● 📶 La maison de Lisanne a subi maintes transformations, tout en gardant les empreintes d'un de ses propriétaires, italien d'origine. Deux chambres spacieuses, chacune avec balcon : la « Romantique », avec son petit salon et sa baignoire sur pieds, et la « Rustique », avec des couleurs plus vives. Entrée indépendante par une cour ou un vieil escalier en pierre, probablement d'une ancienne tour de guet. Sanitaires privés.

65 € pour 2, petit déj compris. Sur réservation, possibilité de table d'hôtes à 27 €, apéro, vin et café compris. Cuisine variée et savoureuse ; menu végétarien sur demande. Pour les séjours, 2 petits gîtes de 2 ou 3 personnes, avec entrée indépendante. Enfin, si vous êtes branché art, vous pourrez toujours vous inscrire à l'un des stages d'arts plastiques que la proprio organise.

Accès : de Cahors ou de Montauban, prenez l'A 20 ou la D 820 jusqu'à Caussade puis la D 17.

RABAT-LES-TROIS-SEIGNEURS   09400

Carte régionale A2

17 km S de Foix ;
5 km O de Tarascon-sur-Ariège

€€€ ≙ |●| *Chambres d'hôtes Les Forges d'Enfalits (Régine Geraud) :* chemin d'Enfalits. ☎ 05-61-03-83-45. ▤ 06-73-05-88-34. ● forgesdenfalits@orange.fr ● forgesdenfalits.com ● 🛜 Au milieu d'un grand parc de 4 ha où coule la Coubières, petite rivière pour pêcher et où l'on peut même piquer une tête, grande demeure avec 4 chambres toutes différentes, coquettes et spacieuses. Sanitaires privés. 75 € pour 2, petit déj compris. Régine aime s'activer derrière ses fourneaux... Quand on voit sa cuisine, on comprend que c'est son domaine ! Excellente table d'hôtes à 25 € tout compris. Plein de produits maison, de quoi vous mettre l'eau à la bouche. Billard et espace détente avec spa et sauna. Accueil chaleureux. Une bonne adresse.

Accès : A 66 sortie Pamiers puis N 20 vers Foix/Tarascon ; passez le tunnel près de Foix en continuant vers Tarascon et, au 1er rond-point, prenez la D 618 vers Saurat jusqu'à Surbat puis à gauche la D 223 vers Rabat et 1er chemin à gauche après l'entrée du village.

RÉALMONT   81120

Carte régionale B2

20 km N de Castres ; 15 km S d'Albi

€ ≙ |●| *Chambres d'hôtes Ferme de Bellegarde (Lydie Hallet) :* route d'Albi. ☎ et fax : 05-63-45-50-83. ▤ 06-83-15-48-69. ● lydie.hallet@orange.fr ● chambres-hotes-ferme-tarn. com ● Fermé 25 août-5 sept et 1er nov-1er mars. 🛜 Ancienne ferme tout en pierre, vieille de deux siècles. Dans un petit bâtiment séparé, 2 chambres indépendantes avec une grande terrasse. Murs en pierre apparente et superbe charpente. L'une des chambres possède une mezzanine qui abrite 2 lits de coin anciens, l'autre a des lits jumeaux. Sanitaires privés. 51 € pour 2 et 18 € par personne supplémentaire, petit déj compris. Repas et petit déj sont servis chez vos hôtes, dans un magnifique séjour-cuisine où vous découvrirez l'ancien potager. Les poutres, la grande cheminée et le tic-tac de la veille horloge complètent l'atmosphère chaleureuse et campagnarde. Lydie et Philippe élèvent des chèvres et fabriquent du cabécou frais (hmm !). Bien sûr, vous retrouverez à la table d'hôtes beaucoup de produits maison cuisinés avec passion par Lydie : soupe à l'ail rose, tomates farcies au chèvre, blanquette de chevreau, poulet rôti, épaule de chevreau farcie, accompagnés des légumes du jardin. Les gourmets ne manqueront pas le chèvre frais au miel et aux amandes (je craque !)... 17 € le repas, vin compris. Le parc permettra à certains de faire une balade digestive, les autres pourront faire la sieste au bord du petit lac privé ou taquineront le poisson, et tout le monde profitera de la piscine pour se rafraîchir. Accueil sincère et chaleureux. Très bon rapport qualité-prix-convivialité. Un de nos coups de cœur.

Accès : 1 km avt l'entrée de Réalmont quand on vient d'Albi (N 112), tournez à gauche vers Bellegarde ; 100 m après le panneau « Le Domaine », suivez le fléchage.

ROCAMADOUR   46500

Carte régionale B1

45 km NO de Figeac

€ ≙ 🚜 *Chambres d'hôtes Ferme Maisonneuve (Odette Arcoutel) :* ☎ 05-65-33-62-69. ▤ 06-48-03-90-15. *Fermé déc-fév.* 🛜 En plein causse, au cœur du Quercy. Trois chambres toutes simples, avec sanitaires privés. De 45 à 52 € pour 2, petit déj compris (bonnes confitures maison). Pour les petits, basse-cour et moutons de la ferme. Des prix doux, discrétion et gentillesse au rendez-vous, que demander de plus ? Ne manquez pas la visite de Rocamadour et de Padirac. Un point de chute génial pour découvrir la région.

Accès : de Rocamadour, prenez la route C 1 vers Mayrinhac-le-Francal, la propriété est à 1 km.

MIDI-PYRÉNÉES

SAINT-ARROMAN   65250

Carte régionale A2

45 km SE de Tarbes ;
12 km S de Lannemezan

€€€ 🏠 |●| 10% **Chambres d'hôtes Domaine Véga (Jacques et Claudie Mun) :** ☎ 05-62-98-96-77. ● jacques. mun@alsatis.net ● domaine-vega.fr ● Ouv juin-sept. De préférence sur résa. 📶 Par une allée ombragée, on arrive au *Domaine Véga*, havre de verdure et de fleurs ouvrant sur les Pyrénées. Les proprios ont tous les deux restauré les lieux avec amour. Jacques, qui a retrouvé les archives au grenier, pourra vous raconter l'histoire du domaine depuis 1528 (notamment les épisodes du prince russe et des moines tibétains !). Dans la grange attenante, un escalier mène d'abord dans un petit salon avec poutres apparentes, puis débouche dans un couloir aux planches façonnées à l'ancienne où nichent 5 chambres. Chacune dispose de sanitaires privés et a été décorée par Claudie, qui a peint des frises de fruits ou de fleurs au pochoir. Comptez 85 € pour 2, petit déj compris. Salle à manger avec une immense cheminée d'origine et un évier en pierre. Autrement, vous pourrez utiliser une cuisine d'été pour préparer votre frichti. Piscine de rêve, avec « plage » et rochers intégrés. Une adresse qu'on conseille aux copains !

Accès : *de Lannemezan, prenez la D 929 jusqu'à La Barthe-de-Neste, puis la D 142 ; le domaine est sur la droite.*

SAINT-DENIS-LÈS-MARTEL   46600

Carte régionale B1

68 km NE de Cahors ;
15 km E de Souillac

€ 🏠 **Chambres d'hôtes Le Cabrejou (Famille Andrieux) :** ☎ et fax : 05-65-37-31-89. 📱 06-45-03-30-87. ● andrieux-jjp@ hotmail.fr ● ferme-cabrejou.com ● Résa fortement recommandée. Superbe domaine perché au sommet de falaises surplombant la vallée de la Dordogne et entouré de 52 ha de terrain (culture de noyers). Vous l'avez compris, le calme et la tranquillité sont garantis. Ici, on reçoit en famille. Il y a Marinette et Roger qui proposent 3 chambres avec sanitaires privés. L'une d'elles dispose d'un très joli salon. Comptez 50 € pour 2, copieux petit déj compris. Les enfants de Marinette, Josette et Jean-Paul, ont également restauré une ancienne grange, qui accueille 4 jolies chambres aux noms de fleurs (« Camélia », « Rose », « Giroflée » et « Tilleul ») donnant sur la Dordogne, avec sanitaires privés également ; même tarif. Pas de table d'hôtes mais cuisine à disposition et possibilité de se restaurer à 3 km. Dans le parc, cascade avec bassin. Une adresse qu'on aime et qui fait des adeptes !

Accès : *fléchage entre Saint-Denis-lès-Martel et Martel.*

SAINT-GIRONS   09200

Carte régionale A2

45 km O de Foix ;
10 km S de Saint-Girons

€€ 🏠 |●| 🐴 10% **Chambres d'hôtes L'Échappée Belle (Muriel et François Lorne) :** Lacourt. ☎ 05-61-66-62-65. ● chambres-hotes-ariege-pyrenees.com ● De préférence sur résa. Plusieurs maisons ariégeoises dans un petit hameau familial perdu entre forêts et prairies. Cinq chambres spacieuses avec sanitaires privés. Déco originale sur le thème du voyage. Selon la période, de 49 à 55 € pour 2, petit déj compris (avec le miel maison, miam !). Table d'hôtes à 16 €, apéro et vin compris. Cuisine basée sur les produits maison. Accompagnateur en montagne, François pourra vous conseiller si vous voulez randonner. Une adresse idéale pour les amoureux de la nature.

Accès : *de Saint-Girons, allez jusqu'à Lacourt ; à la sortie du village, prenez à droite vers Alos ; après 3 km, tournez encore à droite, et c'est à 1 km.*

SAINT-LARY   09800

Carte régionale A2

25 km SO de Saint-Girons

€€ 🏠 🐴 10% **Chambre d'hôtes de la Calabasse (Gilberte Estaque) :** ☎ 05-61-04-71-75. 📱 06-07-11-41-90. ● gilberte. estaque@orange.fr ● location-gite-ariege-pyrenees.com ● ♿ Une seule et belle chambre d'hôtes, pour 4 personnes, avec climatisation, sanitaires privés et coin cuisine. Comptez 50 € pour 2, petit déj compris. Également un studio de 3 personnes loué à la nuitée (60 € pour 2 avec le petit déj) ou à la semaine. Vous aurez ici l'occasion de goûter au Pic de la Calabasse (authentique fromage des Pyrénées). Pas de table d'hôtes, mais une bonne auberge dans le village. Ski de fond au col de la Core à 15 km et ski de piste au Mourtis à 22 km.

Accès : *par la D 618.*

SAINT-LIZIER 09190

Carte régionale A2

40 km O de Foix ;
2 km NO de Saint-Girons

€€€ 🏠 |●| ***Chambres d'hôtes Villa Beli-***
sama (Jean-Michel Morere) : *rue Notre-*
Dame. ☎ 05-61-02-83-24. 📱 06-72-87-
63-71. ● *villabelisama.ariege@orange.*
fr ● 🛜 Si vous faites une halte à Saint-
Lizier, village prestigieux du Couserans,
site historique et stratégique par sa situa-
tion géographique, vous découvrirez une
belle demeure à colombages, l'une des
plus haute perchée. Elle a 400 ans environ, et la tour contre laquelle elle s'adosse
près de 1 000, dixit Jean-Michel, digne
successeur du prêtre alchimiste premier
occupant des lieux. Passionné d'histoire,
il a lu les 3 000 livres que contiennent ses
bibliothèques et vous éclairera sur Saint-
Lizier, village fortifié avec ses deux cathé-
drales ! Un authentique escalier en pierre
permet d'accéder au salon et à la pièce
commune avec terrasse panoramique.
Deux immenses chambres sont installées
au second, avec de spacieux sanitaires
privés où l'on rentrerait notre studio pari-
sien ! Plusieurs petits jardins, dont un
abrite une autre chambre. De 85 à 100 €
pour 2, petit déj compris. Table d'hôtes à
30 € tout compris. Piscine chauffée. Une
adresse incontournable.

Accès : *A 64 sortie n° 20 puis D 117 vers*
Saint-Girons ; à Saint-Lizier, passez devant
la cathédrale, la mairie et continuez jus-
qu'au petit parking « Carré de Louise » ;
garez-vous et montez les marches jusqu'à
la maison (30 m).

SAINT-MARTIN-LABOUVAL 46330

Carte régionale B1

45 km SO de Figeac ;
8 km NO de Limogne-en-Quercy

€€ 🏠 ***Chambres d'hôtes Mas de Redou-***
les (Marie et Antoine Drion) : *Nougayrac.*
📱 06-31-79-63-86. ● *info@masderedoules.*
com ● *masderedoules.com* ● *Ouv avr-*
nov. 🛜 Niché dans le parc naturel régional
des Causses depuis le XVIIIᵉ s, le mas de
Redoules a retrouvé une belle jeunesse
avec Antoine et Marie. Ce couple franco-
irlandais a transformé le four à pain, l'étable
ou encore la grangette en 3 chambres intimes et confortables ; également une suite
composée de 2 chambres nichée à l'étage
de la maison de vos hôtes. Comptez 60 €

pour 2 et 110 € pour la chambre familiale,
petit déj compris. Pas de table d'hôtes,
mais cuisine d'été avec grande terrasse à
disposition. Ici, nous sommes au bord des
falaises qui surplombent la vallée du Lot, à
5 km de Saint-Cirq-Lapopie (classé parmi
les plus beaux villages de France), à 8 km
des grottes du Pech Merle, et au cœur d'un
vaste réseau de sentiers de rando ; autant
dire que les activités ne manqueront pas
d'occuper vos journées !

Accès : *prenez la D 662 qui relie Cahors*
à Figeac ; dans le village de Saint-Martin-
Labouval, prenez direction Sauliac-sur-
Célé ; dans le hameau de Nougayrac, pre-
nez à gauche, le mas se trouve à env 600 m.

SAINT-MAUR 32300

Carte régionale A2

32 km SO d'Auch ; 7 km S de Mirande

€ 🏠 🐾 ⟨10 %⟩ ***Chambres d'hôtes (Marthe***
Sabathier) : *Noailles.* ☎ 05-62-67-57-
98. 📱 06-04-05-83-27. Fax : 05-62-67-
64-60. ● *perso.orange.fr/noailles* ● *Ouv*
mai-oct. 🛜 Coin sympa avec pas mal
de charme. Ferme gersoise typique avec
grande cheminée. Trois chambres agréables (dont une double pour les familles),
équipées de sanitaires privés. Comptez
45 € pour 2, petit déj compris (servi sur la
terrasse), et 20 € par personne supplémentaire. Pas de table d'hôtes, mais cuisine et
barbecue à disposition. Excellent accueil.

Accès : *un peu en dehors du village ; flé-*
chage « Noailles ».

SAINT-NICOLAS-DE-LA-GRAVE 82210

Carte régionale A1

30 km NO de Montauban ;
6 km SO de Moissac

€ 🏠 🐾 ⟨10 %⟩ ***Chambres d'hôtes (Chris-***
tiane Valette) : *pl. de l'Église.* ☎ 05-63-
95-97-18. 📱 06-20-49-45-07. ● *chris.*
valette-rodallec@laposte.net ● 🛜 Au
cœur du village, au pied du château de
Richard Cœur de Lion, 2 superbes chambres raffinées, avec sanitaires privés, qui
disposent d'un accès indépendant, d'un
salon et d'une cuisine réservés aux hôtes.
Le tout est agrémenté de très beaux
tableaux peints par Jean-Paul Boyé.
50 € pour 2, petit déj compris. Agréable
jardin avec terrasse couverte. Pas de
table d'hôtes, mais possibilité de se
restaurer au village. En automne, la cure

MIDI-PYRÉNÉES

thérapeutique de raisin de chasselas vous permettra d'éliminer les toxines accumulées pendant l'année. Excellent rapport qualité-prix.

Accès : sur la N 113 de Moissac à Agen ; à Malause, prenez la D 26.

SAINT-PAUL-DE-JARRAT   09000

Carte régionale B2

6 km S de Foix

€€ 🏠 ⟨10 %⟩ **Chambres d'hôtes Hélianthe (Irène et Georges Montagne) :** *31, av. de Foix.* ☎ *05-61-03-69-78.* ● *helianthe09@free.fr* ● *helianthe09.free.fr* ● *Ouv début juin-fin sept.* 🛜 Belle demeure villageoise de 1830 aux volets bleus, dotée d'un superbe parc ombragé et fleuri (il faut dire qu'auparavant elle appartenait à un pépiniériste... ça aide !). À l'étage, 3 chambres élégantes avec sanitaires privés. Déco soignée qui rappelle que vos hôtes aiment les voyages et notamment l'Afrique. 63 € pour 2, petit déj compris (confitures et jus de pomme maison). Pas de table d'hôtes, mais cuisine d'été à disposition. Accueil chaleureux et stylé. Une adresse où il fait bon vivre.

Accès : de Foix, D 117 vers Lavelanet/Perpignan jusqu'à Saint-Paul-de-Jarrat ; la maison est à l'entrée du village à droite.

SAINT-YBARS   09210

Carte régionale A2

40 km NO de Foix ; 8 km N de Le Fossat

€€ 🏠 ⟨10 %⟩ **Chambres d'hôtes Le Pech (Cécile et Antoine Peigney) :** *Saint-Sernin.* ☎ *05-61-69-24-93.* ▯ *06-72-55-49-52.* ● *lepech09@hotmail.fr* ● *chambres-hotes-lepech.fr* ● 🛜 En pleine nature, jolie ferme à colombages entourée de rosiers. Partout murs blancs et poutres donnent à cette demeure un charme tout particulier. Deux chambres croquignolettes, dont une avec accès indépendant et magnifique charpente apparente qui crée le décor. Sanitaires privés. 55 € pour 2, petit déj compris. Salle de jeux avec billard. Accueil convivial.

Accès : du village, D 626 vers Pamiers/Saint-Martin-d'Oydes sur 3 km et, juste avt le hameau de Saint-Sernin, prenez à droite le chemin « Le Pech », c'est à 500 m.

SAINTE-FOI   09500

Carte régionale B2

*35 km O de Carcassonne ;
3 km NE de Mirepoix*

€€ 🏠 ▯◉▯ ▯ **Chambres d'hôtes Domaine de la Trille (Florence et Benoît Gaillard) :** ☎ *05-61-67-89-82.* ▯ *06-71-21-21-33.* Fax : *05-61-67-78-08.* ● *info@domainedelatrille.com* ● *domainedelatrille.com* ● 🛜 Le domaine de la Trille c'est un grand corps de ferme sur une propriété de 100 ha. Là, Benoît élève des vaches limousines et gère le centre équestre. Florence, sa sœur, s'occupe des hôtes. Cinq chambres spacieuses, installées dans la maison. Sanitaires privés. 60 € pour 2, petit déj compris. Table d'hôtes à 20 €, tout compris. Bonne cuisine du terroir élaborée majoritairement à partir des produits de la ferme (viande et charcuteries,...) ou de conserves (préparées sans colorants, ni conservateurs) qu'on peut aussi acheter sur place. Accueil convivial et familial. Une adresse que les randonneurs de tout poil (à pied, à vélo ou à cheval) ne manqueront pas.

Accès : de Mirepoix, D 6A vers Castelnaudary et fléchage.

SALIGOS   65120

Carte régionale A2

35 km S de Lourdes

€ 🏠 ▯◉▯ **Chambres d'hôtes La Munia (Monique Labit) :** ☎ *05-62-92-84-74.* ▯ *06-70-55-10-72.* ● *auguste.labit@wanadoo.fr* ● *Fermé début juin.* Le pic de la Munia a donné son nom à la maison de Monique, tout près du gave que l'on voit couler du haut du balcon. Elle y a aménagé 3 chambres avec mezzanine et sanitaires privés, à l'étage, à 47 € la nuit pour 2, petit déj compris. Possibilité de table d'hôtes (sauf le dimanche) à 15 €. Accueil agréable.

Accès : de Lourdes, prenez la N 21 et, juste avt Luz, tournez à gauche direction Saligos/Chèze par la D 12 ; à l'entrée du village, prenez à gauche direction La Munia (attention, la descente est raide !).

SANVENSA   12200

Carte régionale B1

*60 km SO de Rodez ;
10 km S de Villefranche-de-Rouergue*

€ 🏠 ▯ ▯ **Chambres d'hôtes (Monique Bateson) :** *Monteillet.* ☎ *05-65-29-81-01.*

📱 06-89-28-60-76. ● *monique.bateson@ orange.fr* ● *Fermé 15 j. en sept.* 📶 Jolie maison bien restaurée avec jardin fleuri. Très beau four à pain à restaurer. Deux chambres au rez-de-chaussée, avec accès indépendant, à 50 € pour 2, petit déj compris. Agréable tonnelle pour prendre le frais. Propriétaires très aimables. Pour vos séjours, 1 gîte 2 personnes sur place.

Accès : *sur la D 922 de Villefranche à Albi ; à l'entrée de Sanvensa, fléchage sur la droite.*

€€ 🏠 |●| **Chambres d'hôtes Ferme de Lacalm (Famille Gineste) :** *Lacalm.* ☎ et fax : 05-65-29-81-63. 📱 07-87-58-36-34. ● *contact@ferme-lacalm.com* ● *ferme-lacalm.com* ● ♿ Dans un petit coin de campagne, c'est un peu la vie de la ferme qu'on vient partager ici. Roselyne et Christian ont aménagé, dans une vieille maison indépendante de la leur, 4 chambres d'hôtes fonctionnelles et bien tenues : une au rez-de-chaussée, 2 à l'étage, la dernière accessible par un escalier extérieur. Sanitaires privés. 60 € pour 2, petit déj compris (avec gâteau à la broche maison, hmm !), et 16 € par personne supplémentaire. Table d'hôtes, partagée en famille, à 21 €, apéro et vin compris. Cuisine pratiquement uniquement avec des produits de la ferme ! Il faut dire que les proprios élèvent des génisses laitières, mais aussi agneaux, volailles et gavent des canards (ah ! le cou farci...). Accueil authentique et vrai.

Accès : *de Sanvensa, prenez la D 922 vers Najac sur 2 km et fléchage à gauche ; la ferme est à 100 m.*

SAURAT 09400

Carte régionale A2

23 km SO de Foix

€ 🏠 |●| 10% **Chambre d'hôtes (Monique et Roger Robert) :** *route de Cabus, Layrole.* ☎ 05-61-05-73-24. 📱 06-73-51-73-57. ● *robert.roger0690@orange.fr* ● *Ouv 15 avr-15 oct.* En montagne, jolie maison ancienne bien entretenue. Il n'y a qu'une seule chambre mais l'accueil vaut qu'on s'y arrête. Comptez 50 € pour 2, petit déj compris, et 20 € pour un repas à la table d'hôtes. Roger a mis de nombreuses maquettes qu'il a faites en vitrine et il affectionne particulièrement les trains.

Accès : *à 3 km du village, sur la route du col de Port.*

SÉDEILHAC 31580

Carte régionale A2

18 km O de Saint-Gaudens ; 10 km N de Montréjeau

€€ 🏠 |●| **Chambres d'hôtes Au Cœur du Bois (Laurence et Jean Bernier) :** ☎ 05-61-88-98-51. 📱 06-33-78-37-06. ● *laurence.bernier@yahoo.fr* ● *au-coeurdu bois.fr* ● *Fermé en janv-fév.* Dans un cadre verdoyant, entourée de forêts et de collines, ancienne ferme qui abrite aujourd'hui 2 chambres spacieuses, chacune avec petite chambre attenante pour les familles. Sanitaires privés. De 56 à 58 € pour 2, petit déj compris et 98 € pour 4. À l'écart, près d'un cours d'eau, une mignonne roulotte équipée d'une cuisine et d'une salle de bains, idéale pour une famille, louée 86 € pour 4 personnes. Table d'hôtes à 20 €, vin compris, aux saveurs du jardin bio et des produits locaux. Paisible jardin ombragé avec hamacs pour faire la sieste ou prendre le frais le soir. Sur place, salle d'expo et ateliers de tournage sur bois, sculpture et restauration de meubles ; Jean vous fera partager sa passion du bois lors des stages et de ses démonstrations. Accueil convivial.

Accès : *dans le village.*

SERS 65120

Carte régionale A2

30 km S de Lourdes ; 7 km E de Luz-Saint-Sauveur

€€ 🏠 🐾 10% **Chambres d'hôtes L'Arcouli (Régine Arribet) :** ☎ 05-62-92-81-84. 📱 06-87-34-05-78. ● *regine.arribet@ free.fr* ● *larcoulichambresdhotes.blogspot. com* ● 📶 À 1 100 m d'altitude, au pied du pic du Midi et à 15 mn du légendaire col du Tourmalet, Régine, chaleureuse monitrice de ski, vous accueille dans cette ancienne et jolie bergerie. Ici, tout respire l'authenticité et dégage un charme fou : grande cheminée, vieilles poutres, beaux meubles anciens et des tas de bibelots placés avec un goût sûr. À l'étage, 2 chambres douillettes et spacieuses avec sanitaires privés. 60 € pour 2, petit déj compris. Pas de table d'hôtes, mais sympathique auberge montagnarde à deux pas. L'hiver, le ski alpin vous attend, l'été les randos et, pour les plus courageux, le vélo ou le VTT. Accueil souriant et charmant. Une adresse pour en voir de toutes les couleurs... Eh oui, *l'arcouli* veut dire « arc-en-ciel » !

Accès : *de Luz-Saint-Sauveur, direction Barèges/route du Tourmalet ; le village se trouve à gauche juste avt Barèges.*

MIDI-PYRÉNÉES

SIEURAS 09130

Carte régionale A2

40 km NO de Foix ; 7 km O de Le Fossat

€€ 🛏 ❘●❘ **Chambres d'hôtes L'Oustal (Ena Spreij et Ruud Garama) :** ☎ 05-61-60-48-21. 🖥 06-20-16-97-27. ● info@loustal.eu ● loustal.eu ● 🛜 Voilà une adresse que les fervents de nature et d'authenticité ne manqueront pas ! Originale et belle maison de maître entourée de gros châtaigniers, sur une propriété de 2,5 ha. Magnifique panorama sur les Pyrénées. Trois chambres simples et sereines avec sanitaires privés. Comptez 60 € pour 2, petit déj compris. Table d'hôtes à 29 € avec des produits majoritairement bio, servie sur la terrasse couverte ou dans la salle à manger avec son poêle ancien. Ruud a installé des nichoirs un peu partout dans le parc et vous saurez tout sur les oiseaux si vous interrogez cet amoureux de la nature. Télescope pour observer les planètes. Accueil comme on les aime, chaleureux et sans façon. Une excellente adresse pour prendre le temps de vivre.

Accès : A 64 sortie n° 28 puis direction Saint-Sulpice-sur-Lèze ; traversez Lézat et prenez la D 119 vers Le Fossat sur 2 km puis tournez à droite vers Daumazan pdt 5 km et suivez le fléchage à gauche.

SORÈZE 81540

Carte régionale B2

25 km SO de Castres ; 3 km E de Revel

€ 🛏 ⑩% **Chambres d'hôtes Le Moulin du Chapitre (Véronique et Bernard Galy-Fajou) :** ☎ 05-63-74-18-18. 🖥 06-46-48-47-84. ● moulin.chapitre@wanadoo.fr ● moulinduchapitre.com ● 🛜 Ancien moulin construit par les moines de l'abbaye. Vous pourrez découvrir tout le système hydraulique avec les roues et les quatre meules de pierre qui ont été conservées. Trois chambres agréables, dont une suite familiale composée de 2 chambres. Sanitaires privés. De 48 à 56 € pour 2, petit déj compris. Au beaux jours, il est servi sur la terrasse au bord de l'eau où barbotent les canards. Pas de table d'hôtes mais cuisine à disposition. Accueil chaleureux. Une gentille adresse à prix doux.

Accès : à env 2 km du village en direction de Revel (bon fléchage).

TOUR-DE-FAURE 46330

Carte régionale B1

30 km E de Cahors ; 18 km O de Cajarc

€€€ 🛏 **Chambres d'hôtes Maison Redon (Denise et Patrice Redon) :** La Combe. ☎ et fax : 05-65-30-24-13. ● patrice@maisonredon.com ● maisonredon.com ● Ouv Pâques-Toussaint. 🛜 Belle demeure du XVIIIe s. Cinq chambres décorées avec beaucoup de goût et de soin, avec sanitaires privés. Selon la saison, de 74 à 84 € pour 2, petit déj compris. Grand parc avec belle piscine. Pas de table d'hôtes mais un resto à proximité. Accueil agréable. Une bonne adresse.

Accès : fléchage depuis le village (route avt la mairie).

VAOUR 81140

Carte régionale B1

42 km NO d'Albi ; 26 km N de Gaillac

€€ 🛏 ❘●❘ ⑩% **Chambres d'hôtes (Nathalie Tweedie) :** Serène. ☎ et fax : 05-63-56-39-34. ● sereneaccueil@outlook.com ● 🛜 Ouv de mars à mi-nov. 🛜 Non loin de la forêt de Grésigne et à quelques encablures de tous les hauts lieux touristiques de la région (ah ! les bastides), magnifique propriété tout en pierre, juchée sur une colline, ancienne commanderie des Templiers de Vaour (waouh !). Nathalie a repris le flambeau et tient cette structure ouverte par ses parents. Quatre chambres champêtres, dont une au rez-de-chaussée, les 3 autres à l'étage (dont une familiale). Sanitaires privés. 65 € pour 2 (75 € pour la familiale), petit déj compris. Majestueuse salle à manger avec une splendide charpente où trône une belle cheminée. Table d'hôtes à 22 €, à base de nombreux produits maison. Et pour vous faire craquer, il y a aussi la piscine ! Accueil authentique et vrai. Une adresse à la ferme comme il y en a peu...

Accès : de Gaillac, prenez la D 964 en direction de Saint-Antonin-Noble-Val puis, à droite, la D 15 vers Le Verdier/Vaour ; à Vaour, direction Itzac.

VIC-EN-BIGORRE 65500

Carte régionale A2

25 km N de Tarbes ;
11 km S de Vic-en-Bigorre

€ 🛏 ❘●❘ **Chambres d'hôtes Maison Daunat (Félix et Martine Grangé) :** Escaunets.

☎ 05-59-81-50-67. 📱 06-47-46-99-69. ● grange-martine@wanadoo.fr ● laferme dudaunat.wordpress.com ● Accueil à partir de 18h. 📶 Ferme familiale en activité où Félix élève des bovins tandis que Martine s'occupe du gavage des canards. À l'étage, ils ont aménagé 2 chambres confortables (dont une double pour les familles ou amis), avec sanitaires privés, à 46 € pour 2, petit déj compris (confitures et gâteau maison). Table d'hôtes à 17 € tout compris : crudités, charcuterie maison, magret aux deux pommes, fromage du pays, dessert. Les pêcheurs, eux, se régaleront du lac situé à 500 m. Les proprios ont aussi cinq ânesses pour partir à la découverte du pays (circuit fléché). Également un petit gîte rural pour ceux qui veulent séjourner. Accueil authentique et chaleureux.

Accès : c'est à 11 km de Vic-en-Bigorre (prenez direction Pau par la D 7 puis la D 202) ; de Tarbes, direction Ger sur 18 km, puis à droite D 202 direction Ponson-Dessus ; traversez Ponson, direction Pontiacq, tournez à gauche vers la D 200, traversez le lac du Louet et suivez le fléchage « Escaunets » sur 1 km ; c'est à droite, à l'entrée du village, chemin du Daunat.

VIDOUZE   65700

Carte régionale A2

30 km NO de Tarbes ;
12 km O de Maubourguet

€€ 🏠 |●| **Chambres d'hôtes A Lamic (Édith et Joël Then) :** 7, cami de Bentayou, quartier Arriagosse. ☎ et fax : 05-62-96-37-36. ● joelthen@hotmail.fr ● chambredhotealamic.com ● ♿ 📶 Entre Béarn et Bigorre, jolie ferme typique du coin, tout en galet. L'ancienne grange a fait peau neuve et héberge 3 chambres colorées et gaies avec sanitaires privés. 58 € pour 2, petit déj compris. Table d'hôtes à 20 €, vin compris. Cuisine saine avec les produits de la ferme (Joël élève des veaux de lait) et les légumes du jardin. Aux beaux jours, les repas se prennent sous l'auvent bien abrité face à la piscine et au jardin fleuri. Les œnologues en herbe ne manqueront pas de parcourir les vignobles de Madiran. Accueil jeune, chaleureux et dynamique. Une adresse comme on les aime, simple et sans façon.

Accès : A 64 sortie n° 13 puis D 935 vers Bordeaux puis Maubourguet ; traversez le pont à Maubourguet et prenez direction Lembeye ; au panneau « Vidouze », tournez à gauche et faites 4 km ; traversez le quartier Arriagosse, la maison est sur la droite, juste après la chapelle.

VIELLA   65120

Carte régionale A2

35 km S de Lourdes ;
3 km de Luz-Saint-Sauveur

€€ 🏠 |●| 10% **Chambres d'hôtes Eslias (Jocelyne et Marcel Laporte) :** Les Cabanes. ☎ et fax : 05-62-92-84-58. 📱 06-86-82-04-88. ● jocelyne.laporte4@orange.fr ● chez-laporte.com ● 📶 Au pays Toy, à 900 m d'altitude, dans un cadre montagnard à souhait, Marcel et Jocelyne élèvent des moutons de race barégeoise (les femelles portent aussi des cornes enroulées !). Dans un petit bâtiment attenant à la maison, 3 chambres coquettes avec sanitaires privés : 2 au rez-de-chaussée, la dernière à l'étage. De 52 à 57 € pour 2, petit déj compris. Jocelyne, fin cordon bleu, a pioché dans les recettes de Jeanne (sa belle-mère) pour vous faire découvrir la cuisine authentique de la région à partir des bons produits maison. Table d'hôtes (sauf le dimanche) à 18 €, vin compris. Ici, les routards sportifs seront servis : ski alpin, marche, VTT... Et après l'effort, pourquoi ne pas se payer une petite cure dans les stations thermales de Luz-Saint-Sauveur ou de Barèges ? Accueil chaleureux. Une adresse pour goûter les plaisirs de la montagne.

Accès : de Luz-Saint-Sauveur, prenez la direction de Barèges/Le Tourmalet, laissez Viella sur votre droite, tournez à droite dans la suivante et suivez le fléchage « Les Cabanes ».

VILLEFRANCHE-D'ALBIGEOIS   81430

Carte régionale B1

28 km SE d'Albi

€€ 🏠 |●| **Chambres d'hôtes (Michael et Michèle Wise) :** La Barthe. ☎ 05-63-55-96-21. ● labarthe@chezwise.com ● chezwise.com ● 📶 On se sent tout de suite bien dans la ferme de Michèle et Michael (adorable couple d'Anglais). Elle bénéficie d'un magnifique panorama sur la vallée du Tarn, et ils l'ont retapée en respectant son authenticité. Deux chambres agréables (dont une familiale), avec sanitaires privés. Comptez 60 € pour 2, petit déj compris. Table d'hôtes à 22 €. Repas simple, comprenant l'apéro, le vin et le café. Un point de chute idéal pour se mettre au vert et découvrir les richesses culturelles de la région. Accueil charmant.

Accès : d'Albi, prenez la D 999 vers Millau jusqu'à La Croix-Blanche, puis tournez à gauche vers La Barthe (D 163) et suivez le fléchage « Chambres d'hôtes » sur 4 km.

VILLEFRANCHE-
DE-ROUERGUE   12200

Carte régionale B1

61 km E de Cahors ; 54 km O de Rodez

€€ 🛏 ↗ **Chambres d'hôtes Le Mas de Comte (Agnès Jayr) :** *1019, rue René-Jayr.* ☎ 05-65-81-16-48. 📱 06-34-12-98-35. ● masdecomte@wanadoo.fr ● masdecomte.free.fr ● *Fermé de janv à début avr et de Toussaint à fin déc.* 📶 Ensemble de plusieurs maisons qui furent autrefois ferme, étable, grange, forge, four à pain et maison de maître. C'est cette dernière, restaurée avec beaucoup de goût et d'où l'on peut découvrir la vallée de l'Aveyron et le château d'Orlhonac tout proche, qui accueille les hôtes. À l'étage, une entrée indépendante, un salon avec cheminée et coin cuisine à disposition, et 3 belles chambres spacieuses et fraîches, avec sanitaires privés. Comptez 60 € pour 2, petit déj compris. Pas de table d'hôtes, mais jardin ombragé avec barbecue et plein de restos à Villefranche. Également, un gîte pour 2 personnes. Accueil chaleureux.

Accès : de Villefranche, prenez la D 922 vers Albi ; à 5 km, au lieu-dit La Miroulie, prenez sur la droite vers Les Pesquiés sur 1 km.

AMETTES   62260

Carte régionale A1

40 km NO d'Arras ; 7 km SO de Lillers

€ 🏠 |●| ⌂ **10 %** ***Chambres d'hôtes La Ferme des Deux Tilleuls (Colette et Jean Gévas) :*** 2, rue de l'Église. ☎ et fax : 03-21-27-15-02. ● *fermedes2til leuls@wanadoo.fr* ● *chambredhotea mettes.com* ● 📶 Voici une adresse pour ceux qui aiment l'authenticité... On passe le portail de cette ferme traditionnelle avec cour intérieure, salué par les chiens. Rassurez-vous, ceux de chasse sont en enclos et le gardien, au bout d'une chaîne. Là, on découvre une petite exploitation agricole avec vaches, cochons, lapins et volailles. Mais parlons de 2 chambres... Pour 2 et 3 personnes, elles sont situées aux 1er et 2e étages, et accessibles par un escalier assez raide. Elles ne sont pas immenses mais chaleureuses, avec petits sanitaires privés. 46 € pour 2, petit déj compris, avec plein de sortes de confitures maison (dont la rhubarbe que Colette et Jean cultivent !). Table d'hôtes à 20 €, apéro maison et bière compris (chouette !). Une cuisine familiale avec rien que des produits de la ferme... et partagée en famille, bien sûr. Accueil simple et chaleureux. Une adresse vraie, nature et campagnarde. Au fait, Amettes est le village natal de saint Benoît-Joseph Labres qui, au XVIIIe s, visita à pied les principaux sanctuaires européens (tu parles d'un routard !...). On peut visiter l'église et sa maison natale.

Accès : *d'Arras, prenez la D 341 vers Boulogne/Thérouanne et tournez à gauche (D 69) jusqu'à Amettes ; la ferme est à côté de l'église.*

AMFROIPRET   59144

Carte régionale B2

15 km SE de Valenciennes ; 15 km O de Maubeuge

€€€ 🏠 |●| ⌂ ***Chambres d'hôtes La Ferme du Bracmar (Catherine et Philippe Eustache) :*** 284, rue du Bracmar. ☎ et fax : 03-27-66-38-82. 📱 06-72-03-14-32. ● *aubergedubracmar@orange.fr* ● *auberge-bracmar.fr* ● ♿ 📶 *Bracmar,* ici, veut dire petite épée (qu'il n'y ait pas de confusion !). C'est la ferme familiale de Catherine et bien qu'elle soit devenue une adresse de standing, elle a voulu préserver son histoire et son authenticité. Tous les objets et les outils de l'exploitation sont là ! On entre par la laiterie, puis l'étable avec son joli plafond voûté en brique, ses mangeoires et rateliers. Quatre chambres charmantes sur le thème de la ferme. La chambre « Fruitier », où étaient conservées les pommes, avec sa déco réalisée à partir des caisses de stockage, est notre préférée. Sanitaires privés, avec baignoire balnéo pour 2 chambres. 75 € pour 2, petit déj compris, et 18 € par personne

---

Nous vous rappelons que la table d'hôtes est le complément d'une formule d'hébergement (chambre d'hôtes, gîte d'étape...). Ce service n'est offert qu'aux personnes qui dorment sur place (excepté lorsqu'il est clairement écrit « ouvert aux extérieurs »).

NORD-PAS-DE-CALAIS

NORD

MER DU NORD

Pas de Calais

Cap Gris-Nez

Dunkerque

Calais

Escalles

Ardres

Millam

Bollezeele

Lederzeele

Godewaersvelde

Cassel

Eecke

Bailleu

Blaringhem

Boulogne-sur-Mer

Saint-Omer

MANCHE

Camiers

Auchy-au-Bois

Amettes

le Touquet-Paris-Plage

Montreuil

Rang-du-Fliers

Berk-sur-Mer

Hesdin

Gauchin-Verloingt

Capelle-les-Hesdin

Fillièvres

62

Arras

Abbeville

Doullens

Eu

Albert

SEINE-MARITIME (76)

SOMME (80)

Amiens

PAS-DE-CALAIS

● Jenlain — Adresses
○ Dunkerque — Villes repères

NORD-PAS-DE-CALAIS

supplémentaire. Table d'hôtes à 25 €, apéro, vin et café compris. Cuisine familiale à tendance régionale avec de bons produits du terroir. Accueil convivial. Et si vous aimez le golf, c'est la porte d'à côté.

Accès : D 2049 (ex-N 49) entre Valenciennes et Maubeuge sortie Wargnies et direction Wargnies-le-Petit jusqu'au hameau de La Boiscrète où vous tournez à droite vers le golf de Mormal ; la maison est 500 m après l'entrée du golf à gauche.

ARDRES   62610

Carte régionale A1

12 km SE de Calais

€ 🏠 |◉| 🐴 *Chambres d'hôtes Ardres Bridge Cottage (Alysson et Laurent Blanquart) :* 678, rue du Fort-Bâtard. ☎ 03-21-96-63-92. 📱 06-82-02-13-47. ● blanquart.laurent@gmail.com ● ardres-bridge-cottage.com ● 📶 Ancienne ferme du XIXᵉ s installée à côté du canal de Saint-Omer au milieu d'un joli parc arboré avec une petite pièce d'eau pour les pêcheurs et les quatre ruches dont Laurent s'occupe avec amour. Deux chambres agréables avec sanitaires privés. Pour une, les sanitaires sont à l'étage inférieur, mais en contrepartie vous profiterez d'une superbe terrasse pour admirer le lever de soleil. 50 € pour 2, petit déj compris. Table d'hôtes à 20 €, vin compris (l'occasion d'écouter un petit concert car vous êtes dans une famille de musiciens d'ailleurs si vous avez des enfants, ils pourront jouer avec les deux petites filles de la maison). Ambiance et atmosphère campagnarde, accueil jeune et charmant, bon rapport qualité-prix-convivialité. Bref, une adresse chaleureuse et sans façon.

Accès : A 16 sortie nº 46 Calais, puis N 43 vers Ardres ; au niveau du pont d'Ardres, prenez la route vers Guemps puis suivez immédiatement le canal à droite pdt 1,7 km.

€€€ 🏠 10% *Chambres d'hôtes Le Manoir de Bois-en-Ardres (Françoise et Thierry Roger) :* 1530, rue de Saint-Quentin. ☎ 03-21-85-97-78. 📱 06-15-03-06-21. ● roger@aumanoir.com ● aumanoir.com ● 📶 Curieuse histoire que celle de cette superbe demeure, située au cœur d'un magnifique parc de 5 ha peuplé d'arbres centenaires. Ici, siégeait le château d'Ardres... Il appartenait à une famille notable de la région et brûla dans les années 1940. Les proprios décidèrent de réaménager les dépendances avec le concours d'un architecte et surtout avec les pierres du château. Le résultat est admirable et le mélange des styles charmant : des colonnes avec un bassin intérieur (ancienne piscine) lui donnent un côté méditerranéen ; la maison par elle-même, avec des pièces immenses bordées de baies vitrées, et les vieux bâtiments agricoles sont restés à l'identique... Bref, on n'a plus envie de bouger ! Pourtant, quand Françoise et Thierry l'ont achetée, cette demeure était devenue un squat, puis abandonnée. Plusieurs années ont été nécessaires pour lui redonner son visage. Au 1ᵉʳ étage de la maison, 4 chambres avec sanitaires privés, toutes avec accès indépendant. Une préférence pour la suite « Vigne et glycine » avec ses belles fresques réalisées par Françoise. Une 5ᵉ chambre est installée dans un ravissant pavillon à l'atmosphère très champêtre. 82 € pour 2, petit déj compris. Pas de table d'hôtes, mais nombreux restos dans les environs. Accueil souriant et décontracté. Une adresse de charme. Nombreuses randos aux alentours et tous sports nautiques sur le lac d'Ardres.

Accès : sur la N 43 entre Saint-Omer et Calais (A 26 sortie nº 2) ; traversez Ardres en direction de Calais (en venant de Saint-Omer) et, au 1ᵉʳ rond-point, tournez à droite dans la rue de Saint-Quentin sur 1 km et fléchage.

AUCHY-AU-BOIS   62190

Carte régionale A1

25 km SE de Saint-Omer ;
7 km O de Lillers

€ 🏠 |◉| 10% *Ferme de la Vallée (Brigitte de Saint-Laurent) :* 13, rue Neuve. ☎ et fax : 03-21-25-80-09. ● brigitte.de-saint-laurent@wanadoo.fr ● lafermedelavallee.com ● 📶 Au cœur du village, ferme traditionnelle de 1828 avec grande cour intérieure. Au 1ᵉʳ étage de l'ancienne écurie, Brigitte a ouvert 4 chambres au charme d'antan. Toutes mansardées, l'une est composée de 2 chambres pour les familles. Sanitaires privés. 55 € pour 2, petit déj compris, et 85 € pour 4. Table d'hôtes (sur réservation), partagée avec Brigitte, à 23 €, apéro maison et vin compris. Cuisine familiale et traditionnelle. Agricultrice à la retraite, Brigitte, passionnée par les brocantes, a décoré sa maison de meubles anciens, gravures, vieilles assiettes, étains, pots, cannes... donnant à l'ensemble une atmosphère où l'on se sent bien. Accueil chaleureux.

Accès : le village se trouve sur la D 341 entre Arras et Boulogne-sur-Mer (A 26 sortie nº 5 : Lillers) et fléchage.

BAILLEUL 59270

Carte régionale A1

20 km NO de Lille ;
17 km E d'Hazebrouck

€€ 🏠 |●| **Chambres d'hôtes Bailleul (Virginie et Bruno Delobel) :** *827, Eeckelstraete.* ☎ 03-28-48-79-74. 📱 06-81-22-62-32. ● *chambresdhotesnord59.fr* ● 🐾 📶 Entre cultures et pâturages, belle et ancienne ferme restaurée avec amour par Virginie et Bruno. Éolienne, panneaux solaires, géothermie, ici on privilégie l'énergie renouvelable ! Dans la grange, qui, elle, n'a pas subi les affres de la guerre, 4 chambres spacieuses, décorées avec goût. Sanitaires privés. Selon la taille de la chambre, de 60 à 75 € pour 2, petit déj compris, et 15 € par personne supplémentaire. Grande pièce de jour lumineuse avec murs en brique à pans de bois. Table d'hôtes en famille (chez les propriétaires) à 25 €, apéro, vin et café compris. Cuisine traditionnelle à tendance flamande. Bien sûr, ici la rando est à l'honneur (le GR 121 passe devant la maison) et la Belgique est au bout de la rue. Et pour les petits, il y a aussi deux ânes. Accueil convivial. Une adresse au calme pour se ressourcer. *NOUVEAUTÉ.*

Accès : *dans le village, prenez la direction « Ferme Beck », la maison est 200 m avt, sur la gauche.*

BANTEUX 59266

Carte régionale B2

27 km N de Saint-Quentin ;
11 km SO de Cambrai

€€ 🏠 🏹 **Chambres d'hôtes Ferme de Bonavis (Michel, Carole et Thérèse Delcambre) :** *carrefour de Bonavis.* ☎ et fax : 03-27-78-55-08. ● *contact@bonavis. fr* ● *bonavis.fr* ● 🐾 📶 C'est en franchissant le grand portail de cette immense ferme, ancien relais de poste, que vous comprendrez pourquoi elle est inscrite dans nos pages. Une immense cour et une ancienne pièce d'eau (en forme de fer à cheval) ont été transformées en espace vert. Le superbe pigeonnier d'angle a été restauré. Trois chambres spacieuses (dont une familiale composée de 2 chambres), auxquelles on accède par un vaste hall et un grand escalier. Déco agréable et sanitaires privés. Préférez la chambre qui a le balcon, et en plus, c'est la moins chère (ça tombe bien !). Également une chambre de plain-pied, accessible aux personnes à mobilité réduite, ainsi qu'un gîte pour 6 à 8 personnes. De 69 à 73 € pour 2, avec le petit déj. Très copieux, Thérèse y apporte un soin tout particulier. Michel, lui, est aviateur amateur et il adore parler de sa passion. Expo permanente de photos sur l'agriculture de nos ancêtres. Côté animations : jeu de boules, ping-pong, balançoires, volley... Accueil agréable.

Accès : *A 26, sortie n° 9 (Masnières) ; la ferme est à 2 km au nord du village de Banteux, au croisement de la D 917 et de la D 1044.*

BERCK-SUR-MER 62600

Carte régionale A2

40 km S de Boulogne-sur-Mer ;
12 km S du Touquet

€€€ 🏠 **Chambres d'hôtes La Renardière (Hélène et Pierre Dachicourt) :** *37, bd de Paris.* ☎ 03-21-09-23-41. 📱 06-50-58-68-38. ● *larenardiere62600@orange. fr* ● *larenardiere62600.pagesperso-orange. fr* ● 📶 Installée dans un grand jardin, incroyable demeure qu'une maison des années 1970 construite par l'ancien propriétaire des abattoirs de Berck. L'intérieur est d'un tape-à-l'œil digne d'un château. Un vaste hall avec double escalier en marbre conduit aux 3 chambres spacieuses avec luxueux sanitaires privés. Les mosaïques sont surprenantes. 75 € pour 2, petit déj compris. Également 2 appartements (de 2 à 6 personnes), dont un de plain-pied avec entrée indépendante, l'autre au 1er étage d'une dépendance accessible par un escalier extérieur. Pour 4 personnes, 200 € pour le week-end et 500 € pour la semaine (sans petit dej ni linge de maison). Grande piscine couverte chauffée, ouverte de mi-avril à fin septembre. Accueil convivial et courtois. *NOUVEAUTÉ.*

Accès : *A 16 sortie n° 25 ; au 1er rond-point, direction Berck et toujours tt droit, la maison est en face des terrains de tennis, à 7 km.*

BLARINGHEM 59173

Carte régionale A1

12 km SE de Saint-Omer ;
5 km N d'Aire-sur-la-Lys

€ 🏠 |●| **Chambres d'hôtes Les Trois Saules (Bernadette et Michel Vandenkerckhove) :** *Le Mont-du-Pil.* ☎ et fax : 03-28-43-20-11. 📱 06-87-05-37-73. ● *michel.vandenkerckove@orange.fr* ● *Ouv de mi-mars à fin nov. Slt sur résa.* Anciens restaurateurs, Bernadette et Michel, préférant les contacts, avaient ouvert ici une

NORD-PAS-DE-CALAIS

toute petite auberge de campagne. L'heure de la retraite ayant sonné, ils ont fermé l'auberge, mais continuent d'accueillir des hôtes dans 3 chambres installées dans une maisonnette indépendante. 53 € pour 2, avec le petit déj (gâteau maison, jus de fruits). Et vous pourrez apprécier leur talent de cuistots grâce à la table d'hôtes, à 22 €, apéro et vin compris. Accueil chaleureux.

Accès : la maison se trouve sur la N 43 entre Wittes et Racquinghem (n'allez pas à Blaringhem).

BOLLEZEELE   59470

Carte régionale A1

25 km S de Dunkerque ;
17 km N de Saint-Omer

€€ 🏠 10% **Chambres d'hôtes Le Pant-gat Hof (Frédérique et Jean-François Chiloup-Gey) :** 27 bis, rue de Metz. ☎ 03-28-68-00-87. ● pantgat.hof@gmail. com ● lepantgat.blogspot.fr ● ♿ Fermé les 2 premières sem d'oct. 📶 Voilà une adresse où campagne et nature prennent tout leur sens. Cette ancienne ferme tout en brique était à l'origine un ancien poste de douane. Une croquignolette cour intérieure vous mènera vers un grand porche. De chaque côté, 4 chambres d'hôtes installées aux rez-de-chaussée et 1er étage. Une 5e chambre est installée dans la maison des propriétaires. Elles sont vastes, lumineuses et toutes très différentes. Sanitaires privés. Comme vous êtes aussi dans une maison d'artistes, la déco est empreinte des œuvres de vos hôtes. Jean-François dessine à la plume et nature prennent est brodeuse et dentellière. 72 € pour 2, petit déj compris. Chaleureuse salle à manger où bois et plantes vertes sont omniprésents. Si vous voulez découvrir les Flandres, c'est ici qu'il faut faire halte. Passionnée par sa région, Frédérique est intarissable sur ses richesses. Il faut dire qu'en plus d'être sophrologue, elle est aussi guide nature et organise des randos. Elle vous fera découvrir les estaminets, ancêtres de nos bistrots de campagne, où on parle fort et où les conversations s'engagent entre les tables. Les petits ne manqueront pas d'aller voir le cheval et les ânes. Culture et traditions, sourire et hospitalité, bref, une de nos adresses préférées sur le département.

Accès : sur l'A 25 entre Lille et Dunkerque (sortie n° 15) vers Wormhout puis Esquelbecq et Bollezeele ; sur la place du village, prenez la rue de la Poste qui se prolonge par la rue de Metz.

BOUSBECQUE   59166

Carte régionale B1

15 km N de Lille ; 5 km SE de Wervik

€€€€ 🏠 🍴 **Chambres d'hôtes La Valandière (Martine et Frédéric Catry) :** 37, chemin du Blaton. ☎ 03-20-98-83-66. 📱 06-84-04-13-36. ● info@lavalandiere. com ● lavalandiere.com ● 📶 Aux portes de la Belgique (3 km), isolée au milieu des pâturages, grande ferme au carré, typique de la région. Une fois l'imposante porte de monastère passée, on découvre un décor et un aménagement bien loin de la vie de la ferme. La cour intérieure se donne des allures de patio andalou, si ce n'est les vieilles plaques de rue qui rappellent qu'on a pas perdu le Nord. Trois portes conduisent à chacune des chambres, dont 2 sont situées en étage. Il y a « Charme », mansardée, toute de bois vêtue, à l'atmosphère romantico-campagnarde qui ravira les amoureux, « Épura », élégante et plus spacieuse, et enfin « Chocolat », sous forme de suite familiale pour 4 personnes, avec lit à baldaquin. Écran plat LCD et lecteur DVD dans chaque chambre. Comptez 105 € pour 2, petit déj compris, et 30 € par personne supplémentaire. Table d'hôtes à 35 €, vin compris. Goûteuse et originale cuisine où se mêlent produits régionaux et saveurs subtiles (nos papilles en frémissent encore !), le tout accompagné de vins choisis. Les repas sont servis chez Martine et Frédéric, dans une belle salle à manger éclairée par une immense baie vitrée qui ouvre sur le bassin et la nature. Avant de partir, demandez à voir l'incroyable salle de séminaire dont on ne vous dévoilera pas le secret... Une hôtesse dynamique et volubile. Une adresse de charme.

Accès : sur l'A 1 qui dessert Tourcoing et conduit à Gands, prenez la sortie n° 17 et à gauche vers Douanes/Halluin-CIT ; passer plusieurs ronds-points en suivant Bousbecque et, à l'église du village, allez vers Linselles ; au rond-point, prenez la route de Guimesse jusqu'au chemin du Blaton (ouf !).

BOUVINES   59830

Carte régionale B1

13 km SE de Lille ; 13 km O de Tournai

€€€€ 🏠 **Chambres d'hôtes La Ferme de la Place (Nadine et François Dervaux) :** 261, rue du Maréchal-Foch. ☎ 03-20-41-12-13. 📱 06-78-19-87-22. ● f.dervaux1@ free.fr ● fermelaplace.fr ● 📶 Ancienne ferme avec cour intérieure gravillonnée, dissimulée derrière un grand portail en bois. Cinq chambres coquettes avec sanitaires privés, dont 2 de plain-pied, les autres à l'étage. TV dans chaque chambre. De 90 à 100 € pour 2, petit déj compris. Possibilité d'accéder à la piscine couverte de mai à septembre. Sauna moyennant un supplément de 5 €. Accueil courtois.

Accès : de Lille, autoroute Gand-Valenciennes sortie « Cité scientifique/Quatre cantons », puis direction Cysoing jusqu'à Bouvines ; tournez à gauche au feu après l'église puis au fond à gauche ; la maison est 100 m à droite.

CAMIERS   62176

Carte régionale A1

22 km S de Boulogne-sur-Mer ; 12 km N du Touquet

€€ 🏠 🐴 **Chambres d'hôtes du Rouard (Fabienne et Philippe Labarre) :** *12, rue Sainte-Gabrielle.* ☎ 03-21-84-71-81. 📱 06-67-14-05-37. ● labarre.phil@wanadoo.fr ● gitesdurouard.fr ● 🛜 Le Rouard (à ne pas confondre avec le *Routard* !) est le nom de la petite rivière qui longe le parc de cette ancienne et jolie ferme, nichée dans un écrin de verdure. Deux chambres coquettes, une au rez-de-chaussée, l'autre à l'étage, chacune avec coin cuisine et accès indépendant. Les romantico-bohèmes choisiront de dormir dans une des deux croquignolettes roulottes installées dans le jardin, parées à la nuit tombée de jolies guirlandes colorées (c'est pour la rime !). Pour 2, comptez de 65 à 70 € pour les chambres et de 70 à 80 € pour les roulottes, petit déj compris. Faites une caresse pour nous à Barnabé, le sympathique berger des Pyrénées. Première plage à 2 km (chouette !). Une adresse où l'on privilégie l'indépendance de chacun, sans oublier la convivialité.

Accès : la rue commence au centre du village, au niveau de la mairie.

CAPELLE-LES-HESDIN 62140

Carte régionale A2

50 km O d'Arras ; 33 km N d'Abbeville

€€ 🏠 |◉| (10 %) **Chambres d'hôtes Prévost de Courmière (Annie et André Lombardet) :** *510, rue de Crécy.* ☎ 03-21-81-16-04. 📱 06-08-28-21-66. ● ferme-prevost-de-courmiere@wanadoo.fr ● ferme-prevost-de-courmiere.fr ● 🛜 Ancienne ferme de 1680 qui dévoile son charme quand on pénètre à l'intérieur car elle a subi de magnifiques trans-

formations pour se donner des allures bourgeoises. Quatre chambres décorées avec goût, réparties dans différentes ailes de la maison. Deux au rez-de-chaussée : « Chanteclerc », plus petite et moins chère, mais qu'on aime bien, et la suite « Entre cour et jardin » avec petit salon et chambre enfants ou amis à l'étage. Deux autres à l'étage avec belle charpente apparente : « Romance » pour les plus romantiques, et « Nostalgie », immense, qui peut accueillir 4 personnes. Selon la chambre, de 60 à 75 € pour 2, petit déj compris, et 20 € par personne supplémentaire. Table d'hôtes partagée en famille à 30 €, apéro, vin et café compris. Cuisine variée et goûteuse selon l'humeur et l'inspiration d'Annie et la demande de ses clients. Superbe parc pour profiter du charme des lieux. Accueil chaleureux. Une excellente adresse.

Accès : dans le village, D 135 vers Guigny ; au calvaire, prendre à gauche, la maison est à 400 m.

CASSEL   59670

Carte régionale A1

25 km NE de Saint-Omer ; 7 km O de Steenvoorde

€€ 🏠 **Chambres d'hôtes (Caroline et Hervé Gadeyne) :** *1673, route de Dunkerque.* ☎ 03-28-40-58-42. 📱 06-16-93-44-39. ● auvertvallon@orange.fr ● 🛜 À l'orée du joli village de Cassel qui domine la région, dans une maison en brique des années 1970, 2 chambres agréables installées à l'étage. Une est composée de 2 chambres pour les familles ou amis. Sanitaires privés. 55 € pour 2, petit déj compris, et 110 € pour 4. Pas de table d'hôtes mais plusieurs restos sympas dans le village. Accueil convivial. *NOUVEAUTÉ.*

Accès : de la place de Cassel, prenez la porte de Dunkerque vers l'église et descendez la route pdt 1 653 m, la maison est à droite.

CRÈVECŒUR-SUR-L'ESCAUT   59258

Carte régionale B2

15 km S de Cambrai ; 15 km O de Caudry

€€€ 🏠 |◉| (10 %) **Chambres d'hôtes Ferme de Montécouvez (Géraldine et Franck Puche) :** *hameau de Montécouvez.* ☎ 03-27-82-02-01. 📱 06-16-38-94-66. ● franck.puche@wanadoo.fr ● ferme-mon tecouvez.com ● ♿ 🛜 Dans une dépendance de cette ferme en activité tout en brique, qui produit des céréales et du lin, 4 chambres agréables et spacieuses, dont 2 au rez-de-chaussée, les 2 autres à l'étage. Une est composée de 2 chambres, idéale pour les familles. Sanitaires privés, dont une avec baignoire balnéo (plus chère). De 70 à 85 € pour 2, petit déj compris, et 20 € par personne supplémentaire. Table d'hôtes (sauf le dimanche), partagée en famille, à 25 €, apéro, vin et café compris, pour découvrir la cuisine régionale. Accueil convivial. Une adresse pour ceux qui préfèrent l'indépendance et un point de chute idéal pour découvrir l'abbaye de Vaucelles.

Accès : A 26 sortie n° 9 Masnières et suivez le fléchage « Abbaye de Vaucelles » ; passez devant celle-ci puis prenez la D 96 vers Villers-Outréaux pdt 5 km jusqu'au hameau de Montécouvez (n'allez pas à Crèvecœur).

DURY 62156

Carte régionale B2

15 km E d'Arras ; 17 km NO de Cambrai

€€ 🏠 10% **Chambres d'hôtes Ferme de l'Abbaye (Christine Choquet) :** ☎ et fax : 03-21-58-98-59. 🖥 06-82-96-76-00. ● ch.n.choquet@wanadoo.fr ● ferme-abbaye.fr ● 🛜 Ne cherchez pas l'abbaye, il n'y en a pas ! Ancienne, belle et imposante ferme tout en brique des années 1920. Quatre chambres spacieuses et sereines avec sanitaires privés : une familiale au rez-de-chaussée, les 3 autres au 1er étage. Jolie déco qui mêle harmonieusement mobilier ancien et contemporain. La route ne passe pas très loin, mais le double vitrage efficace vous assurera le calme. 65 € pour 2, petit déj compris, et 20 € par personne supplémentaire. Petit coin cuisine à disposition. Possibilité de faire de l'équitation sur place. Accueil ouvert, souriant et décontracté.

Accès : A 1 sortie n° 15 Arras-Est puis D 939 vers Cambrai pdt 7 km et, au rond-point, D 956 vers Dury ; la ferme est à 500 m à gauche, 1 km avt le village.

EECKE 59114

Carte régionale A1

25 km E de Saint-Omer ;
8 km N d'Hazebrouck

€€ 🏠 10% **Chambres d'hôtes de Kortepoeje (Francine Lequenne) :** 357, rue des Trois-Moulins. ☎ 03-28-40-11-56. 🖥 06-73-67-62-79. ● ferme.dekortepoeje@gmail.com ● Fermé 2-23 août. En pleine campagne, au milieu des cultures, grande et ancienne ferme tout en brique. Trois chambres campagnardes avec sanitaires privés : 2 au 1er étage de la maison de Francine, la dernière, très vaste, est installée dans l'ancien grenier et accessible par un escalier extérieur indépendant. Atmosphère de nos grands-mères. Selon la chambre, de 55 à 60 € pour 2 et 15 € par personne supplémentaire, petit déj compris. Il est servi dans une chaleureuse salle à manger remplie d'originaux bibelots et outils anciens. Une adresse qui sent bon la nature.

Accès : A 25 Lille-Dunkerque sortie n° 13 Steenvoorde ; continuez dans cette direction et, au rond-point, prenez à gauche vers Eecke puis 2e route à droite (rue de Bommaire) et suivez le fléchage.

ESCALLES 62179

Carte régionale A1

12 km O de Calais ;
1,5 km du cap Blanc-Nez

€€€ 🏠 10% **Chambres d'hôtes La Grand'Maison (Jacqueline et Marc Boutroy) :** hameau de La Haute-Escalles. ☎ 03-21-85-27-75. ● lagrandmaison.escalles@gmail.com ● lagrandmaison-capblancnez.com ● 🛜 Belle ferme dont les origines remontent à 1633, avec une grande cour fleurie où se dresse un romantique pigeonnier du XVIIIe s. Cinq chambres à la déco de bon goût. De 70 € (pour les deux moins chères, mais tout aussi craquantes) à 90 € pour 2, petit déj compris. Jacqueline le sert dans une agréable véranda qui ouvre sur les prés et les massifs de fleurs. Accueil agréable. Pour les séjours, il y a aussi 2 studios totalement indépendants et 4 gîtes ruraux confortables pour 4 à 10 personnes. Promenade à dos d'âne sur demande. Un point de chute idéal pour ceux qui veulent découvrir la côte d'Opale.

Accès : A 16, sorties n° 39 ou 40 vers Peuplingues que vous traversez ; continuez vers le cap Blanc-Nez (D 243), La Haute-Escalles est à 2 km avt (fléchage).

ESTREUX 59990

Carte régionale B2

5 km E de Valenciennes

€€€€ 🏠 |◉| **Chambres d'hôtes La Frênaie (Pascale et Jean-Yves Jospin) :** 27, rue de la Liberté. ☎ 03-27-42-91-19. 🖥 06-88-47-06-41. ● lafrenaie@gmail.com ● lafrenaie.fr ● 🛜 Ancienne et jolie ferme toute blanche, au cœur du village. Quatre chambres charmantes à la décoration soignée. Deux dans un petit pavillon indépendant : « La Clé des champs », dont l'atmosphère rappelle qu'autrefois siégeait ici l'écurie ; au-dessus, on passe au thème textiles avec vieilles machines à coudre... Les 2 autres, à l'étage de la maison, dégagent une ambiance plus romantique. Selon la taille de la chambre, de 89 à 109 € pour 2, petit déj compris. Ici tout est fait pour votre bien-être : jaccuzzi, court de tennis, piscine chauffée en saison. Table d'hôtes (le samedi) sans les proprios à 25 €, apéro, vin et café compris. Mais aussi petite cuisine à dispo si vous voulez faire votre popote. Un croquignolet grenier abrite une jolie bibliothèque avec salon où il fait bon prendre son temps. Enfin, pour les enfants il y a aussi Diddle, le poney, qui a son espace clos au fond du parc. Accueil de qualité. Une de nos adresses préférées sur le département. *NOUVEAUTÉ.*

Accès : *A 2 sortie n° 23 (Valenciennes-Est) ; au 1er rond-point, prenez à gauche vers Saultain, au 2e rond-point à gauche vers Estreux ; à l'église du village, tournez à gauche, la maison est à gauche un peu plus loin.*

FILLIÈVRES   62770

Carte régionale A2

55 km O d'Arras ; 12 km SE d'Hesdin

€€ ≜ |●| **Chambres d'hôtes Le Moulin (Bernadette et Robert Legrand) :** *16, rue Saint-Pol.* ☎ 03-21-41-13-20. ● *contact@ moulindefillievres.com* ● *moulindefillievres. com* ● ☎ Ancien moulin situé au bord de la rivière Canche. Dans une aile indépendante, 5 chambres installées au 1er étage. Sanitaires privés, mais pour l'une d'elles, ils sont sur le palier. Elles ouvrent toutes sur la rivière, mais préférez celles qui ont un petit balcon. De 57 à 62 € pour 2, petit déj compris, servi dans la maison des proprios et dans la véranda aux beaux jours. Table d'hôtes, partagée en famille, à 24 €, apéro et vin compris. Cuisine simple et familiale. Accueil courtois.

Accès : *Fillièvres se trouve sur la D 340 entre Frévent et Hesdin ; dans le village, prenez la D 101 vers Saint-Pol, la maison est au cœur du bourg.*

FOURNES-EN-WEPPES   59134

Carte régionale B1

17 km SO de Lille ; 12 km NE de La Bassée

€€ ≜ |●| **Chambres d'hôtes La Ferme de Rosembois (Francine et Emmanuel Bajeux) :** ☎ 03-20-50-25-69. 🖶 06-07-24-05-06. Fax : 03-20-50-60-75. ● *famille bajeux@wanadoo.fr* ● *rosembois.com* ● Fermé 22 déc-2 janv. ☎ En pleine campagne, originale maison des années 1930 tout en brique. C'est aussi une ferme en activité où Francine et Emmanuel produisent principalement des pommes de terre. Trois chambres d'hôtes installées au 1er étage de la maison. Atmosphère d'autrefois. Sanitaires privés. Deux autres chambres, toutes pimpantes, sont installées dans un bâtiment indépendant. Très lumineuses, elles ouvrent sur la campagne. Sanitaires privés. De 55 à 60 € pour 2, petit déj compris. Ici, le sourire, la bonne humeur et la décontraction sont de mise. Aussi, ne manquez pas la table d'hôtes (sauf les samedi, dimanche et jours fériés) partagée en famille, à 22 €, apéro et vin compris. Cuisine familiale et traditionnelle. Une gentille adresse.

Accès : *sur la N 41 entre Lille et Béthune, sortez à Fournes-en-Weppes ; traversez le village ; au feu tricolore, tournez à droite puis, à 150 m, à gauche et suivez le fléchage.*

GAUCHIN-VERLOINGT   62130

Carte régionale A2

35 km NO d'Arras ; 1 km de Saint-Pol-sur-Ternoise

€€ ≜ 🏇 ⑩% **Chambres d'hôtes Le Loubarré (Marie-Christine et Philippe Vion) :** *550, rue des Montifaux.* ☎ 03-21-03-05-05. 🖶 06-87-40-72-71. ● *mcvion. loubarre@wanadoo.fr* ● *loubarre. com* ● ☎ À l'orée du village, belle demeure de maître du XIXe s., entourée d'un joli parc où paissent les chèvres de la maison qui adorent la compagnie... Dans les anciennes dépendances, Marie-Christine et Philippe ont aménagé 5 chambres agréables, avec sanitaires privés : 2 grandes au rez-de-chaussée et 3 plus petites au 1er étage, dont une installée dans l'ancien pigeonnier. 60 € pour 2, petit déj compris, servi dans le manoir, et croyez-nous, l'intérieur vaut le détour ! Bien que dans la famille de votre hôtesse depuis cinq générations, c'est un artiste qui l'a fait construire et aménager. Il en résulte des pièces au décor de château : le salon de chasse avec une incroyable cheminée ornée d'un blason et de trophées de chasse ; la salle à manger, au superbe plafond, dotée d'une cheminée et d'un impressionnant et imposant buffet sculpté renfermant une collection de fèves ; et le salon « Quatre saisons » que Marie-Christine ouvre aux regards indiscrets. Pas de table d'hôtes, mais plusieurs restos à Saint-Pol, qu'on peut rejoindre par un chemin piéton en un quart d'heure (c'est l'occasion de goûter la bière locale !). Accueil très sympa. Pour ceux qui veulent séjourner, un gîte de 6 personnes. Faites pour nous une caresse à Jammy et Ulver, les adorables chiennes, et aux ânes. Une adresse qu'on aime bien.

Accès : de Saint-Pol, prenez la D 343 en direction de Fruges ; bifurquez vers Gauchin-centre et suivez le fléchage.

GODEWAERSVELDE   59270

Carte régionale A1

30 km E de Saint-Omer ;
15 km NE d'Hazebrouck

€€€ 🏠 |●| **Chambres d'hôtes Monts et Merveilles (Virginie Verlynde et Estelle Duchenne) :** 105, rue de Steenvoorde. ☎ 03-28-40-84-82. 📱 06-72-59-70-72. ● montsetmerveilles59@gmail.com ● montsetmerveilles59.fr ● 🛜 Ancienne et jolie ferme en brique aux allures bourgeoises agrémentée d'une tour carrée nichée dans un joli jardin fleuri. Trois belles chambres dont une suite en duplex (plus chère quand on est 2). Sanitaires privés. Une préférence pour « Le Jardin des Chimères » avec sa baignoire d'angle dans les tons gris. 80 € pour 2, petit déj compris (95 € pour la suite). Agréable salon avec cheminée et piano électrique, grande et lumineuse véranda qui ouvre sur la terrasse. Table d'hôtes partagée avec vos hôtesses à 30 €, apéro, vin et café compris. Cuisine à partir de produits locaux à tendance flamande. Accueil de qualité. *NOUVEAUTÉ.*

Accès : dans le village, prenez la direction Steenvoorde, la maison est à 200 m du centre-ville.

GOMMEGNIES   59144

Carte régionale B2

25 km SE de Valenciennes ;
25 km O de Maubeuge

€€€ 🏠 |●| **Chambres d'hôtes La Cache Marel (Jocelyne et Daniel Dulot) :** 746, rue du Cheval-Blanc. ☎ 03-27-29-10-02. 📱 06-63-42-27-98. ● jocelynedulot@orange.fr ● 🛜 Même si cette maison de village peut paraître récente à cause de son crépi, elle date du XIXᵉ s et abrite 2 jolies chambres spacieuses avec sanitaires privés. Une dans un petit pavillon indépendant sur 2 niveaux, avec grand salon et sanitaires en rez-de-chaussée, chambre à l'étage. La seconde, dans la maison de Jocelyne et Daniel, est accessible par un escalier assez raide. Cette dernière est composée de 2 chambres pour les familles ou amis. Selon la chambre, comptez 70 et 80 € pour 2, copieux petit déj compris (jus de fruits pressés, confitures, pancakes, brioche maison, charcuteries et fromages... qui dit mieux !). Table d'hôtes partagée en famille à 25 €, apéro, vin et café compris. Cuisine goûteuse à tendance régionale. Prêt de vélos et randos dans la belle forêt de Mormal. Agréable jardin avec vigne, et nombreux arbres fruitiers. Accueil chaleureux. Très bon rapport qualité-prix-convivialité. *NOUVEAUTÉ.*

Accès : sur la N 49 entre Valenciennes et Bavay ; à Bavay, prenez la D 932 vers le Cateau pdt 4 km et tournez à droite vers le village, la maison est 500 m à droite.

HALLUIN   59250

Carte régionale B1

17 km N de Lille

€ 🏠 **Chambres d'hôtes Ferme du Nid de Mousse (Marie-Joseph Legai-Delesalle) :** 94, chemin du Billemont. ☎ 03-20-03-82-73. 📱 06-23-47-13-15. ● niddemousse@neuf.fr ● ♿ Fermé 20 juil-12 août. 🛜 Toute proche de la Belgique et à 2 km du village, ferme traditionnelle vieille de deux siècles, dont deux ailes, brûlées en 1990, ont été reconstruites pour lui conserver sa cour intérieure. Dans la partie récente, 3 chambres d'hôtes, dont une au rez-de-chaussée, les autres à l'étage. L'une est composée de 2 chambres pour les familles. Déco fonctionnelle, atmosphère agréable et sanitaires privés. Selon la chambre, de 45 à 49 € pour 2 et 67 € pour 4, petit déj compris. Ici, c'est la vraie vie de la ferme, et l'accueil se fait en famille. Marie-Joseph est aidée par son frère qui a repris la petite activité agricole. Il cultive des céréales. Également 2 petits gîtes ruraux pour ceux qui veulent séjourner. Accueil chaleureux, authentique et vrai.

Accès : de Lille, empruntez l'A 22 vers Tourcoing, sortie nº 17 Halluin/Douane ; au 1ᵉʳ feu, tournez à droite, la ferme est un peu plus loin à gauche (bon fléchage).

HAUT-LIEU   59440

Carte régionale B2

17 km S de Maubeuge ;
7 km E de Maroilles

€€ 🏠 |●| 🎯 **Chambres d'hôtes La Citadelle d'Hututu (Pascal Laboue) :**

NORD-PAS-DE-CALAIS

9, route de Cartignies, lieu-dit Hututu. ☎ 03-27-61-23-70. 📱 06-86-43-57-83. ● bienvenue@avesnois.net ● avesnois. net ● ♿ 📶 Cette maison a une histoire originale et Pascal la perpétue... Ancien hangar à dirigeables, devenue ferme par la suite, c'est en ruine qu'il l'a achetée pour en faire une incroyable demeure tout en brique, suivant une architecture directement sortie de son imagination. Quatre jolies chambres décorées sur des thèmes différents : « Venise » avec de luxueux sanitaires privés et de jolis carreaux en verre colorés, « Bateau » avec ses murs recouverts de tôle que Pascal a patinée pour lui donner un aspect cuir et ses hublots (on s'y croirait !), « Roméo » dans les tons prune et avec lit à baldaquin, et la dernière, plus classique mais tout aussi charmante, qui bénéficie d'un croquignolet balcon. 55 € pour 2, petit déj compris. Table d'hôtes à 23 €, apéro, vin et café compris. Cuisine traditionnelle à tendance régionale. Accueil chaleureux. Une excellente adresse.

Accès : d'Avesnes-sur-Helpe, prenez la direction de Maroilles, et tt de suite après, direction Cartignies pdt 2 km et la maison est à gauche.

HERGNIES   59199

Carte régionale B1-2

20 km N de Valenciennes ; 12 km E de Saint-Amand-les-Eaux

€€ 🏠 ◉ **Chambres d'hôtes Entre Deux Nos (Brigitte et Guy Mieye-ville) :** 1212, rue de l'Égalité. ☎ 03-27-35-46-83. 📱 06-07-14-59-36. ● entre-deux-nos@orange.fr ● entre-deux-nos. fr ● 📶 Aux portes de la Belgique, dans le pays des « noes » (comprenez patu-râges humides), ancienne fermette du XVIIIe s devenue boulangerie par la suite et aujourd'hui, après un agrandissement, chambres d'hôtes. Situées au 1er étage, elles sont 3, lumineuses, dont une avec grande terrasse (notre préférée). Sanitaires privés (baignoire et douche pour l'une d'elles). De 60 à 65 € pour 2, petit déj compris (jus de pomme, pain et confitures maison). Table d'hôtes entre 20 € et 28 €, apéro, vin et café compris. Cuisine recherchée et originale à tendance régionale. Une adresse nature, et croyez-nous, ici on la défend ! *NOUVEAUTÉ.*

Accès : dans le village, prenez la direction du cimetière pdt 1 212 m et vous y êtes !

JENLAIN   59144

Carte régionale B2

55 km SE de Lille ; 10 km SE de Valenciennes

€€€ 🏠 ⑩﹪ **Chambres d'hôtes Le Château d'en Haut (Marie-Hélène et Michel Demarcq) :** 20, route Nationale. ☎ 03-27-49-71-80. 📱 06-79-82-02-96. ● chateau denhaut@free.fr ● chateaudenhaut.free. fr ● Il est prudent de réserver, car c'est souvent plein, et d'arriver entre 18h et 20h. 📶 Superbe petit château du XVIIIe s, entouré d'un joli parc de 2 ha magnifique-ment entretenu. Cinq chambres d'hôtes plus ravissantes les unes que les autres, avec des meubles d'époque et des toiles partout (Michel est un grand amateur de peinture), toutes avec salle d'eau ou salle de bains. Selon la chambre, de 72 à 92 € pour 2, petit déj compris. Ambiance musi-que classique pour le petit déj (harpe et clavecin, histoire de coller à l'époque de la demeure). Goûtez la célèbre bière de Jen-lain (l'abus d'...). Une très bonne adresse.

Accès : A 2, sorties n°s 22a ou 24, en direction de Le Quesnoy jusqu'à Jenlain ; la maison est située au n° 20 de la grande rue du village, en face de la route qui va vers Maubeuge.

LEDERZEELE   59143

Carte régionale A1

30 km S de Dunkerque ; 10 km N de Saint-Omer

€€ 🏠 ⑩﹪ **Chambres d'hôtes La Ferme des Capucines (Christian et Dominique Mentel) :** 9, route de Watten. ☎ 03-28-62-40-88. 📱 06-80-35-17-41. ● christian.men tel@wanadoo.fr ● christian.mentel.free. fr ● 📶 Christian a décidé de lâcher le milieu bancaire pour ouvrir 4 chambres d'hôtes dans cette ancienne ferme typiquement flamande. Dans les dépendances, une grande pièce lumineuse avec deux escaliers qui mènent chacun à 2 chambres. Elles sont sympas, mansardées et colo-rées. Sanitaires privés. 65 € pour 2, petit déj compris. L'originalité de la maison ? Christian y a recréé un véritable estami-net dans le souci du détail et en utilisant tous les souvenirs de famille. Ambiance et atmosphère chaleureuse à souhait. Une adresse pour plonger au cœur de la culture et des traditions de la région.

Accès : autoroute Lille-Dunkerque, sortie Bergues, puis direction Socx-Bissezeele et Zegerscappel ; à Lederzeele, 1re à droite après la station-service.

NORD-PAS-DE-CALAIS

LILLE-HELLEMMES 59260

Carte régionale B1

3 km E de Lille-centre

€€€ **Chambres d'hôtes Au Troubadour (Françoise Delerue et François Legris) :** *160, rue Faidherbe.* ☎ 03-20-47-74-32. 📠 06-72-68-63-82. ● autroubadour@yahoo.com ● autroubadour.com ● 🛜 Dans une petite commune associée à Lille, maison en brique des années 1930. Ancienne prof de musique, Françoise a décidé de changer de voie... Trois chambres coquettes installées au 1er étage, décorées sur des thèmes différents. Il y a « Musique » bien sûr, avec de vieux instruments (tambour et caisse claire en guise de tables de chevet), mais aussi « Voyage » et « Danse », plus grande et plus chère. Comptez 69 et 77 € pour 2, petit déj compris, servi dans une agréable véranda qui ouvre sur le jardin avec tout au fond : le poulailler ! Accueil chaleureux. Une bonne adresse pour découvrir Lille. *NOUVEAUTÉ.*

Accès : *à 400 m de la station de métro Hellemmes (ligne 1).*

MAROILLES 59550

Carte régionale B2

45 km SE de Valenciennes ;
12 km O d'Avesnes-sur-Helpe

€€ **Chambres d'hôtes Vert Bocage (Marie-France Vilbas) :** *555, rue des Juifs.* ☎ 03-27-77-74-22. 📠 06-30-39-46-39. ● vert-bocage@live.fr ● Au cœur du village où votre nez fleurera bon la flamiche, ancienne ferme du XVIIIe s, tout en brique. Marie-France était institutrice et, avec Jean-Noël, ils participent activement à la vie associative de Maroilles. Quatre grandes chambres installées au 1er étage d'une partie indépendante, bien au calme, dont deux composées de 2 chambres pour familles ou amis. Sanitaires privés. Atmosphère lumineuse, coquette et colorée. Salon avec bibliothèque bien fournie. Grande salle à manger, où siège un poêle qui réchauffe l'ambiance s'il en était encore besoin. 65 € pour 2, petit déj compris. Accueil chaleureux, pour bébé aussi, avec tout le matériel à dispo (lit, chaise haute, matelas à langer...). Un bon petit resto dans le village. Au fait, Maroilles est aussi réputé pour son église du XVIIIe s (classée), sa course du 1er mai et sa brocante du 3e dimanche de juin... Qu'on se le dise !

Accès : *exactement à 555 m du centre du village en direction de Locquignol.*

MILLAM 59143

Carte régionale A1

30 km S de Dunkerque ;
16 km N de Saint-Omer

€€€ 🛏 |●| (10 %) **Chambres d'hôtes La Ferme des Saules (Cathy et Jean-Bernard Leduc) :** *337, rue de l'Église.* ☎ 03-28-68-05-32. 📠 06-03-52-72-89. ● la-ferme-des-saules@wanadoo.fr ● a-la-ferme-des-saules.fr ● 🐾 🛜 Au cœur du village, ancienne ferme en brique aux volets bleu et blanc avec cour intérieure. Quatre chambres coquettes, cosy et bien au calme, dont 3 installées dans une aile indépendante (nos préférées) ; la dernière, dans la maison des proprios, est composée de 2 chambres pour les familles, avec petit salon. Spacieux sanitaires privés. De 75 à 85 € pour 2, petit déj compris, et 125 € pour 4. Table d'hôtes de 22 à 25 €, apéro, vin et café compris. Cuisine à tendance régionale. Accueil convivial.

Accès : *A 26 Paris-Calais sortie n° 3 Saint-Omer puis D 800 vers Dunkerque ; passez plusieurs ronds-points et prenez direction Millam ; passez Millambac et, dans Millam, vous trouverez la maison à droite, 500 m avt l'église.*

RANG-DU-FLIERS 62180

Carte régionale A2

45 km S de Boulogne-sur-Mer ;
5 km E de Berck

€€€ 🛏 **Chambres d'hôtes Bienvenue au Tortillard (Brigitte et Hubert Couplet) :** *240, rue Jules-Chochoy.* ☎ 03-21-84-15-92. 📠 06-84-39-08-60. ● couplet@letortillard.com ● letortillard.com ● *Fermé 1er-15 juin.* 🛜 Ancienne grange installée le long de la voie ferrée (aujourd'hui fermée) où circulait le tortillard (d'où le nom !) qui a permis le développement de la ville. Quatre chambres d'hôtes charmantes, décorées avec goût sur des thèmes différents. On aime bien la chambre « Le Train » avec ses vieilles cartes postales des gares environnantes (de plain-pied avec accès direct sur le jardin), mais aussi « La Mer » (plus chère et à l'étage), ravissante, très vaste, douillette et mansardée. « La Ferme » est pour les familles avec ses 2 chambres (dont une à l'étage). La dernière s'appelle « Les Chevaux ». Sanitaires privés. Selon la chambre, de 70 à 88 € pour 2, petit déj compris (nombreux produits maison), et 116 € pour 4. Dehors, la campagne est belle et vous profiterez du parc animalier (chèvres, oies et poules). Pas de table d'hôtes, premier resto à 5 km, à Cucq. À 5 km, plages de

Berck et de la baie d'Authie avec ses phoques. Accueil chaleureux. *NOUVEAUTÉ*.

Accès : *dans le village, au rond-point avec la charette, prenez la rue de l'Arrêt puis à droite la rue Maxime-Garson puis encore à droite la rue Jules-Chochoy.*

RIBÉCOURT-LA-TOUR 59159

Carte régionale B2

10 km SO de Cambrai

€€ 🏠 10% ***Chambres d'hôtes Le Clos Xavianne (Anne et Xavier Leriche) :*** 20, rue de Marcoing. ☎ 03-27-37-52-61. 📱 06-08-93-78-56. ● leclosxavianne@gmail.com ● leclosxavianne.fr ● 🛜 Grande ferme en activité tout en brique, avec immense cour intérieure. Dans une dépendance, 3 chambres coquettes avec sanitaires privés : une au rez-de-chaussée, les 2 autres à l'étage, dont une plus grande (plus chère). 70 € pour 2, petit déj compris. Pas de table d'hôtes mais coin cuisine à disposition. Anne et Xavier font partie de l'Association des parcs et jardins, et croyez-nous, le leur vaut vraiment le coup d'œil ! D'ailleurs, les plantes n'ont plus de secret pour le maître des lieux, qui se fait un plaisir de partager ses connaissances avec ses hôtes. Il a aussi créé un petit musée d'outils agricoles. Accueil convivial.

Accès : *Ribécourt se trouve sur la D 917 entre Cambrai et Péronne ; la maison est au cœur du village.*

RIEULAY 59870

Carte régionale B2

15 km E de Douai ;
5 km S de Marchiennes

€€ 🏠 ▮●▮ ***Chambres d'hôtes de la Scarpe (Brigitte et Michel Birot) :*** 10, rue de Caby. ☎ 03-27-95-27-89. 📱 06-62-54-12-31. ● b.birot@orange.fr ● lamaisondhotesdelascarpe.fr ● ♿ Fermé janv-fév. 🛜 Si côté rue la maison n'est guère différente de toutes les autres, côté jardin vous découvrirez un magnifique domaine de 5 ha, bucolique à souhait ! D'abord le jardin de Michel avec tous les légumes et les fleurs, puis on part dans la nature pour découvrir les mares et un étang sauvage où vous pourrez taquiner le poisson si vous avez votre matériel. Côté chambres, ce n'est pas mal non plus ! Elles sont charmantes, parées de fresques des oiseaux du coin. Sanitaires privés. « Martin Pêcheur » est pour 2 personnes,

« Chouette » pour 4 et « Pic Épeiche » pour 6. Comptez 62 € pour 2, 115 € pour 4 et 162 € pour 6 avec le petit déj (attention, à 2 dans la chambre de 4 ou de 6, c'est plus cher). Table d'hôtes partagée en famille à 20 €, apéro et vin compris. Cuisine familiale et régionale avec les volailles maison et légumes du jardin en saison. Accueil chaleureux. Une excellente adresse. *NOUVEAUTÉ*.

Accès : *sur l'autoroute entre Douai et Valenciennes, sortie Somain-Dessesvalle ou Vred selon d'où vous venez, puis Rieulay ; la maison est sur la route principale en direction de Marchiennes.*

ROSULT 59230

Carte régionale B2

19 km NO de Valenciennes ;
5 km O de Saint-Amand-les-Eaux

€€ 🏠 ***Chambres d'hôtes La Vache Rousse (Brigitte et Jean-Bernard Cailleau) :*** 84, rue du Riez. ☎ 03-27-92-85. 📱 06-89-54-44-75. ● contact@lavacherousse.com ● lavacherousse.com ● C'est une ancienne ferme située dans le village, qui abrite 3 chambres avec accès indépendant de plain-pied. Atmophère d'autrefois avec nombreux meubles anciens et objets chinés. Sanitaires privés. 65 € pour 2, petit déj compris, servi dans un incroyable salon genre estaminet avec vieux flipper, juke-box, babyfoot et une foultitude de bibelots. Accueil agréable. *NOUVEAUTÉ*.

Accès : *A 23 sortie n° 3, puis direction Saint-Amand centre ; au feu tricolore, prenez à gauche puis 2 fois à droite.*

SAINT-HILAIRE-SUR-HELPE 59440

Carte régionale B2

45 km SE de Valenciennes ;
2 km NO d'Avesnes-sur-Helpe

€€ 🏠 ▮●▮ ***Chambres d'hôtes Les Mout'ânes (Barbara et Stéphane Symond) :*** 1, rue du Château-Gaillard. ☎ 03-27-60-18-12. 📱 06-78-69-51-05. ● stephane.symond@wanadoo.fr ● les moutanes.fr ● 🛜 En pleine campagne, avec un joli point de vue sur le village tout proche, ferme en brique où Barbara et Stéphane élèvent des moutons, ainsi que des ânes pour la randonnée. Trois chambres de plain-pied, spacieuses et confortables, avec sanitaires privés. De

67 à 69 € pour 2, petit déj compris. Il est servi dans une chaleureuse cuisine-salle à manger. Table d'hôtes partagée en famille à 27 €, apéro maison, vin et café compris. Cuisine goûteuse avec des produits régionaux et légumes du jardin en saison. Vous êtes dans le parc régional de l'Avesnois, à quelques encablures de Maroilles, aussi les randonnées sont nombreuses et Stéphane propose une découverte du coin avec un âne. Accueil vraiment chaleureux. Une adresse pour redécouvrir le sens du mot « vrai »... En bref, on aime ! *NOUVEAUTÉ.*

Accès : d'Avesnes-sur-Helpe, D 951 vers Aulnoye-Aymeries jusqu'à Saint-Hilaire que vous traversez ; après le pont de l'Helpe, tournez à gauche, la maison est à 400 m.

SÉMERIES   59440

Carte régionale B2

45 km SE de Valenciennes ;
5 km E d'Avesnes-sur-Helpe

€€ 🏠 *Chambres d'hôtes (Nadine et Didier Touban) :* Zorées. ☎ 03-27-59-80-26. 📱 06-85-97-80-37. ● didier.toubon5@libertysurf.fr ● gite-prop.com/59/4701 ● 📶 Dans un joli coin de campagne, ancienne ferme que Didier exploitait. À la retraite, il a décidé de se lancer avec Nadine dans le tourisme. Dans deux ailes indépendantes de la maison, à l'étage, 4 chambres colorées avec sanitaires privés. 68 € pour 2, petit déj compris, servi dans une grande véranda qui ouvre sur la nature. Pas de table d'hôtes mais coin cuisine à disposition. Pour vous détendre, un espace spa avec jacuzzi et sauna (supplément

de 15 € par personne). Accueil convivial. *NOUVEAUTÉ.*

Accès : d'Avesnes-sur-Helpe, D 951 vers Sains-du-Nord pdt 4 km puis à droite vers Zorées et suivre le fléchage (n'allez pas à Sémeries).

TOURCOING   59200

Carte régionale B1

8 km N de Lille

€€€ 🏠 *Chambres d'hôtes Le Jardin d'Alix (Alexandra Hudson et Patrick Picouet) :* 45 bis, av. de la Marne. ☎ 03-20-36-72-08. 📱 06-70-72-88-78. ● alexandra.hudson@ymail.com ● lejardindalix.com ● 📶 Au Jardin d'Alix, on aime les livres, la peinture et bien sûr, les jardins. Maison de maître au cœur d'un parc privé. Deux belles chambres qui répondent aux doux noms de « Chagall » et « Matisse », la plus grande sous forme de suite avec petit salon attenant, qui peut accueillir 4 personnes. Sanitaires privés. De 70 à 85 € pour 2, petit déj compris (confitures, brioches, pain, pâtisseries, yaourts, fruits frais... majoritairement des produits maison !), et 100 € pour 4. Coin cuisine à disposition. Le tram tout proche vous permettra de rejoindre Lille en 15 mn pour découvrir ses trésors (le Vieux Lille, une visite qui s'impose !). Plusieurs restos à proximité, pour tous les goûts et tous les budgets. Accueil chaleureux et de qualité. Une adresse qu'on aime bien.

Accès : A 25 sortie n° 12 Marcq-en-Baroeul, puis à droite N 356 vers Mouvaux.; au Courtepaille, prenez à droite la latérale, passez la mairie de Mouvaux ; c'est la 1re entrée à droite après le panneau « Tourcoing » ; suivez l'allée de droite.

Basse-Normandie

Haute-Normandie

Manche (50)

Calvados (14)

Orne (61)

Bretagne

Pays de la Loire

ANNEBAULT   14430

Carte régionale B1

35 km E de Caen ; 14 km SE de Cabourg

€€ 🏠 10% ***Chambres d'hôtes Les Normandines (Barbara et Franck Jud) :*** *chemin du Bocage.* ☎ 09-65-02-37-18. 📱 06-80-58-19-20. ● *lesnormandines@orange.fr* ● *lesnormandines.com* ● 📶 En pleine campagne, ancienne longère à colombages indépendante de leur maison, dans laquelle Barbara et Franck ont aménagé 3 chambres agréables, dont 2 familiales installées au 1er étage et composée de 2 espaces chambres. La dernière au rez-de-chaussée ouvre sur le jardin, idéale si vous êtes 2. Comptez 70 € pour 2, 80 € pour 3 et 13 € par personne supplémentaire, petit déj compris (confitures et viennoiserie maison). Pas de table d'hôtes mais une bonne crêperie dans le village. Franck donne des cours de batterie, alors, si vous êtes musicien, dévoilez-vous... Première plage à Villers-sur-Mer, à 10 km.

Accès : *A 13 sortie n° 29 La Haie-Tondue, puis allez jusqu'à Annebault ; à l'entrée du village, D 45 direction Lisieux et 500 m après la sortie du bourg prenez route à droite que vous suivez sur 2 km.*

BANVILLE   14480

Carte régionale B1

20 km N de Caen ; 17 km NO de Bayeux

€€ 🏠 ***Chambres d'hôtes Ferme Le Petit Val (Gérard Lesage) :*** *24, rue du Camp-Romain.* ☎ et fax : 02-31-37-92-18. 📱 06-87-03-85-52. ● *fermelepetitval@wanadoo.fr* ● *ferme-le-petitval.com* ● *Résa conseillée, l'adresse est connue.* 📶 Dans un joli corps de ferme du XVIIIe s en pierre de Caen, 5 coquettes chambres avec sanitaires privés : 2 dans la maison des proprios et 3 (dont une suite) dans un bâtiment annexe. De 63 à 72 € pour 2, avec le petit déj, et 25 € par personne supplémentaire. Banville est un petit village très agréable, situé à 3 km des plages. Creully, qui est tout à côté, vaut aussi une petite halte pour son château (miraculeusement préservé des bombardements) et son église. Vélos et aire de pique-nique avec barbecue à disposition. Encore une très gentille adresse et un bon rapport qualité-prix-convivialité.

Accès : *de Caen, prenez le périphérique nord vers Courseulles et Douvres (D 7) ; dans Courseulles prenez la direction de Creully et passez par Banville.*

BARNEVILLE-CARTERET   50270

Carte régionale A1

36 km SO de Cherbourg

€€ 🏠 ***Chambres d'hôtes La Tourelle (Gérard Lebourgeois) :*** *5, rue du Pic-Mallet.* ☎ 02-33-04-90-22. 📱 06-88-71-97-97. *Fermé en janv.* Belle maison de village dans laquelle Gérard a aménagé 3 chambres d'hôtes dans une dépendance de la

---

Nous vous rappelons que la table d'hôtes est le complément d'une formule d'hébergement (chambre d'hôtes, gîte d'étape...). Ce service n'est offert qu'aux personnes qui dorment sur place (excepté lorsqu'il est clairement écrit « ouvert aux extérieurs »).

BASSE-NORMANDIE

MANCHE

- **Honfleur**   Adresses
- ○ Cherbourg   Villes repères

maison. Sanitaires privés avec douche ou bains. De 58 à 60 € pour 2, avec le petit déj. Gérard prend grand soin de ses hôtes, prépare des crêpes, va chercher des croissants chauds, met de la dentelle sous les tasses, sans oublier de leur faire goûter les excellentes confitures maison. Un vrai bonheur !

Accès : *dans le bourg, sur le côté gauche de l'église.*

BAYEUX   14400

Carte régionale A1

30 km NO de Caen

€€€€€ 🏠 ***Chambres d'hôtes Hôtel Poppa (Sophie et Philippe Berruer) :*** *32, pl. Charles-de-Gaulle.* ☎ *02-31-22-41-90.* 📱 *06-87-14-74-21.* ● *contact@hotel-poppa.com* ● *hotel-poppa.com* ● *Fermé janv-fév.* 📶 Le Grand Charles a sûrement dû apprécier qu'on donne son nom à cette magnifique place bordée de 150 tilleuls et de charmantes demeures bourgeoises. Au centre de la place, la fontaine que domine Poppa, ou Popée, seconde épouse de Rollon (viking qui devint le premier duc de Normandie) et mère de Guillaume Longue Épée qui devint le second. La maison de Sophie et Philippe porte son nom. Elle est élégante et classée « Hôtel particulier » parmi 70 autres. Quatre superbes chambres, qui se différencient par la taille, mais surtout par la vue. Si vous avez les moyens, la n° 1, avec ses trois orientations, sa belle hauteur sous plafond, sa vue sur la cathédrale, la place et le jardin, et sa grande salle de bains au damier noir et blanc est à 160 € pour 2, petit déj compris. La n° 2, à 140 €, nous a séduit pour la vue ; puis la n° 3 avec son petit salon à 115 €, et enfin la n° 4 à 95 € qu'on a beaucoup aimé (salle d'eau ouverte et w-c séparés) est idéale si vous êtes moins en fonds, car quelle que soit la chambre, le charme est là et l'espace aussi. Piano accordé. Joli jardin intérieur clos avec de nombreuses essences. Accueil de qualité. Une adresse pour séduire sa dulcinée.

Accès : *au centre de Bayeux, en suivant la signalisation de la sous-préfecture.*

BEUVRON-EN-AUGE   14430

Carte régionale B2

26 km E de Caen ; 14 km S de Cabourg

€€€€€ 🏠 |●| ***Chambres d'hôtes Le Pavé d'hôtes (Sophie Groult) :*** *Le Bourg.* ☎ *02-31-39-39-10.* ● *info@pavedhotes.com* ● 📶 Dans ce très beau village médiéval, classé parmi les plus beaux de France, maison normande rénovée avec beaucoup de charme. 4 chambres contemporaines mais dont on a su garder le caractère : douche à l'italienne, pierre, beaux matériaux. Selon chambre et saison, de 88 à 134 € pour 2, petit déj compris. Ce dernier, copieux et cuisiné (compotée de pommes...), est à la hauteur de l'ensemble. Accueil adorable de Sophie. Et bien sûr pour vous restaurer sur place, le restaurant étoilé « le pavé d'Auge » pour découvrir la cuisine de Jérôme Bansard. Notre adresse charme et gastronomie. *NOUVEAUTÉ.*

Accès : *au cœur du village.*

BLAINVILLE-SUR-MER 50560

Carte régionale A1

40 km O de Saint-Lô ;
12 km O de Coutances

€ 🏠 **⑩%** ***Chambres d'hôtes (Robert Sebire) :*** *Village-Grouchy, 11, rue du Vieux-Lavoir.* ☎ *et fax : 02-33-47-20-31.* ● *jr.sebire@free.fr* ● *jr.sebire.free.fr* ● 📶 Au cœur de Blainville, dans une petite impasse au calme, jolie maison en pierre et granit du XVIIe s. Au 1er étage, 5 chambres avec sanitaires privés : 3 ouvrent sur le jardin avec le golf en fond de décor, les 2 autres (dont une familiale) sont orientées côté cour. Déco sobre et élégante. 50 € pour 2, petit déj compris, et 12 € par personne supplémentaire. Robert a beaucoup voyagé et continue dès qu'il le peut à partir en escapade à travers le monde (ah, qu'est-ce qu'on aime parler voyage... on n'se refait pas !). Pas de table d'hôtes, mais cuisine d'été à disposition et petits restos à proximité. Accueil sympa. La plage est à 1 km et ils vous prêtent même les vélos. Bon rapport qualité-prix-convivialité.

Accès : *de Coutances, empruntez la D 44 en direction de Coutainville, puis la D 650 vers Blainville ; dans le bourg prenez la direction d'Agon-Coutainville, puis à droite la rue Village-Grouchy, puis celle du Vieux-Lavoir.*

BOËCE   61560

Carte régionale B2

31 km E d'Alençon ;
6 km O de Mortagne-au-Perche

€€ 🏠 |●| 🏛 ***Chambres d'hôtes La Maison Pervenche (Gilles Colard) :*** *1, Le Petit-Boëce.* ☎ *02-33-83-05-16.* ● *maisonper*

venche@hotmail.com • pagesperso-orange.
fr/maison.pervenche •Fermé 25-31 déc.
Quatre chambres toutes différentes, installées sous les toits, joliment décorées, avec
vue sur le jardin fleuri de Gilles, ancien fleuriste de son état. Comptez 64 € pour 2, petit
déj compris, servi dans une grande salle.
Possibilité de table d'hôtes, sur réservation,
à 23 € tout compris. Cuisine du terroir avec
les produits du jardin. Sourire, accueil et
gentillesse au rendez-vous.

*Accès : de la N 12, prenez la sortie
Boëce-La Mesnière et suivez Boëce ; après
le stop, c'est le chemin juste en face.*

BONNEBOSQ   14340

Carte régionale B1

38 km E de Caen ; 18 km NO de Lisieux

€€ 🏠 **Chambres d'hôtes Le Manoir de
Champ-Versant (Céline et David Letré-
sor) :** ☎ 02-31-65-11-07. 📱 06-14-28-98-
20. Fax : 02-31-64-73-20. • celine.letre
sor@gmail.com • *Résa le plus tôt possible,
car vous ne serez pas les seuls à vouloir y
dormir.* 📶 Manoir augeron du XVIᵉ siècle, à
l'intérieur rustique. Deux chambres agréables avec sanitaires privés, à 68 € pour 2,
avec le petit déj. Accueil convivial.

Accès : suivez le fléchage depuis le village.

BRICQUEVILLE-
SUR-MER   50290

Carte régionale A2

*12 km NE de Granville ;
11 km S de Regnéville-sur-Mer*

€€ 🏠 ⛺ **Chambres d'hôtes (Odile et
Jean-Pierre Torchio) :** 32, route des
Salines. ☎ 02-33-51-77-59. 📱 06-77-25-
45-03. • odile.torchio@wanadoo.fr • *Ouv
juin-sept (sf 15-31 juil) ; sur résa le reste de
l'année.* 📶 La bleue, la rose... et pour une
famille, on adjoint la verte à la rose. Des nids
tout frais, dotés d'une jolie salle de bains,
petite mais pratique. 53 € pour 2, petit déj
compris, et 20 € par personne supplémentaire. Le petit déj et l'apéro de bienvenue sont
servis dans le décor hétéroclite (bar de récup)
d'une salle riante et lumineuse avec baies
ouvrant d'un côté sur les champs, de l'autre
sur le jardin soigné. Accueil des plus convivial, avec, pour une fois glisseront certains,
un monsieur plus bavard que Madame !

*Accès : de Bricqueville, suivez la direction
des Salines, prenez la route face au resto La
Passerelle, puis le 2ᵉ chemin à droite.*

CAHAGNES   14240

Carte régionale A1

*32 km SO de Caen ;
30 km SE de Saint-Lô*

€€ 🏠 (10 %) **Chambres d'hôtes (Marie-
Thérèse et Joseph Guilbert) :** Le
Mesnil-de-Benneville. ☎ 02-31-77-58-
05. • ferme.benneville@wanadoo.fr • *Ouv
début avr-fin oct.* Au cœur du bocage normand, dans une grande ferme recouverte
d'ampélopsis, avec un beau jardin fleuri.
Deux chambres avec sanitaires privés à
l'étage de l'habitation des proprios, à 45 €
pour 2, petit déj inclus. Accueil chaleureux.
Une adresse nature.

*Accès : de Caen, A 84 en direction du Mont-
Saint-Michel, sortie nº 42, puis D 675 sur
2 km et fléché à droite.*

CATTEVILLE   50390

Carte régionale A1

*40 km S de Cherbourg ;
6 km SO de Saint-Sauveur-le-Vicomte*

€€ 🏠 (10 %) **Chambres d'hôtes
Domaine du Haul (Mélanie Marande) :**
☎ et fax : 02-33-41-64-69. • contact@
domaine-du-haul.com • *domaine-du-
haul.com* • 📶 Au cœur du parc régional
des marais du Cotentin, ferme du milieu
du XIXᵉ s recouverte d'ampélopsis. Au
1ᵉʳ étage, 3 chambres avec sanitaires
privés, à 62 € pour 2, avec le petit déj.
Salle de jeux avec billard, baby-foot, ping-
pong, etc. Mélanie et Jérôme élèvent des
chevaux pour les concours, ils ont donc
beaucoup de prés autour de chez eux, et
dans l'un d'eux, ils ont installé une petite
hutte près d'un étang où l'on peut admirer
les oiseaux, taquiner le gardon (matos de
pêche à disposition), voire pratiquer la
chasse en saison. Des chemins de randonnée sillonnent le domaine. La première
plage, à Denneville, est à 9 km. VTT à disposition. Accueil décontracté et nature.

*Accès : sur la D 900 entre Saint-Sauveur et
La Haye-du-Puits, prenez la D 215 et suivez
le fléchage.*

CAUMONT-L'ÉVENTÉ 14240

Carte régionale A1

*35 km SO de Caen ;
11 km O de Villers-Bocage*

€€€€ 🏠 ⑩ (10 %) **Chambres d'hôtes
Les Champs Français (Adeline et**

BASSE-NORMANDIE

Bertrand Merot) : 1, rue des Champs-Français. ☎ 02-31-37-38-35. ▯ 06-62-17-50-60. ● adeline.merot@gmail.com ● les-champs-francais.fr ● Fermé début jan. à fin mars. ☏ Dans le bourg mais au calme, belle et grande demeure de la fin du XIXᵉ s qui jouit d'un magnifique panorama sur les environs. Quatre chambres d'hôtes spacieuses à l'atmosphère sereine, une au rez-de-chaussée, les 3 autres à l'étage, dont une familiale composée de 2 chambres. Sanitaires privés. On aime bien « Églantine », vaste, lumineuse avec sa jolie vue. Selon la saison, de 87 à 97 € pour 2, petit déj compris, 138 € pour 4. Espace TV et wifi. Table d'hôtes à 30 €, vin compris. Souvent cuisine normande avec des produits locaux, mais aussi auvergnate, antillaise... Eh oui, Adeline et Bertrand ont beaucoup voyagé. Accueil convivial.

> **Accès :** A 84 Caen-Rennes, sortie nº 42 ; dans le bourg, après la poste que vous laissez à droite, c'est la 1ʳᵉ petite rue à droite.

CERISY-LA-SALLE   50210

Carte régionale A1

25 km SO de Saint-Lô ;
15 km E de Coutances

€€ ▥ **Chambres d'hôtes Hôtel Goffêtre (Nadine et Guy Osouf) :** ☎ 02-33-46-83-17. ▯ 06-86-24-39-52. ● gosou@wanadoo.fr ● hotelgoffetre.fr ● ☏ Vous êtes sur le domaine du sieur Goffêtre ! Si sa demeure a été détruite par les Allemands pendant la Seconde Guerre mondiale, les dépendances sont toujours là et la maison de Nadine et Guy se trouve dans l'ancien pressoir. Au rez-de-chaussée de celui-ci, une première chambre nommée « Clair de lune ». Un bel escalier en pierre vous emmène aux 2 autres chambres, « Papillons » et « Bambous », situées au 1ᵉʳ étage. Déco agréable et coquette agrémentée de motifs peints par les enfants de la maison. 60 € pour 2, petit déj compris. Pas de table d'hôtes mais coin cuisine à disposition et plusieurs restos à proximité. Nadine travaillait au conseil général, dans l'équipe chargée de la conservation des antiquités et objets d'art... Aussi, comptez sur elle pour vous donner de bons tuyaux pour découvrir la région ! Accueil convivial.

> **Accès :** sur la D 972 entre Coutances et Saint-Lô, prenez direction Cerisy-la-Salle ; dans le village, D 52 vers Belval-gare sur 1,5 km, la maison est sur la gauche.

COURSON   14380

Carte régionale A2

36 km NE d'Avranches ; 15 km O de Vire

€ ▥ ●|●| ⚲ **Chambres d'hôtes (Élisabeth et Daniel Guezet) :** La Plaine-Postel. ☎ et fax : 02-31-68-83-41. ▯ 06-63-21-09-87. ● daniel.guezet@wanadoo.fr ● chambresdhotes-guezet.com ● ⚲. Dans une ferme du bocage en pierre apparente, 5 chambres confortables : 3 avec sanitaires particuliers et 2 avec sanitaires communs. Selon la chambre, de 51 à 56 € pour 2, petit déj inclus. Table d'hôtes à 22 €, tout compris. Repas simples à partir des produits de la ferme. Ne manquez pas la spécialité d'Élisabeth en dessert : le riz au lait à la palette. Billard et étang pour les pêcheurs. Accueil chaleureux.

> **Accès :** de Vire, prenez la D 524 vers Granville ; à Saint-Sever, tournez à droite (D 81) vers Landelles, puis suivez les panneaux « Chambres d'hôtes ».

CRULAI   61300

Carte régionale B2

8 km S de L'Aigle

€€ ▥ **Chambres d'hôtes La Bourdinière (Cécile et Philippe Talpe) :** ☎ et fax : 02-33-24-70-91. ▯ 06-18-70-18-69. ● talpe.labourdiniere@orange.fr ● labourdiniere.fr ● ☏ Grande maison de maître agréablement restaurée. Au 1ᵉʳ étage, 2 chambres, dont une spécialement aménagée pour les familles (5 personnes). Déco champêtre (parquet et meubles anciens). Sanitaires privés. 64 € pour 2, petit déj compris, et 18 € par personne supplémentaire. Philippe est agriculteur et il élève sur place des charolaises. Accueil sympa.

> **Accès :** de L'Aigle, prenez la D 918 vers Longny jusqu'à Crulai ; là, tournez à gauche vers Beaulieu sur 400 m et à gauche vers La Bourdinière.

DOMFRONT   61700

Carte régionale A2

22 km S de Flers ;
21 km O de La Ferté-Macé

€€€ ▥ ●|●| **Chambres d'hôtes Belle Vallée (Victoria et Richard Hobson-Cossey) :** ☎ 02-33-37-05-71. ▯ 07-86-99-53-09. ● info@belle-vallee.net ● belle-vallee.net ● ☏ Cinq chambres, dont 2 suites, dans une belle demeure du XVIIIᵉ s, en pierre et colombages, aménagée dans des teintes boisées, à l'anglaise. Les salles de bains ont un petit côté rétro délicieux, avec des baignoires sur pieds. Selon la chambre, comptez entre 70 et 90 € pour 2, avec un copieux petit déj. Possibilité de table d'hôtes pour 22 €, demi-bouteille de vin comprise. Jardin aménagé pour se reposer et aussi un gîte confortable sur place. Propriétaires adorables.

Accès : à la sortie de Domfront, prenez la D 21 direction Dompierre.

ÉCAJEUL   14270

Carte régionale B1

35 km SE de Caen ;
7 km N de Saint-Pierre-sur-Dives

€€ 🏠 ⓾% **Chambre d'hôtes La Vigne aux Roses (Martine et Alain Danoy) :** l'Église. ☎ 02-31-20-11-34. 📱 06-08-03-12-99. ● alain.danoy@wanadoo.fr ● vigneauxroses.fr ● 📶 Dans un petit village rural, la maison de Martine et Alain est installée dans une aile de l'ancien presbytère, en pierre d'un côté et à colombages de l'autre. Au bout de leur maison, une suite familiale composée de 2 chambres avec sanitaires au rez-de-chaussée. Elle est spacieuse, lumineuse et dégage une atmosphère douillette et romantique. 70 € pour 2, petit déj compris, servi chez les proprios ou dans le jardin aux beaux jours. Pas de table d'hôtes mais plusieurs bons restos à proximité. Accueil convivial.

Accès : sur la D 16 entre Crèvecœur-en-Auge et Saint-Pierre-sur-Dives, prenez la D 47 vers Mézidon-Canon, puis à gauche la D 271 vers Écajeul ; la maison est juste après l'église.

ÉQUILLY   50320

Carte régionale A2

20 km N d'Avranches ;
13 km E de Granville

€€€€€ 🏠 ⦿ **Chambres d'hôtes Le Logis d'Équilly (Christine et Marc Huline) :** ☎ 02-33-61-04-71. ● contact@ lelogisdequilly.fr ● lelogisdequilly.fr ● Fermé 23 déc-4 janv. 📶 Cette seigneurie des XIIIe et XVIIe s a l'ambiance et l'élégance des grandes demeures (escaliers de pierre et cheminées qui en imposent, grand parc avec plan d'eau), mais elle a aussi conservé son caractère rustique et médiéval. Quatre chambres, dont une suite avec 2 chambres séparées par la salle de bains qui plaira aux familles. La « Chambre

de l'amiral », avec ses tapisseries murales et ses lambris de bois sombre, caressera votre ego (on se sent important dans un tel décor !) ; la chambre « Saint-Jacques » conviendra aux romantiques. 140 € pour 2, petit déj compris, et 250 € pour 4. Possibilité de table d'hôtes à 35 €. Ici, ni spa, ni TV écran plasma, on vient avant tout profiter d'une demeure de caractère peu à peu restaurée par ses accueillants propriétaires. Une adresse de charme.

Accès : de Granville, D 924 vers Villedieu-les-Poêles ; au rond-point du Scion, prenez vers Mesnil-Rogues et Gavray, puis 2e route à gauche vers Équilly.

FAVEROLLES   61600

Carte régionale B2

25 km E de Flers ; 25 km O d'Argentan

€ 🏠 ⦿ ⓾% **Chambres d'hôtes (Sylviane et Bernard Fortin) :** Le Mont-Rôti. ☎ et fax : 02-33-37-34-72. 📱 06-60-86-99-65. ● sylvianne.fortin@orange.fr ● En pleine campagne, ancienne ferme abritant 3 chambres à l'étage (dont une familiale composée de 2 chambres), une autre, plus indépendante, avec accès direct sur l'extérieur. Déco simple, mobilier en pin naturel. Sanitaires privés (cabines de douche). 46 € pour 2, petit déj compris, et 12 € par personne supplémentaire. Agréable véranda pour prendre les repas. Bonne table d'hôtes, partagée en famille, à 17,50 €, cidre et vin compris. Accueil souriant, chaleureux et authentique. Une adresse pour redécouvrir le sens du mot vrai !

Accès : sur la D 924 entre Flers et Argentan, au lieu-dit Fromentel, prenez la D 19 vers La Ferté-Macé et fléchage vers Le Mont-Rôti (n'allez pas à Faverolles).

FIERVILLE-LES-MINES 50580

Carte régionale A1

35 km S de Cherbourg ;
6 km E de Barneville-Carteret

€ 🏠 ⦿ ⓾% **Chambres d'hôtes La Chantalière (Otello et Deanna Pedrini) :** hameau Lucas. ☎ et fax : 02-33-03-05-74. 📱 06-09-23-38-56. ● otello.pedrini@club-internet.fr ● lachantaliere.eu ● 📶 Au cœur d'un hameau, ensemble de bâtiments dont une ancienne ferme et une demeure principale qui date du XXe s. Quatre chambres agréables et colorées avec sanitaires privés : une au rez-de-chaussée (notre préférée avec son mur en pierre apparente),

2 au 1er étage, la dernière au second. 49 € pour 2, petit déj compris. La passion d'Otello : son jardin. Vous y découvrirez des essences du monde entier, dont certaines très rares. La plage de Porbail est à 5 km. La maison est un peu en bord de route, mais le trafic est pratiquement inexistant la nuit. Accueil chaleureux teinté par l'accent italien du maître des lieux.

Accès : sur la D 50, entre Bricquebec et Porbail, 1,2 km après le village de Fierville quand on vient de Bricquebec.

FORMIGNY 14710

Carte régionale A1

45 km NO de Caen ;
16 km NO de Bayeux

€€ ⌂ ⌐ (10 %) **Chambres d'hôtes Quintefeuille (Mme Delesalle) :** rue Simonet. ☎ et fax : 02-31-22-51-73. ✆ Fermé déc-janv. Ancienne ferme des XVe et XVIe s avec une immense cour carrée, dans un beau cadre de verdure. Deux chambres agréables, avec sanitaires privés, à 59 € pour 2, petit déj compris (avec confitures et pâtisseries maison, hmm !). Ambiance vieille France, où l'on a l'impression que le temps s'est arrêté, bercé seulement par le tic-tac de l'horloge comtoise de la salle à manger. Accueil agréable. Vous n'êtes qu'à 5 km d'Omaha Beach, la plus célèbre plage du Débarquement.

Accès : de Caen, empruntez la N 13 en direction de Cherbourg ; à la sortie Formigny, prenez la 1re route à droite (D 517) et le 1er chemin à gauche.

GÉFOSSE-FONTENAY 14230

Carte régionale A1

30 km NO de Bayeux ;
6 km N d'Isigny-sur-Mer

€€€ ⌂ (10 %) **Chambres d'hôtes L'Hermerel (Agnès et François Lemarié) :** ☎ et fax : 02-31-22-64-12. ▤ 06-79-44-58-24. ● hermerel@orange.fr ● manoir-hermerel.com ● Ouv 15 mars-11 nov ; sur résa slt en dehors de cette période. 📶 Dans leur manoir du XVIIe s, Agnès et François ont aménagé 4 chambres à la décoration soignée, dont une suite composée de 2 chambres, pour 4 personnes. Chacune dans un style très différent : une familiale, mansardée, une autre aux tons bleu et blanc, très marine... Sanitaires privés. 80 € pour 2, petit déj compris, et 25 € par lit supplémentaire. Dans la cour, un vieux

pigeonnier et une sublime petite chapelle du XVe s. Grand jardin-verger d'agrément.

Accès : fléchage depuis la route de Grandcamp/Maisy.

GÉMAGES 61130

Carte régionale B2

15 km O de Nogent-le-Rotrou ;
12 km S de Bellême

€€€€ ⌂ |●| **Chambres d'hôtes Le Moulin de Gémages (Anna, Nicolas et Ivan Iannaccone) :** ☎ 02-33-25-15-72. Fax : 02-33-25-18-88. ● info@lemoulin degemages.com ● lemoulindegemages.com ● 📶 Joli moulin à eau partiellement reconstruit, au milieu d'un domaine de 15 ha. Dans les dépendances superbement restaurées (murs en chaux et chanvre, vieilles tomettes et poutres apparentes), 5 chambres de 2 ou 3 personnes, avec accès indépendant de plain-pied. Déco et atmosphère champêtres (une préférence pour « Alexandra »). Sanitaires privés. De 90 à 100 € pour 2, petit déj compris. Table d'hôtes, partagée en famille, à 35 €, vin compris. Cuisine à tendance régionale à base de produits fermiers. Ici, vous êtes sur un exceptionnel parcours de pêche à la mouche, entièrement créé par les propriétaires et dont Ivan (le fils) s'occupe avec passion. Pas moins de dix plans d'eau, 3 km de berges et huit espèces de salmonidés ! Si vous êtes un débutant, il vous en coûtera 100 € par demi-journée de formation, matériel fourni ; si vous êtes un pro, comptez 60 € la journée. Également un gîte rural de 6 personnes, installé dans l'ancienne maison du minotier, loué entre 395 et 550 € la semaine et entre 295 et 350 € le week-end selon la saison. Accueil dynamique et souriant.

Accès : sur la D 7 entre La Ferté-Bernard (A 11 sortie n° 5) et Bellême, passez Saint-Germain-de-la-Coudre et suivez le fléchage direction Bellême puis Gémages.

GRANDCAMP-MAISY 14450

Carte régionale A1

30 km NE de Bayeux ;
10 km N d'Isigny-sur-Mer

€€ ⌂ ⌐ (10 %) **Chambres d'hôtes de Létanville (Françoise et Éric Belloche) :** Létanville. ☎ 02-31-51-91-54. ▤ 06-89-44-96-23. ● letanville@orange.fr ● chambresdhotes-bayeux-omaha-ste-mere-eglise.com ● Charmant corps de ferme, clos de murs et de dépendances en pierre. Elle était à l'abandon quand Françoise et Éric en sont devenus les maîtres, et ils la restaurent petit à petit. Trois chambres mignonnettes avec sanitaires privés dont une au rez-de-chaussée, les 2 autres à l'étage. 53 € pour 2, petit déj compris. Pas de table d'hôtes, mais trois bonnes adresses à Grandcamp pour déguster du poisson et des produits frais (Françoise vous confiera sa sélection). Et bien sûr un petit coup d'œil à la traction d'Éric. Accueil chaleureux. Une gentille adresse tout près des plages. Bon rapport qualité-prix-convivialité.

Accès : l'accès au hameau se trouve sur la D 113 à mi-chemin entre La Cambe et Grancamp, à 3,5 km sur la droite (venant de La Cambe).

GRANVILLE   50400

Carte régionale A2

26 km SO de Coutances ;
24 km NO d'Avranches

€€ ⌂ **Chambres d'hôtes Le Logis du Roc (Nadéra et Éric Buckley) :** 13, rue Saint-Michel. ☎ et fax : 02-33-50-75-71. ☐ 06-18-35-87-42. ● contact@lelogisduroc.com ● lelogisduroc.com ● 🛜 Derrière la devanture rouge et fleurie de cette ancienne boucherie de la haute-ville, une charmante adresse, tant dans la déco que pour l'accueil. À chaque palier de l'escalier raide et un peu étroit, une des 3 belles chambres, pimpantes et lumineuses, vous attend. 62 € pour 2, petit déj compris, et 15 € par personne supplémentaire. Confort et atmosphère harmonieuse sont au rendez-vous, et à quelques pas de la maison, une vue à savourer sans modération... Pour ceux qui veulent séjourner, Nadéra propose aussi un appartement pour 2 à 4 personnes (de l'autre côté de la rue) loué entre 250 et 425 € la semaine.

Accès : au cœur de la cité.

HONFLEUR   14600

Carte régionale B1

65 km NE de Caen ;
14 km N de Pont-l'Évêque

€€€€€ ⌂ ⑩% **Chambres d'hôtes Rosebud (Françoise Barberi-Lecesne) :** 72, rue Saint-Léonard. ☎ 02-31-89-15-43. ☐ 06-13-61-37-70. ● contact@rosebudhonfleur.com ● rosebudhonfleur.com ● 🛜 Quand on entre, outre le charme indéniable de cette jolie maison

en brique du début du XIXe s, on est attiré par le magnifique jardin de Françoise où deux palmiers et moult rosiers tiennent une place de choix, mais les essences sont nombreuses. Quatre chambres charmantes installées aux 1er et 2e étages de la maison. Atmosphère romantico-campagnarde, vieilles tomettes ou parquets, et vue sur le pont de Normandie pour certaines. Sanitaires privés. Selon la chambre, de 115 à 135 € pour 2, petit déj compris. Pas de table d'hôtes mais nombreux restos en ville.

Accès : venant de l'autoroute, allez jusqu'au rond-point de la gare routière, prenez la petite rue à gauche (rue Vanier), puis à gauche la rue Saint-Léonard.

LA FEUILLIE   50190

Carte régionale A1

18 km N de Coutances ;
6 km O de Périers

€ ⌂ I●I **Chambres d'hôtes Le Tertre (Chantal Lebrun) :** 3, rue de la Mer. ☎ 02-33-47-94-39. ☐ 06-80-25-00-99. ● gerard.lebrun8@wanadoo.fr ● le-tertre.fr ● 🛜 Dans cette maison de pierre du XVIIIe s, à la façade croquée par le lierre, aux parquets bien cirés, aux lits douillets, au mobilier rustique mais léger et aux grandes fenêtres habillées de longs rideaux, on se sent presque revenu chez grand-mère, pour des vacances à la campagne... Certes, votre pétillante hôtesse ferait une mamie bien jeune ! Cinq chambres avec sanitaires privés, à 56 € pour 2, petit déj compris. Le soir, dans la salle à manger à l'imposante cheminée, Chantal vous régale de bons produits fermiers pour 19 € le repas, tout compris. Quant au jardin et son verger, ils sont de vrais appels à la rêverie.

Accès : à l'église du village, direction Pirou puis 1re maison sur la gauche.

LA PETITE-SIOUVILLE   50340

Carte régionale A1

20 km SO de Cherbourg ;
6 km N des Pieux

€ ⌂ **Chambres d'hôtes (Solange et Pierre Gogibu) :** ☎ 02-33-52-45-15. ● pierre.gogibu@neuf.fr ● lapetitesiouville.com ● 🛜 Maison traditionnelle abritant 2 chambres simples avec de minuscules sanitaires privés à 35 € pour 2, avec le petit déj (une aubaine !). Pas de table d'hôtes, mais un coin cuisine à disposition.

BASSE-NORMANDIE

La maison est un peu en bord de route, mais le trafic est restreint. Accueil authentique et agréable. La plage de Siouville est à 3 km. Mine de rien, des plans comme ça, faut les trouver !

Accès : des Pieux, prenez la D 4 vers Diélette puis Siouville ; laissez Siouville sur la gauche et continuez la D 4, la maison est à l'entrée du hameau.

LE VAST 50630

Carte régionale A1

23 km SE de Cherbourg ;
4 km NO de Quettehou

€€ 🏠 🛏 ⑩% *Chambres d'hôtes La Dannevillerie (Dominique Daviault) :* ☎ 02-33-41-23-22. 📱 06-27-47-47-19. ● ladannevillerie@live.fr ● ladannevillerie. com ● 🛜 Dans une ancienne ferme, 3 chambres calmes et lumineuses ; l'une à l'étage de la maison des proprios, mansardée, les 2 autres avec accès indépendant et ouvrant sur les prés où se trouve Titou, l'ânesse de la maison. L'une est décorée sur le thème de la mer, l'autre sur celui les papillons. Sanitaires privés. Comptez 52 € pour 2, petit déj compris. Avant de partir, n'oubliez pas de passer voir le boulanger du village pour acheter une brioche du Vast, une des plus réputées de la région !

Accès : de Quettehou, prenez vers Barfleur et, à la sortie du bourg, prenez, à gauche, la D 26 vers Le Vast ; faites 4 km et suivez le fléchage à droite.

LES CHAMPS-DE-LOSQUE 50620

Carte régionale A1

16 km NO de Saint-Lô ;
15 km S de Carentan

€ 🏠 |●| *Chambres d'hôtes (Irène et Georges Voisin) :* Les Ronds-Champs. ☎ 02-33-56-21-40. 📱 06-78-11-29-68. ● georgesvoisin@orange.fr ● 🛜 Située dans le parc régional des marais du Cotentin, agréable ferme avec 4 chambres équipées de sanitaires privés, à 45 € pour 2, petit déj compris. Pas de table d'hôtes, mais petite cuisine à disposition. Une adresse chaleureuse à prix doux.

Accès : de Saint-Lô, prenez la D 900 en direction de Périers, puis la D 29 vers Les Champs-de-Losque ; la maison est sur la D 92 avt d'arriver au village.

LIGNEROLLES 61190

Carte régionale B2

30 km SO de Verneuil-sur-Avre ;
10 km NE de Mortagne-au-Perche

€€ 🏠 *Chambres d'hôtes (Marie et Richard Buxtorf) :* Le Bois-Gerboux. ☎ 02-33-83-68-43. 📱 06-72-14-37-11. ● buxtorfgerboux@yahoo.fr ● leboisgerboux.com ● 🛜 En pleine campagne, en lisière du massif forestier du Perche et de la Trappe, ancienne ferme au milieu d'un parc de 2 ha avec deux pièces d'eau. La grange, entièrement réaménagée, abrite aujourd'hui 2 chambres spacieuses pour 3 personnes. Déco soignée, beaux meubles anciens et sols recouverts de jonc de mer. Sanitaires privés. De 65 à 75 € pour 2 et de 80 à 90 € pour 3, petit déj compris, servi dans le jardin aux beaux jours. Si vous aimez les modèles réduits volants, Richard est un passionné et possède un drone. Accueil de qualité.

Accès : de Verneuil, N 12 vers Alençon sur 20 km ; sortez à Tourouvre et prenez la D 32 vers Moulins-la-Marche ; après Bubertré, prenez à gauche la D 273 vers Lignerolles jusqu'au hameau du Bois-Gerboux.

LONGNY-AU-PERCHE 61290

Carte régionale B2

65 km NE d'Alençon ; 30 km S de L'Aigle

€€ 🏠 |●| ⑩% *Chambres d'hôtes L'Orangerie (Édith et Marc Desailly-Fondeur) :* 9, rue du Dr-Vivarès. ☎ 02-33-25-11-78. 📱 06-32-24-60-03. ● desaillyfondeur@orange.fr ● lorangerie.free.fr ● Fermé Noël-Nouvel An. 🛜 Derrière la façade austère de cette maison située au cœur du village, vous découvrirez, dans un beau jardin, un adorable bâtiment aux entourages en brique et aux arcades vitrées, où les sœurs entreposaient les fruits de leur labeur. Au 1er étage, 3 chambres décorées avec goût, où l'on vous accueille avec un poème. Sanitaires privés. 60 € pour 2, petit déj compris. Immense pièce de jour avec une grande table en bois taillée et une imposante cheminée. L'horloge comtoise, la cuisinière traditionnelle et un vieux banc d'écolier complètent le décor. Table d'hôtes, partagée en famille, à 22 €, vin compris. Ici, c'est Marc qui s'active derrière les fourneaux. Goûteuse cuisine régionale avec produits du terroir et légumes du jardin. Ce dernier ouvre sur la petite école de trois classes dont Édith est directrice. Ils ont aussi cinq enfants qui participent activement à l'accueil. Une famille qui n'a pas les deux pieds dans le même sabot (d'écolier bien sûr !). Bon rapport qualité-prix-convivialité.

Accès : de Verneuil-sur-Avre (N 12), prenez la D 841 puis la D 941 vers La Ferté-Vidame puis les D 4 et D 11 jusqu'à Longny ; à l'église, prenez direction Monceaux-au-Perche, c'est en face de la maison de retraite.

LONGUES-SUR-MER   14400

Carte régionale A1

30 km NO de Caen ; 10 km N de Bayeux

€€ 🏠 🐾 ⑩% **Chambres d'hôtes La Ferme de la Tourelle (Wilfrid et Delpine Lecarpentier) :** Fontenailles. ☎ 02-31-21-32-32. 📱 06-03-77-11-27. Fax : 02-31-21-84-84. ● *fermedelatourelle@gmail.com* ● *fermedelatourelle.free.fr* ● *Ouv de mi-mars à mi-nov.* 📶 Cette ferme céréalière fut construite au XVIIe s par les moines de l'abbaye voisine. On retrouve une immense cour carrée, typique du Bessin, avec aujourd'hui une grande pelouse. Les anciennes écuries ont été restaurées et abritent 5 chambres proprettes avec sanitaires privés, ainsi qu'une grande salle commune avec coin cuisine. 55 € pour 2, avec un copieux petit déj accompagné d'originales et délicieuses confitures maison. Accueil agréable.

Accès : de Caen, direction Cherbourg puis Bayeux et D 104 jusqu'à Longues-sur-Mer ; dans le village, au feu, tournez vers Arromanches et 1re à droite vers Fontenailles et fléchage.

MAROLLES   14100

Carte régionale B1

60 km E de Caen ; 10 km E de Lisieux

€ 🏠 🐾 ⑩% **Chambres d'hôtes La Drouetterie (Vicky Gran) :** 1726, route de Courtonne. ☎ et fax : 02-31-62-73-93. ● *ladrouetterie@orange.fr* ● *ladrouetterie. monsite.orange.fr* ● 📶 Dans un joli petit coin de campagne, superbe maison à pans de bois. Deux chambres immenses, dont une plus petite pour les enfants, chacune desservie par un petit escalier extérieur indépendant. TV dans chaque chambre. 50 € pour 2, petit déj compris (confitures et miel maison). Pas de table d'hôtes, mais petit resto à 2 km et nombreux autres à Lisieux pour s'en mettre plein... les yeux (facile !).

Accès : sur la N 613 entre Lisieux et Évreux, bifurquez vers Marolles, puis prenez la D 75b vers Courtonne-la-Meurdrac et suivez le fléchage « La Drouetterie ».

MONTFARVILLE   50760

Carte régionale A1

30 km E de Cherbourg ; 2 km S de Barfleur

€€€ 🏠 ⑩% **Chambres d'hôtes Clémasine (Dominique et Patrick Gancel) :** 49, rue de la Grand'Ville. ☎ 02-33-22-08-63. 📱 06-83-12-25-85. ● *patrick. gancel@aliceadsl.fr* ● *clemasine.fr* ● *Fermé 24 déc-2 janv.* 📶 Ancienne ferme tout en granit dont les origines remontent au XVIIe s. Si l'extérieur a conservé son caractère originel, l'intérieur se veut résolument moderne et lumineux. Quatre chambres élégantes avec sanitaires privés : 2 au 1er étage de la maison avec mezzanine pouvant accueillir une personne supplémentaire, 2 autres pour 4 personnes avec mezzanine et accès direct sur le jardin. Selon la chambre et la durée du séjour, de 75 à 95 € pour 2, petit déj compris, et de 20 à 25 € par personne supplémentaire. Dominique propose régulièrement des cours et des stages de patchwork. Pas de table d'hôtes mais un petit resto sympa dans le village. Une visite à l'église s'impose avec ses fresques peintes par Guillaume Fouace. Première plage à 1 km. Accueil convivial.

Accès : sur la D 902, entre Barfleur et Quettehou, entrez dans Montfarville, laissez l'église sur votre gauche, traversez le village, prenez la 2e route à droite (D 415) puis à gauche (vers la D 1) et aller jusqu'au n° 49.

MONTGARDON   50250

Carte régionale A1

46 km S de Cherbourg ; 3 km SO de La Haye-du-Puits

€€ 🏠 🍴 🐾 **Chambres d'hôtes (Nicole et Yves Séguineau) :** Le Mont-Scolan. ☎ 02-33-46-11-27. 📱 06-18-94-29-12. ● *seguineau.yves@orange. fr* ● *Fermé dim.* 📶 Au calme, dans une ferme, 4 chambres d'hôtes agréables au 1er étage de la maison, dont 2 toutes récentes. Sanitaires privés. 60 € pour 2, avec le petit déj (confitures maison, dont une délicieuse potiron-orange). Repas (sauf le dimanche, sur réservation), partagé avec les proprios, pour 23 €, cidre compris, avec, par exemple, rôti de porc à l'andouillette et camembert, lapin au cidre, teurgoule, omelette norvégienne flambée au calva ou pavé au chocolat. Coin cuisine à disposition. La plage de

BASSE-NORMANDIE

Saint-Germain-sur-Ay est à 9 km. Accueil chaleureux.

Accès : de La Haye-du-Puits, prenez la D 136 vers Bretteville, puis tournez à gauche à l'opposé du village sur la D 528 et suivez le fléchage.

REVIERS   14470

Carte régionale B1

18 km N de Caen ; 18 km E de Bayeux

€€€ 🏠 🐴 ⑩% *Chambres d'hôtes La Malposte (Patricia et Jean-Michel Blanlot) :* 15, rue des Moulins. ☎ et fax : 02-31-37-51-29. ● jean-michel. blanlot@wanadoo.fr ● lamalposte. com ● 🛜 Au cœur d'un ravissant village rempli de vieilles maisons, c'est dans deux dépendances d'un joli moulin à eau que Patricia et Jean-Michel vous proposent de séjourner. Ici, les niveaux et accès s'enchevêtrent, permettant de rejoindre le jardin, où court une petite rivière, et 5 chambres élégantes : la chambre jaune et ses tissus écrus (notre préférée), la bleue composée de 2 chambres (pour famille ou amis)... Toutes avec TV et sanitaires privés. 88 € pour 2, petit déj compris, servi dans une agréable salle à manger aux couleurs pastel. Pas de table d'hôtes, mais cuisine à disposition. Accueil jeune et sympa. Si vous êtes de vrais amateurs de voile, Jean-Michel a créé une association de Dragons, des quillards de 8,90 m et de 1,95 m de large pour voile sportive (des bombes !). La cotise est minime. Si vous avez le mal de mer, allez plutôt voir le château de Fontaine-Henry tout proche. De style Renaissance, il appartient à la même famille depuis sa construction (si, si !). Malheureusement, il attire de nombreux touristes (choisissez le jour et l'heure de votre visite). Pour les lézards, première plage à 3 km. Ambiance bucolique et romantique à souhait.

Accès : de Caen, prenez la D 7 puis la D 404 vers Courseulles-sur-Mer ; 3,5 km avt d'y arriver, tournez à gauche au carrefour vers Creully, jusqu'à Reviers ; au rond-point du village, tournez à droite, la maison est un peu plus loin à gauche.

ROULLOURS   14500

Carte régionale A2

4 km E de Vire

€€€ 🏠 🍽️ 🐴 *Chambres d'hôtes Le Domaine des Roches (Josée et Hubert Royer-Schneider) :* lieu-dit Saillofest. ☎ 02-31-69-97-58. 📱 06-42-56-38-85. ● domainedesroches14@ gmai.com ● 🛜 Au bout d'une longue allée bordée de chênes rouges d'Amérique et plantée dans un parc de 1 ha, belle demeure en granit avec tour carrée dont les origines remontent à 1830. Au 2ᵉ étage, 3 chambres élégantes et spacieuses. Sanitaires privés. TV. Déco qui mêle agréablement mobilier contemporain et ancien. On aime bien la chambre « Rubis » dans les tons gris et lie de vin, la plus lumineuse, et « Graphite » dans les tons noir, la plus grande. Comptez 90 € pour 2, petit déj compris. Josée et Hubert ont quitté l'Alsace mais en ont gardé certaines spécialités que la maîtresse mitonne à la table d'hôtes. Mais d'origine normande, elle aime faire découvrir les produits locaux, comme l'andouille. Repas à 32 €, apéro, vin et café compris. Accueil convivial.

Accès : à l'entrée de Vire, venant de Caen, prenez la contournante vers Flers ; lorsque vous arrivez sur la D 524, continuez vers Flers, faites 2,8 km, l'entrée du domaine est sur la droite.

SAINT-AUBIN-DE-TERREGATE   50240

Carte régionale A2

30 km N de Fougères ;
17 km S d'Avranches

€€ 🏠 🍽️ ⑩% *Chambres d'hôtes de la Ferme de la Patrais (Hélène et Jean-Pierre Carnet) :* ☎ 02-33-48-43-13. Fax : 02-33-48-59-03. ● helene. carnet@laposte.net ● fermedelapatrais. com ● 🛜 Dans une ancienne ferme dont les bâtiments agricoles ont été aménagés et restaurés, 5 chambres agréables avec sanitaires privés : 2 au rez-de-chaussée, aux deux extrémités de la maison, très indépendantes, et 3 au 1ᵉʳ étage dont 1 familiale pour 5 personnes. 55 € pour 2, petit déj compris. Repas (sauf le dimanche) à 20 €, vin compris. Autrement, coin cuisine à disposition. Hélène et Jean-Pierre sont agriculteurs (élevage de vaches laitières), et l'exploitation se trouve juste en face de la maison. Accueil authentique et chaleureux.

Accès : de Saint-Aubin-de-Terregate, prenez la direction de Saint-Laurent ; la ferme est à 1,5 km du bourg sur la gauche.

SAINT-BÔMER-LES-FORGES 61700

Carte régionale A2

10 km SO de Flers ; 10 km N de Domfront

€€ ☰ **Chambres d'hôtes La Roculière (Marie-Madeleine Roussel) :** ☎ et fax : 02-33-37-60-60. ▤ 06-74-06-13-00. ● rocsel@orange.fr ● *Fermé entre Noël et le Jour de l'an.* En pleine campagne, une maison de ferme en grosse pierre qui hésite entre la Normandie et la Bretagne. Au 1er étage, 4 chambres pimpantes et bien tenues avec sanitaires privés. Vue sur la campagne environnante. Endroit calme. 53 € pour 2, avec le petit déj. Le vieux four à pain s'est transformé en cuisine d'été, où vous pourrez faire vos grillades. Accueil convivial.

Accès : *n'allez pas à Saint-Bômer ; de Domfront, prenez la D 962 vers Flers ; 1 km après Les Forges, prenez un chemin à droite et suivez le fléchage.*

SAINT-DENIS-DE-VILLENETTE 61330

Carte régionale A2

35 km S de Flers ; 12 km SE de Domfront

€ ☰ |●| ⌂ **Chambres d'hôtes Ferme de la Prémoudière (Marie et Pascal Brunet) :** *La Prémoudière.* ☎ et fax : 02-33-37-23-27. ▤ 06-86-71-29-64. ● lapremoudiere@orange.fr ● lapremoudiere. com ● 🛜 Dans un joli petit coin de campagne, agréable ensemble de bâtiments. Pascal et Marie élèvent une vingtaine de vaches allaitantes, cultivent des fruits (notamment rouges) et produisent cidre et poiré. Dans une belle maison en pierre et colombages (indépendante de la leur), ils ont aménagé 5 chambres coquettes et claires : une au rez-de-chaussée, les autres aux 1er et 2e étages. Cuisine aménagée dans l'une des chambres, et sanitaires privés pour toutes. 50 € pour 2, petit déj compris, avec jus de fruits maison. Table d'hôtes, partagée en famille, à 19 €, apéro, cidre et poiré compris. Ambiance décontractée. Accueil jeune et sympa. Vente des produits maison. Une adresse nature.

Accès : *sur la N 176 entre Alençon et Domfront, sortie Bourg-de-la-Chapelle-d'Andaine ; prenez à gauche la D 270 jusqu'à Saint-Denis ; traversez le village et suivez le fléchage.*

SAINT-GERMAIN-DE-LA-COUDRE 61130

Carte régionale B2

10 km NO de La Ferté-Bernard ;
10 km S de Bellême

€€€ ☰ ⟨10 %⟩ **Chambres d'hôtes Le Haut Buat (Isabelle et Laurent Thiéblin) :** ☎ 02-33-83-36-00. ▤ 06-47-47-72-32. ● ltheblin@wanadoo.fr ● haut.buat.free. fr ● Lorsqu'on emprunte cette route buissonnière, on sent que la ferme va être belle... et elle l'est ! Ses origines remontent au XVIe s et tous les bâtiments annexes sont encore là : le poulailler, le fournil, même la grange qui prend des airs de chapelle. Bref, un vrai dépaysement... Deux chambres champêtres à souhait, de plain-pied, avec sanitaires privés. Belles tomettes et vieux meubles campagnards. Fenêtre par porte-fermière à deux battants. Au 1er étage de la maison, une chambre familiale (6 personnes) composée de 2 chambres, accessible par une surprenante petite porte. 75 € pour 2, petit déj compris (gâteau à la peau de lait et confitures maison). Salon avec piano accordé. Accueil chaleureux, plein de conseils et tout le matériel pour découvrir le parc naturel régional du Perche. Une adresse de charme.

Accès : *de Saint-Germain-de-la-Coudre, D 211 vers Bellou-Trichard sur 2 km et prenez le petit chemin à droite.*

SAINT-MARTIN-DE-BLAGNY 14710

Carte régionale A1

25 km NE de Saint-Lô ;
20 km O de Bayeux

€ ☰ |●| ⌂ **Chambres d'hôtes La Coquerie (Geneviève et Alain Pasquet) :** ☎ et fax : 02-31-22-50-89. ▤ 06-80-71-44-33. À l'orée du parc naturel régional des marais du Cotentin et du Bessin, ancienne ferme du XVIIe s dont une moitié a disparu. Un superbe et noble escalier en bois dessert 3 chambres familiales aux 1er et 2e étages. Elles sont vastes et leur déco est chaleureuse : l'une avec un vieux coffre-fort et dans une autre un mignon banc d'écolier. Cette dernière est mansardée avec une belle charpente apparente. Sanitaires privés avec tout le matériel bébé à disposition (super !). Il faut dire que Geneviève a eu cinq enfants et connaît les galères des voyages avec bébé (arrête, bientôt il va nous falloir la remorque !). Comptez 50 € pour 2 et 10 € par personne supplémentaire, petit déj compris, avec corbeille de fruits et lait de la ferme. Eh oui, Geneviève et Alain sont agriculteurs et élèvent un petit troupeau de vaches (j'en connais qui vont aller voir les veaux léchouilleurs). Table d'hôtes partagée en famille à 18 €, pommeau compris. Une cuisine naturelle avec des produits maison : chaque jour un potage différent, des volailles de la ferme et la teurgoule en dessert (riz au lait de la ferme et à la cannelle, cuit dans une terrine) ou des pommes flambées au calvados. Une adresse à prix doux, chaleureuse et sans façon, où il fait bon venir avec des petits, d'autant que le parc régional est tout proche et offre bien sûr de belles balades.

Accès : de Bayeux, prenez la D 5 vers Le Molay-Littry jusqu'à Tournières ; à l'église du village, prenez la petite route à droite, faites 2,5 km et suivez le fléchage à gauche.

SAINT-MARTIN-DES-ENTRÉES   14400

Carte régionale A1

20 km NO de Caen ; 4 km SE de Bayeux

€€€ 🏠 |●| **Chambres d'hôtes Château de Damigny (Corinne et Vincent Capon) :** ☎ 02-31-10-15-80. 📱 06-03-22-12-29. ● chateaudedamigny@yahoo.fr ● chateaudedamigny.fr ● ♿ *Fermé 3 sem début janv.* 📶 Voilà une adresse que les amoureux d'histoire ne manqueront pas... Belle demeure de 1830 construite sur les vestiges d'un ancien château médiéval dont il reste une tour de garde et les douves, si vous êtes plus curieux. Cinq chambres agréables, dont 2 grandes suites installées au 1er étage de la maison. 87 € pour 2, petit déj compris, et 103 € pour les suites. Celles-ci sont composées chacune de 2 chambres et d'un salon installé dans une jolie véranda. Sanitaires privés (baignoire balnéo dans une des suites). Table d'hôtes partagée en famille à 32 €, apéro, trou normand, vin et café compris. Billard américain. Grand parc pour profiter de la nature en contemplant le potager. Une halte élégante à deux pas des plages du débarquement.

Accès : sur la N 13 entre Caen et Bayeux, prenez la sortie n° 36 Bayeux ou Courseulles puis direction Nonant, et au rond-point, prenez « ZA de Damigny ».

SAINT-RÉMY-SUR-ORNE   14570

Carte régionale A2

30 km SO de Caen ;
8 km S de Thury-Harcourt

€ 🏠 **Chambre d'hôtes La Grange (Valérie et Denis Hamon) :** lieu-dit La Mousse. ☎ 02-31-69-17-09. 📱 06-09-01-89-58. ● lamousse@orange.fr ● lagrangedelamousse.e-monsite.com ● 📶 Sur la jolie route des Crêtes, qui domine les environs qu'on nomme la Suisse normande, grand corps de ferme au milieu des cultures et des pâturages. Une chambre de plain-pied avec accès direct sur l'extérieur. Elle est coquette, parée de bois et dégage une atmosphère chaleureuse. 50 € pour 2, petit déj compris. Pas de table d'hôtes mais un bon resto à Saint-Omer, à 1,8 km. Valérie propose aux clients ses conserves préparées avec les produits maison (terrines, rillettes et plats cuisinés à partir des volailles, au calva, au pommeau...) ainsi que de l'artisanat qu'elle réalise elle-même. Accueil convivial.

Accès : sur la D 562 entre Thury-Harcourt et Clécy, au niveau du Pont-de-la-Mousse prenez la D 133, route des Crêtes, vers Saint-Omer, jusqu'à la maison à 3,5 km.

SAINT-SAMSON-DE-BONFOSSÉ   50750

Carte régionale A1

9 km S de Saint-Lô

€€ 🏠 ⟨10 %⟩ **Chambres d'hôtes (Myriam et Michel De Aranjo) :** 2, hameau Bernard. ☎ 02-33-56-52-92. 📱 06-10-15-10-42. ● manoirdesarts50@gmail.com ● manoirdesarts.com ● En pleine campagne, curieuse et imposante demeure du XVIIIe s avec deux tours carrées à colombages de la fin du XIXe. Cinq chambres spacieuses et colorées, meublées 1920-1930, dont une suite familiale de 2 chambres. Sanitaires privés. 58 € pour 2 et 90 € pour 4, petit déj compris. Pas de table d'hôtes mais coin cuisine à disposition. Calme et tranquillité assurés, parfois troublés par les vocalises des élèves de Myriam, professeur de chant de son état. Accueil chaleureux.

Accès : à la sortie du bourg en direction de Villedieu-les-Poêles, prenez la petite route à gauche de la pharmacie, tournez à gauche au 1er croisement, à gauche au suivant puis à droite vers le hameau Bernard, la maison est à 100 m à droite.

SAINTE-GENEVIÈVE 50760

Carte régionale A1

27 km E de Cherbourg ;
3 km SO de Barfleur

€€€ 🏠 🖨 (10 %) ***Chambres d'hôtes La Fèvrerie (Marie-France et Maurice Caillet) :*** *village d'Arville.* ☎ 02-33-54-33-53. 🖥 06-80-85-89-01. ● *lafevrerie@orange.fr* ● *lafevrerie.fr* ● 🛜 Ancienne et très belle ferme-manoir des XVIᵉ et XVIIᵉ s, avec cour intérieure gravillonnée. Trois chambres meublées et décorées avec goût, auxquelles on accède par un superbe escalier en pierre à l'intérieur d'une tour. Dans une dépendance, une chambre familiale, en duplex, avec kitchenette. Sanitaires privés. De 75 à 85 € pour 2, et 120 € pour 4, petit déj compris. Très agréable salle de séjour, agrémentée d'une immense cheminée en granit, où sont servis les petits déj. Marie-France est une hôtesse charmante, qui n'a jamais quitté sa maison natale, et elle connaît toutes les balades sympas à faire dans le coin. Pas de table d'hôtes, mais plusieurs restos à Barfleur. Accueil soigné. Une adresse pour séduire sa belle.

Accès : de Barfleur, prenez la D 901 vers Cherbourg et, à 2 km, la D 10 à gauche, puis suivez le fléchage.

SÉRANS 61150

Carte régionale B2

35 km E de Flers ; 7 km O d'Argentan

€€€ 🏠 ▮●▮ (10 %) ***Chambres d'hôtes Château de Sérans (Balias et Martien van Erpers Royarards) :*** ☎ 02-33-36-69-42. 🖥 06-86-50-40-31. ● *artdanslorne@hotmail.com* ● *atelierbalias.com* ● 🛜 Quand on parle à Balias de son château, il répond que c'est *uno palazzo...* et c'est vrai. Construite par un Italien au XIXᵉ s, cette superbe demeure a été entièrement revisitée par son nouveau propriétaire, artiste-peintre de renom, qui en a fait l'œuvre de sa vie. Si l'extérieur s'orne de sculptures, l'intérieur foisonne de fresques, trompe-l'œil... et même le mobilier n'a pas échappé au maître des lieux ! Au 1ᵉʳ étage, 2 chambres élégantes et colorées avec sanitaires privés et TV. 75 € pour 2, petit déj compris. Table d'hôtes à 35 €, quart de vin compris. Cuisine traditionnelle et familiale, accompagnée d'un vin en harmonie avec le menu. Balias organise de nombreuses manifestations artistiques, dont un incroyable symposium qui réunit des artistes internationaux. Ils ont 15 jours pour réaliser une sculpture monumentale. Depuis, les statues qui ornent le jardin croissent chaque année et se dressent fièrement dans les 4 ha du parc. Durant cette période, artistes et hôtes vivent en harmonie. Accueil chaleureux. Une adresse originale, comme on en voit peu...

Accès : sur la D 924 entre Argentan et Flers ; entrez dans Écouché que vous traversez en direction de Mongaroult et, tt de suite après le pont de l'Orne, tournez à gauche, c'est à 800 m.

TOURNEBU 14220

Carte régionale B2

30 km S de Caen ; 15 km NO de Falaise

€€ 🏠 ***Chambres d'hôtes (Anne et Franck Defever) :*** *Le Bourg.* ☎ 02-31-83-27-69. 🖥 06-15-15-50-18. ● *chez.anne.et.franck@gmail.com* ● 🛜 Belle demeure en pierre au cœur du village. Trois jolies chambres champêtres, accessibles par des escaliers extérieurs, de 2 à 5 personnes, au nom des enfants de la maison. 60 € pour 2, petit déj compris (gâteau et confitures maison), et 15 € par personne supplémentaire. Pas de table d'hôtes mais plusieurs bons restos à Falaise. Grand espace vert derrière la maison. Une caresse à Gaïa, la femelle labrador de la maison. Accueil chaleureux.

Accès : au centre du bourg.

TRÉMONT 61390

Carte régionale B2

30 km NE d'Alençon ;
25 km NO de Mortagne-au-Perche

€ 🏠 ▮●▮ ***Chambres d'hôtes (Lorette et Yves Ledemay) :*** *La Foleterie.* ☎ 02-33-28-72-15. 🖥 06-84-08-81-70. ● *yl.ledemay@orange.fr* ● *lafoleterie.fr* ● 🛜 Dans un petit hameau campagnard, jolie fermette en pierre aux entourages en brique avec une agréable treille. Deux chambres vastes et lumineuses avec sanitaires privés, dont une avec kitchenette. Déco agréable et belles frises colorées réalisées par la maîtresse des lieux, qui peint à ses heures perdues. 50 € pour 2, petit déj compris. Table d'hôtes (sauf le dimanche soir) à 20 €, apéro et cidre compris. Repas partagé en famille pour découvrir la gastronomie locale à partir de nombreux produits maison. Magnifique jardin qui mêle fleurs et légumes. Accueil convivial.

Accès : de Mortagne, prenez la D 8 vers Sées sur 20 km et, 5 km après le carrefour des cinq routes, fléchage à gauche et 1re maison à gauche.

TRÉVIÈRES   14710

Carte régionale A1

20 km O de Bayeux ;
6 km S de Saint-Laurent-sur-Mer

€€ 🏠 (10 %) **Chambres d'hôtes Ferme du Perey-Héroult (Brigitte et Philippe Bacheley) :** ☎ 02-31-22-07-87. 📱 06-09-50-72-70. ● philippe.bacheley@wanadoo.fr ● chambresdhotes-debarquement.com ● 🛜 En pleine campagne, ferme en activité où Philippe élève des vaches laitières. Au 1er étage, une suite familiale composée de 2 petites chambres agréables pour les familles ou amis. Sanitaires privés. 60 € pour 2, petit déj compris, servi dans un grand jardin clos aux beaux jours. Pas de table d'hôtes mais Brigitte vous donnera toutes les bonnes adresses du coin. Une adresse pour se faire dorloter... Normal, Brigitte est une ancienne infirmière !

Accès : de Trévières, prenez la D 29 vers Bricqueville/Colombières ; la maison est à 500 m à gauche après la sortie du bourg.

VAUDRIMESNIL   50490

Carte régionale A1

31 km NO de Saint-Lô ;
3 km S de Périers

€€ 🏠 **Chambres d'hôtes La Rochelle (Olga et Alain Berthou) :** 12, route de Coutances. ☎ 02-33-46-74-95. 📱 07-87-36-05-69. ● aberthou@orange.fr ● bons-plans-tourisme.com ● 🛜 Ancienne ferme réaménagée avec beaucoup de goût par Olga et Alain à laquelle vous accéderez par une allée de chênes. Trois chambres agréables avec sanitaires privés, dont une au rez-de-chaussée. 55 € pour 2, petit déj compris, que l'on prend en été sous une véranda ouvrant sur le parc. Pas de table d'hôtes, mais plusieurs restos à Périers. Un très joli pigeonnier héberge billard et table de ping-pong, sans oublier le petit étang.

Accueil authentique et chaleureux. Une adresse qui fait des adeptes.

Accès : de Périers, prenez la D 971 en direction de Coutances ; 1 km avt Vaudrimesnil, la maison est fléchée sur la droite.

VAUX-SUR-SEULLES   14400

Carte régionale A1

20 km NO de Caen ; 6 km SE de Bayeux

€€€€ 🏠 **Chambres d'hôtes La Ferme du Clos Mayas (Fabienne Gourdon) :** ☎ 02-31-22-32-71. 📱 06-16-31-05-96. Fax : 02-31-22-51-87. ● fabienne.gourdon@cegetel.net ● leclosmayas.com ● 🛜 Au cœur d'un verger de pommiers (Normandie oblige !), ferme du XVIIe s joliment restaurée. Deux chambres ouvertes sur la terrasse, avec sanitaires privés, à 100 € pour 2, petit déj compris. À l'arrière de la maison, les communs ont conservé un charme fou : la cave à l'odeur de cidre où trônent de superbes fûts, l'écurie avec ses mangeoires en pierre. Accueil agréable et souriant.

Accès : de Caen, direction Bayeux puis Vaux-sur-Seulles et fléchage (la maison est 500 m après le village).

VER-SUR-MER   14114

Carte régionale A1

15 km NE de Bayeux ;
8 km E de Courseulles-sur-Mer

€€€ 🏠 (10 %) **Chambres d'hôtes Castel Provence (Jean-Pierre Bourry) :** 7, rue de la Libération. ☎ 02-31-22-22-19. 📱 06-76-83-96-49. ● jpbourry@wanadoo.fr ● castelprovence.fr ● Belle et grande demeure à l'allure bourgeoise dont Jean-Pierre vous contera l'histoire... Deux chambres, dont « Jardin », véritable petit studio avec kitchenette très bien équipée et accès direct sur le magnifique parc. L'autre, à l'étage, dégage une atmosphère plus romantique. Sanitaires privés. Respectivement 75 et 80 € pour 2, petit déj compris. Le maître de maison aime recevoir et réserve plein de petites attentions pour ses hôtes : sablés, thé, tisane sont à disposition. Les petits déj, servis dans une belle cuisine avec cheminée, sont véritablement délicieux ; pains, viennoiseries, jus de fruits fraîchement pressés, sans oublier les confitures maison. Accueil charmant. Une adresse comme on les aime, dans un village charmant.

Accès : *juste après l'église sur la droite.*

VOUILLY   14230

Carte régionale A1

27 km NE de Saint-Lô ;
7 km SE d'Isigny-sur-Mer

€€€€ 🏠 `10 %` ***Chambres d'hôtes Le Château (Marie-Josée et James Hamel) :*** ☎ 02-31-22-08-59. ● chateau. vouilly@wanadoo.fr ● chateau-vouilly. com ● Fermé déc-fév. 📶 Dans un joli château entouré de douves, initialement château fort et arrangé au XVIIIe s. Belle façade avec tour qui donne sur un grand jardin. Quatre chambres spacieuses avec sanitaires privés, à 110 € pour 2, avec le petit déj (qui se prend dans la salle à manger qui servit de QG à la presse américaine lors du Débarquement, rien que ça !). Marie-Josée vous accueille avec douceur dans cette demeure de charme et se fera un plaisir de vous aider à découvrir sa région. Étang de pêche sur place.

Accès : *d'Isigny, empruntez la route de Molay-Littry/Balleroy (D 5) ; prenez à gauche, immédiatement après Vouilly-Église.*

Haute-Normandie

AUZOUVILLE-AUBERBOSC · 76640

Carte régionale A1

22 km SE de Fécamp ; 30 km SE d'Étretat

€€ 🏠 **Chambre d'hôtes Le Vert Bocage (Yvette et Pierre Levesque) :** *679, rue de la Mairie.* ☎ *et fax : 02-35-96-72-37.* 📱 *06-20-12-65-76.* ● *yvette.levesque@wanadoo.fr* ● *levertbocage.monsite.wanadoo.fr* ● 📶 Dans un petit village du pays de Caux, petit ensemble de maisons normandes. Dans une aile de l'habitation principale, une seule et grande chambre, pour 3 personnes, avec sanitaires privés et kitchenette. Accès par un escalier extérieur. Comptez 55 € pour 2 et 70 € pour 3, avec le petit déj. Les proprios proposent aussi 2 gîtes ruraux pouvant accueillir jusqu'à 5 personnes. Machine à laver, lave-vaisselle et, surtout, cheminée. Pour les amateurs, il y a un court de tennis, alors n'oubliez pas vos raquettes. Accueil sympathique.

Accès : *par la D 109 ; la maison est face à la mairie-école du village.*

BERTRIMONT · 76890

Carte régionale B1

30 km N de Rouen ; 30 km S de Dieppe

€€€ 🏠 ⑩% *Chambres d'hôtes Le Colombier (Alain et Marie-Louise Duval) :* ☎ *02-32-80-14-24.* ● *duval_alain@club-internet.fr* ● *le-colombier.net* ● 📶 Au pays du lin et des colombiers, dans un grand parc aux nombreuses essences, belle ferme à colombages du début du XVIIIᵉ s, restaurée en préservant son authenticité. Le colombier est là, orné d'un magnifique cadran solaire qui indique 1748. Aujourd'hui, il héberge une immense chambre avec salon, cheminée et canapé. Déco soignée, lit en 200 avec croquignolette façade de lit clos (souvenir de Bretagne). Une autre suite avec accès indépendant, cheminée et coin salon. La dernière chambre est située au 1ᵉʳ étage de la maison. Sanitaires privés. Pour 2, comptez 95 € pour la chambre du colombier, 75 € pour la suite et 60 € pour la chambre, petit déj compris (pain et gâteau maison). Marie-Louise et Alain chinent depuis des années et ont une véritable passion pour les meubles anciens. La salle à manger est superbe avec son imposante cheminée et ses cuivres rutilants. Atmosphère raffinée, calme et volupté, accueil de qualité... bref, une adresse comme on les aime, qui fait des adeptes !

Accès : *de Rouen, prenez l'A 15 en direction du Havre/Dieppe ; continuez vers Dieppe et prenez la sortie D2 Val-de-Saâne ; poursuivez dans cette direction sur 5 km et suivez le fléchage.*

BETTEVILLE · 76190

Carte régionale A1

35 km NO de Rouen ;
5 km NE de Saint-Wandrille

€ 🏠 ⌂ *Gîte d'étape La Chaumière (Élisabeth Malheuvre) :* *217, route du*

Nous vous rappelons que la table d'hôtes est le complément d'une formule d'hébergement (chambre d'hôtes, gîte d'étape...). Ce service n'est offert qu'aux personnes qui dorment sur place (excepté lorsqu'il est clairement écrit « ouvert aux extérieurs »).

Mesnil. ☎ 02-35-92-60-69. ● la.chaumiere. de.b@wanadoo.fr ● ♿ Grâce à la volonté d'Élisabeth, cet ancien bâtiment agricole s'est transformé en une jolie chaumière traditionnelle avec murs à pans de bois. D'abord, une immense pièce de jour aux belles poutres, avec cuisine ouverte, cheminée, et un nombre impressionnant de collections diverses où le pub s'exprime à foison (boîtes de fromages, stylos, savonnettes, fèves...). Une chambre au rez-de-chaussée et 2 autres à l'étage, de 6 lits chacune, avec sanitaires privés. Comptez 20 € la nuit par personne (14 € pour les groupes), 4 € le petit déj, et 4 € si vous avez oublié vos draps. On peut aussi louer la totalité du gîte et faire sa popote. Une adresse campagne, idéale pour venir entre amis. Accueil souriant et décontracté.

Accès : du village, prenez la direction du Mesnil et suivez le fléchage.

BEUZEVILLE   27210

Carte régionale A2

14 km O de Pont-Audemer ;
13 km SE de Honfleur

€ 🏠 *Chambres d'hôtes (Régine Bultey) :* 835, rue des Coutances. ☎ et fax : 02-32-57-75-54. 📱 06-22-63-33-81. ● regine. bultey@yahoo.fr ● dormirennormandie. blogspot.com ● 📶 Jolie ferme restaurée abritant 2 chambres très calmes, avec vue sur la campagne environnante, donnant de plain-pied sur la terrasse et l'agréable jardin. Sanitaires privés. Comptez de 47 à 50 € pour 2, petit déj inclus. Intérieur rustique et très fleuri, décoré avec goût. Quelques jeux pour les enfants. Vente de produits fermiers (œufs, cidre...). Ambiance familiale et accueil convivial. Également un gîte rural pour 5 personnes.

Accès : à 1 km de Beuzeville ; face au Crédit Agricole, tournez à droite, faites 50 m puis prenez à gauche sur encore 50 m, et route à gauche puis fléchage.

BÉZU-SAINT-ÉLOI   27660

Carte régionale B2

9 km de NO de Gisors ;
8 km E d'Étrépagny

€€€ 🏠 |○| ⑩% *Chambres d'hôtes Domaine des Près du Hom (Caroline Boury-Erhart) :* 73, route de Gisors. ☎ 02-32-55-61-19. 📱 06-70-65-09-87. ● lespresduhom@orange.fr ● presduhom. com ● 📶 Trois vastes chambres (dont une immense suite sous combles pouvant accueillir 4 personnes), aménagées dans les dépendances d'une belle demeure bourgeoise du XIXᵉ s, en bordure d'un jardin verdoyant. De la clarté, de l'espace, de l'élégance, du charme en veux-tu, en voilà... De 75 à 85 € pour 2 pour les chambres et 110 € pour la suite, généreux petit déj compris. Cuisine goûteuse pour la table d'hôtes (35 €). Ici, vous pourrez aussi vous offrir une « Escapade bien-être » avec massages dans les chambres, une balade romantique en Citroën Traction avec chauffeur qui vous commentera la région durant 1h ou une « Escapade amoureuse » comprenant la nuitée, le champagne, les huiles essentielles pour massages et pour le bain, les bougies d'ambiance, etc. Excellent accueil. Une adresse où l'on pose ses valises les yeux fermés !

Accès : dans le village.

BLACQUEVILLE   76190

Carte régionale A1

22 km NO de Rouen ; 8 km SE d'Yvetot

€€ 🏠 🐕 ⑩% *Chambres d'hôtes Le Neuf Bosc (Isabelle Lhermitte et Jean-Robert Lefebvre) :* 654, route du Neuf-bosc. ☎ et fax : 02-35-91-77-60. ● lhermitte-lefebvre@orange.fr ● amivac.com/ chambres-dhotes-blacqueville ● Si vous êtes allergique aux poils de chat, choisissez une autre destination, car ici, ils sont trois et font partie de l'accueil... Ceux qui pourront en profiter découvriront une maison typique du pays de Caux, dont les façades sud et ouest sont recouvertes d'ardoise, de colombages sur les autres. Deux chambres, dont une familiale située dans une aile indépendante, sur 2 niveaux. Beaux enduits, réalisés par Jean-Robert, décorateur de théâtre, qui donnent à l'ensemble une atmosphère romantico-campagnarde. Sanitaires privés. 55 € pour 2, petit déj compris, et 85 € pour 4. Pas de table d'hôtes mais plusieurs restos à proximité. Une adresse sympa qui sent bon la campagne.

Accès : de Blacqueville, prenez la D 22 vers Fréville ; la maison est un peu après la sortie du village à droite.

BOSROBERT   27800

Carte régionale A2

45 km SO de Rouen ; 5 km NE de Brionne

€€ 🏠 ⑩% *Chambres d'hôtes Aux Deux Étangs (Marguerite et Roland Progin-Chopard) :* 4, route du Moulin-du-Parc. ☎ 02-32-44-87-03. ● progin-

HAUTE-NORMANDIE

| ● Thiergeville | Adresses |
| ○ Dieppe | Villes repères |

MANCHE

Côte d'Albâtre

St-Aubin-sur-Mer

St-Valery-en-Caux

Houdetot

Fécamp

D 925

Thiergeville

D 940

D 925

Yébleron

Flamanvill

Auzouville-Auberbosc

Yvetot

Blacqueville

Maulévrier-Ste-Gertrude

Bettevill

E 44

A 29

La Havre

Seine

A 131

Jumièges

Conteville

E 5

Honfleur

Beuzeville

A 29

Pont-Audemer

Manneville-sur-Risles

St-Éloi-de-Fourques

Pont-l'Évêque

A 13 E 46

St-Étienne-l'Allier

Bosrobert

Épégard

Caen

Lisieux

D 579

D 145

A 28

D 23

E 402

Bernay

EURE

CALVADOS (14)

D 40

D 4

D 49

D 4

D 833

D 511

D 90

D 438

D 819

27

D 63

D 816

D 12

D 979

Juignettes

Falaise

ORNE (61)

D 13

l'Aigle

D 926

D 924

D 926

D 932

D 926

D 918

N 158

Argentan

A 88

chopard@aux2etangs.com • aux2e
tangs.com • 🏠 📶 Marguerite et Roland ont
quitté leur Suisse natale pour s'installer
dans cette jolie longère à colombages.
Deux chambres agréables de plain-pied,
de 2 et 3 personnes, avec sanitaires privés. 52 € pour 2 et 60 € pour 3, petit déj
compris. Magnifique jardin que vos hôtes
ont aménagé avec amour et qui comprend
deux petits étangs. Accueil chaleureux et
gentillesse au rendez-vous.

Accès : de Bourgtheroulde, D 438 vers
Brionne ; passez l'embranchement vers
Bosrobert et 1 km plus loin prenez à gauche
la D 39 vers Champ-de-Bataille, la maison
est à 1 km à droite.

BREUILPONT 27640

Carte régionale B2

20 km SE d'Évreux ;
7 km S de Pacy-sur-Eure

€€ 🏠 ⑩% *Chambres d'hôtes Le Noyer
(Anne et Jean-François Aubron) :* 6,
rue des Côtes. ☎ et fax : 02-32-36-46-
34. 📱 06-81-41-31-87. • anne.aubron@
orange.fr • lenoyer.eu • 🏠 📶 Depuis une
dizaine d'années, Jean-François et Anne
restaurent cette ancienne ferme au cœur
du village et réunissent petit à petit les
bâtiments, lui donnant un charme indéniable. Dans deux ailes indépendantes,
2 chambres chaleureuses avec sanitaires
privés, dont une spécialement équipée
pour les familles, avec lits enfants en
mezzanine, l'autre avec accès par un
escalier extérieur, avec petit coin salon et
ravissante terrasse. 65 € pour 2, petit déj
compris, et 15 € par personne supplémentaire. En haut du jardin, c'est la forêt, où
les cinq enfants de la famille s'ébattent
avec joie et où les randonneurs trouveront
leur bonheur. Pas de table d'hôtes, mais
une cuisine équipée à disposition. Accueil
de qualité.

Accès : au niveau de l'église du village, prenez la D 58 vers Villiers et tt de suite à droite
dans la rue des Côtes.

BREUX-SUR-AVRE 27570

Carte régionale B2

35 km SO d'Évreux ;
10 km E de Verneuil

€ 🏠 *Chambres d'hôtes (Marie-Christine
et Bruno Leroy) :* La Troudière. ☎ 02-32-
32-50-79. 📱 06-69-17-76-32. • brunolry@
aol.com • latroudiere.free.fr • 🏠 📶 Dans

un petit coin de campagne, charmant
hameau avec de belles maisons traditionnelles. Bruno et Marie-Christine sont
agriculteurs à la retraite. Cependant, ne
croyez-pas que les animaux manquent à
l'appel, car ils sont là, installés dans de
jolis enclos parsemés d'arbres fruitiers.
Ici, une chèvre, là, la basse-cour, avec les
poules qui dorment dans les sapins pour
échapper aux prédateurs ! Mais parlons
des chambres : dans une aile indépendante de cette belle ferme normande
(ex-maison familiale, entièrement réaménagée pour vous), elles sont 2, au rez-de-
chaussée, de part et d'autre d'un petit
salon chaleureux avec cheminée. Déco
originale et colorée qui mélange les styles
avec bonheur. Beaux sanitaires privés.
Comptez 50 € pour 2, petit déj compris.
Pas de table d'hôtes, mais plusieurs
restos à proximité et pour tous les goûts.
Bruno est très actif. Il participe à la vie de
la cité et du monde agricole ; c'est aussi
un routard du tourisme rural (il a effectué
de nombreux voyages à l'étranger). Une
adresse comme on les aime : hospita-
lière et sans façon. Excellent rapport
qualité-prix-convivialité.

Accès : La Troudière est à 1 km de la N 12, à
l'opposé de Breux-sur-Avre.

CONTEVILLE 27210

Carte régionale A1

10 km NO de Pont-Audemer ;
13 km E de Honfleur

€€€ 🏠 |◎| 🐴 *Chambres d'hôtes
La Ferme du Pressoir (M. et Mme
Anfrey) :* 1023, rue du Pottier. ☎ et
fax : 02-32-57-60-79. 📱 06-59-04-26-96.
• lafermedupressoir@wanadoo.fr • la-
ferme-du-pressoir.com • 📶 Résa conseillée. Maison normande dans une cour de
ferme bien fleurie. Trois petites chambres
coquettes, meublées à l'ancienne, agrémentées de vieilles dentelles et de bibelots anciens, genre maison de poupée,
et deux autres très vastes dans une maison annexe. Sanitaires privés. Selon la
chambre, de 70 à 80 € pour 2, petit déj
compris. Table d'hôtes, sur réservation,
à 25 € tout compris. Bonne cuisine régionale à base de produits fermiers (tarte
au camembert, poulet au calvados...).
Vente de cidre fermier... et une bouteille
est même offerte sur présentation de
ce guide ! Vélos à disposition. Clientèle
d'étrangers et d'habitués, une gentille
adresse.

Accès : à 2 km de Conteville.

ÉPÉGARD — 27110

Carte régionale A2

*39 km SE de Pont-Audemer ;
5 km N du Neubourg*

€ 🏠 🍴 **Chambres d'hôtes La Paysanne (M. et Mme Lucas) :** 8, rue de l'Église. ☎ 02-32-35-08-95. ● lmauricelucas@ sfr.fr ● 🎿 Ancienne ferme normande du XVIIe à colombages. Trois chambres agréables avec sanitaires privés, à 45 € pour 2, copieux petit déj compris (jus d'orange pressée, fromages, yaourts, brioche maison… pas désagréable !). Séjour spacieux avec coin cuisine. À proximité, on accède au château du Champ-de-Bataille en suivant le « Circuit des chaumières », et un peu plus loin, à celui d'Harcourt.

Accès : au Neubourg, suivez la direction du château du Champ-de-Bataille.

EU — 76260

Carte régionale B1

30 km NE de Dieppe ; 4 km E du Tréport

€€ 🏠 🍴 **Chambres d'hôtes Manoir de Beaumont (Catherine et Jean-Marie Demarquet) :** ☎ 02-35-50-91-91. 📱 06-72-80-01-04. ● catherine@demarquet.eu ● demarquet.eu ● Fermé janv. 📶 C'est la maison d'enfance de Catherine et elle y est attachée. Le manoir comportait un pavillon de chasse, transformé en plusieurs écuries quand le domaine est devenu haras. Aujourd'hui, Catherine a aménagé 2 gîtes ruraux dans le relais de chasse et 3 jolies et spacieuses chambres d'hôtes dans la maison principale, avec sanitaires privés. Déco bourgeoise avec toile de Jouy ou plus contemporaine. Selon la chambre, de 54 à 66 € pour 2, petit déj compris. Le départ des randonnées en forêt se fait tout simplement au bout du jardin. Accueil très sympa.

Accès : dans Eu, empruntez la D 49 vers Ponts-et-Marais et, juste avt d'y arriver, prenez à droite la route de Beaumont sur 2 km (bon fléchage).

FLAMANVILLE — 76970

Carte régionale A1

30 km NO de Rouen ; 7 km E d'Yvetot

€€ 🏠 🍴 **Chambres d'hôtes (Béatrice et Yves Quévilly) :** 21, rue Verte. ☎ 02-35-96-81-27. 📱 06-24-33-54-26. Dans un endroit campagnard, agréable maison du XVIIe s. Quatre chambres, dont 2 avec sanitaires privés, les 2 autres avec sanitaires communs. De 55 à 60 € pour 2, petit déj compris (avec différentes sortes de pains : selon les jours, figues, céréales, lin, forestier… et des confitures maison), servi dans une belle salle rustique avec poutres et murs à pans de bois. Accueil chaleureux. Également un gîte et un camping à la ferme.

Accès : dans le centre ; passez derrière l'église et tournez à gauche à 300 m.

FLEURY-LA-FORÊT — 27480

Carte régionale B1

*40 km E de Rouen ;
6 km NE de Lyons-la-Forêt*

€€€ 🏠 10 % **Chambres d'hôtes Château de Fleury (Pierre Caffin) :** ☎ 02-32-49-63-91. 📱 06-12-16-13-12. ● info@ chateau-fleury-la-foret.com ● chateau-fleury-la-foret.com ● Ouv de mi-mars à mi-nov. Vous rêvez de dormir dans un château du XVIIe s, en brique et silex, classé Monument historique ? Eh bien, c'est ici qu'il faut faire halte ! Il a fallu un travail colossal pour redonner une âme à ce lieu, abandonné et dévalisé pendant de nombreuses années. On a commencé par y installer un musée de la Poupée, puis les pièces ont été restaurées et remeublées entièrement. Aujourd'hui, on revit l'histoire, de Louis XV à Napoléon III. Trois chambres vastes et claires avec sanitaires privés, installées au 2e étage : une à l'atmosphère bourgeoise, avec lit dans une alcôve, l'autre plus champêtre, avec un beau parquet, la dernière sous forme de suite (4 personnes) avec une belle charpente apparente. 85 € pour 2, petit déj compris, et 120 € pour 4. C'est le moment de découvrir la magnifique cuisine ornée de 139 pièces de cuivre ! La cuisinière, qui date de 1890, est la seule rescapée de la véritable histoire du château. Un monument à elle seule, avec robinets d'eau chaude ! Pour les hôtes, la visite est bien sûr gratuite. Accueil convivial.

Accès : à Écouis, sur la N 14 entre Magny-en-Vexin et Rouen, prenez la D 2 jusqu'à Lyons-la-Forêt puis la D 14 vers le château (bon fléchage).

FONTAINE-SOUS-JOUY — 27120

Carte régionale B2

*12 km NO de Pacy-sur-Eure ;
13 km NE d'Évreux*

€€€€ 🏠 10 % **Chambres d'hôtes L'Aulnaie (Éliane et Michel Philippe) :** 29, rue de l'Aulnaie. ☎ et fax : 02-32-36-89-05. 📱 06-03-30-55-99. ● contact@aulnaie. com ● aulnaie.com ● 📶 Dans un grand parc, jolie longère tout en pierre aux allures bourgeoises. Deux chambres pour 2 et 3 personnes, élégantes et lumineuses, installées au 1er étage. Sanitaires privés. La chambre « Monnet » bénéficie d'une belle vue sur le parc et la forêt et possède une belle charpente apparente. 100 € pour 2, petit déj compris. Le parc est superbe, entretenu avec amour par Éliane dont c'est la passion (ainsi que la peinture). Il ouvre sur une petite rivière alimentée par des sources. Pas de table d'hôtes, mais deux restos très sympas à Chambray. Accueil chaleureux. Une bonne adresse.

> **Accès :** A 13 sortie n° 16 Vernon ; prenez la direction Cocherel puis Chambray et enfin la D 63 jusqu'à Fontaine-sous-Jouy ; traversez le village en direction de Saint-Vigor et prenez le petit pont à côté du lavoir.

HEUDREVILLE-SUR-EURE   27400

Carte régionale B2

12 km N d'Évreux ; 12 km S de Louviers

€€ 🏠 10% **Chambres d'hôtes La Londe (Madeleine et Bernard Gossent) :** 4, sente de l'Abreuvoir. ☎ 02-32-40-36-89. 📱 06-89-38-36-59. ● madeleine.gossent@ online.fr ● lalonde.online.fr ● *Fermé aux fêtes de fin d'année.* 📶 Par une superbe petite route qui longe l'Eure, on arrive jusqu'à cette ancienne ferme. Au fil des ans elle s'est agrandie en réunissant ses différents bâtiments. Deux chambres, dont une suite avec petit salon. Déco agréable. Sanitaires privés. Comptez respectivement 68 et 73 € pour 2, petit déj compris. Au bout du jardin, 70 m de berges vous permettront d'observer les oiseaux. Accueil convivial.

> **Accès :** sur la D 71 entre Heudreville et Saint-Vigor, peu avt Cailly-sur-Eure.

HOUDETOT   76740

Carte régionale A1

27 km O de Dieppe ;
7 km S de Veules-les-Roses

€€ 🏠 **Chambres d'hôtes Au Gré du Temps (Sandrine et Sylvain Faucher) :** 2, rue du Ruissel. ☎ 02-35-97-58-44. 📱 06-69-46-90-02. ● faucher-sandrine@ orange.fr ● 📶 Jolie maison normande à colombages bleus. Trois chambres

sympathiques avec sanitaires privés : une au rez-de-chaussée, les 2 autres à l'étage, dont une suite pour 5 personnes composée de 2 chambres. De 57 à 70 € pour 2, petit déj compris, et 100 € pour 5. Pas de table d'hôtes mais petit coin kitchenette à disposition et plusieurs possibilités de restauration à Veules-les-Roses ou Saint-Valéry-en-Caux. Accueil agréable. Une adresse idéale pour découvrir la région seul, à deux ou en famille.

> **Accès :** A 13 Rouen puis A 15 vers Barentin puis N 15 jusqu'à Croix-Mare puis D 20 vers Saint-Valéry-en-Caux ; après Sainte-Colombe, prenez la D 70 jusqu'à Houdetot ; là, allez jusqu'à l'église, prenez la route du Gré et c'est la 1re rue à gauche.

ISNEAUVILLE   76230

Carte régionale B1

10 km N de Rouen

€€€ 🏠 **Chambres d'hôtes La Muette (Danielle et Jacques Auffret) :** 1057, rue des Bosquets. ☎ 02-35-60-57-69. 📱 06-86-78-43-91. ● domainedelamuette@ gmail.com ● domainedelamuette.com ● *Ouv avr-oct.* 📶 Dans un petit hameau, au milieu des pâturages, deux charmantes maisons normandes à colombages installées dans un grand parc. L'une d'elle est pour les hôtes... C'est l'ancien pressoir, que les proprios ont totalement réaménagé et agrandi avec de vieux matériaux nobles. Cinq jolies chambres, dont une au rez-de-chaussée, les autres au second. Sanitaires privés. Selon la taille de la chambre, de 80 à 90 € pour 2, petit déj compris. Grand billard *snooker* pour les amateurs. Pas de table d'hôtes mais un petit resto dans le village et, bien sûr, large choix sur Rouen. Accueil chaleureux. Une adresse qu'on aime bien.

> **Accès :** A 13 sortie Rouen-Est puis direction Amiens sortie Isneauville ; au feu tricolore du village, prenez la direction du centre-ville jusqu'à l'église et à droite la D 47 vers La Muette pdt 1 km puis rue des Bosquets à gauche que vous remontez sur 1 km.

JUIGNETTES   27250

Carte régionale A2

48 km SO d'Évreux ; 6 km NO de Rugles

€ 🏠 |●| 🍴 **Chambres d'hôtes de la Pommeraie (Marie-Claude et Pierre Vaudron) :** L'Aubrière. ☎ 02-33-34-91-84. ● la_pomme@wanadoo.fr ● gite.laubriere. free.fr ● *Sur résa de préférence.* Au milieu des vergers, dans une ancienne ferme-auberge, 3 chambres d'hôtes, avec sanitaires privés, à 44 € pour 2, petit déj compris. Possibilité de table d'hôtes à 19 €, boissons comprises. Bonne cuisine du terroir. Pour la petite histoire, le moulin à vent et le four à pain que vous découvrirez sur place ont été construits par Pierre ! Accueil authentique et vrai. Une adresse qui fait des adeptes.

Accès : sur la D 54 entre Glos-la-Ferrière et Rugles ; suivez le fléchage, l'auberge est à 2 km de Juignettes.

JUMELLES 27220

Carte régionale B2

15 km S d'Évreux ;
4 km O de Saint-André-de-l'Eure

€€ 🏠 10% *Chambres d'hôtes Ferme de la Huguenoterie (Jacqueline et Daniel Poitrineau) :* ☎ 02-32-37-50-06. 📱 06-33-19-36-45. • jpoitrineau@hotmail.com • lahuguenoterie.fr • ☎ Dans un grand corps de ferme avec cour intérieure, Jacqueline et Daniel, agriculteurs céréaliers, ont aménagé 5 chambres coquettes avec sanitaires privés dans une ancienne bergerie : 2 au rez-de-chaussée et 3 au 1er étage (préférez celle de gauche avec le lit double et une belle charpente apparente). 70 € pour 2, petit déj inclus. Salon avec cheminée à disposition exclusive des hôtes. Calme et tranquillité garantis. Accueil agréable.

Accès : de Saint-André, prenez la D 32 vers Conches ; la ferme est à 1 km avt Jumelles, sur la droite.

JUMIÈGES 76480

Carte régionale A1

27 km O de Rouen ; 8 km SO de Duclair

€€ 🏠 ⚹ *Chambres d'hôtes (Brigitte et Patrick Chatel) :* 798, rue du Quesney. ☎ 02-35-37-24-98. Petite ferme de style normand, aménagée avec beaucoup de goût. Quatre chambres agréables avec sanitaires privés, à 65 € pour 2, avec le petit déj. Au rez-de-chaussée, belle salle à manger. Les proprios sont toujours prêts à faire un brin de causette. Une chouette adresse.

Accès : derrière l'enceinte de l'abbaye.

€€ 🏠 🍴 *Chambres d'hôtes Au Temps des Cerises (Françoise et Joseph Houelle) :* 924, route du Mesnil. ☎ 02-35-37-38-67. 📱 06-61-17-38-67. • autempsdescerises76@orange.fr • autempsdescerises76.fr • ⚹ Fermé 1er-15 mars et 11 nov-10 déc. ☎ En retrait d'une route touristique de la vallée de la Seine mais dont le trafic

est quasiment nul la nuit, maison récente à l'inspiration très normande. Ici, la cerise est partout. À l'extérieur, ce sont des vergers de cerisiers. À l'intérieur, vous découvrirez au fil des 4 chambres les différentes variétés de cerises. Selon votre humeur, plus classique, choisissez « Burlat », à l'atmosphère élégante ; si c'est plutôt rococo, choisissez « Bigarreau », douillette et rigolote. Sanitaires privés. TV à disposition. 63 € pour 2, petit déj compris. Excellente table d'hôtes partagée en famille à 25 €, apéro, vin et café compris. Sinon, Françoise et Joseph proposent des assiettes gourmandes à déguster en tête à tête à 16 €, vin compris. Une gentille adresse tout près de l'illustre abbaye qui, bien que largement ruinée, n'en garde pas moins sa majesté...

Accès : du centre de Jumièges, prenez la D 65 vers Mesnil-sous-Jumièges/Le golf pdt 2 km et suivez le (bon) fléchage.

LÉRY 27690

Carte régionale B2

20 km S de Rouen ;
5 km E de Pont-de-l'Arche

€€ 🏠 10% *Chambres d'hôtes Les Chambres du Châtaignier (Catherine et Bernard Oisel) :* 43 ter, rue de Verdun. ☎ 02-32-59-45-66. 📱 06-68-53-39-42. • oiselalery@aol.com • leschambresduchataignier.com • ☎ Au cœur du village, ancienne ferme en pierre et brique. L'ancienne grange en terre battue a été aujourd'hui réaménagée et abrite aujourd'hui 2 chambres d'hôtes en rez-de-chaussée, avec accès direct sur le jardin. Sanitaires privés. Atmosphère champêtre. 59 € pour 2, petit déj compris. Catherine est une hôtesse souriante et dynamique. Un bon point de chute pour profiter des attractions de la région.

Accès : A 13 sortie n° 19 direction Val-de-Reuil ; dans Val-de-Reuil, au feu tricolore du Simply Market, tournez à gauche direction Pont-de-l'Arche/Rouen, puis prenez la 3e à droite et, tt au bout de cette avenue, à gauche vous êtes dans Léry et rue de Verdun.

MANNEVILLE-SUR-RISLES 27500

Carte régionale A2

40 km SO de Rouen ;
5 km E de Pont-Audemer

€€ 🏠 🍴 10% *Chambres d'hôtes Le Clos de la Hudraie (Michèle et Frédéric*

HAUTE-NORMANDIE

Vincent) : *Le Hudar.* ☎ 06-14-41-92-81. ● hudraie@gmail.com ● closdelahudraie. free.fr ● *Ouv les w-e et vac scol.* En pleine nature, dans un petit hameau, deux maisons à colombages dans un agréable parc. Dans l'une d'elle, 3 chambres coquettes avec sanitaires privés : une au rez-de-chaussée décorée sur le thème de l'Inde (pour ceux qui aiment voyager), les 2 autres au 1er étage, plus classiques, mais tout aussi attrayantes. 70 € pour 2, petit déj compris, servi dans une agréable pièce de jour aux beaux meubles anciens ou sur la terrasse quand le temps s'y prête. Table d'hôtes partagée en famille à 24 €, apéro, vin et café compris. Ici, c'est Frédéric qui se tient derrière les fourneaux. Cuisine familiale avec les légumes de saison. Accueil chaleureux.

Accès : A 13 sortie Bourneville (n° 26) puis D 139 jusqu'à Fourmetot ; à l'église de Fourmetot, prenez la C 11 vers Corneville-sur-Risles, passez deux stops et on arrive au hameau (1er chemin à droite).

MAULÉVRIER-SAINTE-GERTRUDE   76490

Carte régionale A1

*35 km NO de Rouen ;
2 km N de Caudebec-en-Caux*

€€ 🏠 (10 %) *Chambres d'hôtes La Haie des Prés (Marthe et Patrice Florentin) :* 805, route de la Haie-des-Prés. ☎ et fax : 02-35-56-06-68. 📱 06-68-78-12-17. ● lahaiedespres@orange.fr ● lahaiedespres.com ● Dans une maisonnette indépendante de la leur, Marthe et Patrice ont aménagé 3 chambres coquettes avec sanitaires privés, pour 2, 3 et 4 personnes. Deux au rez-de-chaussée, la plus grande est mansardée et prend tout l'étage. 56 € pour 2 et 13 € par personne supplémentaire, petit déj compris. Pas de table d'hôtes mais choix varié de bons restos à Caudebec, à 2 km. Accueil agréable.

Accès : de Paris, A 13 vers Rouen/Le Havre sortie n° 25 puis D 313 vers Caudebec-en-Caux ; passez le pont de Brotonne et prenez la D 490 vers Yvetot puis 5 km, sortie « La Haie-des-Prés », puis suivez le fléchage (ne sortez pas vers Maulévrier).

MAUQUENCHY   76440

Carte régionale B1

*42 km NE de Rouen ;
5 km O de Forges-les-Eaux*

€€€ 🏠 |○| (10 %) *Chambres d'hôtes Le Clos du Quesnay (Jean-François*

et Sabine Morisse) : 651, route de Rouen, Le Grand-Quesnay. ☎ 02-35-90-00-97. 📱 06-71-44-82-44. ● info@leclosduquesnay.fr ● leclosduquesnay.fr ● ♿ 🛜 Bon, la route passe à proximité mais le double vitrage est efficace, et puis la gentillesse de l'accueil et l'atmosphère de la maison nous ont séduits. Il a fallu un travail colossal pour réhabiliter ce domaine en brique, pour lui redonner son air cossu et charmant. Cinq mignonnes chambres avec sanitaires privés. On aime bien « Bénédictin » pour son volume et son originale tête de lit insérée dans un joli mur de brique. « Reinette du Canada » est lumineuse et pour 3 personnes. 90 € pour 2, petit déj compris, et 20 € par personne supplémentaire. Pour un séjour plus pittoresque, 4 mignonnes roulottes-gîtes louées au week-end ou à la semaine. Table d'hôtes à 29 €, apéro, vin et trou normand compris (mais vous dormez sur place !). Jean-François a redonné vie à l'activité de la cidrerie, de la production de différentes variétés de pommes jusqu'au calvados en passant par le cidre et le pommeau. Le maître des lieux, dans ses nombreuses activités, dirige aussi un ensemble musicovocal. Et bien sûr, si vous êtes pianiste ou que vous chantez, on sera ravi de vous écouter ou de vous accompagner car toute la famille joue d'un ou plusieurs instruments... Petit billard américain pour les amateurs. La maison est aussi classée relais-bébé et mettra à votre disposition tout le matériel nécessaire (tu veux pas que je te change ta couche ?). Une adresse de qualité.

Accès : sur la route entre Buchy et Forges-les-Eaux, n'entrez pas dans Mauquenchy, restez sur cette route jusqu'au hameau du Grand-Quesnay ; l'accès à la maison est signalé par un panonceau.

OUVILLE-LA-RIVIÈRE   76860

Carte régionale B1

*20 km E de Saint-Valéry-en-Caux ;
15 km O de Dieppe*

€€ 🏠 |○| *Chambres d'hôtes Manoir de Tessy (Marie-Agnès Fritsch) :* ☎ 02-32-06-34-44. 📱 06-08-22-05-93. Fax : 02-32-90-05-31. ● reservations@lemanoirdetessy.com ● lemanoirdetessy.com ● ♿ Fermé 24-25 déc. 🛜 Quand on arrive dans ce beau domaine dont les origines remontent au XVIe s, on comprend ce que veut dire le charme de la campagne ! Manoir familial entouré de dépendances agricoles, dont un remarquable pigeonnier admirablement conservé avec ses « boulins » (niches en torchis, ignorant !) et son échelle tournante. Cinq chambres d'hôtes à l'atmosphère sereine et agréable, dont une suite familiale composée de 2 chambres. L'une au rez-de-chaussée avec accès indépendant, les 4 autres à l'étage. Sanitaires privés. 66 € pour 2, petit déj compris, et 20 € par personne supplémentaire. Table d'hôtes à 19 €, apéro, vin et café compris. Cuisine mijotée à partir de bons produits du terroir, dont les légumes du potager en saison (hmm !). Marie-Agnès a quitté son boulot en ville pour revenir à la terre... Elle est très active et aime pardessus tout les plantes. Elle a aménagé un arboretum avec de nombreuses essences d'arbres. Vélos à disposition. Pourquoi ne pas aller à la plage de Quiberville à 9 km ? Accueil chaleureux. Une adresse où l'on aurait bien posé nos sacs plus longtemps !

Accès : A 151 Rouen/Dieppe sortie Saint-Aubin-sur-Scie ; suivez la D 54 vers Offranville puis Ouville-la-Rivière ; 3 km avt le village, prenez la D 123 vers Ambrumésnil et fléchage à gauche à 700 m.

REUILLY   27930

Carte régionale B2

9 km NE d'Évreux

€€ 🏠 ⑩% *Chambres d'hôtes Clair Matin (Amaïa et Jean-Pierre Trevisani) :* 19, rue de l'Église. ☎ 02-32-34-71-47. ● bienvenue@clair-matin.com ● clair-matin.com ● *Résa recommandée.* 📶 Jolie maison en pierre apparente, que l'on découvre une fois passé le portail en fer forgé, avec un grand jardin fleuri. Deux chambres d'hôtes agréables avec sanitaires privés et une suite pour 2 à 4 personnes, avec petit salon. Pour 2, comptez 70 € pour les chambres et 85 € dans la suite, avec le petit déj, et 15 € par personne supplémentaire. Amaïa et Jean-Pierre ayant vécu de nombreuses années en Amérique du Sud, beaucoup de meubles de la maison témoignent de leur séjour là-bas. Également un gîte de 3 personnes pour ceux qui veulent séjourner, loué de 210 à 330 € la semaine. Accueil de qualité.

Accès : sur la D 316, entre Évreux et Gaillon, puis fléchage.

ROUEN   76000

Carte régionale B1

Quartier cathédrale

€€€ 🏠 *Chambres d'hôtes Abracadabrant (Annick et Philippe Aunay) :* 45, rue aux Ours. ☎ 02-35-70-99-68. ● aunay_philippe@orange.fr ● 📶 Venir chez Annick et Philippe, c'est entrer dans un monde très personnel et chargé d'histoire... Au cœur de la ville historique, c'est une vieille demeure à colombages qui date du XVIIᵉ s, et c'est la maison natale de Philippe. On entre par une des plus anciennes ruelles de la ville (aujourd'hui privée), qui mène sur l'arrière, où l'on découvre une jolie cour intérieure, restaurée par vos hôtes. Un vénérable escalier conduit à l'étage et à la première chambre ; la seconde, sous forme de petit appartement (pour 5 personnes) avec salle à manger et kitchenette, est au 3ᵉ étage. Sanitaires privés. 72 € pour 2, petit déj compris, servi dans la bibliothèque où règne un capharnaüm indescriptible, rempli de souvenirs, de statues religieuses, toiles et gravures. On a craqué pour la lettre de la Reine Elisabeth II en reconnaissance de la bouteille de Calva que Philippe lui envoyée pour son jubilé ! Quant à l'histoire de Rouen, votre hôte est incollable. Une adresse qui mêle gentillesse et insolite.

Accès : prendre Rouen-Centre, quai de Seine-rive droite, théâtre des Arts ; la rue aux Ours commence dans la rue Jeanne-d'Arc ; le quartier est piéton, il faut se garer parking Opéra de Rouen.

SAINT-AUBIN-SUR-MER   76740

Carte régionale A1

24 km O de Dieppe ;
5 km E de Veules-les-Roses

€€€€ 🏠 *Chambres d'hôte Le Chat Chez Qui J'habite (Marie-Odile Hocquigny) :* 67, hameau de La Saline. ☎ 02-35-84-43-26. 📱 06-62-48-67-36. ● lechatchezquijhabite@orange.fr ● lechatchezquijhabite.com ● *Fermé janv.* 📶 Une étonnante maison d'artiste où Marie-Odile, peintre exposant dans une galerie de Veules-les-Roses, a entièrement réalisé la déco de ses 3 chambres d'hôtes. Et elles sont dignes d'un véritable conte de fées pour jeunes filles en fleur, avec une féérie de couleurs agrémentée de personnages de petites filles ou du fameux chat qui a donné le nom au lieu, un vrai leitmotiv chez Marie-Odile ! Voir notamment la « Chatte blanche » ou la « Princesse aux petits pois ». Comptez 95 € pour 2, petit déj compris. De plus, même si la maison est presque en bordure de route, le bruit des voitures ne parvient pas jusqu'ici, et on bénéficie aussi de l'accès à une cuisine, à une véranda, à deux tennis ainsi qu'au petit parc. Également un meublé de tourisme composé de 2 chambres, ainsi qu'un petit gîte de 3 chambres, avec cuisine et au diapason de la tonalité générale, qui se louent au week-end ou à la semaine. Espace bien-être avec spa et hammam (payant). Accueil convivial.

Accès : à la sortie de Saint-Aubin, direction Ramouville, c'est à l'intersection de la D 75 et de la D 237.

SAINT-DIDIER-DES-BOIS 27370

Carte régionale B2

*30 km SO de Rouen ;
15 km O de Louviers*

€ 🏠 |◉| 🐾 **10 %** ***Chambres d'hôtes Le Vieux Logis (Annick Auzoux) :*** 1, pl. de l'Église. ☎ 02-32-50-60-93. 📱 06-70-10-35-76. ● levieuxlogis5@orange.fr ● levieux logis.fr ● Charmante maison du XVIIe s, à colombages côté cour, en brique et silex côté jardin. Annick, ancienne antiquaire et sculpteur, qui habite dans une autre maison au bout du jardin, s'est attelée à la restauration de cette vieille demeure de famille et y consacre toute son énergie. Elle y propose 5 chambres agréables (préférez la bleue), campagnardes à souhait (meubles rustiques et tentures murales), avec sanitaires privés, dont une familiale installée dans un gîte juste à côté. 55 € pour 2, petit déj compris. Ne vous étonnez pas que les sols rustiques ne soient pas droits et que certains murs soient de travers, c'est ce qui fait tout le charme de la maison. Table d'hôtes à 17 €, vin non compris, mais la proprio ne partage pas toujours les repas avec ses hôtes.

Accès : sur la D 313 entre Louviers et Elbeuf ; à l'entrée de Saint-Pierre-lès-Elbeuf, ne prenez pas la D 52 à gauche mais la D 60 (la suivante) jusqu'à Saint-Didier ; la maison est en face de l'église.

SAINT-ÉLOI-DE-FOURQUES 27800

Carte régionale A2

37 km O de Rouen ; 37 km N Évreux

€€€ 🏠 **10 %** ***Chambres d'hôtes Manoir d'Hermos (Béatrice et Patrice Noël-Windsor) :*** ☎ et fax : 02-32-35-51-32. 📱 06-11-75-51-63. ● contact@hermos. fr ● hermos.fr ● 🛜 C'est par un petit bois que l'on arrive à ce curieux et joli manoir chargé d'histoire (ça rime). Ses origines remontent au XVIe s ; au XVIIe on lui a ajouté une chapelle originale, suspendue au-dessus du porche d'entrée desservi par un double escalier. Pour l'anecdote, il servit de pavillon de chasse à Henri IV. Deux chambres d'hôtes au 1er étage : une petite (notre préférée et la moins chère), claire et douillette, une plus grande avec mobilier ancien. Sanitaires privés. Respectivement 78 et 100 € pour 2, petit déj compris. Une autre chambre située dans une dépendance près du manoir ; celle-ci est à 64 € pour 2, petit déj compris. Devant la demeure, une immense prairie où paissent les moutons et quatre ânes. De temps en temps, Béatrice organise des soirées dîner-théâtre et loue ses salons pour des mariages et autres réceptions et, dans ces cas-là, les chambres ferment... Location de VTT. Accueil souriant et décontracté. Possibilité d'accueil pour les cavaliers l'été. Également un gîte (capacité 40 personnes).

Accès : de Rouen, A 13 puis A 28 sortie n° 13 « Domaine d'Harcourt » ; là, prenez à gauche la D 438 sur 400 m, puis à droite la D 92 sur 2 km et suivez le fléchage « Manoir d'Hermos ».

SAINT-ÉTIENNE-L'ALLIER 27450

Carte régionale A2

*34 km SE de Honfleur ;
10 km S de Pont-Audemer*

€€ 🏠 **10 %** ***Chambres d'hôtes (Annie Harou) :*** 101, chemin du Bois-Carré. ☎ 02-32-42-84-21. 📱 06-29-93-37-59. ● annha27@wanadoo.fr ● perso.wanadoo.fr/annha27 ● 🛜 C'est dans sa belle demeure bourgeoise en brique, construite par son arrière-grand-père en 1870, qu'Annie a aménagé 2 chambres d'hôtes. Elles sont claires et agréables. Préférez celle au papier paille qui ouvre à l'arrière sur les pâturages et les vergers. Comptez 60 € pour 2, petit déj compris. Pas de table d'hôtes, mais resto à proximité. À ses heures perdues, Annie est aussi artiste, et nombre de ses toiles parent les murs (notamment de très jolis nus). Chaleur et gentillesse au rendez-vous, une bonne adresse. Au fait, la petite église de Saint-Étienne-l'Allier renferme un magnifique retable, un jubé du XVIIe s et un gisant du XIVe.

Accès : l'accès de la maison se trouve sur la D 29 entre Pont-Audemer et Saint-Georges-de-Vièvres, 2 km à gauche après Saint-Martin-Saint-Firmin (quand on vient de Pont-Audemer).

SAINT-MARTIN-DE-BOSCHERVILLE 76840

Carte régionale B1

11 km O de Rouen

€€ ⌂ *Chambres d'hôtes Le Four à Pain (Jeanne et Jacques Chivot) :* 112, route de Brecy. ☎ 02-35-32-39-76. 📠 06-87-26-74-31. Fax : 02-35-34-97-62. ● *lefourapain@wanadoo.fr* ● 📶 Jeanne et Jacques ont marqué de leur empreinte cette ancienne et jolie ferme en brique et colombages du XVIIᵉ s, située à l'orée du village, entre bois, pâturages et cultures. On entre dans une spacieuse véranda sur deux niveaux, où le four à pain attend les yeux curieux. Deux chambres coquettes et lumineuses : une au rez-de-chaussée qui ouvre directement sur le jardin, l'autre au 1ᵉʳ étage, un peu plus grande, qui ouvre sur la campagne. 68 € pour 2, petit déj compris. Vos hôtes ont aussi aménagé un joli petit gîte de 3 personnes pour ceux qui veulent séjourner. Pas de table d'hôtes, mais un bon p'tit resto dans le village. Accueil charmant. Un point de chute idéal pour découvrir la vallée de la Seine et son circuit des abbayes, en commençant par l'abbaye de Saint-Martin. Sur ce site naquit, au VIIᵉ s, une chapelle funéraire dédiée à saint Georges, patron des Chevaliers, qui devint collégiale au XIᵉ s puis communauté de bénédictins. Les jardins sont très beaux (visite payante, horaires de bureau).

Accès : de Rouen, direction Canteleu puis Saint-Martin-de-Boscherville ; passez devant l'abbaye et, 50 m après la boulangerie, tournez à droite et continuez jusqu'au nº 112 (1 km env).

SAINT-RIQUIER-EN-RIVIÈRE 76340

Carte régionale B1

70 km NO de Rouen ;
8 km SO de Blangy-sur-Bresle

€€ ⌂ |●| ⚑ ⑩% *Chambres d'hôtes La Ferme (Annabelle Jouhandeaux) :* 1, impasse du Mont-Rôti. ☎ 02-35-94-46-10. 📠 06-09-88-72-80. ● *annabelle jouhandeaux@hotmail.com* ● *Ouv avr-oct.* Dans la vallée de l'Yères, vieille ferme restaurée. Le torchis entre les colombages a été remplacé par des briques, et l'une des façades s'orne aujourd'hui d'une fresque campagnarde. Deux chambres sympas avec sanitaires privés. La déco est originale, composée de nombreux objets détournés. Atmosphère champêtre et rococo. 60 € pour 2, petit déj compris. Au bout de la maison, un gîte d'étape complète le tout. Table d'hôtes, partagée avec votre hôtesse, à 25 €, vin et café compris. Cuisine simple et naturelle. Accueil chaleureux, ambiance artiste, bohème et zen.

Accès : de Foucarmont, sur la N 28 entre Blangy et Neufchâtel, prenez la route de Criel-sur-Mer jusqu'à Saint-Riquier-en-Rivière.

SAINT-SAËNS 76680

Carte régionale B1

35 km NE de Rouen ;
30 km S de Dieppe

€€ ⌂ ⑩% *Chambres d'hôtes Le Logis d'Eawy (Françoise Benkovsky) :* 1, rue du 31-Août-44. 📠 06-19-15-52-04. Fax : 02-35-34-60-29. ● *fbenkovsky@gmail.com* ● *logisdeawy.com* ● *Fermé 15 déc-15 fév.* 📶 Vous ne pouvez pas manquer l'adorable maison de Françoise qui prend des airs de fête avec sa façade jaune à colombages. Passé le seuil de la grande porte en bois, on découvre l'histoire de cette demeure du XIXᵉ s qui se donne des airs d'ancien relais de poste. La cour pavée et les écuries sont là pour en témoigner, le tout prolongé par un superbe jardin clos. Toute la maison est à disposition des hôtes, Françoise habite l'autre, juste à côté. Au rez-de-chaussée, une chambre vaste et claire (notre préférée) ; au 1ᵉʳ étage, une suite composée de deux chambres de 2 personnes et une chambre plus petite (mais moins chère) ; enfin, une suite familiale au second, mansardée. Déco de bon goût et atmosphère chaleureuse. Sanitaires privés. Comptez 79 € pour 2 (71 € pour la plus petite) et 26 € par personne supplémentaire, avec le petit déj servi dans une salle à manger parée d'une belle cheminée en bois encadrée de deux armoires. Accueil dynamique et souriant. Si vous aimez les jardins, vous pourrez en découvrir six dans un rayon de 8 km de début mai à fin septembre. Quant à la forêt domaniale d'Eawy, on la découvre à pied, à cheval ou à VTT.

Accès : à 4 km des sorties « Saint-Saëns » des autoroutes A 28 et A 29 ; au cœur du village, la rue débute devant la place de l'Église.

HAUTE-NORMANDIE

THIERGEVILLE 76540

Carte régionale A1

*10 km SE de Fécamp ;
3 km SO de Valmont*

€€ 🏠 🐾 **10%** *Chambres d'hôtes
Domaine de l'Orval (Jean-Marc Cra-
quelin) :* 20, route du Bec-de-Mortagne,
hameau de l'Orval. ☎ 02-35-27-16-
88. 📱 06-13-63-19-64. ● jmcraquelin@
gmail.com ● domainedelorval.com ●
♿ 📶 Grande maison de 1850 avec
cour de ferme en brique et silex et un
agréable jardin clos. Quatre chambres
spacieuses, aux couleurs gaies, bien
décorées, avec sanitaires privés : 3 en
rez-de-cour, la dernière à l'étage. 61 €
pour 2, petit déj compris. Également un
gîte de 12 personnes avec 3 chambres
et terrasse pour ceux qui veulent séjourner. Accueil décontracté.

Accès : dans le bourg

TOUFFREVILLE-SUR-EU 76910

Carte régionale B1

*20 km NE de Dieppe ;
12 km SO du Tréport*

€€ 🏠 |●| 🐾 **10%** *Chambres d'hôtes
La Demeure de Litteville (Francine et
Guy Duponchel) :* 4, rue du Belvédère,
Litteville. ☎ 02-35-50-93-04. 📱 06-30-
30-55-29. ● lademeuredelitteville@
wanadoo.fr ● lademeuredelitteville.
com ● 📶 Dans une charmante maisonnette en bois, style maison californienne,
2 chambres avec sanitaires privés :
l'une à l'étage de la maison, l'autre installée dans une dépendance et équipée
d'une kitchenette (genre studio) et d'un
petit jardin privatif. De 56 à 60 € pour 2,
petit déj compris (avec pain bio, jus de
pomme, yaourts et confitures maison),

que l'on prend dans la salle à manger
agrémentée d'un élégant bow-window.
Sur demande, Francine propose une formule d'« assiette gourmande » bio végétarienne pour 16 €. Également un grand
gîte rural de 8 places (4 chambres pour
2 personnes), loué à la semaine ou au
week-end. Un lieu à l'ambiance zen et
reposante. On aime.

*Accès : du Tréport, prenez la D 940 sur 6 km,
pour rejoindre ensuite la D 925 que vous
suivez sur 3 km ; prenez la D 226 à gauche,
et dans Touffreville la D 454, puis suivez le
fléchage.*

YÉBLERON 76640

Carte régionale A1

*45 km NE du Havre ;
20 km SE de Fécamp*

€€€ 🏠 |●| *Chambres d'hôtes Les
Deux Portes (Danièle et Paul Jolys) :*
148, impasse des Deux-Portes.
☎ 02-35-95-60-75. 📱 06-24-40-48-94.
● jolys76@orange.fr ● les2portes76.
fr ● 📶 C'est une adresse qu'il faut
découvrir de l'intérieur... Elle est composée de deux maisons normandes qui ont
été réunies par une agréable véranda
centrale. De jolies œuvres décorent les
murs car Danièle peint de belles aquarelles. Deux chambres charmantes à
l'atmosphère romantico-campagnarde,
avec sanitaires privés ; une au rez-de-
chaussée, la seconde à l'étage. Comptez
respectivement 75 et 98 € pour 2, petit
déj compris. Table d'hôtes partagée en
famille à 32 €, apéro et vin compris. Fine
cuisinière, Danièle vous fera découvrir
ses recettes goûteuses et recherchées.
Une adresse pour se faire dorloter ou utiliser le pinceau !

*Accès : dans Yébleron, prenez direction Hat-
tenville pdt 800 m et, à la patte d'oie, prenez
la route à droite et immédiatement à droite ;
la maison est à 100 m à droite.*

Pays de la Loire

Basse-Normandie

Bretagne

Mayenne (53)

Sarthe (72)

Loire-Atlantique (44)

Maine-et-Loire (49)

Centre

Vendée (85)

Poitou-Charentes

ANCENIS   44150

Carte régionale A2

35 km E de Nantes ; 45 km O d'Angers

€€ 🏠 ***Chambres d'hôtes Castel Magnolia (Delphine et Laurent Mosset)*** *: 100, impasse Barême.* 📱 *06-87-23-75-89.* ● *delphinemosset@gmail.com* ● *sites.google.com/site/castelmagnolia/* ● 📶 En plein centre-ville, belle demeure bourgeoise du XIXe s entourée d'un petit jardin où siègent deux magnolias centenaires. Trois chambres charmantes avec sanitaires privés : 2 au 1er étage, la dernière au second avec belle poutraison apparente. Jolie déco réalisée par Delphine (meubles peints, beaux parquets). Atmosphère sereine. 68 € pour 2, petit déj compris. Pas de table d'hôtes mais plein de restos à proximité. Accueil jeune et convivial. Une très gentille adresse.

Accès : A 11 sortie n° 20 ; allez jusqu'au centre-ville, et, dans la montée de la rue Georges-Clemenceau, prenez à gauche vers le parking « Barême », la maison est tt en bas.

€€€ 🏠 ***Chambres d'hôtes Loire-Séjours (Aline et Andrew Treppass)*** *: 196, rue du Général-Leclerc.* ☎ *09-64-40-47-46.* 📱 *06-75-22-30-89.* ● *info@loire-sejours.fr* ● *loire-sejours.fr* ● 📶 Au cœur de la cité, jolie maison du XVIIIe s dans une petite rue calme. Après avoir vécu 35 ans à Londres, Aline et Andrew, Écossais d'origine, ont décidé de revenir dans cette région, patrie d'Aline. Ils ont retapé cette maison en essayant de lui garder son cachet, vieux parquets, tomettes et noble escalier dans son jus. Cinq chambres lumineuses et agréables avec sanitaires privés : 2 au 1er étage, 2 au second, la dernière dans le jardin, de plain-pied. On aime bien « côté Bretagne » qui ouvre sur le jardin. 75 € pour 2, petit déj compris continental ou à l'anglaise avec petit supplément. Agréable salon avec piano quart de queue. Pas de table d'hôtes mais plusieurs restos accessibles à pied (on aime bienLe Bouche à Oreille). Vous êtes sur la route de la Loire à Vélo. Accueil chaleureux. Une adresse qu'on aime bien.

Accès : A 11 sortie n° 20 ; allez jusqu'au centre-ville puis en direction du château, et juste avt le pont qui enjambe la Loire, tournez à droite au stop, rue du Château, qui continue par la rue du Général-Leclerc.

BATZ-SUR-MER   44740

Carte régionale A2

30 km O de Saint-Nazaire ; 10 km S de Guérande

€€ 🏠 **10 %** ***Chambres d'hôtes Entre Mer et Marais (Brigitte et Michel Maindron)*** *: 1, route de Kerlan.* 📱 *06-37-05-52-15.* ● *contact@entre-mer-et-marais.fr* ● *entre-mer-et-marais.fr* ● 🔧 *Ouv mars-sept.* 📶 Au cœur de cette jolie cité de caractère, dans un bâtiment bardé de bois

---

Nous vous rappelons que la table d'hôtes est le complément d'une formule d'hébergement (chambre d'hôtes, gîte d'étape...). Ce service n'est offert qu'aux personnes qui dorment sur place (excepté lorsqu'il est clairement écrit « ouvert aux extérieurs »).

PAYS DE LA LOIRE

Couesmes-Vaucé

Lassay-les-Châteaux

MAYENNE

ORNE (61)

N 12

Mayenne

N 12   D 113

D 311

A 28 E 402

D 2

EURE-ET-LOIR (28)

D 923

Fresnay-sur-Sarthe

-Germain-Fouilloux

Belgeard

D 35

D 24

Ste-Gemmes-le-Robert

aval

A 81   E 50

53

D 7

St-Denis-d'Orques

A 11   E 50

D 7

Bazougers

D 301

D 323   D 302

SARTHE

D 357

D 1

1

ontignié-Brillant

Souligné-Flacé

le Mans

D 357

Solesmes

âteau-ntier

D 28

St-Brice

Sablé-sur-Sarthe

Moncé-en-Belin

72

LOIR-ET-CHER (41)

nil

Gennes-sur-Glaize

Oizé

D 304

D 303

N 162

A 11   E 501

la Flèche

Pontvallain

e Lion-Angers

Montreuil-sur-Loir

Mareil-sur-Loir

N 10

Grez-Neuville

Angers

D 305

A 28   E 502

Fontaine-Guérin

D 766

D 810   E 60

A 10   E 5

Georges-ur-Loire

Bocé

A 85   E 60

Brion

D 952

D 952

La Possonnière

Tours

Loire

Charcé-Saint-Ellier

A 87

Vauchrétien

D 751

Saint-Lambert-des-Levées

A 85   E 604

49

Saumur

Varennes-sur-Loire

Doué-la-Fontaine

Dampierre-sur-Loire

Montreuil-Bellay

A 10   E 5

INDRE-ET-LOIRE (37)

D 910

D 943

DEUX-SÈVRES (79)

N 249

N 149

D 938

D 347

2

Parthenay

N 149

VIENNE (86)

INDRE (36)

D 743

Poitiers

D 951

A 83

A 10

D 611

E 5

N 147

N 10

0   20   40 km

Benet

Niort

● Herbignac   Adresses

○ Mayenne   Villes repères

PAYS DE LA LOIRE

PAYS DE LA LOIRE

installé dans le jardin, 3 chambres dont une familiale de 4 personnes avec coin salon et accès indépendant. Déco charmante. Sanitaires privés. Entre 69 et 79 € pour 2, petit déj compris, et 99 € pour 4. Accueil convivial. Pas de table d'hôtes mais plusieurs restos dans le village. Première plage à 500 m, mais Batz est aussi un village de paludiers car comme le signale le nom de la maison, vous êtes entre mer et marais. Du clocher de l'église, belle vue sur la région. Bon rapport qualité-prix-convivialité.

Accès : à l'entrée du village venant de La Baule ou de Guérande, au niveau de Groupama, tournez à gauche puis 2 fois à droite, la maison est à l'angle de la rue Tintamarre et de la rue de Kerlan.

BAZOUGERS   53170

Carte régionale B1

15 km SE de Laval ;
8 km N de Meslay-du-Maine

€€ 🏠 |○| (10 %) **Chambres d'hôtes Domaine de la Houzardière (Marguerite et Yves Moënner) :** *route de Saint-Georges.* ☎ 02-43-02-37-16. 📱 06-66-08-27-66. ● marguerite@houzardiere.com ● houzardiere.com ● *Ouv début mars-fin déc.* 📶 Agréable domaine aux allures bourgeoises. Dans un bâtiment indépendant, 4 jolies chambres avec sanitaires privés : 2 au rez-de-chaussée et 2 autres à l'étage, dont une immense qui peut accueillir jusqu'à 4 personnes. 60 € pour 2, petit déj compris et 18 € par personne supplémentaire. Les repas se prennent chez Marguerite et Yves dans une chaleureuse salle à manger où siègent une immense cheminée et un croquignolet « taxiphote », vieil appareil pour regarder des photos en relief sur plaque de verre. Table d'hôtes à 21 €, apéro, vin et café compris, pour une cuisine mijotée et goûteuse à partir de produits fermiers. Accueil convivial. Une adresse où l'on se sent bien.

Accès : A 81, sortie n° 2, puis D 281 vers Saint-Georges-le-Fléchard ; la maison est fléchée 500 m avt Bazougers sur la droite.

BELGEARD   53440

Carte régionale B1

7 km SE de Mayenne

€ 🏠 (10 %) **Chambres d'hôtes Le Closeau de Brives (Thérèse et Pierre Lelièvre) :** *Ancien-Bourg.* ☎ 02-43-04-14-11. Dans un petit hameau au milieu des prés,

maisonnette en pierre apparente où Thérèse et Pierre, agriculteurs à la retraite, ont ouvert 2 chambres d'hôtes, situées à l'étage. Comptez 48 € pour 2, petit déj compris. Les propriétaires accueillent bien gentiment. Calme et tranquillité assurés. À 7 km, la ville gallo-romaine de Jublains.

Accès : en venant de Mayenne, prenez la D 207 ; 2,5 km avt Belgeard, à Ancien-Bourg, suivez le fléchage.

BENET   85490

Carte régionale B2

25 km SE de Fontenay-le-Comte ;
15 km NO de Niort

€€ 🏠 **Chambres d'hôtes Le Petit Paradis (Marie-Noëlle et Dominique Houche) :** *La Meugne.* ☎ 02-51-00-99-10. 📱 06-64-32-26-64. ● accueil@le-petit-paradis.com ● le-petit-paradis.com ● *Ouv avr-oct.* 📶 À la frontière des Deux-Sèvres et de la Vendée, au cœur d'un hameau bien tranquille, belle demeure typique du marais poitevin. Trois chambres à l'atmosphère champêtre installées dans les anciens bâtiments de la ferme. Deux de plain-pied, la dernière à l'étage, chacune avec petite terrasse privative, télé et sanitaires privés. On aime bien « Aurore » avec son lit à baldaquin et ses vieilles mangeoires en pierre. 70 € pour 2, petit déj compris, et 15 € par personne supplémentaire. Pas de table d'hôtes mais cuisine commune à disposition. Pour vous détendre, agréable piscine chauffée par géothermie, vélos à disposition, ainsi qu'une barque installée sur une petite conche pour découvrir le marais (c'est pas beau la vie ?). Accueil convivial. Une adresse qu'on aime bien.

Accès : A 10 sortie n° 33 et direction Frontenay-Rohan-Rohan (2 fois !) puis D 1 vers Coulon que vous traversez en direction de Benet ; tt de suite après Glandes, tournez à gauche vers Le Mazeau et suivez le fléchage.

BOCÉ   49150

Carte régionale B1

34 km E d'Angers ; 5 km S de Baugé

€€ 🏠 |○| **Chambres d'hôtes Le Chant d'Oiseau (Jannick et Jean-Pierre Gallet) :** *Les Rues.* ☎ et fax : 02-41-82-73-14. 📱 06-86-50-35-79. ● jjp.gallet@orange.fr ● Dans un joli jardin paysager, dans l'ancienne grange bien restaurée, 3 chambres très sympas avec sanitaires privés. Une, avec mezzanine, peut accueillir 4 personnes.

60 € pour 2, petit déj compris. Table d'hôtes à 22 €, vin compris. Accueil chaleureux.

Accès : suivez le fléchage depuis le village.

BOUAYE · 44830

Carte régionale A2

7 km SO de Nantes

€€€€€ 🏠 ⛳ **Chambres d'hôtes Château du Bois de la Noë (Patricia et Philippe Gonnord) :** 8, allée de la Roseraie. ☎ 02-51-11-10-94. 📱 06-33-52-71-45. ● contact@chateau-boisdelanoe.com ● chateau-boisdelanoe.com ● 📶 Superbe château dont les origines remontent au XVIe s, planté dans un grand parc aux arbres centenaires. Cinq chambres élégantes et spacieuses avec sanitaires privés. De 108 à 128 € pour 2, petit déj compris. Pour vous détendre, court de tennis et piscine extérieure chauffée. Accueil de qualité. Une adresse de charme pour vivre la vie de château !

Accès : en venant de Paris, prenez le périphérique Nord direction Aéroport Nantes-Atlantique ; passez le pont de Cheviré, puis sortie Pornic-Noirmoutier puis sortie Bouaye-la-Forêt ; au rond-point, D 751 vers Bouaye et au1er feu tricolore (carrefour du Bois de la Noë), prenez à gauche, puis 2e à droite.

BOUFFÉRÉ · 85600

Carte régionale A2

25 km N de La Roche-sur-Yon ;
3 km SO de Montaigu

€€ 🏠 10% **Chambres d'hôtes L'Ancienne École (Sylvie et Jean-Yves Fauchard) :** 21, rue Saint-Joseph. ☎ 02-51-06-32-89. 📱 06-99-67-86-88. ● anciennecole@orange.fr ● ancienne-ecole-bouffere.fr ● ♿ 📶 C'est l'ancienne école du village où le père et le grand-père de Jean-Yves ont usé leurs fonds de culotte, comme en témoignent les vieilles photos dans l'une des 3 chambres (notre préférée). Si l'extérieur est resté à l'identique, l'intérieur est tout autre, et on a profité du volume pour créer des chambres spacieuses et agréables, pour 2 ou 3 personnes. Toutes avec sanitaires privés (eau chaude solaire) et télé HD. Selon la saison, comptez de 62 à 67 € pour 2, petit déj compris. Accueil chaleureux.

Accès : à l'entrée du village à droite en venant de Montaigu.

BOUVRON · 44130

Carte régionale A1-2

35 km NO de Nantes ;
28 km NE de Saint-Nazaire

€€ 🏠 **Chambres d'hôtes (Marie-Line et Philippe Chotard) :** La Courbelais. ☎ 02-40-56-30-04. 📱 06-73-90-55-88. ● philippe.chotard44@orange.fr ● Marie-Line et Philippe élèvent des vaches laitières. Dans une aile de leur ferme, 3 chambres campagnardes à l'atmosphère champêtre. Mobilier et tête de lit ont été réalisés par Philippe. Sanitaires privés. 54 € pour 2, petit déj compris (gâteau, salade de fruits, lait, yaourts et jus de pomme... le tout maison). Accueil authentique et vrai.

Accès : sur la N 165, entre Nantes et Saint-Nazaire, sortie Malville, puis N 171 jusqu'à Bouvron ; dns le village, prenez la D 16 vers Campbon pdt 2 km et tournez à gauche vers La Courbelais.

BRION · 49250

Carte régionale B1-2

35 km E d'Angers ; 22 km O de Saumur

€€€ 🏠 10% **Chambres d'hôtes La Chouannière (Patricia et Gilles Patrice) :** domaine des Haye. ☎ et fax : 02-41-80-21-74. ● chouanniere@loire-passion.com ● loire-passion.com ● 🐾 Ouv d'avr à mi-oct. Ancienne et jolie ferme dissimulée dans un immense domaine où l'on trouve aussi le château (qui ne se visite pas, mais dont elle dépendait), un atelier d'artiste et une grande forêt uniquement réservée à la chasse (attention aux coups de fusil). Son croquignolet pigeonnier se dresse fièrement et abrite une chouette. Dans les autres bâtiments, 4 chambres charmantes et champêtres, toutes de plain-pied avec accès indépendant : 2 plus petites (« Ligérienne » et « Muscade »), 2 plus grandes (« Cannelle » et « Montesquiou »), avec coin salon et pouvant accueillir jusqu'à 4 personnes. De 69 à 85 € pour 2, petit déj compris (avec pain, yaourts et confitures maison). Pas de table d'hôtes mais une grande cuisine à disposition. Pour les amateurs de séjours insolites, un petit gîte pour 2 personnes dans une adorable cabane sur pilotis (comptez 89 € pour 2 ; location pour 4 nuits minimum en août, pour 2 nuits minimum le reste de l'année). Également un gîte pour 3 personnes, construit en paille de chanvre et matériaux locaux, loué de 325 à 525 € la semaine. Accueil agréable et décontracté. Dès les beaux jours, vous pourrez profitez de la grande piscine chauffée. La maison est classée « Nature et Patrimoine », alors, si vous aimez observer les oiseaux, c'est l'adresse idéale. Superbes étangs à proximité de Jumelles où on a vu plusieurs sortes de hérons. Pour les amoureux de vieilles pierres, l'église de Brion fait partie des églises accueillantes : en juillet-août, on peut la découvrir en musique (chut !).

Accès : *de la belle église du village, suivez « Toutes directions » ; à la sortie du bourg, prenez la direction de Jumelles sur 1,5 km, l'entrée est à gauche.*

CHARCÉ-SAINT-ELLIER 49320

Carte régionale B2

30 km NO de Saumur ;
20 km SE d'Angers

€€ 🏠 ***Chambres d'hôtes La Pichonnière (Martine et Jean-Claude Colibet) :*** ☎ 02-41-91-29-37. 📱 06-74-49-02-10. ● gite-brissac@wanadoo.fr ● gite-brissac. com ● ♿ Joli et grand corps de ferme en forme de U, tout en tuffeau, où deux familles cohabitent. La demeure de Martine et Jean-Claude est à droite, quand on entre dans la cour. Quatre chambres d'hôtes coquettes et confortables, dont 2 au rez-de-chaussée, accessibles aux personnes à mobilité réduite, les 2 autres à l'étage de la maison. Sanitaires privés (mais w-c sur le palier pour l'une d'elles). Murs en pierre apparente, déco agréable. De 55 à 70 € pour 2, petit déj compris, servi dans la conviviale salle à manger des propriétaires. L'occasion de découvrir un incroyable choix de produits du terroir. Pas de table d'hôtes, mais plusieurs petits restos à proximité. Accueil sincère et chaleureux. Une gentille adresse.

Accès : *d'Angers, allez en direction de Cholet/Poitiers ; après avoir traversé la Loire, prenez la D 748 vers Poitiers sur 10 km et lorsque vous voyez Brissac sur votre droite, au rond-point, continuez sur la D 761 pdt 1,5 km ; fléchage à gauche.*

CHÂTEAU-GONTIER 53200

Carte régionale B1

30 km S de Laval

€€€€ 🏠 🎯 ***Chambres d'hôtes Le Chêne Vert (Caroline et Jean-Pierre Héron) :*** ☎ et fax : 02-43-07-90-48. 📱 06-81-84-48-66. ● caroline.heron@wanadoo.fr ● chenevert-chateaugontier.com ● ♿ 📶 Petit

château de la fin du XVIIIᵉ s planté dans un agréable parc de 1 ha. Cinq chambres originales, colorées et spacieuses, avec sanitaires privés et accès wifi. On aime bien « Safari » avec sa déco africaine colorée, ainsi que « Tropicale » avec son lit à baldaquin en bambou et sa baignoire jacuzzi (la plus chère). 95 € pour 2 (121 € pour la « Tropicale »), petit déj compris, et 20 € par personne supplémentaire. Les amoureux choisiront le gîte Love, avec son grand lit rond et sa baignoire jacuzzi, à 149 € pour 2, petit déj compris. Également une jolie roulotte-gîte qui peut accueillir 4-5 personnes pour ceux qui aiment l'originalité, avec baignoire jacuzzi aussi (si ! si !), à 139 € pour 2, avec petit déj. Piscine couverte et chauffée ouverte toute l'année. Caroline est une hôtesse dynamique, charmante et souriante. Une adresse qu'on aime bien.

Accès : *de Château-Gontier, D 20 vers Nantes/Segré, et après le rond-point de la gendarmerie, c'est à 400 m à gauche.*

CHÂTEAU-THÉBAUD 44690

Carte régionale A2

15 km SE de Nantes ;
15 km NO de Clisson

€€ 🏠 ***Chambres d'hôtes (Annick et Gérard Bousseau) :*** *La Pénissière.* ☎ 02-40-06-51-22. 📱 06-83-01-04-47. Fax : 02-28-21-31-40. ● hotesbousseau@ wanadoo.fr ● 📶 Au cœur du vignoble nantais, 3 chambres personnalisées, avec sanitaires privés, à 58 € pour 2, petit déj compris. Agréable salle à manger rustique avec cheminée. Le proprio fait déguster son muscadet, son cabernet et vous fournira tous les renseignements sur la vinification. À 400 m de la maison, un étang privé permettra aux pêcheurs d'assouvir leur passion. Très calme. Accueil familial.

Accès : *de Château-Thébaud, prenez la D 58 en direction de Montbert, puis suivez le fléchage « La Pénissière » sur la gauche.*

CORDEMAIS 44360

Carte régionale A2

20 km NO de Nantes ;
2 km S du Temple-de-Bretagne

€€ 🏠 🎯 **10%** ***Chambres d'hôtes La Furetterie (Laure et Jean-Luc Le Gouil) :*** *La Gentais.* ☎ 02-40-8522-24. 📱 06-13-81-38-13. ● contact@lafuretterie.com ● lafuretterie.com ● 📶 C'est en parcourant la France à moto et en chambres d'hôtes que Laure et Jean-Luc ont décidé d'ouvrir leur

PAYS DE LA LOIRE

maison aux hôtes. Située en pleine campagne, ils ont réalisé un travail colossal pour transformer cette ancienne ferme tombée en ruines. Le résultat est superbe et la déco charmante et élégante. Quatre jolies chambres réparties dans différentes ailes de la maison, toutes différentes, avec accès de plain-pied indépendant. L'atmosphère de la 2 et la 3 invite au voyage, mais on a craqué pour la 4 avec sa grande fenêtre qui ouvre sur la campagne. Sanitaires privés, TV et micro-ondes dans chaque chambre. 69 € pour 2, petit déj compris, servi chez Laure et Jean-Luc, dans une magnifique salle de jour lumineuse avec grand balcon suspendu. Accueil à la hauteur du charme de la maison. Une adresse coup de cœur !

Accès : sur la N 165 entre Nantes et Saint-Nazaire, sortie le Temple-de-Bretagne ; allez jusqu'à l'église et prenez direction Cordemais (D 49), faites 2 km et tournez à gauche vers La Furetterie.

COUESMES-VAUCÉ 53300

Carte régionale B1

20 km N de Mayenne ;
6 km N d'Ambrières-les-Vallées

€ 🏠 10% **Chambres d'hôtes (Thérèse et Hubert Garnier) :** Froulay. ☎ 02-43-04-94-17. 📱 06-75-91-44-17. ● hubert garnier@wanadoo.fr ● perso.wanadoo.fr/ hubert.garnier ● 🛜 En pleine campagne, agréable ferme abritant 3 chambres coquettes avec sanitaires privés et accès indépendant : une au rez-de-chaussée avec lits en mezzanine pour les enfants, les 2 autres au 1er étage avec accès par escalier extérieur. 49 € pour 2, petit déj compris, et 16 € par personne supplémentaire. Belle salle à manger avec imposante cheminée où les propriétaires laissent la cuisine à disposition car ils ne font pas table d'hôtes. Dans le parc, chèvres, poules et lapins raviront vos bambins. Accueil authentique et vrai. Une adresse nature.

Accès : d'Ambrières, D 33 vers Gorron puis D 167 vers Le Pas sur 0,6 km puis à droite C 3 vers Soucé et suivez le fléchage jusqu'à Froulay.

DAMPIERRE-SUR-LOIRE 49400

Carte régionale B2

4 km E de Saumur

€€€ 🏠 🍴 🐴 **Chambres d'hôtes Le Petit Hureau (Sophie et Christian Pommery) :** 540, route de Montsoreau. ☎ 02-41-67-92-51. ● contact@petithureau.com ● peti thureau.com ● 🛜 Encore un site étonnant sur cette route de la Loire ! Quatre chambres dans ce manoir du XVe s, résidence temporaire de Marguerite d'Anjou ; 3 situées dans une tour, la dernière dans la maison des proprios. Sanitaires privés. 81 € pour 2, petit déj compris, servi dans une cave en troglo, ou dans le jardin lorsque le temps est au beau. Table d'hôtes sans les proprios à 25 €, apéro maison, vin non compris. Accueil chaleureux. Une bonne adresse.

Accès : à la sortie de Dampierre en venant de Saumur et en direction de Fontevraud.

DERVAL 44590

Carte régionale A1

25 km O de Châteaubriant ;
12 km N de Nozay

€ 🏠 🍴 **Chambres d'hôtes (Annie et Jean-Yves Habay) :** 1, rue de Nantes. ☎ 02-40-07-72-97. 📱 02-51-44-35-75. ● annie.habay@wanadoo.fr ● manoirdebellevue-derval.fr ● 🛜 Cette belle et grande maison du XVIIe s, sagement lovée derrière de grands marronniers, est un refuge bienvenu. Au 1er étage, 2 chambres agréables avec sanitaires privés, dont une suite composée de 2 chambres. Au 2e étage, 3 chambres mansardées, avec lavabo et douche mais w-c communs. De 50 à 54 € pour 2, petit déj compris, et 90 € pour 4. Table d'hôtes à 18 €, sans les boissons. Vieilles horloges comtoises, cheval à bascule, nombreuses faïences... pas moins de 7 000 pièces à découvrir dans la petite expo des proprios. Également un gîte rural de 4 personnes, installé dans les dépendances. Accueil chaleureux.

Accès : dans le village.

DOUÉ-LA-FONTAINE 49700

Carte régionale B2

40 km SE d'Angers ;
15 km SO de Saumur

🏠 **Chambre d'hôtes Le Rose'Zoo (Solange Buffard) :** 16, impasse de la Fuye. ☎ 02-44-27-13-30. 📱 06-26-30-79-25. ● solangecochard@hotmail.fr ● lero sezoo.fr ● Fermé en janv. Dans une charmante maison aux volets bleus, à 500 m du Bioparc « Zoo de Doué », une suite familiale composée de 3 chambres, décorées avec soin et simplicité. Coin détente en mezzanine, et beau jardin fleuri pour flâner. 50 € pour 2, petit déj compris, et 15 € par personne supplémentaire. Solange vous accueille chaleureusement et sans chichis. Au petit déj, confitures et autres spécialités maison à déguster. Et tendez l'oreille, le lion rugissant et les oiseaux tropicaux ne sont pas loin... *NOUVEAUTÉ.*

Accès : dans la rue de Cholet, direction centre-ville, 1re à gauche après le zoo, puis 1re à droite ; la maison est au bout de l'impasse.

€ 🏠 |◎| 🛏 **Chambres d'hôtes Les Roses Roses (Françoise Douet) :** *34, rue de Soulanger.* ☎ 02-41-59-21-43. 📱 06-98-80-91-98. ● *douet.f@sfr.fr* ● *lesrosesroses. com* ● 📶 Ancienne maison de vigneron abritant 3 chambres coquettes aux salles de bains rutilantes et une suite familiale composée de 2 chambres. Compter 50 € pour 2, petit déj compris, et 10 € tout compris pour la table d'hôtes, qui dit mieux ? Votre hôtesse a réalisé toutes les peintures qui ornent les murs. Elle expose aussi d'harmonieuses sculptures d'Émile Spagnoli sur la danse et le mouvement. Atmosphère un brin bohème et accueil chaleureux.

Accès : à côté du jardin des Roses, dans le quartier du zoo.

ERNÉE 53500

Carte régionale A1

20 km O de Mayenne ;
20 km E de Fougères

€ 🏠 **Chambres d'hôtes (Catherine et Florent Gendron) :** *La Gasselinais.* ☎ 02-43-05-70-80. ● *gendron53@yahoo. fr* ● *bienvenuealaferme.net* ● Bien que proche de la nationale, une fois arrivé chez Catherine et Florent, on oublie vite ce petit inconvénient pour entrer dans leur univers. Ici, c'est la vraie vie de la ferme comme l'imaginent les enfants. Toutes les espèces sont représentées et un petit parcours champêtre a été créé pour vous faire découvrir (ils reçoivent d'ailleurs les enfants des écoles du coin). Trois chambres d'hôtes champêtres avec sanitaires privés. 47 € pour 2, petit déj compris, à base des produits bio de la ferme. Sur place, départ de sentiers balisés et une jolie petite rivière où les pêcheurs pourront taquiner la truite. Accueil très chaleureux.

Accès : d'Ernée, N 12 vers Mayenne sur 1 km et fléchage à droite.

€€ 🏠 |◎| **Chambres d'hôtes La Rouaudière (Thérèse et Maurice Trihan et leurs enfants) :** *Mégaudais.* ☎ 02-43-

05-13-57. 📱 06-86-81-75-57. ● *therese-tri han@wanadoo.fr* ● *rouaudiere-megaudais. fr* ● Dans une jolie ferme d'élevage (vaches laitières), 4 chambres avec sanitaires privés : 3 sont à l'étage et la dernière au rez-de-chaussée. Thérèse, qui a la passion des brocantes et des tissus (elle chine en permanence), les a décorées avec goût. Aux murs, paille de couleur qui donne une atmosphère chaleureuse. De 60 à 70 € pour 2, copieux petit déj compris (avec jambon, œufs et fromages). Repas à 25 €, apéro, vin et café compris. Accueil agréable.

Accès : sur la N 12 entre Ernée et Fougères, au niveau du hameau de Mégaudais, suivez le fléchage ; la maison est à 650 m en contrebas de la nationale.

FONTAINE-GUÉRIN 49250

Carte régionale B1

30 km E d'Angers ; 10 km SO de Baugé

€€ 🏠 🛏 (10 %) **Chambres d'hôtes Moulin de Laveau (M. et Mme Charrier) :** *Gée.* ☎ 02-41-57-13-18. 📱 06-70-35-23-81. ● *moulindelaveau@orange.fr* ● *moulindelaveau.blogspot.com* ● 📶 Pas facile à trouver, mais des adresses comme celle-ci, ça se mérite ! Cet ancien moulin à eau installé sur le Couasnon est absolument ravissant, et les 3 chambres jolies comme tout. Déco ancienne et vue sur les nénuphars pour toutes ; la chambre rouge dispose en plus d'une terrasse. Sanitaires privés. De 68 à 75 € pour 2, petit déj compris. Les proprios élèvent aussi des ânes, et si vous le désirez, ils pourront vous accompagner pour une petite balade. Accueil convivial.

Accès : à Fontaine-Guérin, tournez à gauche vers Saint-Georges-du-Bois et après le plan d'eau, prenez la 1re route à gauche direction Gée ; faites 3 km puis visez l'éolienne bleue et à gauche le panneau « Moulin de Laveau ».

FRESNAY-SUR-SARTHE 72130

Carte régionale B1

40 km NO du Mans ;
17 km NE de Sillé-le-Guillaume

€€ 🏠 |◎| (10 %) **Chambres d'hôtes La Roche Goupille (Thérèse Leclercq) :** *43, av. Victor-Hugo.* ☎ 02-43-34-64-71. 📱 06-86-16-25-84. ● *therese.leclercq@ free.fr* ● *larochegoupille.fr* ● 📶 Fresnay est une petite cité médiévale à découvrir. En son sein, cette belle demeure bourgeoise du début du XIXe s. C'est surtout côté parc qu'on apprécie cette adresse. Dans l'ancien four à pain, Thérèse a aménagé 2 chambres bien au calme avec de luxueux sanitaires privés. Elles sont élégantes avec leur déco sobre et meubles anciens. 62 € pour 2, petit déj compris (jus de fruits pressés et confitures maison). Table d'hôtes à 22 €, apéro et vin compris. Cuisine familiale à l'ambiance barbecue aux beaux jours. Il faut dire qu'on est bien dans le parc qui regorge de magnifiques essences, dont un cèdre et un majestueux séquoia. Pour compléter le tout, il y a aussi la piscine. Votre hôtesse est chaleureuse, lectrice de *Géo* et utilisatrice de notre bible, on ne peut que craquer !

Accès : dans le centre du bourg, en direction de Sillé-le-Guillaume et à gauche dans le virage.

GENNES-SUR-GLAIZE 53200

Carte régionale B1

29 km SE de Laval ;
23 km O de Sablé-sur-Sarthe

€ 🏠 |○| 🐾 (10%) **Chambres d'hôtes Les Maraudes (Marguerite et Alexandre Mourin) :** ☎ 02-43-70-90-81. *Fermé 15-30 sept.* Dans d'anciennes étables joliment restaurées, 4 chambres : 2 avec salle de bains mais w-c communs et 2 avec sanitaires privés. 50 € pour 2, petit déj inclus. À l'extérieur, petit barbecue à disposition, dans un joli jardin fleuri. Sinon, repas à 16 €, vin compris, avec une cuisine simple et familiale. Billard. Également un gîte pour 5 personnes loué de 220 à 320 € la semaine. Les patrons, agriculteurs à la retraite, prodiguent un accueil authentique.

Accès : sur la D 28, entre Sablé et Château-Gontier ; dans le village, prenez en direction de Châtelain (D 589), c'est à 600 m sur la droite.

GORGES 44190

Carte régionale A2

22 km SE de Nantes ;
4 km NO de Clisson

€€ 🏠 |○| (10%) **Chambres d'hôtes La Sarmentille (Béatrice et Pascal Freuchet) :** 19, Les Beillards. ☎ 02-40-03-96-45. 📱 06-22-23-43-84. ● lasarmentille@ orange.fr ● la.sarmentille.free.fr ● 🛜 Dans un ancien pressoir rénové, 2 chambres coquettes avec sanitaires privés. Une au

rez-de-chaussée, l'autre mansardée à l'étage. De 60 à 65 € pour 2 avec le petit déj. Bonne table d'hôres à 23 €. Cuisine à partir des légumes du jardin en saison. Accueil chaleureux.

Accès : le hameau se trouve sur la D 763 entre Clisson et Mouzillon.

GREZ-NEUVILLE 49220

Carte régionale B1

20 km NO d'Angers ;
4 km SE du Lion-d'Angers

€€€ 🏠 |○| 🐾 (10%) **Chambres d'hôtes La Croix d'Étain (Jacqueline et Auguste Bahuaud) :** 2, rue de l'Écluse. ☎ 02-41-95-68-49. ● croix. etain@loire-anjou-accommodation.com ● loire-anjou-accommodation.com ● *Ouv Pâques-Toussaint.* 🛜 Charmant manoir d'époque Directoire, au milieu d'un parc arboré et fleuri longeant la Mayenne. Quatre chambres d'hôtes confortables, toutes avec sanitaires privés. Déco raffinée et personnalisée, avec de beaux meubles anciens. De 85 à 100 € pour 2, petit déj compris. Possibilité de table d'hôtes sur réservation (dimanche excepté) à 30 € boissons incluses, et crêperie à la base fluviale juste à côté.

Accès : un peu avt Le Lion-d'Angers, à 2 km de la N 162 ; au centre du village, entre la rivière et l'église.

GUÉRANDE 44350

Carte régionale A2

15 km NO de Saint-Nazaire ;
6 km N de La Baule

€€ 🏠 **Chambres d'hôtes (Cécile et Olivier Guilbaud) :** 11, rue François-Thuard, Saillé. ☎ 02-40-42-35-58. ● guilbaudo livier@neuf.fr ● *Ouv mars-sept.* 🛜 Ardente défenseuse et fière de sa région, Cécile vous en fera découvrir tous les secrets. Installées au 2e étage de cette noble demeure du XVIIe s, 2 chambres sobres et sereines, avec petits sanitaires privés. 55 € pour 2, petit déj compris. Accueil souriant et chaleureux. Bon rapport qualité-prix-convivialité.

Accès : dans le bourg de Saillé, derrière l'église

€€€ 🏠 |○| 🐾 **Chambres d'hôtes La Musardise (Danièle et Christian Messu) :** 47, rue du Mené. ☎ 02-40-61-90-50. 📱 06-83-01-38-95. ● lamusardise44@ orange.fr ● lamusardise.fr ● 👍 🛜 Ancien corps de ferme de la fin du XVIIIe s. Dans une aile indépendante, 3 chambres d'hôtes familiales en duplex, lumineuses et sereines, avec sanitaires privés. 72 € pour 2, petit déj compris, et 124 € pour 4. Table d'hôtes partagée en famille à 27 €, apéro, vin et café compris. Goûteuse cuisine aux accents de la région. On peut aussi avoir un plateau repas à prendre dans la chambre à 15 €. Christian est natif du coin, la Brière n'a pas de secret pour lui et il vous donnera toutes les infos pour la découvrir. Accueil chaleureux. Une adresse calme et nature.

Accès : au niveau des remparts de Guérande, au grand rond-point, prenez direction Saint-André-des-Eaux ; passez la zone commerciale puis prenez à gauche direction La Madeleine jusqu'à l'étang de Sandun et, après le petit pont, prenez la 2e route à droite, qui monte jusqu'au hameau du Mené.

HERBIGNAC 44410

Carte régionale A1

18 km N de La Baule ;
25 km NO de Saint-Nazaire

€€ 🏠 🐾 ⑩% *Chambres d'hôtes La Noé de Marlais (Josiane Fresné) :* 12, rue Jean-de-Rieux, Marlais. ☎ 02-40-91-40-83. 📱 06-88-50-35-24. ● chambres@ lanoedemarlais.fr ● lanoedemarlais.fr ● Fermé 2-21 oct. 📶 Jolie longère dont le toit tombe presque jusqu'au sol, avec un petit jardin. À l'entrée, vous serez accueilli par les pigeons qui nichent dans un croquignolet pigeonnier. Au rez-de-chaussée et à l'étage de la maison, 3 chambres, dont 2 suites familiales de 2 chambres, avec sanitaires privés. Déco agréable, détails soignés et jolis meubles restaurés. 61 € pour 2, bon petit déj compris. Accueil chaleureux. Pas de table d'hôtes, mais plusieurs restos à proximité.

Accès : à Herbignac, prenez la D 47 vers Saint-Lyphard/Saint-André-des-Eaux ; roulez 5 km et, au rond-point, prenez à droite et entrez dans le village de Marlais ; la maison est à 400 m à droite, à la sortie du ralentisseur.

LA BAULE 44500

Carte régionale A2

10 km O de Saint-Nazaire ;
1 km O de Pornichet

€€€€ 🏠 🍽 *Chambres d'hôtes La Maison au-dessus des Voiles (Frédérique et Jean-François Couty) :* 42, av. Henri-Bertho. ☎ 02-40-90-42-21. 📱 06-60-85-46-97. ● lmadv44@free.fr ● lamaisonau dessusdesvoiles.fr ● 📶 Au cœur du vieux village qui a remplacé celui recouvert par la dune ! C'est derrière cette grande bâtisse sans charme particulier que tout se passe... Une fois le portail ouvert, l'univers est différent et convivial. Un agréable jardin avec jacuzzi et 3 chambres de plain-pied, vastes, lumineuses, chacune avec ses sanitaires privés et son petit salon extérieur. Déco soignée sur le thème de la mer... On s'y croirait ! Selon la chambre et la saison, de 75 à 105 € pour 2, copieux petit déj compris (incroyable choix de délicieuses confitures maison). Pas de table d'hôtes mais une formule repas sympa à 30 €, apéro, vin et café compris (huîtres, charcuterie, marché du jour, salade composée...). Ah ! l'apéro dans le jacuzzi... Fred, les chambres d'hôtes, elle en rêvait ! Aussi, vous serez reçu aux petits oignons. Une excellente adresse pour découvrir la région.

Accès : de la N 171 Saint-Nazaire/Guérande, prenez la 1re sortie La Baule jusqu'au bourg de La Baule-Escoublac, la maison est en face de l'église.

€€€ 🏠 ⑩% *Chambres d'hôtes Villa Aigue-Marine (Françoise et Lionel Zazzaron) :* 24, av. du Pussané. ☎ 02-40-61-89-63. 📱 06-33-79-08-06. ● villa.aiguema rine@orange.fr ● labaule-chambredhotes. com ● 📶 À 1 500 m de la plage et à proximité immédiate de Pornichet, la villa Aigue-Marine, de style contemporain, est recouverte d'un bardage bleu dans l'esprit balnéaire et dotée d'une véranda ouvrant sur un beau jardin. Deux suites charmantes : « Les Mots bleus », au 1er étage, avec son balcon plein sud, dispose d'une mezzanine et d'une kitchenette, et peut accueillir 4 personnes ; atmosphère sereine et déco très marine en blanc et bleu. « Les Muscaris », au rez-de-chaussée, à la déco plus classique, bénéficie d'une petite terrasse privative en bois. De 79 à 89 € pour 2, petit déj compris, et 16 € par personne supplémentaire. Accueil de qualité.

Accès : un peu à l'écart du centre-ville, dans une rue calme.

LA LIMOUZINIÈRE 44310

Carte régionale A2

23 km S de Nantes ; 15 km N de Legé

€€ 🏠 🍽 ⑩% *Chambres d'hôtes du Chironet (Ghislaine Pautrault) :* 1, rue des Marronniers, La Touche- Monnet. ☎ 02-40-05-52-83. 📱 06-22-05-81-38.

• contact@le-chironet.com • le-chiro net.com • 🛜 À mi-chemin entre Nantes et la Vendée, noyées dans la végétation, 3 chambres avec accès indépendant aménagées dans un bâtiment attenant à la longère des propriétaires. Déco et atmosphère champêtres. De 65 à 68 € pour 2, petit déj compris. Spacieux séjour cathédrale installé dans l'ancien pressoir. Accueil chaleureux.

> **Accès :** à l'entrée de La Limouzinière, à gauche, quand on vient de Machecoul.

LA POSSONNIÈRE   49170

Carte régionale B2

18 km O d'Angers

€€ 🏠 ⑩% **Chambres d'hôtes Ker Dame Marie (Béatrice et Rémi Bonne-vialle) :** 10, rue des Filassiers, l'Allleud. ☎ 02-41-19-25-00. ▤ 06-82-81-68-28. • kerdamemarie@yahoo.fr • ker damemarie.com • Fermé la sem de Noël. 🛜 À l'orée de La Possonnière, très belle demeure du XVIIIe s à la façade rose et au curieux clocheton, à 100 m du bord de la Loire à vol d'oiseau. Environnement idéal pour profiter de la vallée de la Loire, classée au Patrimoine de l'Unesco. On monte à l'étage et l'on est tout de suite charmés par la décoration de Béatrice. Deux suites familiales composées de 2 chambres, spacieuses et très cosy. L'ambiance est délicate et les murs colorés. De 65 à 75 € pour 2, copieux petit déj compris (pancakes, salade de fruit frais...). Louer un vélo, déjeuner à *La Taverne*, dîner à *La Guinguette* dite « Chez les filles », écouter des concerts, nager dans la piscine chauffée et jouer du piano à queue dans la grande salle... Rémi et Béatrice sont prévenants et attentionnés. Ils sont aussi polyglottes. En bref, le raffinement et la douceur angevine à prix doux... Un de nos coups de cœur !

> **Accès :** d'Angers, direction Nantes par la nationale, sortie Saint-Georges, puis suivez Chalonnes ; à La Possonnière, prenez direction l'Alleud, c'est à la sortie du bourg direction Montjean par la levée.

LASSAY-LES-CHÂTEAUX   53110

Carte régionale B1

20 km NE de Mayenne ;
9 km E d'Ambrières-les-Vallées

€€ 🏠 ⦿ **Chambres d'hôtes Le Nouveau Gué (Florence et Jean-Pierrus Richefeu) :** 12, rue des Tilleuls, Niort-la-Fontaine. ☎ 02-43-00-16-97. • richefeu@wanadoo.fr • gites-de-france-mayenne.com • Fermé de mi-déc à mi-janv. Florence et Jean-Pierrus ont restauré cet ancien presbytère situé juste à côté de l'église de Niort-la-Fontaine, dont l'horloge et les cloches égrènent les heures (rassurez-vous, seulement en journée !). Trois chambres spacieuses, aménagées avec goût. Déco exotique avec de nombreux souvenirs ramenés de la Réunion, département d'origine de Jean-Pierrus. Deux sont installées au 1er étage de la maison, la dernière est indépendante, sous forme de suite avec coin kitchenette et salon. Sanitaires privés. 53 € pour 2, petit déj compris. Table d'hôtes, sur réservation, partagée en famille à 22 €, apéro, vin et café compris. Cuisine régionale ou réunionnaise selon l'humeur de la maîtresse de maison. Accueil chaleureux et atmosphère conviviale. Une adresse qu'on aime bien.

> **Accès :** de Lassay-les-Châteaux, D 33 vers Ambrière-les-Vallées puis Niort-la-Fontaine/Musée du cidre ; la maison est à côté de l'église.

LE CROISIC   44490

Carte régionale A2

28 km O de Saint-Nazaire ;
8 km O de La Baule

€€ 🏠 **Chambre d'hôtes (Maryvonne et Roger Youinou) :** 10, rue de la Chaudronnerie. ☎ 02-40-23-12-00. ▤ 06-87-29-11-30. • rogmar.youinou@wanadoo.fr • gites-de-france-44.fr/youinou • 🛜 Maison de village, à deux pas du port. Venir chez Roger et Maryvonne c'est séjourner chez les grand-parents bretons... Ancien marin-pêcheur, Roger aime parler de la mer et raconter des histoires. Une seule chambre, sous forme de suite familiale avec 2 chambres, salon et coin kitchenette à l'atmosphère d'autrefois. 60 € pour 2 et 115 € pour 4, petit déj compris. Il est servi dans une petite véranda qui ouvre sur le potager. Pas de table d'hôtes mais les proprios vous indiqueront les bons restos du coin. Une adresse à prix doux où hospitalité rime avec convivialité.

> **Accès :** longez le port et, au niveau de la seconde pharmacie, tournez à gauche ; sur la petite place, passez entre le café et le magasin d'articles de pêche, la maison est à la prochaine intersection à gauche.

PAYS DE LA LOIRE

PAYS DE LA LOIRE

LE POULIGUEN   44510

Carte régionale A2

25 km O de Saint-Nazaire ;
6 km S de Guérande

€€€€ 🏠 ⟨10 %⟩ **Chambres d'hôtes Les Goélands de Penchateau (Anne-Marie Leblais-Trochu) :** *2, impasse de la Torre.* ☎ 02-40-24-20-17. 📱 06-10-18-79-34. ● lesgoelands@chambres-dhotes-labaule. com ● chambres-dhotes-labaule.fr ● *Ouv de mi-mars à fin oct.* 📶 Face à l'océan, jolie demeure aux allures de maison basque. Trois chambres élégantes, dont une suite composée de 2 chambres pour les familles ou amis. Une au rez-de-chaussée avec double orientation, les 2 autres à l'étage. Selon la chambre et la saison, de 100 à 155 € pour 2, petit déj compris (crêpes et excellentes confitures maison), servi dans une véranda face à l'océan. Prêt de vélos. Accueil de qualité. Une adresse de charme.

> **Accès :** *du port de Pouliguen, suivez le fléchage « École de voile », passez devant, continuez pdt 500 m, la maison est dans le virage à droite.*

LEGÉ   44650

Carte régionale A2

40 km S de Nantes ;
8 km S de Rocheservière

€€€ 🏠 **Chambres d'hôtes La Villa des Forges (Marie-Christine et Alain Michel) :** *1, Les Forges.* ☎ 02-40-26-36-58. ● villa desforges@yahoo.fr ● villadesforges.com ● 📶 Dans un joli coin de campagne, ancienne ferme du XIXᵉ s. Dans une partie indépendante de la maison de Marie-Christine et Alain, 5 chambres toutes différentes avec de luxueux sanitaires privés : 3 au 1ᵉʳ étage, dont « Ali Baba », notre préférée (dans les tons blanc, noir et rouge et au sol en caoutchouc recyclé), les 2 autres au rez-de-chaussée, dont une grande suite avec coin salon. La déco élégante est résolument contemporaine, les couleurs très présentes se mêlent en harmonie (il faut dire qu'Alain est architecte... ça aide !). 85 € pour 2, petit déj compris, et 105 € pour la suite. Goûteuse table d'hôtes à 20 €, vin compris, souvent réalisée avec la complicité du fils de la maison qui fait une école hôtelière. Pour vous détendre, un « home spa » avec jacuzzi et douche écossaise (pour les courageux !) et un court de tennis. Accueil agréable.

> **Accès :** *sur la D 937 entre Rocheservière et Les Lucs-sur-Boulogne, prenez la D 94 vers Legé pdt 3 km et après La Sorderie suivez le fléchage « Les Forges » (n'allez pas à Legé).*

MAREIL-SUR-LOIR   72200

Carte régionale B1

8 km E de La Flèche

€€€ 🏠 **Chambres d'hôtes Logis de Sémur (Josy et Michel Partimbene) :** ☎ et fax : 02-43-45-46-84. 📱 06-72-09-13-73. ● michel.partimbene@orange.fr ● logis desemur.pagesperso-orange.fr ● Dans un ancien logis du XIVᵉ s entouré d'un paisible et ravissant parc, 2 chambres cosy et chaleureuses, avec sanitaires privés. 78 € pour 2, petit déj compris. Josy reçoit ses hôtes avec une grande disponibilité et une véritable passion pour sa région. Ancienne élève de l'École du Louvre, elle propose aussi des stages d'aquarelle et de meubles peints (demandez le programme !). Également un gîte pour 4 personnes pour ceux qui veulent séjourner (145 € par nuit).

> **Accès :** *de La Flèche, N 23 vers Le Mans puis à droite à Clermont-Créans jusqu'à Mareil et à droite à l'entrée du village (bon fléchage).*

MÉNIL   53200

Carte régionale B1

35 km N d'Angers ; 30 km S de Laval

€€ 🏠 |○| ⟨10 %⟩ **Chambres d'hôtes Vallombry (Christine et Jacques Guilmineau) :** ☎ 02-43-70-05-47. 📱 06-73-51-57-72. ● christine.guilmineau@vallombry.fr ● val lombry.fr ● 📶 Maison en bois style canadien installée tout près de la Mayenne (amis pêcheurs, à vos cannes !). Deux chambres agréables, dont une familiale composée de 2 chambres. Sanitaires privés. 65 € pour 2, petit déj compris, et 20 € par personne supplémentaire. Table d'hôtes partagée en famille à 22 €, apéro, vin et café compris, pour une cuisine familiale, tendance bio. Les amateurs de marche et de VTT ne manqueront pas de parcourir le chemin de halage qui longe la Mayenne et devrait bientôt rejoindre Angers. Accueil chaleureux.

> **Accès :** *de Château-Gontier, N 162 vers Angers sur 1 km, et après le rond-point des Charbonnières, tournez à gauche vers Ménil (C 5) et suivez le fléchage.*

MESQUER   44420

Carte régionale A1-2

25 km NO de Saint-Nazaire ; 12 km N de Guérande

€€ 🏠 **Chambres d'hôtes Clos de Botelo (Liliane Leduc) :** *249, rue des Cap-Horniers.*

☎ 02-40-42-50-20. 📱 06-22-61-11-06. ● leduc.liliane@wanadoo.fr ● leduc-liliane. fr ● 🛜 Maison de village au cœur du lieu-dit Kercabellec. Trois chambres coquettes, au 1er étage de la maison, avec sanitaires privés. Une préférence pour la chambre « Cosy » qui offre une magnifique vue sur les marais, où vous pourrez observer en saison les paludiers cueillir la fleur de sel. 69 € pour 2, petit déj compris, souvent avec des crêpes, car Liliane est aussi une vraie bretonne. Elle est aussi artiste-peintre et nombre de ses œuvres décorent la maison. Spa sur place moyennant supplément. Accueil convivial. Pas de table d'hôtes mais plusieurs bons restos accessibles à pied. Première plage à 1 km.

> **Accès :** dans Mesquer, suivez la direction Kercabellec, c'est à 1 km du centre-bourg.

MONCÉ-EN-BELIN 72230

Carte régionale B1

13 km S du Mans

€€ 🏠 |●| **Chambres d'hôtes (Jacqueline et Bernard Brou) :** 3, rue du Petit-Pont. ☎ 02-43-42-03-32. 📱 06-08-25-06-60. Fax : 02-43-42-97-95. ● xavier.broux@ latourdesplantes.com ● latourdesplantes. com ● ♿ 🛜 Dans une ancienne ferme, 6 chambres agréables avec sanitaires privés : 5 sont dans un bâtiment annexe et la 6e dans la maison des propriétaires. 74 € pour 2, petit déj compris. Table d'hôtes de 18 à 25 €, apéro, vin et café compris. Accueil authentique et ambiance familiale.

> **Accès :** de l'église du village, prenez la direction de Téloché, puis tournez tt de suite vers Saint-Gervais-en-Belin ; la maison est à 100 m sur la gauche.

MONTIGNÉ-LE-BRILLANT 53970

Carte régionale B1

10 km S de Laval

€€€ 🏠 |●| ⟨10 %⟩ **Chambres d'hôtes Château de la Villatte (Isabelle Charrier, Mireille Poupault et Anne Bondon) :** route de l'Huisserie. ☎ et fax : 02-43-68-23-76. 📱 06-85-43-55-99. ● info@lavillatte.com ● lavillatte.com ● 🛜 Isabelle aime les châteaux, adore les restaurer et elle n'en est pas à son coup d'essai... Celui-ci date du XXe s, est élégant avec ses deux tours carrées et se niche dans un grand parc de 2,5 ha aux arbres centenaires. On entre dans un vaste hall au sol en damier avec billard anglais. À l'étage, 3 chambres spacieu-

ses et lumineuses avec sanitaires privés. Une préférence pour la chambre « Morris », du nom du créateur de son papier peint, avec son lit en alcôve et moins chère que les autres. Selon la chambre, entre 78 et 96 € pour 2, petit déj compris. Ici, ce n'est pas une, mais trois maîtresses de maison qui s'occuperont de vous ! Sur demande, possibilité de repas sous forme de buffet à 22 €, sans les boissons et sans les propriétaires. Également une cuisine d'été à disposition si vous préférez vous faire la popote. Une adresse agréable pour se mettre au vert et découvrir la vie de château.

> **Accès :** de Laval, D 771 vers Saint-Nazaire puis D 283 jusqu'à Montigné ; sortez du village en direction de L'Huisserie par la D 578, l'entrée du parc du château est à 600 m à droite.

MONTJEAN-SUR-LOIRE 49570

Carte régionale A2

42 km N de Cholet ; 24 km SO d'Angers

€€ 🏠 ⟨10 %⟩ **Chambres d'hôtes Les Cèdres (Irina et Serge Millerioux) :** 17, rue du Prieuré. ☎ 02-41-39-39-25. 📱 06-62-15-43-70. ● contact@les-cedres.net ● les-cedres.net ● Fermé janv. 🛜 Eh oui, depuis ses origines, le coin a champignonné, mais la maison est belle et le jardin-terrasse très agréable et abrité des regards indiscrets. Quatre chambres agréables, dont une suite parentale avec petite pièce attenante pour le couchage des enfants. On aime bien la chambre « Mahler » (au 2e étage, sous le toit), lumineuse, à l'atmosphère très zen, avec belle charpente apparente et éclairée par de grands Velux qui ouvrent sur la nature. Sanitaires privés. Selon la chambre, de 60 à 70 € pour 2, petit déj compris, et 18 € par personne supplémentaire. Pas de table d'hôtes mais plusieurs restos à proximité ; sinon, cuisine à disposition. Accueil agréable.

> **Accès :** de l'A 11 sortie n° 19 puis prenez à droite vers Champtocé puis à gauche vers Montjean ; traversez la Loire et, dans le bourg, passez la poste et prenez à droite la rue du Prieuré.

MONTREUIL-BELLAY 49260

Carte régionale B2

45 km SE d'Angers ; 18 km SO de Saumur

🏠 ⚐ **Chambres d'hôtes Les Petits Augustins (Monique et Jacques Guezenec) :** pl. des Augustins. ☎ 02-41-52-33-88.

PAYS DE LA LOIRE

● *lespetitsaugustins@yahoo.fr* ● *les-petits-augustins.com* ● *Ouv avr-oct.* ☎ Séduisant hôtel particulier du XVIIe s. Mignonne petite cour de caractère, couverte de lierre. Trois chambres (dont une suite) meublées d'ancien, avec sanitaires privés, à 80 € pour 2, petit déj inclus. Bon accueil.

Accès : *en plein centre, près de l'église des Grands-Augustins.*

MONTREUIL-SUR-LOIR 49140

Carte régionale B1

22 km NE d'Angers ;
5 km NO de Seiches-sur-le-Loir

€€€€ 🏠 *Chambres d'hôtes Château de Montreuil (Alice Renard) :* ☎ 02-41-76-21-03. ● *chateau.montreuil@anjou-loir.com* ● *anjou-loir.com* ● *Ouv 15 mars-15 nov.* ☎ Sur le site d'un ancien château du XVIe s (brûlé accidentellement), belle demeure de charme, œuvre de l'architecte romantique René Hodé (précurseur de Viollet-le-Duc). Immense parc de 16 ha, bénéficiant d'une superbe vue sur la campagne environnante. Quatre chambres vastes, claires et agréables, dont une familiale, chacune pourvue de sanitaires privés et d'une connexion wifi. Mobilier de styles Louis XV et Empire. De 100 à 110 € pour 2, petit déj compris. Beau salon avec plafond et poutres peints, et chaleureuse salle à manger rustique (ancienne cuisine), agrémentée d'une monumentale cheminée.

Accès : *A 11, sortie Seiches-sur-le-Loir ; traversez Seiches et prenez en direction de Tiercé (D 74) ; le château se trouve à la sortie de Montreuil, sur la droite.*

MOUAIS 44590

Carte régionale A1

57 km N de Nantes ;
25 km O de Châteaubriant

€€ 🏠 |❍| ⑩% *Chambres d'hôtes La Maison du Meunier (Danielle et Jean-René Lalloué) :* 6, rue des Acacias. ☎ 02-40-07-08-07. 📱 06-26-48-32-98. ● *maisondumeunier@wanadoo.fr* ● *maisondumeunier.fr* ● *Fermé de mi-janv à mi-fév.* ☎ C'est l'ancienne maison du meunier, tout en pierre, composée de petites pièces et de recoins. Dans une aile indépendante, 3 chambres agréables, même si elles ne sont pas immenses. Sanitaires privés. 54 € pour 2, petit déj compris (confitures et gâteau maison). Table d'hôtes partagée en famille à 19 €, apéro maison et quart de vin compris. Cuisine à partir de produits frais et des légumes bio du potager. Service à l'assiette (s'il vous plaît !) dans un souci de présentation, le dîner sera l'occasion de bavarder sur l'histoire de la région et surtout du village, passion de Danielle, qui envisage de sortir le tome III de l'histoire de Mouais. Au bout du jardin coule la rivière, et un kayak et une barque peuvent vous être prêtés. De l'autre côté du chemin, le moulin est encore là, propriété de la mairie. Accueil convivial et loquace.

Accès : *sur la N 137 Nantes/Rennes, sortez à Derval ; face à l'église du bourg, prenez la D 44 vers Mouais, la maison est à gauche, juste après le pont.*

MOUZILLON 44330

Carte régionale A2

25 km E de Nantes ; 3 km N de Clisson

€€ 🏠 *Chambres d'hôtes Maison des Landes (Fabienne et Gilles Aubin) :* Les Landes. ☎ 02-40-06-96-00. 📱 06-65-06-84-85. ● *aubing@orange.fr* ● *maisondeslandes.fr* ● ♿ ☎ Au cœur des vignes, dans les anciennes caves de la propriété, 3 chambres agréables, à la déco contemporaine avec terrasse privative. Sanitaires privés avec douche à l'italienne. 61 € pour 2, petit déj compris. Pas de table d'hôtes mais salle commune avec coin cuisine à disposition. Accueil jeune et sympa.

Accès : *l'accès à la maison se trouve sur la D 149 entre Clisson et le Pallet (n'allez pas à Mouzillon).*

NIEUL-LE-DOLENT 85430

Carte régionale A2

23 km NE des Sables-d'Olonne ;
14 km SO de La Roche-sur-Yon

€ 🏠 ⑩% *Chambres d'hôtes Les Sorinières (Françoise et Patrick Bouron) :* ☎ 02-51-07-91-58 ou 02-51-07-93-46. 📱 06-85-20-88-73. Fax : 02-51-07-94-78. ● *bouronp2@wanadoo.fr* ● *camping-les-sorinieres.com* ● *Fermé 20 déc-10 janv.* ☎ En pleine campagne, agréable ferme des années 1920. Françoise et Patrick sont agriculteurs et élèvent vaches et poulets Label Rouge. Au 1er étage de la maison, 4 chambres simples, avec sanitaires privés, à 50 € pour 2, petit déj compris. Pas de table d'hôtes, mais coin cuisine aménagé. Pour les moins fortunés, aire naturelle de camping ombragée, avec des sanitaires rutilants, et une piscine avec petit bassin pour les plus jeunes. Cette dernière est bien sûr accessible à ceux qui dorment dans les chambres. Forfait camping pour 3 personnes à 20 €, et 3 € pour l'électricité. Accueil familial.

Accès : *depuis La Roche-sur-Yon, prenez la direction de La Tranche (sur 4 km), puis sortie Aubigny et Nieul-le-Dolent ; dans le village, prenez la direction des Sables-d'Olonne, puis la 2ᵉ à droite et suivez le fléchage au fond.*

OIZÉ 72330

Carte régionale B1

20 km SO du Mans ;
20 km NE de La Flèche

€€€ 🏠 |●| 🐴 ⑩% **Chambres d'hôtes Château de Montaupin (Marie David) :** ☎ 02-43-87-81-70. 📱 06-83-56-60-40. ● chateaudemontaupin@wanadoo.fr ● chateau-de-montaupin.e-monsite.com ● 🛜 Joli château de la fin du XVIIIᵉ s avec un parc arboré et une agréable piscine chauffée. Marie y propose 5 chambres avec sanitaires privés, dont 3 familiales composées de 2 chambres. De 75 à 80 € pour 2, petit déj compris, et 20 € par personne supplémentaire. Table d'hôtes, sur réservation, pour 22,50 €, apéro, vin et café compris. Également un gîte rural pour 6 personnes, loué de 300 à 600 € la semaine. Pour se détendre, piscine chauffée et sécurisée, ainsi qu'un jacuzzi extérieur (de juin à septembre). Accueil agréable et souriant.

Accès : *sur la D 323 entre La Flèche et Le Mans ; à Cérans-Foulletourte, prenez la D 31 en direction de Oizé ; traversez le village et, au stop, prenez à gauche vers Yvré-le-Pôlin ; la maison est à 50 m à droite.*

OUDON 44521

Carte régionale A2

25 km NE de Nantes ; 9 km O d'Ancenis

€€ 🏠 **Chambre d'hôtes La Maison dans les Bois (Céline et Philippe Rouquayrol) :** hameau Le Vaud. ☎ 02-51-14-13-82. 📱 06-89-67-18-41. ● rouquayrol.philippe@wanadoo.fr ● lamaisondanslesbois.fr ● 🛜 Au cœur d'une pinède, belle maison d'architecte à la déco très contemporaine. Deux chambres calmes et agréables avec accès indépendant. Sanitaires privés. 69 € pour 2, petit déj compris. Petite terrasse avec chauffage-parasol d'où l'on peut apercevoir chevreuils et écureuils. Sauna (12 € la séance). Accueil de qualité.

Accès : *bon fléchage depuis la gare d'Oudon (2 km).*

PIRIAC-SUR-MER 44420

Carte régionale A1-2

30 km NO de Saint-Nazaire ;
12 km NO de Guérande

€€ 🏠 ⑩% **Chambres d'hôtes (Sylvie et Vincent Guillard) :** 555 route de Guérande, Polohan. ☎ 02-40-15-52-93. 📱 06-98-78-29-21. ● sylvie-guillard@wanadoo.fr ● Fermé déc-janv. 🛜 Sylvie et Vincent habitent l'ancienne grange de la ferme familiale, située à quelques encablures de la pointe du Castelli. Trois chambres bien tenues avec sanitaires privés : une au rez-de-chaussée, les autres à l'étage. 58 € pour 2, petit déj compris. Sylvie est native de la région, aussi elle vous indiquera toutes les bonnes adresses de restos et les plages à fréquenter selon le sens du vent ! Accueil chaleureux. Un excellent point de chute à prix doux pour découvrir le coin.

Accès : *de Guérande, direction Piriac ; à La Turballe, au rond-point du phare, continuez sur la D 333, passez Saint-Sébastien puis Kervin, continuez et, au niveau du camping, vous trouverez la maison à droite avant le rond-point.*

PONTVALLAIN 72510

Carte régionale B1

30 km S du Mans ; 25 km E de La Flèche

€€ 🏠 ⑩% **Chambres d'hôtes (Guy Vieillet) :** 5, pl. Jean-Graffin. ☎ 02-43-44-02-62. 📱 06-32-91-61-24. ● guy.vieillet@wanadoo.fr ● Au centre du bourg, 3 chambres agréables installées dans les anciens fours banaux, qui datent du XIIᵉ s ! Elles ouvrent sur un croquignolet jardin intérieur, avec petit bassin et une originale terrasse d'été. De 60 à 70 € pour 2, petit déj compris. Piscine.

Accès : *du Mans, prenez la N 23 en direction de La Flèche, jusqu'à Arnage ; prenez ensuite la D 307 vers Le Lude jusqu'à Pontvallain ; la maison est au centre du village.*

PORNIC 44210

Carte régionale A2

50 km O de Nantes ;
30 km S de Saint-Nazaire

€€€ 🏠 **Chambres d'hôtes La Belle Verte (Christine Charrier) :** Le Tabier. 📱 06-86-96-02-80. ● contact@labelleverte-pornic.com ● labelleverte-pornic.com ● 🛜 Dans un petit coin de campagne, ancienne ferme (labellisée écogîte : production d'eau chaude et chauffage par panneaux solaires notamment). Dans l'ancienne étable, 3 chambres de plain-pied en enfilade. Elles ne sont pas immenses mais la déco est soignée (préférez « Joséphine » et « Olympe », qui ont une petite fenêtre en plus de la porte vitrée). Sanitaires privés et TV. Selon la saison, de 74 à 79 € pour 2, petit déj compris, servi au bout du bâtiment dans une petite salle que l'on peut aussi utiliser pour se faire un petit frichti. Accueil agréable. Une adresse pour ceux qui préfèrent l'indépendance.

Accès : sur la D 213, entre Saint-Nazaire et Noirmoutier, sortez à Pornic-Ouest puis prenez direction Saint-Père-en-Retz pdt 3 km, et dans un virage, tournez à gauche au fléchage, la maison est à 800 m.

POUANCÉ   49420

Carte régionale A1

45 km NO d'Angers ;
16 km E de Châteaubriant

€€ 🏠 |○| 🍴 **Chambres d'hôtes La Saulnerie (Mathieu Macario) :** ☎ 02-41-92-62-66. 📱 06-45-82-21-79. ● contact@lasaulnerie.com ● lasaulnerie.com ● 🐾 🛜 Située aux confins de l'Ille-et-Vilaine, de la Loire-Atlantique, de la Mayenne et du Maine-et-Loire (ouf !), *La Saulnerie* est un superbe et ancien grenier à sel qui servait d'habitation aux saulniers (nom de leur métier). Elle date du XVIIe s, et des contreforts lui donnent un petit côté moyenâgeux. Il faut dire qu'on est baigné dans l'ambiance, car, d'ici, vous bénéficierez d'un point de vue unique sur le village et les ruines du château fort du XIVe s qui appartint à Du Guesclin. Dans l'ancienne grange, 4 chambres d'hôtes agréables et confortables, avec sanitaires privés, à 60 € pour 2, petit déj compris, et 15 € par personne supplémentaire. Possibilité de louer un gîte de séjour de 15 places et un gîte de 6 places. Piscine couverte ouverte toute l'année. Beau sentier pédestre qui fait le tour des étangs du coin (6,5 km). Accueil convivial.

Accès : du village, prenez la direction de Châteaubriant ; le gîte est à 800 m du bourg, à gauche, en face du garage.

RUILLÉ-LE-GRAVELAIS   53220

Carte régionale A1

18 km O de Laval

€€ 🏠 **Chambres d'hôtes La Fermette de Limesle (Gianina et Marc Besnier) :**

Limesle. ☎ 02-43-02-47-82. 📱 06-29-21-26-96. ● besnier-marc@hotmail.fr ● lafermettedelimesle.com ● 🛜 Ancienne ferme isolée dans un joli coin de nature. Dans une extension tout en bois, Gianina et Marc ont aménagé 2 chambres très spacieuses, de plain-pied, avec accès direct sur le jardin. Atmosphère agréable et sereine. Chacune avec mezzanine et sanitaires privés. 62 € pour 2, petit déj compris, et 15 € par personne supplémentaire. Belle piscine pour se détendre. Une sympathique adresse tenue par un chaleureux couple de motards, utilisateur de nos guides.

Accès : à l'entrée de Ruillé-le-Gravelais venant de Loiron, prenez à gauche la VC de La Bretonnière puis la VC 1 sur 2,5 km, et au panneau « Voie sans issue » tournez à droite et faites 600 m.

SAINT-BRICE   53290

Carte régionale B1

30 km SE de Laval ;
8 km NO de Sablé-sur-Sarthe

€€€€€ 🏠 |○| ⑩% **Chambres d'hôtes Manoir des Forges (Sabine et Vincent Colombani) :** ☎ 02-43-70-84-40. 📱 06-70-14-76-11. ● contact@manoirdesforges.fr ● manoirdesforges.fr ● Fermé 14 nov-25 mars. 🛜 Superbe manoir du XVIe s niché dans un parc de 7 ha. Cinq chambres élégantes et spacieuses avec sanitaires privés. Décoration soignée sur des thèmes différents. Deux dans un pavillon indépendant, dit « maison des amis », sont climatisées (on a craqué pour la chambre romantique avec sa belle poutraison blanche) ; les 3 autres sont installées aux 1er et 2e étages du manoir avec accès par l'escalier de la tour. Selon la taille de la chambre, comptez entre 118 et 148 € pour 2, petit déj compris. Table d'hôtes partagée avec Sabine et Vincent à 35 €, apéro, vin et café compris. Une cuisine qui oscille entre Provence et Corse. Pour vous détendre, les activités ne manquent pas : grande piscine chauffée, court de tennis et sauna. Bref, une adresse bourrée de charme pour se remettre en forme et pour séduire sa dulcinée.

Accès : de Sablé, D 21 vers Laval jusqu'à Bouessay puis D 28 vers Château-Gontier jusqu'aux Agets puis D 212 vers Saint-Brice ; la maison est sur la droite, 50 m avt l'entrée du village.

SAINT-CYR-EN-TALMONDAIS 85540

Carte régionale A2

*35 km E des Sables-d'Olonne ;
13 km O de Luçon*

€ 🏠 |❤| **Chambres d'hôtes L'Ardiller (Marie-France et Thierry Fauconnier) :** *8, rue de la Saunerie.* ☎ 02-51-97-47-22. 📱 06-78-07-44-62. ● *thfauconnier@wanadoo.fr* ● Ici on vient pour le naturel et l'hospitalité de la maison, et tout ça, sans se ruiner ! Thierry est agriculteur mais son exploitation n'est pas sur place. Trois sympathiques chambres de 30 € pour 2, petit déj compris. Chaleureuse salle à manger avec cuisine ouverte pour partager les repas en famille. Table d'hôtes (sauf les vendredi, samedi et dimanche) à 18 €, apéro, vin et café compris. Cuisine traditionnelle réalisée à partir des légumes du jardin en saison. Accueil authentique et vrai. Un bon point de chute pour découvrir la région.

Accès : *au cœur du village, prenez la petite route vers Saint-Sornin ; la maison est un peu plus bas à gauche.*

SAINT-DENIS-D'ORQUES 72350

Carte régionale B1

37 km O du Mans ; 37 km E de Laval

€€€ 🏠 |❤| ⚐ ⑩% **Chambres d'hôtes Le Moulin de la Chaussée (Christophe Deshayes) :** ☎ 02-43-88-43-41. ● *moulin.chaussee@wanadoo.fr* ● *lemoulindelachaussee.com* ● Il a fière allure cet imposant moulin de 1844 perdu dans la nature ! Autour, domaine de 6 ha pour profiter des quelque 200 variétés d'arbres et d'un bel étang. Cinq chambres nettes et claires, avec sanitaires privés, à 85 € pour 2, petit déj compris. Possibilité de table d'hôtes sur réservation pour 25 € tout compris. Mignonnette piscine intérieure chauffée avec vue sur l'ancienne machinerie du moulin. Également un gîte pour 6 à 10 personnes pour ceux qui veulent séjourner. Accueil convivial.

Accès : *à la sortie de Saint-Denis-d'Orques, direction Laval puis tt de suite à gauche (bon fléchage).*

SAINT-GEORGES-SUR-LOIRE 49170

Carte régionale B1-2

15 km SO d'Angers

€€€ 🏠 |❤| ⑩% **Chambres d'hôtes Le Prieuré de l'Épinay (Geneviève et Bernard Gaultier) :** ☎ 02-41-39-14-44. ● *bernard.gaultier3@wanadoo.fr* ● *epinay1.monsite-orange.fr* ● *Ouv avr-oct.* Amoureux des vieilles pierres, bonjour ! Ce magnifique prieuré du XIIIe s propose 3 suites confortables pour 2 à 5 personnes. Sanitaires privés. 80 € pour 2, petit déj compris, et 25 € par personne supplémentaire. Demandez à le prendre dans la cuisine... Une gigantesque cheminée où pend la marmite et un mystérieux escalier qui conduit à la cave. Agréable piscine chauffée dans le parc. Accueil convivial.

Accès : *à 3 km du village en direction de Nantes, au bout d'une petite route à gauche.*

SAINT-GERMAIN-LE-FOUILLOUX 53240

Carte régionale B1

10 km N de Laval ; 5 km N de Changé

€ 🏠 **Chambres d'hôtes Fleurs des Champs (Thérèse et Jean-Claude Géhannin) :** *L'Hommeau.* ☎ 02-43-01-18-41. 📱 06-23-17-48-05. ● *fleurs.des.champs@online.fr* ● *fleurs.des.champs.online.fr* ● En pleine campagne, jolie fermette bien fleurie avec agréable pièce d'eau. Cinq chambres coquettes avec sanitaires privés. Les romantiques préféreront les 2 chambres avec lit à baldaquin contemporain ; les amoureux de la nature pencheront pour celles avec petite terrasse et vue sur la pièce d'eau ; enfin, si vous avez des problèmes de mobilité, préférez celle du rez-de-chaussée, plus vaste, avec accès direct sur l'extérieur. 48 € pour 2, petit déj compris, et 15 € par personne supplémentaire. Pas de table d'hôtes mais possibilité de repas traiteur sur commande et cuisine à disposition. Accueil chaleureux et vrai. Une adresse nature.

Accès : *de Laval, D 31 vers Fougères/Ernée puis à droite vers Saint-Germain-le-Fouilloux ; dans le village, suivez le fléchage sur 3 km.*

SAINT-LAMBERT-DES-LEVÉES 49400

Carte régionale B2

47 km SE d'Angers ;
4 km NO de Saumur

€€€ ☗ *Chambres d'hôtes La Croix de la Voulte (Helga et Jean-Pierre Minder) :* 476, rue de Boumois. ☎ et fax : 02-41-38-46-66. ● hminder@hotmail.com ● lacroixde lavoulte.com ● Ouv de mai à mi-oct. Résa conseillée. 🛜 Fort jolie demeure des XVe et XVIIe s avec 3 ha de prés. Quatre chambres, équipées de sanitaires privés, dans un bâtiment annexe. Intérieur de charme, ameublement et tissus de style. Décoration soignée. Les chambres « Touraine » et « Anjou » ont de très grandes cheminées du XVe s et un lit à baldaquin. Comptez de 88 à 98 € pour 2, petit déj compris. Salon-bibliothèque, belle piscine. Accueil chaleureux.

Accès : en venant de Saumur, traversez l'île d'Offard ; puis, à partir de la gare SNCF, suivez la D 229 vers Saint-Martin-de-la-Place et le fléchage.

SAINT-LYPHARD 44410

Carte régionale A1-2

18 km N de Saint-Nazaire ;
10 km NE de Guérande

€€ ☗ 10 % *Chambres d'hôtes Chaumière Les Peupliers (Florence et Yann Dufour) :* 16, Kerbriant. ☎ 02-40-19-55-45. 🖷 06-07-90-95-29. ● contact@le16a kerbriant.fr ● le16akerbriant.fr ● 🛜 Dans le parc naturel régional de Brière, jolie chaumière traditionnelle toute blanche aux volets bleus. Installées dans l'ancienne étable, 2 chambres de plain-pied, lumineuses et agréables, avec accès direct sur le jardin. Une préférence pour la chambre « Brière ». Sanitaires privés. De 62 à 67 € pour 2, petit déj compris (pâtisserie, yaourt et pain maison). Pas de table d'hôtes mais plusieurs bonnes adresses à proximité, dont l'auberge de Kerhinet et l'occasion de visiter ce joli petit village, entièrement composé de chaumières. Accueil charmant. Une adresse vraiment nature.

Accès : sur la D 47 entre Saint-Nazaire et Herbignac, 5 km avt le village, juste avt l'« Auberge du Nézyl », tournez à gauche puis 2e rue à droite, puis continuez à droite et suivez le fléchage.

€€ ☗ *Chambres d'hôtes La Roselière (Christine et Patrick Lagré) :* 430, Le Clos-d'Orange. ☎ 02-28-54-91-58. 🖷 07-80-44-11-10. ● lagre.laroseliere@orange.fr ● Patrick est paludier à ses heures perdues, et il loue quelques œillets (là où l'on récolte la fleur de sel et le gros sel, ignorant !). Christine, elle, s'occupe des hôtes. Dans leur jolie chaumière récente, un peu à l'écart du village, dans un environnement campagnard, ils proposent 2 chambres d'hôtes coquettes, avec sanitaires privés. 65 € pour 2, petit déj compris (gâteau et confitures maison). Pas de table d'hôtes mais plusieurs restos sympas à proximité. Accueil souriant et chaleureux. Une excellente adresse pour découvrir la région de l'intérieur.

Accès : au rond-point de Saint-Lyphard (avec la chaumière), direction Le Clos-d'Orange puis 2e petite route à droite et allez jusqu'au n° 430.

SAINT-MALO-DU-BOIS 85590

Carte régionale A2

16 km S de Cholet ;
16 km NE des Herbiers

€€ ☗ 10 % *Chambres d'hôtes (Régina et André Fruchet) :* Les Montys. ☎ 02-51-92-34-12. Fax : 02-51-64-62-45. Résa à l'avance pour juin, juil et août. Dans une grande maison, avec des bâtiments agricoles appartenant aux fils d'André, 3 chambres avec sanitaires privés. Projeté de peinture de teintes différentes suivant les chambres, meubles en pin naturel ou rustiques. 60 € pour 2, petit déj inclus. Pas de table d'hôtes, mais une cuisine à disposition. André, agriculteur à la retraite, connaît la région comme sa poche et vous donnera de bons tuyaux sur les excursions à faire. Écoutez-le aussi vous raconter l'histoire de la Vendée. Accueil authentique. Le Puy-du-Fou est à 6 km et le château de Gilles de Rais (dit « Barbe Bleue »), à Tiffauges, à 16 km.

Accès : du village, prenez la D 72 en direction de La Verrie ; à 2 km, tournez à droite, c'est à 500 m.

SAINT-MARS-DU-DÉSERT 44850

Carte régionale A2

17 km NE de Nantes ;
28 km O d'Ancenis

€€ ☗ *Chambres d'hôtes (Martine et Dominique Morisseau) :* 21, Longrais. ☎ 02-40-77-48-25. 🖷 06-80-62-95-63. ● longrais.accueil@wanadoo.fr ● longrais. accueil-france.com ● 🛜 Au cœur d'un hameau, sur un petite route départementale, vieille et belle longère du XVIIIᵉ s. Trois chambres réparties dans différentes ailes de la maison. Une au rez-de-chaussée, très grande (pour 4 personnes), avec accès indépendant et meubles anciens. Une dans l'ancien grenier à foin avec belle charpente apparente. La dernière dans un petit pavillon indépendant avec mezzanine et petit salon (pour 3 personnes). Selon la chambre, de 62 à 70 € pour 2, petit déj compris, et 14 € par personne supplémentaire. Le petit déj est servi dans la salle à manger de Martine et Dominique. Atmosphère campagnarde. Accueil agréable. Pas de table d'hôtes, mais grande cuisine à disposition.

Accès : de Carquefou, prenez la D 178 en direction de Châteaubriant ; prenez ensuite la D 9 vers Saint-Mars-du-Désert sur 4 km, jusqu'à Longrais, puis à droite la D 89 vers Mauves ; c'est la 5ᵉ maison à gauche.

SAINT-MATHURIN 85150
Carte régionale A2

*25 km SO de La Roche-sur-Yon ;
10 km NE des Sables-d'Olonne*

€€€€ ⌂ **Chambres d'hôtes Château de la Millière (Danielle et Claude Huneault) :** ☎ 02-51-22-73-29. 📱 06-86-81-89-97. ● contact@chateau-la-milliere. com ● chateau-la-milliere.com ● 🛜 Isolé au cœur d'un parc de 25 ha bien entretenu, cet élégant château du XIXᵉ s est l'écrin idéal des escapades romantiques. Les propriétaires proposent 3 chambres et une suite familiale, avec sanitaires privés. 100 € pour 2, petit déj compris et 20 € par personne supplémentaire. Possibilité de barbecue dans le parc, près de la piscine (oh oui !). Ping-pong, baby-foot et billard pour les amateurs. Golf de 18 trous à 3 km. Accueil raffiné. Une adresse pour épater sa dulcinée... Également 4 gîtes ruraux pour 4, 5 et 6 personnes.

Accès : sur l'axe La Roche-sur-Yon/Les Sables-d'Olonne (N 160), sortez à Saint-Mathurin ; faites le tour complet du rond-point et suivez le fléchage.

SAINT-MOLF 44350
Carte régionale A1-2

*30 km NO de Saint-Nazaire ;
10 km N de Guérande*

€€€ ⌂ 🛏 ⑩% **Chambres d'hôtes Ti Dear (Armelle et Denis Lapadu-Hargues) :** 19 Pennemont. ☎ 09-53-38-51-52. 📱 06-84-18-41-89. ● ti.dear@free. fr ● ti.dear.free.fr ● ♿ 🛜 Surprenante maison jaune composée d'un bâtiment principal et de trois petits pavillons secondaires. Malgré son côté contemporain, c'est une ancienne ferme du XIXᵉ s ! Deux suites familiales, lumineuses et sereines, avec chambre principale en rez-de-chaussée avec accès direct sur le jardin, et chambre enfants à l'étage, mansardée et spacieuse. Sanitaires privés. 71 € pour 2 et 110 € pour 4, petit déj compris. Il est servi chez Armelle et Denis. Piscine chauffée extérieure (de mai à fin septembre), mais les plages ne sont pas loin. Et les plus courageux pourront s'y rendre avec l'un des VTT mis à disposition des hôtes. Une adresse chaleureuse et nature. Très bon rapport qualité-prix-convivialité.

Accès : sur la D 774 entre Herbignac et Guérande, prenez la D 52 vers Saint-Molf jusqu'au village de Pennemont (maison tt de suite à droite).

SAINTE-GEMMES-LE-ROBERT 53600
Carte régionale B1

24 km SE de Mayenne ; 5 km N d'Évron

€ ⌂ **Chambres d'hôtes Le Pisserot (Marie-Joseph et André Boisbouvier) :** ☎ 02-43-98-21-05. 📱 06-76-88-97-30. ● amj.boisbouvier@wanadoo.fr ● vacance senmayenne.fr ● Fermé 20 déc-5 janv. Au cœur du village, mais au calme, ancienne ferme joliment restaurée dont les origines remontent au XVIIIᵉ s. Dans une aile indépendante, 2 chambres charmantes à l'atmosphère romantique, avec sanitaires privés. Une au rez-de-chaussée avec accès direct sur la cour, l'autre à l'étage avec une belle poutraison. Respectivement 46 et 49 € pour 2, petit déj compris. Pas de table d'hôtes mais plusieurs restos sympas à Évron dont la basilique vaut vraiment la visite. Accueil teinté par la gentillesse de la maîtresse des lieux. Une adresse qu'on aime bien et un très bon rapport qualité-prix-convivialité.

Accès : de Sainte-Gemmes, prenez la D 552 vers Hambers, la maison est à 100 m à gauche.

SALIGNY 85170
Carte régionale A2

*17 km N de La Roche-sur-Yon ;
10 km NE du Poiré-sur-Vie*

€€ ⌂ 🍽 **Chambres d'hôtes (Monique et Joseph Baron) :** La Jarrie. ☎ 02-51-24-25-41. 📱 06-80-32-70-69. ● monic. baron@orange.fr ● la-jarrie.com ● Petit

hameau qui sent bon la campagne ven-
déenne. Monique et Joseph ont aménagé, dans une ancienne grange située
face à leur maison des années 1900,
2 chambres vastes et agréables, dont une
pour 3 personnes. Sanitaires privés. 58 €
pour 2 et 70 € pour 3, petit déj compris.
C'est dans une agréable véranda qu'on
partage la table d'hôtes en leur compagnie. 23 € le repas, apéro, vin et café
compris, pour une bonne et goûteuse
cuisine traditionnelle. Accueil aimable et
courtois.

Accès : de Belleville-sur-Vie, prenez la D 101
vers Les Essarts puis la D 98 vers La Merla-
tière jusqu'au 1er étang et tournez à gauche
vers Saint-Denis-la-Chevasse (n'allez pas
à Saligny).

SOLESMES   72300

Carte régionale B1

40 km SO du Mans ;
7 km N de Sablé-sur-Sarthe

€€ 🏠 |○| 🐾 ⟨10 %⟩ **Chambres d'hôtes
Le Fresne (Marie-Armelle et Pascal
Lelièvre) :** ☎ et fax : 02-43-95-92-55.
📱 06-87-49-38-93. ● le.fresne@wana
doo.fr ● lefresne.com ● 📶 En pleine
nature, Marie-Armelle et Pascal ont
aménagé, dans les anciennes soues
(sortez donc votre dico !) de la ferme
familiale, 3 chambres d'hôtes pour 2 à
4 personnes, coquettes et agréables ;
2 d'entre elles possèdent une petite
cour privative. Sympathique crépi,
mignonnes petites armoires fabriquées
par un artisan du coin. Sanitaires privés,
avec céramiques de la région. Comptez
64 € pour 2, petit déj inclus, et 15 € par
personne supplémentaire. Les proprios
sont agriculteurs et élèvent des poulets de Loué et des vaches limousines.
Table d'hôtes, partagée avec les propriétaires, à 25 €, apéro, vin de Loire et
café compris. Bons produits maison,
dont le poulet de Loué, bien sûr. Petite
salle avec coin cuisine à disposition.
Petit étang privé, pour ceux qui veulent
taquiner le poisson, et piscine et jacuzzi
pour ceux veulent se prendre pour des
poissons ! Également un gîte rural pour
11 personnes loué entre 500 et 620 €
la semaine suivant la saison. Accueil
convivial.

Accès : du Mans, empruntez la D 309 vers
Sablé-sur-Sarthe ; 5 km après Parcé, prenez
la petite route à droite et suivez le fléchage
(attention, la ferme est à 4 km de Solesmes) ; de Solesmes, suivez le fléchage à
partir de la pharmacie.

SOULIGNÉ-FLACÉ   72210

Carte régionale B1

18 km O du Mans ; 18 km E de Loué

€€ 🏠 |○| 🐾 **Chambres d'hôtes (Lily
et Bruno Portehault) :** La Bertellière.
☎ 02-43-88-13-12. ● la.bertelliere@
orange.fr ● labertelliere.net ● En pleine
campagne, dans un écrin de verdure,
superbe longère que Lily et Bruno ont
restaurée, aménagée, transformée,
pour lui donner un cachet traditionnelle-
moderno-contemporain (ouf !). Trois
chambres agréables (dont une familiale)
avec sanitaires privés. Déco qui a su garder un caractère campagnard. 55 € pour
2, petit déj compris, et 18 € par personne
supplémentaire. Belle salle à manger avec
une immense cheminée. Table d'hôtes,
partagée en famille, à 20 €, apéro, vin
et café compris. Cuisine familiale avec
des touches très personnelles (chut !).
Les passions de Lily ? D'abord sa collection de grenouilles (vous ne pouvez
pas les manquer), et surtout son jardin.
Il est superbe, plein de fleurs et d'espaces. Accueil chaleureux. Bon rapport
qualité-prix-convivialité.

Accès : de Souligné, empruntez la direction
Vallon (D 22) et, à la sortie du bourg, la D 88
vers Coulans sur 500 m et prenez la V 8 vers
Brains ; faites encore 1,5 km, La Bertellière
est fléché à droite.

SUCÉ-SUR-ERDRE   44240

Carte régionale A2

10 km N de Nantes ;
6 km N de Carquefou

€€€€€ 🏠 |○| **Chambres d'hôtes Les
Arbres Rouges (Vincent Louis) :** 570,
route de Carquefou. ☎ 02-51-81-15-00.
● info@lesarbresrouges.com ● lesarbres
rouges.com ● 📶 Dans un joli parc, une
maison d'hôtes exceptionnelle au confort
sans pareil ! Jacques et Vincent, amoureux
d'architecture, d'art contemporain et mobilier design, vous proposent 5 chambres
élégantes et raffinées, dont 2 avec terrasse
privative. De 113 à 139 € pour 2, petit déj
compris. Un bar très chic, un superbe coin
cheminée et une table d'hôtes digne d'un
resto gastro à 39 €, tout compris. Le must :
deux piscines ! Une extérieure chauffée,
l'autre balnéo à l'intérieur (si, si !). Une
adresse de charme, où harmonie et quié-
tude sont des maîtres mots.

Accès : à l'entrée de Sucé, en venant
de Carquefou, prenez à gauche au
1er rond-point.

PAYS DE LA LOIRE

TRIGNAC 44570

Carte régionale A2

2 km NE de Saint-Nazaire

€€ 🏠 ⑩% *Chambres d'hôtes La Milonga (Éric et Nathalie Milet) :* 52, rue Jules-Verne. ☎ 02-40-42-65-37. 📱 06-03-92-28-49. ● lamilongabb@gmail.com ● saintnazairebb.com ● *Fermé janv.* 📶 Se laisser intimider par l'environnement et l'enceinte de cette maison serait une grave erreur car lorsque vous passerez le portail, Éric et Nathalie vous emmèneront en voyage dans leur riad breton ! Cinq grandes chambres avec accès indépendant, dont 3 qui donnent de plain-pied sur un jardin engazonné planté de palmiers. Elles sont toutes bien équipées ; il y a même parfois la télé et l'une d'entre elles possède sa propre cuisine. On peut aussi loger à 3 ou 4 dans certaines. De 57 à 77 € pour 2 avec le petit déj, et de 10 à 15 € par personne supplémentaire. Côté déco, comme nous sommes chez les globe-trotters devant l'éternel, les vitrines sont pleines de trucs chinés sur tous les marchés du monde, et puis des livres et encore des livres, dont de nombreux écrits par le maître des lieux qu'on salue au passage ! En hiver, un méga coin cheminée... autour duquel on tient au moins à vingt ! Ici, c'est aussi tango-tango, que vous aurez le loisir de pratiquer si le cœur vous en dit. Une base idéale pour découvrir le patrimoine industriel de Saint-Nazaire, de la Grande Brière ou de la Côte sauvage. Accueil tout simplement charmant.

Accès : de Saint-Nazaire, direction Nantes ; passez au niveau des anciennes forges, puis à droite, 1re entrée Trignac, puis 2 fois à droite, ensuite tt droit jusqu'à la rivière.

VALLET 44330

Carte régionale A2

23 km SE de Nantes ; 7 km N de Clisson

€€ 🏠 🏌 *Chambres d'hôtes La Maison Bleue (Muriel et Roland Devaux) :* 9, La Salmonière. ☎ 02-40-46-73-66. 📱 06-89-33-64-80. ● rold2@free.fr ● pagesperso-orange.fr/rold2/maisonbleue1/ ● *Ouv début mars-fin oct.* 📶 Vallet se prévaut du titre de capitale du muscadet et vous longerez les vignes pour arriver jusqu'à cet ancien pressoir du XIXe s situé dans un petit hameau d'une cinquantaine d'âmes. Deux chambres simples et colorées, de plain-pied, avec sanitaires privés. 60 € pour 2, petit déj compris.

Pas de table d'hôtes mais un bon resto à Vallet ; et sinon, cuisine à disposition. Accueil convivial. À 7 km d'ici, à Clisson, se tient chaque année, mi-juin, le festival Helfest (musique métal) qui prend de plus en plus d'ampleur, mais la ville vaut aussi le détour pour son architecture d'influence italienne.

Accès : A 11, sortie n° 20 Ancenis puis Vallet ; traversez le village en direction de Clisson puis Le Pallet, et au lieu-dit L'Audigère, tournez à droite puis 1re route à 2 km.

VARENNES-SUR-LOIRE 49730

Carte régionale B2

12 km E de Saumur

€ 🏠 ᅵ◉ᅵ *Chambre d'hôtes Les Volubilis (Monique Vervialle) :* 15, rue de la Gare. ☎ 02-41-51-78-20. 📱 06-70-30-39-56. ● jm.vervialle@orange.fr ● Maison du XVe s, avec une chambre dans une partie neuve et indépendante de la maison. Très claire, avec télé, salle d'eau et w.-c. 50 € pour 2, petit déj compris. Belle salle de séjour avec poutres apparentes et cheminée monumentale, où Monique sert de très bons petits déj. Elle propose aussi la table d'hôtes, sur réservation, pour 15 €, vin de Saumur compris (cuisine locale et familiale). Faites un tour au moulin de Varennes et ne manquez pas les pistes de boules de fort qui attirent de nombreux passionnés (ambiance locale assurée). Jean pourra vous parrainer pour y entrer car il y joue.

Accès : sur la N 152, en face du pont de Montsoreau, en direction de Brain/Allonnes ; c'est à 200 m sur la gauche après l'église.

VAUCHRÉTIEN 49320

Carte régionale B2

15 km S d'Angers

€€€ 🏠 ⑩% *Chambres d'hôtes Le Moulin de Clabeau (Famille Daviau) :* ☎ 02-41-91-22-09. 📱 06-82-31-80-27. ● moulin-clabeau@gite-brissac.com ● gite-brissac.com ● 📶 Moulin à eau superbement restauré, appartenant à la famille Daviau (viticulteurs-minotiers connus dans la région) depuis 1537. Trois chambres, décorées simplement, mais avec beaucoup de goût, certaines dans un style très british. La suite de 2 chambres conviendra aux familles. Comptez 80 € pour 2, petit déj compris. Grands espaces communs, beau mariage de poutres monumentales et d'ardoise. À côté coule l'Aubance (empruntez donc la barque pour aller à Saint-Melaine). Ici, l'hospitalité est tout sauf de la poudre (de farine !) aux yeux. Un conseil : gare à votre tête en passant les portes ! Une petite boutique de produits régionaux vient compléter le tout.

Accès : d'Angers, prenez la route de Brissac, sortez à L'Homois et suivez le fléchage.

VIEILLEVIGNE   44116

Carte régionale A2

30 km S de Nantes ; 17 km NE de Legé

€€ 🏠 *Chambres d'hôtes Le Logis du Château (Odile et Didier Roy) :*

☎ 02-40-02-05-98. Fax : 02-40-02-04-45. ● logisduchateau@orange.fr ● logisduchateau.fr ● Aux portes de la Vendée, joli logis du XVIII°, ancienne ferme et maison natale d'Odile, dans un petit hameau... Ici on vient avant tout pour l'accueil et la convivialité d'Odile. Trois chambres, dont une suite familiale composée de 2 chambres. Déco simple, sans prétention. Comptez 63 € pour 2, copieux petit déj compris (fromages, œufs et jambon). Une adresse chaleureuse et nature, dans tous les sens du terme.

Accès : du village, D 753 vers Noirmoutier/ Rochervière et, au lieu-dit Malabrit, prenez à gauche vers Bonne-Fontaine et suivez le fléchage pdt 1,5 km.

Picardie

ALLONVILLE 80260

Carte régionale A1

7 km NE d'Amiens

€€ 🏠 *Chambres d'hôtes Les Trois Plumes (Jacques Fauquemberg) :* 14, Grande-Rue. 📠 06-25-44-39-67, ● jacquesfauq@yahoo.fr ● lestroisplumes.fr ● 🛜 Au cœur du village, dans l'aile d'une ancienne fermette picarde, Jacques, conteur picard vous propose une agréable suite avec séjour et une chambre parée des toiles du maître des lieux. Sanitaires privés. 65 € pour 2, petit déj compris, 115 € pour 4. Jardin clos fleuri avec vigne et pommiers. Jacques est un passionné d'histoire locale, des arts vivants, de jardinage. Il vous parlera de la tradition des coupeurs de velours et des légendes du pays... Accueil courtois et volubile.

Accès : sur la rocade d'Amiens, prenez la sortie n° 37 Amiens/Saint-Pierre, puis direction Albert jusqu'à « Petit-Camon » ; au feu tricolore, prenez à gauche jusqu'à Allonville ; la maison se trouve face à la mairie.

ARREST 80820

Carte régionale A1

20 km O d'Abbeville ;
7 km S de Saint-Valéry-sur-Somme

€€ 🏠 |◉| 🏇 *Chambres d'hôtes Arrest en Baie (Stéphanie et Sacha Weber) :* 3, rue de Drancourt. 📞 03-22-26-13-83. 📠 06-76-17-56-11. ● contact@arrest-en-baie.com ● arrest-en-baie.com ● 🛁 🛜 Stéphanie et Sacha ont accompli un travail remarquable pour donner à cette ancienne ferme authenticité et originalité. Cinq chambres charmantes et romantico-champêtres, avec sanitaires privés. Authenticité, car tous les murs ont tous été refaits, à l'identique, en torchis s'il vous plaît ! Originalité, car certains sont parés de jolies fresques réalisées par Stéphanie. Moult détails ajoutent encore à l'atmosphère chaleureuse des lieux. Selon la chambre, de 55 à 65 € pour 2, petit déj compris. Possibilité de table d'hôtes à 26 €, boisson comprise. Accueil convivial. Bref, une adresse comme on les aime.

Accès : de Saint-Valéry-sur-Somme, D 48 vers Arrest ; passez Estrebœuf et prenez la 1re à gauche à l'entrée du village, la maison est 100 m à gauche.

AUGER-SAINT-VINCENT 60800

Carte régionale B2

15 km E de Senlis ;
7 km O de Crépy-en-Valois

€€ 🏠 |◉| 🏇 *Chambres d'hôtes Ferme du Raguet (Françoise et Philippe Mommelé) :* 8, rue Raguet. 📞 et fax : 03-44-59-03-61. 📠 06-13-33-40-13. ● lafermeduraguet@orange.fr ● lafermeduraguet.fr ● 🛜 Ferme céréalière en activité. Dans

Nous vous rappelons que la table d'hôtes est le complément d'une formule d'hébergement (chambre d'hôtes, gîte d'étape...). Ce service n'est offert qu'aux personnes qui dorment sur place (excepté lorsqu'il est clairement écrit « ouvert aux extérieurs »).

NORD

MANCHE

PICARDIE

PAS-DE-CALAIS (62)

Hesdin
Frévent
Arras

Saint-Valery-sur-Somme
Port-le-Grand
Arrest
Saigneville
Béhen
Neufmoulin
Beaumetz
Abbeville
Somme

SOMME

Gueudecourt
Montauban-de-Picardie
Albert

Eu
Blangy
Allonville
Camon
Amiens
Blangy-Tronville
St-Fuscien
Chaussoy-Epagny
80

Neufchâtel-en-Bray
Aumale
SEINE-MARITIME (76)

Héricourt-sur-Thérain
Gerberoy
Froissy
Ravenel
OISE
60
Jonquières

Gournay-en-Bray
Beauvais
St-Germer-de-Fly
la Houssoye
St-Félix
Verberie

les Andelys
Gisors
Fay-les-Étangs
Fresnoy-en-Thelle
Senlis

Vernon
VAL-D'OISE (95)
Pontoise

Mantes
Saint-Denis
Nanterre

EURE (27)
YVELINES (78)
Saint-Germain
Paris

une aile indépendante et récente, 3 chambres spacieuses et bien tenues, installées au 1er étage. Deux autres chambres au rez-de-chaussée et à l'étage d'un bâtiment annexe. Toutes avec sanitaires privés, TV et connexion wifi. 60 € pour 2, petit déj compris, et 10 € par personne supplémentaire. Table d'hôtes, sans les propriétaires, à 22 €, boissons comprises. De mars à octobre, dans le jardin derrière la ferme, une piscine couverte par une grande serre.

Accès : sur la N 324, entre Senlis et Crépy-en-Valois ; prenez la D 938 vers Auger-Saint-Vincent ; la ferme est dans la rue principale (pratiquement pas de passage).

BEAUMETZ   80370

Carte régionale A1

30 km NO d'Amiens ; 25 km E d'Abbeville

€€ ▲ |●| **10 %** *Chambres d'hôtes* **Les Mazures (Peter Clark et Vincent Caplier) :** 2 bis, rue de la Prairie. ☎ 03-22-32-80-52. ● info@lesmazures.com ● les mazures.com ● 🛜 À mi-chemin des vallées de la Somme et de l'Authie, écologis niché dans un courtil au cœur du village. Trois belles chambres chic et personnalisées dans cette longère picarde contemporaine, respectueuse de son environnement. Toutes ont vue sur le magnifique jardin fleuri. Sanitaires privés. 62 € pour 2, petit déj compris. Table d'hôtes à 20 € à partir des légumes et fruits bio du potager en saison. Agréable parc où vous pourrez copiner avec poules, oies, moutons et chèvres. Prêt de vélos. Accueil chaleureux et amical.

Accès : dans le village, prenez la rue de la Prairie en face de l'église, l'accès aux Mazures se trouve à 100 m.

BEAURAINS-LÈS-NOYON   60400

Carte régionale B2

25 km NE de Compiègne ;
5 km N de Noyon

€€ ▲ |●| *Chambres d'hôtes* **La Marguerite 60 (Aude et Dave Nyhlen) :** 275, Grande-Rue. ☎ 03-60-19-34-49. 📱 06-59-66-42-37. ● lamarguerite60@gmail.com ● lamarguerite60.com ● 🛜 Venir chez Aude et Dave c'est plonger dans un monde convivial franco-américain. Dave rêvait de créer un *bed and breakfast,* et Aude avait la maison de campagne de la grand-mère Marguerite, ancienne ferme picarde.

Alors voilà qui a été fait. Trois chambres mignonnettes sur des thèmes différents : « Bordelaise », la plus petite, dans les tons mauve et la moins chère, « Picardie », plus spacieuse, à l'ambiance coquelicots (les 2 sont en rez-de-chaussée) et enfin l'« Américaine », à l'étage, sous forme de suite familiale avec coin salon. Selon la chambre, de 60 à 75 € pour 2, petit déj compris (gâteau et confitures maison et un original confit de coquelicot d'un artisan de la région), et 15 € par personne supplémentaire dans la suite. Pas de table d'hôtes, mais Aude et Dave proposent un petit menu terroir à partir de produits régionaux d'un fabricant local (potée picarde, salade de lentilles au magret de canard fumé, parmentier de canard, blanquette de volaille) pour 10 € sans les vins mais avec dessert. Dave fabrique d'excellentes bières pour les copains. C'est aussi un motard et il possède une belle Harley Davidson. Une adresse simple et sans façon où hospitalité rime avec convivialité. Bref, une adresse qu'on aime bien. Et ne manquez pas la visite de la cathédrale de Noyon toute proche avec son petit cloître. NOUVEAUTÉ.

Accès : de Noyon, D 934 vers Roye, passez la 1re direction vers Beaurains, prenez la suivante, et au stop à l'intérieur du village, prenez à gauche (bon fléchage).

BÉHEN   80870

Carte régionale A1

40 km NO d'Amiens ;
12 km SO d'Abbeville

€€ ▲ |●| *Chambres d'hôtes* **Le Château des Alleux (Élisabeth et René-François de Fontanges) :** Les Alleux. ☎ 03-22-31-64-88. 📱 06-81-01-19-40. ● chateaude salleux@wanadoo.fr ● chambres-gites-somme.com ● 🛜 Au milieu d'un grand parc, belle demeure du XVIIe s avec une jolie petite tour. René-François et Élisabeth y ont aménagé 3 chambres : 2 dans leur « château » (les plus chères) et une autre dans une dépendance (avec une déco de bois blanc). De 60 à 70 € pour 2, petit déj compris. Il est servi, ainsi que les repas, dans la maison, dans une belle salle rustique agrémentée d'une immense cheminée. Table d'hôtes en commun (sauf le samedi, sur réservation uniquement) à 22,50 €, apéro, vin et café compris : tarte aux légumes du jardin, terrine de foies de volaille, tendrons de veau au cidre, poulet au roquefort, gâteau battu... Pour vos séjours, 2 gîtes (5 et 10 personnes) qui peuvent être loués au week-end. Poneys, moutons, et poules raviront vos bambins.

Amateurs de photos, les clichés qui décorent la maison sont l'œuvre de René-François. Accueil agréable et décontracté.

Accès : d'Abbeville, empruntez l'A 28 en direction de Rouen, sortie n° 3 Monts-Caubert ; au stop, à droite, prenez la D 928 vers Blangy ; au carrefour « Les Croisettes », tournez à droite vers Les Alleux et suivez le fléchage (n'allez pas à Béhen).

BLANGY-TRONVILLE 80440

Carte régionale A1

7 km E d'Amiens ;
5 km O de Villers-Bretonneux

€€€ 🏠 *Chambres d'hôtes Les Orchidées (Patricia et Alain Corbière) :* 9, rue Édouard-Ruelle. ☎ 03-22-47-50-64. ● alain.corbiere@free.fr ● chambres-orchidees.fr ● ♿ 🛜 Dans un charmant petit village, Patricia et Alain ont rénové cette grange picarde à l'esprit de bord de mer. Quatre belles chambres spacieuses et personnalisées en enfilade, recouvertes de lin blanc et aux volets bleus. Sanitaires privés. 80 € pour 2, petit déj compris. Pas de table d'hôtes mais la pétillante Patricia met à votre disposition une vaste cuisine tout équipée, avec lave-linge et sèche-linge. Piscine à contre-courant, couverte et chauffée, et salle de fitness. Alain, passionné d'orchidées, vous contera l'histoire et les soins prodigués à ses plantes. Accueil chaleureux et discret.

Accès : à l'est d'Amiens, sortant de l'A 29, suivez la N 29 direction Villers-Bretonneux, puis tournez à gauche vers Blangy.

CAMON 80450

Carte régionale A1

5 km d'Amiens

€€€ 🏠 ⟨10 %⟩ *Chambres d'hôtes La Grange de la Herde (Catherine et Richard Devisse) :* 32, rue Émile-Debrie. ☎ 03-22-46-07-01. 📱 06-69-03-87-24. ● grangedelaherde@orange.fr ● gite-des-hortillonnages.fr ● 🛜 Aux portes d'Amiens et à proximité des hortillonnages, c'est la campagne à la ville. Une grange picarde entièrement rénovée avec goût ouvre sur une belle cour pavée à l'ancienne, fleurie de vivaces et de roses délicates au parfum doucereux. Deux belles chambres, avec enduits à la chaux et colombages. Sanitaires privés. 80 € pour 2, copieux petit déj compris. Pas de table d'hôtes mais coin cuisine à disposition et une auberge réputée dans le village. Une belle adresse, pour

y trouver le calme champêtre, l'intimité des lieux et la gentillesse des propriétaires.

Accès : devant l'hôtel de ville de Camon, prenez à droite en bas de la place ; la maison est à 150 m à droite.

CHAOURSE 02340

Carte régionale B1

35 km NE de Laon ;
2 km NO de Montcornet

€ 🏠 ⦿⧍ *Chambres d'hôtes (Annie et Jean Brucelle) :* 26, rue du Château. ☎ 03-23-21-30-87. Fax : 03-23-21-20-78. ● lchv@sfr.fr ● Dans le village, sur leur exploitation agricole, Annie et Jean élèvent des vaches allaitantes et produisent des céréales. Ils ont aménagé 3 chambres au 1er étage d'une aile indépendante de la maison. Déco gentillette, mobilier en pin naturel. Sanitaires privés. 48 € pour 2, petit déj compris. Table d'hôtes à 18 €, apéro et vin compris. Bonne cuisine du terroir avec les volailles de la ferme et les légumes du jardin. Accueil authentique et vrai.

Accès : de Laon, empruntez la D 977 en direction de Montcornet ; 2 km avt, tournez à gauche vers Chaourse, allez jusqu'à l'église et prenez la rue du Château (attention, Chaourse est partagé en deux à cause d'une zone inondable).

CHAUSSOY-ÉPAGNY 80250

Carte régionale A1

20 km S d'Amiens

€€€ 🏠 *Chambres d'hôtes Château de Chaussoy (Christine et Christian de Caffarelli) :* 38, rue du Château. ☎ 03-22-41-05-07. ● chdecaffarelli@cegetel.net ● chateaudechaussoy.com ● Ouv avr-fin oct. 🛜 C'est une pure merveille que cette « folie » du XVIIIe s, vaste château qui a traversé les siècles et connu d'illustres familles, entouré d'un parc boisé de 40 ha, véritable écrin de verdure. À l'étage, 2 magnifiques chambres personnalisées, aux grands lits avec ou sans baldaquin, situées côté jardin ou parc boisé. Conservées dans la tradition, avec les boiseries, les cheminées et les plafonds hauts. Sanitaires privés. 75 € pour 2, petit déj compris, servi dans la magnifique salle à manger de style Louis XVI, aux boiseries rechampies et cartouches champêtres au-dessus des portes. Gentillesse et disponibilité au rendez-vous. Une très

PICARDIE

belle adresse pour passer une nuit de châtelain.

Accès : à Ailly-sur-Noye, direction Breteuil ; à l'entrée de Chaussoy, prenez à droite de l'ancienne mare et suivez le fléchage « château » direction Lawarde.

CHÉRÊT   02860

Carte régionale B2

35 km NO de Reims ; 7 km SE de Laon

€€ 🏠 🍴 (10%) *Chambres d'hôtes Le Clos (Monique et Michel Simonnot) :* ☎ 03-23-24-80-64. ● leclos.cheret@club-internet.fr ● lecloscheret.com ● Ouv 15 mars-15 sept. Sur résa. 🛜 Immense demeure (ancien vendangeoir du XVIIᵉ s), avec 4 chambres claires et agréables, avec sanitaires privés (pour l'une, ils sont à côté de la chambre). Déco rustique et jolie vue sur la campagne. De 55 à 70 € pour 2, petit déj compris. Ambiance chaleureuse et décontractée. Pendant que vous y êtes, visitez donc Laon (remparts, abbaye et cathédrale) et profitez du GR 12 qui passe devant la maison ou des nombreux sentiers pédestres ou VTT pour faire une petite balade !

Accès : de Laon, prenez la D 967 vers Fismes ; à la sortie de Bruyères-et-Montbérault, suivez la direction de Chérêt, la maison est à l'entrée du village sur la gauche.

CHOISY-AU-BAC   60750

Carte régionale B2

5 km NE de Compiègne

€€€€€ 🏠 🍴 *Chambres d'hôtes Villa du Châtelet (Alix et Philippe de Lauzanne) :* 17, rue de l'Aigle. ☎ 03-44-76-83-65. 📱 06-62-43-12-95. ● contact@villaducha telet.com ● villaduchatelet.com ● 🛜 C'est par une allée bordée de tilleuls qui grimpe une petite colline que l'on arrive à cette originale demeure, construite par le compositeur Léo Delibes par l'architecte Jean Girette, avec la complicité de son maître Garnier (pas celui des shampoings, celui de l'Opéra, bien sûr !). Complètement destructurée, elle a la forme d'un piano à queue. Au 1ᵉʳ étage, un petit salon télé dessert 2 chambres spacieuses, chacune avec balcon-terrasse, répondant aux noms des opéras de Delibes. Mobilier qui mêle ancien et contemporain. « Coppélia » est moins chère et à notre préférence. Sanitaires privés. Selon la chambre, comptez 120 et 150 € pour 2, petit déj compris. Une 3ᵉ chambre sans sanitaires, à 60 €, vient

compléter la structure pour accueillir les enfants ou amis. Grand salon avec piano accordé et salle à manger pour déguster la table d'hôtes, et croyez-nous, celle-ci vaut le détour car Alix donne aussi des cours de cuisine. Des spécialités de saison goûteuses et recherchées, pour 45 €, apéro, vin et café compris. Alix organise régulièrement des spectacles de théâtre, musique et opéra. Accueil dynamique et souriant. Une adresse qui ne manque pas de charme. *NOUVEAUTÉ.*

Accès : A 1 sortie nº 10, direction Soisson puis Choisy-au-Bac ; là, visez l'église puis direction « Clairière de l'Armistice » qui vous conduit la rue de l'Aigle.

CONNIGIS   02330

Carte régionale B2

37 km SE de Soissons ; 12 km E de Château-Thierry

€€€ 🏠 🍴 *Chambres d'hôtes (Jeanine et Pierre Leclère) :* 1, rue de Launay. ☎ 03-23-71-90-51. Fax : 03-23-71-48-57. ● fermeduchateau02@orange.fr ● chambres-hotes-champagne-leclere.com ● Fermé 15 déc-15 mars. 🛜 Dans le bourg, grande demeure aux extérieurs fleuris, donnant sur un grand parc ombragé. Cinq chambres, dont une suite installée dans une tour, avec sanitaires privés, meublées de façon rustique. Comptez 76 € pour 2, petit déj compris (dégressif dès la 2ᵉ nuit). Pierre est producteur de champagne (en coopérative, donc malheureusement, pas de visite de cave sur place), mais on peut déguster (ouf !) et en acheter... Repas à 27 €, apéro au champagne et vin compris, servi autour d'une grande table familiale. Spécialités de flan aux courgettes, lapin au ratafia, poulet au champagne et desserts aux fruits du jardin. Ambiance chaleureuse et authentique.

Accès : sur la N 3 entre Château-Thierry et Dormans ; à Crézancy, prenez la CD 4 jusqu'à Connigis, la maison est sur la gauche en haut du village.

CRÉCY-AU-MONT   02380

Carte régionale B2

14 km N de Soissons ; 4 km S de Coucy-le-Château

€€ 🏠 🍴 (10%) *Chambres d'hôtes L'Épi Vert (Danièle Simon) :* 15, route de la Vallée. ☎ 03-23-56-81-01. 📱 06-17-31-15-40. ● dann.simon@wanadoo.fr ● chambre-hotes-soissons.fr ● ☎ Nichée dans un écrin de verdure, jolie maison en pierre blanche. Au 1er étage, 2 chambres champêtres et agréables avec sanitaires privés (sur le palier pour une). De 55 à 65 € pour 2, petit déj compris. Pas de table d'hôtes mais deux restos à 4 km. En juillet, ne manquez pas la fête médiévale de Coucyle-Château. Accueil convivial.

Accès : *de Soissons, D 1 vers Saint-Quentin puis à gauche D 137 jusqu'à Crécy-auMont ; à l'entrée du village, prenez à droite la route de la vallée que vous suivez jusqu'à un petit hameau, la maison est à gauche.*

CRISOLLES 60400

Carte régionale B1

30 km NE de Compiègne ;
5 km N de Noyon

€€€ 🏠 ≀⊙≀ **Chambres d'hôtes Manoir de Crisolles (Françoise et Gérard Lecomte) :** *5, rue Guiscard.* ☎ 03-44-09-55-58. 📱 06-87-34-08-98. ● *lemanoirde crisolles@gmail.com* ● *lemanoirdecri solles.com* ● ☎ Grande et belle demeure en brique aux allures bourgeoises du XIXe s dans un grand parc arboré où trône un magnifique érable. Deux chambres spacieuses avec sanitaires privés (sanibroyeur) : si vous êtes plutôt théâtre, choisissez la chambre « Molière », avec portrait du maître et gravures de personnages de la commedia dell' arte, si vous êtes plus romantique, optez pour la chambre « Douceur d'antan » dans les tons blancs avec lit à baldaquin. 75 € pour 2, petit déj compris. Grande salle à manger qui ouvre sur un agréable salon-véranda avec billard. Table d'hôtes pas systématiquement partagée avec les propriétaires à 25 €, apéro, vin et café compris. Cuisine familiale avec de bons produits (légumes et fruits du jardin en saison). Accueil chaleureux. Bon rapport qualité-prix-convivialité. *NOUVEAUTÉ.*

Accès : *de Noyon, D 932 vers Ham ; dans Crisolles, allez jusqu'à l'église, laissez-la sur votre gauche et au bout de la rue à droite.*

ÉPARCY 02500

Carte régionale B1

55 km NE de Laon ; 6 km S d'Hirson

€ 🏠 ≀⊙≀ (10 %) **Chambres d'hôtes Villa des Tilleuls (Nathalie et Hubert Fourdrignier-Pointier) :** *7, route de Landouzy.* ☎ 03-23-98-46-17. ● *T141003@ orange.fr* ● *villa-des-tilleuls.jimdo.com* ● *Fermé la 1re quinzaine d'août.* Jolie

maison tout en brique dans un beau jardin arboré. Quatre chambres à l'atmosphère de nos grands-mères, avec sanitaires privés. Deux au 1er étage, plus petites et moins chères, les 2 autres au second, plus spacieuses. De 46 à 50 € pour 2, petit déj compris. Table d'hôtes (sans les proprios) à 18 €, apéro, vin et café compris. Ambiance chaleureuse. Accueil souriant et décontracté. Une gentille adresse.

Accès : *de Laon, N 2 jusqu'à Vervins puis D 963 vers Hirson ; à la sortie de Labouteille, tournez à droite vers Landouzy-la-Ville, que vous traversez, puis Éparcy et suivez le fléchage.*

FAY-LES-ÉTANGS 60240

Carte régionale A2

30 km SO de Beauvais ;
7 km SE de Chaumont-en-Vexin

€€ 🏠 ≀⊙≀ 🐴 (10 %) **Chambres d'hôtes Le Clos (Philippe et Chantal Vermeire) :** *3, rue du Chêne-Noir.* ☎ 03-44-49-92-38. 📱 06-32-08-24-69. ● *philippe.vermeire@ wanadoo.fr* ● *leclosdefay.com* ● *Fermé en janv.* ☎ Au cœur du village, superbe et ancienne ferme à colombages, vieille de trois siècles. Dans une aile indépendante, 4 chambres d'hôtes avec sanitaires privés et climatisation : 2 au rez-de-chaussée (dont une pour une personne), les 2 autres au 1er étage avec accès par un escalier extérieur. Décoration de fort bon goût. Comptez 60 € pour 2, petit déj compris. On mange dans la maison de Philippe et Chantal ; c'est monsieur qui fait la cuisine, et croyez-nous, ses spécialités sont aussi nombreuses qu'alléchantes. Repas partagé avec vos hôtes à 27 €, apéro, vin et café compris. Atmosphère campagnarde et sereine avec vieilles tomettes, poutres, mobilier ancien et cheminée. Adorable jardin verdoyant et fleuri avec une tonnelle où pousse la vigne et mûrit le raisin. Accueil chaleureux. Une adresse comme on les aime.

Accès : *de Paris, A 15 vers Beauvais, sortie Marines ; prenez la D 28 en direction de Monneville et Fleury puis, à gauche, vers Fay-les-Étangs.*

FRESNOY-EN-THELLE 60530

Carte régionale A2

45 km N de Paris ; 15 km O de Chantilly

€€€ 🏠 (10 %) **Chambres d'hôtes (Élise et Marc Lamoureux) :** *41, rue de Lamberval.* ☎ 03-44-26-17-33. 📱 06-89-33-60-45. *Fax : 03-44-26-21-62.* ● *marc.lamoureux@*

PICARDIE

free.fr ● lamberval.fr ● *Fermé la 1re sem de juil.* ☏ C'est à la place de l'ancien château de Fresnoy que cette grande demeure bourgeoise a été édifiée en 1826. C'est aujourd'hui une ferme en activité qui produit céréales et betteraves. Dans une aile indépendante, installées au 1er étage, 2 chambres spacieuses, avec sanitaires privés et connexion Internet. Le parquet et les meubles anciens tranchent avec les couleurs (vert ou rouge), mais l'ensemble est de bon goût. 85 € pour 2, petit déj compris, et 20 € par personne supplémentaire. Grand parc avec cheval. Accueil jeune et convivial. Les lève-tard verront un petit inconvénient à la départementale qui longe le parc, assez passante le matin.

Accès : de Paris, empruntez la D 1001 en direction de Beauvais ; passé Chambly, prenez la 1re sortie après la station et tournez à droite.

FROISSY · 60480

Carte régionale A2

17 km NE de Beauvais

€€ 🏠 |●| *Chambres d'hôtes La Maison de Marie-Thérèse (Francine et Xavier Hamot) :* 13, rue du Château. ☏ 03-44-80-71-43. 🖥 06-11-41-18-64. ● francine.hamot@orange.fr ● francineetxavier.free.fr ● 🦽 ☏ Plantée dans un grand parc de 1 ha, agréable demeure de famille du XIXe s en brique, située juste à côté de la ferme où Francine et Xavier produisent des céréales. Cinq chambres vastes, champêtres et lumineuses, avec sanitaires privés : une au rez-de-chaussée et 4 au 1er étage. Déco de très bon goût, chacune sur un thème différent. 60 € pour 2, petit déj compris, et 15 € par personne supplémentaire. Table d'hôtes partagée en famille à 20 €, apéro, vin et café compris. Une cuisine goûteuse et variée, rien qu'avec des produits maison. Les repas se prennent soit dans une grande salle à manger. Gentillesse et sourire au rendez-vous. Une adresse comme on les aime.

Accès : sur la N 1 entre Beauvais et Breteuil ; dans le village, c'est la dernière rue à droite quand on vient de Beauvais.

GERBEROY · 60380

Carte régionale A2

25 km NO de Beauvais ;
2 km S de Songeons

€€ 🏠 |●| *Chambres d'hôtes Le Logis de Gerberoy (Cécile et Olivier Greboval) :* 4, rue du Logis-du-Roy. ☏ 03-44-82-36-80. 🖥 06-15-11-13-33. Fax : 03-44-82-40-85. ● lelogisdegerberoy@free.fr ● lelogisdegerberoy.free.fr ● ☏ Au cœur de ce village classé parmi les plus beaux de France, belle demeure aux volets bleus qui mélange pierre, brique et enduit à la chaux. Petit hôtel devenu resto puis épicerie, cette maison a toujours eu une vocation d'accueil... Aux 1er et 2e étages, 5 chambres élégantes avec de spacieux sanitaires privés (dont une suite et une avec terrasse). De 67 à 80 € pour 2, petit déj compris, et 120 € pour la suite. Belle salle à manger ancienne, toute de brique vêtue, avec poutres, cheminée et vieilles tomettes. Table d'hôtes sans les propriétaires (du dimanche au mercredi) à 19 € hors boisson. Cécile et Olivier, passionnés de photos (notamment de voyages et sur les ethnies), possèdent de vieux négatifs familiaux et refont des tirages de belles photos sépia. Elles peuplent la maison et lui donnent une atmosphère toute particulière. Accueil décontracté.

Accès : de Beauvais, D 901 vers Marseille-en-Beauvaisis puis D 133 vers Songeons jusqu'à Gerberoy ; la maison est dans la petite rue principale.

GUEUDECOURT · 80360

Carte régionale A1

45 km E d'Amiens ; 20 km N de Péronne

€€ 🏠 |●| *Chambres d'hôtes Le Clos du Clocher (Sylvie et Philippe Hauwel) :* 3, rue de l'Église. ☏ 03-22-84-85-53. 🖥 06-67-18-11-97. ● leclosduclocher@gmail.com ● leclosduclocher.com ● 🦽 *Fermé entre Noël et le Nouvel An.* ☏ Ne cherchez pas l'église, elle a été détruite ! On a reconstruit un petit clocher à sa place... Ancienne fermette tout en brique installée dans un agréable jardin fleuri. Dans une dépendance mitoyenne à la maison, 3 chambres coquettes de plain-pied avec sanitaires privés, à 63 € pour 2, petit déj compris (confitures, brioche et pain maison). Table d'hôtes partagée en famille à 25 €, apéro, vin et café compris pour une cuisine de saison à tendance régionale. Accueil convivial.

Accès : A 1 sortie n° 14 Bapaume puis D 1017 vers Péronne jusqu'à Beaulencourt puis Gueudecourt et bon fléchage dans le village.

HÉRICOURT-SUR-THÉRAIN · 60380

Carte régionale A2

30 km NO de Beauvais ;
15 km N de Gournay-en-Bray

€€€ 🏠 |●| *Chambres d'hôtes Les Jardins de Beauve (Pascale Denis) :* 13,

rue de Saint-Samson. 📞 06-07-95-76-10.
● pascale-de@live.com ● jardinsdebeauve.
sitew.fr ● 📶 Vous avez dit nature ? Ici, ce
mot prend tout son sens ! L'ancienne et jolie
ferme de Pascale est plantée sur un domaine
de 4,5 ha. Le village est composé de
7 hameaux pour une centaine d'âmes, alors
ici on vient pour se ressourcer. Pascale a
rénové sa maison avec des matériaux naturels. Les murs sont en terre crue, et l'atmosphère est calme et reposante. Au 1er étage,
2 chambres charmantes et sereines avec
sanitaires privés. Selon la taille de la chambre, 70 et 80 € pour 2, petit déj compris (pain
bio, confitures, yaourts et jus de pommes
maison). Table d'hôtes partagée avec votre
hôtesse à 24 €, apéro maison et vin compris.
Menu plus léger, voire végétarien si vous le
souhaitez, à 14 €. Ancienne architecte de
formation, Pascale s'est formée à l'ayurvéda,
science indienne qui prend l'être dans son
ensemble. Pascale propose donc des massages ayurvédiques. Elle est aussi motarde
et possède une belle Triumph, alors si vous
en êtes... Accueil de qualité. Une adresse où
l'on se sent bien. *NOUVEAUTÉ.*

Accès : de Beauvais, D 133 vers Songeons,
puis continuez vers Neufchâtel-en-Bray pdt
10 km et à droite vers Héricourt puis suivez
le fléchage.

JONQUIÈRES   60680

Carte régionale A2

8 km SO de Compiègne

€€€ 🏠 *Chambres d'hôtes La Charmée
(Magalie et Yves Franceus) :* 25, rue de
Varanval. ☎ 03-44-23-15-49. 📱 06-44-23-
15-49. ● lacharmee@gmail.com ● cham
brehote-lacharmee.com ● 🦮 📶 Au cœur
du village, ancienne et jolie ferme typiquement picarde avec une agréable cour
intérieure cernée de dépendances. Dans
ce qui était autrefois l'étable, Magalie et
Yves ont aménagé 3 chambres romantico-
campagnardes avec sanitaires privés (2
avec fermeture par rideaux). Une au rez-
de-chaussée avec accès direct sur le jardin (notre préférée), les 2 autres à l'étage,
mansardées, avec de belles poutres apparentes et vieux parquets peints. 85 € pour
2, petit déj compris, servi dans la salle
du rez-de-chaussée. Ici, c'est Yves qui
s'occupe des hôtes car il travaille à domicile tandis que Magalie éduque les enfants
dans le village d'à côté. Pas de table
d'hôtes mais un bon resto à 4 km et toutes
possibilités à Compiègne un peu plus loin.
Accueil convivial. *NOUVEAUTÉ.*

Accès : dans le village, prenez la route qui
mène à Varanval (fléchage).

LA HOUSSOYE   60390

Carte régionale A2

*18 km SO de Beauvais ;
16 km NE de Gisors*

€€€ 🏠 ⏐●⏐ *Chambres d'hôtes La
Chaise Verte (Anne et Dominique
Charlent) :* 185, route de Gisors.
☎ 03-44-81-41-63. 📱 06-70-82-63-69.
● lachaise.verte@orange.fr ● lachaise
verte.fr ● 📶 À quelques encablures
de la Normandie, coquette maison en
brique du XIXe s dotée d'un croquignolet jardin où fourmillent les surprises...
Une chambre à l'étage, spacieuse et
sereine, avec sanitaires privés. Une
autre chambre, tendance écolo, ouverte
de mai à octobre, est installée au fond
du jardin dans une maison en paille (si,
si !). Ici pas d'eau courante, on se lave
au gant, ou on prend sa douche, installée à côté du sauna, dans la cave de
la maison. Toilettes sèches à l'extérieur.
Quelle que soit la chambre, 80 € pour 2,
petit déj compris (on remplit une fiche
pour choisir son petit déj avec mets
salés et sucrés ; vous êtes plutôt œuf
ou fromage, crêpe ou pain perdu ?).
Une petite piscine complète cette sympathique structure. Table d'hôtes partagée en famille à 25 €, apéro, vin et café
compris. Cuisine familiale, tendance
bio. Accueil chaleureux, souriant et sans
façon. Une adresse originale et insolite.
NOUVEAUTÉ.

Accès : dans le village, prenez la direction
de Gisors, la maison est sur la droite.

MARTIGNY-
COURPIERRE   02860

Carte régionale B2

45 km NO de Reims ; 12 km S de Laon

€€ 🏠 *Chambre d'hôtes Près du Tilleul (France et Éric Corcy) :* 9, rue
du Montcet, hameau de Courpierre.
☎ 03-23-24-85-15. 📱 06-83-90-28-27.
● ecorci02@aol.com ● pres-du-tilleul.
com ● 🦮 📶 France a ouvert une seule
chambre pour le plaisir de bichonner ses
hôtes. Elle est de plain-pied, champêtre,
composée de deux pièces, dont une avec
petit coin cuisine, et peut accueillir 4 personnes. 60 € pour 2 et 100 € pour 4, petit
déj bio compris (confitures, yaourts, pain
et gâteau maison). Une hôtesse chaleureuse qui est intarissable sur sa région et

PICARDIE

la remarquable église Art déco classée de son village.

Accès : de Laon, prenez la direction du chemin des Dames ou lac de L'Ailette (D 967) pdt 10 km ; tournez ensuite à gauche puis à droite (D 90) vers Martigny-Courpierre puis à nouveau gauche vers le hameau de Courpierre.

MONTAUBAN-DE-PICARDIE   80300

Carte régionale A1

45 km NE d'Amiens ; 12 km E d'Albert

€€ 🏠 *Chambres d'hôtes Bernafay Wood (Christine et Jean-Pierre Matte) :* 55-57, Grande-Rue, bois de Bernafay. ☎ 03-22-85-02-47. 📱 06-11-18-05-09. ● benafaywood@aol.com ● bandbbernafaywood.fr.ht ● Fermé déc-janv. 🛜 Ancien guide du musée de la Guerre d'Albert, Jean-Pierre a repris il y a une quinzaine d'années, avec Christine, cette ancienne gare ferroviaire qui appartenait à ses grands-parents, située au cœur de la zone de combat de la bataille de la Somme. Deux grandes chambres et une suite familiale aménagées avec soin. Sanitaires privés. 59 € pour 2 avec le petit déj continental ou à l'anglaise (avec supplément de 3 €). Pas de table d'hôtes mais cuisine à disposition. Accueil sincère et chaleureux.

Accès : A 1 sortie n° 13.1 Albert-Peronne, puis D 938 sur 7 km puis D 197 jusqu'à Maricourt et direction Longueval sur 2 km puis à droite D 64 vers Guillemont ; la maison se trouve à droite.

NANTEUIL-LA-FOSSE   02880

Carte régionale B2

15 km NE de Soissons

€€ 🏠 10 % *Chambres d'hôtes (Marie-Catherine et Jacques Cornu-Langy) :* La Quincy. ☎ 03-23-54-67-76. 📱 07-86-99-37-95. ● la.quincy@yahoo.fr ● laquincy.free.fr ● Au milieu des bois et des pâturages, superbe petit château planté dans un grand parc peuplé d'arbres centenaires. La vieille tour est la seule rescapée des bombardements de la guerre de 1914, le reste de cette demeure date des années 1920 et lui confère un cachet tout particulier. Deux chambres (une simple, une double) avec sanitaires privés, dont une, immense et claire, au 1ᵉʳ étage de la tour (vernis que vous êtes !). Beau mobilier assorti et marqueté. 70 € pour 2, copieux petit déj compris (avec du jus de fruits

pressés !). Marie-Catherine, charmante hôtesse, vous le servira devant la cheminée en hiver et dans une croquignolette orangerie aux beaux jours. Dehors, la nature est belle... Un étang privé attend les pêcheurs et les baigneurs qui ne craignent pas les fonds glissants (ça rafraîchit !). La nature, Jacques la connaît bien : il est gestionnaire de forêts... Il faut l'écouter parler des arbres, vous expliquer l'âge maximum qu'atteignent les différentes espèces, car contrairement aux idées reçues, un arbre naît, vit et meurt... De plus, il vous guidera utilement pour aller à la découverte des chemins alentour. Les proprios sont aussi des passionnés d'histoire, notamment sur la Première Guerre mondiale. Accueil de qualité.

Accès : de Soissons, empruntez la N 2 vers Laon, la D 536 vers Nanteuil-la-Fosse, puis la D 423 jusqu'à La Quincy ; c'est à 2 km du village.

NEUFMOULIN   80132

Carte régionale A1

7 km NE d'Abbeville

€€ 🏠 🍽 *Chambres d'hôtes La Ferme du Scardon (Élisabeth et Jean-Marie Chivot) :* 121, rue du Scardon. ☎ et fax : 03-22-28-82-14. 📱 06-71-87-94-25. ● chivot.jean-marie@orange.fr ● ferme-du-scardon.fr ● Fermé aux vac de Noël. 🛜 Ici, c'est la vraie vie de la ferme... Jean-Marie s'occupe de l'exploitation tandis qu'Élisabeth s'occupe des hôtes. À l'étage, dans l'ancien silo à grains attenant à la maison des proprios, 2 chambres mignonnettes et colorées, avec sanitaires privés. Trois autres chambres situées dans une ancienne grange rénovée, chacune avec sanitaires privés et pouvant accueillir les familles. De 55 à 65 € pour 2, petit déj compris (confitures, yaourts et gâteau maison, dont souvent la spécialité régionale : le gâteau battu). Table d'hôtes (sauf le dimanche) partagée en famille à 20 €, apéro, vin et café compris. Cuisine traditionnelle, élaborée majoritairement avec les produits de la ferme et du potager. Si vous avez des enfants, ils pourront aller nourrir les animaux de la maison (cheval, lapins, poules, biquettes...). Prêt de vélos pour parcourir l'ancienne voie ferrée transformée en piste cyclable qui mène à Abbeville. Une adresse simple et chaleureuse, des prix doux, que demander de plus ?

Accès : A 16 sortie n° 22 Saint-Riquier, direction que vous suivez par la D 925, puis à gauche vers Neufmoulin et fléchage.

OMIÉCOURT   80320

Carte régionale B1

45 km SE d'Amiens ;
13 km SO de Péronne

€€€€€ 🏠 **10 %** *Chambres d'hôtes Château d'Omiécourt (Véronique et Dominique de Thézy) :* route de Chaulnes. ☎ 03-22-83-01-75. ▤ 06-59-35-50-53. ● thezy@terre-net.fr ● *chateau-omiecourt. com* ● Si on l'appelle le château, c'est que cette noble demeure en pierre et brique a été construite dans les années 1920, en remplacement du château détruit pendant la guerre de 1914. Grand parc qui ouvre sur les prés. Quatre chambres vastes et lumineuses, dont une double composée de 2 chambres. Déco agréable (cheminée en marbre et beau parquet). Une préférence pour la chambre 1900 et la chambre merisier. Selon la chambre et la période, de 145 à 165 € pour 2, petit déj compris. Pour parfaire le tout, une piscine extérieure, une piscine intérieure chauffée, ainsi qu'un jacuzzi, un sauna et un hammam. Accueil convivial. Une adresse pour séduire sa dulcinée.

Accès : A 1, sortie n° 12, puis D 1017 vers Péronne jusqu'à Omiécourt ; dans le village, D 142 vers Chaulnes, la maison est un peu plus loin à droite.

ORROUY   60129

Carte régionale B2

16 km S de Compiègne ;
9 km N de Crépy-en-Valois

€€ 🏠 |●| **10 %** *Chambres d'hôtes La Ferme de la Chaînée (Germaine et Daniel Gage) :* 60, rue de la Forêt. ☎ 03-44-88-60-41. ● sca.gage@wanadoo. fr ● *la-ferme-de-la-chainee.com* ● 📶 Petite ferme avec cour intérieure qui ouvre sur une rue du village, très peu passante. La maison de Germaine, ceux qui parcourent les routes la connaissent bien. C'est un peu la Maïté des chambres d'hôtes. Elle vous accueille souvent en tablier car elle aime régaler ses clients. Cinq chambres sans prétention avec sanitaires privés (deux avec douche et baignoire !) au rez-de-chaussée ou à l'étage. 64 € pour 2, petit déj compris. Table d'hôtes, partagée en famille (avec Daniel quand il est libre, car il est aussi maire de son village), à 22 €, boissons comprises. Accueil authentique et vrai.

Accès : sur la D 332, entre Compiègne et Crépy-en-Valois ; à Gilocourt, prenez la D 123 jusqu'à Orrouy ; la ferme est sur le haut du village (fléchage).

PARFONDEVAL   02360

Carte régionale B1

50 km NE de Laon ;
15 km NE de Montcornet

€ 🏠 |●| **10 %** *Chambres d'hôtes et goûter à la ferme (Françoise et Lucien Chrétien) :* 1, rue du Chêne. ☎ et fax : 03-23-97-61-59. ● francoise-chretien@orange. fr ● *Fermé à Noël et au Nouvel An. Résa obligatoire pour le goûter.* Parfondeval est classé parmi les plus beaux villages de France. Lucien est son ancien maire et a été membre actif de cette association. Agriculteur à la retraite, épris de vieux instruments agricoles, il a installé chez lui un véritable musée qui comporte aujourd'hui plus de 2 000 pièces ! C'est dans cette atmosphère authentique et campagnarde que Françoise et Lucien vous proposent leur goûter à la ferme. Pour 6 €, vous vous régalerez d'une tarte salée (souvent au maroilles), d'une tarte aux fruits de saison, d'un gâteau maison ou d'une gaufre ; le tout arrosé de cidre ou jus de pomme maison. Si vous voulez séjourner, ils ont aménagé 2 chambres dans une ancienne maison de famille. Accès indépendant, déco simple. 45 € pour 2, petit déj compris (maroilles et gâteau maison). Pas de table d'hôtes, mais vous pouvez demander un goûter. Sinon, coin cuisine aménagé. Visitez l'église du village ; elle fait partie d'un circuit d'églises fortifiées de la Thiérache qui en comporte 65 (Lucien les connaît presque toutes !). Accueil chaleureux et vrai.

Accès : de Laon, empruntez la D 977 jusqu'à Montcornet, puis Rocroi ; au hameau de La Garde-de-Dieu, tournez à gauche vers Parfondeval ; la ferme est sur la place du village, juste devant l'église.

PORT-LE-GRAND   80132

Carte régionale A1

50 km NO d'Amiens ;
8 km NO d'Abbeville

€€€ 🏠 🏡 *Chambres d'hôtes (Myriam et Jacques Maillard) :* bois de Bonance. ☎ 03-22-24-11-97. ▤ 06-07-66-90-03. ● contact@bonance.com ● *bonance. com* ● *Ouv mars-oct.* 📶 Belle maison de caractère, du XIX° s, en brique rose, avec un superbe jardin fleuri. Trois chambres, avec sanitaires privés, décorées avec beaucoup de goût, dont une suite familiale avec accès par un ravissant escalier à l'intérieur d'une petite tour. Atmosphère romantique et fenêtres en alcôve.

Préférez la chambre vert et violet qui bénéficie d'une magnifique vue sur le château. 80 € pour 2, petit déj compris, et 25 € par personne supplémentaire. Excellent accueil, une adresse de charme.

Accès : d'Abbeville, prenez la direction de Saint-Valéry-sur-Somme (D 40) ; à l'entrée de Port-le-Grand, tournez à droite et faites 2 km.

RAVENEL   60130

Carte régionale A2

18 km NO de Compiègne ;
6 km E de Saint-Just-en-Chaussée

€€€€ ⌂ |●| 🐾 ⟨10 %⟩ *Chambres d'hôtes Le Temps d'un Rêve (Anne et Patrick Derderian) :* 37, rue du Château. ☎ 03-44-19-05-01. 📱 06-61-16-83-79. ● anneetpatrick60130.free.fr ● 🛜 On vous le dit tout de suite : c'est une adresse d'exception comme on en voit peu ! Cette jolie demeure bourgeoise du début du XIXᵉ s'est parée de rigolotes céramiques aux couleurs vives. À l'intérieur, on est tombé sous le charme de l'univers que Patrick a créé. Depuis plus de 20 ans, il chine, voyage et a accumulé une foultitude de meubles et d'objets aussi beaux qu'originaux. Ici, les lavabos sont à quille, là, un plafond s'orne d'une fresque d'une ancienne boulangerie, là encore l'aquarium est dans le sol... Quant à ses propres créations... elles valent le coup d'œil. La rampe de l'escalier qui vous emmène dans les chambres est une véritable œuvre d'art. Et que dire du lit à baldaquin de la chambre baroque (notre préférée) ? Trois chambres élégantes et soignées ainsi qu'une suite composée de 2 chambres. Luxueux sanitaires privés. 110 € pour 2, petit déj compris. Table d'hôtes à 30 €, vin compris. Cuisine gastro à tendance asiatique. Pour la détente, belle piscine. Accueil chaleureux.

Accès : au centre du bourg, prenez la D 58 vers Saint-Just-en-Chaussée, la maison est à 300 m à droite.

SAIGNEVILLE   80230

Carte régionale A1

9 km NO d'Abbeville ;
7 km SE de Saint-Valéry-sur-Somme

€€ ⌂ *Chambres d'hôtes Le Presbytère (Sophie et Antoine Leleux) :* 3, rue de la Falise. ☎ et fax : 03-22-60-98-34. 📱 06-75-66-76-46. ● aupresbytere@gmail. com ● aupresbytere.fr ● 🛜 Comme son nom l'indique, vous êtes dans un ancien presbytère. Quatre chambres coquettes et sympathiques avec sanitaires privés : 3 dans une dépendance, dont 2 de plain-pied avec d'originales têtes de lit réalisées avec les anciens bancs du lieu ; une autre, familiale (pour 2 adultes et 2 enfants), se situe à l'étage, accessible par un escalier extérieur ; la dernière est dans la maison. Agréable jardin derrière la maison où trônent 2 authentiques roulottes gitanes. Pour 2, comptez 70 € côté chambres (100 € pour la suite familiale) et 80 € en roulotte, petit déj compris (confitures et brioche maison).

Accès : le village se trouve sur la D 3 entre Abbeville et Saint-Valéry ; là, allez jusqu'à la place, la maison est 200 m à gauche (fléchage).

€€ ⌂ 🐾 *Chambres d'hôtes Le Village (Florence et Laurent Caublot) :* 2, rue Seigneur. ☎ 03-22-31-40-29. 📱 06-43-61-72-53. ● le.village@orange.fr ● le-village-site.com ● 🛜 Florence et Laurent ont réalisé un travail colossal pour réaménager cette fermette picarde. Dans un petit bâtiment indépendant, 4 chambres agréables avec sanitaires privés : 2 de plain-pied, dont une décorée sur le thème de la mer (notre préférée), les 2 autres à l'étage, mansardées. Une dernière, familiale pour 3 personnes, est située dans une aile indépendante de la maison. De 59 à 65 € pour 2 et 75 € pour 3, petit déj compris. Pas de table d'hôtes mais coin cuisine à disposition. Prêt de vélos pour se balader le long du canal de la Somme qui passe en bas de la rue. On peut aussi y taquiner la carpe et le brochet. Accueil chaleureux.

Accès : Saigneville se trouve sur la D 3 entre Abbeville et Saint-Valéry ; là, allez jusqu'à la place du village et suivez le fléchage.

SAINT-FÉLIX   60370

Carte régionale A2

18 km SE de Beauvais ;
10 km O de Clermont

€€€ ⌂ |●| *Chambres d'hôtes Villa des Iris (Jacqueline-Cécile Mariani et Jackie Prin) :* 100, rue des Halles. ☎ 03-44-07-00-24. ● jakprin@orange.fr ● villalesiriss tfelix.fr ● 🛜 Dans une rue calme du bourg, demeure des années 1930 au milieu d'un petit parc. Cinq chambres agréables, avec TV et sanitaires privés : 2 au 1ᵉʳ étage, nos préférées car avec terrasse, les 3 autres au second. 85 € pour 2, petit déj compris. Possibilité de table d'hôtes, sur réservation, à 30 €, apéro et vin compris. Pour

PICARDIE

ceux qui aiment l'insolite vous pouvez opter pour la cabane au milieu des arbres. Accueil souriant.

Accès : sur la D 12 entre Montataire et Beauvais ; dans le village, c'est la 2e rue à gauche vers Heilles quand on vient de Montataire.

SAINT-FUSCIEN   80680

Carte régionale A1

3 km S d'Amiens

€€€ 🏠 *Chambres d'hôtes Le Thil (Marie-Cécile et Gérard Candelier) : 20, rue de l'Église.* ☎ 03-22-09-61-08. 📱 06-83-09-07-02. ● *mcecile@lethil.com* ● *lethil.com* ● *Ouv avr-fin oct.* 📶 Marie-Cécile et Gérard, artistes tous les deux, ont passé 30 ans de leur vie à la rénovation de cette magnifique demeure du XVIIIe, sise dans un cadre superbe, à l'ombre des tilleuls. Deux jolies chambres avec vue sur le jardin et de spacieux sanitaires privés. Selon la chambre, 70 et 75 € pour 2, petit déj compris, salé ou sucré, avec des produits du petit potager et des confitures maison. Une belle salle avec cheminée, livres, jeux et billard rassemble souvent les hôtes dans une convivialité non feinte. Pas de table d'hôtes mais Marie-Cécile vous donnera tous les tuyaux utiles. Accueil chaleureux et prévenant.Très bon rapport qualité-prix-convivialité.

Accès : dans Amiens, direction Ailly-sur-Noye ; suivez la rue Saint-Fuscien, 1er village après la sortie d'Amiens (3 km).

SAINT-GERMER-DE-FLY   60850

Carte régionale A2

25 km O de Beauvais ;
7 km SE de Gournay-en-Bray

€€€€ 🏠 *Chambres d'hôtes Le Clocher du May (Corinne Thébaud) : 4, rue de Fla.* ☎ 03-44-82-12-43. 📱 06-75-40-16-98. ● *contact@leclocherdumay.fr* ● *leclocherdumay.fr* ● 📶 Dans une dépendance de cette ancienne ferme du XIXe s, 2 croquignolettes chambres avec sanitaires privés. Une au rez-de-chaussée, toute de bois vêtue, à l'atmosphère chalet de montagne. Ambiance douillette, chaleureuse et romantique. La seconde est à l'étage, immense, à la déco tout aussi soignée avec une originale baignoire en bois (si, si !). Selon la chambre, comptez 80 et

100 € pour 2, petit déj compris. Accueil souriant. *NOUVEAUTÉ.*

Accès : dans le village, prenez la D 129 vers Le Coudray, puis encore à gauche route de Fla, la maison est sur la droite (1,5 km du village).

€€€€ 🏠 🍴 *Chambres d'hôtes Les Chambres de l'Abbaye (Chloé et Jean-François Comte) : 2, rue Michel-Greuet.* ☎ 03-44-81-98-38. 📱 06-09-27-75-41. ● *comte.resa@free.fr* ● *chambres-abbaye.com* ● 📶 Grande maison de maître à 200 m de la superbe église classée du XIIe s. Ici, c'est une demeure d'artiste, et vous serez accueilli par les toiles de Jean-François qui agrémentent toute la déco. Un grand escalier aux murs rouges dessert 4 chambres agréables (une composée de 2 chambres pour les familles), réparties aux 1er et 2e étages. Sanitaires privés. Selon la taille de la chambre, de 95 à 100 € pour 2, copieux petit déj compris. Une plus petite mansardée pour les moins fortunés est à 65 €. Table d'hôtes partagée en famille à 30 €, apéro, vin et café compris. Chloé aime cuisiner et se fournit chez les producteurs locaux. Cuisine goûteuse de saison aux accents méditerranéens. Agréable parc avec petite pièce d'eau. Accueil convivial. *NOUVEAUTÉ.*

Accès : dans le village, à deux pas de l'église.

SAINT-VALÉRY-SUR-SOMME   80230

Carte régionale A1

18 km NO d'Abbeville

€€€€ 🏠 ⑩% *Chambres d'hôtes Boisfontaine (Barbara et Paul Berry) : 8, rue de la Porte-de-Nevers.* ☎ 03-22-60-83-25. 📱 06-22-36-86-26. ● *booking@boisfontaine.fr* ● *boisfontaine.fr* ● *Fermé déc-janv.* 📶 Dans une jolie maison tout en brique du début du XIXe s, Barbara et Paul, d'origine écossaise, ont aménagé 5 belles chambres à la déco contemporaine : 3 dans leur maison, dont une au 1er étage, 2 autres au second qui bénéficient d'une jolie vue sur la baie, les 2 dernières dans une aile mitoyenne de la maison. Atmosphère calme et sereine. Sanitaires privés. Selon la chambre, de 95 à 115 € pour 2, petit déj compris, servi sur le balcon-terrasse aux beaux jours. Accueil convivial. Un point de chute idéal pour découvrir la ville.

Accès : dans la partie historique et médiévale de la ville, à côté de l'église.

PICARDIE

SENLIS   60300

Carte régionale A2

45 km NE de Paris ;
10 km E de Chantilly

€€€€€ 🛏 *Chambres d'hôtes Côté Jardin (Francine Patenotte) :* 25, rue Vieille-de-Paris. ☎ 03-44-53-69-04. 📱 06-31-99-13-91. ● francine@cotejardin-senlis.fr ● cotejardin-senlis.fr ● 📶 C'est par un noble porche en pierre que vous accéderez à cette belle demeure du XVIIᵉ s. Une accueillante cour pavée vous emmène jusqu'à la porte d'entrée. L'ambiance et l'atmosphère sont charmantes et romantiques à souhait. Cinq chambres d'hôtes aux 1ᵉʳ et 2ᵉ étages (attention si vous avez des problèmes de motricité). Sanitaires privés. Elles sont jolies, très spacieuses, et 3 sont familiales composées de 2 chambres pouvant accueillir 1 ou 2 personnes. « Fleur de Lin » et « Jardin sous les toits » (notre préférée car elle bénéficie d'une belle vue sur les toits et jardins de Senlis et a un très beau volume) sont les moins chères : 135 € pour 2, copieux petit déj compris, en formule buffet (viennoiseries, fromages, charcuterie et confitures maison réalisées par Marie-Thérèse, la maman de Francine). Les autres sont encore plus grandes, avec petit salon : 160 € pour 2, petit déj compris, et 220 € pour 4. Côté jardin, c'est un ravissement avec une tonnelle sur laquelle court un superbe rosier grimpant et une petite piscine chauffée pour se rafraîchir. Prêt de vélos. Pas de table d'hôtes mais les restos dans la ville ne manquent pas et ce sera l'occasion de découvrir la ville *by night*. Accueil de qualité. Une adresse au charme indéniable. *NOUVEAUTÉ.*

Accès : *A 1 sortie nᵒ 8, puis direction Senlis ; dans la cité, direction centre-ville, et au rond-point du cerf, tout droit puis 2ᵉ à droite rue Odont ; passez la place et 1ʳᵉ à droite juste avt la mairie.*

VERBERIE   60410

Carte régionale A2

20 km NE de Senlis ;
15 km SO de Compiègne

€€€ 🛏 *Chambres d'hôtes Le Clos des Tilleuls (Cécile et Jean-Michel Davidovics) :* 28, rue de la Pêcherie. 📱 06-95-08-02-11. ● leclosdestilleuls@gmail.com ● leclosdestilleulssurloise.com ● 📶 Jolies dépendances en pierre et brique de la fin du XIXᵉ s, dans un grand parc arboré. Dans une aile indépendante, 2 chambres coquettes de plain-pied, avec accès direct sur le jardin. L'une est familiale, avec une chambre supplémentaire à l'étage qui peut accueillir 3 personnes. Mobilier contemporain, tomettes de Picardie. Sanitaires privés. 80 € pour 2, petit déj compris, et 15 € par personne supplémentaire. Cécile aime accueillir et fera tout son possible pour rendre votre séjour agréable. L'Oise passe tout à côté, l'occasion de la longer sur la piste cyclable, car Cécile peut vous prêter des vélos. Pas de table d'hôtes. Accueil chaleureux. Une adresse pour ceux qui préfèrent l'indépendance. *NOUVEAUTÉ.*

Accès : *dans le village, prenez la direction de l'A 1 ; la maison est à côté de l'auberge, juste avt le pont qui traverse l'Oise.*

VIELS-MAISONS   02540

Carte régionale B2

23 km S de Château-Thierry ;
12 km O de Montmirail

€€ 🛏 ⦿ 🐶 ⑩% *Chambres d'hôtes Le Clos d'Anna (Anna et Bertrand Nezeys) :* 14, rue des Barres. ☎ 03-23-82-74-53. 📱 06-32-36-16-30. ● bertrand.nezeys02@orange.fr ● le-clos.fr ● *Ouv avr-oct.* 📶 Imposante bâtisse toute blanche du XVIIᵉ s, dans une rue calme du village. Italienne d'origine, devenue parisienne, Anna a quitté la capitale pour ouvrir 5 chambres d'hôtes. Installées au 2ᵉ étage, elles dégagent une atmosphère d'autrefois par le mobilier ancien ou de style et les nombreux bibelots et gravures chinés par la maîtresse des lieux. Préférez celles qui ouvrent sur les magnifiques jardins du château situé en face de la maison. Sanitaires privés. 70 € pour 2, petit déj compris, et 20 € par personne supplémentaire. Table d'hôtes à 20 €, apéro, vin et café compris. Cuisine méditerranéenne et parfumée, concoctée à l'huile d'olive *(of course !).* Accueil souriant et chaleureux, teinté par l'accent d'Anna.

Accès : *le village se trouve sur la D 407 entre Meaux et Montmirail ; là, prenez la D 15 vers Verdelot, la maison est un peu plus bas à droite.*

VILLERS-AGRON   02130

Carte régionale B2

43 km SE de Soissons ;
25 km SO de Reims

€€€ 🛏 ⦿ ⑩% *Chambres d'hôtes Manoir de la Semoigne (Christine et*

Xavier Ferry) : chemin de la Ferme.
☎ 03-23-71-60-67. Fax : 03-23-69-36-54.
● christine.ferry@club.fr ● manoirdelase
moigne.fr ● 📶 Joli petit village à la limite
de la Champagne et magnifique château
du XVe s. Sa façade est crépie tout en rose,
mais c'est côté jardin qu'il prend tout son
charme, avec sa petite tour. Quatre chambres avec sanitaires privés, spacieuses et
décorées avec goût. Selon la chambre, de
83 à 100 € pour 2, petit déj inclus. Vous
pourrez profiter d'une vaste pièce de
jeux avec cheminée et coin cuisine, ainsi
que du grand parc avec tennis et golf de
18 trous. Accueil souriant et ambiance
décontractée.

Accès : sur l'A 4, sortie Dormans (no 21),
tournez 3 fois à droite, puis suivez le
fléchage.

Poitou-Charentes

AIGRE   16140

Carte régionale B2

35 km N d'Angoulême ;
22 km SO de Ruffec

€€ ≜ *Chambres d'hôtes Le Petit Jardin (Françoise et Jean-Jacques Calvet) :* 1 bis, route de Mons. ☎ 05-45-91-34-47. 📱 07-82-79-53-00. ● calvet16@free.fr ● lepetitjardin.org ● 🛜 Maison de village avec petit jardin, comme son nom l'indique. Dans une aile indépendante, 3 chambres agréables avec sanitaires privés et accès wifi. Une préférence pour la chambre qui ouvre sur les toits avec ses meubles gris. 58 € pour 2, petit déj compris (pain, cake et confitures maison). Françoise vend d'ailleurs ses produits sur les marchés, dont le fromager (gâteau local). Les proprios ont aussi deux ânes dans un pré à proximité, l'occasion de faire une petite balade. Pas de table d'hôtes mais deux restos dans le village. Accueil chaleureux.

> *Accès :* dans le village, direction Angoulême et, au niveau de la gendarmerie, D 120 vers Mons, la maison est tt de suite à gauche.

AIRVAULT   79600

Carte régionale B1

25 km N de Parthenay ;
13 km SE de Saint-Varent

€€ ≜ *Chambres d'hôtes Le Vieux Château (Éric Vilain et Céline Sech) :* 6, rue Brelucan. ☎ 05-49-64-25-78. 📱 06-09-61-85-38. ● levieuxchateau@free.fr ● levieuxchateau-airvault.com ● Fermé janv. 🛜 Dominant la ville de ses trois tours carrées, cette petite forteresse médiévale classée Monument historique fera le bonheur des amateurs de vieilles pierres. À l'abri derrière ses remparts moussus, le logis seigneurial abrite 5 chambres coquettes (dont une suite familiale), largement modernisées, mais dotées pour certaines de ces fameuses fenêtres munies de banquettes où les belles se perdaient en rêveries romantiques... Il n'y a plus guère de quenouilles, mais la vue sur le clocher de l'abbatiale les remplace avantageusement ! De 69 à 79 € pour 2, avec le petit déj. Pas de table d'hôtes, mais une crêperie installée dans les anciennes écuries du château. Accueil agréable.

> *Accès :* fléchage dans le village.

AMAILLOUX   79350

Carte régionale A1

8 km NO de Parthenay

€€€€€ ≜ *Chambres d'hôtes Château de Tennessus (Philippa et Nicholas Freeland) :* ☎ 05-49-95-50-60. 📱 06-81-60-36-79. Fax : 05-49-95-50-62. ● tennessus@orange.fr ● chateau-medieval.com ● Fermé 24-25 déc. 🛜 Après plus de 20 ans de travaux, Philippa et Nicholas nous offrent un vrai bijou en plein cœur de la Gâtine. Ce

---

Nous vous rappelons que la table d'hôtes est le complément d'une formule d'hébergement (chambre d'hôtes, gîte d'étape...). Ce service n'est offert qu'aux personnes qui dorment sur place (excepté lorsqu'il est clairement écrit « ouvert aux extérieurs »).

château médiéval à la tour centrale carrée a traversé de nombreux conflits et vous fera voyager dans le passé. Le mobilier rappelle les films de cape et d'épée, et on hésite entre les chambres « Seigneuriale », « Du chevalier », « De la châtelaine », de « La Tour de guet » ou la « Royale », au sommet du donjon. Grandes cheminées en pierre, tissus colorés, beaux parquets et superbes charpentes font partie du décor des chambres. Sanitaires privés. Selon la chambre, de 120 à 160 € pour 2, petit déj compris. Pas de table d'hôtes mais possibilité de commander un panier pique-nique « gastronomique » pour 60 € pour 2 personnes, bouteille de vin comprise. Joli jardin médiéval agrémenté de sculptures, barque à disposition pour une balade bucolique dans les douves du château et, bien sûr, une grande piscine. Accueil charmant, teinté d'accent anglais. Une adresse de charme pour routards en fonds.

Accès : de Parthenay, prenez la N 149 en direction de Bressuire ; le hameau est fléché à droite.

ANAIS   16560

Carte régionale B2

13 km N d'Angoulême

€ 🏠 🚶 *Chambres d'hôtes Le Vieux Logis de la Clavière (Christelle Massonnet et Thomas Blanchet) :* La Clavière. ☎ 05-45-90-67-23. 📱 06-64-30-54-71. • christelle. massonnet@wanadoo.fr • la.claviere.free. fr • 🖥 Christelle est la nouvelle maîtresse de ces lieux, de ce beau et noble logis, dans sa famille depuis six générations, et qui se cache derrière de hauts murs. L'atmosphère est sereine, calme et décontractée. Un noble escalier d'époque vous conduit aux 3 chambres champêtres. De nombreuses et anciennes tapisseries ont été conservées et ajoutent encore au charme de l'endroit. Sanitaires privés. 49 € pour 2, petit déj compris. Vous êtes dans une demeure d'artistes... Christelle travaille dans une maison d'édition, spécialisée dans la production de beaux livres qui mettent en valeur les innombrables trésors des Charentes, Thomas est comédien. Dans une ancienne grange, ils ont aménagé une petite salle de théâtre où répètent et se produisent des compagnies en résidence. Accueil vraiment chaleureux. Très bon rapport qualité-prix-convivialité. Une adresse comme on les aime, aux portes d'Angoulême (c'est pour la rime !).

Accès : d'Angoulême, N 10 vers Poitiers sortie Anais, puis D 11 vers Jauldes ; à la sortie du village, à gauche vers La Clavière, la maison est dans le hameau.

ANGLIERS   17540

Carte régionale A1

18 km NE de La Rochelle

€€€ 🏠 🍴 ⑩% *Chambres d'hôtes Les Chouettes (Claudine et Alain Paquet) :* 1, rue du Puits, Les Loges. ☎ 05-46-37-10-09. 📱 06-61-34-37-49. • paquet.a@ wanadoo.fr • les-chouettes-angliers. com • 🖥 Dans un petit hameau, dans d'anciens bâtiments de ferme, Claudine et Alain ont aménagé 4 jolies chambres pimpantes et colorées avec sanitaires privés : une au rez-de-chaussée, les autres à l'étage. Les romantiques choisiront la blanche avec lit à baldaquin. 80 € pour 2, petit déj compris. Table d'hôtes (3 fois par semaine) partagée en famille à 30 €, apéro et vin compris. Cuisine goûteuse à tendance régionale à partir de produits majoritairement bio et souvent maison. Accueil convivial.

Accès : sur la N 11 Niort/La Rochelle, sortie Angliers ; à l'église du village, suivez le fléchage jusqu'au hameau des Loges.

ANNEPONT   17350

Carte régionale A2

12 km N de Saintes ;
7 km de Saint-Savinien

€€€ 🏠 ⑩% *Chambres d'hôtes La Rigaultière (Virginie et Olivier Rigault) :* 30, chemin de chez Merlet. ☎ 05-46-91-63-09. 📱 06-27-46-13-05. • larigaultiere@ gmail.com • larigaultiere.free.fr • Ouv de mi-fév à mi-déc. 🖥 Belle et ancienne ferme toute en pierre dont les origines remontent au XVIIᵉ s. Dans l'ancienne grange, 3 chambres charmantes avec sanitaires privés, dont 2 avec mezzanine : 2 avec accès de plain-pied (une préférence pour la chambre « bois flotté » décorée sur le thème de la mer à l'atmosphère romantique et sereine), la dernière au 1ᵉʳ étage. Selon la chambre et la saison, de 69 à 89 € pour 2, petit déj compris. Belle piscine chauffée pour se détendre, spa (avec supplément en basse saison) et billard anglais ; Accueil convivial. Une adresse au charme indéniable.

Accès : A 10 sortie nᵒ 34 Saint-Jean-d'Angély puis direction Cognac puis Saintes ; à la sortie de Saint-Jean, prenez direction Saint-Savinien puis la D 127 vers Mazeray et Annepont. ; traversez le village, et à « la cigogne », suivez le fléchage.

POITOU-CHARENTES

POITOU-CHARENTES

ARCHINGEAY   17380

Carte régionale A2

*25 km E de Rochefort ;
15 km O de Saint-Jean-d'Angély*

€€ 🏠 |●| ⑩% **Chambres d'hôtes (Marie-Thérèse Jacques) :** *16, rue des Sablières.* ☎ 05-46-97-85-70. 📱 06-50-02-05-15. ● *jpmt.jacques@wanadoo.fr* ● *chambres-hotes-hortensias.com* ● ♿ *Fermé 20 déc-15 janv.* 📶 Ancienne ferme viticole, fleurie avec passion par Marie-Thérèse. Dans une partie de la maison, 3 chambres d'hôtes de 2 à 4 personnes, avec sanitaires privés. De 62 à 69 € pour 2, petit déj compris, et 20 € par personne supplémentaire. Table d'hôtes occasionnelle à 24 € tout compris. Grand parc ombragé et immense potager, largement sollicité pour les confitures. Accueil prévenant.

Accès : *sur la D 739, entre Rochefort et Saint-Jean-d'Angély (plus exactement à Tonnay-Boutonne), prenez la D 114 vers Archingeay ; dans le bourg, direction Les Nouillers et suivez le fléchage.*

AVAILLES-LIMOUZINE   86460

Carte régionale B1-2

*58 km SE de Poitiers ;
14 km N de Confolens*

€ 🏠 🐴 ⑩% **Chambres d'hôtes Les Écots (Line et Pierre Salvaudon) :** ☎ et fax : 05-49-48-59-17. 📱 06-26-39-39-51. ● *pierre.salvaudon@wanadoo.fr* ● *les-ecots.info* ●*Sur résa.* En pleine nature, au milieu des prés et des bois, jolie ferme en pierre où Line et Pierre, agriculteurs, élèvent des moutons. L'intérieur de leur maison est agréable et rustique, et ils ont 2 chambres mignonnettes et claires, avec salle d'eau privée mais w-c communs. 48 € pour 2, petit déj compris (yaourts et confitures maison, jus de fruits, pain et pâtisserie maison). Également un gîte rural de 5 personnes pour les séjours prolongés. Accueil sympa des patrons, qui sont aussi de fervents routards, ambiance décontractée et familiale. Vélos et canoë à disposition. Bons tuyaux sur les balades à faire dans le coin.

Accès : *de Pressac (sur la D 148 entre Confolens et Civray), prenez la D 34 ; à l'entrée du village, prenez la D 100 vers Mauprévoir, c'est à 3 km sur la gauche.*

BOURNAND   86120

Carte régionale B1

30 km S de Saumur ; 20 km SO de Chinon

€€ 🏠 ⑩% **Chambres d'hôtes (Jacqueline et Joseph Thomas) :** *14, La Dorelle.* ☎ 05-49-98-72-23. 📱 06-19-06-56-56. ● *ladorelle@orange.fr* ● *ladorelle.com* ● 📶 Aux confins de l'Indre-et-Loire, du Maine-et-Loire et de la Vienne, petit hameau campagnard. Dans une jolie maison indépendante de la leur, Jacqueline et Joseph ont aménagé 4 chambres avec sanitaires privés. Une au rez-de-chaussée, les 3 autres à l'étage. Déco soignée avec mobilier contemporain. 56 € pour 2, petit déj compris. Pas de table d'hôtes mais une bonne adresse aux environs. Amateur de vins, Joseph vous donnera ses tuyaux pour découvrir les caves alentour. L'abbaye de Fontevraud est à 12 km. Accueil chaleureux.

Accès : *dans Bournand, prenez la direction du château, que vous laissez à gauche, et continuez vers La Dorelle (à 4 km du village).*

CELLE-LÉVESCAULT   86600

Carte régionale B1

*22 km SO de Poitiers ;
6 km NO de Vivonne*

€€ 🏠 **Chambres d'hôtes Château de la Livraie (Lysiane Morin) :** ☎ 05-49-43-52-59. 📱 06-64-61-56-50. ● *lalivraie.com* ● *Fermé déc.* 📶 Grande maison bourgeoise au milieu d'un parc arboré, où Lysiane reçoit dans 3 chambres, dont une suite de 2 chambres communicantes. Sanitaires privés. Les meubles anciens donnent une atmosphère vieille bourgeoisie française. De 62 à 65 € pour 2 et de 95 à 100 € pour 4, petit déj compris (grand choix de confitures maison). Beaucoup d'animaux, car les patrons, agriculteurs, élèvent des chèvres et des moutons. Calme et tranquillité assurés. Une adresse qui fait des adeptes. Nombreux circuits pédestres et petite rivière pour les pêcheurs à proximité. Pour les visites, la vallée des Singes n'est qu'à 16 km et le Futuroscope à 30 km.

Accès : *sur la N 10 (Poitiers/Angoulême) ; à la hauteur de Vivonne, prenez la D 742 vers Lusignan sur 6 km, puis à gauche la D 97 vers Les Minières.*

CHAILLEVETTE   17890

Carte régionale A2

*15 km N de Royan ;
7 km SE de la Tremblade*

€€€ 🏠 ⑩% **Chambres d'hôtes Aux Claires Fontaines (Maïthé et François de Sariac) :** *2, rue des Fontaines.* ☎ 05-46-36-51-88. 📱 06-72-57-77-50. ● *auxclairesfontaines@gmail.com* ● *auxclairesfontaines.fr* ●

Ouv avr-fin oct. 🛜 Sur la presqu'île d'Arvert, belle demeure aux allures bourgeoises. Au 1er étage de l'ancien chais tout en pierre, 3 chambres charmantes, dont une familiale composée de 2 chambres. Une préférence pour « Salicorne » qui donne sur le petit pigeonnier où une chouette a élu domicile. Sanitaires privés. 68 € pour 2, petit déj compris, et 120 € pour 4. Pas de table d'hôtes mais nombreux restos à Mornac pour tous les goûts et tous les budgets et village classé parmi les plus beaux de France. Prêt de vélos. Première plage à 15 km. Accueil de qualité. Une bonne adresse.

Accès : la maison est à côté du monument aux morts, en bas de la rue de la mairie.

CHAMPNIERS   16430

Carte régionale B2

7 km N d'Angoulême, 45 km E de Cognac

€€ 🏠 *Chambres d'hôtes La Templerie (Claudine Richon) :* 440, rue des Lys, Denat. ☎ 05-45-68-73-89. 📱 06-87-13-14-65. Fax : 05-45-68-91-18. ● richon. jean@wanadoo.fr ● latemplerie-richon.fr ● ♿ Bien qu'aux portes d'Angoulême, vous serez ici en pleine campagne. Magnifique domaine viticole datant du XIXe s. Dans l'ancienne grange, 5 belles chambres avec de luxueux sanitaires privés : 3 au 1er étage (dont une suite familiale) et 2 au rez-de-chaussée avec accès direct à la piscine (on pique une tête ?). Claudine a réalisé toute la déco et a tapissé fauteuils et canapés. Ambiance élégante et raffinée. Comptez 65 € pour 2, petit déj compris, et 20 € par personne supplémentaire. Grande pièce de jour avec beau volume, meubles campagnards, dont un superbe buffet bressan. Pas de table d'hôtes, mais coin cuisine à disposition, ainsi qu'une petite laverie (c'est pas beau la vie ?). Grande piscine pour vous détendre. Sur le domaine, production de pineau et cognac (dégustation dans un petit caveau) ; la distillerie n'est pas sur place, mais on peut vous y emmener. Amoureuse de sa région, Claudine en connaît toutes les richesses. Et bien sûr, à Angoulême, le célèbre Festival de B.D. (la 3e semaine de janvier). Il faut aussi visiter sa vieille ville, dans un très agréable quartier piéton. Accueil chaleureux. Très bon rapport qualité-prix-convivialité. Une adresse juste comme on les aime. Également un gîte pour 6 personnes.

Accès : si vous venez du nord ou du sud par la N 10, quelques km avt Angoulême, prenez la sortie « Angoulême-Nord/Balzac » (D 910) puis prenez la petite rue à droite avt l'hôtel Kyriad et suivez le fléchage sur 1,5 km.

€€ 🏠 *Chambres d'hôtes Logis de la Cavalerie (Claudie et Frédéric Maillard) :* 79, rue des Grives-Musiciennes. ☎ 05-45-39-74-09. 📱 06-21-54-09-26. ● logisdela cavalerie@gmail.com ● logisdelacavalerie. fr ● ♿ 🛜 Au cœur du village, ancien couvent détruit à la révolution et reconstruit au milieu du XIXe s. Grande cour intérieure avec dépendances. Trois belles chambres avec sanitaires privés. Celle du 1er étage dispose d'une petite terrasse privative. 60 € pour 2, petit déj compris. Pas de table d'hôtes mais cuisine à disposition. Billard français pour les amateurs. Accueil agréable.

Accès : sur la place du village.

CHARRAIS   86170

Carte régionale B1

18 km NO de Poitiers ;
13 km du Futuroscope

€€ 🏠 🐾 ⑩% *Chambres d'hôtes (Martine et Jean-Yves Martinet) :* 16, rue des Ormeaux, Charrajou. ☎ 05-49-51-14-62. 📱 07-87-46-21-57. ● contact@chambre hote.net ● chambrehote.net ● 🛜 Voici une adresse qui est inscrite depuis de nombreuses années dans notre guide *Poitou-Charentes* et que nous avons inscrit dans nos adresses préférées sous la pression de nos lecteurs... Il faut dire que la gentillesse et l'accueil de Martine et Jean-Yves font de nombreux adeptes ! Dans un petit hameau de 70 âmes, ancienne grange restaurée. À l'étage, 4 chambres coquettes avec sanitaires privés. Les amoureux choisiront la verte avec ciel de lit, les bucoliques celle avec vue sur la campagne. 52 € pour 2, petit déj compris avec les nombreuses confitures de Martine (connaissez-vous celle de nèfles ?). Pas de table d'hôtes mais kitchenette à disposition. Jean-Yves est menuisier et a réalisé tout le mobilier. Une adresse chaleureuse et sans façon.

Accès : sur la D 84 entre Neuville-de-Poitou et Charrais, bifurquez vers Charrajou ; la maison est au centre du hameau.

CHÉRAC   17610

Carte régionale A2

13 km SE de Saintes ;
12 km O de Cognac

€€ 🏠 *Chambres d'hôtes La Ferme de chez Piché (Martine et Jean-Claude Charbonneau) :* ☎ et fax : 05-46-96-30-84. 📱 06-30-18-17-25. ● fermedechez piche@orange.fr ● chambre-hotes-chez

POITOU-CHARENTES

piche.com ● *Fermé janv.* Si vous voulez tout savoir du pineau et du cognac, c'est ici qu'il faut vous arrêter... Martine et Jean-Claude produisent et vendent pineau rosé et blanc, cognac cru Borderies (le plus petit des six crus de cognac, avec seulement 3 000 ha), mais aussi sauvignon et merlot. Dans une partie indépendante de leur exploitation située au milieu des vignes, ils ont ouvert 3 chambres d'hôtes. Déco simple. Sanitaires privés. 56 € pour 2, petit déj compris. Visite du chai (pressoirs suspendus) et dégustation sont au programme. Accueil agréable.

Accès : *de Saintes, en direction d'Angoulême ; prenez Cognac par la D 24 et passez Chaniers ; la ferme est 2 km après Dompierre-sur-Charente sur la gauche (n'allez pas à Chérac).*

CHERVETTES   17380

Carte régionale A2

46 km SE de La Rochelle ;
7 km S de Surgères

€€ ≙ ⑩% ***Chambres d'hôtes Les Grands Vents (Virginie Truong-Grandon) :*** *20, rue Aunis-et-Saintonge.* ☎ 05-46-35-92-21. 📱 06-07-96-68-73. ● adaunis@orange.fr ● *les-grands-vents. com* ● 📶 Au cœur d'un petit village champêtre, ancienne ferme viticole du XIXe s aux volets verts avec parc ombragé et piscine. Au 1er étage, 2 chambres de 2 à 4 personnes avec sanitaires privés : « Le chai », immense, avec ciel de lit, et l'autre sous forme de suite familiale composée de 2 chambres. 69 € pour 2, petit déj compris, et 20 € par personne supplémentaire. Salon avec jeux et livres à disposition. Également un gîte pouvant accueillir 6 à 7 personnes.

Accès : *au centre du village, pratiquement en face de la mairie.*

CONDÉON   16360

Carte régionale B2

42 km SO d'Angoulême ;
10 km S de Barbezieux

€ ≙ |○| ⌂ ***Chambres d'hôtes (Jacqueline et Guy Testard) :*** *Le Bois-de-Maure.* ☎ 05-45-78-53-15. En pleine nature, grande maison blanche au bout d'un petit hameau. Jacqueline propose 4 chambres simples au rez-de-chaussée, toutes équipées de sanitaires particuliers. Comptez 44 € pour 2, avec un copieux petit déj : rillettes de canard maison, fromages,

confitures maison, de quoi bien démarrer la journée ! Table d'hôtes partagée en famille à 16 €, apéro, vin et café compris, avec potage et salade de gésiers, magret ou confit de canard, tarte aux fruits de saison. Repas savoureux et copieux... Il faut dire que le canard est à l'honneur, car c'est la production maison. On peut aussi déguster et acheter un bon pineau des Charentes. Accueil chaleureux, auquel Véronique, la fille de la maison, participe activement. Bon rapport qualité-prix. Une adresse qui fait des adeptes.

Accès : *du village, prenez la direction de Chalais par la D 731 sur 3 km, puis tournez à gauche, en direction de Berneuil par la D 128 et 1re à gauche.*

CONFOLENS   16500

Carte régionale B2

40 km O de Limoges ;
19 km N de Chabanais

€€ ≙ ⑩% ***Chambres d'hôtes Villa Les Lauriers (Jackie Depond) :*** *3, rue de l'Adoue.* ☎ 05-45-84-03-97. 📱 06-82-45-61-96. ● jackie-depond@orange.fr ● *villa leslauriers.com* ● *Fermé 15-31 déc.* 📶 Au cœur de la cité, avec une vue imprenable sur la Vienne, maison de ville agréable. Un escalier assez raide conduit aux 2 chambres qui ouvrent toutes les deux sur le fleuve, dont une possède grande terrasse et transats pour profiter du panorama (plus chère). Respectivement 55 et 60 € pour 2, petit déj compris, servi dans une chaleureuse salle à manger avec grande baie vitrée, toujours pour profiter de la vue. Pas de table d'hôtes mais deux restos accessibles à pied et une kitchenette à disposition. Une adresse pour ceux qui préfèrent l'atmosphère de la ville, mais très au calme. Accueil convivial.

Accès : *la maison est au bord de la Vienne, entre les 2 ponts ; la ruelle est à droite de l'hôtel Émeraude.*

COULON   79510

Carte régionale A1

11 km O de Niort

€ ≙ ⌂ ***Chambres d'hôtes La Rigole (Sergine Fabien) :*** *180, route des Bords-de-Sèvre.* ☎ 05-49-35-97-90. Petite maison maraîchine au cœur du Marais poitevin (« la Venise verte »), où Sergine, souriante et pimpante propriétaire, propose 4 chambres mignonnettes, avec sanitaires privés, au 1er étage. Déco personnalisée : une avec deux lits à rouleaux, une de style 1900, une romantique avec ciel de lit, et la dernière qui ouvre sur la rivière. 48 € pour 2, avec le petit déj. Petit salon à disposition. Un point de chute idéal pour circuler et découvrir les conches. En résumé, une très gentille adresse et un excellent rapport qualité-prix-convivialité.

Accès : dans le village, en venant de Niort, tournez au 1er feu à gauche, passez devant le syndicat d'initiative et l'école, filez tt droit, puis suivez la direction Irleau ; faites 2,5 km et, au camping, tournez à droite.

COURCOURY 17100

Carte régionale A2

5 km SE de Saintes

€€€ 🏠 10 % **Chambres d'hôtes La Lézardière (Pascal Mineur) :** 11, rue Pierre-Schoeffer. ☎ 05-46-90-43-21. 📱 06-04-02-36-84. ● lalezardiere.17@gmail.com ● lalezardierechambredhote. wifeo.com ● 🛜 Dans un petit village tranquille, jolie maison de maître du XIXe s à la façade sculptée. Trois chambres avec sanitaires privés, dont une suite familiale, desservies par un long couloir recouvert d'un beau parquet ancien. Déco de bon goût. De 75 à 85 € pour 2, petit déj compris, et 20 € par personne supplémentaire. Piscine dans le jardin. Accueil convivial.

Accès : en face de l'église.

FONTENILLE 16030

Carte régionale B2

25 km N d'Angoulême ;
4 km N de Mansle

€€ 🏠 🏕 10 % **Chambres d'hôtes Côté Sud (Florence et Thierry Villelégier) :** Châteaurenaud. 📱 06-81-64-52-28. ● flobeaulieuvillelegier@gmail.com ● gitecotesud.voila.net ● 🛜 Ancienne et jolie ferme de village avec un superbe jardin méditerranéen caché des regards indiscrets. Deux chambres coquettes, qui vous emmènent en voyage : la chambre « Épices », d'inspiration marocaine, et la chambre « Lavande » à l'atmosphère provençale. 67 € pour 2, petit déj compris. À l'extérieur, c'est un ravissement : les cactus, palmiers, bananiers et lavande en saison entourent une agréable piscine, parfaitement intégrée dans le décor, et qui vous tend les bras... il y a aussi le jacuzzi. Tout cela en compagnie des hôtesses du jardin : les tortues ! Pas de table d'hôtes,

mais plusieurs bons restos à Mansle tout à côté. Les pêcheurs et marcheurs pourront profiter de la Charente qui traverse le hameau. Accueil charmant. Une bien belle adresse.

Accès : sur la N 10 Angoulême/Poitiers, sortie Fonclaireau/Fontenille puis D 18 jusqu'à la Gagnarderie ; tournez à droite vers Fontenille puis bifurquer vers Châteaurenaud, la maison est au cœur du hameau.

GERMOND-ROUVRE 79220

Carte régionale A1

13 km N de Niort ;
8 km S de Champdeniers

€€ 🏠 🍽 🏕 **Chambres d'hôtes (Josette et Didier Blanchard) :** 40, chemin de la Minée, Breilbon. ☎ 05-49-04-05-01. 📱 06-87-41-06-60. ● josette.didier@breilbon.com ● breilbon.com ● Fermé 1 ou 2 sem en nov. 🛜 Dans un petit hameau, jolie maison en pierre apparente avec jardin clos. Trois chambres dans les dépendances (dont 2 familiales, pour 3 et 5 personnes), et 2 autres dans la maison avec entrée indépendant. Toutes avec sanitaires privés. De 53 à 57 € pour 2, petit déj compris (confitures et brioche maison). Table d'hôtes à 19,50 €, apéro, vin et café compris. Ici, c'est souvent Didier qui fait la cuisine à partir des produits du jardin (ces dames seront contentes d'apprendre qu'il est aussi pâtissier de métier...). Parmi ses spécialités : velouté et tarte à l'ortie, mouclade, farci poitevin, tourte au fromage, lapin à l'ail et poulet à la poitevine, crème brûlée au cognac, gratin de poire au pineau... Ping-pong. Accueil très chaleureux. Une bonne adresse.

Accès : sur la D 743 entre Niort et Parthenay, prenez la D 7 vers Germond et suivez le fléchage (n'allez pas à Germond).

HIERS-BROUAGE 17320

Carte régionale A2

15 km SO de Rochefort

€€ 🏠 🏕 **Chambres d'hôtes La Marouette (Magali et Jean-Philippe Remont) :** 3, rue Martineau. ☎ 05-46-76-14-01. 📱 06-22-39-11-19. ● la-marouette@neuf.fr ● ♿ Quatre chambres élégantes et zen, installées autour d'une cour intérieure. Sanitaires privés, avec grandes douches ouvertes à l'italienne. 55 € pour 2, petit déj compris. Pour séjourner, également une chambre avec espace cuisine, pour 2 à 3 personnes, louée à la nuitée

(70 € pour 2) ou à la semaine selon la disponibilité. Accueil souriant et chaleureux. Une bonne adresse.

Accès : dans Hiers, direction Rochefort-Monboileau, la rue est sur la droite et l'entrée de la maison à 100 m à gauche.

JOURNET   86290

Carte régionale B1

59 km SE de Poitiers ;
9 km E de Montmorillon

€€ 🏠 |◉| ⑩% *Chambres d'hôtes* **Ferme du Haut Peu (Chantal et Jacques Cochin) :** ☎ 05-49-91-62-02. 🖳 06-80-53-81-86. Fax : 05-49-91-22-01. ● cochin. chantal@orange.fr ● ferme-du-haut-peu. fr ● Fermé 15 nov-31 mars. 🛜 Au milieu des champs, superbe ferme recouverte d'ampélopsis avec un agréable parc ombragé. Chantal propose 2 chambres ravissantes et champêtres et un ensemble spécial famille (5 personnes) avec cuisine (aménagé dans l'ancienne écurie et le four à pain). Sanitaires privés. 65 € pour 2, avec le petit déj. En plus des chambres, formule table d'hôtes à 17 €, avec apéro, vin et café compris : quiche aux épinards et fromage blanc de chèvre, filet mignon de porc, lapin à la poitevine, tarte au fromage et raisins, clafoutis, tarte tatin aux noix, etc. Les enfants de Chantal et Jacques élevant des chèvres, on peut assister à la fabrication des fromages. Également un petit bois et un étang privé de 4 ha pour les amateurs de pêche. Accueil convivial et chaleureux, atmosphère calme et reposante.

Accès : sur la D 727, 5 km après Montmorillon, en direction de La Trimouille, tournez à gauche (D 121) ; dans Journet, prenez la direction de Haims, c'est à 1 km.

LA COTINIÈRE   17310

Carte régionale A2

Île d'Oléron ;
4 km S de Saint-Pierre-d'Oléron

€€€ 🏠 *Chambres d'hôtes Les Tranquilles d'Oléron (Gaëlle et Julien Dubois) :* 85 bis, route de La Perroche. ☎ 05-46-85-18-26. 🖳 06-78-47-42-00. ● lestran quillesdoleron@cegetel.net ● lestranquil lesdoleron.com ● ⚖ Fermé aux vac de Noël. 🛜 Gaëlle, fille d'ostréiculteur (vous sentez le bon plan !), propose 3 très belles chambres sur des thèmes que ne renieraient pas un routard : « Côté océan » et « Côté zen » au rez-de-chaussée, et « L'Atelier »,

une suite familiale située à l'étage. Toutes sont coquettes et confortables, avec d'agréables salles de bains. Selon la saison, de 65 à 80 € pour 2, petit déj compris, servi en terrasse aux beaux jours. Un gîte pour ceux qui souhaitent prolonger leur séjour. L'océan est à 500 m. Accueil très chaleureux.

Accès : après le pont d'Oléron, direction Grand-Village/La Cotinière ; c'est à 1 km après La Perroche sur la droite.

LA GRIPPERIE-
SAINT-SYMPHORIEN   17620

Carte régionale A2

20 km S de Rochefort

€€€ 🏠 |◉| ⑩% *Chambres d'hôtes* **Les Grandes Maisons (Véronique et Jean-Marc Vaillant-Marescaux) :** 10, Les Champs-de-la-Croix. ☎ 05-46-82-60-95. 🖳 06-81-60-14-88. ● info@gran desmaisons.com ● grandesmaisons. com ● 🛜 Elle est belle cette grande demeure installée sur un ancien domaine viticole de 4 ha planté de cyprès, palmiers, figuiers, bambous, vignes *(of course !)...* Trois chambres, dont une suite familiale composée de 2 chambres. Atmosphère guillerette et champêtre à souhait, avec murs en pierre apparente et belle poutraison. Sanitaires privés. 80 € pour 2, petit déj bio compris, et 18 € par personne supplémentaire. Accueil souriant et chaleureux. Une adresse charmante, idéale pour se ressourcer.

Accès : de Rochefort, D 733 vers Royan puis D 18 vers La Gripperie ; à la sortie du village, tournez à droite au panneau « Viande limousine Brochard » et suivez le fléchage.

LA JARRIE   17220

Carte régionale A1

25 km NO de Surgères ;
15 km E de La Rochelle

€€€ 🏠 |◉| *Chambres d'hôtes Le Moulin de l'Abbaye (Hélène et Luc Robin) :* 27, chemin de l'Abbaye, Puyvineux. ☎ 05-46-35-85-83. Fax : 05-46-35-80-83. ● moulin.abbaye17@free.fr ● mou lin-abbaye17.com ● 🛜 Ancien moulin devenu domaine viticole, cette magnifique propriété est dans la famille de Luc depuis le XVIe s (quand on parle de la terre de ses ancêtres...). Aujourd'hui, la vigne a disparu, alors le pressoir s'est reconverti en chambres d'hôtes. Elles sont 2, de plain-pied, avec accès indépendant, et ouvrent par une grande porte-fenêtre sur le jardin. Atmosphère champêtre et sereine avec de jolis meubles anciens. Chacune avec mezzanine pour accueillir les enfants. Sanitaires privés. 76 € pour 2, petit déj compris. Table d'hôtes partagée en famille à 29 €, apéro, vin et café compris. Cuisine originale où l'on retrouve des spécialités de la région. Hélène et Luc sont des hôtes charmants, et le tutoiement devient vite de rigueur. Pour vous détendre, un espace bien-être avec sauna et une superbe piscine intérieure ouverte de mars à octobre. Également 2 gîtes de 4 à 5 personnes loués de 360 à 460 € la semaine selon la saison, et 160 € le week-end (dans une formule originale comprenant les draps et le petit déj). Une adresse juste comme on les aime, chaleureuse et sans façon.

Accès : de Surgères, D 939 vers La Rochelle puis à droite la D 113 vers Aigrefeuille puis la D 204E vers La Jarrie jusqu'à Puyvineux et fléchage dans le hameau.

LA ROCHELLE　17000

Carte régionale A1

€€€€€ 🏠 *Chambres d'hôtes Entre Hôtes (Patrick et Patricia Lebrin) :* 8, rue Réaumur. ☎ 05-16-85-93-33. 📱 06-09-40-46-34. ● contact@entre-hotes.com ● entre-hotes.com ● Fermé 5 janv-5 fév. 📶 Quatre chambres d'hôtes aux 1er et 2e étages d'une élégante demeure particulière du XVIIIe s, centrale et pleine de charme. Toutes différentes, avec vue sur le jardin et au calme. Décor contemporain, style design, dans des tons doux (gris, beige ou bleuté), et confort total : clim, TV écran plat, satellite... Superbes salles de bains. Et même un ascenseur ! « L'Insolite », quant à elle, porte bien son nom : située dans une dépendance au fond du jardin, elle s'abrite sous les voûtes d'une superbe cave tout en pierre, et possède une baignoire lumineuse ouverte sur la chambre. Selon la saison, de 123 à 143 € pour 2, et de 159 à 178 € pour « Insolite », copieux petit déj compris, avec la possibilité de le prendre dans un très agréable jardin. Accueil discret et affable. Dans le genre, une de nos plus séduisantes chambres d'hôtes de ville.

Accès : dans La Rochelle, direction Centre-ville/place de Verdun ; prenez la rue de la Noue qui se prolonge par la rue Réaumur.

LE CHÂTEAU-D'OLÉRON　17480

Carte régionale A2

Île d'Oléron ; 10 km NO de Marennes

€€ 🏠 *Chambres d'hôtes La Cabane (Vanessa Parent) :* 62, route du Viaduc, Ors. ☎ 05-46-47-48-01. 📱 06-77-75-25-55. ● vanessa@alacabane.fr ● alacabane.fr ● 📶 Dans ce joli village traditionnel, sympathique maison de famille aux volets gris. Cinq chambres coquettes, dont une familiale, dans les tons blanc, gris ardoise, beige sable ou vert mer. 68 € pour 2, petit déj compris, et 110 € pour 4. Grand jardin. Salle de muscu. Sauna et hammam sur demande. Également 3 gîtes de 4 à 10 personnes pour ceux qui veulent séjourner. Accueil convivial.

Accès : dans le village d'Ors.

LE TÂTRE　16360

Carte régionale B2

45 km SO d'Angoulême ; 3 km NE de Baignes-Sainte-Radegonde

€€ 🏠 |○| *Chambres d'hôtes Les Camélias (Claudette et Michel Gilbert) :* Les Chaussades. ☎ 05-45-78-27-59. 📱 06-22-92-49-91. ● claudettegilbert30@yahoo.fr ● 📶 Maison de village avec cour intérieure. Au 1er étage, 3 chambres simples, dont une familiale composée de 2 chambres, avec sanitaires privés. Une préférence pour la chambre « Nature ». 58 € pour 2, petit déj compris. Table d'hôtes partagée avec Claudette et Michel à 18 €, apéro et vin compris. Cuisine familiale. Accueil agréable.

Accès : N 10 sortie Le Tâtre, puis suivez le fléchage de l'Hôtel des Pins puis de la chambre d'hôtes sur 2 km.

LES ESSARDS　17250

Carte régionale A2

60 km SE de La Rochelle ; 10 km NO de Saintes

€€ 🏠 ⑩% *Chambres d'hôtes Le Pinier (Françoise Jamin) :* 10, Le Pinier. ☎ 05-46-93-91-43. 📱 06-33-71-67-43. ● jamin.francine@orange.fr ● aupinier.free.fr ● Ouv mai-sept. 📶 Belle demeure du XVIIe s. Quatre chambres très différentes, du rustique au plus moderne. Une chambre familiale (4 personnes) et 3 autres

POITOU-CHARENTES

installées dans une ancienne étable joliment restaurée, avec accès indépendant. Sanitaires privés. 60 € pour 2, petit déj compris, et 15 € par personne supplémentaire. Calme et tranquillité assurés. Accueil convivial.

Accès : de Saintes, N 137 vers Rochefort. pdt 10 km puis à gauche D 119 et suivez le fléchage sur 2 km.

LIGNIÈRES-SONNEVILLE   16130

Carte régionale B2

33 km SO d'Angoulême ;
22 km SE de Cognac

€€ 🏠 🚗 ⑩% *Chambres d'hôtes Les Collinauds (Geneviève et Roland Matignon) :* ☎ et fax : 05-45-80-51-23. 📠 06-63-97-06-41. ● matignon.les-collinauds@wanadoo.fr ● lescollinauds.fr ● 🛜 Au cœur d'une jolie région vallonnée, appelée Grande Champagne (premier cru du cognac), magnifique domaine viticole du XIXᵉ s, avec une immense cour ombragée en partie ceinte, derrière laquelle se cache la piscine (oh oui !). Geneviève et Roland sont viticulteurs ; une partie de leur production est vendue à Hennessy et Rémy Martin. Ils mettent aussi en bouteille pineau et cognac. Une chambre au 1ᵉʳ étage et 3 autres (nos préférées) au 2ᵉ étage, toutes avec sanitaires privés. On a craqué pour la chambre avec le lit à la duchesse (romantique, n'est-il pas mon ami ?) qui renferme un vieux potager, ainsi qu'un original chauffoir à fers. Ambiance charmante et champêtre. Comptez 60 € pour 2 et 80 € pour 4, petit déj compris. Il est servi dans une vaste salle à manger avec un incroyable buffet en enfilade (huit portes et 4,80 m de long !). Coin cuisine à disposition. Salon de détente avec TV, vidéo et jeux de société. Dans les dépendances, une scène de vendanges, une distillerie des années 1875, une machine à battre le grain ainsi que de vieux outils vous feront découvrir des scènes de la vie rurale. Accueil simple et chaleureux. Une excellente adresse avec un bon rapport qualité-prix-convivialité.

Accès : sur la D 699 entre Châteauneuf-sur-Charente et Archiac ; 2 km avt Lignières (quand on vient de Châteauneuf), laissez un château sur la gauche et 500 m après, tournez à droite et suivez le fléchage.

LUCHAT   17600

Carte régionale A2

28 km NE de Royan ;
12 km O de Saintes

€€ 🏠 🍴 ⑩% *Chambres d'hôtes La Métairie (Martine et Gérard Trentesaux) :* 17, rue de la Métairie. ☎ 05-46-92-07-73. 📠 06-83-58-25-55. ● trentesaux martine@gmail.com ● metairie-luchat.fr ● 🛜 Ouv avr-oct. 🛜 Dans un petit hameau en pleine campagne, ancienne ferme viticole en pierre de Saintonge et enduite à la chaux. Trois chambres, avec sanitaires privés : une au rez-de-chaussée, les 2 autres à l'étage, dont une familiale. Déco agréable et ambiance reposante. 57 € pour 2, petit déj compris, et 14 € par personne supplémentaire. Table d'hôtes partagée avec Martine et Gérard (sauf le mardi soir et en juillet-août) à 21 €, boissons comprises. Cuisine régionale, mais aussi des spécialités du Nord, département d'origine des proprios. Adorable jardin avec une agréable treille et un nombre impressionnant de fleurs dont on n'a pas reconnu la moitié des espèces (l'occasion de prendre des boutures). Accueil souriant. Atmosphère très maison de campagne.

Accès : de Saintes, empruntez la N 150 en direction de Royan, sortie Pisany/Luchat, puis suivez le fléchage « Chambres d'hôtes La Métairie ».

MAGNAC-SUR-TOUVRE   16600

Carte régionale B2

9 km E d'Angoulême

€€ 🏠 *Chambres d'hôtes Le Clos Saint-Georges (Nadine et Luc Jacquemin) :* rue Bel-Air. ☎ et fax : 05-45-68-54-33. 📠 06-83-21-36-86. ● nad jacq16@gmail.com ● le-clos-st-georges.fr ● 🛜 Aux portes d'Angoulême, isolé dans un joli coin de campagne vallonné, ancien logis auquel Nadine et Luc ont ajouté deux ailes, qu'on trouve plutôt bien intégrées (avis aux détracteurs !). Plantée dans un jardin-cour clos, une agréable piscine le prolonge (ici on descend en maillot !). Quatre chambres aux ailes opposées d'une immense salle à manger. Sanitaires privés. 70 € pour 2, petit déj compris, qui se révèle être un véritable festin matinal, qu'on ne vous dévoilera pas. Un accueil et un couple charmants.

Accès : du centre-ville d'Angoulême suivez la direction de Périgueux, passez plusieurs ronds-points à la sortie de la ville et après celui du Crédit Agricole, fléchage à gauche que vous suivez sur 2,5 km.

MARCILLAC-LANVILLE   16140

Carte régionale B2

27 km NO d'Angoulême ;
27 km NE de Cognac

€€ 🏠 |●| ⚐ 10 % **Chambres d'hôtes Le Logis de la Grange (Thierry Bousquet et Laurent Redon) :** ☎ 05-45-21-91-88. 📱 06-33-45-53-18. ● lelogisdelagrange@ hotmail.fr ● 🛜 Maison bourgeoise du milieu du XIXᵉ s, dans la famille de Thierry depuis plusieurs générations. Trois chambres d'hôtes spacieuses à l'atmosphère vieille France, avec sanitaires privés et accès wifi. Une préférence pour « Les Cygnes » qui ouvre sur l'arrière de la maison. 60 € pour 2, petit déj compris. C'est Thierry qui s'active derrière les fourneaux. Table d'hôtes partagée avec vos hôtes à 20 €, apéro, vin et café compris. Cuisine familiale servie dans de la belle vaisselle et couverts en argent. Laurent, lui, collectionne les « dedeuches » que vous pourrez admirer dans le parc. Accueil vraiment chaleureux. Une bonne adresse.

Accès : d'Aigre, D 737 vers Angoulême ; passez Lanville, la maison est à l'entrée du village de Marcillac-Lanville à gauche.

MARIGNY   79360

Carte régionale A1

16 km S de Niort ;
4 km NE de Beauvoir-sur-Niort

€€€ 🏠 ⚐ **Chambres d'hôtes Le Vieux Fournil (Francine et Jean Garnaud) :** 10, rue de la Forêt, Grand-Mauduit. ☎ 05-49-09-72-20. Ouv avr-oct. Dans les dépendances d'un logis du XVᵉ s, délicatement restaurées, 3 chambres d'hôtes, de 72 à 82 € pour 2, petit déj compris. Sanitaires privés. Beau jardin botanique peuplé de fleurs sauvages. Possibilité de promenade botanique guidée en forêt de Chizé, offerte aux hôtes.

Accès : de Beauvoir-sur-Niort, prenez la D 101 en direction de Marigny ; à 3 km, à l'orée de la forêt, suivez une petite route sur la droite vers Grand-Mauduit.

MIRAMBEAU   17150

Carte régionale A2

46 km S de Saintes ; 34 km N de Blaye

€€ 🏠 |●| ⚐ 10 % **Chambres d'hôtes Haut Brochon (Monique et Michel Martin) :** ☎ 05-46-86-10-16. 📱 06-10-76-12-70. ● martindavy@wanadoo.fr ● haut-brochon. com ● Fermé 20 déc-10 janv. 🛜 À deux pas de la Gironde, ancienne ferme charentaise en pierre blanche du pays qui bénéficie d'un joli point de vue sur les environs. Au 1ᵉʳ étage, 4 chambres agréables, dont une suite familiale composée de 2 chambres. Sanitaires privés. De 57 € (pour la plus petite) à 67 € pour 2, petit déj compris. Table d'hôtes, pas systématiquement partagée avec les proprios, à 20 €, apéro et vin compris. Cuisine familiale avec souvent les légumes du jardin. Accueil convivial.

Accès : A 10 sortie nº 37 Mirambeau ; dans le village, D 149 vers Saint-Bonnet-sur-Gironde sur 3 km puis à gauche vers Jaury puis fléchage « Brochon » (5 km du bourg).

MOUTHIERS-SUR-BOÈME   16440

Carte régionale B2

15 km S d'Angoulême ;
13 km NE de Blanzac-Porcheresse

€€ 🏠 |●| **Chambres d'hôtes Moulin du Duc (Danielle Allain) :** ☎ 05-45-67-81-57. 📱 06-29-53-29-01. ● allain-danielle@ wanadoo.fr ● moulinduduc.fr ● 🛜 Superbe moulin du XVIIᵉ s, dans un cadre bucolique à souhait, installé sur la rivière Boème. Tout le mécanisme est encore là... La roue à aubes, les meules en pierre car, ici, on produisait farine et huile de noix. Trois chambres agréables au 1ᵉʳ étage, dont une familiale composée de 2 chambres. 57 € pour 2, petit déj compris, et 80 € pour 4. Bon, la ligne TGV ne passe pas loin, mais le double vitrage est efficace et on profite plutôt du bruit de l'eau. Accueil souriant.

Accès : traversez le village de Mouthiers en direction de Blanzac ; faites 2,5 km après le village et tournez à gauche au fléchage puis à droite.

NERCILLAC   16200

Carte régionale A2

6 km NE de Cognac ; 10 km NO de Jarnac

€€€ 🏠 |●| **Chambres d'hôtes La Closerie de Montour (Sylvie Dubos et**

Jacques Brossard) : 400, route de Montour, Montour. ☎ 05-45-32-04-43. 📱 06-16-25-43-79. • contact@closerie-cognac.fr • closerie-cognac.fr • 📶 Jolie maison en pierre dont les origines remontent au début du XIXᵉ s. Dans une aile indépendante, 3 chambres coquettes et spacieuses avec sanitaires privés, dont une composée de 2 chambres pour famille ou amis. Déco agréable, motifs au pochoir. Tout l'étage est pour vous, avec coin salon-bibliothèque, ordi avec Internet à disposition (wifi). Comptez 74 € pour 2, petit déj compris (salade de fruits frais et confitures maison), et 120 € pour 4. Table d'hôtes partagée en famille à 25 €, apéro, vin et café compris. Cuisine en fonction du marché et de l'humeur de la maîtresse de maison. Gentil jardin intérieur avec piscine. Accueil convivial.

Accès : de Nercillac, prenez la D 159 vers Cherves jusqu'au hameau de Montour à 2 km, la maison est sur la droite.

NIEUL-LE-VIROUIL   17150

Carte régionale A2

40 km S de Saintes ; 9 km SO de Jonzac

€€ 🏠 🐾 ⑩% *Chambres d'hôtes Les Brandes (Françoise Neeser-Delaere) :* 79, chemin des Brandes. ☎ 05-46-48-30-25. 📱 06-77-11-58-71. • francoise.neeser@wanadoo.fr • Sur résa 48h avt en hiver. 📶 En pleine campagne, jolie maison du XVIIIᵉ s avec grand parc ombragé. Deux chambres (dont une familiale), avec sanitaires privés, à 70 € pour 2, petit déj compris (25 € par personne supplémentaire). La déco est assez hétéroclite, mais de bon goût, surtout dans le salon et la salle à manger, où une multitude de bibelots encombrent avec bonheur murs et dessus de cheminée. Pas de table d'hôtes, mais cuisine équipée à disposition et plusieurs restos dans les environs. Ambiance décontractée et accueil chaleureux.

Accès : A 10 sortie nº 37 (Mirambeau) ; prenez la N 137 en direction de Saintes ; 3 km après Mirambeau, prenez la D 699 vers Jonzac, puis la 1ʳᵉ à droite (n'allez pas à Nieul qui est sur la gauche).

PARTHENAY   79200

Carte régionale B1

43 km O de Poitiers ; 37 km NE de Niort

€ 🏠 🍴 🐾 *Chambres d'hôtes (Patrick et Martine Giboury) :* 10, pl. du Vauvert. ☎ 05-49-64-12-33. 📱 06-87-76-84-39.

• mpgiboury@gmail.com • 📶 Au cœur de la ville médiévale, la vieille maison des Giboury dégage un charme fou avec son escalier raide hérité du Moyen Âge, ses chambres coquettes au confort douillet et son adorable jardin clos qu'on ne devine pas de la rue. 35 € pour 2, petit déj compris. Les salles communes pleines de cachet et la cuisine d'été à disposition ajoutent encore à l'impression de bien-être, qui participe à l'atmosphère conviviale due à l'accueil charmant des propriétaires. Possibilité de table d'hôtes à 10 €, sans le vin. Plus qu'un bon rapport qualité-prix, une véritable aubaine !

Accès : dans la vieille ville, entre la porte Saint-Jacques et la porte de l'Horloge.

PÉRIGNAC   17800

Carte régionale A2

12 km SO de Cognac ;
12 km NE de Pons

€€ 🏠 🍴 *Chambres d'hôtes les Glycines (Monique et Michel Guilbon) :* 4, route MoulinGuillot, Peugrignoux. ☎ 05-46-96-23-17. 📱 06-89-57-59-51. • lesglycines.guilbon@yahoo.fr • chambres-hotes-perignac.com • 📶 Bon, c'est une maison récente mais nous avons fait une exception... Au cœur d'un petit hameau bien au calme, 2 chambres de plain-pied avec accès indépendant, colorées et bien tenues. TV et sanitaires privés. 52 € pour 2, petit déj compris. Table d'hôtes partagée en famille à 20 €, apéro, vin et digeo compris. Cuisine traditionnelle avec quelques recettes régionales, légumes et fruits du jardin en saison. Accueil convivial et sans façon.

Accès : sur la D 732 entre Cognac et Pons, 1 km avt Pérignac (venant de Cognac) suivez le fléchage à droite et faites 500 m.

POUFFONDS   79500

Carte régionale B1

35 km SE de Niort ; 7 km SE de Melle

€€ 🏠 🍴 *Chambres d'hôtes Couette et Potager d'Antan (Alain et Annie Baillargeau) :* Coubortiges. ☎ 05-49-29-95-13. 📱 06-64-50-82-30. • couette.et.potager@orange.fr • coubortiges-gites.com • Dans un petit hameau en pleine campagne. À l'origine il y avait deux fermes qu'Alain et Annie ont réunies pour donner ce magnifique ensemble tout en pierre du pays. Dans deux ailes indépendantes, 3 chambres champêtres avec sanitaires privés, dont une pour 4 personnes avec mezzanine et petit coin cuisine. De 53 à 55 € pour 2, petit déj compris, avec plein de sortes de confitures et gâteau maison (ah ! la confiture framboise-chocolat !). Table d'hôtes partagée en famille (trois soirs par semaine) à 19 €, apéro maison et vin compris. Cuisine familiale où les produits bio et les... orties tiennent une place de choix (du moins en saison, autrement dit au printemps). Eh oui, le nom du hameau vient du courbortige, un outil qui sert à couper les orties ! Soupe d'orties, cake saumon et orties, quiche aux orties... mais, pour les incrédules, les spécialités d'Annie sont nombreuses autant qu'originales. Pour ceux qui veulent séjourner, petit gîte rural de 5 personnes loué entre 275 et 460 € la semaine selon la saison. Accueil et gentillesse au rendez-vous. Une adresse qu'on aime bien.

Accès : de Melle, D 948 vers Sauzé-Vaussais puis à droite vers Pouffonds et fléchage dans le village jusqu'à Courbortiges (à 2 km du bourg).

PUYRAVAULT   17700

Carte régionale A1

30 km NE de Rochefort ;
25 km E de La Rochelle

€€€ 🏠 |❉| **Chambres d'hôtes Le Clos de la Garenne (Brigitte et Patrick François) :** *9, rue de la Garenne.* ☎ 05-46-35-47-71. *Fax : 05-46-35-47-91.* • *info@ closdelagarenne.com* • *closdelagarenne. com* • ✍. *Fermé janv-fév (et parfois en déc, se renseigner).* 📶 Datant du XVIIe s, cette maison appartint à Pierre-François Audry, qui sa vie durant, fut un fervent défenseur de la République... Aujourd'hui, Brigitte et Patrick y ont aménagé 4 chambres vastes et élégantes. Une indépendante, dans un petit pavillon, composée de 2 chambres (dont une spécialement décorée pour les enfants) ; 3 autres à l'étage de la maison. Sanitaires privés. 75 € pour 2, petit déj compris, et 20 € par personne supplémentaire. Salon avec billard américain et collection de balances et pesons. Table d'hôtes (sauf les mercredi et week-end), partagée en famille, à 27 €, apéro, vin et café compris. Également un studio avec coin kitchenette pour 2 personnes. Accueil convivial. Grand parc de 4 ha, avec forêt, où Fanfan et Dédé (les ânes) et les moutons s'en donnent à cœur joie.

Accès : à 5 km au nord-ouest de Surgères, depuis le rond-point des pompiers, par la D 115 vers Marans/Puyravault ; la maison est au centre de Puyravault.

SAINT-CLAUD   16450

Carte régionale B2

40 km NE d'Angoulême ;
20 km SO de Confolens

€€€€ 🏠 |❉| **Chambres d'hôtes Le Logis de la Broue (Sylviane et Vincent Casper) :** *rue de l'Abbé-Rousselot.* ☎ 05-45-71-43-96. 📱 05-72-14-68-94. • *sylviane.casper@ wanadoo.fr* • *logisdelabroue.com* • 📶 Ici, c'est une demeure d'exception et on pèse nos mots... Superbe logis du XVe s planté dans un grand parc de 2 ha. Dès l'entrée, vous découvrirez un superbe sol en petites pierres de silex, typique de la région et appelé « cœur des demoiselles ». Un bel escalier à vis conduit aux 2 élégantes chambres, dont une suite familiale composée de 2 chambres. Spacieuses, décorées avec un goût très sûr, elles dégagent une atmosphère sereine. « Les matins celadon » avec une magnifique coiffeuse en loupe d'orme, la suite « Val de jour » avec ses tentures toile de Jouy. Sanitaires privés. Que dire du salon, qui recèle de splendides tapisseries d'Aubusson du XVIIe s sur les quatre saisons et un plafond à la française. 125 € pour 2, petit déj compris (confitures et brioche maison), et 200 € pour 4. Table d'hôtes (un jour sur deux) à 34 €, apéro et vin compris. Cuisine du terroir goûteuse et recherchée, avec les légumes bio du potager. On suit Sylviane depuis de nombreuses années... Elle change de demeure mais garde son dynamisme et son enthousiasme. Pour vous détendre : piscine, court de tennis et billard français. Également 2 maisons d'hôtes tout aussi charmantes, celle du « maître de chais » avec un incroyable dallage composé d'ancienne plaques d'imprimerie, pour 4 personnes, et la « maison du vigneron » pour 2 personnes. De 300 à 900 € la semaine selon la maison et la saison (lits faits et linge de maison fourni, *of course* !). Mine de rien, des adresses comme ça, on n'en trouve pas tous les jours. Accueil de qualité. Notre plus belle adresse sur la région.

Accès : N 10 Poitiers/Angoulême sortie Mansle puis D 739 jusqu'à Saint-Claud ; la rue est à 400 m à droite.

SAINT-GEORGES-DES-COTEAUX   17810

Carte régionale A2

35 km NE de Royan ; 7 km O de Saintes

€€ 🏠 ⑩% **Chambres d'hôtes des Bujours (Marie et Stéphane Trouvé) :**

POITOU-CHARENTES

5, rue de l'Église. ☎ et fax : 05-46-92-96-66. ● *mstrouve@yahoo.fr* ● *les-chambres-des-bujours.fr* ● 🛜 C'est dans l'étable de cette ancienne ferme que Marie et Stéphane ont aménagé 4 chambres d'hôtes de charme, avec sanitaires particuliers. Elles sont toutes différentes, colorées et agréables : « Lavandières », « Part des Anges », « Moulins » et « Carrières » (notre préférée, avec accès direct sur le jardin). Superbe volume de la salle de séjour aux murs en pierre apparente, avec une magnifique charpente, une grande cheminée et un billard français. Comptez 63 € pour 2, petit déj compris (gelée de pomme, confiture de rhubarbe, galette charentaise, jus de fruits). Déco très soignée et accueil agréable, une bonne adresse.

Accès : sur l'A 10, sortez à Saintes, puis prenez la direction Marennes-Île d'Oléron puis Saint-Georges-des-Coteaux.

SAINT-GERMIER   79340

Carte régionale B1

40 km NE de Niort ;
5 km S de Ménigoute

€ 🏠 |●| 🍴 ***Chambres d'hôtes La Boulinière (Bertrand Poulain) :*** ☎ et fax : 05-49-69-09-28. 📱 06-71-24-96-17. ● *labouliniere@live.fr* ● *labouliniere.com* ● 🐾 🛜 Dans ce petit coin de nature loin de tout, voici une adresse à la bonne réputation. Cinq chambres avec kitchenette dont une sous forme de suite de 2 chambres avec cuisine et terrasse. Comptez 45 € pour 2, petit déj compris, et 75 € pour la suite. En été, possibilité de table d'hôtes à 20 €, tout compris, pour goûter à tous les bons produits de la ferme (vos hôtes élèvent moutons, lapins, pintades, poulets, canards...) et aux légumes du jardin. Également un gîte de 10 personnes. Accueil chaleureux.

Accès : de Ménigoute, prenez en direction de Pamproux et suivez le fléchage.

SAINT-HILAIRE-DE-VILLEFRANCHE   17770

Carte régionale A2

18 km N de Saintes ;
11 km S de Saint-Jean-d'Angély

€€ 🏠 ***Chambres d'hôtes Au Moulin Brun (Florence et Régis De Loynes) :*** 10, rue du Moulin-Brun. ☎ 05-46-90-12-61. 📱 06-83-16-35-39. ● *au-moulinbrun@ orange.fr* ● *au-moulinbrun.com* ● 🛜 Dans un joli coin de campagne vallonné, ancien moulin du XVIIIe s dont il ne reste plus rien ce n'est la petite rivière qui coule au fond du jardin. Les bâtiments sont toujours là et ont été agrandis avec le temps. Deux chambres charmantes de plain-pied avec accès direct sur le jardin. Sanitaires privés. 68 € pour 2, petit déj compris (plusieurs gâteaux et confitures maison). Pour vous détendre, un joli parc et la piscine. Une belle adresse. Accueil convivial.

Accès : à l'église de Saint-Hilaire, sur la N 150 entre Saintes et Saint-Jean-d'Angély, direction Saint-Savinien pdt 3 km et fléchage à droite, la maison est à 500 m.

SAINT-HILAIRE-LA-PALUD   79210

Carte régionale A1

25 km SO de Niort ; 8 km E de Courçon

€€ 🏠 🍴 ***Chambres d'hôtes Les Lavandières (Catherine et Jean-Claude Desbas) :*** 8, rue des Lavandières. ☎ 05-49-35-31-20. 📱 06-80-21-19-26. ● *les.lavandieres@wanadoo.fr* ● *les-lavandieres. net* ● Au bout d'une petite impasse bien au calme, ancienne et belle ferme en pierre du XIXe s. L'ancienne écurie a fait peau neuve et accueille aujourd'hui les hôtes dans 3 chambres coquettes avec sanitaires privés. 68 € pour 2, petit déj compris en formule buffet, avec fromages, gâteaux et plein de confitures maison. Agréable jardin qui débouche sur une petite conche. Belle piscine. Accueil chaleureux et charmant.

Accès : au centre du bourg, allez jusqu'à l'église et prenez la petite rue qui se trouve derrière.

SAINT-SAVINIEN   17350

Carte régionale A2

22 km N de Saintes ;
18 km SO de Saint-Jean-d'Angély

€€ 🏠 ⑩% ***Chambres d'hôtes L'Éolienne (Cécile et Georges Torsello) :*** Le Pontreau. ☎ et fax : 05-46-91-79-49. 📱 06-30-08-36-19. ● *eolienne.torsello@ orange.fr* ● *pagesperso-orange.fr/eolienne. torsello* ● Fermé déc-janv. 🛜 Ancienne ferme en pierre du pays, toute blanche aux volets bleus, au cœur d'un gentil hameau, avec un petit jardin où tournent les éoliennes de Georges. Artisan, il fabrique des tas d'objets en bois découpé sur le thème de la mer. Au 1er étage de la maison, 2 chambres d'hôtes, pas immenses, mais très coquettes, avec sanitaires privés. Une à l'ambiance provençale, l'autre très marine avec d'amusantes lampes de chevet et une armoire en forme de cabine de plage (réalisées par Georges). Selon la période, de 65 à 68 € pour 2, petit déj compris. Ne manquez pas de vous rendre sur le lac de Saint-Savinien ; on y loue de petits bateaux électriques, répliques exactes de plus grands (ferry, chalutier...). C'est rigolo et pas cher...

Accès : dans Saint-Savinien, prenez la D 114 vers Bords/Archingeay et, à la sortie du bourg, tournez à gauche vers Tonnay-Charente (D 124) ; Le Pontreau est à 2 km et c'est le 2ᵉ chemin à droite après le panneau d'entrée du hameau.

SALLES-D'ANGLES   16130

Carte régionale A2

34 km SE de Saintes ;
12 km S de Cognac

€ 🏠 |◉| **Chambres d'hôtes (Micheline et Jacky Chainier) :** 8, chemin du Chiron. ☎ 05-45-83-72-79. ● mchainier@voila.fr ● Magnifique maison de maître de 1850 dans une grande cour avec massifs fleuris. Cinq chambres au joli parquet et une suite pour 4-5 personnes, toutes avec sanitaires privés. On préfère les nᵒˢ 1 et 5, plus petites, mais plus douillettes. Comptez 50 € pour 2, petit déj compris, et de 75 à 80 € pour la suite. À la table d'hôtes, pour 20 € apéro, vin et digeo compris, il y a toujours du potage car Jacky adore ça ; sinon, moules au pineau ou chou farci, œufs au lait et au caramel ou gâteau de crêpes. Demandez à Jacky de vous montrer sa distillerie, elle vaut le coup d'œil. Si vous voulez voir des chais professionnels, il saura vous indiquer des adresses intéressantes. Une bonne table et un excellent accueil. Pour les petits budgets, mobile home et camping à la ferme.

Accès : du village, allez en direction de Celles (D 48) ; à 2,5 km, tournez à gauche (D 151) vers Saint-Fort-sur-le-Né, c'est à 1 km.

SAMMARÇOLLES   86200

Carte régionale B1

50 km N de Poitiers ;
20 km SO de Chinon

€€ 🏠 |◉| 🏇 ⟨10%⟩ **Chambres d'hôtes Tenue du Fougeray (Famille Saint-Mard) :** 18, rue du Stade. ☎ 05-49-22-76-48. ● tenuedufougeray@free.fr ● tenuedufougeray.com ● 🛜 Dans la famille Saint-Mard, je voudrais le père : c'est Yvan, artiste-peintre, dont vous pourrez admirer les œuvres colorées, dont beaucoup de portraits et de bustes féminins qui peuplent la maison (on aime !). Il y a aussi Danielle, la mère, qui officie aux fourneaux, Joëlle, la fille, mariée avec Gilles, et Benoît, le fils. Cette adorable famille belge a quitté sa patrie d'origine pour venir s'installer dans ce petit village de 500 habitants, dans une belle demeure de maître de 1830. Cinq chambres spacieuses et lumineuses, avec sanitaires privés : 2 au 1ᵉʳ étage avec une double orientation, 2 au second où vous découvrirez une magnifique charpente apparente, la dernière, dans une ancienne grange restaurée, sous forme de suite familiale. 64 € pour 2 et 16 $ par personne supplémentaire, copieux petit déj compris (fromages, œufs et confitures maison). Table d'hôtes partagée en famille à 29 €, apéro, vin, café et digeo compris. Une cuisine goûteuse et recherchée qui fait la part belle aux produits du potager avec les saveurs régionales et qui a ses adeptes. Dehors, un grand parc vous attend avec une superbe piscine. Gentillesse et chaleur de l'accueil. Une adresse coup de cœur où l'on aurait bien posé nos sacs plus longtemps.

Accès : dans le bourg.

SÉMOUSSAC   17150

Carte régionale A2

45 km S de Saintes ;
7 km O de Mirambeau

€ 🏠 |◉| **Chambres d'hôtes Pavageau (Christiane et Claude Jarrassier) :** 11, Pavageau. ☎ 05-46-86-02-37. ● christiane.jarrassier@orange.fr ● Fermé Noël et Jour de l'an. 🛜 Sur un petit domaine viticole, belle maison en pierre de taille abritant 2 chambres, pas immenses mais agréables. Comptez 50 € pour 2, petit déj compris. Table d'hôtes à 20 €, apéro et vin compris. Bonne cuisine familiale, partagée avec les proprios. Si vous le souhaitez, Claude vous fera découvrir son exploitation. Accueil agréable.

Accès : de Saintes, A 10 ou N 137 en direction de Bordeaux ; sortez à Mirambeau et prenez la D 730 vers Royan, puis à gauche la D 148 jusqu'à Sémoussac ; dans le bourg, tournez à gauche au sens unique (quand vous aurez le panneau face à vous) et suivez le fléchage.

POITOU-CHARENTES

SUAUX 16260

Carte régionale B2

40 km NE d'Angoulême ;
16 km NE de La Rochefoucauld

€€ 🏠 🐾 (10%) **Chambres d'hôtes Le Relais de L'Age (Michèle Coquilleau) :** ☎ 05-45-71-19-36. ● lerelaisdelage suaux@orange.fr ● lerelaisdelage.com ● Dans une ancienne ferme limousine, 4 chambres avec bains ou salle d'eau et w-c privés. Comptez 57 € pour 2, petit déj compris, servi devant un ancien four à pain ou en terrasse. Agréable piscine. Pas de table d'hôtes à 22 €, mais un resto à 6 km. Bon accueil. À 6 km, le château de Peyras.

> **Accès :** en venant de La Rochefoucauld (en direction de Limoges), dans Suaux, prenez la 2e route à droite (D 60 vers Vitrac), puis la 2e à gauche en direction de L'Age.

THAIRÉ 17290

Carte régionale A2

16 km SE de La Rochelle ;
7 km E de Châtelaillon

€€ 🏠 **Chambres d'hôtes Le Balloir (Anne-Marie et Robert Journade) :** 4, rue de la Chapelle, Mortagne. ☎ 05-46-56-17-23. 🖥 06-60-35-17-69. ● am-journade@ orange.fr ● leballoir.fr ● 🛜 Belle demeure construite par les aïeux d'Anne-Marie au XIXe s. Trois chambres d'hôtes simples mais agréables, dans la maison des propriétaires, équipées de sanitaires privés, dont une suite familiale. 52 € pour 2, petit déj compris. Grande salle de détente avec bibliothèque, table de ping-pong et un charmant métier à tisser sur lequel vous pourrez vous exercer, si le cœur vous en dit. Pas de table d'hôtes, mais coin cuisine à disposition. Première plage à 6 km. Accueil agréable.

> **Accès :** de La Rochelle, prenez la N 137 en direction de Rochefort (sortie Châtelaillon/ Saint-Vivien) ; allez ensuite à Saint-Vivien, puis Mortagne (D 113).

VALLANS 79270

Carte régionale A1

17 km SO de Niort ;
10 km E de Mauzé-sur-le-Mignon

€€€ 🏠 |●| 🐾 **Chambres d'hôtes Le Logis d'Antan (Annie et Bruno Di Battista) :** 140, rue Saint-Louis. ☎ 05-49-04-86-75. Fax : 05-49-32-85-05. ● info@logis

dantan.com ● logisdantan.com ● Fermé dernière sem d'oct et 1re de nov. 🛜 Au cœur d'un grand parc, belle demeure du milieu du XIXe s. Cinq chambres d'hôtes avec sanitaires privés : 2 au rez-de-chaussée de la maison avec accès direct sur le jardin (nos préférées), 2 au 1er étage, dont une familiale composée de 2 chambres, la dernière dans un petit pavillon indépendant qui comprend 2 chambres et une petite cuisine. 74 € pour 2, petit déj compris. Table d'hôtes, sans les propriétaires, à 28 €, apéro et anjou rouge compris. Pour vos séjours, un gîte pour 4 à 6 personnes. Grande piscine pour se rafraîchir.

> **Accès :** la maison se trouve à l'entrée du village, à gauche quand on vient d'Épannes par la D 1.

VARENNES 86110

Carte régionale B1

28 km NO de Poitiers ;
5 km S de Mirebeau

€€ 🏠 (10%) **Chambres d'hôtes Manoir de Vilaines (Géraldine et Philippe Simonnet) :** Vilaines. ☎ et fax : 05-49-60-73-93. 🖥 06-30-62-68-43. ● manoirde vilaines@orange.fr ● manoir-de-vilaines. com ● 🛜 Planté dans un parc de 1 ha entouré de vignes, joli manoir du XIXe s. Quatre chambres lumineuses, avec sanitaires privés : 2 au rez-de-chaussée sous forme de suites familiales composées de 2 chambres, les 2 autres au 1er étage. Atmosphère champêtre. Les amoureux choisiront celle avec lit à baldaquin qui ouvre sur les vignes. 70 € pour 2, petit déj compris, et 18 € par personne supplémentaire. Si vous avez des enfants, ceux de Géraldine et Philippe les initieront aux joies de la campagne. Pas de table d'hôtes, mais plein de possibilités à Mirebeau. Accueil convivial.

> **Accès :** de Mirebeau, D 347 vers Poitiers ; laissez Varennes sur votre gauche et, un peu plus loin, au niveau du calvaire, tournez à droite ; le domaine est au bout de la route avt le virage.

VARS 16330

Carte régionale B2

20 km de Jarnac ; 15 km N d'Angoulême

€€€€ 🏠 (10%) **Chambres d'hôtes Le Logis du Portal (Liliane et Jacques Berthommé) :** ☎ 05-45-20-38-19. 🖥 06-08-03-23-09. ● logis-du-portal@netcourrier. com ● logis-du-portal.fr ● Fermé 1er nov-

15 mars, sf résa. 🛜 Encore une demeure remarquable que ce superbe logis du XVIIᵉ s dissimulé derrière un grand portail flanqué de deux ravissants pigeonniers (pas étonnant qu'elle ait servie de résidence aux évêques d'Angoulême !). Si l'extérieur a du charme, l'intérieur est à la hauteur des attentes. Deux chambres raffinées, pour 2 à 3 personnes, avec des draps brodés, la « Amaryllis » au style 1900, la « Glycine » au mobilier Louis XVI et dans de doux tons bleutés, ainsi qu'une « Suite familiale » composée de 2 chambres, dans les tons parme. Toutes avec sanitaires privés. De 90 à 110 € pour 2, petit déj compris, et 170 € pour 4 dans la suite. Partout, beaux meubles de style, portes et cheminées d'époque, dans une harmonie de couleurs soutenues. Le parc de 2,5 ha a été scindé en différents espaces : le jardin à la française, l'espace détente sous le grand mûrier blanc, le traditionnel « bugé » où l'on faisait bouillir le linge (unique !), la piscine d'où l'on peut contempler la campagne, la roseraie et les rives de la Charente qui bordent le domaine avec l'espace pour les canards (et on oubliait les chèvres !). Accueil volubile, charmant et distingué. Bref, une adresse pour faire craquer sa gonzesse (c'est pour la rime !).

Accès : *sur la N 10 entre Poitiers et Angoulême, prenez la D 11 (sortie Vars/Montignac) ; traversez Vars en direction de Rouillac jusqu'au hameau du Portal (après les ponts à droite).*

VÉNÉRAND | 17100

Carte régionale A2

25 km O de Cognac ; 10 km NE de Saintes

€€€ 🏠 *Chambres d'hôtes Au Point du Jour (Danielle et Jean-Pierre Galand) :* 2, chemin du Vallon. ☎ 05-46-97-79-65. 📠 06-98-06-27-19. ● *aupointdujour. accueil@orange.fr* ● *aupointdujour.net* ● 🛜 *Fermé déc-fév.* 🛜 Belle propriété du XVIIIᵉ s, située entre vignes et forêt, à proximité d'une église du XIᵉ s et d'étonnantes fontaines gallo-romaines. Dans la grange attenante, 3 belles chambres avec sanitaires privés : une vaste familiale au rez-de-chaussée, les autres à l'étage, chacune avec petite terrasse. Déco soignée, dans les tons blanc, bleu et vert. Pierres apparentes et élégant mobilier. Selon la chambre, de 72 à 82 € pour 2, petit déj-buffet compris, et 25 € par personne supplémentaire. Grand parc avec petit bois, et nombreuses randos à proximité. Accueil charmant.

Accès : *face à l'église du village.*

YVIERS | 16210

Carte régionale B2

50 km S d'Angoulême ;
5 km O de Chalais

€€ 🏠 |●| *Chambres d'hôtes La Maison de la Lime (Pascal Gauthier) :* ☎ 05-45-98-19-64. 📠 06-69-33-07-78. ● *maisondelalime@ orange.fr* ● *maisondelalime.com* ● ⛏ *Ouv de début mars à fin sep.* Aux confins de la Charente, de la Charente-Maritime et de la Dordogne, agréable maison avec pigeonnier dans un grand parc aux arbres centenaires. Quatre chambres réparties dans différentes ailes de la maison, dont 3 avec accès direct de plain-pied sur le jardin, la dernière au 1ᵉʳ étage de la maison sous forme de suite familiale pour 4 personnes, sur deux niveaux. Déco agréable et sanitaires privés. 64 € pour 2, petit déj compris. Pour dîner, rien de plus simple : votre hôte tient un resto à 80 m de là (menu à 23 €) ! Accueil convivial. Un bon point de chute pour rayonner sur la région, en n'oubliant pas Aubeterre, classé parmi les plus beaux villages de France.

Accès : *à Chalais, sur la D 674 entre Angoulême et Libourne, prenez la D 731 vers Barbezieux-Saint-Hilaire puis tt de suite à droite vers Yviers ; dans le village, gardez l'église à droite, la maison est à 100 m en face.*

YVRAC-ET-MALLEYRAND | 16110

Carte régionale B2

32 km NE d'Angoulême ;
7 km E de la Rochefoucauld

€€ 🏠 |●| (10 %) *Chambres d'hôtes Beauséjour (Marie-Louise et Guy-Robert Fort) :* ☎ 05-45-62-24-60. 📠 06-44-81-51-90. ● *beausejour-chdhotes@laposte.net* ● 🛜 Par une grande allée bordée de tilleuls, on arrive dans cette ancienne ferme familiale aux allures bourgeoises, plantée au milieu d'un domaine de 30 ha. L'intérieur est resté dans son jus avec les vieux planchers et le noble escalier qui conduit aux 2 chambres. Déco champêtre et agréable, peintures à la chaux et spacieux sanitaires privés. 55 € pour 2, petit déj compris. Pas de table d'hôtes proprement dite mais Marie-Louise et Guy-Robert proposent un petit repas simple (genre omelette, pizza) à 10 € en dégustant le pineau et le vin maison. Accueil chaleureux de ce gentil couple de retraités.

Accès : *d'Angoulême, N 141 vers Limoges jusqu'à La Rochefoucauld puis D 13 vers L'Arbre/Montembœuf puis à gauche (D 62) vers Yvrac et fléchage.*

POITOU-CHARENTES

Provence-Alpes-Côte d'Azur

Rhône-Alpes

Hautes-Alpes
(05)

Alpes-de-
Haute-Provence
(04)

Lang.
Rous.

Vaucluse
(84)

Alpes-
Maritimes
(06)

Bouches-
du-Rhône
(13)

Var
(83)

AIX-EN-PROVENCE   13100

Carte régionale A2

€€€€€ ☎ ⑩% *Chambres d'hôtes Le Pavillon de Beauregard (Jérôme et Jacqueline Vœux):* chemin de Beauregard. ☎ 04-42-96-54-81. 📱 06-61-37-28-88. ● pavillon.de.beauregard@wanadoo.fr ● pavillon-de-beauregard.com ● Aux portes d'Aix, voici une demeure chargée d'histoire... Ses origines remontent au Moyen Âge et elle appartient à la famille depuis six générations. Deux chambres spacieuses, décorées avec goût : une au rez-de-chaussée, l'autre au 2ᵉ étage avec trois orientations et une vue superbe sur les alentours et sur la ville. Spacieux sanitaires privés avec baignoire sur pieds. Et une toute dernière, « la Symphonique », suite de 60 m², pour ceux qui sont épargnés par la crise... Selon la chambre, de 140 à 240 € pour 2, petit déj compris, servi dans un croquignolet salon avec piano trois-quart-de-queue et orné de magnifiques toiles réalisées par Jacqueline (mère de Jérôme), disciple d'un élève de Matisse (excusez du peu !). Cuisine d'été à disposition et belle piscine pour vous détendre. Accueil de qualité. Une adresse originale comme on en voit peu !

Accès : dans Aix, suivez le fléchage « Centre-ville » puis « Pont-de-Béraud » ; passez devant le lycée Cézanne et tournez à gauche tt de suite après l'Intermarché et suivez le chemin de Beauregard jusqu'au bout en passant le sans-issue.

AUBIGNAN   84810

Carte régionale A1

25 km NE d'Avignon ;
7 km N de Carpentras

€€ ☎ 🐾 *Chambres d'hôtes L'Espaze (Anne et Fernando Zepeda):* 300, chemin du Barroux. ☎ 04-90-62-93-09. ● contact@espaze-provence.com ● espaze-provence.com ● Ouv Pâques-Toussaint. 📶 Si ce joli mas du XVIIIᵉ s s'appelle *L'Espaze,* épée en provençal, c'est que la région était réputée pour sa fabrication de rapières... Au 1ᵉʳ étage d'une aile indépendante, 2 chambres spacieuses avec une belle hauteur sous plafond. Déco sobre sans prétention. Sanitaires privés. 64 € pour 2, petit déj compris, servi au rez-de-chaussée dans une salle conviviale agrémentée d'une grande baie vitrée. Pas de table d'hôtes, mais coin cuisine à disposition. Outre l'accueil chaleureux de Nando qui s'occupe des hôtes, c'est le parc qui nous a fait craquer. Les plantes, c'est sa passion, et vignes, fleurs, arbres fruitiers, tonnelles offrent un véritable régal pour les yeux. De plus, deux grands bassins vous permettront de faire trempette, dont un aux allures de piscine avec bonne profondeur. Excellent rapport qualité-prix-convivialité. Une adresse qui fait des adeptes... et comme on les comprend !

Accès : d'Aubignan, D 55 vers Caromb pdt 1,5 km ; au caveau Saint-Sauveur, tournez à gauche et suivez le fléchage.

Nous vous rappelons que la table d'hôtes est le complément d'une formule d'hébergement (chambre d'hôtes, gîte d'étape...). Ce service n'est offert qu'aux personnes qui dorment sur place (excepté lorsqu'il est clairement écrit « ouvert aux extérieurs »).

BOLLÈNE 84500

50 km N d'Avignon ;
30 km O de Vaison-la-Romaine

€€€ 🏠 10% *Chambres d'hôtes Mas Lou Geneste (Patricia et Thierry Fernandez) :* route de Suze. ☎ 04-90-40-01-07. Fax : 09-58-34-62-71. ● fernandez@louge neste.com ● lougeneste.com ● 🛜 Belle et ancienne ferme tout en pierre, du XVIII e s. Thierry a quitté la région parisienne à la fin des années 1980 et a décidé d'ouvrir des chambres d'hôtes. Elles sont 4, de 2 à 4 personnes, avec sanitaires privés, dont une familiale composée de 2 chambres : une au rez-de-chaussée, les 3 autres au 1er étage. Atmosphère champêtre. Selon la saison et la chambre, de 70 à 80 € pour 2, petit déj compris. Agréable parc avec piscine et un petit étang où chantent les grenouilles, sans oublier les deux chiens sympathiques. Accueil convivial et décontracté.

Accès : A 7 sortie Bollène ; au rond-point, prenez direction Suze-la-Rousse/Nyons (D 994) sur 5 km et la maison est fléchée à gauche (500 m après le panneau de sortie de Bollène).

BUISSARD 05500

18 km N de Gap ;
8 km E de Saint-Bonnet-en-Champsaur

€€ 🏠 |●| 10% *Chambres d'hôtes Les Chemins Verts (Nathalie et Djamal Dubois) :* ☎ 04-92-50-57-57. ● lesche minsverts@free.fr ● lescheminsverts. com ● 🛜 Cette ancienne et belle ferme du XVIII e s bénéficie d'un magnifique panorama sur la vallée du Drac, avec les montagnes en fond de décor. Nathalie et Djamal ont ouvert 4 chambres pour 2 à 4 personnes. Déco sobre, mais agréable, mobilier en bois naturel. Sanitaires privés. Selon la saison, de 54 à 74 € pour 2, petit déj compris (jus d'orange pressée, c'est si rare !). Djamal est photographe, passionné de randos. C'est un accro du Népal, et nombre de ses clichés parent les murs. Nathalie est une hôtesse pétillante, dont le sourire vous séduira. En leur compagnie, vous partagerez la table d'hôtes pour 19 €, vin compris. Cuisine traditionnelle et familiale. Question distractions : l'hiver, plusieurs petites stations familiales à proximité, et Orcières-Merlette à 15 km ; l'été, le tour du Vieux-Chaillol ne passe

pas loin. Et puis, il y a aussi la piscine... Accueil agréable.

Accès : de Gap, empruntez la N 85 en direction de Grenoble ; après le col Bayard, tournez à droite et prenez la D 14 vers Orcières-Merlette ; après Forest-Saint-Julien, prenez la D 215 vers le plan d'eau, puis Buissard et suivez le fléchage.

BUOUX 84480

8 km S d'Apt

€€ 🏠 *Chambres d'hôtes La Sparagoule (Odile Malbec) :* quartier de la Loube. ☎ et fax : 04-90-74-47-82. ● lasparagoule@ orange.fr ● lasparagoule.com ● Fermé en janv. 🛜 Dans une ancienne ferme, Odile propose 3 chambres d'hôtes : une double meublée de façon rustique, une autre double et une triple meublées en bois blanc. Elles ont une salle d'eau privée, mais leurs toilettes sont sur le palier. Il y a aussi un gîte d'étape (2 dortoirs pour 2 et 4 personnes). Douche dans chaque dortoir et w-c communs. En chambre d'hôtes, comptez 52 € pour 2, petit déj compris, et en gîte d'étape 15,50 € par personne (sans les draps, qu'il vous faudra apporter) et 6 € pour le petit déj. Pas de table d'hôtes, mais un coin cuisine est à disposition. Amateurs de grimpe, ne manquez pas l'escalade de la falaise de Buoux, elle est réputée.

Accès : en venant d'Apt, à la sortie du village sur la gauche.

CABRIÈS 13480

20 km N de Marseille ;
15 km S d'Aix-en-Provence

€€€ 🏠 *Chambres d'hôtes Bastide Tara (Ghislaine Kervestin) :* 375, route de Saint-Martin, Calas. ☎ 04-42-58-57-78. 📱 06-75-30-08-38. ● ghislaine@bastide tara.com ● bastidetara.com ● Demeure récente aux allures de belle bastide, installée dans un parc calme et tranquille et qui porte bien son nom légendaire... La décoration intérieure est pleine de goût et de raffinement. Deux jolies chambres installées au 1er étage, avec sanitaires privés et TV. De 90 à 125 € pour 2, petit déj compris. Selon le temps, il est servi dans une grande cuisine chaleureuse au carrelage en damier, ou sur la terrasse, sous la treille, en contemplant la grande piscine. Ghislaine est une hôtesse charmante qui

PROVENCE-ALPES-CÔTE D'AZUR

porte une attention toute particulière aux petits détails qui rendront votre séjour des plus agréable. Pas de table d'hôtes mais un bon resto à Calas. Accueil de qualité. Une adresse qui nous a fait craquer !

Accès : de Cabriès, prenez la D 8 vers Calas (c'est la route de Saint-Martin) ; au no 375, prenez le chemin gravillonné à droite, la maison est au bout.

CAGNES-SUR-MER   06800

Carte régionale B2

10 km SO de Nice ; 10 km SE d'Antibes

€€€€€ 🏠 **Chambres d'hôtes Les Terrasses du Soleil (Catherine et Patrick Bouvet) :** *pl. Notre-Dame-de-la-Protection.* ☎ 04-93-73-26-56. ● *catherine. bouvet@terrassesdusoleil.com* ● *terrassesdusoleil.com* ● *Fermé 1er nov-25 déc.* 📶 Installée au cœur du bourg médiéval du Haut-de-Cagnes, cette demeure était la résidence de Georges et Betty Ulmer, couple mythique du music-hall des années 1960. Aujourd'hui, on y séjourne dans 2 chambres et 2 suites de charme. La chambre « Betty » possède une grande terrasse privative, et toutes ont une vue sur la mer et le clim. Selon la chambre et la saison, de 115 à 140 € pour 2, petit déj compris. Accueil plein de gentillesse.

Accès : au cœur du Haut-de-Cagnes.

CAUSSOLS   06460

Carte régionale B2

22 km N de Grasse ;
9 km NE de Saint-Vallier

€€ 🏠 |●| 10% **Chambres d'hôtes Le Mas des Chardons (Françoise et Pierre Dorge) :** *164, chemin des Chardons.* ☎ 04-93-09-29-93. ● *pierre.dorge1@orange.fr* ● *lemasdeschardons.fr* ● ♿ *Ouv mars-déc.* 📶 À 1 180 m d'altitude, en pleine nature, ancienne et charmante bergerie du début du XXe s, qui est aussi la maison d'enfance de Françoise. Cinq chambres pour 2 ou 3 personnes dans une aile de la maison, avec sanitaires privés. Déco agréable et ambiance douillette. Comptez 70 € pour 2, petit déj compris (jus de fruits pressés, gâteau et confitures maison). Chaleureuse pièce à vivre pour partager les repas en famille autour de la table d'hôtes, pour 26 €, apéro et vin compris. Cuisine traditionnelle et familiale avec de bons produits fermiers. Accueil très chaleureux. Bien sûr, les activités nature sont

nombreuses. En hiver, les petites stations familiales comme Audibergue et Gréolières-les-Neiges sont proches. Aux beaux jours, le GR 4 passe tout près ; il y a également un centre équestre dans le village. Le coin est aussi réputé pour la spéléo (nombreuses rivières souterraines) et pour le CERGA, centre d'observation très connu (surtout si vous êtes un accro de la Nuit des étoiles), où l'on effectue, entre autres, des tirs laser pour mesurer les distances entre les différentes planètes (il se visite, bien sûr). Enfin, pour ceux qui préfèrent le charme des vieilles pierres, Gourdon n'est pas loin (très touristique, mais panorama splendide), ainsi que Tourrettes-sur-Loup qui garde nos préférences. Une bonne adresse qui fait des adeptes et un point de chute idéal pour découvrir le coin.

Accès : de Saint-Vallier, empruntez la D 5 jusqu'à Caussols, puis la petite route en face de la mairie et le chemin à gauche (face à l'église) ; la maison est tt au bout, sur le plateau de Caussols.

CAZAN   13116

Carte régionale A2

30 km NO d'Aix-en-Provence ;
6 km S de Mallemort

€€€ 🏠 |●| **Chambres d'hôtes Commanderie des Taillades (Évelyne et Régis Lebre) :** *rue de Charleval.* ☎ 04-90-59-76-75. 📱 06-12-28-63-08. ● *regis.lebre@wanadoo.fr* ● *lacommanderie.info* ● ♿ 📶 C'est une adresse vraiment nature et insolite. D'abord, il vous faudra parcourir 1,5 km sur un chemin gravillonné de blanc, entretenu par Régis, en traversant une forêt de chênes et pins pour arriver jusqu'à la maison. Installée au cœur d'un domaine de 250 ha parcouru par de nombreux chemins pédestres, vous y trouverez 5 chambres spacieuses de 2 à 3 personnes, dont une au rez-de-chaussée pour personnes à mobilité réduite, les autres à l'étage. Sanitaires privés. 75 € pour 2, petit déj compris. Régis et Évelyne ont cultivé les terres du domaine pendant de nombreuses années. À la retraite, ils ont décidé d'accueillir des hôtes et de leur faire découvrir ce lieu et son histoire... Car juste au-dessus de la maison se trouve une magnifique tour de guet templière du XIVe s, agrandie en pavillon de chasse au cours des siècles et qui domine les environs. Accueil simple et chaleureux.

Accès : dans Cazan, prenez la D 22 vers Charleval pdt 1 km, l'entrée du domaine est sur la droite.

CHABOTTES   05260

Carte régionale B1

20 km N de Gap ; 10 km SE de Saint-Bonnet-en-Champsaur

€€ 🏠 **Chambres d'hôtes La Chabottine (Catherine et Alain Dusserre) :** *Les Fangeas.* ☎ et fax : 04-92-50-72-29. 📱 06-72-31-86-55. ● *dusserre.alain@wanadoo.fr* ● *lachabottine.com* ● 🛜 À 1 150 m d'altitude, petit hameau avec belle vue sur la montagne. Catherine et Alain sont éleveurs ovins et proposent 5 chambres claires, agréables, avec des couettes bien douillettes et un mobilier en bois naturel : 2 au 1er étage, avec accès direct sur une petite terrasse, et 3 au second, mansardées (nos préférées). Sanitaires privés. 58 € pour 2, petit déj compris. Table d'hôtes partagée avec les proprios pour 17 €, apéro, vin et café compris. Bonnes spécialités régionales comme les crouzets (pâtes fraîches, crème et fromage), les tourtons (sortes de beignets de pommes de terre), la crique en crêpe (à base de pommes de terre), les tartes du Champsaur, les glaces au génépi. Accueil très convivial. En hiver, plusieurs stations familiales à 5 km ; en été, possibilité de randos à pied ou à VTT. Ceux qui aiment les curiosités ne manqueront pas la chapelle des Pétètes, avec sa façade constellée de petites niches dans lesquelles reposent des statuettes naïves.

Accès : de Gap, empruntez la N 85 en direction de Grenoble puis la D 944 vers Orcières ; prenez ensuite la D 43 vers Chabottes, continuez vers Saint-Michel-de-Chaillol et suivez le fléchage.

CHARLEVAL   13350

Carte régionale A2

30 km NO d'Aix-en-Provence ; 30 km SE d'Avignon

€€€ 🏠 |●| 🏕 **Chambres d'hôtes Le Mas du Caprier (Gine Galli et Loy Ataroff) :** *Les Royères.* ☎ 04-42-28-49-29. 📱 06-10-24-74-87. ● *lecaprier@wanadoo.fr* ● *lecaprier.com* ● *Fermé déc-fév.* 🛜 Après avoir roulé sa bosse sur et sous la mer, Loy a décidé de venir se poser dans ce joli mas situé en pleine campagne. Homme de ressources, il a réalisé toute la restauration, dont de beaux enduits à la chaux avec pigments naturels. Au 1er étage, 3 chambres vastes et colorées, avec sanitaires privés. Déco sobre et de bon goût. 80 € pour 2, petit déj compris, servi dans une agréable véranda face à la chaîne du Luberon. Table

d'hôtes, pas systématiquement partagée avec les proprios, à 30 €, apéro et vin compris. Bassin de nage écologique pour se rafraîchir. Accueil agréable.

Accès : passez devant le château de Charleval et continuez jusqu'au croisement des D 22 et D 23 ; là, tournez à droite puis tt de suite à gauche vers Les Royères, puis 1re petite route à gauche ; la maison est à 200 m.

CHÂTEAU-VILLE-VIEILLE   05350

Carte régionale B1

42 km SE de Briançon ; 23 km NE de Guillestre

€€ 🏠 |●| 🏕 **10 %** **Chambres d'hôtes Les Oules (François et Chantal Humbert) :** *Souliers.* ☎ 04-92-46-76-39. 📱 06-43-74-87-43. ● *les.oules@free.fr* ● *les.oules.free.fr* ● *Fermé 11 nov-26 déc. Sur résa.* 🛜 Dans le parc naturel régional du Queyras, à 1 820 m d'altitude, maison neuve dans un hameau. Cinq chambres pour 2 ou 3 personnes, avec salles d'eau privées. Chantal et François élèvent des vaches allaitantes et reçoivent en demi-pension à leur table d'hôtes. Cuisine familiale avec les produits de la ferme et locaux. De 48 à 58 € par personne en demi-pension. Ambiance conviviale.

Accès : de Château-Queyras, prenez la direction de Souliers, à gauche, et faites 4 km.

CHÂTEAUNEUF-VAL-SAINT-DONAT   04200

Carte régionale A1

14 km S de Sisteron

€€€ 🏠 |●| 🏕 **Chambres d'hôtes Le Jas de Péguier (Hélène de Vilmorin) :** *route de Peyruis.* ☎ et fax : 04-92-62-53-33. 📱 06-09-69-20-19. ● *jasdp@orange.fr* ● *jasdepeguier.fr* ● *Ouv mars-nov.* 🛜 Cinq chambres indépendantes dans un vieux jas plein de charme, aménagé avec un goût certain par la très sympathique Hélène. Le bâti comme la décoration sont pleins de relief, de rebondissements, d'originalité. « La Bergerie » a conservé sa vieille mangeoire. Deux autres chambres ont nidifié dans le pigeonnier, pour roucouler. « Le Verger », quant à elle, ouvre de plain-pied sur un petit jardin, face à la montagne de Lure. Toutes possèdent une entrée indépendante et terrasse ou jardin privatif. Selon la chambre et la période, de 65 à 81 € pour 2, petit déj compris. Possibilité de table d'hôtes à 27 €. Les petits et les grands seront ravis de visiter l'arboretum et le potager, imaginés par le père de la propriétaire. Délicieuse piscine face aux vestiges du vieux village médiéval de Châteauneuf. À disposition : jacuzzi, trampoline, ping-pong et jeux de boules. Les poules garantissent de bons œufs frais au petit déj. Accueil en or.

Accès : fléché depuis l'église du village de Châteauneuf (à 100 m direction Peyruis).

€€ 🏠 🍽 🏠 *Chambres d'hôtes Le Mas Saint-Joseph (Hélène et Olivier Lenoir) :* ☎ 04-92-62-47-54. 📱 06-60-04-70-66. ● contact@lemassaintjoseph.com ● lemassaintjoseph.com ● *Ouv fin mars-début nov.* 📶 Sur une petite route de campagne, sinueuse et tranquille, joli mas du XVIIIe s avec une vue magnifique sur les montagnes environnantes. Quatre chambres croquignolettes avec sanitaires privés (une dans l'ancien four à pain, une autre dans l'ancienne étable dont on a conservé les mangeoires...). Hélène et Olivier ont accompli un travail colossal pour rendre une âme à cette maison. Vous vous rendrez compte de son ampleur en contemplant photos et commentaires exposés dans les chambres. Une dernière chambre est installée dans une roulotte tout en bois et matériaux écologiques (sanitaires privés mais w-c extérieurs). 69 € pour 2, petit déj compris. Table d'hôtes (sauf le dimanche), partagée en famille, à 23 €, vin compris. Belle piscine qui regarde la montagne, ainsi qu'une salle de remise en forme avec jacuzzi et salon de massage. Amateurs de randos, Olivier pourra vous conseiller sur les balades à faire en fonction de vos goûts. Il accompagne volontiers ses hôtes à la découverte des ruines du vieux village : Saint-Donat l'invisible (tout un programme !). Accueil chaleureux et dynamique.

Accès : de Sisteron, prenez la N 85 vers Digne sur 6 km puis, à droite, la D 951 vers Peipin-Saint-Étienne-les-Orgues ; à l'église de Châteauneuf, montez 1,5 km en direction de Saint-Étienne, la maison domine la route.

Carte régionale B2

30 km O de Saint-Tropez ;
20 km S de Gonfaron

€ 🏠 🍽 🏠 10 % *Gîte d'étape de L'Aurier (France et Jean-Charles) :* piste des Condamines, route de Gonfaron. ☎ 04-94-48-09-47. ● gite-de-laurier@skyemail.

net ● collobrieres.net/laurier ● ♿ Fermé janv. Un chouette bout du monde. Voilà ce qui attend les courageux au bout de cette superbe piste (délicate par temps pluvieux) sous la frondaison des châtaigniers : une petite pépite ! Normal, le nom de ce gîte prend sa source dans le cours d'eau aurifère qui lui baigne les reins. Deux dortoirs et 2 chambres. Les chambres sont simples mais on y est au large et il y a des sanitaires en quantité honorable pour les dortoirs. Électricité et eau chaude solaires. Comptez 35 € par personne avec le petit déj. Table d'hôtes à 25 €. Accueil plein de sourires et de gentillesse. Accueil possible de chevaux. À quelques enjambées du GR 9... le pied !

Accès : après Collobrières, prenez la route de Grimaud, puis la D 39 à gauche vers Gonfaron ; 4 km plus haut, prenez la piste à droite sur 1 km, puis nouvelle piste qui descend à droite sur 1,5 km.

Carte régionale B2

17 km N de Brignoles ;
15 km E de Barjols

€€ 🏠 🍽 🏠 *Chambres d'hôtes Campagne de la Source Saint-Martin (Laurence et Sonia Allègre) :* ☎ 04-94-04-66-50. 📱 06-77-52-34-46. Fax : 04-94-04-74-21. ● sonia.laurence.allegre@orange.fr ● campagne-st-martin.com ● Elle pourrait s'appeler la maison des sœurs... Laurence et Sonia ont récupéré la ferme des aïeux et ont aménagé 5 chambres coquettes avec sanitaires privés. Atmosphère champêtre à souhait. On aime bien « La Magnanière » car dans cette pièce on élevait les vers à soie. 65 € pour 2, petit déj compris. Table d'hôtes partagée en famille à 23 €, apéro maison et vin compris. Cuisine familiale avec les légumes du jardin en saison. Quand les maîtresses des lieux ne sont pas là, c'est la maman qui fait l'accueil tandis que le père s'affaire au potager. Très bon rapport qualité-prix-convivialité. Une visite au village s'impose, et si vous aimez le vin, demandez conseil à vos hôtesses... Une adresse chaleureuse et sans façon, juste comme on les aime.

Accès : en arrivant dans la ville venant de Brignols, à l'entrée du village, prenez « Toutes directions » puis la D 13 vers Barjols pdt 3 km et 2e chemin à gauche.

€€€ 🏠 🍽 🏠 *Chambres d'hôtes Château de Nestuby (Nathalie et Jean-François Roubaud) :* ☎ 04-94-04-60-02. 📱 06-86-16-27-93. Fax : 04-94-04-79-22. ● nestuby@wanadoo.fr ● nestuby-provence.com ● Ouv de mars à mi-déc. 📶 Grande bastide au milieu de

45 ha de vignes que Nathalie et Jean-François exploitent en produisant du côtes-de-provence AOC, en rouge, rosé et blanc. Dans une aile indépendante de la maison, 4 chambres plus une suite familiale, indépendante, avec salon, télé. Sanitaires privés. De 85 à 90 € pour 2, petit déj compris. Table d'hôtes (pas systématiquement partagée avec les propriétaires) à 27 €, apéro et vin du domaine compris. Belle piscine, et espace de remise en forme avec jacuzzi et sauna (payant) avec possibilité de massages sur demande.

Accès : de Brignoles, prenez la D 554 vers Le Val, puis la D 22 vers Montfort ; le domaine se situe au bout d'un petit chemin sur la gauche, 5 km après Montfort et 4 km avt Cotignac.

COURMES 06620

Carte régionale B2

36 km NO de Nice ; 22 km O de Vence

€€ 🏠 |●| 🛏 **Chambres d'hôtes La Cascade (Éric Demeester et Bruno Rouganne) :** 635, chemin de la Cascade. ☎ 04-93-09-65-85. 📱 06-14-16-15-65. ● bruno.rouganne@gmail.com ● cascade06.fr ● Fermé 15 déc-1er fév. Idéalement située au-dessus des gorges du Loup, cette belle adresse permet d'alterner farniente et tourisme vers les sites de la région. Cinq chambres aménagées dans une ancienne bergerie. Selon la chambre et la saison, de 65 à 70 € pour 2, petit déj compris. Côté détente, difficile de faire mieux : 5 ha de terrain, une piscine, un terrain de pétanque, un étang... Le soir, ambiance festive et conviviale autour de la table d'hôtes avec Éric et Bruno. Goûteux repas (sauf le mercredi soir) à 25 €, apéro et vin compris (20 € pour ceux qui ont soif es sobres). Une adresse conciliant charme et simplicité, à prix tout doux. Et en plus, 1 € par nuit et par personne est reversé à une association caritative protégeant les droits de l'enfance. Sympa !

Accès : de Vence, direction Tourettes ; avt d'arriver au pont du Loup, direction « Gorges du Loup » et à Bramafan, suivez le fléchage.

CRUIS 04230

Carte régionale A1-2

25 km SO de Sisteron ; 23 km N de Forcalquier

€€ 🏠 |●| **Chambres d'hôtes Le Mas de Foulara (Odile et Richard Hartz) :** ☎ 04-92-77-07-96. 📱 06-01-73-47-34. ● foulara@free.fr ● foulara.free.fr ● Ouv début avr-début nov. Posé au milieu de 29 ha de pâturages et de cultures, superbe mas du XVIIe s, doté d'une élégante cour intérieure. Devant, un vieux bassin servait de retenue d'eau et de lavoir. Dans une aile indépendante, 5 chambres installées aux 1er et 2e étages. Sanitaires privés. Elles sont coquettes, campagnardes, avec de belles tomettes anciennes, et sentent bon la cire. 65 € pour 2, petit déj compris. Table d'hôtes à 25 €, vin de pays compris. Accueil souriant et discret. Une adresse qui fait des émules ! Une petite visite à l'église de Cruis s'impose... elle date du XIIe s et renferme un très beau retable classé !

Accès : de Sisteron, prenez la N 85 en direction de Digne, puis la D 951 vers Peipin-Saint-Étienne-les-Orgues jusqu'à Cruis ; à Cruis, tournez à gauche sur la route de Montlaux ; à 1 km, chemin carrossable et fléché.

€€ 🏠 |●| ⑩% **Chambres d'hôtes Vitaverde (Béatrice et Peter Gruber) :** Le Claus. ☎ 04-92-77-00-89. 📱 06-95-82-64-73. ● p.l.gruber@wanadoo.fr ● vitaverde-provence.com ● Fermé à la Toussaint et à Noël. 📶 À l'écart du petit village de Cruis, grande bastide plantée dans un grand parc, tenue par un couple franco-allemand. Au 1er étage, 4 chambres agréables avec sanitaires privés. Beaux enduits colorés et frises au pochoir. Selon la chambre, de 60 à 68 € pour 2, petit déj compris. Table d'hôtes à 26 €, vin compris. Cuisine traditionnelle concoctée par Peter à partir de produits locaux et des légumes du jardin. Grand bassin avec fontaine pour se rafraîchir. Pour les amateurs, deux postes d'observation pour scruter les étoiles. Pour les adeptes de la rando, cartes et topoguides à disposition et plein de conseils pour partir à la découverte de la montagne de Lure. Pour les séjours, 6 gîtes ruraux de 2 à 5 personnes, loués de 260 à 500 € la semaine selon le gîte et la saison. Accueil agréable.

Accès : traversez le village de Cruis (venant de Mallefougasse), l'accès à la maison est 100 m après à droite (fléchage).

ENSUÈS-LA-REDONNE 13820

Carte régionale A2

16 km O de Marseille ; 11 km S de Marignane

€€€ 🏠 🛏 **Gîtes ruraux Guitare et la Mer (Patricia et Bruno Marserou) :** 7, chemin de la Madrague. ☎ 04-42-45-96-50.

▯ 07-81-15-91-00. ● patricia.ottenheimer@ wanadoo.fr ● lesgitesdelamadrague.free. fr ● ☎ C'est dans un ancien hôtel (dont ils ont gardé le nom mélodieux), niché dans une petite calanque (miraculée de la période béton), que Patricia et Bruno ont ouvert 5 petits gîtes ruraux, loués à la semaine de 290 à 820 € selon la saison, ou à la nuit hors saison (de 70 à 85 € selon le gîte). Si vous le souhaitez, Bruno vous fera découvrir sa calanque et notamment les anciens chemins douaniers, qui mènent jusqu'à l'entrée de Marseille. C'est aussi un endroit idéal pour les amateurs de plongée et les pêcheurs d'oursins.

Accès : sur la D 9 entre Marignane et Cap-Couronne, prenez la D 5 jusqu'à Ensuès ; à la sortie du bourg, tournez à droite vers les calanques et la mer (la Madrague de Gignac est indiquée sur la droite) et descendez jusqu'en bas.

ENTREVAUX   04320

Carte régionale B2

42 km NE de Castellane ;
8 km E de Puget-Théniers

€€ ⌂ ⋈ **Chambres d'hôtes La Maison de Julie (Carole Bolgari) :** pl. Sainte-Marguerite, Le Plan. ☎ 04-92-02-46-42. ▯ 06-67-57-98-10. ● contact@maison-julie.com ● maisonjulie.com ● Ouv avr-oct. ☎ Dans la Maison de Julie, vous êtes reçus par... Carole et son sourire réservé. Ici, 2 vastes chambres sobres et coquettes. L'une dotée d'une véranda, l'autre d'une mezzanine pour les bambins, et les deux avec de mignonnes salles de bains. 60 € pour 2, petit déj compris. Il se prend sur la terrasse et l'on peut utiliser une cuisine. Pour compléter le panégyrique, une vue panoramique sur la vallée du Var.

Accès : prenez la N 202 vers Annot sur 1,5 km, puis à gauche la D 560 sur 2 km ; fléché ensuite.

ÉOURRES   05300

Carte régionale A1

36 km O de Sisteron ;
25 km SO de Laragne

€€ ⌂ |●| ⋈ ⟨10%⟩ **Chambres d'hôtes et gîte d'étape des Damias (Caroline et Rob Yaffee) :** hameau des Damias. ☎ et fax : 04-92-65-20-50. ● lesdamias@ lesdamias.com ● lesdamias.com ● Ouv 15 mars-15 nov. Voici une adresse que les amoureux de nature (dans tous les

sens du terme) ne manqueront pas. Dans une jolie vallée parcourue par un torrent et encadrée par de petites montagnes recouvertes de garrigue, un petit hameau complètement isolé. Eh oui, on s'approche de la Provence... Ici, on vient partager une tranche de vie, au rythme de la ferme. Rob, Américain d'origine, est principalement branché cultures bio (potimarrons, brocolis...), mais il élève aussi des moutons. Anciens membres d'une communauté qui avait élu domicile dans le coin, Caroline et Rob en ont gardé le sens du partage et proposent des formules pour toutes les bourses. D'abord 3 chambres d'hôtes, à 66 € pour 2, petit déj compris. Ensuite, pour les groupes, un petit gîte de 14 places en 2 dortoirs de 6 et 8 lits pour 16 € par personne et par nuit, et des petites chambres pour 2 à 20 € la nuitée par personne ; 5 € en plus si vous n'avez pas vos draps. Enfin, un studio de 2 à 4 personnes et un appartement pour 4 à 6 personnes qui se louent à la semaine. Repas à 18 €, préparé avec les produits de la ferme. Caroline organise aussi, tout l'été, des camps pour enfants, en tipis et yourtes. Les activités sont nombreuses, notamment les randos pédestres et équestres, de l'escalade, et vous pourrez aussi piquer une tête dans la réserve d'eau de l'exploitation (chut !). Une adresse pour trouver nature, convivialité, chaleur et authenticité.

Accès : de Laragne, prenez la D 942 vers Barret-sur-Méouge qui se prolonge par la D 542 vers Séderon ; après Salérans, prenez, à gauche, la D 24 vers Éourres et suivez le fléchage (sur 4 km).

EYGALIÈRES   13810

Carte régionale A2

25 km SE d'Avignon ;
12 km E de Saint-Rémy-de-Provence

€€ ⌂ **Chambres d'hôtes (Danielle et Maurice Pernix) :** quartier du Contras. ☎ 04-90-95-04-89. ▯ 06-19-01-28-77. ● pernix.maurice@orange.fr ● chambre-hote-eygalieres.fr ● Ouv Pâques-fin sept. ☎ Danielle et Maurice étaient agriculteurs et produisaient des fruits et légumes. Leur maison a été construite par le grand-père de Maurice en 1928. Cinq chambres toutes simples, avec sanitaires privés : 3 au 1er étage et 2 au rez-de-chaussée, situées dans une partie indépendante (plus chères). De 60 à 65 € pour 2, petit déj compris (toujours avec gâteau maison), servi aux beaux jours à l'ombre du vieux mûrier de Chine. Pas de table d'hôtes, mais plein de petits restos dans le coin. Accueil authentique et chaleureux, qui sent bon l'accent du Midi.

Accès : du village, direction Mollèges sur 3,5 km et suivez le fléchage à droite.

EYGUIÈRES 13430

Carte régionale A2

15 km O de Mallemort ; 8 km NO de Salon-de-Provence

€€€€ 🏠 🍴 **Chambres d'hôtes La Demeure (Isabelle et Philippe Piferrer) :** 2, rue du Fossé-Meyrol. ☎ 04-90-57-85-05. 📱 06-68-18-02-11. ● lademeurezz@wanadoo.fr ● 🌐 lademeuredesalpilles.free.fr ● 📶 Pour la petite histoire, c'est Georges Moustaki qui a réuni ces deux maisons de village et cette bergerie pour en faire un magnifique ensemble avec grand jardin intérieur où vous découvrirez une agréable piscine. La déco intérieure qu'ont réalisée Isabelle et Philippe est superbe. Trois chambres élégantes, vastes et d'un joli volume. Poutres, vieilles tomettes, coin salon, TV et spacieux sanitaires privés pour toutes, cheminée et terrasse privée pour la suite. Une possède une petite chambre complémentaire à l'étage. Comptez 110 € pour 2 et 140 € pour la suite, petit déj compris, servi dans une grande salle à manger avec cuisine ouverte. Au programme : jus de fruits frais, confitures maison, corbeille de fruits... Accueil convivial. Une adresse de charme.

Accès : allez jusqu'à la mairie du village, prenez le petit chemin qui se trouve juste en face et c'est le 2e portail à gauche.

€€ 🏠 **Chambres d'hôtes Le Mas de la Grande Roubine (Sylvie et Bruno Paillet) :** av. René-Cassin. ☎ 04-90-59-83-85. 📱 06-50-71-99-22. ● sylvie13430@hotmail.fr ● masdelagranderoubine.com ● 📶 Bon, la demeure est dans un environnement de zone commerciale... Mais quand on passe le portail, la rangée d'arbres qui dissimule partiellement ce vieux mas de la fin du XIXe s, qu'on rencontre Sylvie, on craque... et les habitués sont nombreux ! Deux chambres coquettes avec accès direct sur le jardin et petit coin terrasse sympa où Sylvie vous servira le petit déj aux beaux jours (les mauvais, ça se passe dans sa sympathique cuisine). Sanitaires privés. 69 € pour 2, petit déj compris. Pas de table d'hôtes mais cuisine d'été à disposition (et pour les courses, c'est en face... comme quoi, des fois, ça peut servir !). Accueil vraiment chaleureux. Très bon rapport qualité-prix-convivvialité.

Accès : la maison est juste en face de l'Intermarché d'Eyguières.

ÈZE 06360

Carte régionale B2

12 km E de Nice ; 10 km O de Monaco

€€€€€ 🏠 **Chambres d'hôtes La Bastide aux Camélias (Fred et Sylviane Mathieu) :** 23C, route de l'Adret. ☎ et fax : 04-93-41-13-68. 📱 06-22-33-15-45. ● bastidecamelias@gmail.com ● bastideauxcamelias.com ● Fermé de mi-nov à fin janv. 📶 Après avoir quitté la restauration, Fred a décidé d'ouvrir des chambres d'hôtes et d'offrir à ses clients des prestations dignes des plus grands hôtels de la région (et, entre Nice et Menton, ça ne manque pas !). Quatre chambres spacieuses et élégantes, avec luxueux sanitaires privés. Déco soignée où chaque détail a été réfléchi. On a particulièrement aimé « Carambole », ainsi que « Yucca », à l'atmosphère chinoise. Selon la chambre et la saison, entre 120 et 160 € pour 2, avec le petit déj, servi dans une agréable véranda. Pour vous détendre, une belle piscine, jacuzzi, sauna et hammam (un must !). Pour les visites et bons restos, Sylviane vous donnera tous les tuyaux utiles (elle a été directrice de l'office de tourisme d'Èze... ça aide !). Accueil de qualité. Une adresse de prestige, comme on en voit peu.

Accès : du village, prenez la route du col d'Èze ; au stop qui croise la D 2564 (route de la Grande-Corniche), la route de l'Adret est juste en face ; faites 20 m et prenez le 1er chemin à gauche.

FAUCON-DE-BARCELONNETTE 04400

Carte régionale B1

3 km E de Barcelonnette

€€ 🏠 🍴 **Chambres d'hôtes (Annie Sackreuter) :** Les Iscles. 📱 07-62-40-31-22. Ouv 1er avr-30 sept. 📶 À l'orée d'une forêt, agréable maison entourée d'un joli parc bien fleuri. Deux coquettes chambres au 1er étage, avec sanitaires privés (dans le couloir), à 55 € pour 2, petit déj inclus, servi dans une agréable cuisine blanc et rouge. Pas de table d'hôtes, mais plusieurs restos à Barcelonnette. Accueil agréable.

Accès : de Barcelonnette, empruntez la D 900 vers Jausiers, puis la D 709 vers Faucon ; à l'église du village, prenez la direction du couvent sur 1 km, c'est la 1re maison à gauche, après le pont en bois.

PROVENCE-ALPES-CÔTE D'AZUR

FAYENCE　　　　83440

Carte régionale B2

25 km O de Grasse ;
25 km E de Draguignan

€€€ 🏠 |●| ✕ **Chambres d'hôtes L'Alba-**
tros (Nathalie et Jacques Virolle) : *1434,*
ancienne route de Draguignan. ☎ 04-94-
47-65-58. 📱 06-81-54-69-54. ● *jv.lalba*
tros@wanadoo.fr ● *lalbatros83.com* ● En
pleine nature, grande et jolie maison en
bois style chalet. Trois chambres chaleureuses avec clim et sanitaires privés, dont
une familiale pour 4 personnes. Selon la
saison, comptez de 55 à 80 € pour 2, petit
déj compris (pain, confitures et crêpes
maison), et de 89 à 119 € pour 4. Table
d'hôtes partagée en famille à 33 €, apéro,
vin et café compris. Cuisine provençale.
Également une yourte mongole de 5 places tout confort, qui se loue en formule
gîte ou chambre d'hôtes. Cuisine d'été à
disposition. Question loisirs, Nathalie et
Jacques ont pensé à tout : grande piscine
avec nage à contre-courant, jacuzzi, trampoline, billard, jeux de fléchettes, prêt de
vélos... Accueil chaleureux.

Accès : la maison se trouve sur la D 562
entre Draguignan et Fayence, 2 km après le
carrefour qui mène à Fayence (D 563), sur
la droite.

FONTAN　　　　06540

Carte régionale B1-2

30 km N de Sospel ; 12 km S de Tende

€€ 🏠 |●| 🔟% **Chambres d'hôtes**
Le Berghon (Jean-Michel Diesnis) :
hameau de Berghe Inférieur. ☎ 04-93-04-
54-65. 📱 06-70-48-46-91. ● *jeanmichel.*
diesnis@gmail.com ● *leberghon.com* ●
Ouv mai-oct. 📶 Belle demeure en pierre
du pays et au toit de lauze au cœur d'un
joli petit village perché. Trois chambres
coquettes et colorées. Sanitaires privés.
62 € pour 2, petit déj compris. Table
d'hôtes à 22 €, vin compris. Randonneur,
protecteur de la nature et comédien,
Jean-Michel souhaite faire de sa maison
un endroit de partage et de bien-être.
Également un gîte de 12 personnes pour
ceux qui veulent séjourner. Une adresse
authentique, nature et pleine de charme.
Accueil chaleureux.

Accès : à 1 km au nord de Fontan, prenez
à gauche, petite route sinueuse jusqu'à
Berghe-inférieur (env 4 km).

FORCALQUIER　　　04300

Carte régionale A2

20 km N de Manosque

€€ 🏠 |●| 🔟% **Chambres d'hôtes La**
Bergerie de Beaudine (Virginie Bon-
nabel) : *route de Limans.* ☎ 04-92-75-
01-52. 📱 06-80-28-15-92. ● *labeau*
dine@gmail.com ● *gite-labeaudine.*
com ● 📶 Magnifique bastide traditionnelle avec son balcon-terrasse abrité et
supporté par de jolies colonnes. Vous y
serez accueilli par Virginie, sans oublier
les deux sympathiques petites chiennes
et la chatte. Cinq chambres charmantes
et champêtres, dont 3 au rez-de-
chaussée avec accès indépendant, les
autres à l'étage. Toutes répondent à des
noms de variétés d'olives et on a craqué
pour « Colombale ». Sanitaires privés.
70 € pour 2, petit déj compris, et 22 € par
personne supplémentaire. Grand parc
pour se prélasser avec piscine couverte.
Cuisine d'été à disposition. Virginie propose aussi des séances de remise en
forme avec sauna et massages effectués
par une pro. Accueil charmant teinté par
l'accent de la maîtresse de maison. Un
point de chute idéal pour plonger au cœur
de la Provence... Bref, une adresse qu'on
aime.

Accès : de Forcalquier, D 950 vers Banon
pdt 1 km et fléchage à droite.

FRÉJUS　　　　83600

Carte régionale B2

42 km SO de Cannes ;
8 km E de Saint-Raphaël

€€ 🏠 **Chambres d'hôtes Les Vergers**
de Montourey (Famille Artaud) : *996,*
av. Jean-Lachenaud. ☎ 04-94-40-85-
76. 📱 06-23-21-06-85. ● *gaelleartaud@*
sfr.fr ● *perso.wanadoo.fr/vergers.mon*
tourey ●*Ouv fév-Toussaint.* 📶 On quitte
l'autoroute et, à 800 m, on se retrouve
dans la nature entre vergers et forêt
(attention, l'accès jusqu'à la maison n'est
pas génial...). Dans l'ancienne bergerie
tout en pierre, située à côté de l'habitation des proprios, 6 chambres pimpantes,
avec sanitaires privés et TV, qui répondent aux noms des fruits que la famille
produit. On aime bien « Prune » pour son
côté plus rustique. 68 € pour 2, petit déj
compris (plein de sortes de confitures et
gâteau maison), servi sur la terrasse en
été. Ici, c'est l'accueil en famille, mais

plus particulièrement de Gaëlle. Accueil convivial.

Accès : *A 8 sortie n° 38 Fréjus-Centre ; au 1er rond-point, prenez à droite en direction de Caïs, puis, à 10 m, tournez à gauche au (petit) panneau vert « Les Vergers de Montourey », et faites 500 m jusqu'au portail noir.*

GÉMENOS 13420

Carte régionale A2

*20 km E de Marseille ;
15 km N de Cassis*

€€€€ 🏠 (10 %) *Chambres d'hôtes Le Mas de Bertagne (Nelly Garnier) :* chemin de Coupier. 📠 06-18-05-73-98. ● lemasdebertagne@aol.com ● masdebertagne.com ● 📶 Au bout d'un petit chemin, joli mas de construction récente dans un agréable parc avec piscine. Trois chambres d'hôtes spacieuses de plain-pied avec accès direct sur le jardin et petit espace privatif. On aime bien « Calanque », dans un petit bâtiment indépendant, avec lit à baldaquin. Selon la saison, de 85 à 95 € pour 2, petit déj compris (pain, yaourts, gâteau et confitures maison). Également un petit gîte pour 2 personnes avec coin cuisine, qui se loue à la semaine, mais aussi à la nuitée selon la saison. Pas de table d'hôtes mais plusieurs restos dans le village, dont un gastro. Accueil convivial. *NOUVEAUTÉ.*

Accès : *d'Aix-en-Provence, A 52 sortie n° 34 direction Gémenos ; passez un rond-point, prenez direction centre-ville, et au 2e, tournez à droite vers Aubagne ; 200 m après, tournez à gauche rue de la République puis à 200 m prenez à droite le chemin de Coupier et faites 500 m.*

GINASSERVIS 83560

Carte régionale A2

*25 km S de Manosque ;
30 km N de Saint-Maximin*

€€ 🏠 (10 %) *Chambres d'hôtes La Garonne (Sibylle de Maisonseul et Joël Nicolas) :* chemin de la Roque. 📠 04-94-80-14-00. 📶 07-89-03-55-71. ● s.demaisonseul@wanadoo.fr ● gite-la-garonne.fr ● 📶 En pleine campagne, ancienne bergerie peuplée de souvenirs de voyages car Sybille et Joël sont des routards de longue date. Deux chambres chaleureuses et spacieuses au rez-de-chaussée et au 1er étage de la maison. Sanitaires privés. 70 € pour 2, petit déj compris. Pas de table d'hôtes mais deux restos sympas dans le

village. Joli parc paysager avec plein de petits coins pour se détendre. Un gîte de 4 personnes pour ceux qui veulent séjourner. Accueil convivial. Une adresse pour retrouver calme et tranquillité.

Accès : *dans Ginasservis, prenez la D 36 vers Saint-Paul-les-Durance pdt 2,5 km puis petite route à gauche pdt 800 m, la maison est sur la gauche.*

GRANS 13450

Carte régionale A2

6 km S de Salon-de-Provence

€€€ 🏠 *Chambres d'hôtes Domaine du Bois Vert (Véronique et Jean-Pierre Richard) :* 474, chemin de la Transhumance. 📠 04-90-55-82-98. 📶 06-81-99-06-14. ● leboisvert@hotmail.com ● domaineduboisvert.com ● Ouv fin mars-fin oct. 📶 Amoureux des demeures anciennes, Véronique et Jean-Pierre ont fait construire cette maison en 1984 en essayant de lui donner un cachet rustique et régional (opération réussie !). Trois chambres d'hôtes de plain-pied, dont 2 avec portes-fenêtres qui ouvrent directement sur le jardin. Une préférence pour la chambre « Frédéric Mistral » à l'atmosphère rustico-provençale. Selon la chambre, de 83 à 90 € pour 2, petit déj compris. Pas de table d'hôtes, mais un bon p'tit resto dans le village. Grande piscine pour se rafraîchir. Accueil très chaleureux.

Accès : *de Salon-de-Provence, empruntez la N 113 en direction de Marseille ; au rond-point de Lançon, prenez la D 19 vers Grans ; 1 km avt le village, tournez à droite après l'abri bus et suivez le fléchage.*

€€€ 🏠 (10 %) *Chambres d'hôtes Mon Moulin (Marie-Jehanne et Alain Martini) :* 12, rue des Moulins. 📠 et fax : 04-90-55-86-46. ● monmoulin@aol.com ● mon-moulin-en-provence.net ● Ouv mai-sept. 📶 Ancien moulin à huile, installé au milieu du village, dont il ne reste que très peu de traces aujourd'hui. Après avoir laissé sa voiture dans une petite cour, on entre dans une immense pièce (180 m²... ma parole !) avec huit arches, cuisine à l'américaine, salon, salle à manger et une insolite cheminée installée sur une ancienne meule. Par un bel escalier en bois, on accède aux 3 chambres. Déco agréable, sanitaires privés. Comptez 75 € pour 2, petit déj compris. Au même niveau que les chambres, il y a une curieuse piscine, installée sur une petite terrasse extérieure, mais ceinte. Ne comptez pas faire des longueurs, mais c'est agréable pour se rafraîchir. Pas de table d'hôtes, mais plusieurs restos dans le village. Accueil agréable.

Accès : de Salon-de-Provence, empruntez la D 69 en direction de Miramas, puis la D 19 jusqu'à Grans ; à la poste du village, prenez la petite rue qui la longe sur le côté, au bout tournez à gauche, la maison est dans la petite rue qui grimpe.

JAUSIERS   04850

Carte régionale B1

*7 km NE de Barcelonnette ;
5 km S de la Condamine-Châtelard*

€€€ 🏠 I●I *Chambres d'hôtes La Bousquetière :* 12-14, route des Sanières, Le Forest-Haut. ☎ 04-92-31-53-94. 📱 06-43-72-09-60. ● marielle-magne@gmail.com ● labousquetiere. com ● 🛜 Après un jovial bonjour des proprios et une fois passé une salle à manger ouverte sur la cuisine, concept moderne dans un décor à l'ancienne, on fait son choix entre des chambres grandes (y compris la « petite »), vraiment confortables, équipées, meublées et décorées avec goût, avec ciels de lit à la clef. Selon la saison et la taille de la chambre, de 80 à 115 € pour 2, petit déj compris. Table d'hôtes à 28 €. Pour y ajouter un moment de zénitude, espace sauna et jacuzzi très agréablement aménagé dans une pièce voûtée avec son salon de détente, ses bougies, et tout et tout... Et si vous désirez planter le camp une semaine, vous pouvez jouir d'un gîte dans la même veine. Un lieu qui a une âme !

Accès : à la sortie de Jausiers (direction Barcelonnette), tournez à droite à la pompe à essence (montée de la Grasse) ; c'est fléché sur 1,5 km.

JOUQUES   13490

Carte régionale A2

*27 km NE d'Aix-en-Provence ;
12 km SE de Pertuis*

€€€ 🏠 *Chambres d'hôtes La Roseraie (Francine Kratz) :* 34, bd de la République. ☎ 04-42-63-37-25. 📱 06-28-75-93-69. ● catcinette@orange.fr ● chambres-dhotes-provence-jouques. com ● 🛜 Maison au cœur du vieux village qui dissimule un beau jardin avec piscine. Au 1er étage, 3 chambres agréables avec sanitaires privés (sur le palier pour l'une d'elles). Préférez les deux qui ouvrent sur

le jardin, plus au calme en saison. 75 € pour 2, petit déj compris. Accueil agréable. Également un gîte rural, pour ceux qui veulent séjourner.

Accès : dans la rue principale du village.

€€€ 🏠 I●I 10% *Chambres d'hôtes Le Catalan (Magalie et Philippe Mary) :* ☎ et fax : 04-42-67-69-43. 📱 06-14-13-20-05. ● philippe.mary@libertysurf.fr ● le-catalan.com ● 🛜 Perdu au milieu de 38 ha de bois et de cultures, superbe mas orné d'un blason, dont les origines remontent au XVIIe s. Cinq chambres avec de beaux volumes, charpente apparente et à l'atmosphère provençale (jolies peintures frottées à la chaux et teintées aux ocres du Luberon). Une préférence pour la « Chambre de Pierre ». Croquignolets sanitaires privés. 85 € pour 2, petit déj compris. Table d'hôte occasionnelle (quand les travaux de la ferme le permettent) à 25 €, apéro, côteaux-d'aix-en-provence et café compris. Philippe produit des céréales et fait partie de la coopérative de plantes aromatiques : thym, romarin, sarriette. Belle piscine au milieu de la campagne. Si vous êtes amateur de VTT, vous pourrez rejoindre la Sainte-Victoire en n'empruntant que des chemins de traverse (une seule route à franchir). Accueil jeune et très chaleureux. Bref, un de nos coups de cœur... D'ailleurs plus nature que ça, tu meurs !

Accès : sur la N 96 entre Aix-en-Provence et Manosque ; à Peyrolles, prenez la D 561 vers Jouques ; 1 km avt le village (après le panneau d'entrée dans Jouques) tournez à droite et faites 2 km sur un chemin empierré.

€€€ 🏠 I●I *Chambres d'hôtes Le Vieux Moulin (Rita et Jacques Doller) :* chemin de l'Ancienne-Forge. ☎ 04-42-92-67-83. 📱 06-24-32-60-68. ● jacques.doller@free.fr ● notrevieuxmoulin.com ● 🛜 Vieux moulin à huile du début du XIXe s. Rita et Jacques ont préservé son histoire et vous découvrirez la grosse meule en pierre ainsi que le pressoir en pénétrant dans la maison. Quatre chambres agréables installées au 1er étage, avec clim et sanitaires privés. On aime bien « Sainte-Victoire » et « Luberon ». 85 € pour 2, petit déj compris. À 48 ans, juste pour le plaisir, Jacques avait passé un CAP de cuisinier. Aujourd'hui, il met ses connaissances en pratique (on attend vos commentaires !). Table d'hôtes à 33 €, apéro, vin et café compris. Elle est partagée autour d'une grande table de monastère et élaborée avec des produits locaux. Dehors, on entend la cascade qui couvre le bruit de la circulation (en haute saison) du village tout proche. Accueil convivial.

Accès : venant d'Aix par la D 561, après le pont à l'entrée du village, tournez à droite à la fontaine, et de nouveau à droite, la maison est en contrebas.

LA CADIÈRE-D'AZUR 83740

Carte régionale A2

21 km NO de Toulon ; 6 km N de Bandol

€€€ 🏠 🍴 **Chambres d'hôtes La Cypriado (Marie-Odile et Jean-Claude Maurin) :** 605, chemin de Fontanieu. ☎ 04-94-98-64-32. 📱 06-09-06-10-32. ● la.cypriado@infonie.fr ● lacy-priado.com ● 📶 Ne manquez pas cette ancienne ferme du XIXᵉ s, idéalement située au milieu des vignes, des pins, des oliviers et des amandiers, dans un vrai décor préservé. Deux chambres à l'atmosphère provençale, joliment aménagées, dont une sous forme de suite composée de 2 chambres. Sanitaires privés. 90 € pour 2, petit déj compris, et 160 € pour 4. Votre compagnon à quatre pattes sera accueilli moyennant supplément. Accueil convivial. Pour se rafraîchir, une jolie piscine. Une adresse pour se ressourcer.

Accès : A 50 sortie nᵒ 11 La Cadière-d'Azur ; à 500 m, prenez la route à gauche (chemin de l'Argile) sur 1,4 km puis, en face, chemin de Fontanieu ; la maison est à 650 m à gauche, en contrebas, dans les vignes (à 3 km du village).

LA COLLE-SUR-LOUP 06480

Carte régionale B2

18 km O de NICE ; 8 km S de Vence

€€€ 🏠 (10%) **Chambres d'hôtes Bastide Saint-Donat (Yvonne et Alphonse Rosso) :** 1179, route du Pont-de-Pierre. ☎ 04-93-32-93-41. 📱 06-10-32-77-42. ● infos@bastide-saint-donat.com ● bastide-saint-donat.com ● 📶 Dans un petit vallon où coule le Loup, ancienne bergerie du XIXᵉ s. Cinq chambres décorées avec goût. Sanitaires privés. Selon la chambre, de 65 à 95 € pour 2, petit déj compris, et 15 € par personne supplémentaire. Accueil teinté de gentillesse.

Accès : à 2 km du village, en direction du Rouret.

LA DESTROUSSE 13120

Carte régionale A2

22 km NE de Marseille ; 10 km N d'Aubagne

€€€ 🏠 (10%) **Chambres d'hôtes Le Mas des Aludes (Marie-Jo et Jean-Luc Alexandre) :** 1320, carreirade de Pierresca. ☎ 04-42-72-23-36. 📱 06-80-90-16-90. ● lemasdesaludes@gmail.com ● lemasdesaludes.fr ● 📶 En pleine nature, sur les hauteurs du village, à côté des collines de Pagnol, ancien mas du milieu du XIXᵉ s. Deux chambres d'hôtes confortables dans une aile indépendante de la maison. Sanitaires privés. Selon la saison, de 78 à 85 € pour 2, copieux petit déj compris (fromage, charcuterie, confitures et gâteau maison). Grande piscine pour vous détendre que l'on partage avec les 3 gîtes qui sont installés dans un bâtiment indépendant. Pas de table d'hôtes mais plusieurs restos dans un rayon de 6 km. Accueil chaleureux. *NOUVEAUTÉ.*

Accès : en face de la pharmacie, prenez la petite route qui passe devant l'église que vous ne quittez plus pdt 1320 m (bon fléchage).

LACOSTE 84480

Carte régionale A2

42 km SE d'Avignon ; 21 km E de Cavaillon

€€€€ 🏠 🍴 **Chambres d'hôtes Domaine de Layaude Basse (Lydia et Olivier Mazel) :** chemin de Saint-Jean. ☎ 04-90-75-90-06. 📱 06-42-21-35-73. ● domaine layaude@wanadoo.fr ● domainedelayaude. fr ● Ouv mars-nov. 📶 Layaude Basse est un domaine qui jouit d'une vue imprenable sur le Ventoux. Cinq chambres lumineuses et colorées, avec sanitaires privés. Selon la période, de 93 à 131 € pour 2, petit déj compris. Agréable piscine, avec bain romain.

Accès : d'Avignon, empruntez la D 900 en direction d'Apt ; au niveau de Lumières, prenez la D 106 vers Lacoste ; 1 km avt le village, prenez la D 108 vers Roussillon ; l'accès au domaine est à 200 m à gauche (bon fléchage).

LAFARE 84190

Carte régionale A1

32 km NE d'Avignon ; 13 km N de Carpentras

€ 🏠 (10%) **Gîte d'étape (André Charmetant) :** pl. de la Fontaine. ☎ 04-90-82-

20-72. 🖩 06-65-51-70-89. ● andre@char
metant.org ● gitelafare.free.fr ● André est
guide de haute montagne sa passion,
c'est l'escalade. Si vous voulez toucher
de près les Dentelles de Montmirail, il faut
descendre ici. Il propose des stages d'une
semaine d'avril à octobre (26 stages en
tout). Mais parlons Dentelles : on peut les
escalader suivant les saisons, par les faces
nord ou sud (elles débutent à 1 km du gîte).
Pas moins de 400 voies différentes, toutes
équipées, dont la moitié accessibles à des
débutants (accompagnés bien sûr !). Le
programme est complété par des stages
dans les gorges du Verdon, de la Jonte,
les calanques de Cassis et le rocher Saint-
Julien (maxi 4 personnes). Prix du stage :
380 € par personne pour la semaine. On
peut aussi réserver pour une ou deux
journées : André demande 280 € par jour,
à diviser par le nombre de participants
(maxi 8). Les simples randonneurs et
autres routards égarés peuvent aussi venir
dormir dans le gîte d'étape composé d'une
chambre double et de 3 dortoirs (de 4 lits
superposés) et de 3 blocs sanitaires. 16 €
par personne et par nuit en dortoir et 40 €
pour la chambre. Pas de petit déj ni de
repas, mais cuisine à disposition. Accueil
chaleureux. Une adresse idéale pour une
escapade (pardon !... escalade) entre
copains.

Accès : d'Avignon, prenez la D 942 en direction de Carpentras, jusqu'au Monteux, puis
à gauche la D 31 vers Sarrians, et la D 21
vers Beaumes-de-Venise et Lafare ; la maison est sur la place du village.

LE BARROUX   84330

Carte régionale A1

45 km NE d'Avignon ;
15 km N de Carpentras

€€ 🏠 10% **Les Gîtes du Clairier (Marie-
Joëlle et Michel Canet) :** *925, chemin
de l'Acqueduc.* ☎ 04-90-65-10-84.
🖩 06-28-46-55-41. ● contact@clairier.
com ● clairier.com ● *Ouv de Pâques à
mi-oct.* 📶 À l'écart de ce superbe village
haut perché, dominé par son château aux
allures moyenâgeuses, c'est par une petite
route qui serpente à travers les vignes,
les vergers et les oliviers qu'on arrive
chez Marie-Joëlle et Michel, agriculteurs
à la retraite. Ici, c'est un peu la formule
à la carte et vous trouverez 3 chambres
d'hôtes coquettes et 3 mini-gîtes de 4 personnes pour ceux qui veulent séjourner.
Selon la taille des chambres et la saison,
de 60 à 65 € pour 2, petit déj compris, et
de 250 à 545 € la semaine selon la saison pour les gîtes. Grande piscine pour

se rafraîchir. Calme et sérénité absolues.
Il faut dire que l'exploitation s'étend
sur 20 ha autour de la maison... ça fait
de l'espace ! Accueil chaleureux. Une
adresse pour prendre le temps d'écouter
les cigales.

Accès : du Barroux, prenez la D 938 vers
Malaucène pdt 2 km puis prenez la petite
route à gauche pdt 1,5 km (fléchage).

LE BEAUSSET   83330

Carte régionale A2

12 km NO de Toulon

€€ 🏠 10% **Chambre d'hôtes La Gaillo-
tière (Andrée et Claude Maillet) :** *1376,
chemin Grenadière.* ☎ 04-94-25-23-23.
🖩 06-99-39-49-05. Dominant la route
nationale, mais au calme, ancienne maison de vigneron, construite par le grand-
père de Claude qui est né ici. Une chambre
toute simple, à l'étage, avec coin terrasse.
Déco sans prétention, sanitaires privés.
60 € pour 2, petit déj compris (jus de fruit
frais pressé, gâteau maison et viennoiserie), servi sous le platane aux beaux jours
(ici, ils sont nombreux !). Accueil authentique, chaleureux et vrai. Une caresse à
Snoopy, la gentille petite bouledogue française. Une adresse pour se faire dorloter
comme si on était chez les grands-parents.

Accès : du Beausset, N 8 vers Sainte-Anne-
d'Évenos pdt 3 km et prenez le 1er chemin
à droite après les pépinières « Villa Verde ».

LE BRUSQUET   04420

Carte régionale B1

8 km N de Digne

€€ 🏠 |●| **Chambres d'hôtes Au Jardin
de Flore (Françoise et Gérard Deroeck) :**
Le Plan. ☎ 04-92-36-31-04. 🖩 06-07-
09-03-19. ● info@aujardindeflore.net ●
aujardindeflore.net ● *Ouv mars-oct.* 📶 En
pleine nature, ancien cabanon qui s'est
agrandi au fil des années pour devenir
une agréable demeure. Au 1er étage,
2 coquettes chambres, dont une familiale pour 4 personnes. Sanitaires privés.
Selon la chambre, de 60 à 70 € pour 2 et
100 € pour 4, petit déj compris (originales
confitures et pain frais bio maison). Table
d'hôtes (le mercredi et le dimanche) partagée en famille à 30 €, apéro maison et
vin de pays compris. Cuisine à base de
légumes, de plantes sauvages et de fleurs
du jardin. Il faut dire que le jardin de Françoise vaut le détour. Passionnée par les
plantes, elle cultive plantes à manger mais

aussi les médicinales. Elle propose d'ailleurs des stages et des ateliers autour des plantes médicinales. Accueil chaleureux. Une adresse juste comme on les aime.

Accès : depuis la sortie de Digne, D 900 vers Seyne/Barcelonnette comptez 7 km et, au panneau de limitation à 70 km, prenez le 2e chemin à droite et faites 800 m sur un chemin gravillonné (l'accès à la maison est 2 km avt le village).

LE PUY-SAINTE-RÉPARADE   13610

Carte régionale A2

*12 km N d'Aix-en-Provence ;
7 km SO de Pertuis*

€€€ 🏠 ⑩% *Chambres d'hôtes Le Mas des Fontêtes (Christiane et Benoît Desforges) :* 166, chemin du Cros. ☎ 04-42-54-53-08. 📱 06-61-61-27-75. ● desforges. benoit@neuf.fr ● lemasdesfontetes. fr ● 🛜 Juste en dessous du canal, caché derrière un grand portail, joli mas vieux de deux siècles avec ses trois nobles platanes. Au 1er étage de la maison, 2 chambres spacieuses, décorées avec goût, avec sanitaires privés. Une préférence pour la chambre avec le bureau d'écolier mais l'autre bénéficie d'une petite terrasse. 80 € pour 2, petit déj compris. Il est servi dans la maison ou dans une agréable véranda qui ouvre sur la campagne et la piscine. Calme et tranquillité assurés. Pas de table d'hôtes mais une pizzeria toute proche. Accueil convivial. *NOUVEAUTÉ.*

Accès : venant d'Aix-en-Provence, A 51 sortie n° 12 ; passez le village de Saint-Canadet et après le pont, un peu avt l'entrée du Puy-Sainte-Réparade, prenez à gauche.

LE THORONET   83340

Carte régionale B2

*24 km SO de Draguignan ;
10 km N du Cannet-des-Maures*

€€€ 🏠 |●| *Chambres d'hôtes Bastide Saint-Bernard (Valérie et Georges Geoffroy) :* 370, chemin de La Gourgue-de-Blanc. ☎ 04-94-73-83-39. 📱 06-74-35-63-00. ● bastide.saint.bernard@wanadoo. fr ● bastide-saint-bernard.com ● Fermé 20 déc-5 janv. 🛜 À deux pas de l'abbaye du Thoronet (un des lieux les plus visités de la région), dans un petit hameau, grande maison récente, genre bastide, qui jouit d'un magnifique point de vue sur les environs. Juste en face, les anciennes

carrières de bauxite égayent le décor par leur couleur rouge qui change selon la luminosité. Cinq chambres de plain-pied, climatisées (c'est pas beau la vie ?), avec sanitaires privés. Déco sans fioritures, mais atmosphère agréable. 75 € pour 2, petit déj compris. Table d'hôtes (3 fois par semaine, en haute saison), partagée en famille, à 25 €, apéro, vin et café compris. Cuisine à tendance régionale avec les produits du marché. Belle piscine en contrebas de la maison. Varois depuis des générations, Valérie et Georges vous feront des itinéraires sur mesure pour découvrir le département. Accueil chaleureux.

Accès : A 8, sortie Le Cannet-des-Maures puis D 17 vers Le Thoronet ; 1 km avt le village, prenez la D 84 vers Vidauban sur 1,5 km et suivez le fléchage à droite (chemin empierré sur 500 m).

LE VAL   83143

Carte régionale B2

*40 km O de Draguignan ;
6 km N de Brignoles*

€€ 🏠 |●| ⑩% *Chambres d'hôtes Les Jeannets (Dominique Pouzin et Dominique Magliocca) :* 1542, route de Bras. ☎ 04-94-86-47-78. 📱 06-17-11-43-45. ● dominique.pouzin@orange. fr ● chambres-d-hotes-les-jeannets. com ● Fermé 20 déc-15 janv. 🛜 Grande demeure récente qui domine la route et l'oliveraie. Deux chambres spacieuses et lumineuses, dont une familiale composée de 2 chambres. Sanitaires privés. Selon la saison, de 65 à 75 € pour 2, petit déj compris, et 30 € par personne supplémentaire. Également un gîte-studio qui se loue à la nuitée ou à la semaine selon les saisons. Table d'hôtes partagée en famille, à 25 €, apéro et vin compris. Cuisine traditionnelle avec les légumes du jardin en saison. Grande piscine. Accueil convivial.

Accès : de l'autoroute A 8, sortie Brignoles/ Le Val, passez 3 ronds-points en tournant à gauche et vous êtes sur la route de Bras (D 28) et allez jusqu'au n° 1542.

LES MÉES   04190

Carte régionale B2

*30 km SO de Digne ;
22 km NO de Manosque*

€€ 🏠 |●| *Chambres d'hôtes Campagne Éole (Christiane Pélissier et Pierre Barbier) :* chemin des Petits-Champs, Les Pourcelles. ☎ 04-92-34-14-88. 📱 06-19-

36-94-87. ● info@campagne-eole.com ● campagne-eole.com ● Ouv mai-oct. En pleine campagne, ancienne bastide que Pierre et Christiane ont restaurée avec amour. Quatre chambres chaleureuses, dont 2 familiales pour 4 personnes. Une au rez-de-chaussée, les 3 autres à l'étage, mansardées, avec belle charpente apparente et vieilles tomettes. Atmosphère champêtre et sereine. Sanitaires privés. 69 € pour 2, petit déj compris, et 110 € pour 4. Table d'hôtes partagée en famille à 25 €, apéro et vin compris. Belle piscine pour vous détendre. Accueil convivial et décontracté.

Accès : des Mées, direction Oraison pdt 10 km puis à gauche vers Les Pourcelles ; à l'entrée du hameau, au niveau des 4 embranchements, prenez celui le plus à gauche et faites 1 km.

LES OMERGUES   04200

Carte régionale A1

35 km O de Sisteron

€€€ 🏠 **10%** *Chambres d'hôtes Le Moulin de la Viorme (Nanou et Claude Colonna-Boutterin) :* ☎ 04-92-62-01-65. 📱 06-60-20-32-39. ● moulindelaviorne@free.fr ● moulindelaviorne.com ● Ouv Pâques-Toussaint. 🛜 Dans un joli coin de campagne, superbe moulin templier du XVIIᵉ s, qui appartenait à une commanderie d'Avignon et dont la façade arbore un vieux cadran solaire. C'est aujourd'hui une maison d'artiste, car du côté de Claude, on est peintre de père en fils... Trois chambres charmantes, à l'atmosphère méditerranéenne, avec entrée indépendante. Élégantes, chacune possède une touche contemporaine amenée par les toiles de Claude. La plus grande (plus chère) a un petit coin salon. Sanitaires privés. Selon la chambre, de 75 à 85 € pour 2, copieux petit déj compris (confitures et yaourts maison, gâteau d'épeautre, fromage de chèvre bio...). Pas de table d'hôtes mais cuisine d'été à disposition. Belle piscine pour vous détendre. Accueil de qualité.

Accès : de Sisteron, prenez la D 946 vers Montbrun-les-Bains ; le moulin est 1 km à droite avt Les Omergues.

LES SAINTES-MARIES-DE-LA-MER   13460

Carte régionale A2

75 km SO d'Avignon ; 39 km SO d'Arles

€€€ 🏠 *Chambres d'hôtes Le Mazet du Maréchal-Ferrant (Babeth Serre) :* ☎ et

fax : 04-90-97-84-60. 📱 06-16-18-80-83. ● babethandre@aol.com ● chambrescamargue.com ● 🛜 Mazet typiquement camarguais de plain-pied où Babeth propose 3 chambres gentillettes et claires, avec sanitaires privés. Murs blancs, lits en bois coloré, mais surtout une déco réservée au cheval. Comptez 80 € pour 2, petit déj compris. Malgré le temps qui passe, il ne semble pas avoir d'empreinte sur Babeth, dont l'accueil reste toujours aussi dynamique, chaleureux et sans façon. Ne vous attendez pas à une maison où chaque chose aurait sa place. Ici, les objets s'entassent joyeusement un peu partout et contribuent à l'ambiance bon enfant. Son fils est un remarquable cavalier qui se produit en France et à l'étranger et elle aussi est passionnée par le cheval et connaît toutes les bonnes adresses pour monter. Pour ceux qui aiment la nature, ne manquez pas le parc ornithologique, il est vraiment intéressant.

Accès : sur la D 570, après être passé devant le parc ornithologique, prenez la petite route du bac (D 85), c'est à 900 m sur la droite.

L'ISLE-SUR-LA-SORGUE   84800

Carte régionale A2

18 km E d'Avignon

€€€ 🏠 *Chambres d'hôtes Le Pont des Aubes (Martine et Patrice Aubert) :* 189, route d'Apt. ☎ 04-90-38-13-75. 📱 06-28-79-73-94. ● lepontdesaubes@yahoo.fr ● lepontdesaubes.com ● 🛜 Jolie bâtisse posée dans un vaste jardin donnant sur la Sorgue. De plus, la maison est proche du centre mais à l'abri de la foule. Deux chambres à l'étage, dont un côté Sorgue, avec une déco à la bonne franquette sympathique. Selon la saison, de 80 à 95 € pour 2, petit déj inclus. On prend dans la belle grange restaurée avec pierres apparentes et baie vitrée en fer forgé. Également un gîte dans le jardin. Accueil chaleureux.

Accès : dans le village, prenez la D 901 vers Apt sur 1 km puis tournez à gauche juste après la boulangerie La Maison St-Julien.

LORGUES   83510

Carte régionale B2

15 km SE de Salernes ;
12 km SO de Draguignan

€€ 🏠 *Chambre d'hôtes Les Chardons Bleus (Éliane Peyrard) :* 571, chemin de

Pommeret. ☎ 04-94-73-22-60. 🖥 06-60-40-29-05. ● eliane.peyrard@gmail.com ● chardonsbleus.chez-alice.fr ● Fermé 15 déc-15 janv. 📶 Dans un ensemble de belles maisons disséminées au milieu des oliviers, celle d'Éliane et Daniel a été construite en respectant le style du pays. Une seule chambre double (à 2 lits), lumineuse, à l'atmosphère provençale, avec sanitaires privés. 69 € pour 2, petit déj compris. Pas de table d'hôtes, mais plusieurs restos pour tous les budgets à Lorgues, et l'occasion de découvrir ce village sympathique. Passionnée de randos, Éliane a arpenté la région et vous donnera tous les tuyaux pour la découvrir en dehors des sentiers battus. Piscine hors sol pour se rafraîchir. Accueil chaleureux. Une adresse pour se faire cocooner.

Accès : A 8 sortie Le Luc/Le Cannet-des-Maures puis D 17 vers Le Thoronet puis à droite vers Lorgues ; au rond-point, à l'entrée du village, prenez à droite le chemin de la Martinette sur 1,5 km puis à droite le chemin de Pommeret.

MANOSQUE 04100

Carte régionale A2

23 km S de Forcalquier ;
23 km O de Valensole

€€€ 🏠 |●| 🍴 *Chambres d'hôtes La Bastide de l'Adrech (Géraldine et Robert Le Bozec) :* av. des Serrets. ☎ 04-92-71-14-18. 🖥 06-23-20-28-31. ● contact@bastide-adrech.com ● bastide-adrech.com ● Fermé la 1re sem de janv et les 15 premiers j. d'oct. 📶 Ce couple-là tenait autrefois un restaurant avant de sauver de l'abandon une imposante et superbe bastide du XVIIe s, posée dans un coin de campagne aux faux airs de Toscane, et permettre à d'autres de partager le charme de ces vieilles pierres, ces sols aux tomettes lustrées par le temps, ce majestueux escalier central qui distribue 5 chambres (dont une pour 4 personnes) plus ravissantes les unes que les autres. 78 € pour 2, petit déj compris. Table d'hôtes à 26 €. Également 2 gîtes (4-6 places) vraiment très jolis. Un véritable coup de cœur.

Accès : à la sortie sud de la ville, direction Pierrevert/Apt, puis direction Les Plantiers, puis à droite (fléché sur 1 km).

MARSEILLE 13008

Carte régionale A2

€€€€ 🏠 |●| *Chambre d'hôtes La Petite Maison (Alix Arnaud) :* 56, rue Jean-Mermoz. 🖥 06-12-59-12-00. ● petitemaisonamarseille@gmail.com ● 📶 Alix est une Marseillaise, une vraie ! Née ici, elle n'a jamais voulu quitter sa ville car elle s'y sent bien. Une seule chambre agréable ouverte sur la terrasse, pour 2 personnes, à 100 € pour 2, petit déj compris. Possibilité de table d'hôtes entre 25 et 30 €, apéro et vin compris, pour une bonne cuisine provençale. Un point de chute idéal pour découvrir la ville. Pas de parking, mais on trouve souvent de la place dans la rue (stationnement payant). Accueil convivial.

Accès : de la pl. Castellane, descendez le Prado ; au niveau du bd Perrier, prenez la contre-allée et la petite rue en biais, c'est à 200 m à droite (métro Perrier).

MÉOLANS-REVEL 04340

Carte régionale B1

10 km NO de Barcelonnette

€€€ 🏠 *Chambres d'hôtes Les Méans (Élisabeth et Frédéric Millet) :* La Fresquière, route de Barcelonnette. ☎ 04-92-81-03-91. 🖥 06-50-19-10-58. ● lesmeans04@gmail.com ● les-means.com ● 📶 À 1 000 m d'altitude, ancienne et imposante ferme dont les origines remontent au XVIe s. Deux chambres d'hôtes charmantes, ainsi que 3 suites avec cuisine équipée, toutes avec sanitaires privés (eau chaude solaire). On a craqué pour la chambre « Côté Ubaye », toute bleue et avec ciel de lit. Selon la chambre et la période, de 80 à 120 € pour 2 et 145 € pour 4, petit déj-buffet compris. Attention, les séjours à la semaine sont privilégiés. Accueil convivial.

Accès : de Barcelonnette, D 900 vers Gap et, à l'entrée de La Fresquière, tournez à droite vers Les Méans, la maison est à 500 m (à 2 km de Méolans).

MONTFORT 04600

Carte régionale B1-2

25 km O de Digne

€€€€ 🏠 |●| 🍴 *Chambre d'hôtes Les Vieux Murs (Cathy et Pierre Laroche) :* 5, traverse de la Citerne. ☎ 09-83-69-60-27. 🖥 06-25-58-42-78. ● laroche1948@yahoo.fr ● vieuxmurs.com ● 📶 Au cœur de cette jolie cité de caractère de 400 âmes, immense et élégante suite dans une petite maison indépendante. Décorée avec beaucoup de goût, elle dégage un charme et une sérénité indéniables. Elle dispose d'un salon avec TV et de spacieux sanitaires privés. Dans le petit patio privatif, salon de jardin, transats et piscinette (on a bien le droit d'inventer des mots !) pour se rafraîchir. Selon la saison, de 105 à 150 € pour 2, petit déj compris. Table d'hôtes servie chez Cathy et Pierre, qui habitent la maison juste à côté, à 35 €, apéro, vin et café compris. Cuisine familiale aux accents provençaux et des produits locaux majoritairement bio. Accueil convivial. Une adresse pour séduire sa dulcinée.

Accès : grimpez dans le village et, avt le porche, garez votre voiture sur le petit parking ; descendez l'escalier, prenez à droite et c'est la 1re maison à gauche.

€€€ 🏠 ЮІ �🛏 10 % **Chambres d'hôtes Les Grandes Mollières (Cathy Raquet) :** route de Mallefougasse. ☎ 04-92-68-11-41. 📱 06-26-20-41-28. ● cathy.raquet@ wanadoo.fr ● lesgrandesmollieres. com ● 📶 Il est des lieux qui vous projettent droit et loin dans le passé. Les austères murs extérieurs en pierre blanche de cette bâtisse cachent sa merveille intérieure, avec des voûtes à foison, une cuisine proprement superbe, un escalier magistral, et des passages quasi secrets où une minette perdrait ses petits. Les chambres, dotées de tout le confort, sont aménagées avec le goût simple mais certain de la campagne. Et dans le silence extrême de cet ancien relais de poste du XVIIe s, on croirait entendre s'affairer les palefreniers ! 78 € pour 2, petit déj compris. Table d'hôtes à 23 €. Les extérieurs ne sont pas mal non plus, avec des espaces de repos pour profiter d'une incroyable vue sur les Pénitents des Mées. En bonus, un bel accueil de Cathy.

Accès : à 5 km à l'ouest de Montfort par la D 4096, puis la D 101 sur 1 km (direction Mallefougasse), et enfin 1 km d'un chemin bien fléché à gauche de la route.

MONTFORT-SUR-ARGENS   83570

Carte régionale B2

12 km NE de Brignoles ;
8 km SO de Cotignac

€€ 🏠 ЮІ �🛏 10 % **Chambres d'hôtes Le Chat Luthier (Pierre Mitrano et Fabrice Doumergue) :** 4, rue du Barri. ☎ et fax : 04-94-59-51-01. ● le.chat.luthier@ wanadoo.fr ● perso.wanadoo.fr/le.chat. luthier ●📶 Routards devant l'éternel, Fabrice et Pierre ont décidé d'ouvrir leur maison pour notre plus grand plaisir. Dans l'escalier, le doute n'est plus possible : une foultitude de cadres sympas avec

billets, flyers, prospectus de chacun de leur voyage à travers le monde. Trois chambres d'hôtes originales dans cette jolie demeure de maître du XVIIIe s. Deux dégagent une atmosphère bourgeoise, dont une napoléonienne avec de beaux meubles anciens, la dernière, située au 2e étage, vous emmènera en voyage à la façon de Tintin. Sanitaires privés (à l'étage inférieur pour la dernière chambre). Selon la taille de la chambre et le confort, comptez 40 ou 60 € pour 2, petit déj compris. Croquignolette salle à manger installée dans une ancienne cave voûtée (de plain-pied !), avec un très original jardin intérieur. Table d'hôtes partagée en compagnie de vos hôtes à 25 €, apéro, vin et café compris. Cuisine qui sent bon la Provence. Chaleur de l'accueil, prix hyper raisonnables pour la région, une adresse comme on les aime.

Accès : au centre du village, prenez la rue qui monte entre le platane et la fontaine (le sens interdit s'applique après la maison) et suivez le fléchage.

MOUSTIERS-SAINTE-MARIE   04360

Carte régionale B2

40 km S de Digne ; 15 km E de Riez

€€€ 🏠 ЮІ **Chambres d'hôtes Le Petit Ségriès (Sylvie et Noël Voyer) :** ☎ et fax : 04-92-74-68-83. 📱 06-11-53-34-48. ● contact@gite-segries.fr ● chambre-hote-verdon.com ● Ouv 1er avr-15 nov. 📶 Il a fallu un travail colossal pour restaurer cette ancienne ferme située dans un environnement calme et agréable. Cinq chambres champêtres et colorées, toutes au rez-de-chaussée, avec sanitaires privés. Selon la taille de la chambre, de 79 à 89 € pour 2 avec le petit déj, ou de 65,50 à 70,50 € par personne si vous souhaitez dîner sur place (sauf les mercredi et dimanche). Sylvie et Noël élèvent des moutons, aussi l'agneau maison compose souvent les repas. Cuisine traditionnelle qui sent bon la Provence. Location de VTT et vélo électrique, et possibilité de partir en rando avec les proprios avec supplément. Un grand gîte sur place de 12 personnes. Accueil convivial.

Accès : l'accès à la maison se trouve sur la D 952, 5 km avt le village en venant de Roumoules.

€€ 🏠 �🛏 **Chambres d'hôtes L'Escalo (Coline Moulin) :** rue de la Bourgade. ☎ 04-92-74-69-93. 📱 06-85-62-23-23. ● reservation@lescalo.com ● lescalo. com ● Fermé de mi-janv à mi-mars. 📶 Un raide escalier (pardi !) dessert les chambres

« du bas », décorées de meubles soit « africanisants » soit « antiquairisants » mais toujours de bon goût. La plus petite, tout en haut, avec fenêtre de toit, est la moins chère. Les petits déj s'apprécient sur la terrasse couverte et ouverte sur la verte vallée au loin. Selon la saison, de 59 à 68 € pour 2, petit déj compris. On bénéficie d'un astucieux coin repas avec réfrigérateur et micro-ondes. Et, au sommet de l'échelle des valeurs du lieu, l'accueil jeune et dynamique de la maîtresse de maison.

Accès : au centre du bourg.

MURS　　　　84220

Carte régionale A2

55 km E d'Avignon ; 5 km NE de Gordes

€€€€€ 🏠 ***Chambres d'hôtes La Vie en Douce (Joëlle et Fred Ruillier) :*** route de Gordes. ☎ 04-90-72-64-73. ● frederic.ruillier874@orange.fr ● lavieendouce.com ● *Fermé janv-fév.* Loin de la foule qui peuple la région et qui chante la Provence ! Ensemble de petites maisonnettes, mitoyennes ou indépendantes, tout en pierre, dans un joli parc planté de chênes et de pins. Partout de beaux tableaux réalisés par Fred représentant la vie provençale. Cinq chambres au charme indéniable, chacune avec petite terrasse privative et chaises longues ; 3 sous forme de suites avec salon télé. Beaux sanitaires privés avec douche à l'italienne. Selon la saison, de 120 à 140 € pour 2, copieux petit déj compris (avec tout plein de confitures et de surprises maison), et de 160 à 180 € pour les suites. Agréable piscine pour vous détendre. Accueil charmant.

Accès : de Gordes, prenez la direction de Murs ; la maison est à 5 km de Gordes sur la gauche (bon fléchage).

ORANGE　　　　84100

Carte régionale A1

22 km N d'Avignon ; 21 km NO de Carpentras

€€€€€ 🏠 🐾 ⑩% ***Maison d'hôtes Justin de Provence (Isabelle et Philippe Berbudeau) :*** chemin Mercadier, quartier des Crémades. ☎ 04-90-69-57-94. 📱 06-20-46-71-40. ● contact@justin-de-provence.com ● justin-de-provence.com ● *Fermé en janv.* 📶 Il était une fois une ancienne bergerie, achetée par Justin en 1927, que la petite-fille dudit monsieur, Isabelle, restaura entièrement avec l'aide de son mari. En chinant à gauche à

droite, en restaurant du vieux mobilier, en ajoutant du carrelage de Tarifa qui semble avoir toujours été là, Isabelle a su reconstituer un décor d'antan exceptionnel, où l'ancien et le moderne « à l'ancienne » se fondent merveilleusement dans le tout. Cinq chambres aux prénoms d'ancêtres, toutes très différentes, de la romantique à la suite avec lit à baldaquin et baignoire sur pieds, en passant par la chambre Art déco. Selon le confort et la saison, de 125 à 205 € pour 2, petit déj compris. Et puis, que dire du parc de 7 ha, du vieux bistrot reconstitué dans le jardin, des deux superbes piscines (extérieure et intérieure), du hammam et du jacuzzi ? Côté accueil, Isabelle a le chic pour mettre les gens à l'aise.

Accès : dans Orange, D 975 vers Camaret/Vaison ; après le panneau de sortie de ville, prenez la 1re route à droite puis suivez les panneaux roses « Justin de Provence ».

PERNES-LES-FONTAINES　　84210

Carte régionale A2

15 km NE d'Avignon ; 10 km S de Carpentras

€€ 🏠 ***Chambres d'hôtes Lou Cigalou (Marie et Philippe Grollier) :*** 3854, route d'Avignon. ☎ 04-90-21-57-07. 📱 06-05-09-42-59. ● lou_cigalou@yahoo.fr ● loucigalou.wix.com/loucigalou-provence ● 📶 En retrait de la départementale mais au calme, petit mas du début du XXe s. Trois chambres d'hôtes agréables avec sanitaires privés : 2 au 1er étage, dont une plus petite, la dernière au second. Selon la taille de la chambre, comptez 60 ou 70 € pour 2, petit déj compris. Pas de table d'hôtes, mais petite cuisine d'été à disposition. Ici, on se sent bien, entouré des collections de petites voitures et de petits soldats de l'armée napoléonienne de Philippe. Belle piscine et prêt de vélos. Une gentille adresse, chaleureuse et sans façon.

Accès : de Pernes-les-Fontaines, D 28 vers Avignon pdt 3 km, le chemin qui mène à la maison est à droite.

PEYMEINADE　　　　06530

Carte régionale B2

9 km SO de Grasse ; 20 km NO de Cannes

€€€ 🏠 ***Chambres d'hôtes Le Mas des Arts (Josette et Philippe Bernard) :***

PROVENCE-ALPES-CÔTE D'AZUR

219, av. de Peygros. ☎ 04-93-09-95-19. ● home@bab33.com ● bab33.com ● *Ouv avr-sept.* Cette maison des années 1960 a brûlé en 1986... La famille Bernard l'a reconstruite en y installant 3 chambres d'hôtes sympas avec climatisation (faut c'qui faut !). Belles portes et atmosphère agréable. Selon la chambre, la saison et la durée du séjour, de 82 à 98 € pour 2, petit déj compris. Il est servi dans la salle à manger, d'où vous bénéficierez d'une vue imprenable sur les environs. Superbe piscine aux contours arrondis de 18 m de long. Accueil chaleureux. Une adresse qui fait des adeptes.

Accès : de Draguignan, empruntez la D 562 vers Grasse ; après Le Val-de-Tignet, 200 m avt l'entrée de Peymeinade, prenez à droite l'av. de Peygros que vous suivez sur 2 km.

PIERRERUE   04300

Carte régionale A2

5 km E de Forcalquier

€€€ 🏠 |●| *Chambres d'hôtes La Campagne Berne (Éric et Bruno Delaetre Boulager) :* Les Cences. ☎ 04-92-75-42-59. 📱 06-08-33-06-17. ● info@lacampagneberne.com ● lacampagneberne.com ● 📶 Ancienne bergerie, au calme dans un petit coin de campagne. Cinq chambres bien aménagées, tout confort, colorées et décorées de fresques peintes par un client. Selon la saison, de 78 à 86 € pour 2, petit déj compris. Table d'hôtes à 30 €, boissons comprises, concoctée par Bruno, un ancien des cuisines de Matignon ! Produits frais et bio tous les jours. Accueil adorable : les habitués ne s'y trompent pas, réservez bien à l'avance...

Accès : de Forcalquier, passez Pierrerue, c'est indiqué plus loin à droite.

PONTEVÈS   83670

Carte régionale B2

25 km NE de Saint-Maximin ;
3 km E de Barjols

€€€ 🏠 10% *Chambres d'hôtes Domaine de Saint-Ferréol (Armelle et Guillaume de Jerphanion) :* ☎ 04-94-77-10-42. 📱 06-73-72-40-52. Fax : 04-94-77-19-04. ● saint-ferreol@wanadoo.fr ● domaine-de-saint-ferreol.fr ● *Ouv mars-nov.* 📶 Superbe ferme du XVIIIe s entourée de vignes et ouvrant sur deux petites collines qui semblent avoir été plantées là par hasard, et répondant aux noms de Petit et Grand Bessillon. On accède aux 3 chambres par une mignonnette cour intérieure (les propriétaires habitent dans une aile indépendante). Situées au 1er étage, l'une est très grande (suite pour 4 personnes), avec accès indépendant et petite terrasse qui donne sur l'arrière ; les 2 plus petites ouvrent sur les ruines du château de Pontevès. Ambiance agréable. Sanitaires privés. De 80 à 95 € pour 2 et 115 € pour 4, petit déj compris, servi dans une salle sobre au rez-de-chaussée. Pas de table d'hôtes, mais coin cuisine à disposition. Un peu à l'écart de la ferme, le vieux pigeonnier cache une belle piscine (super !). Armelle et Guillaume sont vignerons et vous pourrez déguster la production maison. Accueil agréable. Également un gîte pour 4 personnes pour vos séjours.

Accès : de Barjols, prenez la D 560 vers Draguignan/Pontevès ; ne tournez pas vers le village signalé à droite, continuez tt droit ; le chemin qui mène au domaine est à gauche, juste après le panneau « Pontevès-Centre ancien ».

PUIMOISSON   04410

Carte régionale B2

15 km E de Valensole ;
13 km O de Moustiers-Sainte-Marie

€€€€ 🏠 *Chambres d'hôtes Le Pigeonnier des Banons (Jocelyne et Gérard Tanga) :* plaine de Laval. ☎ 04-92-74-32-05. 📱 06-87-22-47-92. ● gerard.tanga@sfr.fr ● *Ouv Pâques-sept.* 📶 En pleine campagne, au milieu des truffières, ancien pigeonnier tout en pierre auquel Gérard et Jocelyne ont accolé leur maison. La maîtresse des lieux est décoratrice d'intérieur et aquarelliste, et ça se voit... Une suite romantico-campagnarde avec petit salon privatif et terrasse. Frises, écritures au pochoir, collection de cages anciennes, de brocs... tout est élégant, harmonieux, et plein de petites attentions ajoutent encore à la chaleur des lieux. Sanitaires privés. 110 € pour 2, petit déj compris. Pour les amoureux, également une jolie roulotte, colorée et douillette, à l'atmosphère bonbonnière, avec clim et sanitaires privés, à 90 € pour 2, petit déj compris. Accueil convivial avec l'accent. Une adresse au charme indéniable.

Accès : de Puimoisson, prenez la D 56 vers Valensole pdt 2 km et prenez le petit chemin à gauche qui descend jusqu'à la maison.

RAPHÈLE-LES-ARLES 13280

Carte régionale A2

40 km S d'Avignon ; 8 km E d'Arles

€€€ 🏠 **Chambres d'hôtes Mas l'Oustal (Dominique et Thierry Oustalet) :** *384, route de Fontvieille.* ☎ et fax : 04-90-98-04-71. 📱 06-17-40-61-41. ● contact@masloustal.com ● masloustal.com ● 🛜 Joli mas traditionnel planté dans un grand parc avec belle piscine. Quatre chambres à l'atmosphère champêtre, une au rez-de-chaussée, notre préférée, les 3 autres à l'étage, dont une familiale pour 4 personnes. Sanitaires privés. 80 € pour 2, petit déj compris, et 105 € pour 4. Ici, c'est Thierry qui s'occupe des hôtes. Il est aussi comédien et fait partie d'une troupe locale. Pas de table d'hôtes, mais un bon resto dans le village. Accueil chaleureux. Un bon point de chute pour découvrir la région.

Accès : *dans le village, au niveau du feu tricolore, prenez la D 33 vers Fontvieille pdt 1,8 km, la maison est à droite.*

RÉALLON 05160

Carte régionale B1

35 km E de Gap ; 12 km O d'Embrun

€€ 🏠 |◉| **Maison d'hôtes La Vertelongue (Véronique et Michel Charaud) :** *rue Charriera, Sainte-Luce.* ☎ 04-92-51-67-92. ● vertelongue@yahoo.fr ● lavertelongue.fr ● 🛜 À l'orée du parc des Écrins, au cœur du village, c'est dans l'ancien presbytère que Véronique et Michel ont aménagé 4 chambres charmantes et chaleureuses. Deux au 1er étage avec balcon (pour admirer les aiguilles de Chabrières), 2 autres au second avec superbe charpente apparente. Sanitaires privés. Michel a réalisé une grande partie des travaux en privilégiant les matériaux naturels. Murs recouverts d'argile et paille, jonc de mer au sol. 65 € pour 2, petit déj compris. Table d'hôtes partagée en famille à 20 €, apéro et vin compris. Pour les amateurs de rando, le GR 50 passe le long de la maison. Pour le ski alpin et de fond, la station de Réallon est à 8 km. Accueil agréable.

Accès : *dans Réallon (chef-lieu, pas la station), la maison est à côté de l'église.*

RIANS 83560

Carte régionale A2

45 NE d'Aix-en-Provence ; 22 km N de Saint-Maximin

€€€ 🏠 |◉| 🏇 **Chambres d'hôtes La Margottière (Anne Durand et Brendan Hughes) :** *chemin du Passet.* 📱 06-12-86-94-91. ● reservations@lamargottiere.fr ● lamargottiere.fr ● 🦮 🛜 En pleine campagne, maison des années 1950 aux allures de mas provençal. Quatre jolies chambres de plain-pied avec sanitaires privés et accès direct sur la nature. Déco chaleureuse avec collection de vieilles photos en noir et blanc, abécédaires brodés et un petit nécessaire pour se faire thé ou café. 80 € pour 2, petit déj compris. Table d'hôtes (sauf le dimanche), pas systématiquement partagée avec Anne et Brendan, à 30 €, apéro, vin et café compris. Cuisine familiale. Accueil convivial. Une adresse pour se mettre au vert.

Accès : *d'Aix-en-Provence, au 1er rond-point de Rians, tournez à droite puis 2e chemin à droite, la maison est à 800 m (fléchage).*

RISOUL 05600

Carte régionale B1

35 km S de Briançon ; 3 km SO de Guillestre

€€ 🏠 |◉| 🏇 **Chambres d'hôtes La Maison de Joséphine (Mathieu et Hélène Gassie) :** *hameau de l'Église.* ☎ 04-92-45-28-01. 📱 06-30-01-75-97. ● maisonjosephine@yahoo.fr ● maisonjosephine.com ● À 1 100 m d'altitude, grande demeure au cœur du village. Cinq chambres simples avec sanitaires privés. Selon la saison, de 61 à 66 € pour 2, petit déj compris, et de 64 à 68 € par personne en demi-pension, boissons non comprises. Table d'hôtes sans les proprios pour une cuisine bio et locale. À la fin du repas Mathieu et Hélène, jouent souvent un petit morceau de musique, alors si vous avez votre instrument... Sauna sur place et possibilité d'utiliser la piscine de l'hôtel à 300 m de là. La station de ski est à 10 km, mais une navette gratuite s'arrête dans le village. Accueil convivial.

Accès : *de Gap, direction Embrun puis Guillestre-Risoul ; montez jusqu'au village, la maison est juste à côté de l'église.*

ROGNES 13840

Carte régionale A2

18 km NO d'Aix-en-Provence ; 7 km E de Lambesc

€€€€ 🏠 ⟨10 %⟩ **Chambres d'hôtes Le Moulin du Rossignol (Béatrice et Jean-Marc Paranque-Luna) :** ☎ 04-42-50-16-29. 📱 06-87-11-52-77. ● lerossignol@free.fr ● moulindurossignol.com • 🛜 Construit juste après la Révolution, réquisitionné par les Allemands pendant la Seconde Guerre mondiale, la vie de ce vieux moulin semblait devoir s'arrêter là, jusqu'à ce que Béatrice et Jean-Marc réinvestissent les lieux et l'ouvrent au tourisme. Trois chambres romantico-campagnardes installées au 2ᵉ étage (attention, l'escalier est un peu difficile, donc réservé aux routards alertes). Sanitaires privés. Selon la période, de 80 à 95 € pour 2, petit déj compris (jus de fruits frais et confitures maison). Il est servi dans une adorable pièce de jour (jolie cheminée et belle poutraison dans les tons ocre rouge) ou sur la terrasse aux beaux jours. Béatrice est une hôtesse souriante et charmante et quand on connaît la maison, on n'a qu'une envie : y revenir ! On oubliait aussi Bambou, le sympathique chien de la maison. Mignonne piscine dans un écrin de verdure pour se prélasser. Nature, calme et convivialité, une adresse coup de cœur.

Accès : dans Rognes, allez jusqu'à la chapelle Saint-Denis, prenez la petite route qui passe devant et c'est le 2ᵉ chemin à gauche, la maison est en bas.

ROQUEVAIRE 13360

Carte régionale A2

*20 km E de Marseille ;
5 km N d'Aubagne*

€€€ 🏠 |○| **Chambres d'hôtes Les Manaux en Provence (Annie Bousquet) :** 673, chemin des Manaux. ☎ 04-42-04-04-57. 📱 06-18-10-22-80. • annie.bousquet@9online.fr • lesmanauxenprovence.fr • 🛜 Dans un petit hameau, à quelques encablures du village, c'est à côté du vieux cabanon qu'Annie a installé ses 3 chambres dans un petit bâtiment récent. Elles sont pimpantes et colorées, avec sanitaires privés. Selon que vous avez douche ou baignoire : 75 et 85 € pour 2, petit déj compris (jus de fruits frais pressés, yaourts et confitures maison). Table d'hôtes partagée en famille à 25 €, apéro, vin et café compris. Une cuisine provençale, peuchère !, concoctée par une hôtesse native de la région. Elle vous fera découvrir les petits coins qu'elle aime, hors des sentiers battus. Petite piscine hors-sol pour vous rafraîchir. Atmosphère et accueil chaleureux et décontractés. *NOUVEAUTÉ.*

Accès : de Roquevaire, direction Lascours pdt 1 km et prenez à gauche le chemin des Manaux, la maison est à 1 km à gauche en contrebas de la route.

ROUSSET 13790

Carte régionale A2

15 km E d'Aix-en-Provence

€€€€ 🏠 **Chambres d'hôtes Le Clos des Mools (Sylvie Moulaire) :** ☎ 09-50-64-29-13. 📱 06-48-29-65-37. • contact@leclosdesmools.fr • leclosdesmools.fr • Ouv avr-oct. 🛜 Au pied de la Sainte-Victoire, jolie demeure, chaleureuse, avec un grand parc où plusieurs lieux aménagés permettent de s'isoler ou au contraire d'être avec les autres. Deux chambres agréables dont une familiale composée de 2 chambres. Sanitaires privés. De 110 € pour 2 à 160 € pour 4, petit déj compris. Grande piscine pour vous détendre. Accueil vraiment sympa. Bon rapport qualité-prix-convivialité.

Accès : A 8 sortie nº 32 Trets/Rousset/Fuveau ; au rond-point, DN 7 direction Saint-Maximin, passez Châteauneuf-le-Rouge continuez sur la DN 7 et 300 m après le lieu-dit « Les Bannettes », au sommet d'une côte, prenez le chemin à gauche, puis à gauche derrière le cabanon en pierre, la maison est juste après.

SAINT-ANDRÉ-D'EMBRUN 05200

Carte régionale B1

36 km E de Gap ; 8 km NE d'Embrun

€€€ 🏠 |○| **Chambres d'hôtes Le Moulin Ollivier (Patricia et Bernard Galle) :** Le Villard. ☎ 04-92-43-65-78. 📱 06-84-70-58-11. • contact@lemoulinollivier.com • lemoulinollivier.com • Fermé en avr et nov. 🛜 A 1 100 m d'altitude, superbe grange en pierre et bois installée à proximité du torrent et de l'ancien moulin qui est encore là. Cinq chambres agréables de 2 à 5 personnes, toutes avec balcon pour jouir du magnifique point de vue sur les environs. Sanitaires privés. 85 € pour 2, petit déj compris, et 150 € pour 4. Table d'hôtes sans les proprios à 25 €, apéro, vin et café compris. Cuisine familiale. Pour les amateurs, une cage de swing et deux postes d'approche à 70 et 90 m. D'ailleurs, Bernard organise des séjours golf. La station familiale de ski de Crévoux est à 7 km. En été, le lac de Serre-Ponçon vous permettra de piquer une tête. Une bonne adresse, tenue par un sympathique couple flamand-wallon (comme quoi !).

Accès : d'Embrun, direction Crévoux ; laissez Saint-André-d'Embrun sur la gauche, continuez tt droit, passez le lieu-dit Le Villard et tt de suite après prenez la petite route à droite qui descend.

PROVENCE-ALPES-CÔTE D'AZUR

SAINT-BONNET-EN-CHAMPSAUR 05500

Carte régionale B1

23 km NO de Gap

€ 🏠 |♦| 🐾 **10 %** **Chambres d'hôtes Le Cairn (Brigitte et Bernard Gourdou) :** *Charbillac.* ☎ *et fax : 04-92-50-54-87.* 📱 *06-61-55-31-31.* ● *infos@chambres-hotes-le-cairn.com* ● *chambres-hotes-le-cairn.com* ● À 1 150 m d'altitude, au cœur d'un petit hameau, ferme du XVIIIe s, avec toit aux tuiles en « écailles de poisson », mitoyenne à d'autres habitations. Quatre chambres aux couettes bien douillettes, dont une familiale pour 3 personnes ; si vous êtes 2, préférez la chambre « Féraud ». Équipées de Velux, elles n'en sont pas moins claires. Sanitaires privés. Comptez 50 € pour 2, copieux petit déj compris. Table d'hôtes à 16 €. Plein de spécialités traditionnelles : tourte aux pommes de terre, pâté de Pâques, soupe aux orties, gigot chamoisé, blanquette à l'ancienne, ravioles, oreilles d'âne (qui n'en sont pas), faisselle au miel chaud, tarte à l'orange... Les repas se prennent dans une grande salle voûtée avec cheminée. Jardin d'agrément. Accueil jeune, décontracté et sportif.

Accès : de Gap, prenez la N 85 en direction de Grenoble jusqu'à Saint-Bonnet-en-Champsaur, puis la D 23 vers La Motte sur 5 km et à droite vers Charbillac (fléchage).

SAINT-ESTÈVE-JANSON 13610

Carte régionale A2

23 km N d'Aix-en-Provence ;
7 km S de Cadenet

€€€ 🏠 **10 %** **Chambres d'hôtes La Maison du Papé (Marielle et Philippe Canavese) :** *rue Grande.* ☎ *04-42-50-04-60.* 📱 *06-17-64-69-30.* ● *lamaisondupape@ free.fr* ● *lamaisondupape.com* ● 📶 Aux portes du Vaucluse, dans un petit village calme de 350 âmes, ancienne ferme qui appartenait au grand-père de Marielle. Une chambre indépendante installée dans l'ancienne écurie à l'atmosphère campagnarde, avec poutres et murs en pierre apparente qui gardent la fraîcheur en été. Une seconde aménagée sous forme de gîte-studio, avec cuisine équipée, salon, petite terrasse et entrée indépendante, située à proximité de la maison de vos hôtes. Sanitaires privés. 75 € pour 2, petit déj compris (jus de fruits et confitures maison bio). Grande piscine pour vous détendre. Pas de table d'hôtes mais un bon resto à Cadenet. Accueil chaleureux. Une adresse pour plonger au cœur de la région.

Accès : sur la D 561 entre Cadenet et Le Puy-Sainte-Réparade, montez dans le village ; la maison est face à vous en haut de la côte.

SAINT-JEAN-SAINT-NICOLAS 05260

Carte régionale B1

27 km NE de Gap ; 10 km O d'Orcières

€€ 🏠 |♦| **Chambres d'hôtes L'Abondance (Delphine et Frédéric Degril) :** *ruisseau la Cour.* ☎ *et fax : 04-92-55-98-73.* 📱 *06-60-74-23-12.* ● *info@labondance. com* ● *labondance.com* ● 📶 Agréable ferme installée dans un petit coin de campagne. Delphine et Frédéric élèvent des vaches laitières, mais l'exploitation est à 3 km de là (visite gracieuse sur demande). Au 1er étage, 4 chambres spacieuses et sympas avec sanitaires privés. Chacune avec espace salon et TV. Trois sont familiales, avec lits enfants en mezzanine. 65 € pour 2 et 96 € pour 4, petit déj compris. Table d'hôtes partagée en famille à 19 €, apéro, vin, café et digeo compris. Cuisine familiale et régionale avec légumes du jardin en saison et produits locaux. L'hiver, la petite station familiale de Saint-Léger-les-Mélèzes est à 3 km, l'été, le GR 50 passe juste à côté. Accueil souriant, décontracté et chaleureux.

Accès : sur la D 944 entre Chabottes et Orcières, passez le village de Pont-du-Fossé et, après le feu tricolore, tournez à gauche (D 481), la maison est un peu plus loin à droite.

SAINT-MARC-JAUMEGARDE 13100

Carte régionale A2

4 km E d'Aix-en-Provence ;
30 km N de Marseille

€€€€ 🏠 **10 %** **Chambres d'hôtes Les Mimosas / À la Maison (Christel et Christophe Lasserre) :** *875, route départementale 10.* ☎ *04-42-67-24-89.* 📱 *0616-67-67-70.* ● *875alamaison@orange.fr* ● *alamaison13.com* ● 📶 Anciens hôteliers marseillais, Christel et Christophe ont tout

PROVENCE-ALPES-CÔTE D'AZUR

lâché pour ouvrir cette belle bastide installée dans un magnifique parc paysager avec piscine sous les pins et jardin potager bio. Christel est artiste-peintre et réalise des toiles très colorées, très joyeuses, avec comme thème... la sardine ! Elle joue sur les associations de sujets, sur les jeux de mots, c'est vraiment très sympa. Quatre chambres à l'atmosphère un peu « délire » : la chambre « 70's », avec anciennes pochettes de disque de Clo-Clo, luminaires très vintage, des couleurs très flashy... même le salon de jardin n'y résiste pas ! La « Scandinave », branchée « nordique » avec moquette épaisse, gros coussins, fauteuils en peau de vache, luminaire en corne... et très belle salle de bains avec douche et baignoire. « L'Atelier », à la déco tendance industriel-garage. Et enfin, la suite parentale « 875 » plutôt décoration zen à l'ambiance cinéma. Sanitaires privés. Selon la chambre et la saison, de 90 à 180 €, petit déj compris, servi dans un immense salle avec cheminée, au mobilier « décalé » (sièges de coiffeur...). Pour vous détendre, un incroyable salon cinéma avec de vrais fauteuils de ciné, grand écran + lecteur DVD. Pour les accro au boulot, un coin « business » avec ordinateur, scanner, imprimante à disposition. Grande terrasse extérieure ombragée... Une atmosphère chaleureuse et un accueil très sympa. Une adresse qui vaut le détour et plus abordable si vous venez en basse saison (mais vous êtes chez Lasserre !).

Accès : *à la sortie d'Aix, en direction de la Sainte-Victoire.*

SAINT-MARTIN-DE-QUEYRIÈRES   05120

Carte régionale B1

6 km S de Briançon

€€ 🏠 |●| **Chambres d'hôtes Brin de Paille (Lydie et David Monnet) :** *Les Casses, Prelles.* ☎ 04-92-24-77-83. 📱 06-67-81-46-84. ● brindepailleprelles@gmail.com ● brindepaille.com ● 🐾 📶 C'est une maison récente mais très originale puisqu'elle est construite en paille ! Rassurez-vous, celle-ci est ensuite recouverte de chaux et de sable... Quatre chambres agréables, de 2 à 4 personnes, dont 3 au rez-de-chaussée (2 avec lit en mezzanine et coin salon, une avec terrasse privative), la dernière à l'étage. Sanitaires privés. 57 € pour 2, petit déj compris. Table d'hôtes à 19 €, apéro, vin et tisane compris. Cuisine familiale à base de produits locaux et pain maison cuit dans le four de la salle à manger. Pour vous détendre, un bain norvégien

(sorte de jacuzzi en bois, chauffé par un poêle), très agréable en hiver... Première station de ski de piste à 5 km. Ambiance décontractée et accueil convivial. Bon rapport qualité-prix-convivialité.

Accès : *de Briançon, N 94 vers Gap jusqu'à Prelles ; montez dans le village jusqu'à l'église et suivez le fléchage (n'allez pas à Saint-Martin).*

SAINT-PAUL-SUR-UBAYE   04530

Carte régionale B1

35 km NE de Barcelonnette

€€ 🏠 |●| **Maison d'hôtes Les Zélés (Léa et Lucas Siméoni) :** *hameau de Maljasset.* ☎ 04-92-84-37-64. ● leszeles@yahoo.com ● leszeles.com ● *Ouv juin-fin août et de fév à mi-avr.* Ici, on n'est pas au bout du monde, mais presque... Aussi, si vous n'êtes pas randonneur, passez votre chemin ! Superbe et vieille ferme en pierre avec toit de lauzes au cœur du hameau situé à 1 900 m d'altitude. Cinq chambres pas immenses mais champêtres et chaleureuses, avec sanitaires privés (sur le palier pour l'une d'entre elles). Comptez 54 € pour 2 avec le petit déj, ou 48 € par personne en demi-pension, apéro, vin et cidre compris. Cuisine familiale et traditionnelle. Belle pièce de jour pour prendre les repas et se détendre. Question nature, vous serez servi... Le GR 5 passe à côté de la maison. L'hiver, c'est raquettes et ski de fond pour la découverte. Accueil chaleureux.

Accès : *de Saint-Paul-sur-Ubaye, prenez la petite route jusqu'au hameau de Maljasset situé à 13 km de là.*

SAINT-RAPHAËL   83530

Carte régionale B2

35 km SO de Cannes ; 4 km E de Fréjus

€€€ 🏠 **Chambres d'hôtes Villa Mélodie (Francesca Barilli) :** *1779, bd de la 36ᵉ-Division-du-Texas.* ☎ 04-94-82-06-65. 📱 06-41-66-09-38. ● info@villa-melodie.com ● villa-melodie.com ● *Ouv mars-nov.* 📶 Dans un ancien hôtel des années 1920 campé dans un joli jardin, 3 chambres tranquilles, simples, meublées et décorées avec goût, certaines avec terrasse. Selon la chambre et la saison, de 70 à 100 € pour 2, petit déj compris. La plage est à deux pas. Francesca, une charmante

Italienne, propose également des massages shiatsu.

Accès : *au Dramont, sur la côte, entre Saint-Raphaël et Agay.*

SAINTE-MAXIME   83120

Carte régionale B2

*12 km NO de Sainte-Maxime-Plage ;
5 km E du Plan-de-la-Tour*

€€€ 🏠 ⑩% ***Chambres d'hôtes Le Bastidon Saint-Michel (Bernard Nouvel) :*** *quartier Le Baucas, D 44.* ☎ et fax : 04-94-43-72-95. 📱 06-89-63-76-96. ● *bastidon-saintmichel@orange.fr* ● *bastidon-saintmichel.com* ● 🛜 Dans le massif des Maures, sur les hauteurs de Sainte-Maxime, c'est un véritable petit paradis qui vous attend... Isolée au milieu de 5 ha de chênes-lièges et d'arbousiers, la maison de Bernard est une ancienne fromagerie tout en pierre dont les origines remontent au XVIIᵉ s. Trois chambres d'hôtes agrémentées de beaux meubles anciens. Deux plus petites qui peuvent se réunir sous forme de suite (moins chères) et une plus grande. Entrée indépendante et sanitaires privés. De 85 à 100 € pour 2, petit déj compris. Ici, Bernard s'occupe de tout et sait se rendre disponible pour ses hôtes. Pour vous détendre, une agréable piscine aux formes arrondies entourée de végétation. Pas de table d'hôtes, mais kitchenette à disposition et plusieurs restos au Plan-de-la-Tour, pour tous les budgets. Accueil chaleureux.

Accès : *A 8 sortie nº 36 Le Muy, puis D 25 vers Sainte-Maxime/Saint-Tropez sur 13 km, puis à gauche D 44 vers Le Plan-de-la-Tour et fléchage (très discret).*

SAINTE-TULLE   04220

Carte régionale A2

5 km S de Manosque

€€ 🏠 🐕 ⑩% ***Chambres d'hôtes Villa Pondy (Pierre Gondran et Thierry Grit) :*** *l'Esplanade, 41, av. Yves-Farges.* ☎ 04-92-78-25-20. 📱 06-03-66-03-58. ● *villapondy@yahoo.fr* ● *villapondy.fr* ● ♿ 🛜 Maison des années 1930 au cœur du village. Tout le rez-de-chaussée est destiné aux hôtes. Trois chambres colorées et climatisées, dont une dans un style Art déco, les autres sur le thème des voyages car Pitou (pour les intimes) et Thierry sont de grands voyageurs, amoureux de l'Inde. Sanitaires privés. De 51 à 62 € pour 2, petit déj compris. Pas de table d'hôtes mais cuisine à disposition et plusieurs restos

dans le village. Accueil hors pair. Très bon rapport qualité-prix-convivialité.

Accès : *sur l'esplanade du village, un peu avt la poste.*

SALÉON   05300

Carte régionale A1

*11 km SE de Serres ;
6 km NO de Laragne-Montgélin*

€€ 🏠 🍽 ***Chambres d'hôtes La Tête en l'Air :*** *La Combe.* ☎ 04-92-21-93-61. 📱 06-60-02-12-73. ● *la-tete-en-lair@orange.fr* ● *la-tete-en-lair.com* ● *Ouv 1ᵉʳ avr-15 oct.* 🛜 Marlène et Georges aiment les voyages et les rencontres humaines. Tous deux retraités, ils ont aménagé 3 chambres agréables avec accès indépendant et sanitaires privés. Déco sobre, inspirée par leurs nombreuses pérégrinations, notamment la chambre asiatique à l'atmosphère très zen. De 60 à 68 € pour 2, petit déj compris. Table d'hôtes à 23 €, vin compris. Agréable jardin d'où l'on contemple les parapentes la tête en l'air... Accueil dynamique et souriant.

Accès : *face à la mairie du village.*

SAULT   84390

Carte régionale A1

38 km E de Carpentras ; 37 km N d'Apt

€€€ 🏠 🐴 ***Chambres d'hôtes La Bastide des Bourguets (Claudine et Stéphane Jamet) :*** ☎ 04-90-64-11-90. 📱 06-09-95-04-69. ● *bastidedesbourguets@hotmail.com* ● *bastidedesbourguets.com* ● *Ouv avr-sept.* 🛜 Ancienne et superbe ferme tout en pierre installée au milieu des champs de lavande (voilà pour le cadre !). Au 1ᵉʳ étage, 4 chambres vastes, coquettes et colorées, avec sanitaires privés. 75 € pour 2, petit déj compris (plusieurs sortes de miel, confitures et gâteau maison). Piscine pour vous détendre. Accueil chaleureux.

Accès : *de Sault, direction Carpentras par les gorges de la Nesque/Monieux ; la maison est à 3 km à gauche.*

SOLEILHAS   04120

Carte régionale B2

*75 km SE de Digne ;
22 km E de Castellane*

€ 🏠 🐴 ***Gîte d'étape de Bayles (Bénédicte et Jean-Michel Dufour) :***

rue des Bayles. ☎ 04-93-60-40-17. 🖥 06-85-26-04-87. ● bjm.gourette@gmail.com ● gitedesbayles.perso.sfr.fr ● Fermé 15 nov-26 déc. Slt sur résa. Au cœur de la vallée, à 1 100 m d'altitude, petit gîte d'étape de 15 places réparties en 4 chambres pour 3 et 4 personnes. Comptez 15 € par nuit. Cuisine équipée. Bénédicte et Jean-Michel font de l'élevage de chèvres... Fromages en vente sur place (eh oui, ça existe encore, heureusement !). Accueil jeune et décontracté. Pour les routards randonneurs, le GR 4 passe à proximité.

Accès : de Castellane, prenez la D 102 vers Demandolx puis Soleilhas ; le gîte est pratiquement à la sortie du village.

TOURRETTES 83440

Carte régionale B2

30 km O de Grasse ; 2 km E de Fayence

€€€€ 🏠 *Chambres d'hôtes Escale Provençale (Ghislaine et Richard Toison) :* 682, route de Tourrettes, Le Pavillon. ☎ 04-94-50-49-57. 🖥 06-02-23-52-17. ● maisondhotes@yahoo.fr ● chambresdhotes-provence.com ● Fermé de mi-nov à mi-janv. 🛜 C'était « le mazet », la maison de famille de Ghislaine. Trois chambres élégantes, immenses, décorées avec goût et dotées de spacieux sanitaires privés, installées aux 1er et 2e étages. Clim, TV écran plat, petit frigo pour les boissons fraîches et plateau de courtoisie pour les boissons chaudes dans chaque chambre. Selon la saison, de 89 à 119 € pour 2, petit déj compris (jus de fruit frais pressé, salade de fruits, viennoiseries et confitures maison), que vous prendrez en compagnie de Gaston, le ara de la maison. Grande piscine pour vous détendre. Accueil chaleureux. Une adresse de charme.

Accès : sur la D 219 vers Tourrettes-Village, la maison est sur la gauche.

TRANS-EN-PROVENCE 83720

Carte régionale B2

4 km S de Draguignan

€€€€ 🏠 🐴 *Chambres d'hôtes Saint-Amour (Marie-Camille et René Wahl) :* 986, route de la Motte. ☎ et fax : 04-94-70-88-92. 🖥 06-81-33-43-80. ● wahl@domainedesaintamour.com ● domainedesaintamour.com ● Ouv avr-sept. 🛜 Avec un

nom pareil, cette adresse se devait d'avoir du charme... et elle en a, grâce à l'imagination du maître des lieux. Passionné de voyages, de marine et de nature, d'un trou d'eau René a créé un charmant petit étang où vivent canards (tout plein d'espèces aux couleurs chatoyantes), cygnes, oies et tous ceux qui veulent faire une courte halte : poules d'eau, hérons... Sur le plan d'eau stationne aussi le petit bateau qu'il avait sur le lac Majeur. Côté hébergement, ça n'est pas mal non plus. Trois chambres d'hôtes installées dans deux maisons, dont la plus intérieure date du XVIIIe s. Déco originale. L'une style cabine de bateau, tout en bois, où le moindre détail porte sur la mer, l'autre à l'ambiance africaine, et la dernière romantico-rustique avec murs en pierre apparente et lit à baldaquin. De 89 à 99 € pour 2, petit déj compris, que Marie-Camille vous sert soit dans le salon (superbes meubles en provenance de tous les pays et nombreux objets d'art) soit, le plus souvent, sur la terrasse couverte qui domine l'étang (où l'on entend chanter, le soir, grenouilles et crapauds). Également 2 gîtes ruraux (2 et 4 personnes) au rez-de-chaussée. Belle piscine paysagée, à forme libre. Accueil de qualité.

Accès : de Draguignan, empruntez la N 555 en direction de Fréjus ; entrez dans Trans et, à l'église, prenez à droite la D 47 vers La Motte ; à 1 km, panneau fin d'agglomération, l'entrée est à 30 m à droite (fléchage « Saint-Amour »).

TRETS 13530

Carte régionale A2

22 km SE d'Aix-en-Provence ;
20 km E de Gardanne

€€€ 🏠 ❙●❙ *Chambres d'hôtes Le Mas du Biaou (Delphine et Laurent Bidault) :* 543, chemin du Bout-de-Nice. ☎ 04-42-29-20-99. 🖥 07-89-21-66-98. ● info@mas-du-biaou.fr ● mas-du-biaou.fr ● 🛜 On passe une zone pavillonnaire pour se retrouver dans un écrin de verdure où se niche une demeure récente aux airs de mas provençal. 2 jolies chambres de plain-pied, avec accès direct sur une petite terrasse privative avec salon de jardin. Une belle et grande piscine complète le tout. Selon la saison, de 75 à 85 € pour 2, petit déj compris (brioche et originales confitures maison). Déco avec des enduits provençaux parés des aquarelles et pastels réalisés par Delphine, qui donne aussi des cours aux gens du coin. Table d'hôtes occasionnelle partagée en famille à 25 €, apéro, vin et café compris. Cuisine goûteuse avec spécialités régionales mais aussi du Nord, la patrie de Delphine. *NOUVEAUTÉ.*

Accès : dans le village, au niveau de la gendarmerie, prenez la direction de l'Ermitage Saint-Jean-du-Puy ; passez 2 ronds-points et au 3e, prenez à droite l'av. de Graffine ; suivez à gauche le fléchage « Groupe scolaire Saint-Jean » puis prenez à droite le chemin du Bout-de-Nice.

UVERNET-FOURS   04400

Carte régionale B1

6 km SO de Barcelonnette

€€€ 🏠 |●| *Chambres d'hôtes Le Rozet (Marie-Claire et Philippe Dauphin) :* route du col d'Allos. ☎ 04-92-81-10-64. 📱 06-16-91-29-66. ● lerozet@club-internet.fr ● chambresdhoteslerozet.com ● 🛜 Aux portes du parc du Mercantour, superbe et ancienne bergerie tout en pierre, installée à 1 300 m d'altitude, dans un beau coin de nature et profitant d'un panorama unique sur le Pain de Sucre et le Chapeau de Gendarme. On devine aussi le Bachelard qui coule au fond de la vallée. Cinq chambres agréables, à 77 € pour 2, petit déj compris. Bonne table d'hôtes à 26 €, apéro et vin compris. Cuisine goûteuse et soignée. Pour votre détente, espace salon-bibliothèque au rez-de-chaussée, salon télé au 1er étage, et un bain scandinave avec hydrojets installé en plein air. Marie-Claire et Philippe ont vécu 16 ans en Afrique de l'Ouest comme en témoignent les nombreux souvenirs qui peuplent la maison. Première station de ski à 8 km. Accueil aimable et courtois.

Accès : d'Uvernet-Fours, prenez la route du col d'Allos pdt 1400 m, l'accès à la maison est sur la gauche.

VAISON-LA-ROMAINE   84110

Carte régionale A1

30 km O d'Orange ; 45 km S d'Avignon

€€€ 🏠 🛏 *Chambres d'hôtes Au Coquin de Sort (Anne et Christian Launay) :* 1242, chemin de Saume-Longue. ☎ 04-90-35-03-11. 📱 06-07-42-03-57. ● cokin2sor@orange.fr ● aucoquindesort.com ● 🛜 Vous recherchez l'originalité ? Alors réservez dans cette maison d'hôtes tout droit sortie d'une bande dessinée ou d'un décor de théâtre... Le couple de proprios orléanais a conçu 3 chambres vraiment étonnantes, mélange de coins et de recoins, de vieilles pierres et d'arrondis champignonnesques, avec un escalier en fer forgé par ici, une tête de lit dessinée comme une horloge par là, et puis des tas de détails que vous découvrirez par vous-même... Comptez 80 € pour 2, excellent petit déj compris. Pour prolonger l'esprit bohème, il y a même une roulotte dans le jardin croquignolet, pouvant servir d'appoint pour les enfants... ou de chambre pour les couples très amoureux. Bon accueil.

Accès : dans Vaison, suivez le fléchage « Saume Longue » puis, juste après le village-vacances, quittez la route goudronnée et suivez à droite le chemin de terre bordé de cyprès jusqu'à la maison.

€€€ 🏠 🛏 *Chambres d'hôtes Le Mas de la Combe (Catherine et Jean Ditta) :* 710, chemin de la Combe. ☎ 04-90-36-12-01. ● masdelacombe@orange.fr ● masdelacombe-vaison-ventoux.com ● 🛜 Sur les hauteurs de Vaison, dans un grand jardin en terrasses doté d'une piscine avec une très belle vue au sud sur le village et le massif des Dentelles de Montmirail. On ne dirait pas, mais cette jolie maison en pierre du pays n'a qu'une trentaine d'années et elle ne dépareille vraiment pas dans le paysage. Une chambre d'hôtes, ainsi qu'un studio 2 personnes (qui se loue à partir de 2 nuitées, selon saison), impeccables, modernes et fonctionnels, avec sanitaires privés. 75 € la nuit pour 2 (petit déj compris pour la chambre). Également un gîte de 5 personnes, loué de 480 à 760 € la semaine selon la saison. Charmant accueil de la famille Ditta et atmosphère tranquille.

Accès : à env 2 km au nord du centre-ville, par l'av. Gabriel-Péri puis, à droite, le chemin de Sainte-Croix et à gauche à la patte-d'oie.

€€€€ 🏠 *Chambres d'hôtes L'Évêché (Aude Verdier) :* Haute-Ville, rue de l'Évêché. ☎ 04-90-36-13-46. 📱 06-03-03-21-42. Fax : 04-90-36-32-43. ● eveche@aol.com ● eveche.free.fr ● *Résa impérative.* 🛜 Au cœur de la cité médiévale, 3 jolies chambres doubles et 2 suites dans une demeure du XVIIe s, ancien hôtel épiscopal. Pour 2, comptez de 87 à 95 € pour les chambres et de 125 à 145 € pour les suites, petit déj compris, servi sur les terrasses. Bibliothèque et salons à disposition. Accueil familial. Pas de table d'hôtes mais plusieurs restos à proximité. Vue imprenable sur la plaine. Deux vélos à disposition (« Quand on partait sur les chemins... »).

Accès : 20 m après l'Hostellerie du Beffroi.

VALDEBLORE 06420

Carte régionale B1

*8 km O de Saint-Martin-Vésubie ;
12 km E de Saint-Sauveur-sur-Tinée*

€€ 🏠 |♨| 🏹 **Chambres d'hôtes Le Grand Chalet (Christine et Luc Van Wynsberghe) :** *route de la Colmiane.* ☎ *et fax :* 04-93-02-83-50. 📱 06-18-26-76-39. ● *chalet@grand-chalet.com* ● *grand-chalet.com* ● *Fermé 15 nov-15 déc.* 🛜 À 1 400 m d'altitude, face au pic de la Colmiane, grand chalet où il fait bon vivre. Venus du nord, exilés à Toulon, Luc et Christine ont tout lâché pour venir s'installer dans ce magnifique coin de nature, aux portes du parc du Mercantour. Cinq chambres coquettes, à l'atmosphère montagnarde, toutes avec balcon pour profiter du paysage. Sanitaires privés. 66 € pour 2, petit déj compris (confitures et gâteau maison). Table d'hôtes, partagée en famille, à 25 €, apéro, vin et café compris. Ici les activités ne manquent pas... Dans la maison : salle de muscu, ping-pong et sauna. L'hiver, c'est le ski, la station est à 1 km (22 km de pistes), l'été, c'est la rando avec les GR 5 et 52. Une adresse nature, comme on les aime, un accueil chaleureux et sans façon.

Accès : passez les trois hameaux de Valdeblore (Bolline, Roche et Saint-Dalmas), continuez vers La Colmiane pdt 2 km et c'est le grand chalet à gauche après le 2e lacet.

VALLAURIS-GOLFE-JUAN 06220

Carte régionale B2

7 km NE de Cannes ; 8 km O d'Antibes

€€€€€ 🏠 **Chambres d'hôtes Mas Samarcande (Mireille et Pierre Diot) :** *138, Grand-Boulevard-du-Super-Cannes.* ☎ *et fax :* 04-93-63-97-73. 📱 06-50-62-95-49. ● *mireille.diot@wanadoo.fr* ● *mas-samarcande.com* ● *Fermé déc-janv.* 🛜 Rassurez-vous, le « Grand-Boulevard » est une petite rue calme bordée de belles demeures bourgeoises. Au n° 138 vous entrerez dans le secret de l'une d'entre elles, magnifique, et qui jouit d'une superbe vue sur la ville, la baie des Anges et les Alpes italiennes. Cinq chambres spacieuses et élégantes, dont 3 ouvrent directement sur le jardin. Originaux et luxueux sanitaires privés. Selon la saison, de 125 à 140 € pour 2, copieux petit déj compris (en formule buffet). Pas de table d'hôtes, mais les restos ne manquent pas dans le coin. Calme, charme et volupté, accueil de qualité... bref, de quoi ravir sa dulcinée si l'on est un routard aisé.

Accès : A 8, sortie Vallauris puis D 435 jusqu'à Vallauris que vous traversez en direction de Golfe-Juan ; au rond-point à la sortie de la ville, prenez le bd de l'Horizon et la 1re route à droite.

VARAGES 83670

Carte régionale B2

35 km N de Brignoles ; 8 km O de Tavernes

€€€ 🏠 🏹 ⑩﹪ **Chambres d'hôtes Domaine de la Blaque (Jean-Luc et Caroline Plouvier) :** ☎ *et fax :* 04-94-77-86-91. 📱 06-25-32-22-81. ● *la.blaque@gmail.com* ● *lablaque.com* ● 🛜 Ancien relais de poste du XVIIIe s, isolé en pleine campagne, au milieu d'un domaine de 300 ha de prairies, forêts et maquis ! Deux chambres champêtres avec de beaux enduits à la chaux, à atmosphère qui sent bon la Provence. Chacune avec son kitchenette et sanitaires privés. Selon la saison, de 85 à 98 € pour 2, petit déj compris. Également 3 gîtes de 3 à 6 personnes pour ceux qui veulent séjourner. Grande piscine pour vous détendre. Passionné d'astronomie, Jean-Luc a installé des postes d'observation dans les anciennes soues à cochon. Accueil chaleureux. Une adresse vraiment nature pour se ressourcer et tenue par un sympathique couple de Belges.

Accès : dans Varages, direction Tavernes, et après la place, 1re rue à gauche (en face de l'abribus), faites 2 km sur cette route goudronnée puis chemin à gauche en terre sur 800 m.

VENASQUE 84210

Carte régionale A2

30 km NE d'Avignon ; 10 km SE de Carpentras

€€€ 🏠 ⑩﹪ **Chambres d'hôtes Le Mas des Pierres Blanches (Laurence et Alain Lubiato) :** *chemin de la Peirière.* ☎ 04-90-66-60-71 ou 04-78-00-25-99. 📱 07-87-05-01-63. ● *contact@pierres-blanches84.com* ● *pierresblanches84.com* ● *Ouv de Pâques à mi-oct.* 🛜 Au cœur de Venasque, classé parmi les plus beaux villages de France, superbe demeure entièrement construite par Alain et Laurence, où poutres et troncs ajoutent encore au charme des lieux. Laurence travaillait à Lyon dans le milieu médical mais elle a tout lâché pour réaliser son rêve dans cette région, dont elle est tombée amoureuse. Quatre chambres élégantes, décorées avec un goût très sûr, chacune avec petite terrasse privative et salon de jardin et sanitaires privés. De 69 à 85 € pour 2, petit déj compris, et 85 à 100 € pour la plus grande (qui peut accueillir 3 personnes). Splendide piscine très large. Accueil souriant et charmant. Très bon rapport qualité-prix-convivialité. Bref, une excellente adresse qui fait des adeptes.

Accès : montez dans Venasque, visez l'hôtel La Garrigue, la maison est 300 m plus haut (prendre le sens interdit).

VENCE   06140

Carte régionale B2

26 km NO de Nice ;
12 km N de Cagnes-sur-Mer

€€€€€ 🏠 **Chambres d'hôtes La Colline de Vence (Kristin et Frédéric Bronchard) :** 808, chemin des Salles. ☎ 04-93-24-03-66. • collinevence@ gmail.com • colline-vence.com • *Fermé de mi-nov à mi-fév.* 📶 Le plus dur est d'y arriver car ça grimpe sec ! Authentique mas auquel Frédéric et Kristin ont rendu vie et couleurs. Trois chambres coquettes, lumineuses et gaies, chacune avec accès indépendant, dont une suite vraiment spacieuse. Selon la chambre et la saison, de 97 à 155 € pour 2, petit déj compris. Agréable piscine. Accueil charmant teinté par l'accent de la maîtresse des lieux.

Accès : de Vence, D 2 vers Coursegoules/ col de Vence ; passez devant le resto Le Brasier, faites 800 m (av. h.-Giraud), tournez à gauche chemin des Salles, puis montez encore 800 m (fléchage).

VILLAR-SAINT-PANCRACE   05100

Carte régionale B1

1 km S de Briançon

€€ 🏠 🍴 10 % **Chambres d'hôtes La Riolette (Nadine et Thierry Moya) :** 38,

rue du Melezin. ☎ et fax : 04-92-20-58-68. 📱 06-73-69-90-20. • riolette@free. fr • riolette.fr • *Fermé 4 nov-22 déc.* À 1 300 m d'altitude, maison de village avec 5 chambres d'hôtes. Toutes installées au 1er étage, elles sont simples mais fonctionnelles, avec sanitaires privés. Selon la saison et la durée du séjour, comptez de 49 à 56 € pour 2, petit déj inclus. Table d'hôtes (en saison, sauf le dimanche) à 19 €, apéro et vin compris, systématiquement partagée avec les proprios. Si la vie de la ferme vous intéresse, l'exploitation de Nadine et Thierry est à proximité (vaches allaitantes). Les amoureux du ski de fond seront servis : le départ des pistes se trouve dans le village (si Thierry est disponible, il se fera une joie de vous accompagner). Accueil décontracté.

Accès : de Briançon, prenez la N 94 vers Embrun, puis la D 136A jusqu'à Villar-Saint-Pancrace ; fléchage dans le village.

VILLEDIEU   84110

Carte régionale A1

7 km N de Vaison-la-Romaine ;
14 km S de Nyons

€€ 🏠 🍴 10 % **Chambres d'hôtes Soleil et Ombre (Agnès Brunet) :** rue de la Bourgade. ☎ 09-50-54-72-17. 📱 06-60-90-65-68. • harz@free.fr • soleil-et-ombre.fr • *Ouv de mi-avr à fin oct.* 📶 Un charmant petit village provençal comme on l'imagine, avec un café sans âge dont la terrasse envahit la placette et, au fond, une terrasse-tonnelle pour se protéger de la chaleur accablante en été. C'est celle d'Agnès, une dame charmante qui a toujours le sourire aux lèvres, même lorsqu'elle égare ses clés en rentrant des courses... Deux chambres colorées, spacieuses, et en un mot impeccables, à 65 € pour 2, petit déj compris (55 € dès la 2e nuit). Petit jardin clos à l'arrière, très mignon.

Accès : au cœur du village.

VINON-SUR-VERDON   83560

Carte régionale A2

48 km NE d'Aix-en-Provence ;
15 km S de Manosque

€€ 🏠 🍴 🛏 **Chambres d'hôtes La Clape (Veerle et Thierry Gillet) :** 735, chemin de *la Clape.* ☎ 04-92-78-86-78. 📱 06-65-16-18-34. ● *t.v.gillet@orange.fr* ● *la_clape_vinonsurverdon.pagesperso-orange.fr* ● *Ouv mars-Toussaint.* Aux confins des Alpes-de-Haute-Provence, du Vaucluse, des Bouches-du-Rhône et du Var... Dans un bâtiment indépendant de la maison de Veerle et Thierry, qui garde la fraîcheur en été, 5 chambres à l'atmosphère campagnarde. Sanitaires privés. 58 € pour 2, petit déj compris. Table d'hôtes partagée en famille à 20 €, apéro maison, vin et café compris. Si vous préférez faire votre popote, cuisine et barbecue à disposition. Également 3 gîtes de 5 personnes loués de 370 à 540 € la semaine selon la saison. La maison est proche d'un petit aérodrome et vous pourrez admirer les planeurs évoluer dans les alentours... L'occasion idéale pour faire un baptême de l'air. Accueil chaleureux.

Accès : *de Vinon-sur-Verdon, direction Manosque, et 800 m après le dernier rond-point, tournez à gauche, chemin de la Clape.*

Rhône-Alpes

ABONDANCE   74360

Carte régionale B1

30 km SE de Thonon-les-Bains

€€ 🏠 |●| *Chambres d'hôtes Le Vieux Chalet (Liliane et Pierrot Berthet) :* Charmy-l'Envers. ☎ et fax : 04-50-73-02-79. ● lillia neberthet@orange.fr ● Fermé oct-déc. 📶 À 1 000 m d'altitude, superbe chalet du XVIII° s. Quatre chambres d'hôtes, simples et campagnardes, avec sanitaires privés. 56 € pour 2, avec le petit déj, et 92 € pour 4. Liliane et Pierrot élèvent des vaches et des chèvres et fabriquent des fromages (chevrotin, fromage d'Abondance). Table d'hôtes (sans les propriós) avec les bons produits maison : sauté de lapin polenta, berthoud (fromage d'Abondance, madère, charcuterie et pommes), poêlée montagnarde (pommes de terre, fromage et vin blanc)... 18 € le repas, vin compris. On peut regretter de ne pas vivre plus chez l'habitant, mais l'accueil de Liliane (un peu réservé au départ) se révèle chaleureux et elle devient vite Lili pour les habitués.

Accès : de Thonon-les-Bains, prenez la D 902 vers Morzine, puis à gauche la D 22 jusqu'à Abondance et suivez le fléchage.

ALBA-LA-ROMAINE   07400

Carte régionale A2

25 km SE d'Aubenas ;
19 km O de Montélimar

€€ 🏠 ⟨10%⟩ *Chambres d'hôtes La Grange au Nègre (Jennyfer et Gilles Collet-Nott) :* Saint-Philippe. ☎ 04-75-52-44-67. 📱 06-82-33-51-98. ● grange negre@gmail.com ● lagrangeaunegre. sitew.com ● 📶 Cernée par les vignes, les champs et la garrigue, ancienne ferme en pierre que Gilles et Jennyfer ont entièrement retapée. Trois chambres lumineuses et agréables. Que ce soit « La Méditerranéenne », « L'Africaine » ou « L'Ardéchoise », elles sont décorées avec sobriété et bon goût. Toutes avec sanitaires privés et clim. 68 € pour 2, petit déj compris. Également un gîte pour 5 personnes pour les séjours prolongés. Accueil attentionné et discret. Et si vous aimez le jazz, alors là...

Accès : d'Alba, prenez la direction de Valvignère sur 2 km et suivez le fléchage à droite ; à la patte-d'oie suivante, prenez à droite.

AMBÉRIEU-EN-BUGEY   01500

Carte régionale A1

37 km S de Bourg-en-Bresse ;
15 km NE de Pérouges

€€€ 🏠 *Chambres d'hôtes La Barre (Chantal et Pierre Bourbon) :* 70, rue de la Chapelle. ☎ 04-74-46-82-56. 📱 06-84-59-34-45. ● bourbonpi@wanadoo.fr ● 📶 Voilà encore une adresse d'exception ! Sur les hauteurs de la ville, dans un petit coin tranquille, superbe maison forte dont les origines remontent au XIV° s, fortement

---

Nous vous rappelons que la table d'hôtes est le complément d'une formule d'hébergement (chambre d'hôtes, gîte d'étape...). Ce service n'est offert qu'aux personnes qui dorment sur place (excepté lorsqu'il est clairement écrit « ouvert aux extérieurs »).

RHÔNE-ALPES

NORD

1 Beaujeu-en-Beaujolais
2 Quincié-en-Beaujolais
3 Marchampt
4 Vernay
5 Poule-les-Écharmeaux
6 Propières
7 Lans-en-Vercors
8 Méaudre

ALLIER (03)

N 79 · E 62

SAÔNE-ET-LOIRE (71)

Chavannes-s-Reyssouze

Mantenay-Montlin

Villemot

Viller versu

AIN

Mâcon

Laiz

Ramasse

Bourg-en-Bresse

Boh

Lapalisse

Vichy

St-Bonnet-des-Quarts

Ouroux

6
4 1
5
3 2

Dracé

Peyzieux-s-S.

Cesseins

Sandrans

Jujurie

Ambérieu-en-Bugey

LOIRE

St-Haon-le-Vieux

Montagny

Grandris

Messimy-sur-Saône

Civrieux

Châtillon-la-Palud

St-Jean-St-Maurice

Roanne

42

St-Jean-la-Bussière

Villefranche-sur-Saône

01

Lagnieu

St-Priest-la-Roche

St-Jodard

Thiers

PUY-DE-DÔME (63)

St-Marcel-d'Urfé

Épercieux-St-Paul

Bully

RHÔNE

Lyon

Civens

St-Laurent-Rochefort

Montromant

D 517

Montverdun

St-Martin-Lestra

69

Grézieux-le-Fr.

Montbrison

St-Galmier

St-André-la-Côte

ISÈRE

Vienne

St-Romain-le-Puy

St-Victor-sur-L.

38

La Côte-St-André

Ambert

Marols

Chambles

St-Étienne

St-Michel-sur-Rhône

St-Nizier-de-Fornas

Thélis-la-Combe

Lens-Lestang

St-Appolinard le G

Brioude

Hauterives

St-Antoine-l'Abbaye

Éclassan

Lemps

Châtillon-St-Jean

Presl

Yssingeaux

HAUTE-LOIRE (43)

Pailharès

St-Bardoux

Mauves

St-Je en-Roya

Le Puy-en-Velay

La Roche-de-Glun

Châteauneuf-sur-Isère

Arcens

Boffres

Valence

ARDÈCHE

Étoile-sur-Rhône

Cros-de-Géorand

Sagnes-et-Goudoulet

Lyas

St-Laurent-du-Pâpe

St-Andéo en-Quin

Langogne

Privas

Chabrillan

Mirmande

La Souche

St-Julien-du-Serre

07

Aubenas

DRÔME

Montélimar

26

Alba-la-Romaine

Salles-sous-Bois

Rosières

Réauville

LOZÈRE (48)

St-Montan

Colonzelle

Curn

Nyons

Mende

Florac

Labastide-de-Virac

St-Sauveur-de-Cruzières

GARD (30)

Bagnols-sur-Cèze

Orange

VAUCLUSE (84)

Meyrueis

Alès

remaniée au XVIIe s, installée dans un grand parc de 1 ha. 2 chambres élégantes dont 1 suite immense pour 3 personnes. avec coin salon et luxueux sanitaires (douche et baignoire) mais en open space. La plus petite, si l'on peut dire, en rez-de-jardin avec accès direct sur le parc ; l'autre au 1er étage de la maison. Selon chambres, comptez 72 et 82 € pour 2, petit déj compris, souvent servi dans le cabinet des curiosités (si,si !). C'est la pièce la plus ancienne de cette belle demeure, où l'on exposait ses souvenirs de voyage... Elle est parée de magnifiques fresques. Les autres pièces ne sont pas mal non plus, conservées dans leur jus, avec vieilles tomettes, dallage en pierre, cheminée avec le four à pain... Le parc vous attend avec sa petite chapelle du XVIIIe s, sa piscine et son bassin. Pas de table d'hôtes mais coin cuisine à disposition et premier resto à 15 mn à pied. Accueil chaleureux. Excellent rapport qualité-prix-convivialité. *NOUVEAUTÉ.*

Accès : dans le centre-ville prendre la direction de Belley pendant 1 km et la rue de la Chapelle est à gauche, juste après le château des Échelles.

€ 🏠 **Le Gîte des Allymes (Pascale et Alexis) :** Hameau de Brey de Vent. ☎ 04-74-38-64-94. 📠 06-84-08-78-45. ● pascale-alexis@wanadoo.fr ● gitedesallymes.com ● 📶 À 623 m d'altitude, avec une vue superbe sur les contreforts du Jura, chaleureux gîte d'étape. Ouvert en 2005, il a été un des précurseurs en matière d'hébergement et pourrait ressembler à un établissement de chambres d'hôtes. Il faut dire qu'Alexis travaille dans le bâtiment et que Pascale est aussi décoratrice d'intérieur (ça aide !). 5 jolies chambres de 2 à 4 pers avec sanitaires privés. Selon durée et nombre de personnes, de 20 à 40 € par nuit (draps fournis). Pour le petit déj et les repas, une grande cuisine équipée est à disposition mais il y a aussi une crêperie à côté du gîte. Bien sûr les chemins de randos autour ne manquent pas. Accueil convivial. Une adresse où on aurait bien posé nos sacs plus longtemps. *NOUVEAUTÉ.*

Accès : d'Ambérieu suivez la direction « château des Allymes » pendant 7 km en passant par le hameau des Allymes, celui de Brey de Vent est le suivant.

ARCENS 07310

Carte régionale A2

60 km NO de Privas ;
15 km O du Cheylard

€€ 🏠 |○| **Chambres d'hôtes L'Ayga (Céline Leynaud et Alain Heudhuin) :** hameau de Mayas. ☎ 04-75-30-80-73. 📠 06-12-16-60-98. ● ayga07@aol. com ● ayga.net ● Fermé de mi-nov à mi-mars. 📶 Céline et Alain ont tout quitté pour retaper cette ancienne ferme située dans la montagne ardéchoise à 780 m d'altitude. Quatre chambres chaleureuses de 3 et 4 personnes, réparties dans différentes ailes de la maison. Sanitaires privés. 54 € pour 2, petit déj compris, et 15 € par personne supplémentaire. Table d'hôtes partagée en famille à 18 €, apéro maison, vin et café compris. Cuisine à tendance régionale à partir des légumes du jardin et de la production des fermes des environs. Faites pour nous une caresse aux deux sympathiques chiennes de la maison. Accueil convivial. Une adresse qu'on aime bien.

Accès : dans le village, entre le tabac et la boucherie, prenez la direction Mayas, la maison est après le hameau sur la gauche (3 km du village).

BEAUJEU-EN-BEAUJOLAIS 69430

Carte régionale A1

58 km NO de Lyon ; 30 km S de Mâcon

€€ 🏠 |○| 🐴 ⟨10%⟩ **Chambres d'hôtes (Marie et Philippe Laprun) :** Chantemerle-en-Morne. ☎ 04-74-04-89-26. ● marie@chantemerle-en-morne.com ● chantemerle-en-morne.com ● 🦽 Fermé 24-30 déc. 📶 Au calme, petite maison vigneronne face aux vignobles d'appellation beaujolais-village. Marie peint, sculpte, jardine et confectionne de bonnes confitures pour ses hôtes. Philippe, lui, est œnologue ; il vous donnera tous les tuyaux pour vous faire une bonne cave. Trois chambres champêtres, aux douces couleurs pastel, équipées de sanitaires privés : une familiale (4 personnes) en duplex et 2 doubles (dont une de plain-pied accessible aux personnes à mobilité réduite). Ambiance un brin romantique, qui ravira ces dames. 56 € pour 2, petit déj compris, servi sous la tonnelle. Tables d'hôtes (sur réservation) à 24 € et possibilité de repas-dégustation œnologique animé par Philippe pour 45 € (minimum 6 personnes). Accueil chaleureux et bon rapport qualité-prix. Routards randonneurs, plein de circuits à faire, comme celui qui mène au petit village d'Avenas avec sa ravissante église. Enfin, n'oubliez pas non plus que Beaujeu est la capitale du beaujolais...

Accès : de Beaujeu, prenez la D 26 vers Saint-Joseph/Juliénas ; allez dans le 1er hameau sur la gauche (Chantemerle-en-Morne) et suivez le fléchage.

BELLEVAUX 74470

Carte régionale B1

*18 km S de Thonon-les-Bains ;
45 km NO de Genève*

€ 🏠 |O| 🐾 *Gîte d'étape Le Chalet (Édouard Illand et Anne-Marie Felisaz-Denis) :* La Cressonnière. ☎ et fax : 04-50-73-70-13. ● lechalet74@free.fr ● 🛜 À 850 m d'altitude, au fond de la vallée du Brevon, en pleine nature. Cinq chambres dans un grand chalet en bois, entouré de montagnes, où l'accueil est une tradition familiale, puisqu'on y reçoit des hôtes depuis... les années 1960 ! Toutes sont situées au 1er étage (dont 3 avec balcon, celles qu'on préfère) ; lavabo et bidet dans chacune, et douche et w-c communs sur le palier et au rez-de-chaussée. Elles sont simples, mais le bois crée une atmosphère chaleureuse, et du balcon on a une très belle vue sur les alentours. Beaucoup d'outils anciens décorent la maison. 50 € pour 2 avec le petit déj, ou 40 € par personne en demi-pension (repas entre 20h30 et 21h), boissons comprises. Spécialités savoyardes cuisinées au feu de bois. Outre ses sympathiques labradors, la maison d'Anne-Marie est devenue un refuge pour équidés. Possibilité de loger les cavaliers dans un petit gîte équestre de 6 places. Petite station familiale (piste et fond) à 7 km.

Accès : de Thonon, prenez la D 26 en direction de Bellevaux ; 2 km avt le village, tournez à gauche, puis suivez le fléchage.

BOËGE 74420

Carte régionale B1

*28 km SO de Thonon-les-Bains ;
18 km SE d'Annemasse*

€€ 🏠 |O| 🐾 *Chambres d'hôtes du Chalet (Françoise et Gérard Novel) :* Chez Novelly. ☎ 04-50-39-12-35. 📱 06-07-18-56-46. Fax : 04-50-39-17-20. ● chambredu chalet@hotmail.fr ● 🛜 À 860 m d'altitude, jolie ferme-chalet, où l'on fait l'élevage de vaches laitières et où l'on fabrique du fromage d'Abondance et de la tomme. Belle vue sur la campagne environnante. Une chambre d'hôtes dans la maison et une autre installée dans un petit chalet séparé. Sanitaires privés. Pour 2, de 58 à 62 €, copieux petit déj compris. Possibilité de table d'hôtes pour 20 €, vin compris. Prêt de raquettes (l'hiver). Vente de fromages sur place, *of course* ! Excellent accueil.

Accès : d'Annemasse, empruntez la route de Tanninges ; avt le pont de Fillinges, prenez la direction de Boëge et, avt le village, tournez à gauche puis suivez le fléchage.

BOHAS 01250

Carte régionale A1

15 km E de Bourg-en-Bresse

€ 🏠 |O| 🔟% *Chambres d'hôtes (Danièle et Pierre Dubourget) :* Le Château, 237, route de Bourg. ☎ 04-74-51-86-11. 📱 06-16-15-62-75. ● pdubour get01@orange.fr ● 🛜 Pierre a repris ce beau domaine, la ferme et le patrimoine familial, et a décidé de l'ouvrir au tourisme. Dans une des maisons en pierre, indépendante de la sienne, 5 chambres fonctionnelles avec sanitaires privés. 49 € pour 2, petit déj compris. Immense salle à manger commune et cuisine professionnelle au rez-de-chaussée. Pierre y prépare les repas pour la table d'hôtes à 18 €, vin compris (partagée en famille). Dans une autre maison, il y a un petit gîte rural. Enfin, il y a les ruines de château et elles ne manquent pas de romantisme (qu'attend donc le cousin d'Amérique, pour restaurer tout ça ?). Accueil chaleureux. Une bonne adresse.

Accès : de Bourg-en-Bresse, prenez la D 979 en direction de Nantua, via Ceyzériat, que vous ne quittez plus jusqu'à Bohas ; une allée à gauche conduit vers les ruines du château.

BONNEVAL-SUR-ARC 73480

Carte régionale B1

*80 km E de Saint-Jean-de-Maurienne ;
19 km NE de Lanslebourg*

€€€ 🏠 🔟% *Chambres d'hôtes Chalet La Rosa (Olga Cavatore) :* Vieux Village. ☎ et fax : 04-79-05-95-66. ● chambresdhote-la.rosa@orange. fr ● la-rosa.info ● Fermé janv, mai-juin et 16 sept-20 déc. 🛜 Situé à 1 800 m d'altitude, Bonneval est classé à juste titre parmi les plus beaux villages de France. La plupart des maisons sont en pierre avec d'imposants toits de lauzes. Dans l'une d'elles, 4 chambres de 2 à 4 personnes, douillettes et chaleureuses, avec sanitaires privés ; 2 possèdent un balcon, 2 autres une mezzanine. Déco montagnarde où le bois est à l'honneur. 90 € pour 2, petit déj compris, et 20 € par personne supplémentaire. Pour les amateurs de ski alpin, la navette passe devant la maison. L'été, le GR 5 traverse le village ainsi que la GTA. Accueil convivial.

Accès : dans le vieux village.

RHÔNE-ALPES

BOUSSY 74150

Carte régionale B1

20 km SO d'Annecy ;
5 km SE de Rumilly

€€ ⌂ ⋔ **Chambres d'hôtes Château de Lupigny (Robert Routex) :**
☎ 04-50-01-12-01. 🖷 06-13-81-31-49.
● chateaudelupigny@aol.com ● chateau
delupigny.com ● 📶 À 400 m d'altitude,
dans un écrin de verdure, imposante
et belle maison forte dont les origines
remontent au XVIᵉ s. Dans la partie la
plus ancienne, accessibles par un bel
escalier à vis, 2 chambres vastes installées aux 1ᵉʳ et 2ᵉ étages. Sanitaires
privés. Déco agréable. 67 € pour 2, petit
déj compris. Robert adore chiner et sa
cuisine est une véritable brocante. Pas
de table d'hôtes, mais plusieurs restos
à proximité. Accueil chaleureux. Une
adresse qui ne manque pas de charme.

Accès : sur la D 16, entre Annecy et
Rumilly ; prenez la D 31 vers Boussy, que
vous ne quittez plus, en suivant la direction Saint-Sylvestre, jusqu'au fléchage
« Lupigny ».

BRENS 01300

Carte régionale B1

32 km NO de Chambéry ;
3 km S de Belley

€€ ⌂ |●| **Chambres d'hôtes Ferme des Grands Hautains (Monique et Noël Veyron) :** 37, sentier de la Conche, Le
Petit-Brens. ☎ 04-79-81-90-95. 🖷 06-23-
03-38-89. ● noel.monique.veyron@sfr.fr ●
Fermé 15 nov-15 déc. 📶 C'est dans une
aile de leur ferme que Monique, Noël et
leur fils Philippe ont installé 4 chambres :
2 au 1ᵉʳ étage et 2 au second, mansardées. Déco rustique. Choisissez celles
du haut, car elles disposent d'un salon
avec coin cuisine. Sanitaires privés.
Comptez 52 € pour 2, avec le petit déj,
et 19 € par personne supplémentaire.
Possibilité de table d'hôtes, sur réservation, à 19 €. Accueil souriant et chaleureux. À proximité, le marais de Lavours
(1 000 ha de réserve naturelle) offre de
superbes balades le long de sentiers
sur pilotis. Amateurs, à vous la faune et
la flore, si vous pensez à vous munir de
bonnes jumelles !

Accès : sur la N 504 entre Belley et Chambéry, prenez la D 31A vers Brens et suivez
le fléchage.

BULLY 69210

Carte régionale A1

25 km NO de Lyon ; 15 km SE de Tarare

€€ ⌂ |●| ⑩ **Domaine du Chêne Patouillard (Michel Biron) :** che-
min du Chêne-Patouillard. ☎ 04-74-
26-89-50. 🖷 06-10-98-04-16. ● mjp.
biron@gmail.com ● gite-de-france-
au-chene-patouillard.com ● Fermé
19 déc-2 janv. 📶 Au milieu des prés et des
cultures, grande bâtisse campagnarde.
Dans une aile indépendante, 5 chambres
installées aux 1ᵉʳ et 2ᵉ étages. Sanitaires
privés avec eau chaude solaire. De 69
à 75 € pour 2, petit déj compris. Table
d'hôtes à 26 €, apéro, vin et café compris
(pas systématiquement partagée avec
votre hôte). Et pour vous détendre, une
agréable piscine.

Accès : de Lyon, empruntez la N 7 vers
Tarare ; laissez le village sur votre droite, faites
1 km ; 150 m après le garage Renault, prenez
le chemin à droite et suivez le fléchage.

CESSEINS 01090

Carte régionale A1

40 km SO de Bourg-en-Bresse ;
12 km SO de Châtillon-sur-Chalaronne

€€€ ⌂ **Chambres d'hôtes La Cerisaie (Hervé Grandjean et Raphaël) :** 1689,
route de Saint-Trivier. ☎ 04-74-69-43-89.
🖷 06-14-08-48-16. ● lacerisaie.chambres.
hotes@gmail.com ● chambres-hotes-ceri
saie.com ● 📶 Cette maison qui date de la
fin du XIXᵉ s a depuis longtemps une tradition d'accueil puisque c'était une ancienne
auberge. Aujourd'hui on y loge dans
3 jolies chambres dont 2 familiales pouvant
accueillir jusqu'à 5 personnes pour la plus
grande. Sanitaires privés. 2 avec accès
direct sur le jardin, la dernière au 1ᵉʳ étage
de la maison, décorée sur le thème de
l'Afrique du Sud, une des destinations préférées des proprios. Selon la chambre de
70 à 85 € pour 2, petit déj compris, et 20 €
par personne supplémentaire. Pas de table
d'hôtes mais coin kitchenette à disposition
et agréable véranda pour se détendre. Plusieurs circuits de randos autour de la maison et Hervé prête aussi des vélos. Accueil
convivial. *NOUVEAUTÉ.*

Accès : A 6 sortie n° 30 Belleville puis direction Châtillon-sur-Chalaronne, traversez la
Saône et, au rond-point de la Grenouille suivez le Parc des Oiseaux jusqu'à Cesseins (la
maison est à l'entrée du village, à gauche).

RHÔNE-ALPES

CEYZÉRIEU   01350

Carte régionale B1

*40 km NO de Chambéry ;
10 km N de Belley*

€€ 🏠 🐕 ⑩% *Chambres d'hôtes
(Jacques Bosso) :* 27, rue de la Traverse,
Avrissieu le Haut.. ☎ 04-79-87-92-56.
📠 06-71-94-88-96. ● jacques.bosso@
wanadoo.fr ● Ouv début avr-début nov.
Ici, c'est dans deux maisonnettes de
village que Jacques vous propose de
séjourner. L'une était l'ancienne forge du
hameau, l'autre, l'ancien pressoir. Il les a
aménagées avec le souci d'en préserver
le caractère authentique, et l'atmosphère
est campagnarde à souhait. D'abord « La
Forge », pour 4 personnes, avec petit
salon où trône le traditionnel Godin, puis
coin cuisine et salle de bains ; 2 autres
chambres à l'étage. « Le Pressoir » est
pour les amoureux, avec canapé et cheminée, coin cuisine. La dernière chambre a
ses sanitaires à l'étage. 54 € pour 2, avec
le petit déj servi chez Jacques qui habite
l'ancienne ferme mitoyenne à la forge.
Aux beaux jours, vous le prendrez dans
son superbe jardin intérieur en compagnie
des tortues de votre hôte qui en héberge
toute une colonie ! Accueil de qualité.
Très bon rapport qualité-convivialité-prix.
Une de nos adresses préférées sur le
département.

> *Accès :* au niveau de l'église, prenez la rue
> entre le bar et l'épicerie, traversez le village
> en direction de Belley/Vongnes ; c'est la
> 3e rue à gauche.

CHABRILLAN   26400

Carte régionale A2

26 km S de Valence ; 15 km E de Loriol

€€ 🏠 🍽 ⑩% *Chambres d'hôtes La
Benjianne (Marie-Odile Petiot et Jean-
Philip Reynier) :* Les Sabarots. ☎ 04-75-
62-76-25. 📠 06-83-03-85-49. ● info@la-
benjianne.com ● la-benjianne.com ● Ouv
avr-oct. En pleine campagne, entre cultures, vergers et sous-bois, ancienne ferme
tout en pierre que Marie-Odile et Jean-
Philip ont bien restaurée. Trois chambres
coquettes de 2 à 4 personnes, réparties
dans différentes ailes de la maison, chacune avec accès indépendant et sanitaires
privés. 67 € pour 2, petit déj compris, et
25 € par personne supplémentaire. Table
d'hôtes partagée en famille à 25 €, apéro,
vin et café compris. Cuisine traditionnelle
avec les légumes du jardin en saison.
Marie-Odile défend sa région avec ferveur

et vous donnera tous les tuyaux pour la
découvrir. Accueil dynamique et souriant.

> *Accès :* sur la D 104 entre Loriol et Crest,
> bifurquez à gauche vers Les Sabarots
> (venant de Loriol) pdt 1 km ; l'entrée de la
> maison est à droite (n'allez pas au village).

CHAMBLES   42170

Carte régionale A1

25 km O de Saint-Étienne

€€ 🏠 🍽 *Chambres d'hôtes La Grange
aux Hirondelles (Christine et Pascal
Jousserand) :* Meyrieux. ☎ 04-77-52-
95-12. 📠 06-23-43-67-28. ● jousserand.
pascal@wanadoo.fr ● la-grange-aux-
hirondelles.com ● 🐾 📶 À deux pas
du barrage de Grangent, au cœur d'un
petit hameau, Christine et Pascal vous
accueillent sur leur ferme où ils élèvent
des vaches laitières. L'ancienne grange
a fait peau neuve et héberge maintenant 5 chambres claires et gaies avec
sanitaires privés. 55 € pour 2, petit déj
compris, avec de délicieuses confitures
maison (dont celle au lait et la cramail-
lote de pissenlit, hmm !). Ancienne élève
de l'école hôtelière, Christine vous propose une savoureuse table d'hôtes
(sauf le dimanche soir) pour 20 €, vin
compris. Cuisine naturelle où cuisine
où les produits maison sont à l'honneur.
Les proprios sont une mine d'infos pour
découvrir la région. Accueil hors pair.
Une de nos adresses préférées sur le
département.

> *Accès :* de Saint-Étienne, N 88 jusqu'à Fir-
> miny puis D 3 vers Unieux jusqu'au pont
> de Pertuiset ; là, traversez la Loire et pre-
> nez à droite la D 108 vers Chambles que
> vous traversez et, à 1,5 km, D 32 à gauche
> vers Meyrieux ; la maison est au bout du
> hameau.

CHANAY   01420

Carte régionale B1

*40 km NO d'Annecy ;
15 km S de Bellegarde*

€€ 🏠 ⑩% *Chambres d'hôtes Les
Fustes d'Izernore (Karine Min Tung et
Yvon Bachelet) :* ☎ 04-50-59-54-66.
📠 06-81-12-20-27. ● izernore@wanadoo.
fr ● chanay.free.fr ● 📶 On les croirait
tout droit sorties de *La Petite maison
dans la prairie,* et pour cause ! Elles sont
deux, entièrement construites en fûts
de mélèze, sans clous ni chevilles (Yvon
vous l'expliquera et vous racontera aussi

les soucis qu'il a eus pour obtenir les diverses autorisations... merci la mairie !). Dans l'une d'elles, 3 chambres croquignolettes et chaleureuses, avec accès indépendant de plain-pied. Sanitaires privés. 52 € pour 2, copieux petit déj compris, servi sur la terrasse ou dans la maison des proprios. Karine est infirmière, et comme elle s'occupe des autres, c'est Yvon qui s'occupe des hôtes. Accueil convivial et décontracté. Calme et tranquillité assurés, et comme aime à le dire Yvon : « Si ton médecin ne peut plus rien pour toi, habite une maison en bois. »

Accès : dans le village, empruntez la rue face au monument aux morts sur 50 m, entrez dans le parc à gauche et allez tt au bout.

CHAPAREILLAN   38530

Carte régionale B1

*20 km S de Chambéry ;
10 km NO de Pontcharra*

€€ 🏠 10 % ***Chambres d'hôtes Chalet L'Épervière (Marie-Jo Favrichon-Michel) :*** *Bellecombette.* ☎ *et fax : 04-76-45-59-74.* 📱 *06-14-26-38-09.* ● *leperviere@hotmail.com* ● *chalet.eperviere.free.fr* ● *Fermé 1er-15 oct.* 📶 Petit hameau d'altitude dans le parc régional de la Chartreuse. Un chalet ? Marie-Jo en rêvait... Alors, elle l'a fait construire pour le décorer à son goût avec plein de petites peintures murales (normal, elle est aussi prof de peinture sur bois). Deux chambres chaleureuses et douillettes, avec sanitaires privés, à 66 € pour 2, petit déj compris. Pas de table d'hôtes, mais kitchenette et coin repas à disposition. Accueil discret et souriant. Possibilité d'aller taquiner le poisson ou de faire trempette dans le joli lac de Saint-André (à 6 km).

Accès : de Chapareillan, prenez la direction du col du Granier, jusqu'à La Palud ; tournez à gauche vers Bellecombette et suivez le fléchage.

CHÂTEAUNEUF-SUR-ISÈRE   26300

Carte régionale A2

10 km N de Valence

€€ 🏠 I●I 10 % ***Chambres d'hôtes Nature d'Eaux (Sylvie et Gérard Combet) :*** *Les Communaux.* ☎ *04-75-84-58-88.* 📱 *06-16-66-35-87.* ● *contact@ naturedeaux.com* ● *naturedeaux. com* ● 📶 Alors, c'est une adresse très atypique dans notre sélection, mais l'accueil et la maison nous ont séduits ! C'est un véritable centre de remise en forme avec hammam, jacuzzi, cabine de massages et, bien sûr, des chambres d'hôtes. Elles sont 4, toutes aussi charmantes les unes que les autres. 70 € pour 2, petit déj compris. Pas de table d'hôtes proprement dite, mais possibilité de restauration livrée par un traiteur. La table est dressée dans la chambre ou sous une tonnelle. Question spa, l'heure avec hammam et jacuzzi est à 20 €. Accueil chaleureux. Une adresse pour prendre soin de son corps.

Accès : de l'A 7, sortie 14 « Valence Nord » ; au 1er rond point, prenez à droite la RN 7 direction Pont-de-l'Isère, continuez sur 2,5 km, puis prenez à droite la D 877 ; poursuivez sur 1,5 km puis chemin à gauche.

CHÂTILLON-LA-PALUD   01320

Carte régionale A1

*20 km S de Bourg-en-Bresse ;
10 km N de Pérouges*

€€ 🏠 I●I ***Chambres d'hôtes La Ferme Modèle (Pierre Massié et Géraldine Moreau) :*** *217, route des Loyes.* 📱 *06-48-32-32-02.* ● *pierre massie@wanadoo.fr* ● *ferme-modele. com* ● 📶 C'est une ferme comme on en voit peu !... Contrairement à toutes les fermes des Dombes, celle-ci est en pierre de taille et, selon la petite histoire, elle aurait été construite au milieu du XIXe s par le propriétaire du château situé en contrebas de la ferme pour une de ses employées (mais chut !). C'est pour ça qu'elle a si fière allure avec ses IPN en fer. Les dépendances sont magnifiques (la bascule, l'étable, l'atelier mécanique...) et ont été restaurées avec amour par Pierre qui est aussi collectionneur de vieux matériels agricoles. Oui, la Ferme Modèle porte bien son nom ! Dans l'ancienne grange, 4 belles chambres à l'atmosphère campagnarde. Ambiance sereine et d'autrefois. 56 € pour 2, petit déj compris et 66 € si vous utilisez la piscine. Table d'hôtes sans les proprios à 18 €, vin et tisane compris. Cuisine familiale du terroir. Une adresse où convivialité rime avec hospitalité. Une de nos adresses préférées sur le département. *NOUVEAUTÉ.*

Accès : à l'entrée de Châtillon-la-Palud le bourg.

RHÔNE-ALPES

CHÂTILLON-SAINT-JEAN 26750

Carte régionale A2

25 km NE de Valence ;
10 km E de Romans

€€€ 🏠 *Chambres d'hôtes La Maison Forte de Clérivaux (Anne et Pierre Josquin) :* ☎ 04-75-45-32-53. ● contact@clerivaux.fr ● clerivaux.fr ● *Fermé janv-mars.* 📶 Anciennes ruines d'une maison forte du XIIIᵉ s et ses communs (XVIIᵉ-XIXᵉ s), patiemment restaurée depuis plus de 30 ans... Anne et Pierre vous parleront de leurs années de travaux, du souci qu'ils ont eu à retrouver les techniques des artisans d'antan, les matériaux et les couleurs des bâtiments originels... Le résultat est superbe et les 4 chambres sont parfaites, cela va sans dire. Compter 75 € pour 2, copieux petit déj compris. Site splendide, préservé et isolé, petit jardin de curé en terrasses, une roseraie ancienne, un jardin d'eau... Un lieu enchanteur et hors du temps ! Et pour ceux qui tomberont définitivement sous le charme, un appartement haut de gamme (4-5 personnes) loué 490 € la semaine.

Accès : au rond-point à l'entrée de Châtillon, suivez le fléchage « Chapelle de Gillons » ; la maison se trouve à 2,5 km.

CHAVANNES-SUR-REYSSOUZE 01190

Carte régionale A1

35 km NO de Bourg-en-Bresse ;
5 km E de Pont-de-Vaux

€€€ 🏠 |○| ⑩% *Chambres d'hôtes Les Darbonnets (Dominique et Charles Caclin) :* ☎ 03-85-36-48-75. ● dominique@darbonnets.fr ● darbonnets.fr ● 📶 Dans un petit hameau campagnard, au milieu d'un agréable parc avec petit étang privatif, imposante bâtisse du XIXᵉ s. Au 1ᵉʳ étage, 3 chambres spacieuses décorées avec goût. Sanitaires privés. Entre les chambres « Cécile » et « Rose », notre cœur balance. 80 € pour 2, petit déj compris, et 21 € par personne supplémentaire. Salon bibliothèque avec cheminée ouvert aux hôtes. Vélos à disposition. Accueil convivial.

Accès : A 6 sorties nᵒˢ 27 ou 28 et direction Pont-de-Vaux, puis D 2 vers Saint-Trivier-de-Courtes sur 5 km ; ne tournez pas vers Chavannes et 300 m après suivez le fléchage à droite.

CHEVILLARD 01430

Carte régionale B1

35 km E de Bourg-en-Bresse ;
9 km S de Nantua

€€ 🏠 *Chambres d'hôtes La Haie-Fleurie (Patricia Robert) :* 170, chemin de la Haie Fleurie. ☎ 04-74-73-02-53. 📱 06-76-27-51-67. ● lahaiefleurie01@orange.fr ● 📶 À 730 m d'altitude, à l'orée d'un petit village entouré de forêts, une ancienne, imposante et belle ferme toute en pierre. Dans le couloir d'entrée, les mangeoires ont été conservées. 4 chambres coquettes avec sanitaires privés. 2 au rez-de-chaussée, les 2 autres à l'étage. 60 € pour 2, petit déj compris. Pas de table d'hôtes mais coin cuisine à disposition et plusieurs restos dans un rayon de 5 à 9 km. Accueil dynamique et chaleureux. Une gentille adresse pour se mettre au vert ou randonner. *NOUVEAUTÉ.*

Accès : A 40 sortie nᵒ 8 Hauteville, puis direction St-Martin-du-Frêne et au 1ᵉʳ rond-point allez vers Chevillard, la maison est à l'entrée du village à gauche.

CHIRENS 38850

Carte régionale B1

30 km NO de Grenoble ;
6 km N de Voiron

€€€ 🏠 |○| ⑩% *Chambres d'hôtes La Maison de Joanny (Béatrice et Claude Micoud-Terreaud) :* 1490, route de la Guilletière. ☎ 04-76-91-04-67. 📱 06-70-06-23-34. ● contacts@maison-de-joanny.com ● maison-de-joanny.com ● 📶 À l'écart de l'agitation de la ville. Joanny, c'était le grand-oncle de Claude, ancien propriétaire de cette ancienne ferme familiale vieille de plus de deux siècles. L'ancienne grange a été réaménagée pour accueillir des hôtes. Quatre chambres charmantes avec sanitaires privés. Ici, on a osé les couleurs, et le nom des chambres dépend de la couleur des poutres. On aime bien la verte avec son lit à baldaquin. Sanitaires privés, TV et système wifi. 79 € pour 2, petit déj compris. Excellente et inventive table d'hôtes (sauf le dimanche) à 25 €, apéro, vin, café et digeo compris. Accueil chaleureux teinté par le rire de Béatrice.

Accès : venant de Voiron, traversez le village, passez l'église et à la sortie du virage prenez la 2ᵉ rue à gauche vers Clermont/La Guilletière pdt 300 m puis à droite la route de la Guilletière sur 1,5 km et suivez le fléchage.

CIVENS 42110

Carte régionale A1

*40 km N de Saint-Étienne ;
2 km NE de Feurs*

€ 🏠 |○| *Chambres d'hôtes (Simone et Bernard Palais) : 570, rue Les Rivières.* ☎ 04-77-26-11-93. 📱 06-26-12-15-74. ● *bernard.palais@orange.fr* ● 🛜 Simone et Bernard, agriculteurs à la retraite, vous accueillent dans leur ferme située en pleine campagne. Au 1er étage de la maison, 3 chambres toutes simples avec sanitaires privés, à 46 € pour 2, petit déj compris, avec un bon choix de confitures maison. Table d'hôtes à 16,50 €, vin compris. Cuisine traditionnelle et familiale avec les volailles et les légumes de la ferme (vous avez dit frais ?). Les moins fortunés trouveront un petit camping à la ferme de 6 emplacements. Accueil souriant et authentique. Une adresse nature.

● *Accès : de Feurs, empruntez la D 1082 en direction de Roanne, traversez la Loise et prenez à droite l'allée de la Loise ; au bout tournez à gauche, puis à droite (D 113) vers Salvizinet et suivez le fléchage (n'allez pas à Civens).*

CIVRIEUX 01390

Carte régionale A1

20 km N de Lyon

€€€ 🏠 *Chambres d'hôtes Le Relais du Grand Logis (Béatrice et Joël Costa) : 40, passage de l'Ancien-Relais.* ☎ 04-78-98-32-44. 📱 06-13-78-24-74. ● *lerelaisdu grandlogis@gmail.com* ● *lerelaisdugrand logis.com* ● 🛜 À 1 km du département du Rhône, ancien relais de poste dont les origines remontent au XVII° s. Au 1er étage, 2 croquignolettes chambres familiales dont une composée de 2 chambres. L'une, décorée avec une foultitude de cœurs, idéale pour les amoureux, l'autre à l'atmosphère maritime. 85 € pour 2, petit déj compris, et 145 € pour 4 dans les 2 chambres. Table d'hôtes partagée en famille à 30 €, apéro, vin et café compris. Cuisine familiale à tendance régionale avec les légumes du jardin en saison. Grande piscine pour vous détendre. Accueil convivial. *NOUVEAUTÉ.*

● *Accès : traversez le village en direction de Bourg-en-Bresse, tourner à droite à la sortie du village (route de la Courge que vous suivez jusqu'au bout) puis tournez à gauche et fléchage.*

COLONZELLE 26230

Carte régionale A2

*32 km SE de Montélimar ;
4 km S de Grignan*

€€€ 🏠 🛏 10% *Chambres d'hôtes Le Moulin de l'Aulière (Marie et Guy Béraud) :* ☎ 04-75-91-10-49. ● *lemoulin delauliere@orange.fr* ● *moulindelauliere. fr* ● *Ouv 15 mars-15 nov.* 🛜 Belle maison bourgeoise construite par l'arrière-grand-père de Marie et entourée d'un agréable parc où coule l'Aulière. Cinq chambres spacieuses situées aux 1er et 2e étages (une préférence pour la blanche avec petite terrasse et douche extérieure pour les beaux jours), toutes avec sanitaires privés. Comptez 74 € pour 2, petit déj compris, avec œufs bio, jus de fruits pressés, et tout plein de bonnes confitures maison ! Belle cuisine à l'ancienne à disposition, avec l'horloge comtoise qui égrène les secondes. Atmosphère calme et reposante. Accueil chaleureux et souriant. Pas de table d'hôtes mais plusieurs restos aux alentours. La visite du château de Grignan s'impose (propriété de la fille de Mme de Sévigné). Ceux qui préfèrent parcourir la campagne pourront emprunter le sentier des bories. Quant aux adeptes du farniente, la piscine (chauffée) leur tend les bras.

● *Accès : A 7, sortie Montélimar Sud ; prenez la N 7 puis la D 541 jusqu'à Grignan, continuez vers Valréas sur 2 km et, après le pont du Lez, tournez à droite vers Colonzelle et suivez le fléchage.*

CORBELIN 38630

Carte régionale B1

*40 km O de Chambéry ;
15 km E de La Tour-du-Pin*

€€ 🏠 |○| 10% *Chambres d'hôtes Château Gaillard (Gabriela et Claude Delcey) : 530, route du Timon.* ☎ 04-74-83-78-73. 📱 06-82-86-92-67. ● *gabriela. delcey@yahoo.fr* ● *chateau-gaillard. net* ● 🛜 Dans un petit hameau bien tranquille, grande et imposante demeure aux allures bourgeoises de la fin du XIX° s. Quatre chambres installées aux différents niveaux de la maison, dont une suite familiale. Atmosphère romantico-campagnarde et jolis meubles anciens. Sanitaires privés. 65 € pour 2 et 25 € par personne supplémentaire, petit déj compris, avec plein de sortes de confitures maison. Table d'hôtes à 25 €, apéro, vin et café roumain compris (extra !). Gabriela, ancien prof d'origine roumaine élève des volailles et bêche son potager (comme quoi !). Cuisine familiale et traditionnelle avec une majorité de produits maison et des spécialités roumaines que la grand-mère de Gabriela lui a confiées. Accueil des plus chaleureux.

Accès : A 43 sortie n° 9 La Tour-du-Pin puis D 1516 Chambéry/Saint-Genix puis D 1075 vers Morestel pdt 2,5 km ; au niveau des transports Sainton, tournez à droite et suivez le fléchage sur 1,8 km.

€€ 🏠 |●| (10 %) **Chambres d'hôtes La Paumanelle (Corinne et Rémi Chavanon) :** 498, route de Saint-Martin. ☎ 04-74-83-77-72. ● lapaumanelle@lapaumanelle.com ● lapaumanelle.com ● Fermé 25 sept-17 oct. 🛜 Ancienne ferme installée au bord d'une petite route. Dans l'ancienne grange, 3 chambres agréables, de plain-pied, qui ouvrent sur la piscine. Sanitaires privés. 62 € pour 2, petit déj compris. Ici, c'est une maison de musiciens... Un piano et un synthé attendent vos doigts agiles. Grand salon de détente au 1er étage de la maison avec une bibliothèque bien achalandée, une belle collection de B.D. et de nombreux jeux de société. Table d'hôtes (sauf les lundi et jeudi de septembre à juin, les mardi, jeudi et dimanche en juillet-août) à 24 €, apéro, vin et café compris. Une goûteuse cuisine traditionnelle ou créative selon l'humeur de la maîtresse des lieux. Accueil chaleureux.

Accès : A 43 sortie n° 10 Chimilin puis D 592 vers Aoste puis D 82 vers Chimilin-Village puis Corbelin ; traversez le village et, au rond-point de la D 1075, prenez la D 82i vers Dolomieu et suivez le fléchage.

CROS-DE-GÉORAND 07510

Carte régionale A2

50 km NO d'Aubenas ;
25 km E de Coucouron

€€ 🏠 |●| 🐾 **Chambres d'hôtes Brin d'Air (Domithilde et Pierre-Jean Tocheprax) :** Beauregard. ☎ 04-75-38-93-62. 📱 06-27-83-18-50. ● contact@brindair.com ● brindair.com ● À 1 220 m d'altitude, au cœur de la montagne ardéchoise, grande ferme isolée, plantée au milieu des pâturages et des genêts. L'intérieur dégage une atmosphère montagnarde car la déco est basée sur le bois. Ici, on enfile les chaussons pour être comme à la maison. Cinq chambres douillettes avec sanitaires privés, à 60 € pour 2, petit déj compris. Table d'hôtes partagée en famille à 22 €, apéro, vin et café compris. Cuisine

familiale du terroir. Pierre-Jean propose différents circuits pour découvrir les environs, à pied ou en vélo. L'hiver, il faudra chausser les raquettes. Accueil convivial.

Accès : dans le village, au niveau du lavoir et du resto, prenez la petite route qui monte et faites 2 km (bon fléchage).

CURNIER 26110

Carte régionale A2

10 km NE de Nyons ;
25 km N de Vaison-la-Romaine

€€ 🏠 🐾 (10 %) **Chambres d'hôtes La Fenière (Claudine Michot) :** 2, pl. de la Mairie. ☎ et fax : 04-75-27-43-90. 📱 06-25-80-31-26. ● cl.michot@wanadoo.fr ● sejour-autreprovence.com ● Ouv avr-sept. 🛜 Claudine mène deux vies entre la Suisse et la France ; aux beaux jours, elle migre vers la Provence pour s'occuper de ses hôtes. Sa devise est très simple : hygiène et propreté vous donnent la santé (c'est pour la rime !). Alors, sa maison de village est toute simple, et ses 4 chambres sont fonctionnelles et tenues de manière irréprochable. Choisissez-en une côté jardin car la vue est magnifique (une a même une petite terrasse). 65 € pour 2, petit déj compris. Souvent, les amies de Claudine viennent séjourner chez elle et lui donner un coup de main... Elles se réunissent souvent et, croyez-nous, elles savent faire la fête ! Claudine connaît très bien la région et vous donnera tous les tuyaux pour la découvrir. Chaleur de l'accueil et gentillesse au rendez-vous.

Accès : au centre du village, en face de la fontaine.

DRACÉ 69220

Carte régionale A1

16 km N de Villefranche-sur-Saône ;
16 km S de Mâcon

€€€ 🏠 |●| **Chambres d'hôtes La Ferme de Valpierre (Michèle et Henri Parnet) :** 292, route des Tillerets. 📱 06-84-63-89-10. ● fermevalpierre.info ● 🛜 Belle ferme du milieu du XIXe s avec une grande pièce d'eau où coassent les grenouilles. Si la maison a du charme, on vient surtout ici pour l'hospitalité hors pair et la personnalité des propriétaires. On aime écouter les histoires d'Henri, et déguster les spécialités de Mimi qui tenait un petit bouchon à Lyon. Dans un bâtiment indépendant, 2 grandes suites, chacune composée d'un salon au rez-de-chaussée et chambre à l'étage, avec sanitaires privés. La chambre dite « du curé », rigolote comme tout, et la « chambre des voyages ». La déco est soignée et chaque détail a été pensé en fonction du thème de la chambre. Atmosphère chaleureuse et douillette. 90 € pour 2, petit déj compris. Table d'hôtes partagée en famille à 27 €, apéro, vin et café compris, servie sous un grand tilleul aux beaux jours ou dans la salle à manger de Mimi où vous découvrirez sa batterie de cuisine en cuivre et sa collection de vieilles boîtes publicitaires. Rocker, motard... Henri vous montrera sa collection de vinyles, son billard américain, sans oublier sa superbe Austin Healey. Vélos à disposition et deux solex. Salle de jeux avec ping-pong, billard anglais, ainsi qu'une riche bibliothèque et plusieurs centaines de films et de CD musicaux... Sans oublier la piscine ! Une adresse comme on les aime...

Accès : A 6, sortie n° 30 Belleville, puis D 37 vers Thoissey/Beaujeu puis D 109 vers Taponas jusqu'au hameau des Tillerets, c'est la dernière maison à gauche (n'allez pas à Dracé).

ÉCLASSAN 07370

Carte régionale A2

42 km N de Valence ; 18 km SE d'Annonay

€€€ 🏠 |◉| ⑩% *Chambres d'hôtes Le Grand Chaléat (Danielle Filiberto) :* ☎ 04-75-34-35-14. ● contact@grandchaleat.com ● grandchaleat.com ● Ouv avr-oct. Il ne reste qu'une noble ruine de cet ancien moulin du XVIIe s'installé au bord de la rivière dans un joli coin de nature... Par contre, la maison a été entièrement réaménagée et superbement restaurée. Cinq chambres charmantes avec sanitaires privés. On a craqué pour « Edénia » et « Soleillade ». De 78 à 85 € pour 2, petit déj compris. Table d'hôtes partagée en famille à 24 €, apéro, vin et café compris. Les repas sont servis dans une agréable pièce de jour avec belle hauteur sous plafond et coin bibliothèque en mezzanine. Une grande piscine pour vous détendre ou la rivière pour ceux qui préfèrent le côté nature. Accueil chaleureux. Une adresse au charme indéniable.

Accès : au feu tricolore de Sarras, prenez la D 6 vers Saint-Jeure-d'Ay ; laissez Éclassan sur la gauche, passez devant la carrière, et au croisement suivant (au niveau de la croix), tournez à droite et suivez la piste sur 2 km.

ÉPERCIEUX-SAINT-PAUL 42110

Carte régionale A1

35 km SE de Roanne ; 6 km N de Feurs

€ 🏠 |◉| *Chambres d'hôtes (Pascale et Hervé Gardon) :* Les Barges. ☎ 04-77-26-54-40. ● gardonpascale@wanadoo.fr ● pagesperso-orange.fr/la-vesne ●📶 Ferme familiale forézienne qu'Hervé a restaurée en grande partie lui-même. Cinq chambres agréables avec sanitaires privés. 50 € pour 2, petit déj compris. Agréable promenade à faire en bord de Loire à proximité. Accueil chaleureux. Bon rapport qualité-prix-convivialité.

Accès : A 72, sortie n° 6 Feurs, puis D 1082 vers Roanne jusqu'à Épercieux ; là, prenez à gauche le chemin de la Loire puis à droite celui de la Diligence (bon fléchage).

ÉTOILE-SUR-RHÔNE 26800

Carte régionale A2

12 km S de Valence

€€ 🏠 *Chambres d'hôtes (Famille Chaix) :* 3480, route de Montmeyrand, La Mare. ☎ 04-75-59-33-79. 📱 06-78-30-41-48. ● la.mare.free.fr ●📶 En pleine campagne, au milieu des cultures, grande ferme composée de plusieurs bâtiments restaurés et aménagés par Marcel. Trois chambres, dont une familiale composée de 2 chambres, avec sanitaires privés. Comptez 63 € pour 2 avec le petit déj.

Accès : de Valence, prenez la D 111 vers Gap ; au 2e rond-point, laissez Étoile sur la droite et continuez vers Montmeyran, à gauche, sur 3,5 km (D 111b) ; la ferme est sur la droite (volets bleus).

FAVERGES 74210

Carte régionale B1

25 km S d'Annecy ; 20 km NO d'Albertville

€ 🏠 |◉| *Gîte d'étape de l'École de Glaise (Bernard Gerlier) :* 2623, route de Saint-Ruph. ☎ 04-50-44-43-41 ou 09-52-32-93-12. ● gite.glaise@gmail.com ● giteglaise.chez-alice.fr ● De préférence sur résa. Au pied du massif des Bauges, dans une ancienne école, gîte d'étape proposant 3 chambres avec lits superposés (2 pour 4 personnes et une pour 6). Sanitaires privés. Selon le confort, de 18,50 à 20 €

la nuit par personne, 4,50 € le petit déj. Si vous le souhaitez, Bernard propose aussi la table d'hôtes, midi et soir : demi-pension entre 30 et 33,50 € par personne et pension complète entre 38 et 41 €. Vous mangerez par exemple un pain de courgettes, une escalope forestière aux chanterelles, des fromages de Savoie et une tarte aux poires amandine. À 12 km, la station familiale de Seythenex permet la pratique du ski de piste et de fond. Nombreux sentiers et sites d'escalade à proximité. Et, à une petite heure de marche, la fosse à Ours, grand piège qu'utilisaient les paysans qui les chassaient autrefois.

Accès : en venant de Faverges, suivez la D 12 en direction du col de Tamié, puis Le Villaret, et tournez à droite au petit pont où l'adresse est indiquée (montez encore sur 2,5 km).

FLUMET   73590

Carte régionale B1

25 km N d'Albertville ;
14 km SO de Megève

€€€ 🏠 |●| 🛏 ⑩% *Chambres d'hôtes Cœur de Marie (Marie-Pierre et Roland Ouvier) :* Les Glières. ☎ et fax : 04-79-31-38-84. 📱 06-87-34-01-32. ● contact@chalet-marie.com ● chalet-marie.com ● Fermé en mai et en nov. 🛜 À 1 000 m d'altitude, ancienne ferme du XIXe s qui jouit d'une belle vue sur la chaîne des Aravis. Cinq chambres charmantes et douillettes, à l'atmosphère champêtre et montagnarde, avec sanitaires privés. Deux sont familiales dont une composée de 2 chambres avec coin cuisine. TV écran plat dans chaque chambre. Selon la chambre, de 69 à 86 € pour 2, petit déj compris. Table d'hôtes partagée en famille à 25 €, apéro, vin et café compris. Cuisine familiale et régionale. Sur place, espace détente avec spa, jacuzzi et sauna. L'hiver, on peut faire du ski à Flumet ou à La Giettaz, l'été, baignade au plan d'eau de Flumet, VTT et randos pédestres seront à l'honneur.

Accès : de Flumet, prenez la D 909 vers le col des Aravis/La Giettaz, la maison est à 3 km à droite.

GRANDRIS   69870

Carte régionale A1

35 km O de Villefranche-sur-Saône ;
10 km de Lamure-sur-Azergue

€€ 🏠 |●| 🛏 ⑩% *Chambres d'hôtes Domaine des Mollières (Nadine Fiorda-Pasquier) :* Le Bruley. ☎ 04-74-60-13-59. ● domainedesmollieres@orange.fr ● ledomainedesmollieres.org ● 🛜 À 600 m d'altitude, isolée en pleine nature (et c'est peu dire !), cette ancienne ferme devenue colonie de vacances a fait peau neuve grâce au travail colossal qu'a réalisé Frédéric. Dans un bâtiment indépendant, 5 chambres immenses et charmantes, avec sanitaires privés, de 2 à 4 personnes. Peintures à la pomme de terre, plafond en pâte à papier, glacis, mosaïques, couleurs et matières se marient avec harmonie pour former un décor original où l'on se sent bien. Selon la chambre, entre 65 et 70 € pour 2, petit déj compris ; 25 € par personne supplémentaire. Les repas se prennent chez Nadine. Table d'hôtes partagée en famille à 25 €, apéro, vin et café compris. Ici c'est le paradis des randonneurs à pied, vélo, cheval... et le GR 7 passe juste à côté de la maison. Accueil chaleureux. Une adresse où l'on aurait bien posé nos sacs plus longtemps.

Accès : au rond-point au centre du village, prenez la route qui descend vers Saint-Just-d'Avray sur 700 m puis tournez à droite et faites 3,3 km sur une petite route qui serpente à travers sous-bois et pâturages.

GRÉZIEUX-LE-FROMENTAL   42600

Carte régionale A1

10 km E de Montbrison

€ 🏠 🛏 *Chambres d'hôtes (Françoise et Jean-Marc Farjon) :* Le Thévenon. ☎ 04-77-76-12-93. 📱 06-71-99-63-11. ● ffarjon@free.fr ● chambre-hote-thevenon.info ●Ferme familiale bien restaurée. Françoise et Jean-Marc y ont aménagé 4 confortables et jolies chambres (la plus sympa est celle avec la voûte en brique). Comptez 47 € pour 2, petit déj inclus (avec confitures maison et lait de ferme). Pas de table d'hôtes mais kitchenette tout équipée à disposition. Très bon rapport qualité-prix et accueil chaleureux et charmant. Terrains de jeux : volley, tennis, basket, pétanque. Si vous voulez vous balader, ne manquez pas la visite du prieuré roman de Saint-Romain-le-Puy.

Accès : sur la N 82, à Montrond-les-Bains, prenez la direction de Montbrison puis la D 496 jusqu'à Grézieux-le-Fromental et suivez le fléchage ; c'est à la sortie du village.

RHÔNE-ALPES

HAUTERIVES   26390

Carte régionale A2

23 km N de Romans

€€€ ☗ *Chambres d'hôtes Chez l'Anti-quaire (Françoise et Yves Chardon) :* 2, route des Poteries. ☎ 04-75-68-80-85. 📱 06-81-10-48-93. ● fychardon@gmail.com ● chez-lantiquaire.com ● *Fermé en janv.* 📶 Ancien café du village du XIXe s joliment restauré par Françoise et Yves. Aujourd'hui c'est une agréable demeure ocre aux volets turquoise avec un adorable jardin abrité par une petite colline parsemée d'arbres aux multiples essences. 4 chambres sympathiques avec sanitaires privés, dont un studio familial avec kitchenette, et notre préférée, dans la boutique d'antiquaire à l'ambiance croquignolette. 85 € pour 2, copieux petit déj compris. Accueil très chaleureux. Bien sûr, le « Palais idéal » du Facteur Cheval à proximité est à ne pas manquer... 30 kg de cailloux ramassés par jour sur sa tournée pour construire son château... qui dit mieux ! *NOUVEAUTÉ.*

Accès : A 7 sortie Chanas et au rond-point suivez Grenoble/Hauterives. Dans le village, la maison est toute proche de l'église.

HOTONNES   01260

Carte régionale B1

*65 km SE de Bourg-en-Bresse ;
30 km S de Nantua*

€ ☗ |●| ♒ ⑩% *Gîte de séjour Les Pelaz (Jean-Jacques Bianchi) :* Les Plans. ☎ 04-79-87-65-73. 📱 06-64-66-49-42. ● lespelaz@wanadoo.fr ● gite-jura-lespelaz.com ● ♿ 📶 À 1 100 m d'altitude, dans les montagnes du Jura, c'est une ancienne ferme (genre chalet) que Jean-Jacques a transformée en gîte d'étape et de séjour de 17 lits. Quatre chambres de 2 à 6 lits avec salle de bains privée. Immense salle de jour chaleureuse avec poutres, cheminée, véranda et un petit coin détente. Comptez 21 € par personne, et 6 € pour un copieux petit déj (céréales, yaourts, jus de fruits, fromages, pain bio et confitures maison). On peut aussi y dîner pour 15 €, sans les vins, et déguster une bonne cuisine familiale et traditionnelle (végétarienne sur demande) : soupe aux orties, chou aux châtaignes, rôti de porc à la sauge, cake à la mélisse... Accueil dynamique, décontracté et sans façon. L'hiver, ski de fond et ski alpin, raquettes et chiens de traîneau sur Les Plans-d'Hotonnes (70 km de pistes) ; l'été, le GR 9 passe tout à côté

de la maison. Une adresse idéale pour les familles (tout l'équipement des petits est à disposition) et les groupes de copains, surtout quand on sait qu'on peut louer tout le gîte en gestion libre, pour 470 € le week-end. Également 2 gîtes (2-4 et 4-6 personnes) pour des séjours prolongés.

Accès : A 40, sortie n° 8 vers Saint-Martin-du-Frêne ; prenez la D 31 vers Les Plans-d'Hotonnes, puis la D 39A et suivez le fléchage.

INNIMOND   01680

Carte régionale B1

*50 km NO de Chambéry ;
21 km O de Belley*

€€ ☗ |●| ♒ ⑩% *Chambres d'hôtes La Ferme du Gorgin (Geneviève et Alain Nambotin) :* rue du Belvédère. ☎ 04-74-40-92-00. ● genevieve.nambotin@wanadoo.fr ● lafermedugorgin.com ● Dernier petit village du massif du Jura, isolé à 850 m d'altitude. Ancien horloger, Alain a décidé de tout lâcher pour fabriquer son pain dans la plus pure tradition et ouvrir des chambres d'hôtes. Sa maman, Geneviève, participe activement à l'accueil. Cinq chambres bien tenues dont une familiale composée de 2 chambres. Sanitaires privés. 57 € pour 2, petit déj compris (confitures, pain et croissants maison). Table d'hôtes partagée en famille à 20 €, apéro et vin compris. En hiver on peut louer des raquettes dans le village pour découvrir le coin, l'été, le GR 59 passe dans Innimont (avec un T ou un D, les élus n'ont jamais pu se décider !). Accueil authentique et vrai.

Accès : on peut arriver au village par Lhuis, Belley ou Ordonnaz ; la ferme est dans le village (bon fléchage).

JUJURIEUX   01640

Carte régionale A1

*26 km SE de Bourg-en-Bresse ;
11 km N d'Ambérieu-en-Bugey*

€€€ ☗ *Chambres d'hôtes L'Orangerie (Laurence Seguin) :* 21, Côte Levet. 📱 06-89-14-10-41. ● laurenceseguin@domainedelorangerie.fr ● domainedelorangerie.fr ● 📶 Belle demeure du XVIIIe s avec un agréable parc. 4 jolies chambres installées au 1er étage desservies par un long couloir. On part de la plus petite pour aller jusqu'à la plus grande. Selon la taille de la chambre, de 65 à 89 € pour 2, petit déj compris. Il est servi dans une grande salle à manger à l'atmosphère d'autrefois. Journaliste à ses heures perdues, Laurence est aussi musicienne alors si vous en êtes... Pas de table d'hôtes mais coin cuisine à disposition installé dans l'orangerie, notre pièce préférée. Accueil chaleureux. Une bonne adresse pour prendre le temps de vivre. *NOUVEAUTÉ.*

Accès : dans le village, allez jusqu'à l'église, la maison est à côté de la fleuriste (bon fléchage).

LA CLUSAZ 74220

Carte régionale B1

75 km O de Chamonix ;
35 km E d'Annecy

€€€€ 🏠 |●| *Gîte de séjour Aux Quatre Vents (Danielle Aussedat-Métral) :* ☎ 04-50-02-41-14. 📱 06-21-39-28-20. ● gite4vents.dan@orange.fr ● gite4vents-clusaz.com ● Fermé 10-30 avr, en mai hors Ascension et Pentecôte et de mi-sept à ùi-déc... 🛜 Avec une vue imprenable sur la chaîne des Aravis, joli chalet traditionnel à 1 300 m d'altitude offrant 25 places réparties en 8 chambres de 2 à 5 places. Sanitaires privés. Décoration simple, mobilier en bois naturel. Ici, on pratique le système demi-pension (draps fournis, mais prévoyez vos serviettes) : de 48 à 55 € par personne selon la saison. Danielle se tient derrière les fourneaux et elle vous fera déguster de bonnes spécialités comme les diots, la tartiflette, le civet de porc, les tartes, et bien sûr le biscuit de Savoie. Vous êtes à 1,5 km des premières remontées mécaniques, alors... à vos skis ! L'été, c'est escalade, randos et une via ferrata à côté du gîte. Dany, pour les intimes, est une hôtesse charmante et souriante. Adresse idéale pour les familles et les sportifs.

Accès : de La Clusaz, prenez la direction du col des Aravis ; entre la 2e et la 3e épingle, tournez à gauche.

LA CÔTE-SAINT-ANDRÉ 38260

Carte régionale A1

50 km NO de Grenoble ;
26 km S de Bourgoin-Jallieu

€€ 🏠 |●| ⚞ 10% *Chambres d'hôtes La Villa Jeannette (Martine et Daniel Gérard) :* 63, av. Camille-Rocher. ☎ 04-74-20-20-96. 📱 06-74-82-18-20. ● villajeannette@orange.fr ● villa-jean nette.fr ● 🛜 Installée dans un grand parc, imposante demeure aux allures bourgeoises qui, après avoir été maternité, reçoit aujourd'hui des hôtes. Au 1er étage, 3 chambres agréables dont une suite familiale composée de 2 chambres. Si vous êtes 2, choisissez la chambre « Albizia », si vous êtes 4, la suite est vraiment séduisante avec son lit à baldaquin. 65 € pour 2 et 115 € pour 4, petit déj compris. Ici, c'est Daniel qui s'occupe des hôtes et qui cuisine. Table d'hôtes partagée en famille à 25 €, apéro et vin compris. Spécialités traditionnelles et régionales. La ville est réputée pour son festival Berlioz, enfant du pays, ainsi que pour son musée installé dans sa maison familiale. Accueil agréable.

Accès : A 43 sortie n° 8 Nivolas puis N 85 vers La-Côte-Saint-André ; la maison est à la sortie du village en direction de Grenoble, en face du garage Renault.

LA MOTTE-D'AVEILLANS 38770

Carte régionale B2

40 km S de Grenoble ;
7 km N de La Mure

€€ 🏠 10% *Chambres d'hôtes (Cathy Martinasso) :* Les Signaraux. ☎ 04-76-30-79-71. 📱 06-81-60-70-80. ● b.mar tinasso@wanadoo.fr ● gite-chambre-signaraux.weoneafr ● 🛜 À 1 200 m d'altitude, dans un petit hameau isolé au bout d'un cul de sac. Vieille ferme avec une vue magnifique sur les environs abritant 3 chambres chaleureuses et douillettes avec accès indépendant : 2 sont installées dans deux petits chalets tout en bois, la dernière au 1er étage de la maison avec accès par escalier extérieur. Sanitaires privés. 55 € pour 2, petit déj compris. Pas de table d'hôtes mais coin cuisine à disposition, ou alors il faudra redescendre à 4 km pour trouver un resto. Vous êtes sur la plus petite station de ski de France avec quatre pistes (un téleski tenu par des bénévoles). En revanche, en ski nordique, la station offre un beau domaine, sans oublier les balades en raquettes. L'été, c'est la rando et Cathy reçoit aussi cavaliers et montures. Accueil chaleureux complété par celui de deux chiens sympathiques malgré leur taille impressionnante (saint-bernard et bas-rouge).

Accès : de Grenoble, N 85 vers Gap jusqu'à Pierre-Châtel puis direction Les Signaraux ; la maison est tt au bout à droite.

RHÔNE-ALPES

LA ROCHE-DE-GLUN   26600

Carte régionale A2

15 km N de Valence ;
7 km S de Tournon-sur-Rhône

€€ 🏠 ⑩% *Chambres d'hôtes Le Tinal de l'Hermitage (Géraldine Clot et Cédric Maurice) :* 280, chemin des Limites. ☎ 04-75-08-98-12. 📱 06-87-11-96-38. ● letinal@orange.fr ● le-tinal.com ● 📶 Le « tinal » c'est l'équivalent du chai ici, le lieu où l'on fabriquait le vin. Vous êtes sur une exploitation agricole qui produit des fruits : cerises, pêches, abricots, pommes, kiwis, raisins. Dans les anciennes dépendances (écurie et tinal), 4 chambres coquettes, décorées avec goût sur des thèmes différents. On aime bien « Vigne et vin », et « Mille et une nuits » à l'ambiance marocaine et à l'atmosphère romantique. Les familles (jusqu'à 5 personnes) choisiront la « Cabane des champs », avec mezzanine et un petit pont suspendu qui ravira les petits. 69 € pour 2, petit déj compris (plein de sortes de confitures maison, des gâteaux et un super jus de kiwi), et 20 € par personne supplémentaire. Pas de table d'hôtes mais cuisine d'été à disposition. Une gentille adresse tenue par un couple jeune et sympa.

Accès : A 7 sortie n° 13 Tain-l'Hermitage ; passez 3 ronds-points en direction de Saint-Vallier et au 4ᵉ, prenez direction Valence (N 7), puis 1ʳᵉ route à droite vers Les Saviaux et fléchage sur 1 km.

LA ROCHETTE-DU-BUIS   26170

Carte régionale B2

45 km SE de Nyons ;
22 km E de Buis-les-Baronnies

€€€ 🏠 ⑩ 🍴 *Chambres d'hôtes La Honas (Cathy et Pascal Ducros) :* ☎ et fax : 04-75-28-55-11. 📱 06-67-38-39-76. ● lahonas@club-internet.fr ● lahonas.com ● 📶 Aux pays des Baronnies, en pleine nature et à 850 m d'altitude, belle ferme du XVIIᵉ s qui ouvre sur les montagnes environnantes. Six chambres champêtres vous attendent, dont une installée dans l'ancien pigeonnier (réservée aux tourtereaux) et une, vaste et sereine, qui ouvre sur la cour intérieure. Sanitaires privés. Déco dépouillée d'un goût sûr. De 75 à 95 € pour 2, petit déj compris (avec pain, miel et confitures maison). Table d'hôtes à 28 €, apéro et vin compris. Agréable salle voûtée pour prendre les repas. En moyenne saison, Cathy et Pascal organisent des soirées concert, théâtre, contes... Accueil jeune, chaleureux et décontracté. Ne manquez pas la visite du château d'Aulan, à deux pas de là. Au fait, on a failli oublier de vous parler de la piscine et de la cave voûtée dans laquelle se niche un billard !

Accès : de Buis-les-Baronnies, prenez la D 546 vers Séderon jusqu'à La Rochette (que vous traversez) ; passez le hameau des Granges et, 1 km après, tournez à droite (D 359) vers Aulan et panneau à 500 m.

LA SOUCHE   07380

Carte régionale A2

24 km O d'Aubenas ; 7 km O de Jaujac

€€ 🏠 🍴 *Chambres d'hôtes Le Mas du Val (Marja et Hervé Delon) :* Grandval. ☎ 04-75-37-93-40. ● masduval@hotmail.fr ● lemasduval.com ● Fermé 13 nov-25 mars. Ancienne et belle ferme du XVIIIᵉ s toute en pierre, qui jouit d'un joli panorama sur les environs. Deux chambres à l'atmosphère campagnarde, dont une familiale pour 4 personnes. Sanitaires privés. De 60 à 68 € pour 2, petit déj compris (avec confitures maison), et 20 € par personne supplémentaire. Table d'hôtes partagée en famille à 23 €, apéro, vin et café compris. Marja et Hervé vous mijotent des plats avec de bons produits du terroir. Belle piscine pour se rafraîchir. Un gîte rural de 4 personnes, loué de 250 à 720 € la semaine selon la saison. Vos hôtes ont créé une safranière que vous pourrez visiter en période de récolte (octobre/novembre). Accueil convivial.

Accès : sur la D 19 entre Jaujac et Saint-Étienne-de-Lugdares, passez La Souche (venant de Jaujac), faites encore 2,5 km et l'accès au hameau est à droite.

LABASTIDE-DE-VIRAC   07150

Carte régionale A2

45 km S d'Aubenas ;
10 km S de Vallon-Pont-d'Arc

€€€€€ 🏠 *Chambres d'hôtes Le Mas Rêvé (Marie-Rose et Guido Goussens) :* ☎ 04-75-38-69-13. ● info@lemasreve.com ● lemasreve.com ● Ouv 30 avr-1ᵉʳ oct. 📶 Vous voulez du rêve, du calme et de la douceur ? Eh bien, en voilà ! Au cœur des vignobles, ravissant mas du XVIIᵉ s. Quatre chambres décorées avec goût, avec accès indépendant et sanitaires privés. Ici un lit à baldaquin, là des voilages assortis, là encore une voûte élégante... Également une ravissante suite avec cheminée Renaissance, plafond à la française, fenêtres à menaux, meubles d'époque et terrasse panoramique. De 110 à 160 € pour 2, petit déj compris. Dans le jardin paysager, une grande piscine avec bains à remous, et *pool-house*. Et, en guise de cerise sur le gâteau, le mas est situé à 500 m de gorges auxquelles on accède par des sentiers qui vous mèneront à de petites plages presques désertes !

Accès : de Labastide, prenez D 217 vers Orgnac-l'Aven sur 500 m et suivez le fléchage à gauche.

LAGNIEU   01150

Carte régionale A1

42 km S de Bourg-en-Bresse ;
15 km E de Pérouges

€€ 🏠 *Chambres d'hôtes Le Jardin d'Alice (Jean-Pierre et Jocelyne Maulet) :* 1, pl. de la Liberté. ☎ 04-74-35-86-62. 📠 06-81-94-97-36. • jeanpierre.mau let@wanadoo.fr • lejardindalice.eu • 🕸 Au cœur de cette petite bourgade animée, demeure en pierre du XIXᵉ s. Cette maison, c'est de l'intérieur qu'il faut la découvrir, car le jardin est un ravissement et un change complètement d'univers. 4 chambres simples et agréables, dont 1 familiale composée de 2 chambres, installées aux 1ᵉʳ et 2ᵉ étages de la maison. Climatisation et TV, sanitaires privés. 65 € pour 2, petit déj compris, et 95 € pour 4. Vaste salle à manger avec grande fresque qui vous fait plonger dans la montagne. Pas de table d'hôtes mais les restos dans le village ne manquent pas. Dans le jardin, une belle piscine vous attend, naturelle car l'eau est filtrée par les papyrus. Accueil chaleureux. *NOUVEAUTÉ.*

Accès : au centre du village.

LAIZ   01290

Carte régionale A1

25 km O de Bourg-en-Bresse ;
9 km E de Mâcon

€€ 🏠 ⑩% *Chambres d'hôtes Ferme des Cœurs (Stéphanie et Christophe Flatot) :* La Place - 8, chemin du Prélion. 📠 06-76-16-27-84. • stephanie.flatot@ wanadoo.fr • fermedescoeurs.fr • 🕸 Aux confins de l'Ain et de la Saône-et-Loire, dans une ancienne ferme bressane juste

en face de la sienne, Stéphanie a ouvert 2 chambres d'hôtes. Une sur 2 niveaux avec lits en mezzanine, pour 3 pers., la 2ᵉ de plain pied. Déco chaleureuse et atmosphère sereine. Sanitaires privés. 70 € pour 2, petit déj compris (au choix « tradition » comprenez continental ou « maison » avec œuf à la coque et fromages de la ferme toujours avec jus de fruit frais et confitures maison). Eh oui votre hôtesse élève quelques chèvres et fabrique ses fromages ! Pas de table d'hôtes mais plusieurs restos à proximité. Accueil chaleureux. Une adresse à la ferme, pour ceux qui aiment l'indépendance. *NOUVEAUTÉ.*

Accès : A40 sortie Pont-de-Veyle que vous traversez en suivant Chatillon-sur-Chalaronne (D2), tournez à gauche devant Gamm vert, route des Combes pendant 3 km puis suivre fléchage (n'allez pas à Laiz).

LANS-EN-VERCORS   38250

Carte régionale B2

25 km SO de Grenoble ;
7 km N de Villard-de-Lans

€€ 🏠 🍴 *Chambres d'hôtes À la Crecia (Véronique et Pascal Ravix) :* Les Cléments. ☎ 04-76-95-46-98. Fax : 04-76-94-35-44. • postmaster@gite-en-vercors. com • gite-en-vercors.com • À 1 100 m d'altitude, vieille ferme traditionnelle classée gîte Panda car vous êtes au cœur du parc naturel du Vercors. Cinq chambres charmantes et douillettes, toutes de bois vêtues (on aime bien la « Bacha » et la « Cirisère ») : 4 sont installées au 1ᵉʳétage ; la dernière, au second, est plus petite et moins chère. Sanitaires privés avec eau chaude solaire. Respectivement 63 et 53 € pour 2, copieux petit déj compris. Véronique et Pascal élèvent des brebis, aussi ne manquez pas la table d'hôtes pour découvrir les produits maison. Repas partagé en famille à 19 €, vin et café compris. Cuisine traditionnelle et régionale (l'agneau bien sûr, mais aussi le cochon et les volailles... tout est maison, sans oublier les légumes aux beaux jours). L'hiver, le ski est à l'honneur (4 km de Lans et 7 km de Villard), l'été, c'est la rando. Accueil chaleureux. Une adresse juste comme on les aime.

Accès : au rond-point à l'entrée du village venant de Grenoble, prenez direction Villard-de-Lans sur 1 km puis tournez à gauche vers Le Peuil ; dans ce hameau, tournez à droite puis à 100 m prenez à gauche vers Les Cléments.

RHÔNE-ALPES

LAVAL 38190

Carte régionale B2

*25 km NE de Grenoble ;
7 km E de Villard-Bonnot*

€€ 🏠 (10%) **Chambres d'hôtes Les Chambres de Belledonne (Éliane et Jean-Louis Rebuffet) :** *Le Mollard.* ☎ 04-76-45-64-34. 📱 06-87-24-70-52. ● *eliane.rebuffet@wanadoo.fr* ● *cham brebelledonne.fr* ● 🛜 Prof de biologie animale à la retraite, Jean-Louis est aussi un incroyable bricoleur... Il a réalisé pratiquement tous les travaux en privilégiant les énergies renouvelables. Deux chambres spacieuses et chaleureuses installées dans un chalet indépendant de la maison qui ouvre sur le massif de Belledonne. Sanitaires privés, TV et accès Internet. 70 € pour 2, petit déj compris (gâteau et confitures maison et, certains jours, délicieuse brioche dont Éliane garde le secret), servi chez les proprios. Pas de table d'hôtes mais petit coin cuisine à disposition pour faire une petite popote. Et pour compléter le tout, piscine chauffée par l'énergie solaire. Accueil très chaleureux.

> **Accès :** *A 41 sortie n° 24b Brignoud ; entrez dans le village et prenez direction Laval ; là, direction Les 7 Laux jusqu'au hameau Le Mollard (à 1 km).*

LE GRAND-BORNAND 74450

Carte régionale B1

*31 km NE d'Annecy ;
6 km N de La Clusaz*

€€€ 🏠 🍴 🐾 **Chambres d'hôtes La Chèvrerie (Jacqueline et Dominique Verney) :** *528, route du Croix.* ☎ 04-50-02-31-43. 📱 06-30-35-07-74. ● *contact@ chevrerie-grandbornand.com* ● *chevrerie-grandbornand.com* ● 🛜 À 1 200 m d'altitude, dans un joli chalet en bois dominant la vallée du Bouchet avec magnifique vue sur la chaîne des Aravis. Dominique et Jacqueline, anciens chevriers, proposent 5 chambres d'hôtes avec sanitaires privés. Les chambres sont simples, mansardées, pour 2 à 5 personnes. Elles se louent en demi-pension, de 45 à 55 € par personne (réduc pour les enfants et à partir de 3 nuits), mais pensez à amener votre linge de toilette, qui n'est pas fourni. À la table d'hôtes (boisson comprise), bonne cuisine familiale : tarte au reblochon, tartiflette, raclette, diots au vin blanc, beignets de pommes de terre... Les propriétaires sont très accueillants. Ils aiment et pratiquent rando, vélo et ski, et Dominique se fera un plaisir de vous

conseiller pour vos balades. L'hiver, l'accès aux pistes se fait en 15 mn à pied et l'on peut redescendre skis aux pieds (pour les plus sportifs). Le domaine du Grand-Bornand regroupe 42 pistes de descente et un grand foyer de fond (53 km de pistes).

> **Accès :** *du Grand-Bornand, au départ des télécabines, prenez la route du Nant-Robert, puis direction Le Croix ; c'est sur la droite avt d'arriver au Croix.*

LE GUA 38450

Carte régionale A2

25 km O de Grenoble

€€€ 🏠 🍴 (10%) **Chambres d'hôtes Le Jonier (Isabelle et Christian Goudin) :** *627, route de la Fontaine-Ardente, Saint-Barthélémy.* ☎ 04-76-13-43-99. 📱 07-88-36-83-55. ● *lejonier@wanadoo.fr* ● *lejo nier.com* ● 🛜 À 620 m d'altitude, maison récente située dans un petit hameau du parc naturel du Vercors. Deux chambres bien tenues, avec sanitaires privés, à 73 € pour 2, petit déj compris (confitures, gâteau et pain maison). Table d'hôtes (sauf le samedi en juillet-août), partagée avec les hôtes, que l'on prend sur la terrasse aux beaux jours. Cuisine familiale et traditionnelle qui peut prendre des accents italiens ou méditerranéens selon l'humeur d'Isabelle. 25 € le repas, apéro, vin et café compris. Si vous venez avec des tout-petits, sachez que la maison est labellisée accueil bébé, donc tout le matériel nécessaire est sur place. Accueil chaleureux et hospitalité au rendez-vous.

> **Accès :** *A 51 sortie n° 12 Vif puis D 8 jusqu'au Gua ; dans le village, direction Miribel jusqu'à Saint-Barthélémy puis suivez le fléchage.*

LE SAPPEY-EN-CHARTREUSE 38700

Carte régionale B1-2

12 km N de Grenoble

€€ 🏠 🍴 **Chambres d'hôtes du Chant de l'Eau (Colette et Bruno Charles) :** *Mollard-Giroud.* ☎ et fax : 04-76-88-83-16. 📱 06-81-36-86-07. ● *gitechantdeleau@free. fr* ● *gitechantdeleau.com* ● 🛜 Le Sappey, c'est une petite station de ski installée sur les hauteurs de Grenoble (cinq tire-fesses !), réputée surtout pour son foyer de fond (40 km). Bruno en fait partie, il faut dire que c'est un enfant du cru... Il a accompli un travail colossal pour reconstruire une aile de l'ancienne grange et l'écurie d'une vieille ferme familiale. Il est aisé de couper ses arbres lui-même, et l'atmosphère rendue par le bois est chaude et agréable. Cinq chambres simples et douillettes, avec sanitaires privés. Comptez 64 € pour 2, petit déj compris. Repas partagé avec vos hôtes à 22 €, vin et café compris. Cuisine familiale avec pratiquement que des produits maison : volailles, lapins ou agneaux proviennent du petit élevage familial, et les légumes, du jardin. Ingénieur agro, Bruno pourra vous faire découvrir la faune, la flore et l'histoire de la région. Dans la salle à manger, il a installé deux petits nichoirs où vous pourrez observer les oisillons au printemps. Du Sappey partaient les « marocains » (fagots de bois) destinés au boulanger (il vous montrera les photos). En parlant de pain, il pourra aussi vous emmener voir son chaleureux papa, qui fait le sien dans le vieux four à bois (il est excellent, et question conservation...). Accueil convivial. Une adresse pour découvrir la région de l'intérieur.

Accès : *de Grenoble, direction La Tronche puis Le Sappey ; 50 m avt l'église du village, tournez à droite, faites 200 m, puis tournez à nouveau à droite et suivez le fléchage.*

€€ 🏠 ⑩% **Chambres d'hôtes La Souris Verte (Nadine Caracache) :** *Le Gouillat.* ☎ 04-76-88-84-91. 📱 06-30-08-72-49. ● *roger.caracache@wanadoo.fr* ● *gitesdefrance-lasourisverte.com* ● 📶 Le Sappey, c'est la station la plus proche de Grenoble, où les petits Grenoblois viennent chausser leurs spatules pour la première fois... Maison de pays entièrement restaurée, avec grand jardin planté d'arbres fruitiers. Tout le 2e étage, composé d'une suite de 2 chambres (une immense et une plus petite), est à vous ! Un original store-écran, commandé électriquement depuis votre lit, vous permettra de découvrir la montagne au petit matin. Pour votre confort, une grande salle de bains avec une baignoire jacuzzi et une immense douche ; w-c séparés. Une autre chambre en rez-de-jardin, équipée d'une kitchenette. Comptez 75 € pour 2, petit déj compris, et 30 € par personne supplémentaire. *La Souris Verte,* c'est aussi une maison d'artistes. Partout des clichés de spectacles, comme cet immense ours blanc qui vous contemple gueule ouverte, ou ces vieilles photos noir et blanc sur le cirque, ou encore cette belle collection de masques vénitiens en papier mâché. Accueil de qualité. Une bonne adresse.

Accès : *depuis Grenoble, prenez en direction du quartier Saint-Laurent, puis la D 512 vers La Tronche et Le Sappey ; à l'entrée du village, prenez la 1re à droite, c'est la 1re maison à droite.*

Carte régionale A2

35 km NO de Valence ;
12 km NO de Tournon-sur-Rhône

€€ 🏠 ●|● **Chambres d'hôtes Le Château de Lemps (Nicole et Paul Du Trémolet de Lacheisserie) :** *100, rue de l'Église.* ☎ 04-75-06-80-08. ● *nicole.dutremolet@free.fr* ● *chateaudelemps.com* ● *Ouv 1er avr-fin sept.* Voici une adresse chargée d'histoire... Dans ce petit village peuplé de cinq familles, le château d'Iserand s'élevait depuis le IXe s. Il fut rasé par la suite, et sa ferme, rescapée de l'histoire, est devenue le château de Lemps et appartient à la famille de vos hôtes depuis deux siècles. Maintenant, ne rêvez pas, il ne s'agit pas d'un palace... et beaucoup de pièces (et elles sont nombreuses !) sont restées dans leur jus : la salle à manger aux voûtes peintes de fleurs de lys avec une immense cheminée en pierre, le salon avec les portraits de famille. À l'étage, 4 chambres avec sanitaires privés : une ouvre sur le parc de 2 ha, 2 autres sont familiales, composées de 2 chambres. 65 € pour 2, 98 € pour 4 dans les familiales, petit déj compris. C'est là que vous découvrirez les confitures de Nicole... Pas moins de huit sortes de confitures et gelées, comme serpolet ou lavande ! Table d'hôtes à 25 €, apéro maison, vin et café compris. En général, salade ardéchoise ou charcuterie du pays, gougère, gratin de légumes, fromages du pays, tarte ou nougat glacé. Accueil nature et convivial. Une adresse que les maniaques éviteront, mais qui réjouira les amateurs d'ambiance d'autrefois.

Accès : *de Tournon-sur-Rhône, prenez la D 532 vers Lamastre, puis à droite vers Saint-Victor ; continuez la D 532 et prenez de nouveau à droite jusqu'à Lemps ; la demeure est en face de l'église.*

Carte régionale A1-2

30 km N de Romans ;
5 km N d'Hauterives

€€€ 🏠 ●|● **Chambres d'hôtes Château de la Saône (Sandrine et Stéphane Barbier-Gagne) :** *90, chemin du Pavé.* 📱 06-73-49-16-69. ● *chateaudelasaone@wanadoo.fr* ● *chateausaone.com* ● 📶 Dans une aile de ce château médiéval, 4 chambres agréables et immenses de 2 à 5 personnes avec sanitaires privés. 1 au rez-de-chaussée, les 3 autres aux 1er et 2e étages.

Mobilier ancien, certaines étapes avec murs en galets. Selon saison, de 70 à 80 € pour 2, copieux petit déj compris, et 20 € par personne supplémentaire. Table d'hôtes à 25 € avec de nombreux produits maison. Sandrine, ancien chef de cuisine, vous régalera de ses spécialités. Grande piscine sur un terrain indépendant. Accueil chaleureux. Une bonne adresse. *NOUVEAUTÉ.*

Accès : *A 7 sortie n° 12 Chanas puis direction Beaurepaire ; la maison se situe entre Beaurepaire et Hauterives (bon fléchage).*

LÉPIN-LE-LAC   73610

Carte régionale B1

25 km SO de Chambéry

€€ 🏠 |O| *Chambres d'hôtes La Grange du Rossignolet (Patricia et Marcel Dufresne) :* ☎ 04-79-36-09-62. 📱 06-30-10-68-92. ● *patricia.dufresne@ wanadoo.fr* ● *lagrangedurossignolet. com* ● 🛜 Sur les hauteurs du village, ancienne grange du début du XXᵉ s. Trois chambres habillées de bois, coquettes, avec sanitaires privés. 69 € pour 2, petit déj compris. Table d'hôtes (sauf le dimanche), partagée en famille, à 25 €, vin et café compris. Cuisine régionale à partir de produits du terroir. Les repas se prennent dans une belle salle de jour couleur soleil avec baie vitrée. Grands voyageurs devant l'Éternel, Patricia et Marcel vous donneront tous les tuyaux pour découvrir la région. Bien sûr, allez piquer une tête au lac d'Aiguebelette, l'eau y est d'une qualité rare et sa température remarquable... C'est l'un des lacs les plus chauds d'Europe ! Accueil chaleureux. Une de nos adresses préférées sur le département et un très bon rapport qualité-prix-convivialité.

Accès : *allez jusqu'à Lépin-le-Lac (chef-lieu), montez vers la mairie et suivez « Le Rossignolet » sur 1 km.*

LESCHAUX   74320

Carte régionale B1

18 km S d'Annecy

€ 🏠 (10 %) *Gîte d'étape et de séjour La Biolette (Danielle Daurelle et Jean-Luc Baudin) :* ☎ 04-50-32-01-87. 📱 06-41-09-22-60. Fax : 04-50-32-03-42. ● *gite@ biolette.com* ● *biolette.com* ● À la limite de la Savoie et de la Haute-Savoie, à 800 m d'altitude, entre forêts et pâturages et située dans le Géopark des Bauges, ancienne ferme montagnarde. Danielle et Jean-Luc accueillent jusqu'à 19 personnes en 6 chambres de 2 à 5 lits ; 3 ont des sanitaires privés, les autres ont des sanitaires collectifs. Atmosphère chaleureuse : beaucoup de bois et mobilier réalisé par un artisan régional. Ici, bien sûr, on débarque avec son duvet ou son sac à viande. La nuit à 26 € par personne. Ici, on parle et on vient pour la nature. Vos hôtes ont créé une petite boutique et un sentier « Si j'étais un arbre », l'occasion de faire une grande balade et de découvrir 35 essences d'arbres et d'arbustes qui peuplent le parc du massif des Bauges. On peut aussi louer l'ensemble du gîte et profiter de la cuisine. Pour les stages, il y a une grande salle à disposition. Pour les randonneurs, le GR du tour du Lac passe à proximité. Une adresse où riment air pur et liberté.

Accès : *par la D 912 entre Annecy et Chambéry en passant par le massif des Bauges ; le gîte est à droite, juste après le col de Leschaux (en venant d'Annecy).*

LYAS   07000

Carte régionale A2

7 km NO de Privas

€€€ 🏠 |O| (10 %) *Chambres d'hôtes Château de Liviers (Jean-Luc Humbert) :* ☎ 04-75-64-64-00. 📱 06-83-62-25-90. ● *chateau.liviers@gmail.com* ● *chateau-de-liviers.com* ● Ancienne place forte des chevaliers de Malte, dont les origines remontent au XIIᵉ s, qui domine une magnifique vallée avec le Ventoux et le Vercors en fond de décor(c'est pas pour la rime !). Jean-Luc, le maître des lieux, vous accueille dans 5 chambres agréables, toutes différentes. Deux lorgnent la vallée, comme la bleue avec ses poutres colorées, la chambre de la chapelle vous plongera dans l'histoire de la bâtisse avec ses voûtes croisées et corniches... Sanitaires privés. Superbe terrasse avec vue sur le parc de 14 ha (si, si !). De 75 à 87 € pour 2, petit déj compris. Table d'hôtes à 24 €, vin compris. Pour ceux qui ont un budget plus modeste mais qui veulent profiter du côté nature des lieux, il y a un gîte d'étape de 20 couchages à 24 € par personne, petit déj compris (idéal pour un week-end entre copains !). Et si c'est encore trop cher, on peut aussi camper... Accueil chaleureux.

Accès : *de Privas, route des Ollières pdt 6,5 km et fléchage à gauche.*

MANTENAY-MONTLIN 01560

Carte régionale A1

27 km NO de Bourg-en-Bresse ;
12 km E de Pont-de-Vaux

€€ 🏠 |○| **Chambres d'hôtes de Boyer (Karine et Michel Lemaire) :** *480, chemin de Boyer.* ☎ 04-74-52-60-99. 📱 06-73-86-94-01. ● *mikalou@wanadoo.fr* ● *le-boyer.com* ● 🛜 Dans un petit hameau en pleine campagne, une jolie ferme typiquement bressane de la fin du XVIIIᵉ s, en brique, murs à colombages. Dans une aile indépendante, une grande chambre pour 2 à 4 personnes avec mezzanine et coin cuisine. Une autre est installée dans une jolie roulotte avec très belle vue sur la nature. Sanitaires privés. Quel que soit votre choix : 70 € pour 2, petit déj compris, et 20 € par personne supplémentaire. Pas de table d'hôtes mais possibilité de petite collation gourmande avec plateau de charcuteries et fromages locaux, dessert maison (14 €). Autrement plusieurs bons restos à proximité. Une belle piscine vous attend pour piquer une tête. Accueil de qualité. Une bonne adresse pour se mettre au vert. *NOUVEAUTÉ.*

Accès : *A 6 sortie Tournus n° 27 puis direction Bourg-en-Bresse ; 1 km après Saint-Trivier, tournez à gauche (avant le village) et suivez le fléchage.*

MARCHAMPT 69430

Carte régionale A1

24 km NO de Villefranche-sur-Saône ;
10 km S de Beaujeu

€€ 🏠 |○| **Chambres d'hôtes Les Fées du Fay (Valérie et Roger Parseihian) :** *Le Fay.* ☎ 04-74-69-02-59. ● *contact@lesfeesdufay.com* ● *lesfeesdufay.com* ● 🛜 En pleine nature, à 650 m d'altitude, ancienne ferme qui jouit d'une vue majestueuse sur les landes du haut Beaujolais, avec le mont Blanc en fond de décor par vent du sud. Deux chambres au rez-de-chaussée ouvrant sur la terrasse et décorées sur le thème des voyages, pour 2-3 personnes. Deux autres chambres à l'atmosphère montagnarde : une au 1ᵉʳ étage de la maison, en duplex, la dernière dans l'ancien cuvage et qui peut accueillir 6 personnes. Selon la chambre, de 65 à 75 € pour 2 et 20 € par personne supplémentaire, petit déj compris. Table d'hôtes à 25 €, apéro, vin et café compris, pour une cuisine à base de produits bio et fermiers. Avis aux randonneurs : le GR 76 passe

à côté de la maison. Accueil des plus chaleureux. Une adresse nature, juste comme on les aime.

Accès : *de Marchampt, D 9 vers le col de la Croix-Marchampt sur 3,5 km et, au niveau d'un énorme châtaignier pétrifié, prenez à droite la route du Fay qui traverse la forêt sur 1 km puis débouche sur la ferme et les pâturages.*

MAROLS 42560

Carte régionale A1

38 km O de Saint-Étienne ;
9 km N de Saint-Bonnet-le-Château

€€ 🏠 🍴 **Chambres d'hôtes L'Écusson (Josiane Frachey) :** *rue de la Tour.* ☎ 04-77-76-70-38. *Ouv 1ᵉʳ mai-30 oct ; hors saison sur résa slt.* Dans cette maison de village qu'un grand portail abrite des regards indiscrets, vous trouverez 4 chambres agréables auxquelles on accède par un escalier monumental. Partout un mélange de vieilles poutres et de pierres apparentes. Comptez 55 € pour 2, petit déj compris. Accueil convivial.

Accès : *A 75 jusqu'à Andrézieux ; prenez la D 498 vers Saint-Bonnet-le-Château et, à Luriecq, la D 5 jusqu'à Marols ; la maison est dans le village.*

MAUVES 07300

Carte régionale A2

18 km N de Valence ; 4 km S de Tournon

€€ 🏠 |○| 🍴 **Chambres d'hôtes Roure Soleil (Monique Conrad) :** ☎ 04-75-07-61-52. 📱 06-88-39-32-89. ● *role-rou resoleil@laposte.net* ● *Fermé 15 déc-15 fév.* 🛜 En pleine campagne, jolie et ancienne ferme viticole ouvrant sur le Vercors (on distingue même le mont Blanc par temps clair). Cela fait de nombreuses années que Monique reçoit des hôtes, et croyez-nous, les habitués sont nombreux. Il faut dire que sa gentillesse et sa spontanéité font merveille. Trois chambres agréables à 55 € pour 2, avec un copieux petit déj (plein de sortes de confitures maison, fromages, corbeille de fruits...). Monique vient du Tarn et elle adore cuisiner... Aussi, on vous conseille de réserver la table d'hôtes, pour 20 €, vin compris. Cassoulet en hiver, caillettes maison, ravioles de Romans, tarte aux noix sont quelques-unes de ses spécialités. Plein de randos à faire dans les environs : le GR 42 ne passe pas très loin. Une adresse qui pourrait avoir pour sous-titre : « Le bonheur de se faire dorloter par Monique » et croyez-nous, y'en a qui aiment !...

Accès : A 7 sortie Tain-l'Hermitage ; traversez le pont puis tournez vers le sud en direction de Saint-Péray ; à l'entrée de Mauves, à droite, prendre la route de Plats sur 700 m, puis prenez à gauche vers Roure-Soleil, pdt 2 km.

MAXILLY-SUR-LÉMAN 74500

Carte régionale B1

4 km E d'Évian

€€€€ 🏠 |O| *Chambres d'hôtes Chez Mathilde (Mathilde Jacquier) :* 1345, route départementale 1005. ☎ 04-50-83-07-10. 📱 07-85-45-68-74. ● mathilde. jacquier@outlook.fr ● lamaisondema thilde.com ● 🛜 La grosse maison posée au bord du lac avec ses 3 magnifiques chambres à l'étage, c'est le fruit d'un tandem énergique : celui de Mathilde, cuisinière de formation, et de son père Éric, pêcheur. Depuis qu'ils font sort commun, il lui fournit poissons et écrevisses pour la table d'hôtes, sa véritable passion (35 € le repas, hors boissons). Avec le goût de la perfection que lui a inculqué le métier, Mathilde a arrangé ses chambres spacieuses avec goût, en prenant soin des moindres détails. Meubles de famille, le plus souvent chinés et restaurés par le grand-père ébéniste, plateau de courtoisie, peignoir, serviette de plage... Évidemment, toutes donnent sur le lac. De 105 à 125 € pour 2, petit déj compris. Aux beaux jours, repas servis dans le jardin et trempette de rigueur. Possibilité d'embarquer à bord du bateau d'Éric pour une séance de pêche grandeur nature.

Accès : d'Évian, direction Lugrin, côté lac pdt 4 km.

MÉAUDRE 38112

Carte régionale B2

35 km SO de Grenoble ;
2 km S d'Autrans

€€ 🏠 *Chambres d'hôtes La Maison aux Volets Bleus (Jeanne et Alain Coiffard) :* Perrinière. ☎ 04-76-94-79-33. ● jeanne. alain.coiffard@wanadoo.fr ● 🛜 Ici, on enlève ses chaussures et on vous prête les chaussons. Trois chambres bien tenues avec sanitaires privés : une au 1er étage, les 2 autres (nos préférées), mansardées et toutes de bois vêtues sont au second.

60 € pour 2, petit déj compris. Pas de table d'hôtes mais kitchenette à disposition. Ski de piste et de fond à proximité. Accueil agréable.

Accès : de Lans-en-Vercors, direction Autrans ; passez le col de la Croix-Perrin, redescendez et c'est la 1re maison à droite face à la route qui mène à Méaudre (la maison est plus proche d'Autrans que de Méaudre).

MESSIMY-SUR-SAÔNE 01480

Carte régionale A1

40 km SO de Bourg-en-Bresse ;
15 km NE de Villefranche-sur-Saône

€€ 🏠 |O| 🛏️ (10%) *Chambres d'hôtes Le Pigeonnier du Val de Saône (Michel Gutierrez) :* 46, chemin Presnois. ☎ 09-77-32-34-93. 📱 06-60-31-64-58. ● michel@le-pigeonnier.com ● le-pigeonnier.com ● Fermé 15 oct-30 avr. 🛜 Michel consacre sa vie à restaurer cette grande demeure en pisé ! Et chaque fois qu'on passe le voir de nouveaux projets sont en route... Au 2e étage, avec un beau volume, 4 chambres à la déco soignée (dont une vaste suite familiale), climatisées et avec sanitaires privés. 67 € pour 2, petit déj compris, et 125 € pour 5 pour la suite, toujours petit déj compris. Table d'hôtes partagée avec Michel à 25 €, apéro, vin et café compris. Cuisine familiale avec des produits locaux. Grande cour intérieure avec un beau pigeonnier et dans un jardin clos une grande piscine pour se rafraîchir. Accueil convivial. Une adresse comme on les aime.

Accès : dans le village, face à l'épicerie, prenez la rue en direction de la Saône ; la maison est un peu plus bas à droite.

€€ 🏠 |O| *Chambres d'hôtes Maison de Marie (Caroline et Jérôme Colrat) :* 163, route d'Ars. ☎ 04-74-67-94-72. 📱 06-15-19-54-07. ● colrat@free.fr ● maisondemarie.fr ● Ancienne ferme du XVIIIe s avec cour intérieur gravillonnée. Dans différentes ailes de la maison, 4 chambres agréables dont 2 familiales (la plus grande avec coin cuisine). 2 en rez-de-chaussée, les 2 autres à l'étage. Mobilier ancien. Sanitaires privés. 70 € pour 2, petit déj compris, et 95 € pour 4. Table d'hôtes sans les proprios à 20 €, apéro, vin et café compris. Cuisine familiale avec des produits du coin. Espace détente avec jaccuzi et sauna (10 € par heure et par personne) et possibilité de se faire masser par Caroline. Accueil convivial. *NOUVEAUTÉ.*

> *Accès :* au centre du village, au niveau de la station-service, prenez en face la route-d'Ars, la maison est à 200 m à gauche.

MIRMANDE 26270

Carte régionale A2

30 km S de Valence

€€ ▲ *Chambres d'hôtes (Marinette et Tieno Goriou) :* ☎ 04-75-63-01-15. ▤ 06-15-67-24-55. ● tienogoriou@aol.com ● lamaisondemarinette.com ● *Fermé de début janv à mi-fév.* ☎ Quand ils ont acheté leur maison, c'était une ruine... aujourd'hui c'est un très bel ensemble en pierre apparente. Ici, c'est une famille d'artistes, et de nombreuses sculptures de Tieno ornent la maison et le jardin. Trois chambres d'hôtes, vastes et agréables, installées dans une aile indépendante. Sanitaires privés. Très beau dallage et un chouette crépi blanc réalisé par Tieno. Comptez 68 € pour 2, petit déj compris (toujours avec un gâteau maison). Pas de table d'hôtes, mais plusieurs petits restos à Mirmande, qui mérite de toute façon une petite visite (médiéval, le village est classé parmi les plus beaux de France). Pour vous détendre, la piscine. Accueil agréable.

> *Accès :* A 7, sortie Montélimar-Nord ; remontez la N 7 vers Valence puis, à droite, prenez la D 204 en direction de Mirmande ; le chemin qui mène à la maison est juste à l'entrée du village, sur votre droite.

MONTAGNY 42840

Carte régionale A1

70 km NO de Lyon ; 18 km E de Roanne

€ ▲ |●| ↰ (10 %) *Chambres d'hôtes La Vache sur le Toit (Denise et Pascal Cauwe-Vernay) :* Chez Parcelly. ☎ 04-77-66-13-61. ▤ 06-40-57-57-40. ● parcelly@free.fr ● parcelly.free.fr ● ☎ En pleine campagne, à la frontière de la Loire et du Rhône, cette ancienne ferme bicentenaire comporte sur sa gauche un joli petit bâtiment tout en pierre aux volets verts. Vous y trouverez 2 chambres personnalisées, avec sanitaires privés. À droite, dans la maison de Denise et Pascal, une 3e chambre, également avec sanitaires privés. De 44 à 56 € pour 2, petit déj compris. Table

d'hôtes à 16 €, servie sur la terrasse aux beaux jours. Également un gîte pour 3 personnes sur place. Excellent accueil.

> *Accès :* dans Montagny (D 504 entre Perreux et Thizy), prenez à gauche, à la pharmacie, la D 45 direction La Gresle sur 3 km.

MONTROMANT 69610

Carte régionale A1

30 km O de Lyon ; 2 km O d'Yzeron

€€ ▲ ↰ *Chambres d'hôtes Ferme du Thiollet (Christine et Marcel Radix) :* Le Thiollet. ☎ et fax : 04-78-81-00-93. ▤ 06-16-49-91-46. ● mc.radix@wanadoo.fr ● ferme.thiollet.free.fr ● ☎ Marcel et Christine ont racheté la ferme où travaillait la famille depuis plusieurs générations. Située à 850 m d'altitude, il faut dire qu'elle est belle avec ses volets rouges et son point de vue unique sur les monts alentour. Quatre chambres coquettes, dont une de 4 personnes, installées au 1er étage, les 2 autres de plain-pied. Toutes au nom d'un continent, on aime bien « L'Amérique », plus petite, mais rigolote car installée dans l'ancien poulailler où les proprios ont conservé les pondoirs. Sanitaires privés. 56 € pour 2, petit déj compris. Lac de 3 ha à proximité avec location de barques et pêche. Accueil chaleureux. Une adresse qui fait des adeptes.

> *Accès :* d'Yzeron, suivez la direction de Duerne/Le plan d'eau, puis prenez le 1er chemin à gauche, vers Le Thiollet.

MONTVERDUN 42130

Carte régionale A1

45 km NO de Saint-Étienne ;
16 km N de Montbrison

€€ ▲ (10 %) *Chambres d'hôtes Domaine de la Loge (Juliette-Dominique Thiollier) :* route de Poncins. ☎ 04-77-97-56-96. ● domainedelaloge@free.fr ● domainedelaloge.jimdo.com ● *Fermé de mi-nov à fin mars.* ☎ La maison de Juliette, qui appartient à la famille depuis six générations, est située au bord d'une petite route et entourée d'un grand jardin. Au fond de celui-ci, 4 chambres d'hôtes (dont une familiale) et un gîte ont été aménagés dans une ancienne ferme forézienne. De 60 à 75 € la nuit pour 2 et de 100 à 110 € pour 4, petit déj compris. Table d'hôtes selon trois formules entre 14 et 37 €, et sinon, cuisine à disposition. Une adresse agréable, propice au repos.

Accès : A 72 sortie Feurs, puis direction Boën par la N 89 et tt de suite à gauche vers Poncins ; dans Poncins, en face de la mairie, prenez à droite vers Montverdun (C 2) pdt 3 km, la maison est à moins de 100 m du panneau « La Loge ».

OUROUX   69860

Carte régionale A1

27 km NO de Belleville-sur-Saône ; 25 km S de Cluny

€€ ♠ |●| ⚑ (10%) **Chambres d'hôtes Ferme du Planet (Valérie Combier) :** ☎ 04-74-04-64-89. 📱 06-79-88-30-04. ● combiervalerie@gmail.com ● ferme-du-planet.com ● Fermé 2 janv-14 fév. 🛜 Ici, c'est un peu la ferme qu'on imaginait quand nous étions enfants... Tout en pierre, elle bénéficie d'une belle vue sur les environs, mais surtout, beaucoup d'espèces d'animaux sont présents en petit nombre : cochons, moutons, ânes, chevaux, oies, poulets, lapins (qui se baladent en liberté). Trois chambres douillettes et chaleureuses, décorées sur le thème de la ferme, de 2 et jusqu'à 8 personnes car ici on privilégie les familles. Déco croquignolette où chaque détail a été pensé et bois omniprésent. Sanitaires privés. 60 € pour 2, petit déj compris (pas moins de 10 sortes de confitures, sans oublier pains et jus de fruits maison). Salle à manger conviviale avec cheminée et four à pain. Table d'hôtes (sauf le mercredi et le dimanche, excepté juillet-août) à 24 €, boissons comprises. Pratiquement tout ce qui est servi à table sort de la maison : charcuteries, viandes, fromages, légumes. Cuisine du terroir copieuse et mijotée. Un vrai retour à la campagne. Accueil des plus chaleureux. Salle de jeux avec ping-pong, billard et fléchettes, salle de détente avec spa et sauna, terrain de pétanque, pêche dans l'étang, et nombreux sentiers de randonnée agrémenteront votre séjour. Une adresse que petits et grands vont adorer... Enfin, nous, on a été conquis !

Accès : d'Ouroux, D 32 vers Monsols sur 1,5 km et la ferme est à droite.

€€ ♠ (10%) **Chambres d'hôtes Les Folies de la Serve (Pascaline et Pascal Patin) :** La Serve. ☎ 04-74-04-76-40. 📱 06-99-68-55. ● lesfolies.delaserve@gmail.com ● lesroulottes.com ● Ouv 1er avr-1er nov. 🛜 Encore une adresse originale pour passer un séjour qui ne le sera pas moins... Pascaline et Pascal restaurent des roulottes... et y accueillent des hôtes ! La première, « La roulotte des étoiles » est la plus grande et la plus ancienne (de la fin du XIXe s). Avec chambre et salon, elle est décorée sur le thème de l'Inde. La seconde, des années 1930, est baptisée « La roulotte des manèges » ; elle est grande, avec salon. Atmosphère rétro sur le thème des vieux manèges. La dernière, celle « des amoureux », date des années 1950. Colorée, toute habillée de bois sculpté, douillette, avec des petits napperons au crochet, elle dégage une ambiance très gipsy. L'électricité est là, mais pour les sanitaires, il faudra aller dans une partie indépendante de la maison, non loin des roulottes (deux salles d'eau avec douche et deux w-c), où vous trouverez également un séjour et une cuisine à votre disposition. Comptez 65 € pour 2, petit déj compris (confitures et pain maison). Pour ceux qui préféreraient un séjour plus « classique », également 2 chambres d'hôtes tout aussi dépaysantes dans la maison des proprios. Celles-ci sont à 110 € pour 2 avec le petit déj. Accueil décontracté et chaleureux. Une adresse qu'on aime, à la fois insolite et un brin bohème.

Accès : d'Avenas, prenez la D 18 vers Monsols, jusqu'au col de la Serve, puis tournez à droite vers Ouroux (sur 50 m) et suivez le fléchage à droite (n'allez pas à Ouroux situé à 5 km).

OZ-EN-OISANS   38114

Carte régionale B2

47 km E de Grenoble ; 13 km N du Bourg-d'Oisans

€€ ♠ |●| ⚑ **Gîte d'étape et de groupe Le Sardonnier (Gillian Fabre) :** Sardonne. ☎ 04-76-80-76-93. 📱 06-11-95-90-31. ● lesardonnier@gmail.com ● le-sardonnier.com ● Résa conseillée. 🛜 Maison montagnarde au charme rustique, face au massif des Grandes-Rousses. Une chambre de 2 personnes, une de 3, une de 6 et la dernière de 4. Au rez-de-chaussée, très belle salle voûtée avec cheminée. Comptez 22 € la nuitée par personne, et 44 € en demi-pension. Bons petits plats de Gillian, une Anglaise, comme les tartiflettes ou les gratins de framboise. Ambiance décontractée et remplie de la joie de vivre de votre hôtesse.

Accès : de Grenoble, empruntez la N 85 en direction du Bourg-d'Oisans puis, à Rochetaillée, prenez à gauche la D 526 vers Allemont, et à droite en direction de Villard-Reculas.

PAILHARÈS 07410

Carte régionale A2

*60 km NO de Valence ;
25 km S d'Annonay*

€€ 🏠 |●| 🐾 **Chambres d'hôtes Le Petit Marchand (Jacques Andry) :** *col du Marchand.* ☎ 04-75-06-06-80. ● petitmarchand07@gmail.com ● *petit marchand-ardeche.fr* ● *Résa conseillée juin-sept.* 🛜 À 900 m d'altitude, jolie batisse ouvrant sur des monts boisés. Dans une petite maison indépendante (un peu au bord de la route), 2 chambres claires et spacieuses avec sanitaires privés, joliment décorées de meubles de famille. Également une belle et grande roulotte posée dans la verdure en contrebas, avec toilettes sèches et point d'eau à quelques mètres et sanitaires complets dans la maison principale. Comptez 60 € pour 2, petit déj inclus, et 65 € pour la roulotte. Table d'hôtes commune à 20 € : chèvre chaud à l'huile de chou, terrine de courgettes et des spécialités ardéchoises... Adresse idéale pour les amateurs de nature et de marche ; Jacques, randonneur lui-même, connaît parfaitement les circuits et vous donnera des infos utiles. Accueil chaleureux. Une adresse qui fait des adeptes.

Accès : *d'Annonay, empruntez la D 578 vers Satillieu/Lalouvesc ; passez Lalouvesc puis prenez la D 532 vers Saint-Félicien ; 500 m après le col, la maison est sur la droite (n'allez pas jusqu'à Pailharès).*

PEISEY-NANCROIX 73210

Carte régionale B1

*60 km SE d'Albertville ;
15 km S de Bourg-Saint-Maurice*

€€ 🏠 |●| 🐾 **Chambres d'hôtes Maison Coutin (Claude Coutin) :** *hameau de Peisey.* ☎ 04-79-07-93-05. 📱 06-14-11-54-65. ● maison.coutin@orange.fr ● *maison-coutin.fr* ● 🛜 À 1 300 m d'altitude, aux portes du parc de la Vanoise et un peu à l'écart du village, vieille ferme de 1851, très jolie, avec son toit de lauze et sa façade tout en bois. Cinq chambres, dont 2 suites pour les familles ou amis. Déco rustique, fait main : du bois à profusion, des couvre-lits à carreaux. Un vrai charme, et de vieux balcons pour profiter de la vue sur le massif de Bellecôte. Sanitaires privés. Selon la saison, de 62 à 68 € pour 2, petit déj compris, et de 20 à 24 € par personne supplémentaire. Table d'hôtes (sauf le mercredi l'hiver, le jeudi l'été) à 22 €, apéro, vin et café ou tisane

inclus. Cuisine du terroir avec les légumes du jardin, œufs et produits fermiers. Excellent accueil.

Accès : *suivez le fléchage dans le village.*

PEYZIEUX-SUR-SAÔNE 01140

Carte régionale A1

*46 km SO de Bourg-en-Bresse ;
15 km O de Châtillon-sur-Chalaronne*

€€ 🏠 🐾 **10 %** **Chambres d'hôtes Les Maisons Neuves (Marie et Noël Crozier) :** ☎ 04-74-04-03-42. 📱 06-82-29-80-11. ● noeletmariecrozier@gmail.fr ● chezmarie01.fr ● 🛜 En pleine campagne, exploitation agricole où Marie et Noël élèvent 40 vaches laitières. Dans une aile indépendante de la ferme, 4 chambres colorées et agréables : une au rez-de-chaussée, les 3 autres à l'étage. Déco simple et sans prétention. Sanitaires privés. 57 € pour 2, petit déj compris, avec saucisson, bresse bleu, gâteau et confitures maison (vous avez dit copieux ?). Pas de table d'hôtes, mais une cuisine à disposition et plusieurs restos à proximité ainsi qu'une charcuterie fermière à deux pas (si vous avez un peu de place dans le coffre...). Accueil authentique et vrai. Une adresse nature idéale pour les amateurs de rando et de vie à la ferme. Au fait, Noël est passionné par les chiens de chasse à courre et passe son temps libre dans son petit élevage.

Accès : *de Belleville-sur-Saône, sur la D 933 entre Mâcon et Villefranche-sur-Saône, bifurquez vers Peyzieux et suivez le fléchage (sur 3 km).*

POULE-LES-ÉCHARMEAUX 69870

Carte régionale A1

*35 km NO de Villefranche-sur-Saône ;
10 km N de Lamure-sur-Azergues*

€€ 🏠 |●| **Chambres d'hôtes La Cime Beaujolaise (Anne et Gilles Piegay) :** *Le Bourg.* ☎ 04-74-03-37-49. 📱 06-87-11-74-14. ● lacimebeaujolaise@msn.com ● *lacimebeaujolaise.fr* ● À l'orée du village, ancienne ferme bénéficiant d'un joli point de vue sur les crêtes environnantes. Quatre chambres chaleureuses avec sanitaires privés. Déco qui mêle pierre apparente, bois et enduits à la chaux. Trois sont familiales avec mezzanine, la dernière est composée de 2 chambres. 68 € pour 2, petit déj compris, et 22 € par personne supplémentaire. Table d'hôtes à 25 €, apéro, vin et café compris. Espace balnéo (payant) pour les amateurs. Accueil convivial.

Accès : *à la sortie du village sur la gauche (bon fléchage).*

PRESLES   38680

Carte régionale A2

58 km SO de Grenoble ;
13 km NE de Pont-en-Royans

€€ ≙ |●| *Chambres d'hôtes Les Fauries (Carmen Wintzenrieth) :* ☎ et fax : 04-76-36-10-50. ● lesfauries.fr ● *Fermé après la Toussaint jusqu'au 1er fév et 10 mars-12 avr.* 🕭 À 950 m d'altitude, au cœur du parc régional du Vercors, et plus particulièrement en lisière de la forêt des Coulmes, ancienne ferme tout en pierre qui jouit d'un superbe panorama. Son heureuse propriétaire, Carmen, est une hôtesse charmante. Elle y a ouvert 4 chambres avec sanitaires privés, dont une familiale composée de 2 chambres. Toutes portent des noms d'oiseaux. Pas étonnant qu'elles soient pimpantes et lumineuses ! Comptez 54 € pour 2, petit déj compris. À la table de Carmen, vous découvrirez en sa compagnie (si vous n'êtes pas une colonie !) les spécialités régionales et traditionnelles à partir de produits fermiers. 21 € le repas, apéro et vin compris. Atmosphère sans façon et décontractée. Un bon rapport qualité-prix-convivialité. Au fait, Presles est réputé pour son site d'escalade (pas moins de 300 voies différentes !) ; les moins téméraires se rabattront sur les randos et autres activités : ski de fond, raquettes...

Accès : *A 49, Grenoble/Valence, sortie Saint-Marcellin ; prenez la direction de Saint-Romans ; après avoir traversé l'Isère, suivez Saint-Pierre-de-Cherennes, puis Presles par Le Faz ; au lieu-dit Les Fauries, prenez la 1re route à gauche, la maison est à 50 m (bon fléchage).*

PROPIÈRES   69790

Carte régionale A1

45 km NO de Villefranche-sur-Saône ;
20 km O de Beaujeu

€€ ≙ |●| ⌂ ⑩% *Chambres d'hôtes La Musardière (Geneviève Diot) :* lieu-dit La Fabrique. ☎ 04-74-03-68-25. ▯ 06-99-72-32-04. ● gene.diot@orange.fr ● maison-hote.net ● 🕭 Au bout d'une petite route de campagne, on découvre cette ancienne ferme nichée dans la verdure, véritable havre de paix. Trois chambres champêtres, charmantes et colorées, avec sanitaires privés, à 54 € pour 2, petit déj compris, avec un tas de spécialités maison concoctées par Geneviève selon son humeur (cakes, pancakes, pains, sans oublier d'originales confitures comme banane-lavande, poivron jaune-gingembre, banane-thym...). Elle s'occupe aussi de son potager et aime remettre les vieux légumes à l'honneur, qui tiennent selon la saison une place de choix dans ses repas. Table d'hôtes à 18 €, apéro, vin et café compris. Ambulancière, apicultrice, Geneviève organise aussi des stages de développement personnel. Accueil chaleureux. Une adresse où l'on se sent bien.

Accès : *sortez de Propières en direction de La Clayette (D 10), faites 2 km et tournez à droite au panneau « La Fabrique » puis suivez « La Musardière ».*

QUINCIÉ-EN-BEAUJOLAIS   69430

Carte régionale A1

50 km NO de Lyon ;
20 km NO de Villefranche-sur-Saône

€€€ ≙ |●| ⌂ ⑩% *Chambres d'hôtes Domaine de Romarand (Annie et Jean Berthelot) :* 106, chemin Perrichon. ☎ 04-74-04-34-49. ● berthelot.romarand@orange.fr ● domainederomarand.com ● *Fermé entre Noël et le Jour de l'an.* 🕭 Au milieu des vignes, Jean et Annie, viticulteurs, ont une superbe maison en pierre offrant 4 chambres d'hôtes spacieuses avec sanitaires privés. 75 € pour 2, petit déj compris. Grande salle de séjour avec cheminée, charpente et pierres apparentes. Table d'hôtes à 29 €, vin de la propriété compris : salade lyonnaise, saucisson brioché, volailles fermières, tatin de pommes de terre et pâtisseries maison. Grande piscine à l'arrière de la maison. Ambiance et accueil raffinés. Vente des vins de la propriété et caveau de dégustation.

Accès : *du village, prenez la direction de Marchampt (D 9) sur 2,5 km, et tournez à droite juste après Le Vitry ; suivez le fléchage sur 1,5 km.*

RAMASSE   01250

Carte régionale A1

*16 km E de Bourg-en-Bresse ;
8 km N de Ceyzériat*

€€ 🏠 |◉| 🐾 **Chambres d'hôtes (Christiane et Didier Souriau) :** *117, route de la Fruitière.* ☎ et fax : 04-74-22-48-95. 📱 06-75-88-92-92. ● *csouriau@orange.fr* ● *maisonsouriau.cabanova.com* ● 🛜 Ancienne maison vigneronne au cœur du village. Par la terrasse, on arrive à la partie chambres d'hôtes. Elles sont 2, simples et sans prétention, avec sanitaires privés. Une au rez-de-chaussée, l'autre à l'étage, composée de 2 chambres pour les familles. 56 € pour 2, petit déj compris (pain brioché, gâteau et confitures maison). Table d'hôtes partagée en famille à 20 €, apéro, vin et café compris. Une cuisine du terroir avec les produits du coin. Venir chez Christiane et Didier c'est aussi partager les collections du maître des lieux : montres à gousset, coucous, plaques de pub émaillées, petites voitures à pédales, mais surtout des voitures anciennes dont un superbe coupé Rolls Royce de 1933, une Ford T de 1925 et une SM Maserati (on fait un p'tit tour Didier ?). Un gîte de 2 personnes pour ceux qui veulent séjourner, loué de 240 à 290 € la semaine, selon la saison. Accueil chaleureux, gentillesse et authenticité au rendez-vous. *NOUVEAUTÉ.*

Accès : A 39/40 sortie n° 6 Bourg-en-Bresse Nord, prenez la rocade jusqu'à Bourg, sortie Jasseron, puis Drom et Ramasse, et fléchage dans le village.

RÉAUVILLE   26230

Carte régionale A2

*30 km NO de Nyons ;
25 km S de Montélimar*

€€€€ 🏠 |◉| 🐾 **Chambres d'hôtes Mas de Pantaï (Sergio et Cécile Chiorino) :** ☎ 04-75-98-51-10. 📱 06-09-82-04-84. ● *sergio.chiorino@wanadoo.fr* ● *masde pantai.com* ● 🍴 *Ouv de mars à mi-nov (tte l'année pour les loc).* 🛜 Situé sur une petite colline boisée, superbe mas provençal dont certaines parties remontent au XVIᵉ s. Si vous en faites le tour, il vous dévoilera tout son charme. La personnalité de Sergio n'en manque pas non plus... Il propose 4 chambres ravissantes, qui sentent bon la Provence. Sanitaires privés. Comptez 110 € pour 2, petit déj compris. Table d'hôtes (à partir de 8 personnes), partagée avec le maître des lieux, pour 38 € tout compris, de l'apéro avec les canapés jusqu'au café. Bonne cuisine régionale aux saveurs multiples. En contrebas de la maison, la piscine chauffée, puis les champs de lavande du voisin. En haut de la colline, magnifique panorama sur les Dentelles de Montmirail. Entre les deux, une chênaie qui abrite 3 petits gîtes, de construction simple mais très bien équipés, ainsi que 3 ravissants bastidons en dur. Une adresse pour bons vivants.

Accès : A 7, sortie Montélimar-Sud ; prenez la N 7 en direction d'Avignon (sur 2 km), tournez ensuite à gauche vers Grignan (sur 10 km), puis de nouveau à gauche vers Réauville ; le Mas de Pantaï est à 600 m à droite, juste avt l'entrée du village.

ROSIÈRES   07260

Carte régionale A2

24 km SO d'Aubenas

€€€ 🏠 |◉| **Chambres d'hôtes L'Oustalou (Véronique et Philippe Alcalde) :** *Augnac.* ☎ 04-75-39-57-05. 📱 06-07-91-28-62. ● *loustalou@wanadoo.fr* ● *loustalou-ardeche.com* ● *Fermé de mi-nov à fin fév.* 🛜 Voici un beau mas perché au sommet d'une petite colline entourée de conifères, où l'on n'entend que le chant des oiseaux et des cigales. Cinq chambres toutes belles, toutes fraîches et avec sanitaires privés. Déco sobre et assurément de bon goût. 78 € pour 2, petit déj compris. Possibilité de table d'hôtes sur réservation à 27 €, apéro, vin et café compris, avec de bonnes spécialités à la châtaigne (soupe, pain, cailles farcies à la châtaigne...) et aux plantes sauvages (salade arc-en-ciel, soupe à l'ortie et à la consoude...). Piscine. Accueil vraiment très sympa. Une adresse idéale pour se ressourcer.

Accès : du village, direction Laurac sur 1 km puis direction Augnac et fléchage (3 km de Rosières).

SAGNES-ET-GOUDOULET   07450

Carte régionale A2

*45 km NO d'Aubenas ;
35 km SO du Cheylard*

€€ 🏠 |◉| **Chambres d'hôtes Ferme de Suchasson (Claire Thomas et Pierre Chanéac) :** *Suchasson.* ☎ 04-75-38-85-56. 📱 06-07-81-14-86. ● *cthomas. suchasson@orange.fr* ● *suchasson.fr* ● *Fermé 15 nov-15 janv.* 🛜 Isolée sur le

RHÔNE-ALPES

plateau ardéchois à 1 230 m d'altitude, avec une vue imprenable sur le suc de Coux, superbe ferme en pierre au toit de lauze. Pierre élève des vaches de race limousine en bio. Au 1er étage de la maison, 5 chambres de 2 à 4 personnes à l'atmosphère guillerette et campagnarde. Murs en pierre apparente, enduits colorés à la chaux. Sanitaires privés. 60 € pour 2, petit déj compris (jus de fruits bio, confitures et gâteau maison). Table d'hôtes à 24 €, vin et café compris. Une cuisine saine élaborée avec des produits de la ferme ou des plantes sauvages (orties, épinards...). Peut-être aurez-vous la chance de découvrir la *maôche*, ou estomac de porc farci. Ici, c'est le paradis de la randonnée : le GR 73 passe à 50 m de la maison ; l'hiver ce sera en raquettes. Accueil vrai et chaleureux. Une adresse comme on les aime, nature et sans façon.

Accès : *du village, D 209 vers Sainte-Eulalie ; l'accès à la maison est à 1,2 km à droite.*

SAINT-ANDÉOL-EN-QUINT 26150

Carte régionale A2

12 km NO de Die

€€ 🏠 |○| **Chambres d'hôtes La Lune en Bouche (Françoise Bronchart et Jean-Claude Mengoni) :** *hameau de Ribière.* ☎ 04-75-21-26-34. ● laluneenbouche@ free.fr ● laluneenbouche.com ● *Ouv avr-nov.* 🛜 À l'écart du village, dans le parc naturel régional du Vercors, ancienne ferme dissimulée dans un joli coin de campagne. Elle a été entièrement restaurée et aménagée en privilégiant les énergies propres (chauffage et eau chaude par énergie solaire) et les matériaux naturels. Cinq chambres sereines, à la déco sobre, avec enduits à la chaux, murs en terre et paille d'orge. Sanitaires privés. Comptez 62 € pour 2, petit déj compris, servi dans une immense et accueillante pièce de jour avec un mur chauffant en terre (si, si !). Table d'hôtes le soir à 22 €, tout compris ; et cuisine à disposition si vous préférez préparer votre frichti. Les plus téméraires pourront piquer une tête dans l'étang de la maison alimenté par une source. Et bien sûr, les randos dans le coin ne manquent pas. Accueil convivial.

Accès : *à Sainte-Croix, prenez à gauche D 129 vers Saint-Julien-en-Quint puis à gauche vers Saint-Andéol et suivez la fléchage « La Lune en Bouche ».*

SAINT-ANDRÉ-LA-CÔTE 69440

Carte régionale A1

35 km SO de Lyon ; 8 km O de Mornant

€ 🏠 |○| 🐾 10% **Chambres d'hôtes Là-Haut sur la Montagne (Anne et Marc Guyot) :** *Le Petit-Bois-des-Terres.* ☎ 04-78-81-61-16. 📱 06-73-94-56-80. ● nanou.guyot@laposte.net ● lahautsurla montagne.com ● 🛜 À 850 m d'altitude, dominant les environs avec les monts du Forez en fond de décor, belle demeure tout en bois, style chalet montagnard. Anne et Marc sont producteurs de fruits rouges (fraises, framboises, groseilles...) et pour peu que vous restiez quelques jours, vous découvrirez les confitures, sorbets et sirops maison. Trois chambres chaleureuses, vêtues de bois, pouvant accueillir de 3 à 7 personnes. 55 € pour 2, petit déj compris, et 15 € par personne supplémentaire. Table d'hôtes à 20 €, apéro, vin et café compris (9 € pour les enfants). Pour les amateurs de rando, le GR 7 passe dans le village. Accueil convivial et familial. Très bon rapport qualité-convivialité-prix.

Accès : *de Saint-André-la-Côte, direction Saint-Martin-en-Haut sur 600 m puis tournez à gauche au fléchage.*

SAINT-ANTOINE-L'ABBAYE 38160

Carte régionale A2

41 km NE de Valence ;
25 km NE de Romans-sur-Isère

€€ 🏠 |○| 🐾 10% **Chambres d'hôtes (Marie-Thérèse et Henri Philibert) :** *montée de la Maladière, Les Voureys.* ☎ 04-76-36-41-65. 📱 06-30-05-44-69. ● vou reyhote@orange.fr ● chambrehote.site.voila. fr ● 🛜 Au milieu des champs, jolie ferme du XIXe s, dont la plus vieille partie date du XVIIe : superbes séchoir à noix et grenier à foin. Trois chambres simples, mais spacieuses, avec sanitaires privés. 54 € pour 2, petit déj compris, avec pogne ou brioche. Table d'hôtes (les lundi et vendredi, sur réservation) à 20 €, vin et café compris. Bonne cuisine traditionnelle avec gâteau de foie, ravioles (on adore), civet de lapin, poule à la crème, tarte aux noix maison, flan au lait... Ici, c'est la vraie vie de la ferme et vos bambins seront ravis (nous aussi !) : des poules, des lapins, des canards, des vaches, et un ravissant potager qui mérite vraiment une visite. Marie-Thérèse et Henri cultivent aussi

RHÔNE-ALPES

les noix et fabriquent également du saint-marcellin (à table !). Une adresse qui fleure bon le terroir et l'authenticité, la vraie vie de la ferme, quoi ! N'oubliez pas d'aller à Saint-Antoine, pour son abbaye bien sûr, mais aussi pour ses très nombreux artisans, tous installés sur la superbe place.

Accès : sur la N 92, entre Romans et Voiron ; à Saint-Marcellin (célèbre pour son délicieux fromage), prenez la D 27 vers Saint-Antoine ; 2,5 km avt d'arriver au village, tournez à gauche au fléchage « Les Voureys/La Maladière ».

SAINT-APPOLINARD 38160

Carte régionale A2

60 km O de Grenoble ;
12 km NO de Saint-Marcellin

€€ 🏠 |O| 🚲 (10%) **Chambres d'hôtes (Monique et Henry Pain) :** 885, montée de Fréduret, La Combe-de-Mouze. ☎ 04-76-64-10-52. ● chambrehote.monique.mon site.orange.fr ● Ouv Pâques-Toussaint. En pleine campagne, jolie ferme traditionnelle (en galets roulés) en activité (vaches laitières, noix), jouissant d'une vue superbe sur le pays antonin (l'abbaye de Saint-Antoine datant du XIIIᵉ s est à proximité). Vous y trouverez 4 chambres simples mais agréables, avec sanitaires privés. Comptez 55 € pour 2, petit déj compris (avec le célèbre fromage de Saint-Marcellin, de la pogne de Romans et du pain maison). Également une chambre-studio pour ceux qui préfèrent poser leur valises un peu plus longtemps. Possibilité de repas à 18 €, vin et café compris, servi en terrasse aux beaux jours. Cuisine familiale avec de bonnes spécialités, comme le gratin ravioli, la viande sauce aux noix, les légumes du jardin, le flan à la lavande... Accueil authentique et convivial. Circuit des églises romanes et plein de randos aux alentours. Également un lac pour pratiquer la pêche et la baignade à 8 km.

Accès : sur la N 92, de Grenoble à Saint-Marcellin ; dans Saint-Marcellin, prenez la direction de Chatte (D 27) et, de là, la direction de Chevrière (D 20A) ; avt Chevrière, prenez la direction de Bessins, puis suivez le fléchage « La Combe-de-Mouze » (n'allez pas à Saint-Appolinard).

SAINT-AREY 38350

Carte régionale B2

50 km S de Grenoble ;
7 km SO de La Mure

€€€ 🏠 |O| 🚲 (10%) **Chalets-loisirs Domaine des Genevreys (Laurence et Bernard Gluszyk) :** Pellenfrey. ☎ et fax : 04-76-81-26-27. ● domainedes genevreys.fr ● Ouv mai-sept. Résa conseillée, surtout en hte saison. 🛜 En pleine nature, dans un superbe site avec vue sur le mont Aiguille, 5 petits chalets pour 2 à 6 personnes. Système de demi-pension à 46 € par personne, activités comprises (piscine, tennis). Laurence et Bernard, les adorables propriétaires, servent souvent petit déj et repas sous une sorte de paillote très sympa. Une adresse idéale pour les amoureux de sport et de nature. Accueil décontracté et chaleureux.

Accès : de Grenoble, empruntez la N 85 en direction de Gap ; dans La Mure, prenez la D 116 vers Prunières/plage de Savel ; 4 km après Prunières, prenez la petite route à droite et continuez sur 2 km.

SAINT-BARDOUX 26260

Carte régionale A2

25 km N de Valence ;
10 km NO de Romans

€€ 🏠 |O| (10%) **Chambres d'hôtes La Miellerie (Élisabeth Faisant et Daniel Brulebois) :** quartier Pize. ☎ 04-75-45-25-06. 📱 06-23-38-53-84. ● contact@lamiellerie.eu ● lamiellerie.eu 🛜 Le chemin s'arrête là, et aux beaux jours, vous séjournerez dans cette ancienne ferme au chant des cigales en contemplant la campagne. Trois chambres agréables réparties dans différentes parties de la maison. Une familiale composée de 2 chambres avec sanitaires privés au rez-de-chaussée, les 2 autres au 1ᵉʳ étage d'une aile indépendante. 59 € pour 2, petit déj compris, avec le miel maison (Daniel est apiculteur amateur). Table d'hôtes à 20 €, apéro, vin et café compris. Cuisine traditionnelle à partir de bons produits du terroir. Piscine à disposition. Accueil convivial.

Accès : de Saint-Donat-sur-l'Herbasse, prenez la D 53 vers Romans-sur-Isère et à 1,5 km tournez à droite au fléchage « Pize-Picot » et suivez le fléchage pdt 1,2 km (petite route semi-goudronnée).

SAINT-BONNET-DES-QUARTS 42310

Carte régionale A1

25 km NO de Roanne ;
10 km S de La Pacaudière

€ 🏠 |O| 🚲 (10%) **Chambres d'hôtes (Alice et Joël Charrondière) :** Pont-Demain. ☎ et fax : 04-77-64-16-22. 📱 06-72-90-67-88. ● joel.charrondiere@

RHÔNE-ALPES

wanadoo.fr ● chambre-hote-charron-diere.info ● 📶 Agréable ferme en pierre du pays dans un joli coin de campagne. Trois chambres coquettes avec sanitaires privés, dont une au rez-de-chaussée, les 2 autres à l'étage. De 47 à 52 € pour 2, petit déj compris (avec les confitures d'Alice). La table d'hôtes vous permettra de découvrir les produits de la ferme, notamment la viande (élevage de charolais), sans oublier les légumes du jardin. 16,50 € le repas, vin compris. Une adresse où riment authenticité, simplicité et convivialité.

Accès : de Roanne, N 7 jusqu'à Changy, puis D 41 vers Saint-Bonnet-des-Quarts jusqu'au lieu-dit Pont-Demain ; c'est la dernière maison à droite.

SAINT-CHRISTOPHE-LA-GROTTE   73360

Carte régionale B1

20 km SO de Chambéry ;
20 km NE de Voiron

€€€ 🏠 |●| ⑩% *Chambres d'hôtes* **Ferme Bonne de la Grotte (Astrid et René Amayenc) :** ☎ 04-79-36-59-05. 📱 06-67-02-98-68. Fax : 04-79-36-59-31. ● info@fermebonne.com ● gites-savoie.com ● 📶 Dans le parc de la Chartreuse, magnifique ferme du XVIIIᵉ s aux volets amande. Venir chez René et Astrid, c'est un peu plonger dans l'histoire de la Savoie, aussi bien sur un plan historique que folklorique, œnologique qu'artisanal (ah, les traditions !). Quatre chambres champêtres et charmantes, pour 2 à 6 personnes. Sanitaires privés (non attenants pour 2 des chambres). Comptez 85 € pour 2, petit déj compris. Atmosphère chaleureuse et bois sculpté à l'honneur. Table d'hôtes, pas systématiquement partagée avec les propriétaires, à 22 €, vin et café compris. La maison est classée « Panda », et le GR 9 passe juste à côté. Accueil cordial. Une adresse de charme.

Accès : de Chambéry, empruntez la N 6 en direction de Lyon par Les Échelles ; passez le tunnel des Échelles et prenez à gauche la D 46 vers Saint-Christophe ; traversez le village, la maison est au pied de la falaise et du site historique.

SAINT-GALMIER   42330

Carte régionale A1

25 km N de Saint-Étienne ;
20 km E de Montbrison

€€€€ 🏠 |●| *Chambres d'hôtes Maison Dieu (Martine et Yves Peycelon) :* 3, rue Dupuy. ☎ 04-77-54-03-03. 📱 06-25-80-07-51. ● martine.peycelon@wanadoo.fr ● la-maison-dieu.com ● Fermé 10 déc-10 janv. Vous voici dans un pays qui pétille, et plus précisément dans l'ancienne propriété de mademoiselle Badoit, fille de ! Cette grande bâtisse de 700 m² regorge de surprises : beau patio extérieur avec jardin et vue sur la région, l'escalier à vis, la chapelle (demandez à jeter un œil !), sans oublier la piscine (je craque !). Quatre chambres, fraîches et spacieuses, dont une suite composée de 2 chambres. Sanitaires privés. Martine collectionne les points de croix que les couloirs arborent fièrement. Comptez 100 € pour 2, petit déj compris, et 150 € pour 4. Accueil chaleureux. Une adresse pour se ressourcer, en découvrant l'histoire de la fameuse eau pétillante !

Accès : dans le centre-ville, entre le restaurant La Chaumière et la pharmacie.

SAINT-HAON-LE-VIEUX   42370

Carte régionale A1

80 km NO de Saint-Étienne ;
15 km O de Roanne

€ 🏠 🐕 *Chambres d'hôtes (Claude et Jean-François Pras) :* route de la Croix-du-Sud. ☎ 04-77-64-45-56. 📱 06-27-60-40-22. ● jfpras@la-cote-roannaise.com ● la-cote-roannaise.com ● Ouv de mi-mars à mi-nov. 📶 Dans leur ferme aux volets bleus située à la sortie du village, Claude et Jean-François ont aménagé 2 chambres confortables, avec une kitchenette à disposition des hôtes. 45 € pour 2, petit déj compris. Comme Jean-François est viticulteur, vous pourrez visiter la cave, contiguë à la maison d'habitation. Pas de table d'hôtes, mais plusieurs restos à proximité, et plein de sentiers balisés pour les amateurs de rando. Une bonne petite adresse.

Accès : N 7, sortie n° 60 ; prenez la D 8 direction Renaison-Ambierle après 8 km, au rond-point, montez vers Saint-Haon-le-Vieux.

SAINT-JEAN-EN-ROYANS   26190

Carte régionale A2

40 km NE de Valence ;
27 km E de Romans

€€€ 🏠 |●| *Chambres d'hôtes L'Estapade des Tourelons (Éric Thieuleux) :*

RHÔNE-ALPES

37, route de la Forêt-de-Lente. ☎ *04-75-48-63-96.* 🖥 *06-75-80-41-34.* ● *contact@estapade.fr* ● *estapade.fr* ● 🛜 Ancienne et belle ferme en pierre du pays soigneusement restaurée. Au 1er étage, 3 chambres coquettes, ornées de jolies fresques murales et dotées de sanitaires privés. 75 € pour 2, petit déj compris. Chaleureuse salle à manger installée dans l'ancienne écurie où les mangeoires ont été conservées et qui dégage une atmosphère campagnarde avec ses paniers en osier et ses cuivres. Table d'hôtes à 25 €, apéro, vin et café compris. Piscine hors sol pour se rafraîchir. Une adresse où il fait bon faire une estape (étape, en vieux français).

Accès : *dans le bourg, prenez la direction de Lente/col de la Machine ; la maison est à la sortie du village à gauche.*

SAINT-JEAN-LA-BUSSIÈRE   69550

Carte régionale A1

3 km S de Thizy ; 4 km N d'Amplepuis

€ 🏠 |●| ⑩% *Chambres d'hôtes La Clef des Champs (Brigitte Thiollier) :* La Fédollière. ☎ *04-74-89-52-18.* 🖥 *06-87-53-16-94.* ● *brigitte.villaverde@orange.fr* ● 🛜 En pleine campagne, maison récente qui n'en finit plus de s'agrandir... Dans un aile indépendante, à l'étage, 4 chambres accueillantes et colorées, avec sanitaires privés, à 52 € pour 2, petit déj compris. Table d'hôtes à 19 €, vin et café compris. Salon avec billard, et agréable piscine chauffée pour piquer une tête. Accueil agréable.

Accès : *de Saint-Jean, direction Cublize/lac des Sapins (sur 3 km), jusqu'au hameau (c'est la dernière maison).*

SAINT-JEAN-SAINT-MAURICE   42155

Carte régionale A1

14 km S de Roanne

€€€ 🏠 ⑩% *Chambres d'hôtes L'Échauguette (Michèle et Didier Alex) :* ruelle Guy-de-la-Mure. ☎ *04-77-63-15-89.* 🖥 *06-63-85-35-35.* ● *contact@echauguette-alex.com* ● *echauguette-alex.com* ● 🛜 Au cœur du charmant village de Saint-Jean-Saint-Maurice, dont le centre est entièrement piéton, Michèle et Didier ont aménagé 2 superbes chambres, réparties dans deux maisons

bénéficiant d'une superbe vue sur un méandre de la Loire. Elles sont immenses, chacune possédant un petit coin salon. Déco élégante et raffinée qui réjouira les couples en mal de romantisme. Sanitaires privés. Comptez 82 € pour 2, petit déj compris, servi chez vos hôtes (installés juste à côté), soit sur le petit balcon ouvrant sur le lac de Villerest, soit dans la chaleureuse cuisine. De toute façon, il se dégage de toutes les pièces une ambiance absolument enchanteresse. En bref, charme et volupté prennent ici tout leur sens. On vous conseille aussi de visiter le village et de monter jusqu'au donjon du XIIe s.

Accès : *de Roanne, prenez la D 53 vers Thiers/Saint-Just-en-Chevalet, puis, à gauche, la D 203 vers Saint-Jean-Saint-Maurice ; la maison est dans le village.*

SAINT-JODARD   42590

Carte régionale A1

28 km S de Roanne ;
14 km SO de Saint-Symphorien-de-Lay

€ 🏠 *Chambres d'hôtes (Claudie et Philippe Durel) :* Daguet. ☎ et fax : *04-77-63-45-34.* 🖥 *06-82-14-59-67.* ● *durel.philippe@wanadoo.fr* ● ♿ En pleine campagne, jolie ferme dite en cour fermée. Dans un beau bâtiment en pierre, 3 chambres spacieuses et charmantes avec sanitaires privés. 44 € pour 2, petit déj compris (confitures maison, lait de la ferme et jus d'abricot du Pilat). À noter qu'ici on utilise l'énergie solaire pour le chauffage et l'eau chaude. Pas de table d'hôtes, mais coin cuisine à disposition et plusieurs restos à proximité. Accueil des plus chaleureux. Excellent rapport qualité-prix-convivialité.

Accès : *A 72, sortie Balbigny puis, à Balbigny, direction Saint-Georges-de-Baroilles jusqu'à Saint-Jodard et suivez le fléchage sur 700 m depuis la place du village.*

SAINT-JULIEN-DU-SERRE   07200

Carte régionale A2

8 km N d'Aubenas ;
8 km E de Vals-les-Bains

€€ 🏠 |●| *Chambres d'hôtes (Thierry Ventalon) :* Bourlenc. ☎ *04-75-37-69-95.* 🖥 *06-89-79-74-67.* ● *masdebourlenc@orange.fr* ● *bourlenc.com* ● Très belle maison ouverte sur la nature, entourée d'acacias, avec terrasses et une tonnelle recouverte de vigne. Thierry, apiculteur, y tient 5 chambres agréables qui dégagent une atmosphère chaleureuse, sans oublier une superbe piscine d'où vous jouirez du panorama sur les environs. Comptez de 65 à 80 € pour 2 selon la saison et la durée du séjour, petit déj inclus (avec miel et confitures maison). Table d'hôtes bio, sur réservation, à 26 €, apéro, vin et dessert compris, avec d'appétissantes spécialités à base des légumes du jardin, comme les flans de légumes ou la salade aux herbes sauvages. Vallon-Pont-d'Arc, le départ pour la descente de l'Ardèche, est à 35 km, et deux petites rivières passent à proximité de la maison. Accueil décontracté.

Accès : d'Aubenas, prenez la N 102 vers LePuy/Mende puis direction Saint-Andéol-de-Vals/Saint-Julien-du-Serre (D 218) ; n'entrez pas dans Saint-Julien mais continuez vers Saint-Andéol sur 4 km, la maison est sur la droite.

SAINT-LAURENT-DU-PAPE   07800

Carte régionale A2

25 km NE de Privas ;
5 km O de La Voulte-sur-Rhône

€€ ≜ |●| ⤢ 🐾 **10 %** **Chambres d'hôtes (Danièle Reghem et Thierry Abrial) :** Les Chambauds. ☎ 04-75-60-80-98. ● accueil@chambauds.com ● chambauds. com ● Ouv de mi-mars à mi-nov. Isolée sur le plateau avec un superbe panorama sur la campagne, voici une adresse que les amoureux de nature et de randos ne manqueront pas. Cette ancienne et belle ferme tout en pierre du pays est plantée au milieu de 50 ha de landes et de bois. Trois chambres sereines à l'atmosphère champêtre, dont 2 au rez-de-chaussée, la dernière à l'étage. Sanitaires privés. 60 € pour 2, petit déj compris. Table d'hôtes partagée avec Danièle et Thierry à 20 €, apéro, vin et café compris. Cuisine régionale avec les légumes du jardin. Pour ceux qui veulent séjourner, un gîte rural de 6-8 personnes sur place. Accueil de qualité. Une adresse pour prendre le vert.

Accès : ne pas aller à Saint-Laurent mais partir du centre de la vieille ville de La Voulte-sur-Rhône où vous prenez la D 265a vers Saint-Cierge-la-Serre ; montez jusqu'au plateau, tournez à droite et faites 1,7 km sur une piste en terre.

SAINT-LAURENT-ROCHEFORT   42130

Carte régionale A1

60 km NO de Saint-Étienne ;
24 km NO de Montbrison

€€ ≜ |●| 🐾 ⤢ **10 %** **Chambres d'hôtes (Josette Reynaud) :** Dardes. ☎ 04-77-24-51-52. 📱 06-72-34-93-16. À 720 m d'altitude, au milieu des forêts, petite ferme avec 3 chambres (dont 2 doubles avec kitchenette), simples mais avec sanitaires privés. Comptez 42 € pour 2, petit déj inclus. Table d'hôtes partagée en famille à 12 €, vin compris. À 30 mn de marche, le village de Palogneux : volcan avec orgues basaltiques et jolie église romane. Des prix doux pour une adresse nature et conviviale.

Accès : sur la N 89 en venant de Thiers, après avoir passé Hôpital-Rochefort et Varenne, tournez à droite, direction Débats-Rivière-d'Orpra et faites 6 km de chemin de montagne en suivant Dardes.

SAINT-MARCEL-D'URFÉ 42430

Carte régionale A1

30 km E de Thiers ;
45 km SO de Roanne

€€€ ≜ |●| **Chambres d'hôtes Il Fut un Temps (Julien Perbet) :** Les Gouttes. ☎ 04-77-62-52-19. 📱 06-03-55-86-13. ● contact@ilfutuntemps.com ● ilfutun temps.com ● 🛜 Superbe maison en pierre de la fin du XIXᵉ s, avec de jolis volets bleu lavande, qui abrite 5 chambres confortables, toutes différentes, dont 2 avec coin salon. Partout, de beaux meubles anciens, un mélange de poutres, pierres apparentes et bois qui donnent une ambiance douillette et feutrée. De 70 à 88 € pour 2, petit déj compris, et 25 € pour la table d'hôtes, vin et café compris. Bonnes spécialités maison, telles que le caviar d'aubergine, le gratin de pommes de terre-betteraves, la tarte tatin ou le tiramisù ; possibilité de repas végétarien. Pour votre détente, belle piscine chauffée, terrains de pétanque et de ping-pong. Sans oublier l'espace bien-être avec bain norvégien (bain chaud en extérieur), sauna et salle de massages (payant). Accueil soigné et chaleureux.

Accès : A 89, sortie n° 31, Noirétable/Les Salles ; allez à Champoly, en direction de Saint-Marcel-d'Urfé par la D 24 ; de Saint-Marcel, prenez la D 20 vers Saint-Martin-la-Sauveté et, après 1,7 km, tournez à droite en direction des Gouttes et suivez le fléchage.

RHÔNE-ALPES

SAINT-MARTIN-DE-LA-CLUZE 38650

Carte régionale B2

25 km S de Grenoble ;
12 km N de Monestier-de-Clermont

€€€ ♿ |●| **Chambres d'hôtes Le Château de Pâquier (Hélène et Jacques Rossi) :** ☎ 04-76-72-77-33. 📱 06-22-31-36-45. ● chateau.de.paquier@free.fr ● chateau.de.paquier.free.fr ● *Ouv marsoct ; sur résa le reste de l'année.* 📶 Dans un site majestueux composé de forêts, de pâturages et de cultures, magnifique maison forte du XVIᵉ s, avec des fenêtres à meneaux. L'escalier à vis de la jolie tour centrale mène aux 5 chambres vastes (dont une suite pour 4 ou 5 personnes), claires et décorées avec goût (plafonds à la française). Elles sont toutes aussi craquantes, l'une avec sa cheminée qui fonctionne (quel pied !), une autre, la plus originale, située dans l'ancienne chapelle... Beaux sanitaires privés. 86 € pour 2, petit déj compris (avec, entre autres, une délicieuse brioche maison). Table d'hôtes (sur réservation) en compagnie d'Hélène et Jacques à 27 €, apéro, vin et café compris. Goûteuse cuisine traditionnelle. Viandes ou volailles maison sont souvent cuites à la broche dans la cheminée (hmm !) et accompagnées des légumes du jardin. Une adresse de charme.

Accès : de Grenoble, empruntez la D 1075 ou l'A 51 (sortie nº 12) en direction de Sisteron ; 10 km après Vif, au rond-point, bifurquez sur la D 110 vers Saint-Martin ; le château est à 1 km du village, bien fléché.

SAINT-MARTIN-EN-VERCORS 26420

Carte régionale B2

45 km SO de Grenoble ;
10 km N de La Chapelle-en-Vercors

€€€ ♿ |●| 🐾 (10 %) **Chambres d'hôtes La Ferme du Château (Christiane Pitaval) :** ☎ 04-75-48-50-47. 📱 06-23-33-17-58. ● pitaval.christiane@wanadoo.fr ● alafermeduchateau.com ● *Fermé 11 nov-vac de Noël.* 📶 Amoureuse du Vercors depuis son enfance, Christiane a tout plaqué pour acheter cette belle et imposante ferme installée au pied des falaises de Roche-Rousse. Elle jouit d'un magnifique panorama sur les montagnes environnantes. Cinq chambres charmantes et douillettes à l'atmosphère montagnarde. Sanitaires

privés. 83 € pour 2, petit déj compris. Plusieurs salons de détente et de lecture, ainsi qu'une chaleureuse salle à manger pour prendre les repas. Table d'hôtes partagée avec votre hôtesse à 30 €, apéro, vin et café compris. Goûteuse et copieuse cuisine régionale. Bien sûr, ici c'est le paradis des randonneurs de tout poil : à pied, à ski (en hiver) ou en VTT. Accueil de qualité. Une adresse où l'on aurait bien posé nos sacs plus longtemps...

Accès : au niveau de l'église du village, prenez la petite rue qui descend, la maison est plus haut à droite quand on remonte.

SAINT-MARTIN-LESTRA 42110

Carte régionale A1

50 km O de Lyon ; 13 km E de Feurs

€ ♿ |●| **Chambres d'hôtes Le Madinot (Monique et Michel Berthet) :** *Montmézard.* ☎ 04-77-28-55-06. 📱 06-13-42-15-51. ● madinot@orange.fr ● lemadinot.fr ● *Fermé 23 déc-4 janv.* 📶 Aux portes du Rhône, dans un joli coin de campagne, ancienne et mignonnette ferme aux volets bleus. Dans une aile indépendante de la maison, 2 chambres sereines, dont une suite familiale composée de 2 chambres. Sanitaires privés. 49 € pour 2, petit déj compris (confitures, gâteau et pain maison). Table d'hôtes partagée en famille à 18 €, vin compris. Cuisine familiale à partir des légumes du jardin et des produits du terroir. Nombreuses randos à faire dans les environs. Accueil chaleureux. Une adresse pour prendre le temps de vivre.

Accès : de Feurs, direction Lyon jusqu'à Saint-Martin-Lestra ; au niveau de l'église, prenez la D 103 vers Essertines pdt 3 km puis à gauche après le pont ; la maison est à 200 m.

SAINT-MICHEL-SUR-RHÔNE 42410

Carte régionale A1

45 km E de Saint-Étienne ;
12 km SO de Vienne

€ ♿ 🐾 (10 %) **Chambres d'hôtes (Claudette Bonnet) :** *L'Ollagnière.* ☎ 04-74-59-51-01. 📱 06-74-98-32-15. C'est dans une maison mitoyenne à celle de sa maman (réservée exclusivement aux hôtes), que Claudette a installé 3 chambres équipées de sanitaires privés (mais

2 chambres ont les w-c sur le palier). Déco simple. Comptez 48 € pour 2, petit déj compris. Pas de table d'hôtes, mais petit coin cuisine et barbecue à disposition. Accueil chaleureux.

Accès : *depuis Vienne, prenez la N 86 vers Tournon ; traversez Condrieu, passez sous la voie de chemin de fer, faites 3 km et tournez à droite vers Saint-Michel, puis suivez le fléchage.*

SAINT-MONTAN 07220

Carte régionale A2

18 km SO de Montélimar ;
8 km NO de Viviers

€€ 🏠 |●| **10 %** **Chambres d'hôtes La Pacha (Isabelle Million) :** *quartier d'Eylieux.* ☎ *et fax : 04-75-52-57-41.* ● *lapacha.lemoure@wanadoo.fr* ● *lapacha.fr* ● *Ouv de mi-mars à mi-nov.* 📶 Au bout d'une petite route qui grimpe au cœur d'un vallon ombragé, la maison et son cyprès vous attendent pour vous offrir une vue dégagée. Trois chambres à la belle déco fraîche, toutes de plain-pied, avec accès indépendant et terrasse privée, à 69 € pour 2, petit déj compris. Salon commun avec TV. Table d'hôtes à 29 €, apéro, vin et café compris. Piscine à l'écart de la maison et en pleine nature ! Une adresse pour se ressourcer.

Accès : *depuis Saint-Montan, prenez l'ancienne route de Viviers et suivez le fléchage ; la maison est à 3 km du village médiéval.*

SAINT-NIZIER-DE-FORNAS 42380

Carte régionale A1

38 km O de Saint-Étienne ;
2 km S de Saint-Bonnet-le-Château

€€ 🏠 |●| 🏡 **Chambres d'hôtes La Campagnarde (Marie-Paule et Jean-Louis Chamblas) :** *route d'Estivareilles.* ☎ *04-77-50-71-19.* 📱 *06-68-40-75-86.* ● *jlmpchamblas42@orange.fr* ● *lacampagnarde.fr.tc* ● 📶 À côté de leur ancienne ferme tout en pierre, Marie-Paule et Jean-Louis ont aménagé 4 chambres avec sanitaires privés, dont une double dans un petit bâtiment attenant. Comptez 57 € pour 2, avec le petit déj, et 18 € le repas en table d'hôtes. Derrière la maison, les amateurs trouveront un étang pour taquiner la truite, que la maîtresse

de maison préparera ensuite. Accueil chaleureux.

Accès : *de l'A 72, sortez à Andrézieux ; à Andrézieux, prenez la direction de Saint-Bonnet-le-Château par la D 498 ; à Saint-Bonnet, direction Estivareilles sur 2 km ; la maison est sur la gauche au bord de la route.*

SAINT-OURS 73410

Carte régionale B1

25 km N de Chambéry ;
22 km SO d'Annecy

€€ 🏠 **Chambres d'hôtes La Vigne sur le Foin (Nathalie et Jérôme Alexandre) :** *Chef-Lieu.* ☎ *04-79-52-35-72.* 📱 *06-84-49-70-45.* ● *lavignesurlefoin73@orange.fr* ● *lavignesurlefoin.com* ● 📶 Ancienne grange au cœur du village mais bien au calme. Les proprios prônent les énergies renouvelables aussi l'eau chaude est fournie par les panneaux solaires et le chauffage par chaudière aux granulés de bois. Au 1er étage, 3 chambres sympathiques, vêtues de bois et d'enduits à la chaux. Sanitaires privés. Mobilier contemporain. 65 € pour 2, petit déj compris, et 100 € pour 4. Pas de table d'hôtes mais plusieurs restos à proximité. Pour faire trempette aux beaux jours, la plage d'Aix-les-Bains est à 10 km.

Accès : *A 41, sortie nos 14 ou 15 en venant de Chambéry ou d'Annecy, puis D 911 vers le massif des Bauges jusqu'à Saint-Ours ; tournez à gauche vers Chef-Lieu, allez jusqu'à l'église, la maison est à côté du cimetière.*

SAINT-PIERRE-D'ENTREMONT 73670

Carte régionale B1

40 km N de Grenoble ;
25 km S de Chambéry

€€€ 🏠 |●| 🏡 **Chalet du cirque de Saint-Même (Myriam et Joël Georges) :** ☎ *04-79-65-89-28.* ● *chaletducirque@wanadoo.fr* ● *chalet-hotel.com* ● 🍴 *Slt sur résa.* 📶 S'il est des endroits naturels et grandioses, celui-ci en fait partie. À 860 m d'altitude, vous êtes au pied du cirque de Saint-Même où grondent les quatre cascades du Guiers (quatre dénivelées, comptez 1h30 de balade). Ici, c'est un mélange gîte-hôtel : 14 chambres de 2 à 4 personnes, dont 6 au rez-de-chaussée et

8 à l'étage. Sanitaires privés. Préférez les chambres avec balcon. Chambre seule à 60 € pour 2 (petit déj à 7 €) ou système de demi-pension à 57 € par personne (on peut même commander les spécialités régionales : raclette, tartiflette, diots, reblochonnade, fricassée de caillon...). On peut aussi y manger sans y dormir : menu à 21 €. Pour les randonneurs, le GR 9 (tour de la Chartreuse) passe ici. En hiver, il faudra chausser les raquettes. Accueil chaleureux.

Accès : de Saint-Pierre, prenez la direction du cirque de Saint-Même (jusqu'au bout) ; là, poussez la barrière, que vous refermez derrière vous, et continuez jusqu'au chalet.

SAINT-PRIEST-LA-ROCHE   42590

Carte régionale A1

15 km SE de Roanne

€ 🏠 ▮●▮ 🐾 **Chambres d'hôtes Carpe Diem (Odile et André Roche-Mercier) :** *Préviux.* ☎ et fax : 04-77-64-92-12. 📱 06-61-08-66-03. ● odile.rochemercier@gmail.com ● Sur une exploitation agricole en activité (vaches à viande), gentillette ferme en pierre, toute fleurie grâce aux bons soins d'Odile. Trois chambres d'hôtes installées au 1er étage, dont 2 disposant d'un accès indépendant par un escalier extérieur. Déco simple. Sanitaires privés. De 37 à 44 € pour 2, petit déj compris. Bonne table d'hôtes, partagée avec les proprios et préparée à partir des produits maison, à 16 €, vin compris. Pour les moins fortunés, un camping à la ferme à 3 € par personne et 3 € l'emplacement. Accueil authentique et chaleureux. Une adresse pour redécouvrir la vraie vie de la ferme.

Accès : de Roanne, empruntez la N 82 en direction de Saint-Étienne, jusqu'à Vendranges ; tournez à droite vers Saint-Priest ; faites 1,3 km, la ferme est sur la gauche.

SAINT-ROMAIN-LE-PUY   42610

Carte régionale A1

30 km NO de Saint-Étienne ;
7 km SE de Montbrison

€€€ 🏠 **Chambres d'hôtes Sous le Pic (Dominique Perol) :** *20, rue Jean-Moulin.* ☎ et fax : 04-77-76-97-10. 📱 06-64-13-85-49. ● contact@laperoliere. com ● laperoliere.net ● 🦌 *Fermé déc-Pâques.* 📶 Charmante et ancienne ferme forézienne, joliment restaurée, recouverte d'ampélopsis, aux ouvertures aujourd'hui revêtues de bleu. Joli point de vue sur le prieuré et le pic de Saint-Romain. Deux bâtiments séparés par un porche, et dans l'un d'eux 3 chambres, l'une au rez-de-chaussée, les 2 autres à l'étage. Déco mêlant originalité et élégance, où fer forgé, meubles et objets chinés sont à l'honneur. 77 € pour 2, copieux petit déj compris, servi sous le figuier aux beaux jours. Séjour et bibliothèque à disposition des hôtes. Pas de table d'hôtes, mais restos à proximité.

Accès : en venant de Précieux, au carrefour entre la D 8 et la D 107, continuez tt droit, direction Saint-Romain ; au rond-point, prenez direction Saint-Romain, puis de suite la 1re rue à gauche (bon fléchage).

SAINT-SAUVEUR-DE-CRUZIÈRES   07460

Carte régionale A2

60 km SO d'Aubenas ;
21 km SO de Vallon-Pont-d'Arc

€€€ 🏠 ▮●▮ ⑩% **Chambres d'hôtes Le Mas des Molières (Danielle et Richard Reuther) :** ☎ 04-75-39-08-75. 📱 06-37-59-77-43. ● reservation@masdesmolieres.com ● masdesmolieres.com ● *Ouv de mi-mars à fin sept.* 📶 Superbe mas en pierre dont les origines remontent au XVIe s avec cour intérieure et composé de nombreux bâtiments. L'environnement et la maison sont splendides et on se laisse volontiers bercer par le chant des cigales, en contemplant les vignes. Ça sent le début de la Provence... Cinq chambres, dont 2 suites installées dans des petites bergeries indépendantes, 2 autres au 1er étage avec accès indépendant par un bel escalier qui dessert un couloir semi-ouvert, et la dernière sous les combles, toute de bois vêtue. Atmosphère sereine. Selon la chambre et la période, de 68 à 105 € pour 2, petit déj compris (avec yaourts, gâteau et confitures maison), et 25 € par personne supplémentaire. Table d'hôtes à 25 €, apéro, vin compris. Les repas se prennent dans un grand séjour avec vue sur le jardin. Salon détente, et belle piscine. Accueil agréable.

Accès : de Saint-Sauveur, prenez la D 255 vers Bessas (sur 800 m) et, à droite, vers Molières ; la maison est à 1 km (fléchage).

RHÔNE-ALPES

SAINT-VICTOR-SUR-LOIRE   42230

Carte régionale A1

5 km O de Saint-Étienne

€€ 🏠 **Chambres d'hôtes L'Ancienne Ferme de Pracoin (Colette Grimand) :** *Pracoin.* ☎ 04-77-90-37-95. ● colette. grimand@orange.fr ● chambre-hotes-loire.com ● *Fermé aux fêtes de fin d'année.* 🛜 Attenante à la maison des propriétaires, l'ancienne grange comporte une grande salle avec poutres apparentes et 3 chambres d'hôtes personnalisées et confortables. Comptez 60 € pour 2, petit déj compris. Pas de table d'hôtes, mais plusieurs petits restos à proximité.

Accès : *A 72, sortie n° 10 Firminy/Le Puy ; sur la rocade, sortez à Saint-Victor/Roche-la-Molière ; la maison se trouve à la sortie de Roche-la-Molière, après la miellerie et avt le garage Renault.*

SALLES-SOUS-BOIS   26770

Carte régionale A2

25 km SE de Montélimar ;
8 km N de Grignan

€€ 🏠 |●| 🐴 **Chambres d'hôtes Ferme Tushita (Valérie et Matthieu Bohl) :** *Combe-Durand.* ▤ 06-81-75-34-83. ● valerie.bohl@gmail.com ● tushita.fr ● *Ouv Pâques-Toussaint.* 🛜 Tushita en tibétain signifie « petite terre de joie »... Et c'est ce qu'on ressent quand on arrive dans cette superbe et ancienne ferme tout en pierre aux volets bleus et qui jouit d'une incomparable vue sur le Ventoux. Valérie a tout lâché pour venir élever des chevaux et accueillir des hôtes, avec ou sans montures. Trois chambres croquignolettes décorées sur des thèmes originaux. On aime bien « Coquillages » et « Indiens ». « Africaine » est la plus grande, idéale pour les familles. 62 € pour 2, petit déj compris, et 16 € par personne supplémentaire. Pour les budgets serrés et les groupes constitués (4 personnes minimum), Valérie a aménagé un petit gîte dans un joli chalet en bois niché dans les chênes, qui comprend 7 lits en 2 chambres : 500-550 € par semaine. Table d'hôtes partagée en famille à 22 €, apéro, vin et café compris. Cuisine imaginative avec des produits locaux. Une hôtesse souriante et charmante, une belle piscine pour parfaire le tout : un de nos coups de cœur sur le département.

Accès : *du village, D 9 vers Aleyrac ; la maison est à 3,5 km sur la gauche.*

SANDRANS   01400

Carte régionale A1

28 km SO de Bourg-en-Bresse ;
10 km NO de Villars-les-Dombes

€€ 🏠 |●| **Chambres d'hôtes Le Petit Bessay (Sylvie et Hubert Bouvier) :** ☎ 04-74-55-45-82. ▤ 06-79-04-79-86. ● lepetitbessay@gmail.com ● perso. orange.fr/hubert.bouvier ●*Fermé 3 sem en hiver.* 🛜 Sylvie et Hubert ont entièrement restauré cette ancienne ferme pour y ouvrir 3 chambres, dont 2 au 1er étage, la dernière de plain-pied composée de 2 chambres. Sanitaires privés. Déco agréable avec de nombreux patchworks réalisés par Sylvie. 52 € pour 2, petit déj compris, et 15 € par personne supplémentaire. Table d'hôtes sans les proprios à 18 €, apéro et vin compris. Cuisine saine et goûteuse avec produits fermiers et légumes du jardin en saison. Accueil chaleureux.

Accès : *de Châtillon-sur-Chalaronne, D 2 vers Villars-les-Dombes, et 3 km après, tournez à gauche au fléchage « Centre équestre » puis allez à droite vers Le Petit Bessay.*

SÉEZ   73700

Carte régionale B1

51 km E d'Albertville ;
27 km NE de Moutiers

€€ 🏠 |●| 🐴 **10%** **Chambres d'hôtes Molliebon (Catherine Adin-Lenoir) :** ☎ et fax : 04-79-41-06-33. ▤ 06-09-02-12-64. ● gites@molliebon.fr ● mollie bon.fr ● À 1 100 m d'altitude, vieille maison savoyarde avec balcons de bois, une fontaine qui glougloute, une vue sans équivalent sur Séez et Bourg-Saint-Maurice qu'on admire depuis la terrasse. Cinq chambres rustiques, dont une familiale pour 6 personnes. Sanitaires privés. De 68 à 76 € pour 2, petit déj compris. Table d'hôtes à 25 € tout compris, pour une bonne cuisine du terroir. Sinon, possibilité de casse-croûte pour 15 €. Trois gîtes pour ceux qui veulent se poser et se délecter des environs. Pour les amateurs de ski, liaison gratuite avec La Rosière (3 km) et Les Arcs (8 km). Très bon accueil.

Accès : à 4,5 km de Séez par la D 1090 en direction du col du Petit-Saint-Bernard, puis par un court chemin à droite.

SEYNOD   74600

Carte régionale B1

5 km SO d'Annecy

€€€ 🏠 **Chambres d'hôtes La Ferme de Vergloz (Nicole et Philippe Martel) :** *46, route de Vergloz.* ☎ et fax : 04-50-46-71-98. ● *fermedevergloz@free.fr* ● *fermedevergloz.free.fr* ● *Fermé 15 nov-15 janv.* 🛜 Aux portes d'Annecy, au cœur d'une grande ferme où sont élevées des vaches laitières. Dans une partie indépendante, mais mitoyenne de leur maison, Nicole et Philippe ont installé 5 belles chambres d'hôtes. On entre dans la salle à manger très champêtre : vieux outils agricoles accrochés aux murs, immense table de ferme, cheminée... Au 1er étage, on passe par un salon agréable qui jouit d'une vue imprenable sur Annecy. La déco est tout autre et l'ambiance nettement plus design : vieux bois, éclairage en mini-spots très métal, fer forgé, meubles anciens, quelquefois peints, vivent en harmonie. Les chambres sont vastes, toutes avec mezzanine pour les enfants et avec sanitaires privés. Selon la saison, de 70 à 77 € pour 2, petit déj compris. Pas de table d'hôtes, mais plusieurs restos à proximité. Accueil sympa. Un bon point de chute pour découvrir Annecy et ses environs.

Accès : A 41, sortie Annecy-Sud, direction Chambéry ; passez sous les deux ponts et prenez la direction de la ZI de Vovray et ensuite la D 5 vers Quintal/Seynod ; au 3e rond-point, laissez Seynod-Centre à droite ; continuez sur 2,5 km direction Vieugy et, au monument aux morts, tournez tt de suite à droite.

TERMIGNON   73500

Carte régionale B1

20 km E de Modane

€€ 🏠 ⦿ 10% **Chambres d'hôtes Le Chalet du Lys (Élise Legras et Fred Delille) :** *lieu-dit Le Lièvre.* ☎ 04-79-20-18-25. 📱 06-68-48-44-19. ● *chalet-du-lys@orange.fr* ● *chaletdulys.com* ● 🍴 *Fermé 1er nov-18 déc.* 🛜 Aux portes du parc national de la Vanoise, à 1 370 m

d'altitude. Pas moins de 45 t de pierres, sans parler du bois, c'est ce qu'il a fallu à Fred pour construire cette superbe demeure. Tout l'ensemble a été conçu en pensant écologie et énergies renouvelables. Chauffage solaire, électricité fournie par panneaux photovoltaïques (revendue à EDF), sans oublier l'eau de pluie pour alimenter les chasses d'eau... Le résultat est remarquable ! Cinq chambres de 2 à 4 personnes, petites et douillettes, à l'atmosphère montagnarde, avec sanitaires privés. Bien sûr, tout le mobilier a été fabriqué par Fred (chéri, quand te mets-tu au bricolage ?). 70 € pour 2, copieux petit déj compris (yaourts, cake, confitures maison et pain cuit dans le four à pain). Table d'hôtes (le week-end uniquement) partagée en famille à 23 €, boissons comprises. Cuisine du terroir parfumée avec, en saison, la spécialité du chef : la fondue aux cèpes ! Salle de muscu, sauna et jacuzzi (20 € pour 2), prêt de raquettes... rien n'a été oublié pour vous permettre de passer un bon séjour. La première station de ski alpin est à 5 mn en voiture. Accueil chaleureux. Une de nos adresses préférées sur le département.

Accès : de Termignon, direction col du Mont-Cenis/Bonneval sur 1 km et fléchage à gauche.

THÉLIS-LA-COMBE   42220

Carte régionale A1

20 km S de Saint-Étienne ; 7 km N de Bourg-Argental

€€€ 🏠 10% **Chambres d'hôtes La Comboursière (Roselyne et François Tourny) :** ☎ 04-77-39-77-97. 📱 06-86-30-06-04. ● *info@lacomboursiere.com* ● *lacomboursiere.com* ● Au cœur du parc du Pilat, à 900 m d'altitude, domaine de 12 ha où se dresse une superbe ferme du XIXe s tout en pierre aux volets verts. Au 1er étage, 2 chambres spacieuses à la déco charmante qui ouvrent sur les Alpes. Sanitaires privés. 73 € pour 2, petit déj compris. Pas de table d'hôtes mais plusieurs restos sympas à proximité. Ici, les randos ne manquent pas et on vous propose aussi un sauna pour vous détendre. Accueil chaleureux. Une bonne adresse pour se mettre au vert.

Accès : de Saint-Étienne, D 1082 vers Annonay jusqu'à La Versanne ; entrez dans le village, laissez l'église sur votre gauche et prenez à droite puis continuez tt droit sur 800 m.

RHÔNE-ALPES

THÉNÉSOL   73200

Carte régionale B1

9 km N d'Albertville

€€ 🏠 |○| 🔟% *Auberge et chambres d'hôtes Le Carnabé (Alain Bocklandt et Vinh Bao) :* ☎ 04-79-37-78-07. ▯ 06-29-58-13-66. ● carnabe@orange. fr ● lecarnabe.fr ● Slt sur résa. 🛜 À 1 000 m d'altitude dans le parc naturel du massif des Bauges, jolie ferme du début du XIXᵉ s. L'environnement est magnifique, la nature superbe et le calme parfait. Lassés par le monde de l'entreprise, Alain et Vinh ont décidé de venir s'installer dans ce petit paradis montagnard et d'y ouvrir une petite auberge chaleureuse et 3 chambres d'hôtes spacieuses, toutes de bois vernis vêtues et avec sanitaires privés. 70 € pour 2, petit déj compris. Vingt places seulement dans l'auberge (agréable terrasse aux beaux jours) pour découvrir un menu traditionnel ou gastro qui oscille entre 20 et 25 € sans les boissons. C'est le premier qui réserve qui fixe le menu du jour. Les spécialités peuvent être françaises, typiquement savoyardes ou vietnamiennes. S'il n'y a pas de client à l'auberge, le repas est partagé avec vos hôtes, pour 25 €, vin compris. Ici, les randonneurs de tout poil ne seront pas déçus. Alain et Vinh prêtent même les raquettes en hiver. Accueil chaleureux.

Accès : de Thénésol, continuez vers Allondaz que vous traversez et continuez en suivant le fléchage (4 km du bourg).

TRAIZE   73170

Carte régionale B1

28 km NO de Chambéry ;
8 km S de Yenne

€€ 🏠 |○| 🖰 *Chambres d'hôtes Les Balcons du Chat (Pierre Vidal-Rosset) :* hameau de Soirin. ☎ 04-79-36-99-96. ● lesbalconsduchat@gmail. com ● lesbalconsduchat.fr ● Ancien ingénieur chimiste, Pierre a tout lâché pour réaménager cette ancienne ferme composée de trois bâtiments et qui bénéficie d'une jolie vue sur la Dent du Chat. Tous les travaux ont été réalisés par ses soins. Il s'occupe de l'accueil mais aussi de la cuisine. Cinq chambres champêtres et colorées, dont 2 de plain-pied, avec terrasse privative. Sanitaires privés. 60 € pour 2, petit déj compris. Table d'hôtes à 20 €, apéro, vin, café et digeo compris. Cuisine familiale

à partir des légumes du jardin. Une adresse comme on les aime : conviviale, nature et décontractée.

Accès : sur la D 921, entre Yenne et Novalaise, prenez la D 40E jusqu'au hameau Soirin, et suivez le fléchage.

TULLINS   38210

Carte régionale B1-2

30 km NO de Grenoble ;
12 km SO de Voiron

€€ 🏠 🖰 🔟% *Chambres d'hôtes Les Amarres (Michelle et Richard Armand) :* 252, La Méarie. ☎ 04-76-07-88-80. ▯ 06-16-13-86-42. ● michelle. brun-armand@wanadoo.fr ● lesamarres. fr ● 🛜 Sur les hauteurs du village, dans un joli coin de campagne avec une vue imprenable sur le Vercors et la Chartreuse, superbe séchoir à noix en pisé et galets du début du XXᵉ s. Quatre chambres d'hôtes sympathiques parées des nombreuses œuvres de Michelle, artiste-peintre et écrivain. Sanitaires privés. 60 € pour 2, petit déj compris. Agréable et immense salon de détente où Michelle organise des stages d'écriture associée à la peinture, de yoga... Pas de table d'hôtes mais coin cuisine à disposition. Belle piscine. Accueil de qualité. Calme et tranquillité absolus, une adresse pour se ressourcer parmi nos préférées sur le département.

Accès : de Tullins, direction Morette ; c'est la 3ᵉ route à droite et la maison est à 250 m à gauche.

VALENCOGNE   38730

Carte régionale B1

45 km NO de Grenoble ; 2 km N du Pin

€€€ 🏠 |○| 🔟% *Chambres d'hôtes La Ferme du Marais (Véronique et Patrice Tardy) :* 99, chemin de Brézin. ☎ 04-37-05-29-33. ▯ 06-73-79-19-64. ● laferme-dumarais@hotmail.fr ● lafer medumarais.com ● 🦶 🛜 Dans un joli coin de campagne, au milieu des pâturages, superbe et ancienne ferme traditionnelle abritant 5 chambres spacieuses et colorées, avec de beaux enduits à la chaux, chaleureuse poutraison et plafonds à volige. Une au rez-de-chaussée, les 4 autres à l'étage. Sanitaires privés. 76 € pour 2, petit déj compris. Devant la maison, une petite pièce d'eau permettra aux pêcheurs de taquiner le poisson.

Piscine hors sol pour se rafraîchir, sauna et jacuzzi pour se remettre en forme, ping-pong et baby-foot pour taper dans la balle. À 5 km, au lac de Paladru, vous pourrez faire trempette et pratiquer tous sports nautiques. Accueil charmant et souriant. Une bonne adresse.

Accès : du Pin, D 73 vers Valencogne et empruntez un chemin à droite 2 km avt Valancogne.

VERNAY   69430

Carte régionale A1

27 km NO de Villefranche-sur-Saône ; 20 km O de Belleville-sur-Saône

€€€€ ≙ |○| ⑩﹪ **Chambres d'hôtes Hameau d'Amignié (Sylvie et Philippe Perret) :** 🖸 06-62-52-30-50. ● hameau damignie@gmail.com ● hameaudami gnie.com ● 🛜 Voilà encore une adresse qui ne vous laissera pas indifférent... Ensemble de petites maisons tout en pierre du pays, restaurées avec amour par Sylvie et Philippe et disséminées dans un splendide jardin paysager. Dans l'une d'elles, 4 chambres charmantes, décorées avec un goût sûr, chacune avec petit salon et terrasse privative. L'une d'entre elle est très vaste et possède une grande pièce à vivre avec écran géant home cinéma, bibliothèque et vaste terrasse. Sanitaires privés. De 95 à 115 € pour 2, petit déj compris. Les repas se prennent dans une autre maison, en compagnie de Sylvie et Philippe, près de la cheminée ou dans une agréable véranda pour jouir de la vue sur les environs (on voit même le mont Blanc par temps clair !). Table d'hôtes à 30 €, apéro, vin et café compris. L'apéro, lui, est servi dans une magnifique cave où vous pourrez découvrir, entre autres, les différents crus du Beaujolais. Pour vous détendre, Sylvie vous propose aussi une petite séance de spa. Accueil de qualité. Une adresse pour séduire sa dulcinée.

Accès : A 6, sortie n° 30 puis D 37 vers Beaujeu puis Chénelette ; passez Les Dépôts, laissez la 1ʳᵉ route vers Vernay et prenez la 2ᵉ à gauche après le resto Le Reposoir et faites 2,5 km.

VILLARD-DE-LANS   38250

Carte régionale B2

37 km SO de Grenoble

€€ ≙ |○| **Chambres d'hôtes Le Val Sainte-Marie (Agnès et Dominique**

Bon) : *Bois-Barbu.* ☎ 04-76-95-92-80. 🖸 06-77-79-53-76. ● levalsaintemarie@ orange.fr ● levalsaintemarie.villard-de-lans.fr ● *Résa conseillée.* 🛜 Voici une adresse au milieu des champs et des sapins qu'on connaît depuis long-temps... mais Agnès accueille ses hôtes avec toujours autant de gentillesse et de plaisir. Ferme traditionnelle restaurée, située dans le Vercors et au départ des pistes de ski de fond et de VTT. Les 3 chambres sont petites, mais très confortables et cosy. Agnès est une hôtesse raffinée et charmante qui vous concoctera de délicieux repas à sa table d'hôtes : gâteau de courgettes à la menthe, gratin dauphinois, fromage blanc à la cramaillotte, tarte à la rhubarbe et aux noix, etc. Comptez 69 € pour 2, petit déj compris, et 23 € le repas en table d'hôtes. Nombreuses balades dans les environs.

Accès : A 48, sortie 14 Villard-de-Lans ; empruntez la N 532 et la D 531 en direction de Villard-de-Lans puis Bois-Barbu, et le centre de ski de fond « La Glisse » ; le dépasser de quelques mètres et prenez le chemin à gauche.

VILLEMOTIER   01270

Carte régionale A1

20 km N de Bourg-en-Bresse ; 12 km NO de Treffort

€€ ≙ ⑩﹪ **Chambres d'hôtes Le Moulin du Fay (Christelle et Thierry Perrin-Hudry) :** *Le Fay.* ☎ 04-74-42-01-48. 🖸 06-37-07-30-27. ● perrin. thierry430@orange.fr ● moulin-du-fay. com ● 🛜 Dans un joli coin de campagne vallonné, ravissant moulin à eau tout en pierre du XIXᵉ s. Thierry et Christelle ont essayé de le garder dans son jus en préservant tous les mécanismes existants. Au 1ᵉʳ étage, 5 chambres champêtres et accueillantes avec sanitaires privés. La chambre du meunier est la plus originale, avec son lit installé sur l'ancienne batteuse (à éviter si vous avez le vertige... non, on plaisante !). 60 € pour 2, copieux petit déj compris, avec le pain et les brioches cuits au feu de bois et les fromages du coin. Accueil vraiment sympa et décontracté. Une adresse où l'on aurait aimé avoir posé notre sac plus longtemps.

Accès : A 40, sortie n° 6 et direction Lons-le-Saunier jusqu'à Villemotier que vous traversez, puis suivez le fléchage à gauche sur 1,6 km.

RHÔNE-ALPES

VILLEREVERSURE 01250

Carte régionale A1

15 km E de Bourg-en-Bresse

€ 🏠 |●| 🐾 **10 %** **Chambres d'hôtes L'Agnoblens (Annie et Éric Guillermin) :** *Noblens.* ☎ 04-74-30-60-50. 📠 06-78-07-27-98. ● *lagnoblens.guillermin@wanadoo.fr* ● *agnoblens.fr* ● 📶 Sur les contreforts du Revermont, cadre verdoyant, calme et reposant. Jolie ferme restaurée, où Annie et Éric tiennent 6 chambres, simples mais agréables. Sanitaires privés. Comptez 51 € pour 2, petit déj compris. Table d'hôtes (sauf le dimanche) à 20 €, vin compris, avec spécialités d'agneau maison et de galettes. Piscine. Accueil nature et sans chichis.

Accès : *de Bourg-en-Bresse, prenez la D 979 ; arrivé à Bohas, tournez à gauche (D 42 vers Lons-le-Saunier), prenez le 3e chemin à gauche, c'est la 1re maison sur la droite.*

VONGNES 01350

Carte régionale B1

8 km N de Belley ; 3 km S de Ceyzérieu

€€ 🏠 **Chambres d'hôtes Le Vieux Cep (Carmen et Gilbert Rosset) :** *157, rue de la Vigne du Bois.* ☎ 04-79-87-31-93. 📠 06-68-63-12-58. ● *levieuxcep@gmail.com* ● *levieux cep.net* ● *Fermé en janvier et février.* 📶 Dans un joli petit village campagnard, ancienne grange en pierre joliment restaurée. D'ici un panorama est splendide et offre une vue à 180°. 5 chambres coquettes et bien tenues avec sanitaires privés. 3 au rez-de-chaussée avec terrasse et accès direct sur le jardin (nos préférées avec un petit plus pour la chambre exotique), les 2 dernières à l'étage. 70 € pour 2, petit déj compris. Grande piscine couverte dans le parc juste à côté de l'enclos des daims qui ravira les plus jeunes. Pas de table d'hôtes mais plusieurs restos dans un rayon de 5 km. Accueil chaleureux de Carmen réunionaise d'origine. *NOUVEAUTÉ.*

Accès : *au cœur du village (bien fléché)*

VOTRE AVIS NOUS INTÉRESSE

Merci de nous faire part de vos remarques et critiques, sur notre sélection d'adresses,
et de nous les retourner à l'adresse suivante :

LE ROUTARD - « Nos meilleures chambres d'hôtes en France »
37-39 rue du Surmelin - 75020 Paris

NOM : .... Prénom : ....

Adresse : ....

....

E-mail : .... **Ch. 2016**

I - VOUS ÊTES :

1 - ☐ Un homme   ☐ Une femme

2 - Votre âge : _____ ans

3 - Votre profession : _____

4 - Quels journaux ou magazines lisez-vous ?
Indiquez les titres.

5 - **Quelles radios écoutez-vous ?** *Précisez* .

6 - **Combien de séjours de 3 jours au moins faites-vous dans l'année ?**
- en France ? _____
Précisez vos 3 dernières destinations :

- à l'étranger ? _____
Précisez vos 3 dernières destinations :

2 - VOUS ET VOTRE GUIDE :

7 - **Comment avez-vous connu *Nos meilleures chambres d'hôtes en France* ?**
   ☐ par hasard dans une librairie   ☐ par mon libraire   ☐ par « bouche-à-oreille »
   ☐ par un article de journal : lequel ? _____
   ☐ par une émission de TV ou de radio : laquelle ? _____
   ☐ autres : _____

8 - **Où avez-vous acheté l'édition 2016 de *Nos meilleures chambres d'hôtes en France* ?**
   ☐ Librairie   ☐ Fnac / Virgin / Grands magasins.   ☐ Hypermarchés   ☐ Supermarchés
   ☐ Relais H : ○ aéroport ○ gare   ☐ Ailleurs   ☐ on vous l'a offerte

9 - **À quelle date avez-vous acheté l'édition 2016 de *Nos meilleures chambres d'hôtes en France* ?**
   mois : _____ 2016

10 - **Vous arrive-t-il d'acheter d'autres guides sur les chambres d'hôtes en France ?**
   ☐ oui   ☐ non   Si oui, lesquels (éditeur, titre, prix) ? _____

11 - **Quelle opinion générale avez-vous de ce guide ?** *Entourez la réponse correspondante.*

   + + +   + +   + / -   - -   - - -

12 - **Quels sont :**
- ses principales qualités ? _____
- ses principaux inconvénients ? _____

13 - **Êtes-vous globalement satisfait des adresses proposées dans le guide ?** _____
- si non pourquoi ? _____

14 - **Avez-vous utilisé l'offre proposée dans le guide « 10 % de réduction à nos lecteur sur le prix d'un séjour de 2 nuits consécutives minimum » ?**

☐ non → pourquoi ? _____
        → avez-vous l'intention de le faire cette année ? _____
☐ oui → combien de fois environ dans l'année ? _____
        → en avez-vous été satisfait ? _____
        → remarques : _____

Adresse 1

Commune : .... Code postal : ....

Nom du propriétaire : .... N° page : ....

Remarques : ....

....

....

Adresse 2

Commune : .... Code postal : ....

Nom du propriétaire : .... N° page : ....

Remarques : ....

....

....

Adresse 3

Commune : .... Code postal : ....

Nom du propriétaire : .... N° page : ....

Remarques : ....

....

....

Adresse 4

Commune : .... Code postal : ....

Nom du propriétaire : .... N° page : ....

Remarques : ....

....

....

• Votre avis sur :

	Très bon 1 2 3 4	Bon 1 2 3 4	Moyen 1 2 3 4	Mauvais 1 2 3 4
- Adresses				
- Accueil	❏ ❏ ❏ ❏	❏ ❏ ❏ ❏	❏ ❏ ❏ ❏	❏ ❏ ❏ ❏
- Cuisine	❏ ❏ ❏ ❏	❏ ❏ ❏ ❏	❏ ❏ ❏ ❏	❏ ❏ ❏ ❏
- Rapport qualité/prix	❏ ❏ ❏ ❏	❏ ❏ ❏ ❏	❏ ❏ ❏ ❏	❏ ❏ ❏ ❏
- Confort	❏ ❏ ❏ ❏	❏ ❏ ❏ ❏	❏ ❏ ❏ ❏	❏ ❏ ❏ ❏
- Service	❏ ❏ ❏ ❏	❏ ❏ ❏ ❏	❏ ❏ ❏ ❏	❏ ❏ ❏ ❏
- Calme	❏ ❏ ❏ ❏	❏ ❏ ❏ ❏	❏ ❏ ❏ ❏	❏ ❏ ❏ ❏
- Cadre	❏ ❏ ❏ ❏	❏ ❏ ❏ ❏	❏ ❏ ❏ ❏	❏ ❏ ❏ ❏
- Ambiance	❏ ❏ ❏ ❏	❏ ❏ ❏ ❏	❏ ❏ ❏ ❏	❏ ❏ ❏ ❏

les ROUTARDS sur la FRANCE 2016-2017

(dates de parution sur • *routard.com* •)

Découpage de la FRANCE par le ROUTARD

Autres guides nationaux

- La Loire à Vélo
- La Vélodyssée (Roscoff-Hendaye ; avril 2016)
- Nos meilleurs campings en France
- Nos meilleures chambres d'hôtes en France
- Nos meilleurs restos en France
- Nos meilleurs sites pour observer les oiseaux en France
- Tourisme responsable

Autres guides sur Paris

- Paris
- Paris à vélo
- Paris balades
- Restos et bistrots de Paris
- Le Routard des amoureux à Paris
- Week-ends autour de Paris

les ROUTARDS sur l'ÉTRANGER 2016-2017

(dates de parution sur • routard.com •)

Découpage de l'ESPAGNE par le ROUTARD

Découpage de l'ITALIE par le ROUTARD

Autres pays européens

- Allemagne
- Angleterre, Pays de Galles
- Autriche
- Belgique
- Budapest, Hongrie

- Crète
- Croatie
- Danemark, Suède
- Écosse
- Finlande
- Grèce continentale
- Îles grecques et Athènes
- Irlande
- Islande

- Madère
- Malte
- Norvège
- Pologne
- Portugal
- République tchèque, Slovaquie
- Roumanie, Bulgarie
- Suisse

Villes européennes

- Amsterdam et ses environs

- Berlin
- Bruxelles
- Copenhague
- Dublin
- Lisbonne
- Londres

- Moscou
- Prague
- Saint-Pétersbourg
- Stockholm
- Vienne

les ROUTARDS sur l'ÉTRANGER 2016-2017

(dates de parution sur • routard.com •)

Découpage des ÉTATS-UNIS par le ROUTARD

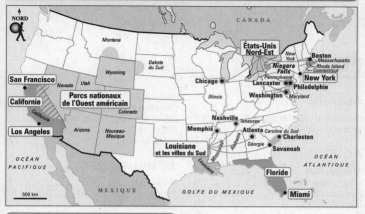

Autres pays d'Amérique

- Argentine
- Brésil
- Canada Ouest
- Chili et île de Pâques

- Équateur et les îles Galápagos
- Guatemala, Yucatán et Chiapas
- Mexique

- Montréal
- Pérou, Bolivie
- Québec, Ontario et Provinces maritimes

Asie et Océanie

- Australie côte est + Ayers Rock (mai 2016)
- Bali, Lombok
- Bangkok
- Birmanie (Myanmar)
- Cambodge, Laos
- Chine

- Hong-Kong, Macao, Canton
- Inde du Nord
- Inde du Sud
- Israël et Palestine
- Istanbul
- Jordanie
- Malaisie, Singapour

- Népal
- Shanghai
- Sri Lanka (Ceylan)
- Thaïlande
- Tokyo, Kyoto et environs
- Turquie
- Vietnam

Afrique

- Afrique de l'Ouest
- Afrique du Sud
- Égypte

- Kenya, Tanzanie et Zanzibar
- Maroc
- Marrakech

- Sénégal
- Tunisie

Îles Caraïbes et océan Indien

- Cuba
- Guadeloupe, Saint-Martin, Saint-Barth

- Île Maurice, Rodrigues
- Madagascar
- Martinique

- République dominicaine (Saint-Domingue)
- Réunion

Guides de conversation

- Allemand
- Anglais
- Arabe du Maghreb
- Arabe du Proche-Orient
- Chinois

- Croate
- Espagnol
- Grec
- Italien
- Japonais

- Portugais
- Russe
- G'palémo (conversation par l'image)

Les Routards Express

Amsterdam, Barcelone, Berlin, Bruxelles, Budapest (nouveauté), Dublin (nouveauté), Florence, Istanbul, Lisbonne, Londres, Madrid, Marrakech, New York, Prague, Rome, Venise.

Nos coups de cœur

- Nos 52 week-ends dans les plus belles villes d'Europe (nouveauté)
- France   - Monde

Index Thématique

PISCINES

RHÔNE-ALPES

ŒNOLOGIE

AQUITAINE

BOURGOGNE

CENTRE

CHAMPAGNE-ARDENNE

FRANCHE-COMTÉ

LANGUEDOC-ROUSSILLON

LORRAINE

MIDI-PYRÉNÉES

NORD-PAS-DE-CALAIS

PAYS DE LA LOIRE

POITOU-CHARENTES

SPORTS

CANOE-KAYAK

CANYONING

CHIENS DE TRAÎNEAUX

ÉQUITATION

ESCALADE

RAQUETTES

FRANCHE-COMTÉ

MIDI-PYRÉNÉES

PROVENCE-ALPES-CÔTE D'AZUR

RHÔNE-ALPES

SKI ALPIN

ALSACE

AQUITAINE

AUVERGNE

CHAMPAGNE-ARDENNE

FRANCHE-COMTÉ

ÎLE-DE-FRANCE

LIMOUSIN

MIDI-PYRÉNÉES

NORD-PAS-DE-CALAIS

PAYS DE LA LOIRE

PICARDIE

PROVENCE-ALPES-CÔTE D'AZUR

RHÔNE-ALPES

INSOLITE

Index des localités

- C -

- D -

- E -

– H –

– I –

– J –

– K –

– L –

- M -

- N -

- O -

- P -

- Q -

- R -

– S –

– T –

- U -

- V -

- W -

- Y -

- Z -

Index des établissements par département

12 AVEYRON (MIDI-PYRÉNÉES)

13 BOUCHES-DU-RHÔNE (PROVENCE-ALPES-CÔTE D'AZUR)

14 CALVADOS (BASSE-NORMANDIE)

15 CANTAL (AUVERGNE)

16 CHARENTE (POITOU-CHARENTES)

17 CHARENTE-MARITIME (POITOU-CHARENTES)

18 CHER (CENTRE)

19 CORRÈZE (LIMOUSIN)

20 CORSE (CORSE)

21 CÔTE-D'OR (BOURGOGNE)

INDEX DES ÉTABLISSEMENTS PAR DÉPARTEMENT

INDEX DES ÉTABLISSEMENTS PAR DÉPARTEMENT

60 OISE (PICARDIE)

61 ORNE (BASSE-NORMANDIE)

62 PAS-DE-CALAIS (NORD-PAS-DE-CALAIS)

63 PUY-DE-DÔME (AUVERGNE)

64 PYRÉNÉES-ATLANTIQUES (AQUITAINE)

INDEX DES ÉTABLISSEMENTS PAR DÉPARTEMENT

OÙ TROUVER LES CARTES ET LES PLANS ?

- Alsace 16
- Aquitaine 26-27
- Auvergne 48-49
- Bourgogne 74-75
- Bretagne 98-99
- Centre 122-123
- Champagne-Ardenne 141
- Corse 157
- France
  (carte générale de la) 8-9
- Franche-Comté 160-161
- Île-de-France 174-175
- Languedoc-Roussillon .. 188-189
- Limousin 208-209
- Lorraine 220-221
- Midi-Pyrénées 230-231
- Nord-Pas-de-Calais 264-265
- Basse-Normandie 278-279
- Haute-Normandie 296-297
- Pays-de-la-Loire 308-309
- Picardie 330-331
- Poitou-Charentes 346-347
- Provence-Alpes-
  Côte d'Azur 364-365
- Régions de France 2
- Rhône-Alpes 394-395

INDEX DES ÉTABLISSEMENTS PAR DÉPARTEMENT

Édité par Hachette Livre (58, rue Jean-Bleuzen, CS 70007 92178 Vanves Cedex, France)
Photocomposé par Jouve (45770 Saran, France)
Imprimé par Lego SPA Plant Lavis
(via Galileo Galilei, 11, 38015 Lavis, Italie)
Achevé d'imprimer le 11 janvier 2016
Collection n° 20 - Édition n° 01
89-1775-7
I.S.B.N. 978-2-01-912426-7
Dépôt légal: janvier 2016

⊞ hachette s'engage pour
l'environnement en réduisant
l'empreinte carbone de ses livres.
Celle de cet exemplaire est de:
450 g éq. CO₂
Rendez-vous sur
www.hachette-durable.fr

PAPIER À BASE DE
FIBRES CERTIFIÉES